D0480550

Spellingwijzer Onze Taal

Spellingwijzer Onze Taal

Een samenwerkingsproject van
de Letterenfaculteit van de KU Brabant en
het Genootschap Onze Taal

Redactie
Jan Renkema, projectleider
Harry Cohen
Diederik van Coillie
Wim Daniëls
Mance Docter
Will J.B. Hus
Louise Offeringa
Peter Smulders
Corriejanne Timmers
Toon Vandenheede

1999
Uitgeverij Contact
Amsterdam/Antwerpen

Wolters-Noordhoff
Groningen

Met dank aan Johan Nootens, Ludo Permentier en Rob van der Wildt voor inhoudelijke adviezen; Marlien van der Vleuten, Jos van Son (aanvullende woordselectie); Reinier Cozijn (programmatuur), Brigitte Cleutjens (bureaucoördinatie), Femke de Blijzer, Laura Kloet en Elly Molier (assistentie) en alle vrijwilligers van het Genootschap Onze Taal.

De *Spellingwijzer Onze Taal* is mede tot stand gekomen op basis van bijdragen van onder meer de volgende instellingen en organisaties: Computable, Stichting Natuur en Techniek, De Ingenieur (tijdschrift van het Koninklijk Instituut van Ingenieurs), Tijdschrift voor Marketing, Nederlands Tijdschrift voor Geneeskunde, redactie Advocatenblad (tijdschrift van de Orde van Advocaten), Toeristiek B.V., de Taaldienst van het Vlaams Parlement, dagblad De Standaard, redactie Verschueren Woordenboek.

Eerste druk oktober 1998
Tweede druk december 1998
Derde druk januari 1999

Omslagontwerp ARTGRAFICA
Typografie en zetwerk Adriaan de Jonge

ISBN 90 254 2379 5
D/1998/0108/720
NUGI 943

Inhoudsopgave

Ten geleide 7
Vaktermen 16

Spelregels 22
De 124 spelregels 25
I Algemene regels 33
I Klinkers 41
III Medeklinkers 45
IV Accenttekens 54
V Trema 58
VI Apostrof 62
VII Hoofdletters 66
VIII Aaneenschrijven 77
IX Streepjes 88
X Tussenletters 97
XI Afkortingen 106
XII Vervoeging, verbuiging en dubbelvormen 110
XIII Afbreken 119

Woordenlijst 125

Ten geleide

Voor de een is spelling een noodzakelijk kwaad of zelfs een bron van ergernis. Voor de ander is spelling een prachtig onderwerp om in uit te blinken. Voor de meeste taalgebruikers is een goede beheersing van de spelling zoiets als een 'rijbewijs voor het taalverkeer'. Hoe het ook zij, veel taalgebruikers kunnen niet zonder een naslagwerk over de spelling.

Over de spelling zijn talrijke boeken verschenen. Maar er was nog geen spellinggids waarin een overzichtelijke behandeling van de meestvoorkomende spellingkwesties gecombineerd wordt met een uitgebreide lijst van lastige woorden waarbij verwijzingen staan naar de spellingregels. De *Spellingwijzer Onze Taal* wil in deze behoefte voorzien.

De *Spellingwijzer Onze Taal* is bedoeld voor iedere taalgebruiker – scholier, student, secretaresse, ambtenaar, journalist, enz. – die wil kunnen nagaan hoe een bepaald woord gespeld moet worden en waarom dat zo is.

Dit boek bestaat uit twee delen: de spelregels en de woordenlijst. In de spelregels worden 124 spellingproblemen systematisch behandeld, met voorbeelden en uitzonderingen. Dit deel geeft de gebruiker antwoord op vragen als: Hoe zit het met het gebruik van de hoofdletter? Wat zijn de regels voor het afbreken van woorden? Wanneer is een streepje verplicht en wanneer niet? Wanneer moet ik een tussen-*n* schrijven?

Bij de behandeling van spellingproblemen is enige algemene kennis over de spelling bekend verondersteld. Het gaat hier om de kennis die Nederlandse en Vlaamse taalgebruikers opdoen in de basisvorming, bijvoorbeeld dat in *gele* de tweede e van *geel* verdwijnt en dat *dik* een extra k krijgt in *dikke*. In de woordenlijst zijn dan ook geen woorden opgenomen die zelden of nooit fout geschreven worden, zoals *dus, edel, het, nest* en *we*.

Uitgangspunt voor de woordenlijst vormden de ongeveer 16.000 woorden die zijn opgenomen als bijlage bij het Spellingbesluit-

1994. Deze lijst is aangevuld met problematische woorden die zijn geselecteerd uit gezaghebbende woordenboeken, uit privé-verzamelingen van spellingdeskundigen, en uit woordbestanden van beroepsgroepen.

De woordenlijst bevat ongeveer 30.000 trefwoorden die spellingproblemen (kunnen) opleveren. Dit uitgangspunt heeft tot gevolg dat voor de *Spellingwijzer Onze Taal* een heel andere woordkeuze is gemaakt dan gangbaar is voor de meeste andere woordenlijsten. Er is niet gestreefd naar een evenwichtige weergave van onze woordenschat. In een woordenboek zou het vreemd staan wanneer uit een bepaalde serie (bijvoorbeeld munten of kleuren) het ene woord wel is opgenomen en het andere niet, of dat ze niet gelijk worden behandeld. In deze woordenlijst staat echter wel *zloty* maar niet *dollar,* omdat dit laatste woord zelden of nooit fout geschreven wordt. Achter elk woord wordt met een of meer nummers verwezen naar de spelregel(s).

In dit boek is ernaar gestreefd om in een zo kort mogelijke lijst zo veel mogelijk lastige woorden op te nemen. Enkele voorbeelden. Een woord als *zwavelig* is geen apart trefwoord, maar *zwaveligzuur* wel, omdat in het laatste woord ook een aaneenschrijfprobleem zit. Een woord als *nuttigheidscoëfficiënt* is vanwege de tussen-*s* als zelfstandig lemma opgenomen, maar *nuttigheid* – dat geen echt spellingprobleem heeft – ontbreekt, terwijl *coëfficiënt* – vanwege de tremaproblemen – wel een plaatsje in de woordenlijst heeft gekregen.

Een aantal opgenomen trefwoorden ('grondwoorden') hebben zelf geen spellingprobleem, maar staan wel vermeld omdat er samenstellingen mee te maken zijn waarvan de schrijfwijze alleen bepaald kan worden als het meervoud van het grondwoord duidelijk is. Dat meervoud staat altijd achter het grondwoord.

Het doel van de woordenlijst is dat de gebruiker een zo groot mogelijke trefkans heeft bij het oplossen van een spellingprobleem. Voor een meer systematische behandeling van de problemen wordt verwezen naar de 124 spelregels; daar staan vaak nog extra voorbeelden die niet in de woordenlijst zijn vermeld.

De lijst bevat verder woorden zoals *autostrade*, die wel in Vlaanderen gangbaar zijn maar niet in Nederland. Het Vlaamse karakter van de woorden is evenwel niet aangegeven, omdat het omgekeerde evenmin gebeurt.

De woordenlijst bevat naast problematische woorden ook ruim 3000 namen die spellingproblemen kunnen geven, vooral persoonsnamen en aardrijkskundige namen. Bij de persoonsnamen gaat het om bekende historische personen en geregeld voorkomende hedendaagse namen. Uiteraard kon hier niet naar volledigheid worden gestreefd. Ook bij de aardrijkskundige namen is een selectie gemaakt. Het gaat hier om landnamen, namen van hoofdsteden en andere bekende grote steden, plaatsnamen in België en Nederland, en enkele veelvoorkomende lastige aardrijkskundige aanduidingen.

Hieronder volgen enkele voorbeelden van trefwoorden en de bijbehorende informatie. De vet afgedrukte cijfers verwijzen naar de toelichting eronder.

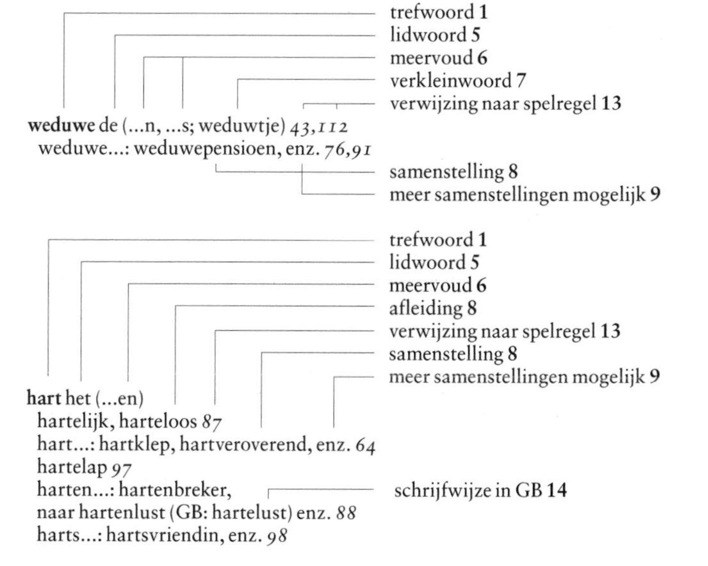

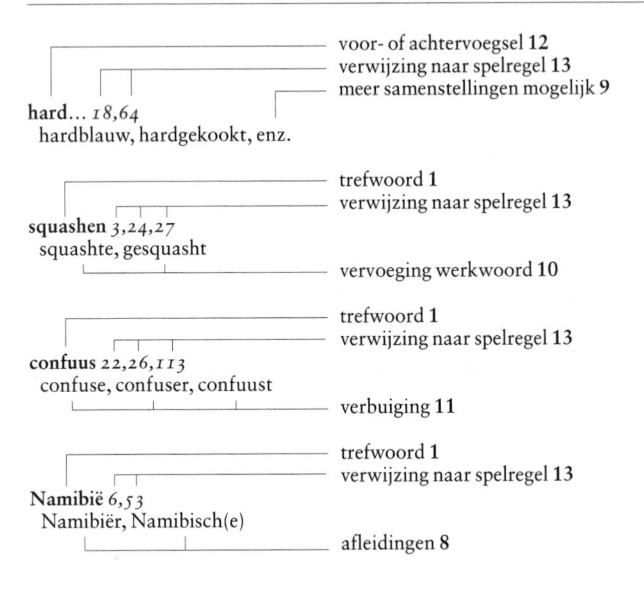

1 trefwoord

Trefwoorden staan vet afgedrukt. Trefwoorden die niet beginnen met een letter, bijvoorbeeld *06-nummer*, zijn vóór de letter A opgenomen. Woordgroepen zijn te vinden onder het eerste woord, en ook onder het tweede of eventueel derde woord als te verwachten is dat gebruikers op die woorden gaan zoeken. Zo is de woordgroep *naar verluidt* alleen onder de N opgenomen, maar *in natura* zowel onder de I als onder de N.

In de trefwoorden staan geen afbreektekens aangegeven, omdat die het woordbeeld van een trefwoord onoverzichtelijk maken. In de spelregels zijn echter de afbreekregels wel opgenomen, inclusief diverse probleemgevallen. Zie de spelregels 116-124.

2 [betekenis]

De betekenis is vermeld als die gevolgen heeft voor de spelling, bijvoorbeeld bij *neigen* [overhellen] en *nijgen* [buigen]. Ook bij mogelijke interpretatieproblemen is de betekenis of een andersoortige precisering vermeld, bijvoorbeeld bij eigennamen die soortnamen zijn geworden: *abraham* [speculaaspop]. Hetzelfde geldt voor gelijkluidende woorden: *baud* [eenheid van transmissiesnelheid] en *boud* [stoutmoedig]. Verder staat bij afkortingen in veel gevallen de betekenis vermeld: *n.a.v.* [naar aanleiding van], *nuka* [nuchter kalf]. Als de afkorting in de woordenlijst ook voluit is opgenomen, is voor het gebruikersgemak de afkorting – indien functioneel – erachter geplaatst: *noordoost (N.O.)*.

3 *ook*

Met *ook* wordt verwezen naar een andere toegestane spelvorm van het woord: *niesen* ook *niezen*, of naar een andere vorm die eveneens veel gebruikt wordt, bijvoorbeeld *Soedan* ook *Sudan*. Als de vormen alfabetisch direct op elkaar volgen of heel dicht bij elkaar staan, is de *ook*-verwijzing niet als aparte ingang opgenomen. Omdat in een enkel geval de meest gangbare spelvorm als ingang is gekozen, kan het voorkomen dat een minder gangbare *ook*-vorm die alfabetisch eerder in de lijst zou moeten staan, als aparte ingang ontbreekt.

4 zie

Met *zie* wordt verwezen naar een ander trefwoord: *name(n)...* zie *naam*. Dit betekent dat problematische woorden die beginnen met *name(n)...* te vinden zijn onder het trefwoord *naam*.

5 lidwoord

De keuze van het juiste lidwoord is geen probleem dat behoort tot de spelling. Voor het gemak van de gebruiker is echter achter het zelfstandig naamwoord het lidwoord opgenomen: *de* en/of *het*. Bij het lidwoord *de* is geen onderscheid gemaakt in mannelijk en vrouwelijk, omdat dit onderscheid steeds meer aan het vervagen is. Als er twee lidwoorden mogelijk zijn, worden beide gegeven, zo nodig met vermelding van het betekenisverschil. Aardrijkskundige namen hebben doorgaans geen lidwoord gekregen.

6 (meervoud)

Achter trefwoorden die een zelfstandig naamwoord zijn, is de meervoudsvorm tussen haakjes geplaatst: *loge (...s)*. Als het grondwoord verandert, is het meervoud zodanig opgenomen dat de verandering goed zichtbaar wordt, bijvoorbeeld *narcoticum (...tica)*. Bij het ene woord kan dat tot een ander aantal letters achter de puntjes leiden dan bij het andere woord. Bij sommige woorden is de meervoudsvorm voor de duidelijkheid voluit opgenomen. In een aantal problematische gevallen is ook achter zelfstandige naamwoorden die bij een trefwoord horen, de meervoudsvorm tussen haakjes opgenomen. Bij woorden die alleen in het meervoud voorkomen, bijvoorbeeld *notulen*, is de aanduiding 'alleen mv.' opgenomen.

7 (verkleinwoord)

Het verkleinwoord is (tussen haakjes) opgenomen als het grondwoord verandert of als er een bijzonder spellingprobleem is. Hierbij is doorgaans dezelfde notatiewijze gevolgd als bij het meervoud.

8 afleidingen en samenstellingen

Onder het trefwoord staan – als ze voorkomen – problematische afleidingen en samenstellingen. De gangbare volgorde daarbij is: afleidingen, samenstellingen zonder tussenletter, afwijkende vormen, samenstellingen met tussenletter (tussen-*s* of tussen-*n*). Bij trefwoorden met een groot aantal samenstellingen en afleidingen zijn de voorbeelden, waar het mogelijk en zinvol was, per spelregel geordend.

Onder een trefwoord zijn geen werkwoorden opgenomen die

met het trefwoord beginnen. *Bedplassen* en *boekbinden* bijvoorbeeld zijn niet onder *bed* of *boek* opgenomen, maar als zelfstandige ingangen. Bij enkele als voorvoegsel behandelde woorddelen, zoals *dis...* en *des...* is hiervan voor het gebruikersgemak afgeweken. Om dezelfde reden zijn bijzondere afleidingen of samenstellingen, bijvoorbeeld drieledige samenstellingen, in een aantal gevallen als zelfstandige ingang opgenomen.

Bij aardrijkskundige namen, in het bijzonder landnamen, is in veel gevallen het afgeleide bijvoeglijk naamwoord opgenomen, de mannelijke inwonernaam en ook de vrouwelijke vorm als deze andere spellingproblemen geeft dan de mannelijke. In een aantal gevallen is het bijvoeglijk naamwoord gelijk aan de inwonernaam. Dan is de aanduiding maar één keer opgenomen.

9 enz.

De aanduiding *enz.* betekent dat er meer samenstellingen of afleidingen op dezelfde manier gevormd worden. De aanduiding is alleen opgenomen wanneer er in het dagelijks taalgebruik méér woorden gangbaar zijn dan in de lijst vermeld staan. Uiteraard kunnen ook met het grondwoord van samenstellingen waarbij *enz.* niet is vermeld (*drogisterij* in *drogisterijartikel*) nieuwe combinaties worden gevormd (*drogisterijwinkel*). Als die woorden in de belangrijkste naslagwerken echter niet gevonden zijn, is ervoor gekozen *enz.* weg te laten.

Bij samenstellingen met een tussen-*s*-probleem staat soms achter beide vormen *enz.* Bijvoorbeeld: *gelukwens, enz.* en *geluksgetal, enz.* Dit betekent dat vormen met en zonder -s- beide veel voorkomen.

10 vervoeging van het werkwoord

Onder een werkwoord dat als trefwoord is opgenomen, staat ook de vervoeging. Werkwoorden waarbij geen vervoeging wordt vermeld, kennen geen vervoeging of komen zelden in vervoegde vorm voor.

11 verbuiging van het bijvoeglijk naamwoord

Onder het trefwoord zijn alleen verbuigingen opgenomen als ze een spellingprobleem hebben dat anders is dan het eventuele spellingprobleem in het trefwoord.

12 voor- en achtervoegsels

Voor- en achtervoegsels waarmee lange reeksen kunnen worden gevormd, zijn als aparte ingang opgenomen: *aaneen...*, *...waarts*. De begrippen 'voorvoegsel' en 'achtervoegsel' zijn hierbij ruim geïnterpreteerd: het kan ook gaan om zeer productieve begindelen van samenstellingen. Van samengestelde werkwoorden wordt in dat geval – zo nodig als aparte ingang – ook de vervoeging gegeven. Soms komen naast de voorvoegsels met de bijbehorende voorbeeldwoorden ook zelfstandige trefwoorden in de lijst voor die met een van de opgenomen voorvoegsels beginnen. De keuze om deze woorden toch als zelfstandig trefwoord op te nemen, is dan gemaakt op grond van andere spellingproblemen die ze hebben, op grond van de samenstellingen die ermee te maken zijn of vanwege het veronderstelde zoekgedrag van de woordenlijstgebruikers.

13 cijfers achter een trefwoord: *1,2,3, ...*

De cijfers achter de opgenomen woorden verwijzen naar de uitleg over de spellingproblemen zoals die in de 124 spelregels is gegeven. Er is voor gekozen om de verwijzingen per trefwoord zo veel mogelijk te beperken tot de belangrijkste spellingproblemen in het woord. Daardoor is het heel goed mogelijk dat ogenschijnlijk soortgelijke woorden toch een verschillende regelverwijzing hebben. In die gevallen is er dan sprake van een verschillende spellingproblematiek voor de taalgebruiker.

14 GB

In een aantal gevallen geven de officiële spellingregels aanleiding tot verschillende interpretatie of zijn er, los van de spellingregels, verschillende schrijfwijzen mogelijk. Ten behoeve van de gebruikers die zich aan de niet-officiële spelvormen in het Groene Boekje willen of moeten houden, is met de aanduiding *GB* aangegeven waar wordt afgeweken van spelvormen in het Groene Boekje. De spelling uit het Groene Boekje is in die gevallen na *GB* toegevoegd.

Voor op- of aanmerkingen of voor nadere informatie over het opnamebeleid en het computerprogramma waarmee onderzoek mogelijk is, kan men schrijven naar het volgende adres:

K.U. Brabant
Faculteit der Letteren
"Spellingwijzer Onze Taal"
Postbus 90153
5000 LE Tilburg

Vaktermen

Bij de behandeling van de 124 spelregels worden de volgende tekens gebruikt:

< .....> foute spelling
[......] weergave van de klanken

Een sterretje in onderstaande lijst betekent dat het woord ook als aparte ingang voorkomt.

Accentteken: het teken ´, ` of ^ boven woorden van Franse herkomst: *employé*, *scène*, *enquête*.
Achtervoegsel: een niet zelfstandig voorkomend toevoegsel achter een woord: *waar+heid*, *loop+t*. Zie ook afleiding*, voorvoegsel*.
Afbreekteken: het streepje aan het eind van een regel dat aangeeft dat een (te lang) woord op de volgende regel wordt vervolgd.
Afkorting: een woord of woordgroep* waarvan niet alle letters worden genoteerd: *blz.*, *m.a.w.* Onder afkortingen vallen ook inkortingen, zoals *mr.*, verkortingen*, zoals *prof*, *gym*, *demo* en *modem*, en initiaalwoorden*, zoals *aids* en *cara*.
Afleiding: een woord dat bestaat uit ten minste één zelfstandig woord en een of meer voorvoegels* en/of achtervoegsels*: *koning+schap*, *ver+ont+schuld+ig+end*. Gemakshalve worden ook uitgangen*, zoals *hij houd+t*, als achtervoegsel* beschouwd.
Bezittelijk voornaamwoord: een woord dat een bezitsrelatie aangeeft: *mijn*, *jouw*, *uw*, *ons (huis)*.
Bijvoeglijk gebruikt voltooid deelwoord: een woord dat in vorm een voltooid deelwoord* is, maar dat de functie heeft van een bijvoeglijk naamwoord*: *de uitgeperste sinaasappelen*, *de verbrede weg*, *de gewitte muur*.
Bijvoeglijk naamwoord: een woord dat iets zegt over een naamwoord*: *het dikke boek*, *het boek is dik*, *ik ben ziek*.

Bijwoord: een woord dat iets zegt over een werkwoord, een bijvoeglijk naamwoord, een ander bijwoord of over de hele zin: *Jan slaapt waarschijnlijk nog niet, een heel goed verhaal.*

Cijferwoord: een woord waarin een cijfer gebruikt wordt: *A4'tje, 55+'er, 0800-lijn.*

Dubbelvorm: een van de goede spelvormen van een woord.

Eigennaam: een unieke verwijzing naar een persoon. De naam *Jan* verwijst naar de persoon Jan. Uiteraard kunnen er meer Jannen zijn, maar er is wel steeds een unieke verwijzing, eventueel met de achternaam, bijvoorbeeld: *Jan Salie*. Zie ook soortnaam*.

Gebiedende wijs: de vorm van het werkwoord* die een bevel uitdrukt: *Kom onmiddellijk hier! Wast u zich toch eens wat beter! Houd je vast!*

Geleed woord: een woord dat ontleed kan worden in kleinere woorden en/of voorvoegsels* of achtervoegels*: *on-geloof-lijk, vakantie-baan, zoek-end, on-toe-reken-ing-s-vat-baar-heid.*

Gesloten lettergreep: een lettergreep* die eindigt op een medeklinker*. In het woord *formuleren* zitten twee gesloten lettergrepen: *for-mu-le-ren.*

Getal: het onderscheid tussen enkelvoud en meervoud in werkwoorden*, zelfstandige naamwoorden* en voornaamwoorden: *(ik) loop – (wij) lopen, bos-bossen, jij-jullie, mijn-onze.*

Grondwoord: het woord dat de basis of de kern vormt van een geleed* woord: *on-geloof-lijk, luitenant-ter-zee, tijger-lelie, kinder-partij-tje, hout-erig.*

Hoofdtelwoord: een telwoord* dat het aantal of het nummer aangeeft: *twee, vijftien, 233, duizend, 45.000.001.*

Inheems woord: een woord dat wordt beschouwd als tot onze taal behorend: *kast, kelder.* De grens met uitheems* is moeilijk te trekken.

Initiaalwoord: een woord dat gevormd is uit de beginletters van afzonderlijke woorden, bijvoorbeeld: *aids, laser, mavo.*

Klemtoonteken: Het teken ´ op letters, dat gebruikt wordt om aan te geven waar de klemtoon valt: *vóórkomen – voorkómen.*

Klinker: een klank waarbij de lucht ongehinderd door de mond naar buiten stroomt, bijvoorbeeld de [aa] van *aap* en de [u] van *mus*. Zie ook: korte klinker*, lange klinker*.

Klinkerbotsing: het naast elkaar staan van twee klinkerletters* die samen als één klank kunnen worden gelezen (zonder dat dit de bedoeling is): *na-apen* (*aa*), *zo-even* (*oe*), *geïnterviewd* (*ei*), *ruïne* (*ui*).
Klinkerletter: de letters *a, e, i, o, u* (en soms ook de *y*).
Korte klinker: een klinker* die ook wel gesloten klinker wordt genoemd. Een korte klinker is bijvoorbeeld de [o] van *bom.*
Lange klinker: een klinker* die ook wel open klinker wordt genoemd. Een lange klinker is bijvoorbeeld de [oo] van *boom.*
Lettergreep: de reeks letters van een woord die in één keer kan worden uitgesproken: *woord-deel, let-ter-greep.*
Lettervormwoord: een woord dat verwijst naar de vorm van een letter, zoals *L-kamer* of *X-benen.*
Medeklinker: een klank waarbij de lucht niet ongehinderd door de mond naar buiten kan, zoals de [p] van *aap* of de [m] en de [s] van *mus.* Bij de [p] verzamelt de lucht zich eerst voor de afgesloten lippen en komt dan met een plofje naar buiten. Bij de [m] kan de lucht alleen door de neus naar buiten. Bij de [s] gaat de tong omhoog naar het gehemelte waardoor de mondopening nauwer wordt en er een sisklank* ontstaat.
Naamval: de vorm die de functie van een woord of zinsdeel aangeeft in de zin. Het Nederlands kent vier naamvallen: de eerste voor het onderwerp, de tweede voor de bezitsrelatie, de derde voor het meewerkend voorwerp, de vierde voor het lijdend voorwerp. Veel vormkenmerken zijn in onbruik geraakt. De volgende zin bevat drie aan de vorm herkenbare naamvallen. *Hij*(1) *gaf haar*(3), *de vrouw des*(2) *huizes*(2), *een bloemetje.* De zin *Zij*(1) *bedankte de man*(4) bevat twee naamvallen, waarvan er een aan de vorm herkenbaar is: *zij.*
Nadrukteken: het teken ´ op letters, dat gebruikt wordt om aan te geven dat een bepaald woord of woorddeel met extra nadruk (luider, hoger of langer) moet worden uitgesproken: *Dat is jé van hét. Ik zal het nóóit meer doen.*
Ongeleed woord: een woord dat geen samenstellende delen bevat, dus geen samenstelling* of afleiding* is: *schreeuw*, *piano*, *olifant*, *dus*, *blauw*, *zwak*. Zie ook geleed woord*.

Open lettergreep: een lettergreep* die eindigt op een klinker*. In het woord *formuleren* zitten twee open lettergrepen: *for-mu-le-ren*.

Persoonlijk voornaamwoord: een woord dat verwijst naar een persoon: *ik, jij, je, u, wij, ons, hem, haar*.

Persoonsvorm: de werkwoordsvorm die je in een andere tijd kunt zetten. Vergelijk: *Vandaag wandel ik* en *Gisteren wandelde ik*. Vergelijk: *Ik heb gewandeld* en *Ik had gewandeld*.

Rangtelwoord: telwoord* dat de rang van iets in een reeks aangeeft. Het rangtelwoord wordt in de meeste gevallen gevormd door het hoofdtelwoord* met het achtervoegsel* '*-de*' of '*-ste*': *tweede, twintigste, driehonderdeenenzestigste*.

Samenstelling: een combinatie van woorden die ook zelfstandig kunnen voorkomen: *voor+komen, spelling+wijzer*. Een samenstelling heeft één (hoofd)klemtoon.

Sisklank: de klanken [s], [sj], [z] en [zj] zoals aan het eind van *las, fax, finish*.

Soortnaam: de naam van een soort, bijvoorbeeld *eik, kleinzoon*. Een eigennaam* zoals *Jan Salie*, kan als soortnaam worden gebruikt, bijvoorbeeld om aan te geven dat andere personen op die Jan Salie lijken. In dit geval spreken we van een *jansalie*. Voor een soortnaam kan doorgaans *een* staan; voor een eigennaam* niet.

Stam: het hele werkwoord* min *-en*: *wandelen – wandel* (of min *-n* zoals bij *doen*). De stam is doorgaans gelijk aan de ik-vorm van het werkwoord: *bind, mors*, enz. Alleen bij werkwoorden* op *-ven* en *-zen*, zoals *leven* en *verhuizen*, is er verschil tussen de stam en de ik-vorm. Hier eindigt de stam op *v* of *z*: *leev* en *verhuiz*.

Sterk werkwoord: (ook wel onregelmatig werkwoord) een werkwoord* dat klinkerverandering krijgt in de verleden en/of voltooide tijd: *ruiken-rook-geroken, kopen-kocht-gekocht, lopen-liep-gelopen, liggen-lag-gelegen, zijn-was-geweest*. Zie ook zwak werkwoord*.

Stoffelijk bijvoeglijk naamwoord: een bijvoeglijk naamwoord* dat het materiaal of de stof aangeeft waaruit een voorwerp bestaat: *houten, ijzeren, gouden, strooien*.

Tegenwoordig deelwoord: vorm van het werkwoord* met *-d* of *-de*: *lopende, gaand, gelovend*.

Telwoord: de algemene benaming voor een hoofdtelwoord* of een rangtelwoord*.

Toonloze e: (ook wel: stomme *e* of sjwa) de onbeklemtoonde klinker* in woorden als *de*, *kuste* en *rode*.

Trappen van vergelijking: de vormen van bijvoeglijk naamwoorden* die vergelijkenderwijs uitdrukken in welke mate een persoon of zaak een eigenschap heeft. De trappen van vergelijking zijn de stellende trap (het bijvoeglijk naamwoord* zelf), de vergrotende trap (het bijvoeglijk naamwoord* + *-er*) en de overtreffende trap (het bijvoeglijk naamwoord* + *-st*): *klein-kleiner-kleinst*, *bang-banger-bangst*, *mooi-mooier-mooist*. Er zijn ook onregelmatige vormen – *goed-beter-best* – en vormen met *meer/meest*.

Tweeklank: een klank die uit twee in elkaar overvloeiende klinkers* is opgebouwd, bijvoorbeeld de [au], de [ei] en de [ui].

Uitgang: het achtervoegsel* van een woord bij verbuiging* en vervoeging*: *groene*, *groener*, *groenst*, *iets groens*, *ballades*, *mensen*, *belde*.

Uitheems woord: een woord dat (nog) als buitenlands woord wordt aangevoeld: *acteren*, *computer*, enz. De grens met inheems* is moeilijk te trekken.

Uitspraak-e: de *e* aan het eind van Engelse werkwoorden*. Deze *e* verandert de klank van de voorafgaande klinker*, bijvoorbeeld in: *overrule*, *hate*, *time*, *delete*.

Uitspraakteken: het teken ` voor de klank van *met* of het teken ´ voor de klank van *mee*: *hè*, *hé*.

Verbuiging: de vormverandering van een zelfstandig naamwoord*, persoonlijk voornaamwoord* en bijvoeglijk naamwoord* onder invloed van geslacht (mannelijk, vrouwelijk of onzijdig), getal* en naamval*: *mens-mensen*, *Jan-Jans*, *zij-hun-hen*, *groot-grote*.

Verkleinwoord: een zelfstandig naamwoord* met het achtervoegsel* *-je*, *-pje* of *-(e)tje*, afhankelijk van de laatste klank van het woord: *huisje*, *boompje*, *balladetje*, *lammetje*.

Verkorting: het gebruik van de eerste letters van een woord in plaats van het hele woord: *info*, *aso*. Zie ook afkorting*.

Vervoeging: de vormverandering van een werkwoord* onder invloed van tijd (tegenwoordige tijd of verleden tijd, tegenwoordig* of voltooid* deelwoord), persoon en getal*: *ik fiets – ik fietste – ik heb gefietst; ik ben – jij bent – hij is; jij zeurt – jullie zeuren.*

Voltooid deelwoord: de vorm van het werkwoord* die je kunt invullen na de persoonsvorm* van *hebben, zijn* of *worden*: *wij hebben gedronken, ik ben weg geweest, er wordt gewerkt.*

Voorvoegsel: een niet zelfstandig voorkomend toevoegsel vóór een woord: *be+denken, on+geluk*. Zie ook afleiding*, achtervoegsel*. In dit boek wordt de term voorvoegsel gemakshalve ook gebruikt voor voorzetsels* die deel van een werkwoord* zijn, zoals in *aan+horen* en voor veelvoorkomende begindelen van samenstellingen, zoals *neuro-*.

Voorzetsel: een woord dat een relatie aangeeft tussen een naamwoord* en de rest van de zin. *Hij stond voor het huis. Dit is voor hem. Hij kwam binnen tijdens het eten.*

Werkwoord: een woord dat een handeling, gebeurtenis of toestand aanduidt: *werken, vullen, zitten*. Van een werkwoord kan, op een enkele uitzondering na, een persoonsvorm* gemaakt worden met *ik, jij, hij*, enz.

Woordgroep: een vaste woordcombinatie waarin elk woord een klemtoon krijgt, zoals in *zíé ómmezijde* en in *wáter hálen.*

Zelfstandig naamwoord: een woord dat een persoon, dier, voorwerp of begrip aanduidt: *vrouw, hond, hok, woord*. Voor een zelfstandig naamwoord kan altijd *de* of *het* gezet worden.

Zwak werkwoord: (ook wel regelmatig werkwoord) een werkwoord* dat in de verleden tijd achter de stam* de uitgang* *-de* of *-te* krijgt, en in het voltooid deelwoord* *ge-* voor de stam* en *-d* of *-t* erachter: *spelen-speelde-gespeeld, koken-kookte-gekookt, verhuizen-verhuisde-verhuisd, maken-maakte-gemaakt*. Een zwak werkwoord heeft nooit klinkerverandering, zoals bij een sterk werkwoord* het geval is.

Spelregels

In het eerste deel van deze *Spellingwijzer Onze Taal* worden 124 spellingproblemen behandeld. Hierbij is het gebruik van een vakterm af en toe onvermijdelijk. De vaktermen worden toegelicht in de lijst op pagina 15. Voor een goed begrip van de spelling is het echter ook nuttig vooraf het antwoord te weten op de volgende zes vragen.

1. Wat is het verschil tussen een klank en een letter?

Een klank hóór je en een letter schrïjf je. Klank en letter mogen nooit aan elkaar gelijkgesteld worden. Met één letter kun je namelijk verschillende klanken weergeven, terwijl verschillende letters kunnen verwijzen naar dezelfde klank. Drie voorbeelden.

In *werknemer* komt drie keer de letter *e* voor, maar deze letter *e* staat voor drie verschillende klanken: de [e] van *bel*, de [ee] van *zee* en de toonloze [e] van *de*. In *blijheid* staan de lettercombinaties *ij* en *ei* voor dezelfde klank. In *cadeau* geven de laatste drie letters samen de [oo]-klank weer. Voor de duidelijkheid staan klanken bij de uitleg van de regels steeds tussen vierkante haken: [oo].

2. Wat is het verschil tussen een klinker en een medeklinker?

De klanken van het Nederlands worden verdeeld in klinkers en medeklinkers. Een klinker is een klank waarbij de lucht ongehinderd door de mond naar buiten stroomt, bijvoorbeeld de [aa] van *aap* en de [u] van *mus*. Een klinker is lang of kort. Een lange klinker is bijvoorbeeld de [oo] in *boom;* de [o] van *bom* is een korte klinker.

Een medeklinker is een klank waarbij de lucht niet ongehinderd door de mond naar buiten kan, zoals de [p] van *aap* of de [m] en de [s] van *mus*. Bij de [p] verzamelt de lucht zich eerst voor de afgesloten lippen en komt dan met een plofje naar buiten. Bij de [m] kan de lucht alleen door de neus naar buiten. Bij de [s] gaat de tong omhoog naar het gehemelte, waardoor de mondopening nauwer wordt en er een sisklank ontstaat.

3. *Wat is het verschil tussen een open en een gesloten lettergreep?*

Een lettergreep is een reeks letters van een woord die je in één keer (in één 'greep') kunt uitspreken: *let-ter-greep*, *ma-ca-ro-ni*. Een open lettergreep eindigt op een klinker en een gesloten lettergreep eindigt op een medeklinker. Het woord *formuleren* bestaat dus uit twee open en twee gesloten lettergrepen: *for-mu-le-ren.*

4. *Wat is het verschil tussen een samenstelling en een afleiding?*

Een samenstelling is een combinatie van woorden die ook zelfstandig kunnen voorkomen: *voor+komen*, *spelling+wijzer*. Een afleiding is een woord dat bestaat uit een zelfstandig woord en een of meer voorvoegsels (*her+komst*) en/of achtervoegsels (*stoel+tje*). Voor- en achtervoegsels komen niet als zelfstandig woord voor in dezelfde betekenis, maar hechten zich aan zelfstandige woorden, zoals in: *ver+ont+schuld+ig+end.*

5. *Wat is het verschil tussen een woordgroep en een samenstelling?*

Een woordgroep is een vaste woordcombinatie waarin elk woord een klemtoon kan krijgen, zoals in *zíé ómmezijde* en in *wáter hálen*. Een woordgroep bestaat uit losse woorden. Wanneer een vaste combinatie van woorden slechts één (hoofd)klemtoon krijgt, zoals in *ádemhalen,* spreken we van een samenstelling. Een samenstelling wordt aaneengeschreven. (Zie paragraaf VIII, 'Aaneenschrijven', op pagina 77.)

6. Wat is het verschil tussen een eigennaam en een soortnaam?

Een eigennaam is een unieke verwijzing naar een persoon of een zaak. De naam *Jan* verwijst naar de persoon Jan. Uiteraard kunnen er meer Jannen zijn, maar er is wel steeds een unieke verwijzing, eventueel met de achternaam, bijvoorbeeld: *Jan Salie*. Een soortnaam is de naam van een soort, bijvoorbeeld *eik*, *kleinzoon*. Een eigennaam zoals *Jan Salie* kan als soortnaam worden gebruikt, bijvoorbeeld om aan te geven dat andere personen op die Jan Salie lijken. In dit geval spreken we van een *jansalie*. Een handige vuistregel is: voor een soortnaam kan *een* staan, voor een eigennaam niet. Een eigennaam wordt met een hoofdletter geschreven, een soortnaam niet.

Het eerste deel van dit boek bevat de algemene spellingbeginselen, de officiële spellingregels en adviezen voor die gevallen waarin de regels geen uitkomst bieden. Deze beginselen, regels en adviezen vormen samen de 124 'spelregels'.

De 124 spelregels

I **Algemene regels** 33

1 Het basisbeginsel van de standaarduitspraak 33
apparaat, aspirine, paperassen

2 Het beginsel van de etymologie 34
althans, erwt, nochtans

3 Het beginsel van de taal van herkomst 35
computer, interview

4 Het beginsel van de vormovereenkomst 36
hartstikke, hardvochtig, worst/worstje

5 De regels voor enkel en dubbel 37
kopen/koppen, vaten/vatten

6 De spelling van eigennamen 38
Ajax, Toetanchamon, Zutphen

7 De 39 woorden 39
kroket, product, publicatie

II **Klinkers** 41

8 De klank [ee] 41
eega, cliché, laesie

9 De klank [ie] 41
hockey, ski, weekend

10 De klank [oo] 42
goochelen, depot, crapaud

11 De klank [oe] 43
foetsie, scooter, route

12 Het *au/ou*-probleem 43
nauw, nou

13 Het *ei/ij*-probleem 44
karwei, karwij

III Medeklinkers 45

14 Het enkel/dubbel-probleem 45
accommodatie, guerrilla, rabbijn

15 De 'dubbel'-uitzondering 46
dreumesen, monniken, stencilen

16 De *nn*-regel 47
spionnen, spioneren

17 Het *p/b*-probleem 47
sliptong, obstakel

18 Het *t/d*-probleem 47
kruit, kruid

19 Het *f/v*-probleem 48
leef-leven, filosofen

20 De onhoorbare *h* 49
hypotheek, thee, yoghurt

21 De klank [j] 49
jota, medaille, loyaal

22 De klank [k] 50
accu, krokus, shag

23 De klank [ks] 50
ecstasy, sexy, succes

24 De klank [kw] 51
kwitantie, quasi

25 De klank [s] 51
cent, scène

26 Het *s/z*-probleem 51
huis, huizen, tendensen

27 De klanken [sj] en [zj] 53
chocola, schmink, journaal

28 De klank [w] 53
jou, douw, jouw

IV **Accenttekens** 54
29 Het accent aigu 54
café, echec, seance
30 Het accent grave 55
crème, volière
31 Het 'dakje' 55
gêne, controle, debacle
32 De vrouwelijke-*ee*-regel 56
logé, logee
33 De uitspraaktekens 56
hé, hè, één
34 Het klemtoonteken 56
voorkómen, vóórkomen
35 Het nadrukteken 57
jé van hét
36 Tekens op hoofdletters 57
enquête - ENQUETE

V **Trema** 58
37 De tremaregel voor twee klinkerletters 58
coëfficiënt, reünie
38 De tremaregel voor meer dan twee klinkerletters 60
dieet, jeuïg
39 Trema-uitzonderingen 60
elektricien, museum
40 De ieën/iën-regel 61
industrieën, koloniën
41 De tremaregel voor telwoorden 61
tweeëntwintig, drieëndertig

VI **Apostrof** 62
42 De apostrof-*s*-regel 62
Leo's, opa's
43 Alleen een apostrof bij een uitspraakprobleem 63
cafés, etuis, garages
44 De apostrof in plaats van de bezits-*s* 63
Mulisch' boeken, Max' feest

45 De apostrofregel voor verkleinwoorden 64
baby'tje, opaatje, skietje
46 De apostrofregel voor afkortingen 64
cd'tje, PSV'er
47 De apostrof in ongebruikelijke meervouden 65
dankuwel's
48 De apostrof als weglatingsteken 65
z'n, A'dam

VII Hoofdletters 66
49 De hoofdletterregel voor het zinsbegin 66
Geachte mevrouw
50 De hoofdletterregel voor een bijzonder zinsbegin 67
's Avonds werk ik niet
51 De hoofdletterregel voor persoonsnamen 67
mevrouw A. de Beer, mevrouw De Beer
52 De hoofdletterregel voor zaaknamen 68
Raad van State, Belgisch Olympisch Comité
53 De hoofdletterregel voor aardrijkskundige namen 69
Antwerpen, Sierra Leoons, Oost-Europeaan
54 Het hoofdletterprobleem bij soortnamen 70
augiasstal, freudiaans, een havanna
55 Het hoofdletterprobleem bij taalaanduidingen 71
Duits, Duitstalig, steenkolen-Duits
56 Het hoofdletterprobleem bij tijdperken en feesten 73
Middeleeuwen, Kerstmis, kerstvakantie
57 Het hoofdletterprobleem bij maatschappelijke stromingen 74
humanisme, jezuïet, new age
58 De hoofdletterregel voor publicaties 74
Miljoenennota, Philip en de anderen
59 Het hoofdlettergebruik bij eerbied 75
de Heilige Geest, Lievevrouw
60 Het hoofdlettergebruik bij functies 76
paus, staatssecretaris, minister-president
61 Het hoofdletterprobleem bij lettervormwoorden 76
L-kamer, T-shirt

VIII **Aaneenschrijven** 77
62 De regel voor de Nederlandse woordgroep 77
te midden van, zie ommezijde
63 De regel voor de buitenlandse woordgroep 78
de facto, en profil
64 De aaneenschrijfregel voor woordcombinaties die beginnen met een soortaanduiding 78
donkerblauw, minimuminkomen
65 De aaneenschrijfregel voor naam plus woord 79
andreaskruis, Greenwichtijd
66 De aaneenschrijfregel voor 'gemengde' tweedelige samenstellingen 80
jazzmuziek, successtory
67 De aaneenschrijfregel voor Engelstalige woordcombinaties 81
coffeeshop, parttime
68 De aaneenschrijfregel voor drie- en meerdelige samenstellingen 81
teraardebestelling, derdewereldland
69 De aaneenschrijfregel voor werkwoorden 82
ademhalen, water halen
70 De aaneenschrijfregel voor voorzetsel en werkwoord 83
een bos in rijden, een auto inrijden
71 De aaneenschrijfregel voor 'losse voorzetsels' 84
ervan uitgaan, erdoorheen praten
72 De aaneenschrijfregel voor voorzetselcombinaties 85
onder in de kast, onderin
73 Het aaneenschrijfprobleem voor 'kleine woorden' 85
bijvoorbeeld, tenslotte/ten slotte
74 De aaneenschrijfregel voor getallen 86
drieduizend vijfhonderddrieënnegentig
75 De aaneenschrijfregel voor breuken 87
tweederde, vier vierzevende

IX Streepjes 88
76 De streepjesregel voor klinkerbotsing in samenstellingen 88
na-apen, tosti-ijzer
77 De streepjesregel in bijzondere gevallen 89
niet-roker, vice-voorzitter
78 De streepjesregel bij voorvoegsels met klinkerbotsing 90
bio-industrie, netto-inkomen
79 De streepjesregel voor bijzondere bepalingen 91
adjunct-directeur, rekening-courant
80 De streepjesregel voor gelijkwaardige delen 92
sociaal-cultureel, chef-kok
81 De streepjesregel voor 'uitgebreide' samenstellingen 93
hink-stapsprong, woon-werkverkeer
82 De streepjesregel voor woord plus naam 93
commissie-Pietersen, spelling-Siegenbeek
83 De streepjesregel voor samenstellingen met een afkorting, cijfer, enz. 94
CAO-overleg, top-100
84 De streepjesregel voor 'gemengde' drie- of meerledige samenstellingen 95
a-capellakoor, drive-inwoning
85 De streepjesregel voor lastig leesbare samenstellingen 95
bas-aria, jazz-zanger
86 De streepjesregel voor een weggelaten woorddeel 96
in- en uitvoer, wis- en natuurkunde

X Tussenletters 97
87 De tussen-*n*-regel voor afleidingen 97
zakelijk, wezenlijk
88 De regel voor de tussen-*n* 98
kerkenraad, pannenkoek, zielenrust
89 De *ziekenhuis*-regel 98
blindenschrift, doveninstituut
90 De *gerstenat*-uitzondering 99
komijnekaas, rijstebrij, snottebel
91 De regel voor woorden als *gedachten/gedachtes* 99
ladekast, secondelang, weduwepension

92 De *rodekool*-uitzondering 100
mallemolen, plattegrond
93 De *krabbekat*-uitzondering 101
dwingeland, spinnewiel
94 De *Koninginnedag*-uitzondering 101
Koninginnedag, maneschijn
95 De *beregoed*-uitzondering 102
beregoed, reuzeleuk, stekeblind
96 De *paardebloem*-uitzondering 102
paardebloem, muizegerst, vossebes
97 De *dageraad*-uitzondering 103
bolleboos, klerelijer, scharrebijter
98 De regel voor de hoorbare tussen-*s* 104
eendagsvlieg, stadsdeel
99 De regel voor de niet-hoorbare tussen-*s* 105
bedrijfschef, rechtszaak

XI Afkortingen 106
100 De puntregel voor afkortingen 106
b.g.g., jl., prof.
101 De regel voor afgekorte zaakaanduidingen 107
cfk's, gsm, hbo, pc
102 De regel voor afkortingen met woorduitspraak 108
aids, mavo
103 De regel voor afgekorte namen met woorduitspraak 108
Benelux, Hema, Vara
104 De regel voor afgekorte namen met letteruitspraak 109
AOW, MTV, VRT

XII Vervoeging, verbuiging en dubbelvormen 110
105 De werkwoordregel voor de tegenwoordige tijd 110
word je, zij houdt, hij timet
106 De werkwoordregel voor de verleden tijd 111
schrobde, finishte, gebarbecued
107 Werkwoorden met een problematische vervoeging 112
joyriden, plankzeilen, prijsde-prees

108 Het *ge*-probleem bij voltooide deelwoorden 112
overgedreven, overdreven, geherstructureerd, heringedeeld
109 De regel voor het bijvoeglijk gebruikt voltooid deelwoord 114
de gewitte muur, de verbrede weg
110 De regel voor de gebiedende wijs 114
red het milieu, word lid
111 Het probleem van de oude uitdrukkingen 115
bij dezen, mijns inziens
112 Het probleem van de verkleinwoorden 115
taxietje, karbonaadje, parachuutje
113 Het probleem van de trappen van vergelijking 116
het meest logisch, dichtstbevolkt
114 De regel voor stoffelijke bijvoeglijke naamwoorden 117
pluchen, juchtleren
115 Het probleem van de dubbelvormen 118
keus-keuze

XIII Afbreken 119
116 De afbreekregel voor samenstellingen 119
voort-aan, meest-al
117 De afbreekregel voor afleidingen 119
koor-tje, koord-je
118 De afbreekregel voor achtervoegsels met een klinker 120
gees-ten, tek-sten
119 De afbreekregel voor klinkerletters 120
koei-en, roy-aal
120 De afbreekregel voor lettergrepen van één klinkerletter 121
mu-sea, fo-lio
121 De afbreekregel voor medeklinkers 121
pi-stool, re-glement
122 Het probleem van de Griekse en Latijnse woorden 122
bios-coop, tran-sito
123 Het afbreekteken en de leesbaarheid 123
<ca-ke>, <bommel-dingen>
124 Het afbreekteken en de andere tekens 123
café-tje, souvenir-tje

I Algemene regels

De Nederlandse spelling is gebaseerd op vier beginselen. Deze staan hieronder in de regels 1 tot en met 4 opgesomd. Ook worden in deze paragraaf drie algemene regels behandeld die bij veel spellingproblemen een rol spelen.

1 Het basisbeginsel van de standaarduitspraak

apparaat, aspirine, paperassen

In de spelling gaat het in beginsel om klanken die hoorbaar zijn in de standaarduitspraak.

De ene taalgebruiker zegt [loope], de andere [loop'n], maar we spellen *lopen* omdat dat lange tijd de standaarduitspraak is geweest. Tegenwoordig zijn er echter veel taalgebruikers die ook in 'beschaafde uitspraak' de eind-n niet uitspreken.

De standaarduitspraak is soms verschillend voor Vlaanderen en Nederland. In Vlaanderen rijmt *tram* meestal op *vlam*, maar voor de meeste Nederlanders rijmt *tram* op *rem*. In gevallen als deze zijn beide varianten standaard. Het 'basisbeginsel van de standaarduitspraak' geeft drie soorten problemen.

a. De standaarduitspraak komt soms niet overeen met het gewone spraakgebruik. Dikwijls zeggen we [apperaat] en [asperine], maar we schrijven *apparaat* en *aspirine*. Dat komt doordat met standaarduitspraak gedoeld wordt op de nadrukkelijke uitspraak van afzonderlijke woorden. In het gewone taalgebruik vervlakt de uitspraak van klinkers vaak tot een toonloze [e]: we schrijven *peloton*, maar we zeggen vaak [peleton]. De vervlakte uitspraak zorgt ervoor dat we de toonloze [e] op verschillende manieren gespeld zien. De toonloze [e] wordt gespeld als *a* in *apparaat*, als *i* in *aspirine*, als *ae* in *gynaecoloog*, als *u* in *Mokum*, als *ee* in *een* en als *oe* in *kangoeroe*.

b. Taalgebruikers denken soms ten onrechte dat ze een klinker niet-standaard uitspreken; ze schrijven dan een *a* of *u* waar ze de *e* moeten schrijven. Voorbeelden van deze zogenoemde hypercorrectie zijn: *<catagorie> (categorie)*, *<papagaai>* (*papegaai*), *<paparassen>* (*paperassen*) en *<stiekum>* (*stiekem*).

c. Er zijn gevallen van niet-standaarduitspraak die toch goed zijn. In een afgevlakte uitspraak verandert de [d] soms in een [j] of een [w], zoals in *goeie ouwe tijd*. Deze vormen zijn niet fout; men kan dus, in informele teksten, gerust *poeier* schrijven in plaats van *poeder*. Het tegenovergestelde is *<beeldhouder>* in plaats van *beeldhouwer*; dat is een geval van hypercorrectie en dus wél fout.

Behalve deze drie categorieën zijn er nog talrijke woorden waarbij onzekerheid bestaat over de standaarduitspraak, bijvoorbeeld: *alinea* (en niet *<alinia>*), *wreed* (en niet *<vreed>*).
De werking van het basisbeginsel van de standaarduitspraak wordt ingeperkt door de drie beginselen in de spelregels 2, 3 en 4.

2 Het beginsel van de etymologie

althans, erwt, nochtans
In de spelling wordt in beginsel rekening gehouden met vroegere schrijfwijzen.

Onze taal wordt al op schrift gezet sinds de Middeleeuwen, maar het heeft een aantal eeuwen geduurd voordat de spelling gestandaardiseerd werd. De eerste officiële spellingregeling dateert uit het begin van de negentiende eeuw. In die regeling is zo min mogelijk afgeweken van wat daarvóór gebruikelijk was. Ook in de spellingveranderingen daarna heeft men geprobeerd ingeburgerde woordbeelden te handhaven. Daardoor is de spelling voor hedendaagse taalgebruikers soms nogal ondoorzichtig. Waarom staat er een *w* in *erwt* en een *b* in *ambtenaar*? Antwoord: zo sprak men die woorden vroeger uit. Waarom schrijven we *gevaarlijk* niet als *<gevaarluk>* en *logisch* niet als *<logies>*? Antwoord: vroeger sprak men *-lijk* en *-isch* anders uit.

Dit historische uitgangspunt wordt ook wel het 'beginsel van de etymologie' genoemd. Alleen op grond van dit beginsel valt te verklaren waarom we bijvoorbeeld *gelach* (aanhoudend lachen) met een *ch* schrijven en *gelag* (andere betekenissen) met een g, waarom *noch* in de betekenis van 'niet' een *ch* krijgt en waarom *logenstraffen* een g krijgt en *loochenen* een *ch*. Het beginsel van de etymologie geldt vooral voor inheemse, van oorsprong Nederlandse woorden, zoals *althans*, *bijzonder* en *nochtans*. Bijna elke taalgebruiker wordt nog regelmatig met dit beginsel geconfronteerd bij twijfel tussen *au* en *ou*, of tussen *ei* en *ij*. Zie hierover de spelregels 12 en 13.

3

Het beginsel van de taal van herkomst

computer, interview

Uitheemse woorden worden in beginsel gespeld volgens de regels van de taal van herkomst.

Waarom moet er in *interview* geen *u* voor de *w*, en waarom komt er een *i* achter de *a* in *caissière*? Antwoord: zo worden deze woorden gespeld in de taal van herkomst. Daarom schrijven we ook niet <*odeklonje*> of <*kompjoeter*>. Het gevolg van dit 'beginsel van de taal van herkomst' is dat veel woorden in het Nederlands een onvoorspelbare spelling hebben. In paragraaf II, 'Klinkers', en paragraaf III, 'Medeklinkers', worden de belangrijkste probleemgevallen behandeld.

Het beginsel van de taal van herkomst werkt overigens niet als het gaat om de hoofdletter aan het begin van Duitse zelfstandige naamwoorden. Woorden als *prinzipienreiterei* en *schnitzel* schrijven we met een kleine letter.

4 Het beginsel van de vormovereenkomst

hartstikke, hardvochtig, worst/worstje
Een woord of woorddeel wordt in beginsel steeds op dezelfde manier geschreven.

Als je goed luistert naar de uitspraak van een woord als *vis* in samenstellingen als *inktvis*, *visboer*, enz., dan hoor je de ene keer [fis], de andere keer [fiz] of [viz], afhankelijk van het voorafgaande of volgende woord. Het lezen en schrijven zou erg lastig worden als je dit soort verschillen in de spelling ging weergeven. Daarom is er een spellingbeginsel dat zegt dat je een woord of woorddeel zo veel mogelijk op dezelfde manier moet schrijven. Aan het einde van *hand* hóren we een [t], maar we schrijven een *d* omdat we die horen in *handen* en *handig*. Zo ook schrijven wij een *t* in *worstje* en *postzegel*, omdat we die [t] horen in *worst* en *post*.

Dit zogenoemde 'beginsel van de vormovereenkomst' zorgt vaak voor verdubbeling van een letter terwijl we niet een dubbele klank uitspreken: *onttrekken* vanwege bijvoorbeeld *ontvangen*, *begroeiing* vanwege bijvoorbeeld *begroeting*. Ook krijgt men op basis van dit beginsel vaak een combinatie van letters die we moeilijk zo kunnen uitspreken: *breedte* vanwege bijvoorbeeld *hoogte*, *weerszijden* vanwege bijvoorbeeld *weerskanten*, enz.

Het beginsel van de vormovereenkomst wordt vrij consequent toegepast bij de spelling van de werkwoordsvormen (zie spelregel 105, 106, 107) en is ook van toepassing op sommige problemen met de tussen-*s*. We schrijven bijvoorbeeld *stationsstraat* met een dubbele *s* omdat we een [s] horen in het overeenkomstig gevormde woord *stationsplein*; zie spelregel 99. Voor de toepassing van het beginsel van vormovereenkomst is vaak extra kennis vereist. Het woord *hardvochtig* bijvoorbeeld heeft niets met 'hart' te maken, zoals in *hartvormig* of *hartstikke*, maar met 'hard', en moet daarom met een *d*.

Met het beginsel van de vormovereenkomst kunnen ook woordvormingsproblemen worden opgelost. Het is niet *<aanbevelingswaardig>* maar *aanbevelenswaardig*, net zoals het ook niet *<noemingswaardig>* maar *noemenswaardig* is. Het is niet *<aflasten>*

maar *afgelasten*, want het werkwoord is niet <*lasten*> maar *gelasten*. Op basis van dit beginsel kan ook beredeneerd worden waarom bijvoorbeeld *binnenslands* en *binnenlands* verschillend gespeld worden en waarom de laatste letter van *bedompt* een *t* is.

Het beginsel van vormovereenkomst werkt echter niet overal. Enkele voorbeelden. Wij schrijven *paard* vanwege *paarden*, maar niet <*huiz*> vanwege *huizen*, en niet <*leev*> vanwege *leven*. Zie spelregel 19 en 26. Ook krijgt *hij eet* niet de stam + *-t*: <*hij eett*>.

5 De regels voor enkel en dubbel

kopen/koppen, vaten/vatten

In de spelling geven enkele en dubbele letters verschillende klanken weer.

Het alfabet telt 26 letters, maar het aantal klanken van onze taal is ongeveer het dubbele. En van die 26 letters worden er vier gebruikt voor klanken waar al een letter voor is. De letter *c* geeft de klanken [k] of [s] weer, en de letter *q* de klank [k]. De letter *x* staat voor een combinatie van de klanken [k] en [s]. En de letter *y* wordt geschreven voor de klanken [i], [ie] of [j]. Het tekort aan letters is vooral bij de klinkers een probleem. Het alfabet telt vijf klinkerletters: *a*, *e*, *i*, *o*, *u* (en soms ook de *y*). Maar er zijn wel zestien klinkerklanken: [a], [aa], [o], [oo], enz.

Het tekort is in vroegere spellingregelingen opgelost door een onderscheid te maken tussen enkele en dubbele tekens. Vandaar de twee subregels A en B.

A Regel van verdubbeling

Een medeklinkerletter tussen twee klinkers wordt verdubbeld als de eerste klinker kort is. In bijvoorbeeld *kat* is de klinker kort. Als er na de medeklinker nog een klinker komt, zoals in het meervoud van *kat*, wordt de medeklinkerletter verdubbeld: *katten*. Hetzelfde geldt voor bijvoorbeeld *budget-budgetten-budgettair* en *trompet-trompetten-trompettist*. Als er geen dubbele medeklinker zou staan, <*budgetair*> of <*trompetist*>, zou de voorafgaande klinker als een lange klinker of als een toonloze [e] moeten worden gelezen. Op deze manier kan onderscheid gemaakt worden tussen *padden* en *paden*, tussen *vatten* en *vaten*, enz.

Op deze regel bestaan echter wel uitzonderingen. In *katachtig* bijvoorbeeld hoeft niet *tt* te staan omdat een lettergreep voor de uitgang *-achtig* als gesloten wordt beschouwd. De lettercombinatie *ch* wordt als een dubbele medeklinker beschouwd. Daarom geeft één klinkerletter voor *ch* geen lange, maar een korte klank weer: *lachen*, *kuchen*, *echo*, *pochen* (maar *goochem*; zie spelregel 10), *richel* (maar *giechelen*). Zie verder spelregel 14.

B Regel van verenkeling

Lange klinkers worden in een gesloten lettergreep, zoals *slaap*, met een dubbel teken geschreven, maar in een open lettergreep, zoals in *slapen*, met een enkel teken. Voor de *w* wordt er echter niet verdubbeld: *ruw-ruwe*.

6 De spelling van eigennamen

Ajax, Toetanchamon, Zutphen

De spelregels voor klinkers en medeklinkers gelden niet voor eigennamen.

De spelregels voor klinkers en medeklinkers gelden niet voor eigennamen, dat wil zeggen: persoonsnamen, zaaknamen en aardrijkskundige namen. In Vlaanderen zijn de aardrijkskundige namen goeddeels gemoderniseerd (*Eeklo, Kortenbos, Zevegem*), maar in Nederland niet; vandaar *Hoogeveen*, *Zutphen*, *Oisterwijk*, *'s-Hertogenbosch*, enz.

In Nederland zijn overheidsinstanties vrij in het bepalen van de schrijfwijze van aardrijkskundige namen. Een gemeente heeft de vrijheid om de spelling *Lindenlaan* te handhaven, terwijl het volgens het Spellingbesluit-1994 eigenlijk *Lindelaan* moet zijn (zie spelregel 91). Maar over het algemeen is het niet aan te raden af te wijken van de officiële spelling. Ook is het niet handig als twee vormen naast elkaar bestaan, zoals *Drente* en *Drenthe*.

Voor de namen uit talen met een ander schrift zijn verschillende transcriptiesystemen in omloop. Vergelijk: *Herzegovina -Hercegovina, Soedan-Sudan*. In dit boek is steeds de schrijfwijze gekozen die het meest wordt gebruikt in gezaghebbende publicaties. Als er in Nederland of Vlaanderen twee vormen gebruikelijk zijn, worden ze beide gegeven met een *ook*-verwijzing. Bij de aardrijkskundige namen is in de woordenlijst overigens meestal geen lidwoord opgenomen; zo is bij plaatsnamen het lidwoord bijna altijd *het*: *het Amsterdam van 1700*.

7 De 39 woorden

kroket, product, publicatie

In het Spellingbesluit-1994 zijn 39 woorden aangepast aan overeenkomstig gevormde woorden.

De spelling-1954 bevatte inconsequenties, bijvoorbeeld *fotocopie* naast *kopie*. Ook hebben een aantal spellingwijzen uit 1954 geen navolging gevonden, bijvoorbeeld *croquet* (eetwaar). In het Spellingbesluit-1994 zijn bij in totaal 39 woorden veranderingen aangebracht. Het gaat om de volgende gevallen.

c → k	*fotokopie, fotokopiëren, katheter, kroket* (eetwaar), *macrokosmos, microkosmos, vredestraktaat, vulkanisatie, vulkaniseren*
k → c	*elektrocuteren, elektrocutie, harmonica, insect, complot, complotteren, corpus, predicatief, product, productie, productief, productiviteit, publicatie*
k → ch	*antichrist*
kw → qu	*quaker*
qu → k	*kroket* (eetwaar)
qu → kw	*kwantum*

z → s *emfase, lambriseren, lambrisering, prakkiseren, praktiseren*
ae → e *mediëvist, pre, preses, propedeuse, propedeutisch*
y → i *(...)oxi(...)*

In het Spellingbesluit-1994 staan vier 'oxide-woorden' vermeld: *dioxide, oxidatie, oxide, oxideren.* Maar de verandering geldt vanzelfsprekend voor alle 'oxide-woorden', dus ook: *oxidant, ijzeroxide, kooldioxide, waterstofperoxide, zinkoxide*, enz. Woorden als *oxygenium* en *oxymoron* worden echter wel met een *y* geschreven (zie spelregel 9).

II Klinkers

De schrijfwijze van klinkers in inheemse woorden is betrekkelijk eenvoudig. Maar in woorden van buitenlandse herkomst hebben enkele klinkers zeer verschillende schrijfwijzen. In deze paragraaf worden de klinkers behandeld die de meeste problemen geven.

8 De klank [ee]

eega, cliché, laesie
De [ee] kent verschillende schrijfwijzen.

De [ee] wordt in een gesloten lettergreep gewoonlijk geschreven als *ee* (*reep*) en in een open lettergreep als *e* (*repen*). Maar in een open lettergreep aan het einde van een woord komt er een dubbele *ee*, ook als dat woord deel uitmaakt van een samenstelling of afleiding. Daarom staat er in onder andere de volgende woorden een dubbele *ee*: *zeevis, weeïg, deemoed, eega, farizeese* (maar *farizeïsch, farizeïsme*), *feeëriek, kweepeer, leewater, meekrap, onderzeese, steevast*.

Als gevolg van het beginsel van de taal van herkomst (spelregel 3) kent de [ee] nog diverse andere schrijfwijzen. De klank [ee] wordt geschreven als *a* in *baby*, als *ä* in *salonfähig*, als *ae* in *laesie*, als *ai* in *cocktail*, als *ay* in *essay*, als *é* in *cliché*, als *er* in *diner*, als *et* in *filet*, als *ey* in *survey* en als *ez* in *rendez-vous*.

9 De klank [ie]

hockey, ski, weekend
De [ie] kent verschillende schrijfwijzen.

De [ie] wordt geschreven als *ie* in gesloten lettergrepen (*fiets*) en als *i* in open lettergrepen (*piloot, miauwen*). Maar er zijn talrijke uitzonderingen op deze regel. De volgende twee vuistregels bieden enig houvast.

a. inheems: *ie*; uitheems: *i*
De *ie* is inheems en de *i* is uitheems; vergelijk *menie* en *semi*. Dit onderscheid geldt ook vóór achtervoegsels. Voor inheemse achtervoegsels, zoals *-tje*, is het *ie*: *taxi-taxietje*. Voor uitheemse achtervoegsels, zoals *-iteit*, is het *i*: *collectieve-collectiviteit*. Het uitheemse woord *ski* krijgt dus *ie* in *skiester* of *skietje* (maar *skiër*). Vergelijk ook het verschil tussen inheemse en uitheemse achtervoegsels in *perspectieven-perspectivisch* en *markiezin-markizaat*.

b. met klemtoon: *ie*; zonder klemtoon: *i*
De [ie] wordt als *i* gespeld wanneer de lettergreep geen klemtoon heeft: *actieve-activeren, activistisch*. Maar voor werkwoorden waarbij de stam eindigt op de klank [ie], zoals *neuriede*, geldt deze vuistregel niet.

Als gevolg van het beginsel van de taal van herkomst (spelregel 3) kent de [ie] nog diverse andere schrijfwijzen. De klank [ie] wordt geschreven als *e* in *recital*, als *ee* in *weekend*, als *ea* in *team*, als *ey* in *hockey*, als *ih* in *sirih*, als *is* in *chassis*, als *it* in *esprit* en als *y* in *type*.
Let op: de *y* geeft niet altijd de [ie] weer; in woorden als *dyslexie* en *symbool* gaat het om de korte i-klank.

10 **De klank [oo]**

goochelen, depot, crapaud
De [oo] kent verschillende schrijfwijzen.

De [oo] wordt geschreven als *oo* in gesloten lettergrepen (*sloot*) en als *o* in open lettergrepen (*sloten*). Een apart probleem is de *oo* voor de *ch*, zoals in *goochem*. Het lijkt hier om een open lettergreep te gaan; op grond daarvan zouden we <*gochem*> moeten schrijven. Maar de *ch* wordt als dubbele medeklinker beschouwd (zie spelregel 5) en dus is de eerste lettergreep gesloten. Daarom is het *goochem* (net zoals *grootte*). Dit probleem treedt slechts op bij een paar woorden: *goochem, goochelen, loochenen, onloochenbaar, ontgoochelen*. In een enkel geval wordt de [oo] ook als *oi* geschreven: *notoir*. Vergelijk ook *het oir* en (*on*)*oorbaar*.

Als gevolg van het beginsel van de taal van herkomst (spelregel 3) kent de [oo] nog diverse andere schrijfwijzen. De klank [oo] wordt geschreven als *au* in *chauffeur*, als *aud* in *crapaud*, als *aux* in *deux-chevaux*, als *eau* in *plateau*, als *eaux* in *bordeaux*, als *oa* in *goal*, als *os* in *à propos*, als *ot* in *depot* en als *ow* in *show*.

11 **De klank [oe]**

foetsie, scooter, route
De [oe] kent verschillende schrijfwijzen.

De [oe] wordt in zowel open als gesloten lettergrepen als *oe* geschreven (*boek-boeken*). Als gevolg van het beginsel van de taal van herkomst (spelregel 3) kent de [oe] nog diverse andere schrijfwijzen. De klank [oe] wordt geschreven als *ew* in *interview*, als *oeu* in *manoeuvreren* (in Vlaanderen veelal uitgesproken met een [eu]), als *o* in *fado*, als *oo* in *scooter*, als *ou* in *route*, als *out* in *ragout*, als *oux* in *mantoux(test)*, als *u* in *pitbull*, als *ue* ([joe]) in *tissue* en als *ui* in *cruise*.

Let op: de *oe* geeft niet altijd een [oe] weer; in woorden als *amoebe, foetus* en *oecumene* gaat het om de eu-klank.

12 **Het *au/ou*-probleem**

nauw, nou
De [au] kent verschillende schrijfwijzen.

Als gevolg van het beginsel van de etymologie (spelregel 2) wordt de tweeklank [au] in inheemse woorden soms als *au* en soms als *ou* geschreven. Dit komt doordat de *au* en de *ou* vroeger verschillend werden uitgesproken. Enkele voorbeelden:

kauwt – *koud*
mauw (van een poes) – *mouw* (van een jas)
nauw – *nou*
nabauwen (napraten) – *nabouwen*
rauw (ongekookt) – *rouw* (droefheid)

Als gevolg van het beginsel van de taal van herkomst (spelregel 3) kent de [au] ook nog andere schrijfwijzen. De klank [au] wordt geschreven als *ao* in *cacao* en als *ow* in *cowboy*.

13 Het *ei/ij*-probleem

karwei, karwij

De [ei] kent verschillende schrijfwijzen.

bereiden (maaltijd)
berijden (paard)

eiken (bomen)
ijken (waarmerken)

gevlei (vleierij)
gevlij (in het gevlij komen)

karwei (klus)
karwij (plant)

leiden (brengen)
lijden (ondergaan)

neigen (overhellen)
nijgen (buigend groeten)

peil (niveau)
pijl (en boog)

reizen (zich verplaatsen)
rijzen (omhooggaan)

steil (recht omhoog)
stijl (manier)

uitweiden (over iets ...)
uitwijden (wijder maken)

veilen (van antiek)
vijlen (van nagels)

vleien (mooipraten)
vlijen (neerleggen)

weide (grasland)
wijde (uitgestrekte)

weifelen
twijfelen

Als gevolg van het beginsel van de etymologie (spelregel 2) wordt de tweeklank [ei] soms als *ei* en soms als *ij* geschreven. Dit komt doordat de *ei* en de *ij* vroeger verschillend werden uitgesproken. Enkele voorbeelden:
Als gevolg van het beginsel van de taal van herkomst (spelregel 3) kent de [ei] ook nog andere schrijfwijzen, bijvoorbeeld *y* in *nylon*.

III Medeklinkers

Ook de spelling van de medeklinkers levert een aantal problemen op die te herleiden zijn tot de beginselen en regels in paragraaf I, 'Algemene regels'. Op basis van het beginsel van de taal van herkomst (spelregel 3) worden medeklinkers in uitheemse woorden soms anders gespeld dan in inheemse woorden. Soms wordt afgeweken van het beginsel van vormovereenkomst (spelregel 4). Niet altijd is duidelijk of de regel voor verdubbeling van medeklinkers (spelregel 5) moet worden toegepast. Achter een korte klinker volgt geen verdubbeling in bijvoorbeeld *cabaretier*. En achter een niet-korte klinker staat soms een dubbele medeklinker, zoals in *piccolo*. In deze paragraaf worden de belangrijkste probleemgevallen behandeld.

14 Het enkel/dubbel-probleem

accommodatie, guerrilla, rabbijn

De regel voor de verdubbeling van medeklinkers geldt niet voor uitheemse woorden.

Uitheemse woorden worden gespeld volgens het beginsel van de taal van herkomst (spelregel 3). Spelregel 5a voor verdubbeling van medeklinkers na korte klinkers geldt hier veelal niet. Want door de 'vervlakte uitspraak' (spelregel 1a) is lang niet altijd duidelijk of de klinker kort is. Hieronder staan enkele woorden die vaak ten onrechte met een enkele of dubbele medeklinker worden gespeld.

aberratie
abonnee
acclimatiseren
accommodatie
accuraat
acuut
additioneel
affaire
affiniteit
aggregaat
agressie
alarm
aluminium
bacil
boeddhist
bulldozer
cabaret
cappuccino
carrousel
comité
commissie
complotteren
desa
diffuus

dilemma
dromedaris
gorilla
graffiti
guerrilla
impresario
koket
laboratorium
maffia
occasioneel
piccolo
planologie
professioneel
rabbijn
robotiseren
saboteren
snobisme
souffleren
syllabe
symmetrisch

15 De 'dubbel'-uitzondering

dreumesen, monniken, stencilen

De regel voor de verdubbeling van medeklinkers geldt niet voor de onbeklemtoonde woordeinden *-el*, *-em*, *-es*, *-et*, *-ik*, *-il*, *-it* en *-um* gevolgd door een toonloze [e].

In bepaalde gevallen volgt na een onbeklemtoonde klinker geen dubbele medeklinker. Het gaat hier om de onbeklemtoonde [e], [i] of [u] in *-el*, *-em*, *-es*, *-et*, *-ik*, *-il*, *-it* en *-um*. Vergelijk de volgende woordparen. In elke paar staat eerst het woord met de onbeklemtoonde klinker, en dan het woord met de beklemtoonde klinker:

engelen – lellebellen
bezemen – belemmeren
dreumesen – prinsessen
lemmeten – sigaretten
monniken – verstikken
stencilen – vertillen
kieviten – gebitten
Bussumer – Hilversummer

In *Hilversummer* moet een dubbele *m* staan omdat de derde lettergreep een (lichte) klemtoon heeft. In een enkel geval is het verschil in klemtoon twijfelachtig: *monniken* krijgt één *k*, maar *batikken* krijgt er twee. Spelregel 15 geldt niet voor de onbeklemtoonde uitgang *-is*: *kennissen, notarissen*. In buitenlandse woorden blijft de oorspronkelijke dubbele medeklinker staan als dat voor de uitspraak nodig is: *fitnessen*.

16 De *nn*-regel

spionnen, spioneren

De *n* na *eo, io, jo* en *yo* wordt alleen verdubbeld voor de toonloze [e].

De *n* wordt na *eo, io, jo* of *yo* (met korte [o]) alleen verdubbeld als er een toonloze [e] op volgt. Het is dus: *spionnen* maar *spioneren, pensionnetje* maar *pensioneren*. In woorden als *accordeonist, stationeren, miljonair, mayonaise* en *questionaire* wordt op grond van deze regel de *n* niet verdubbeld. In woorden als *ionen* en *regionen* komt maar één *n*, want het gaat hier om de lange [oo].

17 Het *p/b*-probleem

sliptong, obstakel

Soms horen we een [p], maar schrijven we een *b*.

Soms is het niet duidelijk of we een *p* of een *b* moeten schrijven. Dit is bijvoorbeeld het geval bij werkwoorden met een [b] die in een [p] verandert in de persoonsvorm en in het voltooid deelwoord: *jij krabt, hij dubt; gekrabd, gedubd*. Een bekend twijfelgeval is *sliptong*. Sommige taalgebruikers schrijven <*slibtong*> omdat ze denken aan een tong die zich graag ophoudt in het slib; maar het is *sliptong*, omdat het een ondermaatse tong is die door de mazen van het net slipt. Andere twijfelgevallen zijn onder meer: *absorptie, absent, absoluut, obscuur, observatie, obstakel*.

18 Het *t/d*-probleem

kruit, kruid

Soms horen we een [t], maar schrijven we een *d*.

Soms is het niet duidelijk of we een *t* of een *d* moeten schrijven. Een goed voorbeeld is <*nazaad*> in plaats van *nazaat*. Andere voorbeelden zijn: *aardje, boud/boute, bijdehand/bijdehante, hardvochtig, kattekruid, lieverdje, rattekruid* (plant), *rattenkruit* (gif).

19 Het *f/v*-probleem

leef-leven, filosofen

Woorden op een *f* krijgen voor een uitgang in veel gevallen een *v*.

Woorden die zijn afgeleid van dezelfde vorm worden zoveel mogelijk op dezelfde manier gespeld (zie spelregel 4, het beginsel van de vormovereenkomst). Maar er zijn veel woorden op een *f* die een *v* krijgen als er een uitgang achter komt. Vergelijk de volgende woordparen:

leef – leven
graaf – graven
dief – dievegge
lief – lieve
grof – grove

In de volgende gevallen blijft de *f* een *f*:

a. In de meeste woorden blijft de *f* staan voor de uitgangen *-elijk* en *-enis: gerief – geriefelijk, lief – liefelijk, begraaf – begrafenis.* De volgende woorden op *-elijk* en *-enis* krijgen echter wel een *v*: *abusievelijk, belevenis, grovelijk, respectievelijk, successievelijk.*

b. Woorden van Griekse herkomst behouden de *f* voor een uitgang. Het gaat hier vooral om woorden op *-graaf*, *-soof* en *-mf*, bijvoorbeeld: *fotografen, filosofisch, nimfen,* en ook om *cenotafen, hiërogliefen, apocriefe.* Woorden van Latijnse herkomst, zoals *octaven, perspectieven* en *statieven* krijgen wel een *v* voor een uitgang.

Vóór de spellingverandering van 1954 werd de [f] in Griekse woorden ook als *ph* gespeld; vandaar dat men nu soms nog foutieve spellingen ziet als <*sphinx*> in plaats van *sfinx*.

Overigens is in een aantal gevallen, zoals *fender* en *flonkeren*, het onderscheid tussen [f] en [v] moeilijk te horen.

20 De onhoorbare *h*

hypotheek, thee, yoghurt
In een aantal uitheemse woorden horen we geen [h] maar schrijven we wel een *h*.

In woorden van Griekse herkomst wordt vaak een *h* gespeld die we niet horen. Veelvoorkomende woorddelen waarin dit het geval is, zijn *-pathie*, *-theek* en *theo-*: *telepathie, hypotheek, theologie*. Enkele andere voorbeelden: *methode, neurasthenie, neuropathisch, monolithisch, thermometer*. De woorden *azimutaal, labyrintisch* en *zenitaal* krijgen echter geen *h*.

De [r] aan het begin van woorden van Griekse herkomst werd vóór de spellingverandering van 1954 als *rh* gespeld. Vandaar dat men nu nog wel eens foutieve spellingen ziet als <*rhesus*> en <*rhinoceros*> in plaats van *resus* en *rinoceros*.

In enkele woorden uit andere talen schrijven we een niet-hoorbare *h* volgens spelregel 3: *betjah, boeddha, dahlia, fellah, ghostwriter, larghetto, piranha, sirih, spaghetti, thee, yoghurt* (maar *getto*). En verder zijn er nog enkele inheemse woorden waarbij men kan aarzelen over de *h*, bijvoorbeeld: *goh*.

21 De klank [j]

jota, medaille, loyaal
De [j] kent verschillende schrijfwijzen.

Als gevolg van het beginsel van de taal van herkomst (spelregel 3) kent de [j] verschillende schrijfwijzen. In woorden van Franse herkomst wordt de [j] soms als *j* gespeld (*majorette*), soms als *ill* (*medaille*), soms als *ll* (*vanille*) en soms als *y* (*loyaal*). De [nj] wordt soms gespeld als *gn*: *signeren*. In woorden van Engelse herkomst wordt de [j] vaak als *y* gespeld: *yuppie*. Ook in woorden uit andere talen wordt de [j] dikwijls als *y* gespeld: *yahtzee, yuca*, maar *jota*. In woorden van Spaanse herkomst wordt de [lj] vaak als *ll* gespeld: *guerrilla, paella*. In andere gevallen horen we een [j], maar schrijven we die niet: *periode, pioen*.

22 De klank [k]

accu, krokus, shag
De [k] kent verschillende schrijfwijzen.

Als gevolg van het beginsel van de taal van herkomst (spelregel 3) kent de klank [k] verschillende schrijfwijzen. De [k] wordt geschreven als *c* in *club*, als *cc* in *accu*, als *cch* in *zucchetti*, als *ch* in *antichrist*, als *ck* in *truck*, als *cqu* in *jacquet*, als *g* in *shag*, als *q* in *qat*, als *qu* in *enquête* en als *que* in *cheque*.

De variatie *c-k* geeft de meeste problemen. Er zijn slechts enkele vuistregels.

a. Een *c* krijgen woorden met de uitgangen *-a*, *-air*, *-o*, *-um*, *-us*: *circa, precair, risico, unicum, politicus* (maar *krokus*).

b. Een *c* krijgen de woorddelen *act, ect, ict, oct, uct* en *catie*: *actief, dialect, conflict, octaaf* (maar *oktober*), *product, publicatie* (maar *predikatie*).

c. Een *k* krijgen woorden die beginnen met *elektr-*: *elektrisch, elektrocuteren, elektronica.*

Omdat in het Nederlands de *c* voor een *e* als [s] wordt uitgesproken, wordt in een enkel geval de *c* vervangen door een *k*: *stuc-stuken, truc-truken(doos)*. Bij de werkwoorden *aerobiccen* en *montignaccen* is inmiddels de schrijfwijze met *cc* ingeburgerd.

23 De klank [ks]

ecstasy, sexy, succes
De [ks] kent verschillende schrijfwijzen.

Als gevolg van het beginsel van de taal van herkomst (spelregel 3) kent de [ks] verschillende schrijfwijzen. De klank [ks] wordt geschreven als *cc* in *succes*, als *chs* in *fuchsia*, als *cs* in *ecstasy*, als *ct* in *productie*, als *cz* in *eczeem*, als *x* in *box*, als *xc* in *exces* en als *xe* in *idee-fixe*.

Een bekend struikelblok vormt het woord *seks*, dat *ks* krijgt, ook in samenstellingen en afleidingen (*seksmaniak*, *seksistisch*, *seksueel*), behalve in de Engelstalige woorden *sex-appeal*, *sexshop* en *sexy*.

24 De klank [kw]

kwitantie, quasi

De [kw] kent verschillende schrijfwijzen.

Als gevolg van het beginsel van de taal van herkomst (spelregel 3) kent de [kw] verschillende schrijfwijzen. De klank [kw] wordt geschreven als *cu* in *circuit*, als *cqu* in *acquisitie* en als *qu* in *quasi*.

25 De klank [s]

cent, scène

De [s] kent verschillende schrijfwijzen.

Als gevolg van het beginsel van de taal van herkomst (spelregel 3) kent de [s] verschillende schrijfwijzen. De klank [s] wordt geschreven als *c* in *cent*, als *cc* in *accessoire* (in Vlaanderen met [ks]-uitspraak), als *ce* in *placemat*, als *ç* in *reçu*, als *sc* in *scène*, als *se* in *casework*, als *ss* in *stress*, als *t* in *optie* en als *z* in *hertz*.

Vooral in Nederland wordt een [sj] gehoord in woorden als *optioneel*, *patiënt*, *pension* en *sociaal*. Nogal wat taalgebruikers spreken geen [t] uit in woorden als *politie* en *station*.

26 Het *s/z*-probleem

huis-huizen, tendensen

Woorden op een *s* krijgen vóór een uitgang in veel gevallen een *z*.

Woorden die zijn afgeleid van dezelfde vorm, worden zo veel mogelijk op dezelfde manier gespeld (zie spelregel 4, het beginsel van de vormovereenkomst). Maar er zijn veel woorden op een *s* die een *z* krijgen als er een uitgang achter komt. Vergelijk de volgende woordparen: *las-lazen, huis- huizen, vies- vieze*

Er zijn echter nogal wat woorden waarin de *s* voor een uitgang een *s* blijft.

1. De *s* voor de uitgang *-en* blijft staan bij de volgende woorden (zelfstandige naamwoorden of werkwoorden): *balansen, cadansen, dansen, floersen, harsen, impulsen, kaarsen, kansen, kersen, koersen, kousen, kransen, kruisen* (naast *kruizen* op munten of als muziekteken) *lansen, marsen, pausen, pensen, (druk)persen* (maar *Perzen, perzen* (kleden)) *plonsen, polsen, prinsen, sausen, schansen, spiesen, sponsen, tendensen, transen, vorsen, walsen, wensen, zeisen.*

De zelfstandige naamwoorden *plons, saus* en *spons* mogen in het meervoud ook met een *z*. De werkwoorden *bonzen, gonzen, plenzen* en *plonzen* krijgen een *z*, en de werkwoorden *niesen, sausen* en *sponsen* mogen ook met een *z*.

2. De *s* blijft verder staan in de volgende gevallen:
a. in enkele bijvoeglijke naamwoorden: *confuse, diffuse, hese, (on)kuise, (on)heuse, (on)kiese, struise*;
b. voor de uitgang *-elijk*: *huiselijk,* enz.;
c. in de vrouwelijke uitgang van een nationaliteit en de verbogen vorm van het bijvoeglijk naamwoord: *Ambonese, Canadese, Chinese* (maar *Ambonezen,* enz.);
d. in de vrouwelijke vorm van mannelijke persoonsaanduidingen op *-eur*: *adviseur-adviseuse,* enz.;
e. na woorden op *ee*: *farizeese, Goereese, Heverleese, overzeese, Pyreneese,* enz.(Zie spelregel 8.)

Voor extra verwarring zorgt het feit dat een *s* tussen twee klinkers vaak wordt uitgesproken als [z]: *formaliseren, organisatie.* Ook een *s* tussen een *l* of *r* en een klinker wordt in Nederland vaak als [z] uitgesproken: *impulsief, inversie.*

27 De klanken [sj] en [zj]

chocola, schmink, journaal
De [sj] en de [zj] kennen verschillende schrijfwijzen.

Als gevolg van het beginsel van de taal van herkomst (spelregel 3) kent de [sj] verschillende schrijfwijzen. De klank [sj] wordt geschreven als *ch* in *chocola*, als *sc* in *fascist* (ook met [s]-uitspraak), als *sch* in *schmink* en als *sh* in *show*. In woorden als *fetisj* en *gletsjer* wordt de [sj]-klank soms ten onrechte niet als *sj* gespeld.

De [zj] wordt gespeld als *j* (*journaal*) en als *g* (*promillage*). Sommige woorden, zoals *jenever*, kennen een dubbele uitspraak, met [j] en met [zj].

28 De klank [w]

jou, jouw, douw
In een aantal woorden horen we geen [w] maar schrijven we wel een *w*, of omgekeerd.

Alleen aan de hand van het beginsel van de etymologie (spelregel 2) of dat van de vormovereenkomst (spelregel 4) kan worden verklaard waarom de *ou* de ene keer wel een *w* krijgt en de andere keer niet. Voor woorden als *douw*, (*jijen en*) *jouen* en *uitjouwen* zijn geen nadere regels te geven.

De bekendste struikelblokken zijn verder *jou(w)* en *u(w)*. We schrijven *jouw* of *uw* als het woord vervangbaar is door *mijn* of *zijn*: *dit is jouw boek (mijn boek)*. We schrijven *jou* of *u* als het woord vervangbaar is door *mij* of *hem*: *dit is van jou (van hem)*. Anders geformuleerd: *jouw* en *uw* zijn bezittelijke voornaamwoorden; *jou* en *u* zijn persoonlijke voornaamwoorden. In uitdrukkingen als *u beider vriend* en *in u beider belang* krijgt *u* geen *w* omdat het een persoonlijk voornaamwoord is: *de vriend van u beiden, het belang van u beiden*.

IV Accenttekens

In woorden die aan het Frans zijn ontleend, komen soms de volgende tekens voor: ´ (accent aigu), ` (accent grave) en ^ (accent circonflexe, circumflex of 'dakje'). Wanneer het Franse woord in het Nederlands ingeburgerd is, blijven deze tekens in sommige gevallen achterwege.

De tekens ´ en ` komen verder in inheemse woorden voor als uitspraakteken: *hé* of *hè*. Het teken ´ wordt ook gebruikt als klemtoonteken of nadrukteken: *vóórkomen, voorkómen. Dát is niet waar.*

29 Het accent aigu

café, echec, seance

Het teken ´ wordt in ingeburgerde Franse woorden alleen gebruikt op de *e*, maar niet op de *e* in de eerste lettergreep.

Het accent aigu op de *e* geeft aan dat de letter moet worden uitgesproken als [ee]. Voor de schrijfwijze *é* of *e* in woorden van Franse herkomst zijn nauwelijks regels te geven, omdat niet duidelijk is wanneer een Frans woord ingeburgerd is. Hier enkele voorbeelden van ingeburgerde Franse woorden: *decharge* (maar *à décharge*), *cliché, communiqué, coupé, debacle, echec, egards, employé, etui, metier, negligé, procédé, protégé, seance.*

In Franse woorden die niet als ingeburgerd worden beschouwd, blijft de *é* in de eerste lettergreep staan, bijvoorbeeld: *au sérieux* (maar *serieus*), *dédain, dégénéré, een déjà vu, een éminence grise.* In onder andere de volgende woorden van Franse herkomst komt ook op de andere *e*'s geen accentteken: *condoleance, conference, feuilletee, surseance.*

De woordgroepen *in spe* en *per se* zijn niet van Franse maar van Latijnse herkomst; daarom hier geen accenttekens. Hetzelfde geldt voor woorden als *ave, facsimile* en *(een) pre.* Zie verder spelregel 32 voor de vrouwelijke vormen van woorden op *-é: logé-logee.*

30 Het accent grave

crème, volière

Het teken ` wordt in ingeburgerde Franse woorden alleen gebruikt op de *e*.

Het accent grave op de *e* geeft aan dat de letter moet worden uitgesproken als de *e* in *blèren*. Voor de schrijfwijze *è* of *e* in woorden van Franse herkomst zijn nauwelijks regels te geven omdat niet duidelijk is wanneer een Frans woord ingeburgerd is. Hier enkele voorbeelden van ingeburgerde Franse woorden: *crème, plafonnière, scène, solfège* (maar *solfegiëren*), *volière*.

De woorden *cheque* en *manege* krijgen geen accent. Het woord *ensceneren* krijgt geen *è* omdat het geen Frans woord is.

De volgende woorden worden niet als ingeburgerd beschouwd: *à décharge, prêt-à-porter, vis-à-vis*. (In een aanduiding als *3 à 4* blijft het accent grave staan om verwarring met de gewone *a* te voorkomen.) Ook oorspronkelijk Griekse woorden zoals *bèta* en *stèle* krijgen een accentteken.

31 Het 'dakje'

gêne, controle, debacle

Het teken ^ wordt in ingeburgerde Franse woorden alleen gebruikt op de *e* en de *i*.

Het dakje op de *e*, het accent circonflexe, geeft aan dat de letter moet worden uitgesproken zoals de klinker in de laatste lettergreep van het woord *militair*. In ingeburgerde Franse woorden wordt het dakje alleen gebruikt op de *e* en de *i*: *crêpe* (maar *crème*), *enquête, frêle, gêne, maîtresse*, enz. en niet op andere klinkerletters: *chateaubriand, debacle, paté, controle, depot, entrecote, ragout*. Woorden als *compote* en *zone* hebben ook in het Frans geen dakje.

In woorden die niet ingeburgerd zijn, wordt de Franse spelling gevolgd, met *â*, *ô* of *û*: *maître d'hôtel, coûte que coûte*.

Deze regel geldt voor Franse woorden. Woorden uit andere talen kunnen een ^ krijgen om de uitspraak weer te geven: *skûtsjesilen*. In Nederlandse woorden wordt een ^ ook wel gebruikt om aan te geven dat twee lettergrepen zijn samengetrokken: *Neêrlands*.

32 De vrouwelijke-*ee*-regel

logé, logee

Vrouwelijke vormen van persoonsaanduidingen op *-é* krijgen *-ee*.

Door het Spellingbesluit-1994 vervalt bij vrouwelijke vormen van persoonsaanduidingen op *-é* het accent aigu. Het is dus *logé* (mannelijk) en *logee* (vrouwelijk); zo ook *prostitué* (mannelijk) en *prostituee* (vrouwelijk). Andere voorbeelden zijn: *introducé-introducee*, *protégé-protégee*. Omdat woorden op *-é* verkleind worden met de uitgang *-eetje* (zie spelregel 112), zijn de mannelijke en vrouwelijke verkleinwoorden gelijk: *introduceetje*.

33 De uitspraaktekens

hé, hè, één

De tekens ´ en ` worden in inheemse woorden ook gebruikt als uitspraakteken.

De uitspraaktekens ´ en ` zijn bedoeld om verwarring in de uitspraak te voorkomen. Enkele voorbeelden: *blèren*, *hé*, *hè*.

Het gebruik van uitspraaktekens op het woord *één* is alleen nodig als er kans bestaat op de verkeerde uitspraak [un]. Enkele voorbeelden: *eenpersoonskamer, duizend-en-een-nacht, een of ander, een een-op-eenrelatie, een van de medewerkers, in één keer, hij kreeg direct een één*. Het woord *appèl* heeft in het Frans geen accent, maar in het Nederlands wel vanwege mogelijke verwarring met *appel*.

34 Het klemtoonteken

voorkómen, vóórkomen

Het teken ´ wordt ook gebruikt als klemtoonteken.

Het klemtoonteken kan worden gebruikt als er verwarring mogelijk is over woorden die op elkaar lijken. Bij meer dan twee klinkerletters krijgen alleen de eerste twee letters een klemtoonteken. Het gebruik van het klemtoonteken is niet verplicht. Enkele voorbeelden: *dóórlopen-doorlópen, kántelen-kantélen, négeren-negéren, voorkómen-vóórkomen.*

35 Het nadrukteken

jé van hét

Het teken ´ wordt ook gebruikt als nadrukteken.

Het nadrukteken ´ (en niet `) wordt gebruikt op klinkers. Als de klinker wordt weergegeven met twee letters, wordt er tweemaal een nadrukteken geplaatst, zo mogelijk ook op de *j* van de *ij*. Bij meer dan twee klinkerletters krijgen alleen de eerste twee letters een nadrukteken. Enkele voorbeelden: *Dát is níét waar. Dit is dé oplossing. Móét af! Ik sta hier al ééuwen. En dat zeg jíj́.*

36 Tekens op hoofdletters

enquête – ENQUETE

Accenttekens hoeven niet gebruikt te worden op hoofdletters.

De tekens ´, ` en ^ zijn bedoeld voor hoofdletters en kleine letters. Maar omdat de combinatie met hoofdletters vaak moeilijk af te drukken is, is het gebruik van deze tekens op hoofdletters vrij. Hetzelfde geldt voor het trema, de cedille, de umlaut en de tilde: *CAFE, COEFFICIENT, FACADE, UBERHAUPT, SENORITA.*

V Trema

Het trema dient om verwarring over de uitspraak te voorkomen wanneer er klinkerletters op elkaar volgen. Het wordt alleen gebruikt in niet-samengestelde woorden, zoals *patiënt* en *ruïne*, en in afleidingen, zoals *coëfficiënt* en *ongeëvenaard*. Samengestelde woorden krijgen, met uitzondering van de telwoorden, geen trema maar een streepje. Een woord als *zo-even* krijgt dus geen trema, want het is samengesteld uit *zo* en *even*. Ook *na-apen* en *toe-eigenen* zijn samenstellingen en krijgen daarom een streepje. Zie verder spelregel 76. Na een afbreekteken aan het einde van de regel kan er geen verwarring meer bestaan over de uitspraak; dan vervalt het trema: *tetraëder* wordt dus *tetra-eder* (zie verder spelregel 124).

Afleidingen krijgen een trema. We moeten daarom eigenlijk schrijven <*bioënergie*> en <*miniëmmer*>. Maar omdat *bio-* en *mini-* beschouwd worden als min of meer zelfstandige voorvoegsels, komt hier net als in samenstellingen een streepje: *bio-energie, mini-emmer*. Zie spelregel 78 voor een overzicht van deze bijzondere voorvoegsels.

37 De tremaregel voor twee klinkerletters

coëfficiënt, reünie

Het trema wordt gebruikt in niet-samengestelde woorden om te voorkomen dat opeenvolgende klinkerletters als één klank gelezen worden.

In de volgende veertien lettercombinaties is een trema nodig om verwarring over de uitspraak te voorkomen:

aa	–	*Kanaän*	*ie*	–	*consciëntieus, financiën, hygiëne*
ae	–	*ohaën*	*oe*	–	*coëfficiënt*
ai	–	*naïviteit*	*oi*	–	*egoïsme*
au	–	*Kapernaüm*	*oo*	–	*coöperatie*
ee	–	*reëele*	*ou*	–	*Alcinoüs*
ei	–	*beïnvloeden*			
eu	–	*reünie*	*ui*	–	*ruïne*
			uu	–	*vacuüm*

Het trema wordt niet gebruikt op lettercombinaties die één klank weergeven (doorgaans een tweeklank). Enkele voorbeelden:

ae – *aerobics, maestro* (maar *aërodynamica* omdat *aë* ook als twee lettergrepen wordt uitgesproken);
ai – *arbitrair, balalaika, mais, maizena* (maar *judaïca* vanwege de [a-i]-uitspraak);
oi – *celluloid, trottoir, requisitoir, tabloid.*

Het trema is alleen nodig voor de veertien hier gegeven combinaties, dus niet voor lettercombinaties zoals *ao, ea, eo, ii, ij, oa* en *ue,* want hier bestaat geen kans op verkeerde uitspraak. Er komt dan ook geen trema op woorden als *chaos, beamen, geopend, kopiist, bijou, coassistent* (maar *co-ouder*) en *fonduen.* Ook de combinatie *e+ij* krijgt geen trema: *geijkt.*

De tremaregel geldt niet voor het achtervoegsel *-achtig.* Bij mogelijke verwarring over de uitspraak wordt hier een streepje gebruikt: *lila-achtig.* Woorden als *lenteachtig* en *dandyachtig* krijgen echter geen streepje, want hier is geen aanleiding tot verwarring. Zie voor andere uitzonderingen op de tremaregel spelregel 39 en 41.

38 De tremaregel voor meer dan twee klinkerletters

dieet, jeuïg

Bij meer dan twee klinkerletters krijgt alleen de *e* of de *i* een trema en wordt er geen trema gezet direct na de *i*.

Bij een opeenvolging van meer dan twee klinkerletters die als één klank gelezen kunnen worden, is het gebruik van het trema beperkt tot de *e* (*beëindigd*) en de *i* (*naïef*). Dus in *geuit* (drie klinkerletters) krijgt de *u* geen trema, maar in *geürmd* (twee klinkerletters) wel. In *smeuïg* zitten dezelfde drie klinkerletters als in *geuit*, maar hier begint de tweede lettergreep met een *i*; vandaar het trema.

Verder wordt er bij een combinatie van meer dan twee klinkerletters geen trema gezet direct na de *i*. Daarom krijgt *serieus* geen trema maar *gedrieën* wel. Andere voorbeelden zijn: *artificieel* (maar *artificiële*), *aaien*, *begroeiing*, *buiig*, *dieet* (maar *diëten*), *discussieerde* (maar *discussiëren*), *eieren*, *officieel* (maar *officiële*), *ooievaar*, *sjiiet*.

Bekende struikelblokken zijn verder: *bantoeïstiek*, *bedoeïen*, *geëuropeaniseerd*, *jeuïg*, *moeë*, *mozaïek* en *weeïg*.

39 Trema-uitzonderingen

elektricien, museum

De Latijnse uitgangen *-ei*, *-eus*, *-eum* en de Franse uitgang *-ien(ne)* krijgen geen trema.

De Latijnse uitgangen *-ei*, *-eus* en *-eum* en de Franse uitgang *-ien(ne)* krijgen geen trema, omdat bij deze uitgangen nauwelijks verwarring mogelijk is over de uitspraak. Enkele voorbeelden: *extranei*, *baccalaureus*, *museum*, *opticien*, *tragédienne*. Ook Latijnse woorden als *dies*, *perpetuum* en *compascuum* krijgen geen trema (*vacuüm* echter wel).

40 De *ieën/iën*-regel

industrieën, koloniën

Een woord dat eindigt op een onbeklemtoonde *-ie* met een meervoud op *-en* krijgt *-iën*.

Woorden op *-ie* met klemtoon krijgen *-ieën*: *categorieën*, *knieën*, *melodieën*, *sympathieën*. Woorden op *-i(e)* zonder klemtoon krijgen in het meervoud op *-en* alleen een *n*, met een trema op de voorafgaande *e*: *koloniën*, *provinciën*. Deze woorden hebben overigens veelal ook een meervoud op *-s*: *kolonies, provincies*.
Er zijn enkele woorden waarbij beide klemtonen goed zijn, bijvoorbeeld: *ceremónie-ceremoníé*, *órgie-orgíé*. Dan zijn uiteraard ook beide meervouden goed: *ceremoniën/ceremonieën*, *orgiën/orgieën*.
Spelregel 40 geldt ook voor woorden die geen enkelvoud hebben, zoals *financiën*, en voor werkwoorden: *neuriën, ruziën*.

41 De tremaregel voor telwoorden

tweeëntwintig, drieëndertig

Een samengesteld telwoord krijgt een trema in plaats van een streepje.

Samengestelde telwoorden zoals *tweeëntwintig* krijgen een trema in plaats van een streepje. Deze regel geldt alleen voor telwoorden die uit andere telwoorden zijn samengesteld, dus niet voor samenstellingen of afleidingen die een telwoord bevatten: een woord als *twintigste-eeuws* krijgt een streepje volgens spelregel 76.

VI Apostrof

De belangrijkste functie van de apostrof (') is het voorkomen van een verkeerde uitspraak van woorden in het meervoud en de bezitsvorm, en in een enkel geval ook in het verkleinwoord. Zonder apostrof zou bijvoorbeeld *taxi's* niet rijmen op *mies* maar op *mis*, en *ma's* niet op *kaas* maar op *kas*. Verder dient de apostrof om aan te geven dat een of meer letters zijn weggelaten. Ook bij afkortingen wordt de apostrof gebruikt; zie hiervoor spelregel 46.

42 De apostrof-*s*-regel

Leo's, opa's

Een woord dat eindigt op een enkele klinkerletter – *a, e, i, o, u, y* – krijgt een apostrof vóór de *s* van het meervoud of de *s* van de bezitsvorm.

opa's, azalea's, pre's, kyrië's, ski's, auto's, accu's, lolly's;
oma's hoed, Salome's hoofdprijs, Mimi's kiwi, Leo's boek, Tutu's kleding, baby's flesje.

Deze regel geldt alleen voor woorden die eindigen op een lettergreep van een lange klinker die met een enkele klinkerletter wordt geschreven: *a, e, i, o, u* en *y*; bij de *e* gaat het om de klank [ee]. Alleen bij deze woorden bestaat er zonder apostrof kans op een verkeerde uitspraak. Daarom krijgt *baby's* een apostrof maar *displays* niet. Er zijn woorden die ook een meervoud met klinkerverdubbeling kennen, bijvoorbeeld: *eegaas, laas, raas, vlaas* (naast *eega's, la's, ra's, vla's*). Zie verder spelregel 43.

43 Alleen een apostrof bij een uitspraakprobleem

cafés, etuis, garages

Er wordt geen apostrof gebruikt na de toonloze [e], na de *é*, na combinaties van klinkerletters of na medeklinkers.

garages, andantes, cafés, entrees, displays, cadeaus, yuppies, milieus, shampoos, clous, kangoeroes, revues, etuis.

Annes probleem, Belgiës toekomst, Renés opmerking, Clemenceaus snor, McKinseys onderzoek, Vondels werken, mijn tantes huis.

In een enkel geval gebruikt men een apostrof om een eigennaam beter te doen uitkomen, vooral als het gaat om merk- of bedrijfsnamen: *Van Nelle's koffie, Van Dale's woordenboeken.* In het Engels gelden andere regels; vandaar dat we schrijven: *collector's item.*

44 De apostrof in plaats van de bezits-*s*

Mulisch' boeken, Max' feest

De apostrof vervangt de *s* van de bezitsvorm bij namen die eindigen op een sisklank.

Namen op een sisklank, zoals *Wies*, geven met een *s* van de tweede naamval een vreemd woordbeeld: <*Wiess fiets*>. Vandaar dat er in plaats van een tweede *s* een apostrof komt: *Wies' fiets*. Een sisklank wordt niet altijd geschreven als *s*, maar bijvoorbeeld ook als *ce*. Hier volgen de letters en lettercombinaties waarop de regel betrekking heeft: *ce – Maurice' broer; s – Hermans' oeuvre; sch – Mulisch' optreden; sh – Bush' echtgenote; tsz – Barentsz' pooltocht; tsch – Lubitsch' film; x – Alex' vriendin, Malraux' werk; z – Inez' fiets.*

Er is dus verschil tussen *Akkermans huis* en *Akkermans' huis*; in het eerste geval is het huis van Akkerman, in het tweede geval van Akkermans.

45 De apostrofregel voor verkleinwoorden

baby'tje, opaatje, skietje

De apostrof wordt bij verkleinwoorden alleen gebruikt als het woord eindigt op een medeklinker plus *y*.

De combinatie *-ytje* in bijvoorbeeld <*babytje*> zou kunnen worden uitgesproken als [itje]. Daarom is de schrijfwijze *-y'tje* verplicht bij woorden die eindigen op een medeklinker plus *y*.

Bij woorden die eindigen op een medeklinker plus een andere klinkerletter, wordt de klinker voor de verkleinuitgang verdubbeld. Het is dus niet <*oma'tje*> maar *omaatje*, niet <*cliché'tje*> maar *clicheetje*, niet <*auto'tje*> maar *autootje*, niet <*paraplu'tje*> maar *parapluutje* en niet <*essay'tje*> maar *essaytje* (want voor de *y* staat nog een andere klinkerletter). Ook bij de combinatie *-itje* bestaat kans op verkeerde uitspraak. Daarom wordt de *i* als *ie* geschreven wanneer er *-tje* achter komt: *skietje*. Zie voor verkleinwoorden verder spelregel 112.

46 De apostrofregel voor afkortingen

cd'tje, PSV'er

Een afkorting, cijferwoord of letterwoord in een afleiding krijgt een apostrof.

doka's, cd's, s'je, A4'tje, CDA'er, tv'tje, P.S.'en, x'en, 3'tje, 747's.

Een afkorting in kleine letters die als woord wordt uitgesproken, wordt als gewoon woord behandeld, zonder apostrof: *laserachtig, pinnen, radartje, vutter.*

De apostrof vervalt bij het afbreken (zie spelregel 124). In afleidingen komt een apostrof, maar in samenstellingen komt een streepje. Dus *CVP'er* krijgt een apostrof en *CVP-bijeenkomst* een streepje. Zie verder spelregel 83.

47 De apostrof in ongebruikelijke meervouden

dankuwel's

De apostrof wordt gebruikt in een meervoud op *-s* van een woord dat geen zelfstandig naamwoord is.

In een enkel geval kan ook een woord dat geen echt zelfstandig naamwoord is, een meervoud (op *-'s*) krijgen. In zo'n geval wordt voor de duidelijkheid een apostrof gebruikt: *dankuwel's, misschien's.*

48 De apostrof als weglatingsteken

z'n, A'dam

De apostrof wordt gebruikt om aan te geven dat er letters in een woord zijn weggelaten.

De bekendste gevallen zijn: *een – 'n, zijn – z'n, het – 't, des – 's (morgens), haar – 'r* of *d'r, Amsterdam – A'dam, Antwerpen – A'pen* en verder de plaatsnamen met *'s*: *'s-Gravenhage*, enz.

Bij de dagen van de week vormt de *'s* een apart probleem. Alleen *maandag* en *woensdag* krijgen *'s*, dus: *zondags, 's maandagsmorgens, 's woensdagsavonds, zaterdagsnachts.*

VII Hoofdletters

De hoofdletter wordt gebruikt in drie gevallen: 1. aan het begin van de zin; 2. bij een naam; 3. om eerbied uit te drukken. Vooral het hoofdlettergebruik bij namen geeft problemen. Een naam is een unieke verwijzing: er is maar één persoon of zaak die zo genoemd wordt, bijvoorbeeld *Marie* en *Vlaanderen*. Maar een naam kan ook als soortaanduiding gaan fungeren: *Zij bezit een stradivarius. Wat een rembrandteske kleuren!* De problemen met namen ontstaan vooral als het niet duidelijk is of een naam nog als naam fungeert. Lang niet altijd zijn er precieze scheidslijnen te trekken.

Het gebruik van hoofdletters in afkortingen komt in deze paragraaf niet aan de orde; zie hiervoor paragraaf XI. Ook buitenlandse woorden blijven buiten beschouwing, bijvoorbeeld het feit dat woorden als *fingerspitzengefühl* en *schnitzel* ondanks de hoofdletter in het Duits een kleine letter krijgen. Verder zijn nog enkele bijzondere gevallen niet behandeld, bijvoorbeeld uitdrukkingen als '*Dat is Kunst met een grote K.*'

49 De hoofdletterregel voor het zinsbegin

Geachte mevrouw

Een zin, een adresregel of een aanhef begint met een hoofdletter.

Het einde nadert.
De heer A. Jansen
Geachte heer Jansen,

Omdat een adresregel met een hoofdletter begint, is *Mevrouw A. Jansen* juist als adresregel, maar in een lopende tekst is het *mevrouw A. Jansen*.

Na een dubbele punt komt een kleine letter. In drie gevallen komt er echter een hoofdletter: bij een citaat (een zin tussen aanhalingstekens), bij een opsomming die uit meer dan één zin bestaat en uiteraard ook bij een woord dat zelf al met een hoofdletter begint.

Hij zei: 'Dat is juist.'
Toen rees de volgende vraag: waarom werd het materiaal te laat aangeleverd?
Toen rezen de volgende vragen: Waarom werd het materiaal te laat aangeleverd? Waarom was de verpakking beschadigd?
Vanochtend hebben we: Frans, aardrijkskunde en biologie.

50 De hoofdletterregel voor een bijzonder zinsbegin

's Avonds werk ik niet.
Begint de zin met een *'s*, *'n*, *'t* of *'k*, dan krijgt het volgende woord een hoofdletter; na een cijfer of symbool volgt geen hoofdletter.

's Avonds werk ik in principe nooit.
't Kan verkeren.
55% was het met de stelling eens.
55+'ers krijgen voorrang op sommige woningen.
@ staat voor 'at'.

Een afkorting in kleine letters aan het begin van de zin wordt als gewoon woord behandeld. *Xtc-pillen testen kan op vele manieren.*

51 De hoofdletterregel voor persoonsnamen

mevrouw A. de Beer, mevrouw De Beer
Een voornaam, voorletter of familienaam krijgt een hoofdletter.

In Nederland krijgt het voorzetsel of lidwoord van een familienaam een hoofdletter, behalve als er een naam of voorletter aan voorafgaat: *Atti de Jong, mevrouw De Jong, mevrouw Jansen-van den Berg, mr. dr. A. baron van Zus tot Zo.*

In Vlaanderen geldt deze regel niet. Daar worden voorzetsel en lidwoord altijd geschreven zoals ze staan vermeld in het geboorteregister: *de heer A. Van de Walle, A. baron van de Walle, fam. Vanden Abeelen.*

Voor het hoofdlettergebruik bij toevoegsels aan namen bestaan geen regels. Hier enkele voorbeelden: *jr., sr., R.A., Hzn.* (zoon van Henk), *S.J., O.S.B.*

Soms wordt een zaak of begrip als persoon voorgesteld. In zo'n geval kan ook een hoofdletter worden gebruikt: *in naam van het Recht. In dit toneelstuk wordt Trots vermoord door Achterdocht.* Zie spelregel 54 voor eigennamen die gebruikt worden als soortnaam, zoals *jan modaal* en *een janklaassen.*

52 De hoofdletterregel voor zaaknamen

Raad van State, Belgisch Olympisch Comité
Een zaaknaam krijgt een hoofdletter.

het Rijk, de Senaat, het Ministerie van Buitenlandse Zaken, de Raad van State, de Rijksdienst voor het Wegverkeer, het College van Burgemeester en Wethouders, de Tweede Kamer, de Kamer van Volksvertegenwoordigers, de Socialistische Partij, de Rooms-Katholieke Kerk, de Nederlandse Spoorwegen, het Belgisch Olympisch Comité, de Vrienden van Brabantse Kastelen, het Torentje, de Jaarbeurs, Manneke Pis, de Statendam.

Het gaat hier om een heel ruime categorie, variërend van een naam van een instelling tot de naam van een schip. Uiteraard is deze regel niet van toepassing wanneer de naamgever zelf een schrijfwijze heeft vastgesteld: *GroenLinks, Bureau interCom.*

In samenstellingen blijft de hoofdletter behouden: *Assembleevoorzitter, Bondsdagfractie, Eerste-Kamergebouw, Hogerhuislid, Kamerlid, Kroonlid, Lagerhuisdebat, Senaatslid* (in Vlaanderen), *Tweede-Kamerzitting.* Samenstellingen met *Rijk* krijgen echter een kleine letter: *rijksschool.*

Soortaanduidingen krijgen een kleine letter. Het is *een hof van assisen* en *hoven van cassatie*. Zie verder spelregel 54. Soortaanduidingen die niet bij de naam behoren, worden met een kleine letter geschreven: *afdeling Voorlichting*, *dienst Public Relations*, *directie Politie* (maar het *Ministerie van Financiën*, want 'Ministerie' hoort bij de naam). Woorden als *bond*, *bestuur*, *genootschap*, *maatschappij*, *vereniging* en *stichting* worden met een kleine letter geschreven tenzij ze onderdeel zijn van de officiële naam: *onze bond*, *dit genootschap*, *de Bond tegen het Vloeken*.

Soortnamen van dieren en planten krijgen een kleine letter: *rottweiler*, *sint-janskruid*. (De Latijnse aanduidingen krijgen wel een hoofdletter.)

53 De hoofdletterregel voor aardrijkskundige namen

Antwerpen, Sierra Leoons, Oost-Europeaan
Een aardrijkskundige naam krijgt een hoofdletter. Dit geldt ook voor samenstellingen en afleidingen.

Amsterdam, Nederlands, het Palestijnse volk, de provincie Gelderland, de gemeente De Bilt, Den Haag, Antwerpenaar, Bergen op Zoom, Grote Marktstraat, de Lage Landen, Belgische bieren, Anglo-Amerikaans, Engelandvaarder, Ruslandkenner, Rotterdammer.

Een samengestelde aardrijkskundige naam behoudt in een afleiding de tweede hoofdletter (en de spatie of het streepje): *Costa Ricaans, New Yorker, Sierra Leoons, West-Vlaming, Zuid-Frans, Oost-Europeaan, Noordoost-Amerikaans.*

Ook namen van sterrenbeelden krijgen een hoofdletter: *Cassiopeia*, *Orion*, *Ram*. De volgende woorden zijn ingeburgerd met een kleine letter: *aarde*, *zon*, *maan*, *noordpool*, *zuidpool* en *melkweg*.

Een aanduiding van een windrichting krijgt alleen een hoofdletter als onderdeel van een aardrijkskundige aanduiding: *Amsterdam-*

West, Oost-Turkije, het zuidwesten van Engeland, het noorden, noordoost, zuidwestelijk, Het leger trekt naar het noorden. Afkortingen van windrichtingen krijgen een hoofdletter: *N., N.W.*

Aanduidingen voor leden van etnische groepen krijgen een hoofdletter, behalve wanneer ze als verzamelnaam worden beschouwd zoals *ariër, eskimo, indiaan, kozak, zigeuner*. Enkele voorbeelden: *Apache, Azteek, Batavier, Bosjesman, Hottentot, Jood* (zie voor *jood* spelregel 57), *Kelt, Noorman, Semiet, Sikh, Zoeloe*. Ook aanduidingen als *Jap, Aussie* en *Brabo* krijgen een hoofdletter.

Zie spelregel 54 voor aardrijkskundige namen als soortnaam, spelregel 55 voor namen van talen en spelregel 77 voor voorvoegsels bij aardrijkskundige namen.

54 Het hoofdletterprobleem bij soortnamen

augiasstal, freudiaans, een havanna

Een eigennaam die soortnaam is geworden, krijgt een kleine letter. Dit geldt ook voor een eigennaam in samenstellingen, afleidingen en woordgroepen.

Eigennamen die niet meer als zodanig functioneren, krijgen een kleine letter. Het kan hier gaan om persoonsnamen, zaaknamen en aardrijkskundige namen. Enkele voorbeelden:

bintje, hopje, een martini, een stradivarius;
adamsappel, augiasstal, bacchusfeest, dieselmotor, jobstijding, mantouxtest, montessorischool, pyrrusoverwinning, salomonsoordeel, sint-bernardshond, sisyfusarbeid;
apollinisch, napoleontisch, copernicaans, dotteren, freudiaans, fröbelen, kafkaiaans, kafkaësk, karolingisch, keynesiaans, nietzscheaans, orwelliaans, pinteriaans, paulinisch, rembrandtesk, victoriaans;
aspirine, betamax, fordje, maggi;
amerikanistiek, balkaniseren, belgicisme, belgenmop,

bourgondisch, een edammertje (de kaas), *francofiel, een havanna* (de sigaar; maar de plaats *Havana*), *neerlandistiek, newfoundlander* (de hond).

De scheidslijn tussen eigennaam en soortnaam is niet altijd duidelijk. Gezaghebbende woordenboeken spreken elkaar dikwijls tegen. Wanneer de eigennaam nog duidelijk een rol speelt, verdient een hoofdletter de voorkeur: *Heb je de nieuwste Mulisch gelezen? Er is weer een Rembrandt gestolen.* In de woordenlijst wordt een kleine letter gebruikt wanneer de naam vooral gebruikt wordt met het lidwoord *een*: *een jansalie, een jan modaal, een janklaassen, een jantje secuur, een pietje precies, een brave hendrik, een don juan, een don quichot.* (Voor het al dan niet gebruiken van een spatie zijn geen regels te geven.)

Bij samenstellingen biedt soms de 'soortproef' uitkomst. Een samenstelling begint met een kleine letter zodra men kan zeggen 'een soort + laatste deel van de samenstelling'. Het woord *venusschelp* begint met een kleine letter want het is een soort schelp, maar *Venustempel* begint met een hoofdletter want het is niet een soort tempel. De *hitlergroet* is een soort groet, maar het *Marshallplan* is niet een soort plan. Bij nieuwe of ongebruikelijke samenstellingen is echter een hoofdletter aan te bevelen (en een streepje), ook als het om soortaanduidingen gaat: *Bach-studie, Gandhi-tactiek, Armani-jasje*. Zie voor namen in samenstellingen spelregel 65 en 82.

55 Het hoofdletterprobleem bij taalaanduidingen

Duits, Duitstalig, steenkolen-Duits

Een naam van een taal of dialect krijgt een hoofdletter.

Namen van talen en dialecten krijgen een hoofdletter: *Latijn, Afrikaans, Gronings*. Dit geldt ook voor programmeertalen: *Cobol*.

Een taalnaam in een samenstelling of afleiding behoudt de hoofdletter: *Engelssprekend*, *Nederlandstalig*. Dit geldt niet voor werkwoorden en afleidingen van werkwoorden: *verfransen*, *latinisering*, *ontfriezen*.

Voor de schrijfwijze van samengestelde taalnamen bestaan geen officiële regels. Woordenboeken spreken elkaar tegen of zijn niet consequent. De volgende richtlijnen geven in de praktijk de minste problemen.

a. Min of meer officiële, samengestelde taalnamen worden als één woord geschreven, met een hoofdletter. Het gaat hier om taalnamen met de 'algemene voorvoegsels' *Hoog-*, *Laat-*, *Middel-*, *Neder-*, *Neo-*, *Nieuw-*, *Oud-*, en om een paar ingeburgerde schrijfwijzen. Enkele voorbeelden: *Hoogduits*, *Laatlatijn*, *Middelnederlands*, *Nederduits*, *Middelhoogduits*, *Neolatijn*, *Nieuwgrieks*, *Nieuwwestarmeens*, *Oudgermaans*, *Oudkerkslavisch; en ook Angelsaksisch*, *Creoolfrans*, *Kerkslavisch*, *Marollenfrans*, *Mandarijnenchinees*, *Negerhollands*, *Pidginengels*, *Platduits*, *Standaardnederlands*, *Schwyzerdütsch* (maar *Algemeen Nederlands*).

In een enkel geval worden er twee hoofdletters en een streepje gebruikt, namelijk als de naam begint met een windrichting – *Noord-Nederlands*, *Oost-Germaans*, *Zuid-Slavisch*, *West-Nederfrankisch* – of als de naam twee aardrijkskundige aanduidingen bevat: *Brits-Engels*, *Fins-Oegrisch*, *Gallo-Romaans*, *Indo-Europees*, *Reto-Romaans*, *Surinaams-Nederlands*.

b. Taalaanduidingen met 'bijzondere voorvoegsels' krijgen een kleine letter en een streepje: *klooster-Latijn*, *monniken-Latijn*, *namaak-Japans*, *oer-Germaans*, *oer-Indo-Germaans*, *plat-Amsterdams*, *polder-Nederlands*, *school-Frans*, *steenkolen-Engels*, *verkavelings-Vlaams*, *voetballers-Nederlands*, *volks-Latijn*.

De richtlijnen hebben alleen betrekking op taalaanduidingen, dus niet op woorden als *on-Nederlands*, (een) *oud-Germaans* (gebruik), *oud-Hollandse* (kleuren).

Aanduidingen die niet als echte taalnaam fungeren, krijgen geen hoofdletter: *abracadabra, keukenlatijn, koeterwaals, potjeslatijn, visserslatijn.*

56 Het hoofdletterprobleem bij tijdperken en feesten

Middeleeuwen, Kerstmis, kerstvakantie

Een naam van een tijdperk, een historische gebeurtenis of een feest krijgt een hoofdletter.

de Oudheid, de Volksverhuizing, de Middeleeuwen, de Renaissance, de Slag bij Nieuwpoort, de Vrede van Munster, de Verlichting, de Romantiek, de Barok, de Rococo, Kerstmis, Oud en Nieuw, Pasen, Hemelvaart, Koninginnedag, Prinsjesdag.

Enkele namen zijn ingeburgerd met een kleine letter, bijvoorbeeld: *advent, carnaval, kerst, oudjaar, nieuwjaar, prehistorie.* Ook tijdperken of perioden die eindigen op *-tijd* krijgen een kleine letter: *ijstijd, vastentijd.*

De naam als onderdeel van een samenstelling of afleiding krijgt een kleine letter: *hemelvaartsdag, kerstfeest, middeleeuws, paasontbijt, renaissancetijd, renaissanceachtig, tweede paasdag.* Woorden zoals *barok* krijgen een kleine letter als niet de periode maar de stijl is bedoeld.

Namen van dagen, maanden en jaargetijden krijgen een kleine letter: *maandag, dinsdag, zondag, december, augustus, najaar, lente, herfst.*

57 Het hoofdletterprobleem bij maatschappelijke stromingen

humanisme, jezuïet, new age
Een naam van een culturele of maatschappelijke stroming krijgt een kleine letter.

classicisme, communisme, humanisme, new age.

Ook samenstellingen en afleidingen, evenals namen voor aanhangers van stromingen krijgen een kleine letter: *beatgeneratie, communistisch, humanisten, liberalen.*

De naam van een gezindte of partij wordt geschreven zoals door de naamgever bepaald: *de Nederlands Hervormde Kerk, GroenLinks.* Aanhangers van gezindten of partijen krijgen een kleine letter. Enkele voorbeelden: *de rooms-katholieken, een jezuïet, gereformeerden, centrumdemocraten, de groenen.* Letterwoorden krijgen wel hoofdletters: *VVD'er, PvdA'er.*

Het woord *jood(s)* krijgt een hoofdletter als het gebruikt wordt in de betekenis 'inwoner van Israël' of 'Israëlisch': *Palestijnen en Joden, de Joodse en Arabische cultuur.* In andere gevallen wordt een kleine letter gebruikt: *de Antwerpse joden, de joodse godsdienst, het jodendom.*

58 De hoofdletterregel voor publicaties

Miljoenennota, Philip en de anderen
Een titel van een boek, wet, nota, film, tv-programma, lied, enz. krijgt een hoofdletter.

Wetsontwerp rechterlijke reorganisatie, Miljoenennota, Genesis, Het zakmes, Koken met sterren, De meeste dromen zijn bedrog, Vijf dagen in Saigon, De eerste keer dat ik vloog, Philip en de anderen.

Men kan ook – de Angelsaksische traditie volgend – het eerste woord én elk inhoudswoord met een hoofdletter laten beginnen:

De Eerste Keer dat ik Vloog. Ter wille van de herkenbaarheid worden titels meestal gecursiveerd of tussen aanhalingstekens geplaatst.

Als een woord om een andere reden al een hoofdletter heeft, blijft die uiteraard staan, bijvoorbeeld: *Wet transacties met niet-Europese landen, Drie dagen met Marilyn Monroe in bed.* Namen van kranten en tijdschriften worden gespeld zoals door de naamgever bepaald: *De Standaard, de Volkskrant, Het Parool.* (Zie spelregel 52.) Aanduidingen voor tekstsoorten en onderdelen van teksten krijgen een kleine letter: *een memorie van toelichting, in hoofdstuk 3, zie figuur 1.2.*

59 Het hoofdlettergebruik bij eerbied

de Heilige Geest, Lievevrouw

Een naam van een persoon of zaak die als heilig wordt beschouwd, wordt met een hoofdletter geschreven.

God, de Almachtige, Vader, Zoon en Heilige Geest, Lievevrouw, de Mensenzoon, het Koninkrijk Gods, het Evangelie volgens Marcus, de Wet en de Profeten (maar *de bijbel, de koran*).

Een heilige naam in een samenstelling, afleiding of woordgroep, of als soortaanduiding, krijgt een kleine letter: *godservaring, goddelijk, in godsnaam, messiaans, een weesgegroetje, eucharistieviering, een godheid* (maar *de Godheid*), *het onzevader.* Als de persoonsnaam nog duidelijk een rol speelt, wordt een hoofdletter gebruikt: *Godmens, Godsrijk, Godsgezant, Christusfiguur, Mariabeeld.*

Persoonlijke voornaamwoorden die betrekking hebben op God of Jezus of op personen die in een andere traditie dan de joods-christelijke als heilig worden beschouwd, krijgen een hoofdletter: *Laat de kinderen tot Mij komen. God, Hij is goed.* Andere voornaamwoorden krijgen in zo'n geval een kleine letter: *Eeuwig duurt zijn goedheid.*

60 Het hoofdlettergebruik bij functies

paus, staatssecretaris, minister-president
Een aanduiding voor een vorstelijk persoon, staatshoofd of kabinetslid krijgt een kleine letter.

Titulatuur, titels, ambten en functies krijgen een kleine letter: *koningin Beatrix, de paus, president, de premier, minister-president, de minister van Financiën, onze staatssecretaris, commissaris van de koningin, baron, bisschop, inspecteur, drs., de weledelgestrenge heer, de inspecteur der Directe Belastingen.*

Titulatuur krijgt alleen hoofdletters als het om een vorstelijk persoon gaat: *Zijne Koninklijke Hoogheid.* De aanduidingen *koning(in)* en *minister* krijgen in juridische teksten een hoofdletter als het gaat om de staatsrechtelijke functie: *de Koningin, de Minister.*

61 Het hoofdletterprobleem bij lettervormwoorden

L-kamer, T-shirt
Een lettervormwoord krijgt een hoofdletter als de vorm van de hoofdletter bedoeld is.

A-lijn, H-profiel, L-kamer, T-shirt, T-splitsing.

Als niet specifiek de vorm van de hoofdletter bedoeld is, kan men een kleine letter schrijven – *v-formatie, x-benen* – maar het is gemakkelijker om altijd een hoofdletter te gebruiken.

VIII Aaneenschrijven

Zodra woorden een vaste combinatie vormen, kunnen ze – in bepaalde gevallen – aaneengeschreven worden. Als woorden een samenstelling vormen, bijvoorbeeld *huis+deur*, worden ze aaneengeschreven. Als woorden een woordgroep vormen, bijvoorbeeld *ter informatie*, worden ze los geschreven. Het onderscheid tussen samenstelling en woordgroep is echter niet altijd scherp te trekken. Vergelijk bijvoorbeeld *aaneenschrijven* en *los schrijven*. Een vuistregel voor het onderscheid is de klemtoonregel. Als een vaste combinatie van woorden op elk woord een klemtoon krijgt, zoals in *zie ommezijde*, spreken we van een woordgroep. Als een vaste combinatie van woorden één (hoofd)klemtoon krijgt, zoals in *ademhalen*, spreken we van een samenstelling.

Maar er is meer aan de hand dan het onderscheid in klemtoon. Waarom schrijven we *pianospelen* aan elkaar, maar doen we dat niet bij *gitaar spelen*? Kennelijk is het ook van belang hoe vast of hoe ingeburgerd de vaste woordcombinatie is. Vergelijk ook *rodekool* en *witte kool*. Soms is het taalgebruik zo grillig dat er nauwelijks regels te geven zijn. In deze paragraaf staan niet alleen de officiële regels voor aaneenschrijven, maar ook enkele adviezen voor de gevallen waarin de regels geen uitkomst bieden.

62 De regel voor de Nederlandse woordgroep

te midden van, zie ommezijde

Een vaste woordcombinatie waarin elk woord een klemtoon kan krijgen, wordt met spaties geschreven.

aan den lijve, *aan weerszijden*, *te midden van*, *zie ommezijde*.

Vaste woordcombinaties met één klemtoon, zoals *alsnog* en *bergaf*, worden aaneengeschreven; zie hiervoor spelregel 73. Bijzondere combinaties, zoals *broodje-aap* of *drie-in-de-pan*, krijgen streepjes; zie hiervoor spelregel 81.

63 De regel voor de buitenlandse woordgroep

de facto, en profil

Een vaste woordcombinatie uit een andere taal wordt geschreven zoals in de taal van herkomst.

ad fundum, ad hoc, au bain marie, de facto, face-à-face, demi-monde, dos-à-dos, enfant terrible, en profil, in Frage, in memoriam, passe-partout, sur place.

In een enkel geval wordt afgeweken van de schrijfwijze in de taal van herkomst, bijvoorbeeld: *ex-libris, ex-voto, majordomus.* Zie verder spelregel 67 voor ingeburgerde Engelstalige samenstellingen en woordgroepen.

64 De aaneenschrijfregel voor woordcombinaties die beginnen met een soortaanduiding

donkerblauw, minimuminkomen

Een vaste woordcombinatie die met een soortaanduiding begint, wordt aaneengeschreven.

allesreiniger, donkerblauw, minimuminkomen, okselfris, spellingproblematiek, informatiedistributiesysteem, baarmoederhalskankeronderzoek.

Het begrip soortaanduiding kan het gemakkelijkst worden uitgelegd met enkele voorbeelden. Er is verschil tussen *een kopje koffie* en een *koffiekopje*. In *een kopje koffie* is er geen sprake van een soort koffie, maar bij een *koffiekopje* gaat het wel om een soort kopje. Vergelijk ook het verschil tussen *Ik heb de directie cursussen aangeboden* en *Ik heb de directiecursussen aangeboden.* Alleen in het tweede geval is er sprake van een soort cursussen.

Soms is het moeilijk om te bepalen of het om een soortaanduiding gaat. In zo'n geval geeft de klemtoon vaak een aanwijzing. Vergelijk *een klein bedrijf* en *het kleinbedrijf*. In de combinatie met een soortaanduiding is een van de twee klemtonen verzwakt, en is dus slechts één hoofdklemtoon hoorbaar. Vergelijk ook: *een groot handelaar* en *een groothandelaar*, *een zwart boek* en *een zwartboek*, *ouwe lui* en *ouwelui* (ouders), *een snelle trein* en *de sneltrein*.

Een soortgelijk geval is het verschil tussen *bijzonder geachte* en *hooggeachte*, of tussen *Zij is het minst bedeeld* en *Zij behoort tot de minstbedeelden*. In zo'n aaneengeschreven combinatie is een van de twee klemtonen verzwakt, en is dus slechts één hoofdklemtoon hoorbaar. Vergelijk ook *veel gebruikte kleren* en *de veelgebruikte kleren*. Een regel hiervoor is niet te geven. Vaak ook speelt frequentie een rol; vergelijk *zwaarbewolkt* en *licht bewolkt*. In de woordenlijst zijn alleen enkele veelgebruikte combinaties opgenomen.

In de woordenlijst wordt verder ook naar deze regel verwezen bij overeenkomstige woordcombinaties waarin vaak ten onrechte een spatie wordt gebruikt, bijvoorbeeld: *aaneengesloten, nagenoemd, supersonisch*.

Vaste combinaties met een soortaanduiding kennen vaak een tussenklank, vergelijk *broekriem* en *broekspijp; schaapherder, schaapskooi, schapezuring* en *schapenvlees*. Zie hiervoor de spelregels 88 tot en met 99.

65 De aaneenschrijfregel voor naam plus woord

andreaskruis, Greenwichtijd

Een samenstelling die begint met een naam wordt aaneengeschreven.

alzheimerpatiënt, andreaskruis, argusogen, Greenwichtijd, Taylorstelsel, Jan Pieter Heyestraat.

Een woordcombinatie die begint met een naam, krijgt een kleine letter wanneer het om een soortaanduiding gaat; zie spelregel 54. Gebruik in zaaknamen de schrijfwijze zoals die door de naamgever is bepaald, ook als die van de regel afwijkt: *Erasmus Universiteit*,

Rythovius College. Woordcombinaties met merknamen krijgen een streepje als het eerste deel het merk aangeeft: *Braza-koffie, Philips-apparatuur* (maar *Philipsfabriek*). Als het om een soortnaam gaat, komt er geen streepje (en geen hoofdletter): *gillettemesje.*

Een meerledige naam in een combinatie behoudt eventuele spaties: *Van Goghtentoonstelling, H.C. Pernathprijs, Annie M. G. Schmidthuis, de Gouden Gids Publieksprijs.* Een uitzondering vormen driedelige samenstellingen waarvan de eerste twee delen een naam vormen. Deze krijgen een streepje: *Eerste-Kamerlid, Tweede-Kamerzitting, Rode-Kruispost, Heilig-Hartinstituut, Onze-Taallezer.* Het eerste deel in deze uitzonderingen is een telwoord, een bijvoeglijk naamwoord of een voornaamwoord. Een samenstelling als *Dow-Jonesindex* krijgt een streepje omdat het hier over twee personen gaat.

Zie spelregel 82 voor combinaties die eindigen op een naam: *commissie-Van der Vleuten, de wet-Lejeune.*

66 De aaneenschrijfregel voor 'gemengde' tweedelige samenstellingen

jazzmuziek, successtory

Een tweedelige samenstelling met een anderstalig deel wordt aaneengeschreven.

afterpil, jazzmuziek, interviewtechniek, jockeypet, jobstudent, parforcehond, successtory, weekendhuwelijk (*weekend* wordt hier als één deel opgevat). Bij klinkerbotsing komt er een streepje: *live-uitzending.* Zie verder spelregel 76.

67 De aaneenschrijfregel voor Engelstalige woordcombinaties

coffeeshop, parttime

Een ingeburgerde Engelstalige samenstelling wordt aaneengeschreven.

airbus, bottleneck, coffeeshop, compactdisc, freelance, hardporno, lowbudget, parttime, peptalk, smalltalk.

In woordcombinaties van een bijvoeglijk naamwoord en een zelfstandig naamwoord komt echter een spatie als beide woorden een klemtoon kunnen krijgen: *black box, candid camera, happy end, heavy metal, top secret.*

Engelstalige samenstellingen die eindigen op een voorzetsel dat met een klinker begint, krijgen een streepje: *drive-in, spin-off, slip-on, lay-out, pull-over, bottom-up* (maar *topdown, playback,* enz.).

Engelstalige driedelige woordgroepen worden geschreven zoals in de taal van herkomst: *face to face, ups and downs, up-to-date.* Zie verder spelregel 63 voor anderstalige woordgroepen.

In een enkel geval komt er een streepje voor de leesbaarheid: *all-risk, body-art, eye-opener, music-hall, no-iron.* Zie spelregel 85.

68 De aaneenschrijfregel voor drie- en meerdelige samenstellingen

teraardebestelling, derdewereldland

Een vaste combinatie van drie delen waarvan het eerste deel bij het tweede deel hoort, wordt aaneengeschreven.

achtertuinpolitiek, artikeltwaalfgemeente, teraardebestelling, derdewereldland, heteluchtkachel, kortebaanwedstrijd, tienrittenkaart.

Deze regel heeft betrekking op driedelige samenstellingen waarin het eerste deel bij het tweede hoort, en waarin de eerste twee delen sámen een soortaanduiding vormen bij het derde deel: (a+b)+c. Er is dus verschil tussen *een kortebaanwedstrijd*, waarin het eerste deel bij het tweede hoort en waarin de eerste twee delen samen aangeven om wat voor soort wedstrijd het gaat, (a+b)+c, en *een korte baanwedstrijd*, waarin het eerste deel een bepaling is bij het tweede én derde deel samen: a+(b+c). Zie verder spelregel 65 voor samenstellingen met een tweedelige naam.

Een driedelige combinatie met een cijfer krijgt een streepje: *1-meiviering*, *11-julispreker*. Combinaties op *-ing* die zijn afgeleid van driedelige werkwoorden, worden aaneengeschreven: *inbezitneming, totstandkoming, teraardebestelling, tewerkstelling.*

Vier- of vijfledige samenstellingen schrijven we aaneen als daarmee de leesbaarheid niet in gevaar komt. Zie verder spelregel 85.

69 De aaneenschrijfregel voor werkwoorden

ademhalen, water halen

Een vaste woordcombinatie die eindigt op een werkwoord, wordt aaneengeschreven wanneer de combinatie als eenheid wordt gezien.

Combinaties met een werkwoord worden aaneengeschreven wanneer ze als eenheid worden gezien. Dit is het geval bij bijvoorbeeld *hardlopen* maar niet bij *langzaam lopen*. Er ontstaat een eenheid wanneer de letterlijke betekenis van het werkwoord naar de achtergrond is verdwenen. Vergelijk de volgende voorbeelden: *ademhalen – water halen, kennismaken – ruimte maken, stofzuigen – lucht zuigen, pianospelen – gitaar spelen, maathouden – orde houden*. Het criterium 'eenheid' blijft echter subjectief. Vaak speelt ook gebruiksfrequentie een rol. Het is bijvoorbeeld *tekortdoen, tenietdoen, tentoonstellen, terneerliggen, tewerkstellen* maar *in stand houden, te stade komen, ter zijde staan* en *tot stand komen*.

70 De aaneenschrijfregel voor voorzetsel en werkwoord

een bos in rijden, een auto inrijden

Een voorzetsel of bijwoord vóór een werkwoord wordt alleen aan het werkwoord vast geschreven wanneer die combinatie een aparte betekenis oplevert.

Een voorbeeld kan deze regel verduidelijken. We kennen het voorzetsel *over* en het werkwoord *gaan*. Het voorzetsel kan vóór het werkwoord komen in zinnen als *Zou hij zomaar de straat over gaan?* In deze zin is de betekenis van *gaan* gelijk aan *gaan* zonder voorzetsel of met een ander voorzetsel, bijvoorbeeld *Zou hij gaan? Zou hij de straat langs gaan? Zou hij de straat in gaan?* Maar in een zin als *Zou hij wel overgaan?* vormen het voorzetsel en het werkwoord samen een aparte betekenis: een leerjaar met succes afronden. Daarom worden in dit geval het voorzetsel en het werkwoord aaneengeschreven. Nog enkele voorbeelden. Het is *een bos in rijden*, omdat het hier om *rijden* gaat. Maar het is *een auto inrijden* omdat *in* samen met *rijden* een aparte betekenis heeft gekregen. Het is *van het dak af vallen* met spatie, maar *een kilo afvallen* zonder spatie.

Wanneer men aarzelt over de spatie tussen voorzetsel en werkwoord, moet dus eerst bepaald worden of de twee woorden samen een aparte betekenis hebben. Als dat het geval is, worden ze aaneengeschreven. Op grond van deze regel is het *rechts afslaan* en *rechtsaf gaan* (*afgaan* betekent iets heel anders), *een stap terug doen* en *iets terugdoen*. Als het voorzetsel en het werkwoord samen geen aparte betekenis hebben, zet men een spatie: *de gordijnen in jagen, de laan uit sturen, tegen de haren in strijken, van zich af bijten.*

71 De aaneenschrijfregel voor 'losse voorzetsels'

ervan uitgaan, erdoorheen praten
Een voorzetsel dat niet bij een werkwoord hoort, wordt verbonden aan het voorafgaande voorzetsel of aan de bijwoorden *er*, *daar*, *hier* en *waar*.

Een voorzetsel wordt verbonden aan een voorafgaand voorzetsel of de woorden *er*, *daar*, *hier* en *waar* wanneer het niet bij een werkwoord hoort. Een voorzetsel hoort niet bij een werkwoord wanneer het daarmee geen aparte betekenis vormt; zie spelregel 70. Deze regel kan het best uitgelegd worden aan de hand van de vraag: moet men in een bus *achter uitstappen* of *achteruitstappen*? Als *uit* met *stappen* een aparte betekenis vormt (een voertuig verlaten), is het *achter uitstappen*. In een andere betekenis horen *uit* en *achter* samen bij *stappen*; dan is het *achteruitstappen* (achterwaarts stappen). Nog enkele voorbeelden van combinaties van twee of drie woordjes:

ik heb het voorstel erdoor gekregen;
er bekaaid van afkomen (hier hoort *af* bij *komen);*
ik weet niet wat ik ervan moet denken;
erdoorheen praten, eronderdoor gaan, eropna houden, eropuit zijn, ertegenaan gaan, ervanaf vliegen, ervandoor gaan, ervanlangs geven;
ik piep ertussenuit;
ik ga hiertussendoor;
zij praten langs elkaar heen (*elkaar* is geen voorzetsel).

Bij het toepassen van deze regel moet dus rekening worden gehouden met de betekenis. Vergelijk de volgende voorbeelden:
Ze gaan daaromheen (ze gaan daarlangs).
Ze gaan daarom heen (vertrekken om die reden).
Zou de koffie eraan komen?
Zou zij er aankomen voor wij er zijn? (hier hoort *aan* bij *komen*)
Wij gaan ervan uit dat ...
Wij gaan er hier van uit dat ... (Het werkwoord is *uitgaan*, en *hier* hoort niet bij *van*.)

Combinaties van drie voorzetsels en *er*, *daar*, *hier* of *waar* worden bij voorkeur gesplitst in twee tweetallen: *ervan opaan kunnen, eraan onderdoor gaan.*

72 De aaneenschrijfregel voor voorzetselcombinaties

onder in de kast, onderin

Een voorzetsel wordt verbonden met een voorafgaand voorzetsel of bijwoord wanneer het niet bij een volgend woord hoort.

Een combinatie van voorzetsels of van een voorzetsel en een bijwoord wordt aaneengeschreven wanneer het tweede voorzetsel niet hoort bij het volgende woord. In *Het ligt onder in de kast* hoort *in* bij *kast*. Daarom is het *onder in*. Maar in *Het ligt onderin* hoort *in* niet bij een volgend woord; daarom is het *onderin*. Nog enkele voorbeelden:

Zij had haar kind voor op de fiets. – Zij had haar kind voorop.
Hij loopt bovenlangs. – Hij loopt boven langs de richel.
Zij wonen er in slechte omstandigheden. – Het zit erin. Waarin zit het? Hij viel er middenin.

Sommige voorzetselcombinaties gedragen zich als eenheid: *vanaf Amsterdam, vanuit Leuven.*

73 Het aaneenschrijfprobleem voor 'kleine woorden'

bijvoorbeeld, tenslotte/ten slotte

Een vaste woordcombinatie met lidwoord, voorzetsel, voegwoord, bijwoord, enz. wordt aaneengeschreven.

Vaste woordcombinaties van 'kleine woorden' worden aaneengeschreven: *alsnog, bijvoorbeeld, dankzij, niettegenstaande, omwille, tevoren, zodoende*, evenals combinaties met *-zelf* of *-zelfde*: *zichzelf, hetzelfde*. Er zijn echter veel ingeburgerde uitzonderingen. Enkele voorbeelden: *des te meer, nog eens, onder meer, zo min (mogelijk), zonder meer*. Zie verder ook spelregel 62.

Onder deze regel vallen ook andere vaste woordcombinaties met één hoofdklemtoon: *binnenstebuiten, bergaf, huppeldepup, potjandorie*. Zie spelregel 81 voor vaste woordcombinaties met streepjes.

In een enkel geval is er betekenisverschil. In de woordenlijst is indien nodig de betekenis vermeld. Hier enkele voorbeelden:

uzelf	*Help uzelf.*
u zelf	*Dit kunt u zelf wel nagaan.*
tenminste	*Kom maar langs, als je tenminste zin hebt.*
ten minste	*Ten minste houdbaar tot datum vermeld aan bovenzijde.*
tenslotte	*Ik help je wel, je bent tenslotte familie.*
ten slotte	*Ten slotte kregen alle bezoekers nog een hapje en een drankje.*

74 De aaneenschrijfregel voor getallen

drieduizend vijfhonderddrieënnegentig

Een getal in woorden wordt aaneengeschreven. Na *duizend* volgt een spatie; *miljoen, miljard, biljoen,* enz. zijn aparte zelfstandige naamwoorden.

negenentachtig, tweehonderddertien, drieduizend vijfhonderddrieënnegentig, honderdachtentachtigduizend, dertien miljoen.

De regel om een spatie te zetten na *duizend* en om alleen *miljoen, miljard, biljoen,* enz. als aparte woorden te behandelen, sluit aan bij het puntgebruik in cijferreeksen. Een voorbeeld:

f 3.154.123,71: *drie miljoen honderdvierenvijftigduizend honderddrieëntwintig gulden en eenenzeventig cent.*

In rangtelwoorden in cijfers schrijft men bij voorkeur een *e*: *1e*, *2e*, *20e*. Eventueel kan men ook de hoorbare uitgang vermelden: *1ste*, *2de*. Achter letters schrijft men *-de*: *de n-de macht*. Rangtelwoorden in woorden worden aaneengeschreven, evenals de getallen met *miljoen*: *tweeduizendtwintigste*, *tweehonderdduizendste*, *viermiljoenste*.

De woorden *-jaars*, *-jarig*, *-maal*, *-macht*, *-rangs* en *-tal* komen aan het telwoord vast: *eerstejaars*, *tienjarig*, *zevenmaal*, *vierdemacht*, *derderangs*, *tiental*. Het woord *maal* is echter een apart woord als de rekenkundige bewerking wordt bedoeld: *zeven maal zeven*. Het woordje *half* voor telwoorden komt ook aan het telwoord vast: *halftien*.

75 De aaneenschrijfregel voor breuken

tweederde, *vier vierzevende*
In een breukgetal worden teller en noemer aaneengeschreven.

eenvierde, *tweederde*, *zevenachtste*, *vier vierzevende*, *driekwart miljoen*, *twaalf driekwart*, *een tweederde meerderheid*. Als de teller *een* niet als één wordt uitgesproken wordt het als apart woord geschreven: *twee en een half* (of *tweeënhalf*), *dertien en een kwart*.

Er is in de spelling dus geen verschil tussen *(een) zeshonderdste* (6/100), *(één) zeshonderdste* (1 6/100) en *(de) zeshonderdste* (600e). Er is wel verschil tussen *tweevijftiende* (2/15) en *twee vijftiende* (2 5/10).

IX Streepjes

De officiële regels voor het streepje voorzien niet in alle probleemgevallen; bovendien bestaan er veel uitzonderingen omdat bepaalde schrijfwijzen al sinds jaar en dag zijn ingeburgerd. Waar de officiële regels geen uitsluitsel geven, wordt een advies gegeven dat aansluit bij het gangbare gebruik. Zie verder nog spelregel 53 voor het gebruik van het streepje in samengestelde aardrijkskundige namen.

76 De streepjesregel voor klinkerbotsing in samenstellingen

na-apen, tosti-ijzer

Een samenstelling waarin de laatste letter van een deel en de eerste letter van het volgende deel één klank kunnen vormen, krijgt een streepje.

Het gaat hierbij om dezelfde veertien gevallen als bij het trema (zie spelregel 37) en om de gevallen *i+i*, *i +ij*, *i+j*, *ij+i* en *ij+ij*. Bij de laatstgenoemde combinaties gaat het – behalve bij *i+j* – niet om één klank maar om lastig leesbare samenstellingen. Zie ook spelregel 85.

aa na-apen
ae gala-evenement
ai diploma-inflatie
au gala-uniform

ee mee-eten, café-eigenaar
ei snelle-interventiemacht
eu informatie-uitwisseling

ie ski-evenement
ii sproei-installatie
iij tosti-ijzer

ij gummi-jas
iji zij-ingang
ijij glij-ijzer

oe zo-even
oi foto-impressie (maar *zoiets*)
oo giro-overzicht
ou radio-uitzending

ui reçu-informatie
uu ecu-uitgifte

De regel heeft betrekking op twee opeenvolgende klinkerletters die samen één klank kunnen vormen. De regel geldt dus niet voor: *ao, ea, eo, ia, io, iu, oa, ua, ue, uo* en voor combinaties met een *y*: *massaontslag, politieautoriteiten, correctieopdracht, portiafdracht, gummioverschoen, skiuitrusting, autoalarm, parapluantenne, milieueffect, menuoverzicht, babyartikel, hockeyelftal, hobbyorganisatie, juryuitspraak*. De regel geldt dus ook niet voor de combinaties *a+ij, e+ij* en *ee+ij*: *naijlen, vanilleijs, zeeijs*.

Deze regel geldt evenmin voor samengestelde telwoorden met *twee-* en *drie-* ; deze krijgen geen streepje maar een trema: *drieëndertig*. Zie spelregel 41.

77

De streepjesregel in bijzondere gevallen
niet-roker, vice-voorzitter
Bepaalde woorden en voorvoegsels krijgen een streepje in samenstellingen.

Er zijn enkele woorden en voorvoegsels die van oudsher een streepje krijgen. Hiervoor zijn geen regels te geven.

archi (uitermate)	*archi-dom*
demi	*demi-finale*
ex (voormalig)	*ex-trainer*
interim	*interim-manager*
loco (plaatsvervangend)	*loco-burgemeester* (maar *locohandel*)
niet	*niet-roker*
non	*non-verbaal*
oud (voormalig)	*oud-leerling* (maar *oudgediende*)
privé	*privé-vermogen*
pro (voor)	*pro-westers* (maar *proactief, proconsul*)
pseudo	*pseudo-wetenschap*
quasi	*quasi-diepzinnig*
semi	*semi-militair*
S/sint	*Sint-Nicolaas, sint-juttemis, St.-Truiden*
vice	*vice-voorzitter*

Als een woord of voorvoegsel niet in het rijtje hierboven staat, komt er doorgaans geen streepje. Het is dus: *desinfectie*, *integraalband*, *juniorkaart*, *oerververvelend*, *postdoctoraal*, *seniorlid*, *subcommissie*, *transoceanisch*.

Er komt wel een streepje tussen een voorvoegsel en een hoofdletter: *inter-Europees*, *oer-Nederlands*, *on-Engels*, *pan-Arabisch*, *trans-Europees*. Zie voor een streepje na woorden als *assistent* en *concept* spelregel 79.

78 De streepjesregel bij voorvoegsels met klinkerbotsing

bio-industrie, netto-inkomen

Na een aantal voorvoegsels komt er een streepje in plaats van een trema.

Er zijn een aantal voorvoegsels die in geval van klinkerbotsing geen trema krijgen (<*bioïndustrie*>) maar een streepje: *bio-industrie*. Het gaat hier voornamelijk om voorvoegsels van Griekse of Latijnse herkomst.

aëro	*aëro-elasticiteit*	*macro*	*macro-economie*
agro	*agro-industrie*	*meta*	*meta-analyse*
anti	*anti-intellectueel*	*micro*	*micro-organisme*
audio	*audio-industrie*	*mini*	*mini-emmer*
auto	*auto-intoxicatie*	*mono*	*mono-uitzending*
bio	*bio-energie*	*multi*	*multi-etnisch*
bruto	*bruto-opbrengst*	*neo*	*neo-expressionistisch*
contra	*contra-indicatie*	*netto*	*netto-inkomen*
duo	*duo-uitkaart*	*para*	*para-universitair*
euro	*euro-enthousiasme*	*recta*	*recta-accept*
extra	*extra-uterien*	*socio*	*socio-economisch*
hetero	*hetero-erotiek*	*stereo*	*stereo-opname*
homo	*homo-emancipatie*	*tele*	*tele-informatie*
hydro	*hydro-elektrisch*	*thermo*	*thermo-element*
intra	*intra-uterien*	*ultra*	*ultra-actief*

Dit overzicht is niet volledig, speciaal waar het gaat om de bijzondere voorvoegsels op *-o*, zoals *hecto-*, *hygro-*, *iso-*, *morfo-*, *ortho-*, *paleo-*, *proto-*, *retro-* en *topo-*. Ook hier komt een streepje bij klinkerbotsing. De voorvoegsels *a(n)-* (in de betekenis 'niet'), *de-*, *pre-* en *re-* vallen buiten deze regel. Het is dus *anorganisch, asociaal* (maar *a-priorisch*), *deëscalatie*, *preïndustrieel* en *reïncarnatie*.

Het voorvoegsel *co-* geeft nogal wat variatie. Bij klinkerbotsing komt er een trema: *coënzym*, *coïncidentie*, *coördinatie* (maar *coassistent,* want geen klinkerbotsing). Een ingeburgerde uitzondering is echter *co-ouder.* En woorden als *co-counselen* en *co-schap* krijgen een streepje voor de leesbaarheid (spelregel 85).

79 De streepjesregel voor bijzondere bepalingen

adjunct-directeur, rekening-courant

Een tweedelige samenstelling waarin het ene deel een bijzondere bepaling is bij het andere, krijgt een streepje.

In een tweedelige samenstelling is het eerste deel vaak een bepaling bij het tweede. Een *concepthouder* is een soort houder. Maar het eerste deel kan ook een bepaling met een bijzondere betekenis zijn. Een *concept-tekst* is een tekst die bijna af is. In zo'n geval komt er een streepje. Als het eerste deel een bepaling is bij het tweede gaat het vaak om de betekenis 'bijna' of 'plaatsvervangend': *adjunct-directeur, aspirant-lid, assistent-arts, concept-tekst, kandidaat-notaris, leerling-verpleegkundige, ontwerp-akkoord, substituut-officier.*

Omdat in een samenstelling het eerste deel vaak het tweede bepaalt, is een *kredietrekening* niet een soort krediet maar een soort rekening. Het kan echter ook andersom; dan is het tweede deel een nadere bepaling bij het eerste. Een *rekening-courant* is een soort rekening en niet een soort courant. Wanneer het tweede deel een nadere bepaling is bij het eerste, komt er een streepje: *auditeur-militair*, *rekening-courant*, *proces-verbaal*, *procureur-generaal*, *Staten-Generaal*.

80 De streepjesregel voor gelijkwaardige delen

sociaal-cultureel, chef-kok
Een samenstelling die uit twee gelijkwaardige delen bestaat, krijgt een streepje.

Wanneer het eerste deel van een samenstelling gelijkwaardig is aan het tweede, komt er een streepje; *algemeen-bijzonder (onderwijs), christen-socialist, politiek-economisch, sociaal-cultureel* (maar *sociocultureel*), *chef-kok, directeur-eigenaar, prins-gemaal, prins-bisschop, collega-jurist, station Heemstede-Aerdenhout, het Brits-Franse consortium.*

In woorden als *doofstom, mannenbroeders* en *Moedermaagd* staat de gelijkwaardigheid niet op de voorgrond, vandaar dat het streepje hier achterwege blijft.

De regel geldt eveneens voor namen van gehuwde vrouwen: *Mevrouw J. Pietersen-van der Vlugt.*

De regel voor gelijkwaardige delen geldt niet voor werkwoorden: *pingpongen, zigzaggen, hiphoppen.* De regel geldt evenmin voor samenstellingen met twee gelijke delen: *beriberi, blabla, froufrou, tamtam.*

In tweedelige kleuraanduidingen, zoals *oranjerood* en *paarsblauw*, wordt het eerste deel als bepaling gezien bij het tweede deel (*oranjerood* is een soort rood, enz.). Er komt dus geen streepje. In *de geel-witte vlag* komt wel een streepje omdat het om twee kleuren gaat.

81 De streepjesregel voor 'uitgebreide' samenstellingen

hink-stapsprong, woon-werkverkeer
Een samenstelling die gelijkwaardige delen of een woordgroep bevat, krijgt tussen de delen een streepje, behalve vóór het laatste deel.

doe-het-zelfzaak, half-om-halfgehakt, hink-stapsprong, kop-hals-rompboerderij, negen-tot-vijftype, nek-aan-nekrace, invoer-uitvoerbepaling, plus-en-minmethode, woon-werkverkeer, zwart-witfoto.

Het gaat hier om samenstellingen die behalve gelijkwaardige delen of een woordgroep nog een ander (grond)woord bevatten. Als de combinatie een woordgroep is zonder grondwoord, komt tussen elk woord een streepje: *broodje-aap, een sta-in-de-weg, een staakt-het-vuren, drie-in-de-pan, een blik van wat-moet-je-van-me*. Zie spelregel 62 voor vaste woordcombinaties met een spatie, en spelregel 73 voor vaste woordcombinaties die aaneengeschreven worden.

82 De streepjesregel voor woord plus naam

commissie-Pietersen, spelling-Siegenbeek
Een samenstelling eindigend op een naam krijgt een streepje.

Op grond van spelregel 65 worden samenstellingen die beginnen met een naam, aaneengeschreven: *Greenwichtijd*. Samenstellingen die eindigen op een naam, krijgen echter een streepje. Als de naam uit twee delen bestaat, blijven spatie of streepje in de naam behouden. Enkele voorbeelden:
de commissie-Pietersen, de spelling-Siegenbeek, het kabinet-Martens VI, het plan-Van Oort.

Zie voor samengestelde taalnamen als *Standaardnederlands* en *Nieuwgrieks* spelregel 55.

83 De streepjesregel voor samenstellingen met een afkorting, cijfer, enz.

CAO-overleg, top-100
Een afkorting, cijfer, symbool of letteraanduiding in een samenstelling krijgt een streepje.

A-omroep, ABC-wapens, CAO-overleg, dcc-speler, NAVO-partners, PEN-club, pr-plan, tv-kijker, kleuren-tv, top-100, w.o.-diploma, @-teken, 55+-woning, 5%-regeling.

Een afkorting in een afleiding krijgt geen streepje maar een apostrof (zie spelregel 46). Het is dus *SP-lidkaart* (samenstelling) en *SP'er* (afleiding).

Na de afkorting komt geen streepje wanneer voldaan is aan de volgende drie voorwaarden:
1. De afkorting is geen naam.
2. De afkorting bestaat uit kleine letters.
3. De afkorting is als woord uitspreekbaar en/of bestaat uit woorddelen (zie ook spelregel 102). Vaak gaat het hier om afkortingen die niet meer als zodanig worden aangevoeld. Enkele voorbeelden: *aidspatiënt, binasboek, behabeugel, bibliobus, bommoeder, carapatiënt, demodiskette, ecoregeling, faxapparaat, gymschoen, horecabeurs, infokrant, laserstraal, latrelatie, modemaansluiting, naziregime, petfles, profcontract, radarpost, pinpas, sofinummer, sonarpeiling, telexapparaat, vipbehandeling, vlizotrap, vutregeling.*

Afgekorte onderwijsvormen in een samenstelling krijgen wel een streepje: *mavo-diploma, vwo-3-leerling.*

84 De streepjesregel voor 'gemengde' drie- of meerledige samenstellingen

a-capellakoor, drive-inwoning
Een samenstelling (of afleiding) met meer dan één anderstalig deel krijgt streepjes tussen de anderstalige delen.

a-capellakoor, ad-hoccommissie, ad-hocachtig, déjà-vu-indruk, human-resourcesmanagement, in-vitrofertilisatie, on-lineverbinding, peau-de-suèdehandschoen, viola-da-gambaconcert.

Als de eerste twee delen gezien worden als één woord, komt er echter geen streepje, bijvoorbeeld: *parttimebaan, hightechindustrie, sciencefictionfilm*. Als er tussen de anderstalige delen al een streepje staat, blijft dat behouden: *all-invakantie, drive-inwoning, make-updoos, push-upbeha, roll-on-roll-offboot.*

85 De streepjesregel voor lastig leesbare samenstellingen

bas-aria, jazz-zanger
Een lastig leesbare samenstelling mag een streepje krijgen.

In gevallen waarin deze paragraaf IX niet voorziet, kan een streepje gezet worden wanneer een samenstelling lastig leesbaar is: *alliance-ring, as-analyse, bas-aria, jazz-zanger, het-woord, ik-persoon, loods-pet, lood-spet, nep-openhaard, pop-opera, body-art, eye-opener.*

Op grond van deze regel heeft men dus de vrijheid om af te wijken van als officieel gepresenteerde schrijfwijzen.

86 De streepjesregel voor een weggelaten woorddeel

in- en uitvoer, wis- en natuurkunde

Een weggelaten woorddeel wordt aangegeven met een streepje.

Het weggelaten woorddeel staat meestal in een volgend woord: *in- en uitvoer, land- en tuinbouw, wis- en natuurkunde, bedrijfs- respectievelijk verenigingsgegevens.* Maar het kan ook in een voorafgaand woord staan: *vlieglessen en -oefeningen.*

Voor het gebruik van het weglatingsstreepje gelden twee voorwaarden:

1. Het weggelaten deel moet een woorddeel zijn. Dus er komt geen streepje in <*het oude- en nieuwe kabinet*>. Hier is geen woorddeel maar een heel woord, *kabinet*, weggelaten.

2. Het weggelaten woorddeel moet deel van een ander woord zijn. Het weggelaten woorddeel *-voer* in *in- en uitvoer* is een deel van *uitvoer.* Het weggelaten woorddeel *-bouw* in *land- en tuinbouw* is een deel van *tuinbouw.*

De tweede eis is minder strikt dan de eerste. Veel taalgebruikers laten ook een woorddeel weg dat verderop als zelfstandig woord fungeert: *ijs- en bruine beren, hoofd- of kleine letter, kleuter- en lager onderwijs, hbo- of universitaire opleiding, overheids- en provinciale instellingen.* Deze constructies zijn niet fout.

In gevallen als de volgende gaat het niet om een weggelaten woorddeel maar om gelijkwaardige delen: *gooi-en-smijtfilm, hand-en-spandienst, klank-en-lichtspel, peper-en-zoutstel.*
Zie hiervoor spelregel 81.

X Tussenletters

Over de spelregels voor de tussenletters bestaat veel verwarring. Benadrukt moet worden dat het regels zijn voor samenstellingen zoals *pannenkoek* en *geluidshinder*, en niet voor afleidingen zoals *vrijelijk* en *uitzichtloos*.

De regels voor de *-n-* gelden bovendien alleen als op de grens van de samenstellende delen de toonloze [e] wordt gehoord. Dit is niet het geval in bijvoorbeeld *lustoord* of *leraarskamer*, en ook niet in bijvoorbeeld *keukendeur*; in het laatste woord hoort *-en* bij het woord *keuken*. Voor de duidelijkheid zijn in deze paragraaf alle uitzonderingen op de hoofdregel voor de *-n-* uitgesplitst in aparte regels.

Van belang is ook nog te vermelden dat de regels voor de *-s-* nauwelijks aanspraak kunnen maken op de naam spélregels. In feite zeggen de regels over de *-s-* dat je moet schrijven wat je hoort. Dus de taalgebruiker die *geluidhinder* zegt en dat ook schrijft, zondigt evenmin tegen de regels als de taalgebruiker die *geluidshinder* zegt en schrijft.

87 De tussen-*n*-regel voor afleidingen

zakelijk, wezenlijk

In afleidingen op *-lijk* en *-loos* wordt doorgaans geen *n* geschreven.

De spelregels voor de tussen-*n* gelden voor samenstellingen en niet voor afleidingen. Er komt geen *n* voor de achtervoegsels *-lijk* en *-loos* na een zelfstandig naamwoord, want dan gaat het om een afleiding: *zakelijk*, *vreugdeloos*. Een uitzondering is *ideeënloos*. In woorden als *gezamenlijk* en *wezenlijk* staat al een *n*.

Voor het al dan niet schrijven van de *-e-* voor *-lijk* en *-loos* zijn in kort bestek geen regels te geven. In veel gevallen is echter zowel de schrijfwijze mét als zónder *-e-* goed: *huislijk – huiselijk*, *ongelooflijk – ongelofelijk*, enz. Als beide varianten goed zijn, staan ze beide vermeld in de woordenlijst. Er zijn enkele gevallen met betekenisverschil:

naamloos (zonder naam) *een nameloos verdriet* (oneindig groot)
werkloos (zonder baan) *werkeloos toezien* (zonder iets te doen)
zoutloos (zonder zout) *een zouteloos grapje* (flauw)

88 De regel voor de tussen-*n*

kerkenraad, pannenkoek, zielenrust
Schrijf een tussen-*n* in een samenstelling na een zelfstandig naamwoord met een meervoud op *-en*.

bessensap, boekenbon, eikenboom, hartenkreet, kerkenraad, klassenvertegenwoordiger, lekenbroeder, pannenkoek, pijpensteel, ruggensteun, trukendoos, zielenrust.

Let op: deze regel heeft alleen betrekking op zelfstandige naamwoorden die niet op een toonloze [e] eindigen. Zie voor woorden op *-e* de spelregels 89 en 91. Deze regel geldt echter wel wanneer het eerste deel een 'vrouwelijke nevenvorm' is met een toonloze [e] achter het grondwoord: *agent-agente, student-studente*, enz. Het is dus *studentenzwangerschap*.

89 De *ziekenhuis*-regel

blindenschrift, doveninstituut
Schrijf een tussen-*n* in een samenstelling na een zelfstandig naamwoord op *-e* dat alleen een meervoud heeft op *-n*.

blindenschrift, delicatessenwinkel, doveninstituut, invalidenwagentje, sagenbundel, voorwaardenscheppend, zedenles, ziekenhuis.

Met de *-e* is de toonloze [e] bedoeld zoals in *dove*. Er zijn geen regels te geven waarmee bepaald kan worden of een zelfstandig naamwoord op *-e* uitsluitend een meervoud op *-n* heeft. Bij *sage* is dat bijvoorbeeld wel het geval, maar bij *ballade* niet; vandaar *sagenbundel* mét en *balladebundel* zónder *-n-*. Men moet bij deze regel dus de woordenlijst raadplegen. Er is wel één vuistregel: persoonsaanduidingen die bestaan uit een deelwoord of een bijvoeglijk naamwoord, hebben alleen een meervoud op *-n*: *gevaccineerden, belanghebbenden, doven.*

90 De *gerstenat*-uitzondering

komijnekaas, rijstebrij, snottebel

Schrijf geen tussen-*n* in een samenstelling na een zelfstandig naamwoord dat geen meervoud heeft.

ereprijs, gerstenat, hellevuur, komijnekaas, rijstebrij, snottebel, tarwemeel.

Soms is het onduidelijk of een woord een meervoud heeft, zoals bij *gort* of *jut*. Dan is het noodzakelijk de woordenlijst te raadplegen: *gortenpap, juttenpeer.*

91 De regel voor woorden als *gedachten/gedachtes*

ladekast, secondelang, weduwepensioen

Schrijf geen tussen-*n* in een samenstelling na een zelfstandig naamwoord op *-e* dat (ook) een meervoud heeft op *-s*.

aangiftebiljet, aktetas, balladebundel, bedevaart, douaneopleiding, gedachtegoed, genadeslag, heideveld,
hoeveboter, kademuur, ladekast, madenest, secondelang, vreugdevuur, waardetransport, weduwepensioen, weidevogel, zondebok.

Met de *-e* is de toonloze [e] bedoeld zoals in *ballade*. Deze regel geldt ook voor woorden die alleen een meervoud op *-s* kennen, zoals *conciërge* en *douairière*. De regel is lastig toe te passen, omdat vooraf bekend moet zijn of een zelfstandig naamwoord op *-e* een dubbel meervoud heeft. Ook bij deze regel is het dus nodig de woordenlijst te raadplegen.

92 De *rodekool*-uitzondering

mallemolen, platteland

Schrijf geen tussen-*n* in een samenstelling na een bijvoeglijk naamwoord.

dovemansoren, mallemolen, platteland, rodekool.

Er zijn enkele probleemgevallen. Een woord als *goudenregen* krijgt wel een *-n*, omdat het bijvoeglijk naamwoord al op een *-n* eindigt, en *dronkeman* is van oudsher al zonder *-n*. Het is *goedemiddag/morgen/nacht*, maar *goedenavond* en *goedendag* hebben een oude naamvals-*n*, evenals *merendeel*. Verder komt ook in woorden als *achtendeel* en *derdendaags* een *-n-*.

Soms is het lastig om te bepalen of het om een bijvoeglijk naamwoord gaat. Het is *mallepraat* omdat *mal* een bijvoeglijk naamwoord is, maar in *gekkenpraat* is *gek* een zelfstandig naamwoord.

Er zijn ook woorden, zoals *klasse*, *klote* en *reuze*, die in het ene geval bijvoeglijk naamwoord zijn en in het andere geval zelfstandig naamwoord. In *Dat is klasse* ('heel goed') gaat het om een bijvoeglijk naamwoord; zo ook in *Dat is klote* ('heel vervelend') en *Dat is reuze* ('heel erg/ heel mooi'). Vandaar dat de volgende samenstellingen geen *-n-* krijgen: *klassespeler, klotefilm, reuzekerel, reuzehonger, reuze-idee, reuzemop*. Maar in de volgende gevallen gaat het om een zelfstandig naamwoord en komt er dus wel een *-n-*: *klassenvertegenwoordiger*, *middenklassengezin* (één klasse, twee klassen), *klotentrekker* ('bedrieger'), *reuzengestalte, reuzenrad.*

93 De *krabbekat*-uitzondering

dwingeland, spinnewiel
Schrijf geen tussen-*n* in een samenstelling na een werkwoord.

brekebeen, dwingeland, hebbedingetje, knarsetanden, lullepraat, krabbekat, spinnewiel, trekkebekken.

Er zijn ook bij deze regel enkele probleemgevallen. Het is *fluitenkruid* want hierin gaat het niet om het werkwoord 'fluiten' maar om het zelfstandig naamwoord 'fluit'; zo ook *klittenband*. Het is *spinnewiel* (een wiel om te spinnen) maar *spinnenweb* (web van een spin). Het is *wiegelied* (lied bij het wiegen) maar *wiegendood* (dood in de wieg).

94 De *Koninginnedag*-uitzondering

Koninginnedag, maneschijn
Schrijf geen tussen-*n* als het eerste deel in de gegeven context enig is in zijn soort.

Koninginnedag, maneschijn, Onze-Lieve-Vrouwekerk, (onze)lievevrouwebedstro, zonnebrand, enz.

Het gaat bij deze uitzondering slechts om vier woorden: *koningin* (maar dan alleen als daar één bepaalde vorstin mee wordt bedoeld), *maan, (Onze-Lieve-)Vrouwe* en *zon.*
Dus *Koninginnebrunch*, enz. maar *koninginnenrit, koninginnensoep*, enz. Er komt geen -*n*- in *Vrouwedag* (kerkelijke feestdag) maar wel in *vrouwendag* (dag voor vrouwen).

95 De *beregoed*-uitzondering

beregoed, reuzeleuk, stekeblind
Schrijf geen tussen-*n* als het eerste deel een versterkende betekenis heeft en het geheel een bijvoeglijk naamwoord is.

apezat, beregoed, boordevol, pikkedonker, retegoed, reuzeleuk, stekeblind, sterrestil.

In de volgende gevallen wordt het eerste deel niet als versterkend beschouwd: *ellenlang, duimendik, huizenhoog, ravenzwart.* Zie spelregel 92 voor andere samenstellingen met *reuze.*

96 De *paardebloem*-uitzondering

paardebloem, muizegerst, vossebes
Schrijf geen tussen-*n* als het eerste deel een dierennaam is en het tweede deel een plantkundige aanduiding.

eendekroos, ganzekruid, hazedistel, mollekruid, muizegerst, schapegras, schapezuring, slangewortel, vliegezwam, vossebes.

Op grond van deze regel schrijft men dus *apenootje* (maar *beukennootje*), *muizegerst, muizetarwe* en *paardevijg.* Maar het is *apenbroodboom,* want het is niet 'aap+broodboom' maar 'apenbrood+boom'.

97 De *dageraad*-uitzondering

bolleboos, klerelijer, scharrebijter
Schrijf geen tussen-*n* in een samenstelling als een van de delen niet (meer) herkenbaar is als afzonderlijk woord in de oorspronkelijke betekenis.

apekool, apezuur, bolleboos, dageraad, elleboog, flierefluiter, hagedis, klerelijer, ledemaat, marsepein, nachtegaal, ooievaar, paddestoel, rederijker, scharrebijter, takkeweer, ukkepuk, wallebak, zinnebeeld.

Bedoeld zijn hier vermeende of versteende samenstellingen waarvan de betekenis voor de meeste taalgebruikers veelal niet doorzichtig is. Drie voorbeelden. Het woord *bolleboos* komt van een Hebreeuws woord dat 'heer des huizes' betekent. In *klerelijer* heeft *klere-* niets met kleren te maken: het is een verbastering van *cholera*; *schar* in *scharrebijter* is een verbastering van *scarabee* (een grote kever). Tot deze categorie worden gemakshalve ook de drie versteende samenstellingen gerekend waarvan het eerste deel een lichaamsdeel is: *kakebeen*, *kinnebak* en *ruggespraak*.

Het gaat hier in feite om een vage restcategorie van ondoorzichtige woorden die volgens de besluitvormers achter het Spellingbesluit-1994 een vreemd woordbeeld opleveren mét een tussen-*n*. Maar een woord als *paddestoel* is niet minder ondoorzichtig dan *elfenbankje*, dat wel een *-n-* krijgt. En ondoorzichtige samenstellingen als *balkenbrij*, *katenspek* en *santenkraam* horen blijkbaar juist weer niet tot deze categorie.

98 De regel voor de hoorbare tussen-*s*

eendagsvlieg, stadsdeel
Schrijf een tussen-*s* in een samenstelling als tussen de delen een [s] wordt gehoord.

ambtsjubileum, *dorpskom*, *eendagsvlieg*, *levensgroot*, *meningsverschil*, *stadsdeel*, *wijfjesolifant*.

We schrijven in samenstellingen een tussen-*s* wanneer we die horen. In een aantal gevallen zegt de ene taalgebruiker wel een -*s*- en de andere niet, bijvoorbeeld: *drug(s)probleem*, *onderzoek(s)-instituut*, *voeding(s)patroon*, *voorbehoed(s)middel*. In zulke gevallen zijn beide vormen goed. Wel is het aan te bevelen om overeenkomstige woorden binnen één tekst op dezelfde manier te schrijven, dus niet *geluidsoverlast* naast *geluidhinder* of *drugshandel* naast *drugbaron* of *onderzoekvraag* naast *onderzoeksinstituut*. In een paar gevallen is er betekenisverschil:

liefdedaad (daad van liefde)	*liefdesdaad* (geslachtsdaad)
schilderatelier (om te schilderen)	*schildersatelier* (van een schilder)
waternood (te weinig water)	*watersnood* (te veel water)
zusterschool (verwante school)	*zustersschool* (waar nonnen lesgeven)

In de woordenlijst is bij mogelijk verschillende uitspraak de vorm opgenomen die naar het oordeel van de samenstellers het meest frequent is. Samenstellingen die beginnen met verkleinwoorden krijgen overigens bijna altijd een -*s*-: *bloemetjesbehang*, *meisjesfiets*.

Bij woorden op -*ing*, -*heid*, en -*schap* wordt in bijna alle gevallen een [s] uitgesproken: *verzekeringspapieren*, *waarheidsliefde*, *waterschapsbelasting*.

De regel geldt voor samenstellingen, en niet voor afleidingen als *auteurschap*, *beroepsmatig*, *dwangmatig*, *onweer(s)achtig*, enz. Woorden op -*waard(ig)* krijgen altijd een -*s*-: *aanbevelenswaard*, *bezienswaardig*.

99 De regel voor de niet-hoorbare tussen-*s*

bedrijfschef, rechtszaak
Schrijf in een samenstelling waarin geen tussenklank [s] hoorbaar is, alleen een *-s-* wanneer die bij een samentrekking wordt gehoord.

Een eventuele tussenklank is niet hoorbaar wanneer het tweede deel van een samenstelling met een sisklank begint. Schrijf in deze gevallen een *-s-* wanneer de aanwezigheid van de tussenklank blijkt uit een samentrekking. Enkele voorbeelden:

bedrijfschef	want	*bedrijfs- en stationschef*;
damesschoenen	want	*dames- en herenschoenen*;
zielszorg	want	*ziels- en armenzorg.*

Echter, ook in deze gevallen kan er variatie in uitspraak optreden: er zijn taalgebruikers die bijvoorbeeld *ziel- en armenzorg* zeggen. In zo'n geval zijn beide vormen goed. Veelal kan ook de zogenoemde analogieregel goede diensten bewijzen. Het woord *bedrijfschef* krijgt een tussen-*s* omdat die ook staat in *bedrijfsleider*. In *dorpsstraat* komt een tussen-*s* omdat die ook staat in *dorpskern*. (Maar het blijft *stadhuis*, ondanks *stadsbestuur*.)

Deze en de vorige spelregel gelden voor samenstellingen en niet voor afleidingen. Het is dus niet zo dat een afleiding als *auteurschap* een dubbele *s* krijgt omdat de samenstelling *auteursrecht* een *-s-* heeft. En voor het *s*-probleem in een woord als *uitzicht(s)loos* is het noodzakelijk de woordenlijst te raadplegen: *uitzichtloos*.

XI Afkortingen

Bij afkortingen zijn er twee spellingproblemen: het gebruik van de punt en het gebruik van de hoofdletter. Deze problemen kunnen niet in alle gevallen via regels worden opgelost. De schrijfwijze van afkortingen is namelijk in sommige gevallen ook afhankelijk van de bekendheid ervan. Vaak zien we bij afkortingen de volgende ontwikkeling. Als de afkorting nieuw is, worden punten en hoofdletters gebruikt *(W.C.)*. Als de afkorting enigszins is ingeburgerd, verdwijnen de punten (*WC*). Als de afkorting algemeen gebruikt wordt, verdwijnen ook de hoofdletters (*wc*). Vandaar dat men bijvoorbeeld *THC* schrijft voor het relatief onbekende werkzame bestanddeel van de hennepplant en *pvc* voor de bekende kunststof.

Deze paragraaf bevat niet alleen enkele algemeen aanvaarde regels, maar ook adviezen voor de gevallen waarin de regels geen uitsluitsel geven. Zie voor het gebruik van de apostrof bij de afkorting spelregel 46. Zie voor het gebruik van het streepje bij de afkorting spelregel 83.

100 De puntregel voor afkortingen

b.g.g., jl., prof.

Een afkorting van een woord of woordgroep krijgt een punt (of punten).

b.g.g., bv., jhr., jl., mr., prof., r.-k., z.i.

Op grond van deze regel krijgen dus ook afkortingen van dagen en maanden een punt: *ma., jan.* enz. Hetzelfde geldt voor afkortingen van academische en adellijke titels (ook als ze eindigen op de laatste letter van het woord): *mr., drs., ir., lic., dr., prof., jhr.*

Bij deze regel gelden de volgende afspraken:

1. Er komt één punt per afgekort woord: *ca.* (*circa*), *c.a.* (*cum annexis*), *hr.*, *mw.*, *i.v.m.*, *z.g.a.n.* Uitzonderingen zijn onder andere: *a.s.* (aanstaande), *dhr.*, *r.s.v.p.*, *z.o.z.*

2. Eventuele hoofdletters blijven behouden: *Hr. Ms. De Ruyter*, *v.C.*, *n.C.*, *Z.K.H.*, *Z. Exc.*

3. Enkele anderstalige uitdrukkingen krijgen per woord een hoofdletter: *A.D.*, *L.S.*, *N.B.*, *P.S.*, *S.O.S.* (maar *c.q.*, *d.d.*)

4. Afkortingen voor vennootschapsvormen zijn als volgt ingeburgerd: *Vof*, *B.V.*, *N.V.*, *BVBA*

5. Voor eenheden, maten, gewichten en chemische elementen zijn internationaal erkende symbolen vastgelegd: *a* (are), *Å* (ångström), *Au* (goud), *ca* (centiare), *cm*, *H* (waterstof), *Hz*, *J*, *kg*, *kWh*, *V*

6. De Nederlandse en Belgische munteenheden worden in het internationale verkeer afgekort als *NLG* en *BEF*. Alledaagse aanduidingen zijn: *f* of f; *Bfr.* of *fr.*

Verder zijn er nog ingeburgerde uitzonderingen zoals *PR* en *pr-medewerker.*

101 **De regel voor afgekorte zaakaanduidingen**

cfk's, gsm, hbo, pc
Een afkorting van een zaakaanduiding krijgt geen punt en geen hoofdletter.

bh, cd-i, cd-rom, cfk's, gsm, hbo, hd-tv, ivo, lhno, pc, pcb, pvc, tbc, tv, wc, vwo (maar *w.o.* om verwarring te voorkomen).

Enkele afkortingen zijn ingeburgerd met hoofdletters, bijvoorbeeld: *LCD, LPG, LSD, SM.* Zie voor andere uitzonderingen spelregel 100.

102

De regel voor afkortingen met woorduitspraak
aids, mavo
Een afkorting die als woord wordt uitgesproken, krijgt geen punt en geen hoofdletter.

aids, *aio*, *cara*, *demo*, *gym*, *horeca*, *mavo*, *modem* (zie voor samenstellingen spelregel 83 en voor namen met woorduitspraak spelregel 103).

Deze regel geldt niet alleen voor initiaalwoorden die soms nauwelijks meer herkenbaar zijn, zoals *cara* en *radar*, maar ook voor verkortingen, zoals *info*, voor afkortingen met woorddelen, zoals *doka* en *horeca*, en voor spellingen als *beha*, *deejay*, *elpee*, *teevee*.
Uitzonderingen zijn onder andere *LED*, *RAM* en *REM*.

103

De regel voor afgekorte namen met woorduitspraak
Benelux, Hema, Vara
Een afgekorte naam die als woord wordt uitgesproken, krijgt geen punt en alleen een beginhoofdletter.

Agalev, *Arbo*, *Benelux*, *Hema*, *Sabena*, *Unicef*.

Als de naamgever van de afkorting zelf een schrijfwijze heeft vastgesteld, dan wordt die schrijfwijze gevolgd: *AbvaKabo*, *AutoRai*, *HISWA*, *KUB*, *NAVO*, *RUCA*.

104 De regel voor afgekorte namen met letteruitspraak

AOW, MTV, VRT

Een afgekorte naam die als letterwoord wordt uitgesproken, krijgt geen punten maar wel hoofdletters.

AOW, AWBZ, B en W, CAO, EHBO, EU, GS, KWBW, MTV, OM, VTB, VRT.

Als de naamgever van de afkorting zelf een schrijfwijze heeft vastgesteld, dan wordt die schrijfwijze gevolgd. In een enkel geval komen er punten om woorduitspraak te voorkomen: *A.N.* (Algemeen Nederlands).

XII Vervoeging, verbuiging en dubbelvormen

105 De werkwoordregel voor de tegenwoordige tijd

word je, zij houdt, hij timet

Het werkwoord in de tegenwoordige tijd krijgt, afhankelijk van de persoon en het getal, de vorm van de stam, de stam+*t* of de stam+*en*.

De stam van het werkwoord is doorgaans het hele werkwoord min *-en*: *wandelen – wandel*. De stam is meestal gelijk aan de ik-vorm van het werkwoord: *loop*, *zet*, enz. Bij werkwoorden op *-ven* en *-zen*, zoals *leven* en *verhuizen*, is er verschil tussen de stam en de ik-vorm. Hier eindigt de stam op *v* of *z*: *leev* en *verhuiz*.

In werkwoorden van Engelse herkomst blijft de stam gespeld volgens de regels van de Engelse spelling, tenzij de uitspraak is vernederlandst. Dit betekent dat de zogenoemde uitspraak-*e* blijft staan in bijvoorbeeld *ik time*, *overrule*, *race*, *recycle*. Maar deze *-e* is voor de uitspraak niet nodig in bijvoorbeeld *ik chook*, *cruis, douch, hous, leas, promoot*, *scoor*, *typ*. Dit betekent ook dat een dubbele medeklinker aan het einde van de stam blijft staan in *ik baseball*, *ik call* en *ik pass*, maar niet in *ik yel*, *gril*, *volleybal*.

De vervoeging van (regelmatige) werkwoorden gaat als volgt.

ik	*wandel*	*houd*	*time*	*douch*
jij/u, hij/zij/het	*wandelt*	*houdt*	*timet*	*doucht*
wij/jullie/zij	*wandelen*	*houden*	*timen*	*douchen*

Als *jij* achter het werkwoord staat, komt er geen *t*: *wandel jij*, *houd jij*. Dit geldt ook voor *je* als *je* veranderd kan worden in *jij* (als *je* onderwerp is): *wandel je* maar *wandelt je zus*; *houd je* maar *houdt je zus*. Als *u* achter het werkwoord staat, komt er wel een *t*: *houdt u*. Bij twijfel is het handig om een werkwoord te gebruiken waarbij de [t] hoorbaar is: *houd(t?) jij – speel jij*; *houd(t?) je zus – speelt je zus*. Zie voor de gebiedende wijs spelregel 110.

106 De werkwoordregel voor de verleden tijd

schrobde, finishte, gebarbecued

Als de stam van het zwakke werkwoord eindigt op een medeklinker uit *'t kofschip*, krijgt de verleden tijd *-te(n)* en het voltooid deelwoord *-t*; in de andere gevallen is het *-de(n)* en *-d*.

De stam van een werkwoord is het hele werkwoord min *-en*; zie voor verdere uitleg spelregel 105. We schrijven in de verleden tijd en het voltooid deelwoord van een zwak werkwoord een *-t* als de stam van het werkwoord eindigt op een van de volgende medeklinkers: *p*, *t*, *k*, *f*, *s* en *ch*. (Deze medeklinkers komen voor in *'t kofschip* of *'t fokschaap*. Enkele voorbeelden: *koken-kookte-gekookt*, *juichen-juichte-gejuicht*, *piepen-piepte-gepiept*. In de andere gevallen schrijven we een *-d*: *halen-haalde-gehaald*, *rennen-rende-gerend*. De werkwoorden op *-ven* en *-zen*, zoals *beloven* en *verhuizen*, vallen niet onder de kofschipregel, want de stam eindigt niet op een *f* of *s*. Het is dus: *beloven – ik beloof-beloofde-beloofd*, *verhuizen – ik verhuis-verhuisde-verhuisd*.

De werkwoorden van Engelse herkomst volgen eveneens de kofschipregel. Het gaat hier evenwel niet om de letters maar om de klanken. Als de laatste letter van de stam wordt uitgesproken als een van de medeklinkers uit *'t kofschip* komt er een *-t*, en anders een *-d*. Aan het einde van bijvoorbeeld *fax* horen wij een sisklank ([ks]), maar aan het einde van *bridge* niet ([dzj]).

checken - checkte - gecheckt
faxen - faxte - gefaxt
finishen - finishte - gefinisht
barbecuen - barbecuede - gebarbecued
hockeyen - hockeyde - gehockeyd
designen - designde - gedesignd
bridgen - bridgede - gebridged

Bij sommige Engelse werkwoorden, bijvoorbeeld *briefen*, *golfen*, *surfen* en *leasen*, bestaat variatie in uitspraak: [f] of [v]; [s] of [z].

Beide vormen zijn hier goed: *briefte-briefde*, *leaste-leasde*, enz. De vervoegde vormen van enkele werkwoorden geven soms een vreemd woordbeeld: *geüpdatet*, *deletete-gedeletet*. (In zulke gevallen is het beter om een Nederlands woord te gebruiken: *bijgewerkt*, *wiste-gewist*.)

107 Werkwoorden met problematische vervoeging

joyriden, plankzeilen, prijsde-prees

Sommige werkwoorden hebben een onvolledige of dubbele vervoeging.

1. Bij sommige werkwoorden komt geen verleden tijd en/of voltooid deelwoord voor. Enkele voorbeelden: *buikspreken, joyriden, kanovaren, plankzeilen*.
2. Er zijn enkele werkwoorden die een dubbele vervoeging hebben met *-de* en *-te*, zoals *niesen/niezen*, of ook een vervoeging met klinkerverandering, zoals *waaide/woei*.
3. Sommige werkwoorden worden vaak verward met een ander, erop lijkend werkwoord, en worden daardoor fout vervoegd. Het gaat hier dus niet om een dubbele vervoeging. Een bekend voorbeeld is:

prijzen (van een prijs voorzien) - *prijsde* - *geprijsd*
prijzen (loven) - *prees* - *geprezen*

108 Het *ge*-probleem bij voltooide deelwoorden

overgedreven, overdreven, geherstructureerd, heringedeeld

Een voltooid deelwoord met een onbeklemtoond voorvoegsel krijgt geen *ge-* ervoor.

Van een werkwoord kun je een voltooid deelwoord maken door *ge-* voor de stam te zetten en een uitgang toe te voegen: *fietsen-gefietst, houthakken-houtgehakt, omvergooien-omvergegooid*.

Bij de volgende werkwoorden krijgt het voltooid deelwoord geen *ge-*:
a. werkwoorden die beginnen met *be-*, *er-*, *ont-*, *ver-* en met *ge-* zelf. Enkele voorbeelden: *bedenken-bedacht, erkennen-erkend, ontduiken-ontdoken, veranderen-veranderd, geloven-geloofd.* Ook als er een ander woord of voorvoegsel aan deze werkwoorden voorafgaat, vervalt *ge-* bij het voltooid deelwoord: *afgelasten-afgelast, onderverdelen-onderverdeeld.*

b. onscheidbare samengestelde werkwoorden.
Dit zijn werkwoorden waarbij in de vervoeging de samenstellende delen niet van elkaar worden gescheiden: *aanbidden-aanbeden, misbruiken-misbruikt.*

Soms kan een werkwoord zowel scheidbaar (voltooid deelwoord met *ge-*) als onscheidbaar (voltooid deelwoord zonder *ge-*) zijn. De scheidbare variant heeft dan altijd de klemtoon op het eerste deel, de onscheidbare variant op het deel dat daarop volgt. Vergelijk *dóórlopen-dóórgelopen* en *doorlópen-doorlópen*, *óverdrijven-óvergedreven* en *overdríjven-overdréven, óverleggen-óvergelegd* en *overléggen-overlégd.*

Onscheidbare samengestelde werkwoorden kunnen ook bestaan uit een zelfstandig naamwoord en een werkwoord. In dat geval komt het voorvoegsel *ge-* helemaal aan het begin te staan: *raadplegen-geraadpleegd, stofzuigen-gestofzuigd.* Overigens zijn lang niet alle samengestelde werkwoorden met een zelfstandig naamwoord onscheidbaar; net als het eerder genoemde *houthakken* heeft bijvoorbeeld ook *ademhalen* een voltooid deelwoord met *ge-* op de gewone plaats: *ademgehaald.* Er zijn bovendien veel samengestelde werkwoorden met een zelfstandig naamwoord die geen vervoeging hebben (zie spelregel 107).

Werkwoorden met *her-* zijn zeer onregelmatig als het gaat om het voorvoegsel *ge-*; soms wordt het weggelaten *(herhalen-herhaald)*, soms staat het vooraan (*herstructureren-geherstructureerd*), en soms na de voorvoegsels (*herindelen-heringedeeld*).

109 De regel voor het bijvoeglijk gebruikt voltooid deelwoord

de gewitte muur, de verbrede weg
Voor een bijvoeglijk gebruikt voltooid deelwoord gelden de regels voor verdubbeling en verenkeling.

een wit vlak - de witte muur - de muur is gewit - de gewitte muur
een breed doek - de brede weg - de weg is verbreed - de verbrede weg

Een medeklinker tussen twee klinkers wordt verdubbeld wanneer de eerste klinker kort is, vandaar *wit-witte*. Een lange klinker in een open lettergreep wordt met een enkel teken geschreven, vandaar *breed-brede*. Zie verder spelregel 5. Deze regels zijn ook van toepassing op een voltooid deelwoord dat als bijvoeglijk naamwoord wordt gebruikt. Vandaar *de muur is gewit* en *de gewitte muur*; vandaar *de weg is verbreed* en *de verbrede weg*.

110 De regel voor de gebiedende wijs

red het milieu, word lid
De gebiedende wijs krijgt geen *-t*, behalve in enkele vaste zegswijzen en als het onderwerp *u* erbij staat.

Open je boek. Red het milieu. Ga studeren. Word lid.

Voor de gebiedende wijs wordt – op een enkele uitzondering na – de vorm van de eerste persoon enkelvoud gebruikt, dus stam zonder *-t*. Alleen in enkele vaste formuleringen of oude zegswijzen komt er *-t* achter, en soms ook vanwege de welluidendheid: *Bezint eer ge begint. Verheft uw hart. Komt dat zien.*

De gebiedende wijs met *u* krijgt wel een *-t*: *Draait u zich even om. Loopt u door, alstublieft! Wendt u zich tot de directie.* Dit is alleen het geval als *u* onderwerp is. Als *u* de betekenis heeft van *zich* (als *u* lijdend voorwerp is), dan komt er geen *-t*. Het woordje *u* kan in zo'n geval worden vervangen door *uzelf*. Vergelijk de volgende voorbeelden.

Hoed u voor charlatans. (uzelf)	*Hoedt u zich voor charlatans.*
Wind u niet zo op. (uzelf)	*Kleedt u zich maar weer aan.*

111 Het probleem van de oude uitdrukkingen

bij dezen, mijns inziens

Een vaste uitdrukking behoudt de oude naamvalsvorm.

In het hedendaagse Nederlands zijn heel wat uitdrukkingen met een oude naamvalsvorm bewaard gebleven. Hier slechts enkele voorbeelden: *bij dezen, in u beider belang, mijns inziens, telkenmale, u aller vriend.*

112 Het probleem van de verkleinwoorden

taxietje, karbonaadje, parachuutje

Bij verkleinwoorden wordt de spelling van het grondwoord in sommige gevallen aangepast.

Bij een aantal woorden die eindigen op een klinker, verandert het grondwoord. Hier volgen de belangrijkste gevallen. Zie ook spelregel 5 voor verdubbeling van medeklinkers *(aanval-aanvalletje)* en spelregel 45 voor woorden op *-y*: *baby'tje*, enz.

a. Woorden op *-ing* krijgen in een aantal gevallen niet *-ing+-etje (wandelingetje)* maar: *-inkje*: *harinkje.*
b. In woorden die eindigen op een medeklinker plus *-a*, (lange) *-e*, *-é*, *-o* of *-u* wordt de klinkerletter verdubbeld: *oma-omaatje, chocola-chocolaatje, facsimile-facsimileetje, cliché-clicheetje, bistro-bistrootje, paraplu-parapluutje.* Woorden op *-i* krijgen *-ie*: *taxi-taxietje.*

c. Als een woord eindigt op een lettergreep van één klinkerletter, dan wordt de klinkerletter verdubbeld: *alinea-alineaatje, rodeo-rodeootje.*

d. In woorden op *-ade*, *-ure*, *-ute* wordt de klinkerletter verdubbeld: *karbonade-karbonaadje, sinecure-sinecuurtje, parachute-parachuutje.*

e. In aan het Frans ontleende woorden op *-er*, *-ir* en *-ot* wordt het verkleinwoord veranderd om een verkeerde uitspraak te voorkomen: *diner-dineetje, souper-soupeetje* (maar *cahiertje*, enz.), *fakir-fakiertje, souvenir-souveniertje, depot-depootje.*

f. In (voornamelijk aan het Frans ontleende) woorden op een onbeklemtoonde *-e* is de verkleinvorm afhankelijk van de uitspraak. Als de *-e* niet wordt uitgesproken, wordt die ook niet geschreven: *brunette-brunetje, dictionaire-dictionairtje, mascotte-mascotje, sardine-sardientje.* Als de *-e* wel wordt uitgesproken in de verkleinvorm, wordt die ook geschreven: *blouse-blousetje* (en *bloes-bloesje*), *kantine-kantinetje, lawine-lawinetje.* Soms zijn er twee vormen mogelijk: *directoire-directoirtje/directoiretje, operette-operetje/operettetje, machine-machientje/machinetje.*

g. Een niet-uitgesproken eindmedeklinker blijft staan in het verkleinwoord: *bouviertje, bourgeoistje, cache-neztje, crapaudtje, deux-chevauxtje, entre-deuxtje, entremetstje, par-dessustje, rendez-voustje.* Dit geldt niet voor de combinatie *t+tje*: *biscuitje, chaletje.*

Als een woord voor *-tje* wordt afgebroken, komt het oorspronkelijke grondwoord terug: *oma-tje, souper-tje*, enz. Zie spelregel 124.

113 Het probleem van de trappen van vergelijking

het meest logisch, dichtstbevolkt

Sommige bijvoeglijke naamwoorden kennen andere vormen dan met *-er* en *-st.*

De trappen van vergelijking worden gevormd met *-er* en *-st*: *mooi-mooier-mooist.* Er zijn enkele onregelmatige gevallen, zoals *veel-meer-meest* en *weinig-minder-minst*, of de woorden op *-r* met een *d* in de vergrotende trap: *vulgairder.*

De schrijfwijzen met *-er* of *-st* geven slechts in een enkel geval problemen, bijvoorbeeld bij: *chic-chiquer-chicst* en *sexy-sexier-sexiest*. In de volgende gevallen wordt afgeweken van de schrijfwijze *-er* en *-st*.

a. Woorden op *-isch*, *-sk* en *-st* krijgen in de overtreffende trap bij voorkeur *meest*.

logisch – logischer – meest logisch
bruusk – bruusker – meest bruusk
verbaasd – verbaasder – meest verbaasd
vast – vaster – meest vast
b. Sommige woorden leveren met *-er* of *-st* een vreemd woordbeeld op. In zulke gevallen is een omschrijving met *meer* en/of *meest* verkieslijker. Een goede afbakening van deze categorie is moeilijk te geven. Enkele voorbeelden:

ontspannen – ontspannener – onspannenst
geschikt – geschikter – geschiktst/meest geschikt
continu – continuer – meest continu
verloederd – meer verloederd – meest verloederd

c. In sommige tweeledige woorden wordt het eerste deel verbogen.

dichtbevolkt – dichterbevolkt – dichtstbevolkt
hooggelegen – hogergelegen – hoogstgelegen
hooggeplaatst – hogergeplaatst – hoogstgeplaatst

114 De regel voor stoffelijke bijvoeglijke naamwoorden

pluchen, juchtleren
Een stoffelijk bijvoeglijk naamwoord wordt niet verbogen.

Een bijvoeglijk naamwoord krijgt in veel gevallen een *-e*: *de lieve jongen*, *een aardige jongen*, *het lieve meisje*. Maar bij het-woorden komt er geen *-e* als er *een* voor staat: *een aardig meisje*.

Een uitzondering op deze regel vormen de stoffelijke bijvoeglijke naamwoorden. De meeste van deze stoffelijke bijvoeglijke naamwoorden hebben een grondvorm op *-en* en worden niet verbogen: *een aardewerken tafel, de pluchen kussens, een houten schutting, een jaden ketting, juchtleren schoenen, een gouden handdruk, rubberen handschoenen, de stenen tafelen, wollen sokken.*

Er zijn echter ook combinaties mogelijk met het materiaalwoord als zelfstandig naamwoord: *formicatafel, houtproduct, kakiuniform, jutezak, siliconenborsten*; maar: *de aluminium pan, een alpaca lepel, nylon jassen.* En soms komen beide mogelijkheden voor: *een rubberbal, een rubberen bal.*

115 Het probleem van de dubbelvormen

keus-keuze

Sommige woorden mogen op twee manieren worden gespeld.

Onze spelling kent nogal wat dubbelvormen. Enkele daarvan zijn al behandeld bij spelregel 87 over *-(e)lijk* (*huislijk-huiselijk*, enz.) en bij de spelregels voor de tussen-*s*, 98 en 99 (*geluidhinder-geluidshinder*, enz.). In de woordenlijst zijn nog andere dubbelvormen opgenomen. Deze zijn voorzien van de verwijzing *ook*. Beide vormen zijn goed; soms is er wel betekenisverschil.

XIII Afbreken

Het afbreekteken wordt gebruikt om een woord aan het einde van een regel af te breken. De regels 116 tot en met 124 moeten in de aangegeven volgorde worden toegepast.

116 De afbreekregel voor samenstellingen

voort-aan, meest-al

Een samenstelling wordt afgebroken tussen de samenstellende delen.

als-of, angst-schreeuw, heel-al, lei-draad, lieve-heers-beestje, meest-al, met-een, voort-aan, waar-om.

Bij dubbelzinnige samenstellingen bepaalt de betekenis de afbreekplaats; vergelijk bijvoorbeeld *lood-spet* en *loods-pet*, *val-kuil* en *valk-uil*. Een tussenletter blijft bij het eerste deel: *rijste-brij, schaaps-kooi*. Als de samenstelling al een streepje bevat, wordt er geen extra streepje gezet: *vice-voorzitter*. Soms wordt een samenstelling niet meer als zodanig herkend: *el-kander, el-kaar* (maar *elk-een*). Zie verder spelregel 122 voor andere uitzonderingen.

117 De afbreekregel voor afleidingen

koor-tje, koordje

In een afleiding bepaalt het grondwoord de afbreekplaats.

boom-pje, breed-te, koor-tje, koord-je, lamme-tje, lamp-je, ver-ont-rust, was-ster, wijs-te.

Deze regel leidt tot verschillen in afbreekplaats tussen gelijkgespelde woorden met verschillende betekenis: *bot-ste* en *bots-te*. Zie verder spelregel 118 en 122 voor uitzonderingen.

118 De afbreekregel voor achtervoegsels met een klinker

gees-ten, tek-sten

Als een achtervoegsel met een klinker begint, gaat één medeklinkerletter mee naar de volgende regel.

do-len, do-ping, gees-ten, herber-gier, klei-nood, overi-gens, sie-raad, snoe-per, Span-jaard, trai-ner, vernieu-wen.

Er zijn drie uitzonderingen op deze regel.
1. Het achtervoegsel *-achtig* krijgt geen medeklinkerletter mee. Het is dus *koorts-achtig* (maar *koort-sig*).
2. Het achtervoegsel *-aard* krijgt geen medeklinkerletter mee. Het is dus *laf-aard* en *wreed-aard*. Maar de volgende woorden vallen buiten deze uitzondering: *bas-taard, grijn-zaard, Span-jaard, stan-daard.*
3. Als het grondwoord eindigt op een medeklinkerletter plus *st*, dan gaat *st* mee naar de volgende regel: *ang-stig, bron-stig, gebar-sten, oog-sten, tek-sten.*

119 De afbreekregel voor klinkerletters

koei-en, roy-aal

Tussen klinkerletters mag alleen worden afgebroken wanneer deze niet samen één klank weergeven.

appreci-eert, hi-aat, individu-eel, lui-er, na-ief, koei-en, kri-oelen.

In een woord als *sergeant* mag dus niet afgebroken worden tussen de *e* en de *a*. De *y* tussen klinkers blijft bij het eerste deel: *roy-aal, relay-eren, tutoy-eren.*

120 De afbreekregel voor lettergrepen van één klinkerletter

mu-sea, fo-lio

Er mag niet zodanig worden afgebroken dat één klinkerletter apart komt te staan aan het einde of het begin van een regel.

Dus niet: <*a-line-a*>, <*a-brupt*>, <*foli-o*>, <*muse-a*>, en ook niet <*blauwo-gig*>, <*medi-arel*>, <*mensa-pen*>, <*stere-otoren*> en <*zono-vergoten*>. Wel goed zijn: *coa-litie, feeë-riek, ma-oïst.*

121 De afbreekregel voor medeklinkers

pi-stool, re-glement

Er gaan zoveel medeklinkers naar de volgende regel als er aan het begin van een Nederlands woord kunnen staan.

amb-ten, goo-chelen, he-mel, ka-trol, pi-stool, pro-gramma, re-glement, indu-strie.

Bij deze regel gelden twee voorwaarden. Ten eerste, de afbreking mag geen aanleiding geven tot verkeerde uitspraak, dus niet <*de-savoueren*> maar *des-avoueren*. Ten tweede, het eerste deel moet een lettergreepeinde zijn, dus niet <*naa-ste*> maar *naas-te*.

Verder gelden de volgende afspraken:
1. De combinaties *st* en *sp* zonder andere medeklinkers worden afgebroken na de *s*: *hees-ter, knis-per.*
2. De combinaties *ch* en *sj* worden niet gesplitst: *la-chen, ram-sjen.*
3. De combinatie *ng* wordt wel gesplitst: *wonin-gen* (en ook *nk: wonin-kje*).
4. Voor en na de *x* tussen klinkers wordt niet afgebroken; dus niet *ex-amen* maar *exa-men*. Een woord als *taxeert* wordt dus niet afgebroken.

122 Het probleem van de Griekse en Latijnse woorden

bios-coop, tran-sito

Ondoorzichtige samenstellingen en afleidingen van Griekse of Latijnse herkomst worden afgebroken volgens spelregel 121.

Samenstellingen worden afgebroken tussen de samenstellende delen (zie spelregel 116), en bij afleidingen bepaalt het grondwoord de afbreekplaats (zie spelregel 117). Op grond van deze spelregels zouden we bijvoorbeeld het Griekse woord *bioscoop* en het Latijnse woord *interessant* als volgt moeten afbreken: <*bio-scoop*> en <*inter-essant*>. Maar wanneer samenstellingen en afleidingen van Griekse of Latijnse herkomst niet meer als zodanig worden herkend, is spelregel 121 van toepassing. Er gaan dan zoveel medeklinkers mee als er aan het begin van een Nederlands woord kunnen staan. Enkele voorbeelden: *bios-coop*, *inte-ressant, sy-noniem* (niet: <*syn-oniem*>), *alloch-toon* (niet: <*allo-chtoon*>).

Deze regel voor ondoorzichtige woorden van Griekse of Latijnse herkomst is niet helemaal waterdicht. Met 'ondoorzichtig' wordt bedoeld dat een deel niet meer als zodanig herkenbaar is. Maar wanneer is dat het geval? Enkele voorbeelden. Het woorddeel *trans-* is niet herkenbaar in *transito* (dus *tran-sito*) maar wel in *transactie* (dus *trans-actie*). In *atmos-feer* lijkt *-sfeer* niet herkenbaar, in *bio-sfeer* wel. Vergelijk ook *bios-coop* (vanwege *bios*) en *micro-scoop*, *stetho-scoop*. Frequente woorden worden kennelijk eerder als ondoorzichtig beschouwd dan meer technische woorden.

123 Het afbreekteken en de leesbaarheid

<ca-ke>, <bommel-dingen>
Breek niet zodanig af dat er leesproblemen kunnen ontstaan.

Breek niet zodanig af dat het eerste of tweede deel anders kan worden gelezen dan bedoeld. Dus niet: *<ca-ke>* of *<li-ve>*, en ook niet *<beste-dingen>*, *<bommel-dingen>*, *<intervie-wer>*, *<pa-cemaker>*, *<reserve-ring>* of *<groepsex-cursies>*.

Op grond van deze regel wordt bij voorkeur niet afgebroken tussen de medeklinkers *ng*, dus niet *<hen-gelen>* maar *henge-len*. Op grond van deze regel dient men ook ongewone lettercombinaties, zoals *<cas-hewnoot>* en *<hardroc-ker>*, te vermijden.

124 Het afbreekteken en de andere tekens

café-tje, souvenir-tje
Bij het afbreekteken vervallen trema, apostrof of streepje en krijgt het verkleinde woord zijn oorspronkelijke vorm terug.

Bij het afbreken vervallen het trema, de apostrof en het streepje, en vervalt bij het verkleinde woord de klinkerverdubbeling en de vernederlandste vorm: *coöperatie – co-operatie, baby'tje – baby-tje, vlaatje – vla-tje, cafeetje – café-tje, biscuitje-biscuit-tje, skietje – ski-tje, reçuutje – reçu-tje, souveniertje – souvenir-tje.* Uitzonderingen op deze regel zijn de woorden op *-ade*, *-etje*, *-ientje* en *-otte*: *nomaad-je, brunet-je, machien-tje, mascotje.*

06-nummer het (...s) *83*
1-aprilgrap de (...grappen) *83*
24-uurseconomie de *83*
3'tje het (...s) *46*
45-toerenplaat de (...platen) *83*
5-meiviering de (...en) *83*
55+'er de (...s) *46*
55+-woning de (...en) *83*
65+'er de (...s) *46*
65+-kaart de (...en) *83*
747 de (...'s)*46*
8mm-camera de (...'s) *83*
9%-regeling de (...en) *83*

a

a de (a's; a'tje) *46*
A-bom, A-griep, A-kant (GB: a-kant), A-omroep, enz. *61,83*
a [are] *100*
a... *78*
acyclisch, aselect, asociaal, enz.
à *30*
A [ampère, argon, bloedgroep] *100*
Å [ångström] *100*
A4 de (A4'tje) *46,112*
A4-...: A4-formaat, enz. *83*
AA [Anonieme Alcoholisten] de *104*
Aa en Hunze *6,53*
aagje, nieuwsgierig – het (...s) *54*
aagt de (...en) *2,18*
aagtappel *64*
Aagtekerke *6,53*
aaiing de (...en) *38*
aal de (alen)
aal...: aalfuik, enz. *64*
aals...: aalshuid, enz. *98*
Aalborg [Denemarken] *ook* **Ålborg** *6,53*
aalmoes de (...moezen) *26*
aalmoezenier de (...s) *26*
aambeeld het (...en) *ook* **aanbeeld** *4,115*
aambeelds...: aambeeldsblok, enz. *98*
aambei de (...en) *13*
aambeien...: aambeienkruid, enz. *88*
aan... *70,106*
aanbellen: belde aan, aangebeld; enz.
aanbevelenswaard *ook* **aanbevelenswaardig** *98,115*
aanbiddelijk *87*
aandacht de
aandachts...: aandachtspunt, aandachtsstreepje, enz. *98,99*
aandeel het (...delen)
aandeel...: aandeelhouder, enz. *64*
aandelen...: aandelenmarkt, enz. *88*
aan den dag leggen *62,111*
aan den lijve *19,62,111*
aandrijven *70,106*
dreef aan, aangedreven
aaneen... *70,106*
aaneengesloten, enz.
aaneen... *70,106*
aaneenschakelen: schakelde aaneen, aaneengeschakeld; enz.
aangezicht het (...en)
aangezichts...: aangezichtspijn, enz. *98*
aangifte de (...n, ...s)
aangifte...: aangiftebiljet, enz. *43,76,91*
aanhoren, ten – van *62,111*
aanleiding de (...en) *13*
aanname de (...n, ...s) *43*
aanname...: aannamebeleid, enz. *91*
aannemer de (...s)
aannemers...: aannemersbedrijf, aannemersspoor, enz. *98,99*
aanrecht de/het (...en) *2*
aanrijding de (...en; ...inkje) *112*
aanschijn het *13*
aanschouwelijk *12,87*
aanschouwen *70,106,108*
aanschouwde, aanschouwd
aanstaande de (...n) *89*
aanstelleritis de *1*
aanstonds *1,18*
aanstootgevend *69*
aantijging de (...en; ...inkje) *13,112*
aanvaarden *106,108,109*
aanvaardde, aanvaard
aanval de (...vallen; ...valletje) *112*
aanvals...: aanvalsactie, aanvalsspits, enz. *98,99*

aanvang de
aanvangs...: aanvangspunt, aanvangssnelheid, enz. *98,99*
aanvoerder de (...s)
aanvoerders...: aanvoerdersband, enz. *98*
aanvoerster de (...s) *4*
aanwensel het (...s) *4*
aap de (apen)
aapmens *64*
apekool, apelazarus (GB: apelazerus), apenootje, apetrots, apezat, apezuur *95,96,97*
apen...: apenbroodboom (GB: apebroodboom), apenliefde, apenstaartje, enz. *88,96*
Aarau *6,53*
aard de *18*
aard...: aardmassa, enz. *64*
aardsgezind *98*
aardappel de (...en, ...s) *18*
aardbei de (...en) *13*
aardbei...: aardbeiplant, enz. *64,76*
aardbeien...: aardbeienijs, enz. *88*
aarde de *53*
aarde...: aardedonker, aardewerk, enz. *76,90*
aarden [van aarde] *114*
aarden [wennen] *106,109*
aardde, geaard
aardewerken *90,114*
aards *18*
Aargau *6,53*
Aarhus *ook* **Århus** *6,53*
Aarle-Rixtel *6,53*
Aäron *6*
aars de (aarzen) *26*
Aartrijke *6,53*
aarts... *18*
aartsengel, aartslui, aartsrivaal, enz.
aas de/het (azen) *26*
aas...: aaseter, enz.
aatje [kuil(net)] het (...s) *18,43*
AAW [Algemene Arbeidsongeschiktheidswet] de *104*
AAW-...: AAW-voorziening, enz. *83*
a.b. [aan boord, als boven] *100*
abactis de (...tissen) *1,14,22*
abacus de (abaci, ...cussen) *14,22*
abandonneren *14,37,106*
abandonneerde, geabandonneerd
abat-jour de/het (...s) *63*
abattoir het (...s) *3,14*
abbé de (...s; abbeetje) *29,43,112*
Abbé Pierre *6*
abbreviatie de *14*
abbreviëren *14,37,38*
abbrevieerde, geabbrevieerd
abc het (...'s; abc'tje) *46*
abc-...: abc-boek, enz. *83*
ABC-... [atomaire, biologische, chemische] *83*
ABC-oorlog, ABC-wapens, enz.
ABC-eilanden [Aruba, Bonaire, Curaçao] de (alleen mv.) *83*
abces het (...cessen) *17,25*
Abchazië *6,53*
ABC-kanaal *6,53*
Abcoude *6,53*
abdicatie de (...s) *17,22,43*
abdiceren *ook* **abdiqueren** *17,25,115*
abdiceerde/abdiqueerde, geabdiceerd/geabdiqueerd
abdij de (...en) *13,17*
abdis de (...dissen) *17*
abdomen het (...s, ...mina) *17*
abecedarium het (...s) *25*
abeel de (abelen; ...tje)
abelenlaan *88*
Abélard, Pierre *6*
Aberdeen *6,53*
aberratie de (...s) *14,43*
Abessinië *6,53*
abituriënt de (...en) *14,18,37*
abject *17,22*
ablatie de (...s) *14,43*
ablaut de (...en) *12,17,18*
ablutie de (...s, ...tiën) *14,40,43*
ABN [Algemeen Beschaafd Nederlands] *104*
Aboe Bakr, abd Allah *6*

aboleren *14,37,106*
aboleerde, geaboleerd
abolitionisme het *14,25,90*
abominabel *1,14*
abondance de (...s) *3,14,25*
abonnee de (...s; ...tje) *8,14,43*
abonnee...: abonnee-informatie, abonneenummer, enz. *64,76*
abonnement het (...en) *14*
abonnementhouder *64*
abonnementenbestand *88*
abonnements...: abonnementsgeld, enz. *98*
abonneren *14,37,106*
abonneerde, geabonneerd
ABOP [Algemene Bond van Onderwijzend Personeel] de *103*
aboriginal de (...s) *3,14*
aborigines de (alleen mv.) *3,14,43*
aborteren *14,37,106*
aborteerde, geaborteerd
abortus de (...tussen) *1,14*
abortus provocatus de *63*
à bout portant *63*
ABP [Algemeen Burgerlijk Pensioenfonds] het *104*
abracadabra het (...'s) *22,42*
Abraham [bijbelse figuur] *6*
abraham [speculaaspop] de (...s) *54*
abri de (...'s) *9,42*
abricoteren *14,22,106*
abricoteerde, geabricoteerd
abrikoos de (...kozen) *9,26*
abrikozen... abrikozentaart, enz. *88*
abrupt *17*
Abruzzen de *6,53*
Abruzzees, Abruzzese
abs [antiblokkeersysteem] het *101*
Absalom *6*
abscis de (...scissen) *15,17,25*
abseilen *3,107*
absence de (...s) *3,25,43*
absent *17,25*
absenteïsme het *17,37,90*
absentia, in – *63*
absentie de (...s) *17,25,43*
abside de (...s) *9,17,43*
absint de/het *17*
absolutie de (...s) *17,43*
absolutisme het (...n, ...s) *17,57,91*
absoluut *17*
absolveren *17,37,106*
absolveerde, geabsolveerd
absorbens het (...bentia) *17,25*
absorberen *17,37,106*
absorbeerde, geabsorbeerd
absorptie de (...s) *17,43*
absorptie...: absorptievermogen, enz. *64*
absoute de (...s) *11,17,43*
abstinentie de *17,25*
abstract [niet-concreet] *17,22*
abstract [uittreksel] het (...s) *3,17,22*
abstractie de (...s) *17,22,43*
abstracto, in – *63*
abstraheren *17,37,106*
abstraheerde, geabstraheerd
absurd *17,18*
abt de (...en) *17,18*
Abu Dhabi *6,53*
Abuja *6,53*
abuseren *26,37,106*
abuseerde, geabuseerd
abusief *19,26*
abusieve
abusievelijk *2,19,26*
AbvaKabo [Algemene Bond van Ambtenaren/Katholieke Bond van Overheidspersoneel] de *103*
ABVV [Algemeen Belgisch Vakverbond] het *104*
ABW [Algemene bijstandswet] de *104*
abyssaal *9,14*
Ac [actinium] *100*
A.C. [anno Christi, appellation contrôlée] *100*
acacia de (...'s) *22,25,42*
academicus de (...mici) *14,22,25*
academie de (...miën, ...s) *22,40,43*
academie...: academiejaar, enz. *64*

acajou het *11,22,27*
acanthus de (...thussen) *1,20,22*
a capella *63*
a-capellakoor *84*
Acapulco *6,53*
acaricide de/het (...n) *9,22,25*
accapareren *14,22,106*
accapareerde, geaccapareerd
accelerando *3,14*
acceleratie de (...s) *14,23,43*
acceleratie...: acceleratievermogen, enz. *64,76*
accent het (...en) *23*
accentloos *78*
accent...: accentteken, enz. *64*
accent aigu het *63*
accent circonflexe het *63*
accent grave het *63*
accentueren *23,37,106*
accentueerde, geaccentueerd
accept het (...en) *23*
accept...: acceptgiro, enz. *64*
accepten...: acceptenboek, enz. *88*
acces het (...cessen) *23*
accessiet de/het (...en) *14,18,23*
accessoir *3,14,23*
accessoire het (...s) *3,14,25*
access time *67*
accident het (...en) *23*
accijns de (...cijnzen) *13,23,26*
accijns...: accijnsverhoging, enz. *64*
acclamatie de (...s) *14,22,43*
acclimatiseren *14,22,26,106*
acclimatiseerde, geacclimatiseerd
accolade de (...s) *22,43,91*
accommodatie de (...s) *14,22,43*
accommoderen *14,22,106*
accommodeerde, geaccommodeerd
accompagnateur de (...s) *3,22*
accompagneren *3,22,106*
accompagneerde, geaccompagneerd
accordeon de/het (...s; ...onnetje) *16,22,112*
accordeon...: accordeonmuziek, enz. *64*
accorderen *14,22,106*
accordeerde, geaccordeerd
accoucheur de (...s) *11,22,27*
account de/het (...s) *3,22*
account...: accountmanager, enz. *67*
accountant de (...s) *3,22*
accountants...: accountantsverklaring, enz. *66,98*
accountant-administratieconsulent de (...en) *3,22,80*
Accra *6,53*
Accraër, Accraas, Accrase
accrediteren *14,22,106*
accrediteerde, geaccrediteerd
accres het (...cressen) *22*
accrocheren *22,27,106*
accrocheerde, geaccrocheerd
accu de (...'s; accuutje) *22,42,112*
accu...: accubak, accuoplader, enz. *64,76*
acculturatie de *22*
accumuleren *14,22,106*
accumuleerde, geaccumuleerd
accuraat *14,22*
accuratesse de *14,22,90*
accusatief de (...tieven) *ook* **accusativus** (...ivi) *19,22,115*
ace de (...s) *3,43*
acefaal *25*
acetaat het (...taten) *18,25*
acetaldehyde het *9,25,90*
aceton de/het *25*
acetyleen het *9,25*
acetylsalicylzuur het *9,25,64*
Achab *6*
Achel *6,53*
achenebbisj *2,27*
Achilles [Griekse held] *6*
achilleshiel, achillespees *54,65*
achromaat de (...maten) *3*
achromasie de *3,26*
achromatisch *3*
achromatopsie de *3,25*
acht [aandacht] de
achteloos *87*

acht [telwoord] de (...en; ...je) *74*
acht...: achtarmig, achtbaan, achtdubbel, achtduizend, achtduizend zestig, achthonderd, achthonderdvier, achttonner, enz. *64,74*
achtcilindermotor, achtuurjournaal, enz. *68*
achtendeel *111*
achturendag *68,88*
achten *37,106*
achtte, geacht
achtenswaard *ook* **achtenswaardig** *98,115*
achter... *106,108*
achterstellen: stelde achter, achtergesteld; enz.
achteraan... *70,106,108*
achteraankomen: kwam achteraan, achteraangekomen; enz.
achtereen... *64*
achtereenvolgend, achtereenvolgens, enz.
achterelkaar *73*
achterhand de (...en) *64*
achterhandsbeentje *98*
achterhoofd het (...en) *64*
achterhoofds...: achterhoofdsknobbel, enz. *98*
achterin *72*
Achter-Indië *6,53*
achterna... *70,106,108*
achternasturen: stuurde achterna, achternagestuurd; enz.
achterom... *70,106,108*
achteromkijken: keek achterom, achteromgekeken; enz.
achterop... *70,106,108*
achteropkomen: kwam achterop, achteropgekomen; enz.
achterover... *70,106,108*
achteroverdrukken: drukte achterover, achterovergedrukt; enz.
achterstand de (...en) *64*
achterstands...: achterstandspositie, achterstandssituatie, enz. *98,99*
achterstevoren *73*
achteruit... *70,106,108*
achteruitdeinzen: deinsde achteruit, achteruitgedeinsd; enz.
achterwege *73,111*
...achtig *37*
kinderachtig, lenteachtig, lila-achtig, parvenuachtig, enz.
Achtkarspelen *6,53*
achtste *75*
achtste...: achtste-eeuwer, achtste-eeuws, achtstejaars, enz. *76,92*
achttien *74*
achttien...: achttienkaraats, enz. *64*
achttiende *75*
achttiende...: achttiende-eeuwer, achttiende-eeuws, enz. *76,92*
Acht Zaligheden de *6,53*
acid de *3,18,25*
acid house *67*
acidimeter de (...s) *9,25*
acme het *3,22*
acne de (...s) *22,43,91*
ACOD [Algemene Centrale van de Overheidsdiensten] de *104*
acoliet de (...en) *14,18,22*
a conto *63*
à contrecoeur *63*
acquireren *24*
acquireerde, geacquireerd
acquisitie de (...s) *24,26,43*
acquisitie...: acquisitiebeleid, enz. *64*
acquit het (acquitten) *9,22*
acquit, per – *63*
acquitteren *14,22,106*
acquitteerde, geacquitteerd
acre de (...s) *3,22,43*
acribie de *9,22*
acrobaat de (...baten) *14,22*
acroniem het (...en) *9,22*
acrostichon het (...s) *3,22*
acryl het *9,22*
acryl...: acrylverf, enz. *64*
act de (...s) *3,22*

acta de (alleen mv.) 22
acte de présence *63*
acteren 22,*37*,*106*
acteerde, geacteerd
acteur de (...s) 22
acteurs...: acteursprijs, enz. *98*
actie de (...s) *23*,*43*
actie...actieprogramma, actievoerster, enz. *64*
actief *9*,*19*,22
actieve
actie voeren *69*,*106*
voerde actie, actie gevoerd
actiniden de (alleen mv.) *9*,22,*89*
actinisch *9*,22
actinium (Ac) het *9*,22
actinometrie de *9*,22
actionair de (...s) *16*,22
actionaris de (...rissen) *15*,*16*,*23*
actionpainting de (...s) *67*
activa de (alleen mv.) *9*,22
activeren *9*,22,*106*
activeerde, geactiveerd
activiteit de (...en) *13*,22
activiteiten...: activiteitenbegeleider, enz. *88*
activum het (...tiva) *9*,22
actor de (...en) 22
actrice de (...s) 22,*25*,*91*
actualiseren 22,*37*,*106*
actualiseerde, geactualiseerd
actualiteit de (...en) *13*,22
actualiteiten...: actualiteitenrubriek, enz. *88*
actualiteits...: actualiteitswaarde, enz. *98*
actuariaat het (...aten) *18*,22
actuaris de (...rissen) *15*,22
actueel 22
actueren 22,*37*,*106*
actueerde, geactueerd
actum 22
acupressuur de 22
acupunctuur de (...turen) 22
acustica de *11*,22
acuut *14*,22
ACV [Algemeen Christelijk Vakverbond] het *104*
ACW [Algemeen Christelijk Werkgeversverbond] het *104*
A.D. [anno Domini] *100*
ad... *18*
adjunct, adsorptie, enz.
ad absurdum *63*
adagio *3*
adagium het (...gia) *3*
Adam [bijbelse figuur] *51*
adams...: adamsappel, adamskostuum, enz. *54*,*65*,*98*
Adamstown *6*,*53*
adapter de (...s) *1*
addendum het (...denda) *14*
adder de (...en, ...s)
adder...: addergebroed, enz. *64*
adderengebroed *88*
addict de (...s) *3*,22
Addis Abeba *6*,*53*
Addis Abebaër, Addis Abebiet, Addis Abebase
additie de (...s) *14*,*43*
additief het (...tieven) *14*,*19*
additioneel *14*,*25*
adduceren *14*,*25*,*106*
adduceerde, geadduceerd
adductie de (...s) *14*,22,*43*
à décharge *29*,*30*,*63*
Adelaide *6*,*53*
adellijk *14*
ademhalen *69*,*106*,*108*
haalde adem, ademgehaald
Adenauer, Konrad *6*
adenoïde *37*
adept de (...en) *17*
adequaat *18*,*24*
aderiseren *26*,*37*,*106*
aderiseerde, geaderiseerd
aderlaten *69*,*107*
ad fundum *63*
adherent *18*
adhesie de *26*
adhesiebetuiging *64*,*76*

ad hoc *63*
ad-hoc...: ad-hocachtig, ad-hocbeslissing, enz. *84*
ad hominem *63*
adhortatief de (...tieven) *19*
adieu het (...s) *3,43*
ad infinitum *63*
ad interim [a.i.] *63*
adipocire de *9,25,90*
adj. [adjunct, adjudant, adjectief] *100*
Adjani, Isabelle *6*
adjectief (adj.) het (...tieven) *19,22*
adjudant (adj.) de (...en) *18*
adjudant-onderofficier de (...en, ...s) *18,25,80*
adjudiceren *18,25,106*
adjudiceerde, geadjudiceerd
adjunct (adj.) de (...en) *18,22*
adjunct-... *18,22,79*
adjunct-directeur, enz.
adjuvans het (...vantia) *18,25*
ad libitum *63*
adm. [administratie] *100*
administratief *19*
administratieve
administratrice de (...s) *25,43,91*
administreren *37,106*
administreerde, geadministreerd
admiraal de (...s, ...ralen) *18*
admiraalvlinder *64*
admiraals...: admiraalsschip, admiraalsuniform, enz. *98,99*
admiraal-generaal de (...s-generaal, ...ralen-generaal) 79
admiraalzeilen *69,107*
Admiraliteitseilanden de *6,53*
admiratie de (...s) *43*
admitteren *14,18,106*
admitteerde, geadmitteerd
ad nauseam *63*
adolescent de (...en) *25*
adonis [mooie jongeman, plant] de (...nissen) *15,54*
adoniseren *26,37,106*
adoniseerde, geadoniseerd
adopteren *14,37,106*
adopteerde, geadopteerd
adoptiefkind het (...kinderen) *ook* **adoptiekind** *25,64,115*
Adorp [Groningen] *6,53*
ad rem *63*
adrenaline de *9*
adrenaline...: adrenalinegehalte, enz. *76,90*
adres het (adressen) *14*
adres...: adreskaart, enz. *64*
adressen...: adressenbestand, enz. *88*
adresseren *14,37,106*
adresseerde, geadresseerd
adsorberen *18,37,106*
adsorbeerde, geadsorbeerd
adsorptie de *17,18,25*
adstringerend *18*
adstructie de (...s) *18,23,43*
adstrueren *18,37,106*
adstrueerde, geadstrueerd
Aduarderdiep *6,53*
adult *18*
adv [arbeidsduurverkorting] de *101*
adv-...: adv-dag, enz. *83*
ad valorem *63*
ad valvas *63*
advent de *18*
advent...: adventdienst, adventzondag, enz. *64*
advents...: adventskrans, enz. *98*
advertentie de (...s) *25,43*
advertentie...: advertentie-inkomsten, advertentiekosten, enz. *64,76*
advertorial de (...s) *3*
advies het (...viezen) *26*
adviseren *26,37,106*
adviseerde, geadviseerd
adviseuse de (...s) *26,43,91*
advocaat de (...caten) *22*
advocaten...: advocatenkantoor, enz. *88*
advocaat-fiscaal de (advocaten-fiscaal) *22,79*

advocaat-generaal de (advocaten-generaal) *22,79*
advocaten... zie **advocaat**
Adwaita *6*
a.d.z. [als daar zijn] *100*
Adzjarië *6,53*
Aegeus *6*
Aegidius *ook* **Egidius** *6*
Aegir *6*
Aegyptus *6*
Aeneas *6*
aequo, ex – *63*
aequo animo *63*
Aerdenhout [Noord-Holland] *6,53*
aëreren *37,38,106*
aëreerde, geaëreerd
aëro... *37,78*
aëroclub, aërodynamica, aëro-elasticiteit, aërograaf, aëronaut, aëroob, enz.
aerobic de/het (...s) *3,37*
aerobiccen *3,22*
Aeschylus *6*
Aesopus *6*
Aetolië *6,53*
af... *70,106,108*
afbakenen: bakende af, afgebakend; enz.
afasie de *14,19,26*
afaticus de (...tici) *19,22,25*
afb. [afbeelding] *100*
afbeelden *70,106,108,109*
beeldde af, afgebeeld
afd. [afdeling] *100*
aferesis de *1,19,26*
affaire de (...s) *14,43,91*
affecteren *14,22,106*
affecteerde, geaffecteerd
affectie de *14,22*
affectief *14,19,22*
affectieve
afferent *14*
affiche de/het (...s) *14,27,43*
affiche...: afficheontwerp, enz. *76,91*
afficheren *14,27,106*
afficheerde, geafficheerd
affigering de (...en) *2,14*
affiliatie de (...s) *14,43*
affiliëren *37,38,106*
affilieerde, geaffilieerd
affiniteit de (...en) *13,14*
affirmeren *37,106*
affirmeerde, geaffirmeerd
affix het (...en) *14,23*
affixoïde de (...n) *14,23,37,89*
Affligem *6,53*
affodil de (...dillen) *ook* **affodille** (...n) *14,89,115*
affreus *14,26*
affreuze
affricaat de (...caten) *14,22*
affronteren *37,106*
affronteerde, geaffronteerd
affuit de/het (...en) *14*
afgelasten *4,106,109*
gelastte af, afgelast
Afghanistan *6,53,55*
Afghaan, Afghaans(e)
afgifte de
afgiftekoers *90*
afgod de (...en)
afgoden...: afgodendienst, enz. *88*
afgods...: afgodskruid, enz. *98*
afgrijselijk *ook* **afgrijslijk** *26,87,115*
afgrijzen het *26*
afhaalchinees de (...nezen) *54,65*
aficionado de (...'s) *14,27,42*
afijn *1,14,73*
afk. [afkorting] *100*
afkeurenswaard *ook* **afkeurenswaardig** *98,115*
afkicken *22,106,108*
kickte af, afgekickt
afko [afkorting] de (...'s) *42,102*
afl. [afleiding, aflevering] *100*
afleiding (afl.) de (...en) *13*
afname de
afname...: afnamegarantie, enz. *76,90*
aforisme het (...n) *89*
a fortiori *63*

afpeigeren *13,106,108*
peigerde af, afgepeigerd
afrasie de *14,26*
Afrika *6,53*
Afrikaan, Afrikaans(e)
afrikaan [bloem] de (...kanen) *54*
afrikaniseren *26,54,106*
afrikaniseerde, geafrikaniseerd
afrodisiacum het (...aca) *19,22,26*
afrodisie de *19,26*
afrolook de *11,54*
afscheid het *13*
afscheids...: afscheidsrede, enz. *98*
afschuw de *28*
afschuwelijk *87*
afschuwwekkend *64*
afsnijdsel het (...s) *4,13*
afstand de (...en)
afstandelijk *87*
afstands...: afstandsbediening, afstandsschot, enz. *98,99*
aft de (...en) *ook* **afte** (...n) *18,115*
aftands *18*
after all *67*
afterpil de (...pillen) *66*
aftersales de *67*
aftershave de (...s) *43,67*
afvallige de (...n) *89*
afvloeiing de (...en) *38*
afvloeiings...: afvloeiingsregeling, enz. *98*
afwezige de (...n) *89*
afz. [afzender, afzonderlijk] *100*
afzeggen *70,106,107*
zegde/zei af, afgezegd
afzendster de (...s) *4*
afzonderlijk [afz.] *87*
Ag [argentum] *100*
agaat de/het (agaten) *20*
Agalev [Anders gaan leven] *103*
Agamemnon *6*
agamie de *14*
Agaña *6,53*
agape de (...n) *89*
agar-agar de *63*
agave de (...n, ...s, GB: ...n) *43*
agavegroei *91*
agenda de (...'s; ...daatje) *42,112*
agenda...: agenda-inhoud, agendapunt, enz. *64,76*
agenesie de *14,26*
agens het (agentia) *25*
agent de (...en)
agentenfiets *88*
agent-provocateur de (agents-provocateurs) *3,22,80*
aggiornamento het (...'s) *3,42*
agglomeratie de (...s) *14,43*
agglomeratie...: agglomeratieraad, enz. *64,76*
agglutineren *14,37,106*
agglutineerde, geagglutineerd
aggravatie de (...s) *1,14,43*
aggregaat het (...gaten) *14,18*
aggregaats...: aggregaatstoestand, enz. *98*
aggregatie de (...s) *14,43*
aggregatietoestand *64,76*
agile *3*
agio-stockdividend het (...en) *18,22,84*
agiotage de *27,90*
agitatie de (...s) *14,43*
agitato *3*
agitator de (...en, ...s) *1,14*
agiteren *14,37,106*
agiteerde, geagiteerd
agitprop [agitatie + propaganda] de (...proppen, ...props) *102*
agnaat de (...naten) *3,18*
agnitie de (...s) *43*
agnosceren *25,106*
agnosceerde, geagnosceerd
agnosie de *3,26*
agnosticisme het *25,57,90*
agnosticus de (...tici) *22,25*
à gogo *ook* **a gogo** *63*
agologie de *14*
agonie de (...nieën) *14,40*
agoog de (agogen) *14*
agogentaal *88*

agora de (...'s) *14,42*
agora...: agorafobie, enz. *64,76*
agraaf de (agrafen) *14,19*
agrafe de (...n) *14,19,89*
agrariër de (...s) *14,37*
agreatie de *14*
agrement het (...en) *1,14*
agressie de (...s) *14,43*
agressie...: agressiefonds, agressieoorlog, enz. *64,76*
agressief *14,19*
agressieve
agressor de (...en, ...s) *14*
agricultuur de *9,22*
agrificatie de (...s) *9,22,43*
agro... *78*
agrochemie, agro-industrie, enz.
ah het (...'s) *20,42*
aha *73*
aha-erlebnis de/het (...nissen) *15,63*
Ahasveros *6*
Ahasverus (wandelende jood) *6*
ahob [automatische halve overwegboom] de (...'s) *46,102*
ahoi *21*
ahorn de (...en, ...s)
ahorn...: ahornsiroop, enz. *64*
Ahoy' [Rotterdam] *52*
Ahvenanmaa *6,53*
a.h.w. [als het ware] *100*
ai de (...s) *21,43*
a.i. [ad interim, alles inbegrepen] *100*
aide-mémoire de (...s) *43,63*
aids [acquired immune deficiency syndrome] *102*
aids...: aidsvirus, enz. (GB: aids-..., enz.) *83*
aigrette de (...s; aigretje) *3,43,112*
aikido het *9,37*
aimabel *3*
aio [assistent in opleiding] de (...'s) *46,102*
aio-...: aio-stelsel, enz. *83*
air het (...s; ...tje) *3*
air... *67*
airbag, airbrush, airmile, enz.
airco [airconditioning] de (...'s) *46,102*
airconditioned *67*
airconditioner de (...s) *1,67*
airedale de (...s) *3,43,52*
airedaleterriër *65*
aïs de (aïssen) *37*
Aix-en-Provence *6,53*
Aix-les-Bains *6,53*
Ajaccio *6,53*
Ajacieden *6*
ajakkie *9,73*
Ajax *6*
ajour het *11,27*
ajourneren *11,27,106*
ajourneerde, geajourneerd
ajuin de (...en) *21*
Akaba *6,53*
akant [plant] de *22*
akela de (...'s) *42*
akelei de (...en) *ook* **akolei** *1,13,14,115*
aki [automatische knipperlichtinstallatie] de (...'s) *46,102*
Akihito *6*
akinesie de *22,26*
akkefietje het (...s) *ook* **akkevietje** *19,43,115*
akkoord het (...en) *22*
akkoordverklaring *64*
akoepedie de *11,22*
akoestiek de *11,22*
akoestisch *11,22*
akolei de (...en) *ook* **akelei** *1,13,14,115*
akoniet de (...en) *9,22*
aks de (...en) *ook* **akst** *23,115*
akte de (...n, ...s) *22,43*
akte...: aktetas, enz. *76,91*
Al [aluminium] *100*
al. [alinea] *100*
à la ... *63*
à la carte, à la baisse, à la minute, enz.

alaaf *14*
alaam het *14*
Alabama *6,53*
à-la-carterestaurant het (...s) *84*
Ålandeilanden *6,53*
alanine de/het *9,14,90*
alant de (...en) *14,18*
 alants...: alantswortel, enz. *98*
alarm het (...en) *14*
 alarm...: alarminstallatie, enz. *64*
Albacete *6,53*
Albanië *6,53,55*
 Albanees, Albanese
albasten *114*
albatros de (...trossen) *1,14*
albe de (...n) *89*
Albee, Edward *6*
Albehoeder de *59,64*
Alberdingk Thijm *6*
Albertville *6,53*
albino de (...'s; ...nootje) *42,112*
Albinoni, Tommaso *6*
Ålborg *ook* **Aalborg** *6,53*
Albrandswaard *6,53*
album amicorum *63*
albumine de *90*
Albuquerque *6,53*
alcantara de/het *22*
Alcazar *6*
alchemie de *ook* **alchimie** *1,3,115*
alcohol de (...en) *1,22*
 alcohol...: alcoholgehalte, alcoholvrij, enz. *64*
alcoholicus de (...lici) *1,22,25*
alcoholiseren *22,26,106*
 alcoholiseerde, gealcoholiseerd
alcomobilisme het *22,90*
Alcuin *ook* **Alcuinus** *6*
aldehyde het (...n, ...s) *9,43,91*
Alden Biesen *6*
al dente *63*
aldoor *73*
aldra *73*
Aldus Manutius *6*
aleatoir *1,10,14,37*
aleatorisch *1,14*
Alechinsky, Pierre *6*
aleer *73*
Alençon *6,53*
Aleoeten *6,53*
alert *14*
Aletrino, Arnold *6*
Aletschgletsjer *6*
aleuron het (...en) *14*
Alexandrië *6,53*
alexandrijn de (...en) *13,54*
alexie de *14,23*
alf de (alven) *19*
alfa... *19,78*
 alfa-afdeling, alfahulp, alfanumeriek, enz.
alfabet het (...betten) *19*
alfabetiseren *19,26,106*
 alfabetiseerde, gealfabetiseerd
alfalfa de *19*
alg de (...en) *ook* **alge** (...n) *115*
 algen...: algengroei, enz. *88,89*
algauw *73*
alge de (...n) *ook* **alg** (...en) *89,115*
algebraïsch *2,37*
algeheel *73*
Algemeen Nederlands (A.N.) het *55*
algemeenverbindendverklaring de (...en) *68*
Algerije *6,53*
 Algerijn, Algerijns(e)
algoritme de/het (...n, ...s) *1,20,43,91*
alhier *73*
alhoewel *73*
Ali, Mohammed *6*
alias de (...assen) *14*
Ali Baba *6*
alibi het (...'s) *9,42*
Alicante *6,53*
aliënatie de (...s) *14,37,43*
alignement het (...en) *3*
aligneren *3,37,106*
 aligneerde, gealigneerd
alikruik de (...en) *9*

alimentatie de (...s) *14,43*
alimentatie...: alimentatieplicht, enz. *64,76*
à l'improviste *63*
alinea (al.) de (...'s; ...aatje) *1,14,42,112*
alkaan het (...kanen) *22*
alkali het (...liën) *9,22,40*
alkali...: alkalimetaal, enz. *64,76*
alkaline de *9,22*
alkaline...: alkalinebatterij, enz. *76,90*
alkaliseren *22,37,106*
alkaliseerde, gealkaliseerd
alkaloïde het (...n) *22,37,89*
alkanna de (...'s) *22,42*
alkoof de (...koven) *19,22*
alla *14*
Allah *6,59*
allang *73*
allebei *13,73*
alledaags *92,113*
alledaagser, meest alledaags
alledag *92*
allee de (...leeën, ...s) *14,29,38,43*
alleen *5*
allegatie [citaat, stelling] de (...s) *14,43*
allegorie de (...rieën) *14,40*
allegoriseren *14,37,106*
allegoriseerde, geallegoriseerd
allegretto het (...'s) *3,14,42*
allegrissimo het (...'s) *3,14,42*
allegro het (...'s) *3,14,42*
allegro vivace *63*
allel het (...en) *14*
alleluja de/het (...'s) *ook* **halleluja** *14,42,115*
alleman *92*
allemans...: allemansvriend, enz. *68,98*
allemande de (...s) *14,43,91*
Allen, Woody *6*
Allende, Isabel/Salvador *6*
allengs *4*
aller... *64*
alleraardigst, allerbelabberdst, enz.
allergeen het (...genen) *14*
allergie de (...gieën) *14,40*
allergine de/het (...n) *14,90*
allerhande de/het *73,111*
Allerheiligen de *56,64*
allerheiligenfeest *56,89*
allerijl *13,64,111*
allerlei *13,73,111*
allerwegen *64,111*
Allerzielen de *56,64*
allerzielendag *56,88*
alles... *64*
allesbeslissend, allesoverheersend, alleszins, allesbehalve (helemaal niet), alles behalve, enz.
alliage de/het (...s) *14,27,43*
alliance-ring de (...en) *14,25,85*
alliantie de (...s) *14,25,43*
allicht *4,73*
alliëren *37,38,106*
allieerde, geallieerd
alligatie [metaallegering] de (...s) *14,43*
alligator de (...s) *1,14*
all-in *67*
all-inprijs *84*
alliteratie de (...s) *ook* **allitteratie** *14,43,115*
allo [allochtoon] de (...'s) *46,102*
allocatie de (...s) *14,22,43*
alloceren *14,25*
alloceerde, gealloceerd
allochtoon de (...tonen) *3,14*
allochtonen...: allochtonenbeleid, enz. *88*
allocutie de (...s) *14,22,43*
allomorf de (...en) *14,19*
allonge de (...s) *3,27,43*
alloniem het (...en) *9,14*
allooi het *14*
allopathie de *14,20*
allotria de (alleen mv.) *14*
allottava *14,19*

allright *67*
all-risk *67*
all-riskverzekering *84*
allround *67*
all terrain bike (atb) de (...s) *43,67*
alluderen *14,37,106*
alludeerde, gealludeerd
allure de (...s) *14,43,91*
allusie de (...s) *14,26,43*
alluviaal *14*
Alluvium het *14,56*
all-weatherkleding de *84*
almaar *ook* **alsmaar** *73*
Almachtige de *59,64*
almagra de *3*
alma mater de (...s) *63*
almanak de (...nakken) *1,22*
Almaty [voorheen Alma-Ata] *6,53*
almaviva de (...'s) *42,54*
Almería *6,53*
ALN [Algemene Loterij Nederland] de *104*
aloë de *14,37,42*
Alofi *6,53*
alom... *64,73*
alominzetbaarheid, alomtegenwoordig, enz.
aloud *73*
alpaca de/het (...'s) *22,42,114*
Alpen de *6,53*
alp *54*
alpen...: alpenweide, enz. *65*
Alphen, Hieronymus van *6*
Alphen aan den Rijn *6,53*
alpien [m.b.t. de Alpen] *ook* **alpijns** *9,54*
alpiene
alpineskiën *40,69,107*
alpino de (...'s; ...nootje) *42,54,112*
alpino...: alpinopet, enz. *64*
alras *73*
alreeds *73*
als... *73*
alsdan, alsmede, alsnog, enz.
alsem de *1*
alsjeblieft *73*
alsmaar *ook* **almaar** *73*
alstublieft (a.u.b.) *73*
alt. [altitude] *100*
Altaïsche (talen) *55*
Altajgebergte *6,53*
altegader *73*
altemaal *73*
alter ego het (...'s) *42,63*
alternatief het (...tieven) *19*
alterneren *37,106*
alterneerde, gealterneerd
althans *2,20,73*
althea de (...'s) *20,42*
Althusser, Louis *6*
alti de (...'s) *9,42*
altijddurend *64*
altimeter de (...s) *9*
alto de (...'s) *42*
altoos *2*
altruïsme het *37,90*
aluin de (...en) *4*
aluminaat het (...naten) *14*
aluminiseren *14,37,106*
aluminiseerde, gealuminiseerd
aluminium (Al) het *14*
aluminium...: aluminiumoxide, enz. *7,64,114*
alumiseren *14,37,106*
alumiseerde, gealumiseerd
alumnus de (alumni) *1,14*
alvast *73*
alveolair de (...en) *ook* **alveolaar** (...laren) *3,115*
alweer *ook* **alweder** *73*
Alwetende de *59,64*
alwijs *26,64*
alwijze
alzheimer de *54*
alzheimer...: alzheimerpatiënt, enz. (GB: Alzheimerpatiënt) *65*
alzo *73*
Am [americium, Amos] *100*
AM [amplitudemodulatie] *104*
a.m. [ante meridiem] *100*

amalgaam het (...gamen) *14*
amanda [krentenbroodje] de (...'s) *14,42*
amandel de (...en, ...s; ...tje) *14,15*
amant de (...s) *3*
amanuensis de (...enses, ...sissen) *1,14,15,26*
amarant de/het (...en) *14,18*
amaril de/het *14*
amarillo de (...'s) *14,21,42*
amaryllis de (...lissen) *9,14,15*
amateur de (...s) *14*
amateur...: amateurstatus, amateurvoetballer, enz. (GB: amateur-voetballer) *64*
amati de (...'s) *9,42,54*
Amazone [rivier] de *6,53*
amazone [strijdbare vrouw] de (...n, ...s) *14,43*
amazone...: amazonezit, enz. *76,91*
ambacht het (...en)
ambachtelijk *87*
ambachts...: ambachtsgilde, ambachtsschool, enz. *98,99*
ambassade de (...s) *14,43*
ambassade...: ambassadepersoneel, enz. *76,91*
ambassadeur de (...en, ...s) *14*
ambassadeurs...: ambassadeurswerk, enz. *98*
ambassadrice de (...s) *14,25,91*
ambi... *78*
ambidexter, ambisyllabisch, ambivalent, enz.
ambiance de *3,25,90*
ambiëren *37,38,106*
ambieerde, geambieerd
ambigu *3,9*
ambigue
ambiguïteit de (...en) *37*
Ambiorix *6*
ambitie de (...s) *43*
ambitieus *25,26*
ambitieuze
amblyopie de *9*
Ambon *6,53*
Ambonees, Ambonese
ambrosia de *26*
ambrozijn het *13,26*
ambt het (...en) *2*
ambtelijk, ambteloos *87*
ambtgenoot *64*
ambts...: ambtshalve, ambtsketen, enz. *98*
Ambt Delden *6,53*
ambtenaar de (...naren, ...s) *2*
ambtenaren...: ambtenarenapparaat, enz. *88*
ambtenaars...: ambtenaarsleven, enz. *98*
Ambt Montfort *6,53*
ambulance de (...n, ...s) *3,25,43*
ambulance...: ambulanceauto, ambulancepersoneel, enz. *76,91*
amechtig *2*
amendement het (...en) *14*
amendements...: amendementsrecht, enz. *98*
amenderen *14,37,106*
amendeerde, geamendeerd
amenorroe de *3,14,20*
America [Limburg] *6,53*
americium (Am) het *9,25*
Amerika *6,53,55*
Amerikaan, Amerikaans(e)
Amerikaans-Samoa *6,53*
Amerikaans-Samoaan, Amerikaans-Samoaans(e)
amerikaniseren *37,54,106*
amerikaniseerde, geamerikaniseerd
ametallisme het *14,90*
amethist de/het (...en) *14,20*
ameublement het (...en) *14*
amfetamine de/het (...n, ...s) *19,43,91*
amfibie de (...bieën) *40*
amfibie...: amfibievoertuig, enz. *64,76*
amfibrachisch *3,19*
amfibrachys de (...brachen) *3,9,19*
amfitheater het (...s) *19,20*

amfora de (...'s; ...raatje) *ook* **amfoor** (...foren) *19,42,112,115*
amfoteer *19*
Amharisch *55*
amiant het *18*
amicaal *22*
amice de (...s) *25,43*
amice...: amicebrief, enz. *91*
amicitia de *9,25*
amict de (...en) *14,22*
amide het (...n, ...s) *91*
Amiens *6,53*
amigo de (...'s) *3,42*
amine de/het (...n) *89*
aminozuur het (...zuren) *64*
Amis, Kingsley *6*
amitose de *26,90*
Amman *6,53*
ammehoela *54,97*
ammelaken het (...s) *97*
ammenooitniet *62*
Ammerzoden *6,53*
ammonia de *14*
ammoniak de *14*
ammoniet de (...en) *14,54*
ammonium het *14*
ammonshoorn de (...en, ...s) *ook* **ammonshoren** *54,98,115*
ammunitie de *14*
amnesie de (...sieën) *26,40*
amnestie de (...tieën) *40*
amnestie...: amnestieregeling, enz. *64,76*
Amnesty International *52*
amnioscopie de (...pieën) *22,40*
amoebe de (...n) *3,11,89*
Amoer *6,53*
amoom de/het (amomen) *14*
amorf *19*
amorfe
amoroso *14,26*
amortiseren *26,37,106*
amortiseerde, geamortiseerd
amourette de (...s) *11,43,91*
amoureus *11,26*
amoureuze
amoveren *37,106*
amoveerde, geamoveerd
ampel *1*
ampère (A) de (...s) *43,54*
ampère...: ampèremeter, ampère-uur, enz. *76,91*
ampersand de (...s) *3,18,26*
ampex [Alexander M. Pontianoff Exploitation] de (...en) *23*
ampexband *83*
ampliatie de (...s, ...tiën) *40,43*
amplificatie de (...s) *22,43*
amplificeren *25,37,106*
amplificeerde, geamplificeerd
amplifier de (...s) *3*
amplitude de (...s) *ook* **amplitudo** (...'s) *42,43,91,115*
ampul de (ampullen; ampulletje) *1,112*
Ampurias *6,53*
amputatie de (...s) *43*
amputeren *37,106*
amputeerde, geamputeerd
Amsberg, Claus von *6*
amsterdammertje het (...s) *43,54*
amulet de (...letten) *14,15*
Amundsen, Roald *6*
amusant *26*
amuse de (...s) *26,43,91*
amuse-gueule de (...s) *43,63*
amusement het (...en) *26*
amusements...: amusementsprogramma, enz. *98*
amuseren *26,37,106*
amuseerde, geamuseerd
amusie de *14,26*
AMvB [Algemene Maatregel van Bestuur] de *104*
A.N. [Algemeen Nederlands] het *55,104*
an... *77,78*
anaëroob, analfabeet, anorganisch, enz.
ana... *78*
anabool, anadroom, anagram, enz.

anaal *14*
anabole de (...n) *89*
anabole steroïden de (alleen mv.) *62*
anachoreet de (...reten) *3*
anachronisme het (...n) *3,89*
anaconda de (...'s) *22,42*
anafoor de (...foren) *ook* **anafora** (...'s) *19,43,115*
anafylactisch *9,19,22*
anafylaxie de *2,9,19,23*
anakoloet de (...en) *11,22*
analecta de (alleen mv.) *ook* **analecten** *22,115*
analepticum het (...tica, ...s) *22*
analfabetisme het *14,19,90*
analgeticum het (...tica) *22*
analist de (...en) *4*
analistenbijeenkomst *88*
analyse de (...n, ...s) *9,26,43*
analyse...: analysemethode, enz. *76,91*
analyseren *9,37,106*
analyseerde, geanalyseerd
analyticus de (...tici) *9,22,25*
anamnese de (...s) *26,43,91*
ananas de (...nassen) *1,14*
ananas...: ananassap, enz. *64*
anapest de (...en) *14*
anarchie de (...chieën) *3,40*
anarcho... *3,78*
anarchosyndicalisme, enz.
anastigmaat de (...maten) *3,18*
anastomose de (...n) *26,89*
anathema het (...'s) *20,42*
anatomie de (...mieën) *14,40*
anatomiseren *37,106*
anatomiseerde, geanatomiseerd
anatoxine de/het *23,90*
anatto het *14*
ANC [Afrikaans Nationaal Congres] het *104*
anchorman de (...chormen) *67*
anciënniteit de *14,25,37*
Ancien Régime het *56,63*
Ancona, Hedy d' *6*
Andalusië *6,53*
Andamanen en Nicobaren *6,53*
andante het (...s, GB: ...'s) *43,91*
andantino het (...'s) *42*
ander... *64*
anderdaags, andermaal, andersoortig, anderzijds, enz.
anderendaags ('s anderendaags) *48,64,111*
Anderlues *6,53*
Andermatt *6,53*
anders... *64,73,85*
andersdenkend, andersom, anderstalig, anderszins, enz.
anders-zijn het (GB: anderszijn) *85*
anderszins *4,73,111*
anderzijds *73,111*
andijvie de *13*
andijvie...: andijviestamppot, enz. *64,76*
Andorra *6,53*
Andorrees, Andorrese
Andorra la Vella *6,53*
Andrade, Carlos Drummond de *6*
andreaskruis het (...en) *26,54,65*
androgynie de (...nieën) *9,40*
androïde de (...n) *37,89*
Andromache *6*
Andromedanevel de *53,65*
Andropov, Joeri *6*
anekdote de (...n, ...s) *22,43,91*
anemie de *14*
anemograaf de (...grafen) *14,19*
anemoon de (...monen) *14*
anencefalie de *14,19,25*
anergie de *14*
aneroïde *14,37*
anesthesie de *14,20,26*
anesthesiologie de *14,20,26*
angelica de (...'s) *22,27,42*
Angelico, Fra *6*
Angelsaksisch *53*
angelus het *1*
Angers *6,53*
angina pectoris de *63*

angiografie de *3*
angioom het (...omen) *3*
angioplastiek de *3,22*
angkloeng de (...s) *3,11*
anglicanisme het *57,90*
anglicisme het (...n) *25,54,89*
anglo... *54,78*
anglofiel, anglomanie, enz.
Anglo-Amerikaans *53*
Angola *6,26,53*
Angolees, Angolese *26*
angora de (...'s) *42,54*
angora...: angorawol, enz. *65,76*
angostura de *3,11,54*
ångström (Å) de *3,54*
Anguilla *6,53*
Anguillaan, Anguillaans(e)
angulair *3*
anhydride het (...n, ...s) *9,43,91*
anhydriet het *9,18*
anijs de *13*
aniline de *9,14*
aniline-inkt *76,90*
anima de *14*
animaliseren *14,37,106*
animaliseerde, geanimaliseerd
animatie de (...s) *43*
animator de (...s) *1*
animeren *37,106*
animeerde, geanimeerd
animositeit de *14,26*
animoso *14,26*
animus de *1,11*
anion het (...en) *14*
anisette de *26,90*
anisotroop *26*
Anjou *6,53*
Ankara *6,53*
anklet de (...s) *3*
Anloo *6,53*
annalen de (alleen mv.) *14*
Annan, Kofi *6*
Anna Paulowna *6,53*
annaten de (alleen mv.) *14*
Annecy *6,53*
annexatie de (...s) *14,23,43*
annexeren *23,37,106*
annexeerde, geannexeerd
annexionisme het *14,23,90*
annexis, cum – *63*
annihileren *14,37,106*
annihileerde, geannihileerd
anniversarium het (...ria, ...riën) *14,40*
anno Domini [A.D.] *59,63*
annonce de (...s) *14,25,43*
annonceren *25,37,106*
annonceerde, geannonceerd
anno passato [a.p.] *63*
anno praeterito [a.p.] *63*
annoteren *14,37,106*
annoteerde, geannoteerd
annuarium het (...ria) *14*
annuïtair *3,14,37*
annuïteit de (...en) *14,37*
annuïteiten...:
annuïteitenhypotheek, enz. *88*
annuleren *14,37,106*
annuleerde, geannuleerd
annunciatie [aankondiging] de *14*
Annunciatie [Maria-Boodschap] de *14,56*
anode de (...n, ...s) *14,43,91*
anodiseren *14,37,106*
anodiseerde, geanodiseerd
anogenitaal *14*
anomalie de (...lieën) *14,40*
anomie de *14*
anoniem *9,14*
anonimiseren *37,106*
anonimiseerde, geanonimiseerd
anonimiteit de *9,14*
anonymus de (...nymi) *1,9,14*
anorak de (...s) *14,22*
anorectisch *14,22*
anorexia nervosa *63*
Anouilh, Jean *6*
ANP [Algemeen Nederlands Persbureau] het *104*
Anquetil, Jacques *6*
Anschluss de *3,56*

anschluss [aansluiting] de *11,25*
Anseele, Eduard *6*
ansicht de (...en) *26*
ansjovis de (...vissen) *27*
antagonisme het *90*
Antalya *6,53*
Antananarivo *6,53*
Antarctica *6,37,53*
Antarctiër
antarctisch *22,54*
antarctis de *1,22,54*
ante de (...n) *89*
antecedent het (...en) *25*
antecedentenonderzoek *88*
antecederen *25,37,106*
antecedeerde, geantecedeerd
antedateren *ook* **antidateren** *37,106,115*
antedateerde, geantedateerd
antediluviaal *14*
antediluviaans *14*
ante meridiem [a.m.] *63*
antenne de (...n, ...s) *43*
antenne...: antennekabel, enz. *76,91*
antependium het (...dia, ...s) *3*
anthologie de (...gieën) *20,40*
anthurium de (...s) *3,20*
anti de (...'s) *42*
anti...: antiaanbaklaag, antiamerikanisme, antiautoritair, antibioticum (...tica), antiblokkeersysteem (abs), antichrist, anticlimax, anticonceptiemiddel, antidepressivum, antidotum, anti-intellectualisme, antioxidans (...en, ...dantia), antioxidant (...en), antiraketraket, antisemiet, antisemitisme, antisepsis, antisepticum (...tica), enz. *78,85*
anti-...: anti-Amerikaans, anti-Duits, enz. *77*
antichambre de (...s) *27,43*
antichambreren *27,37,106*
antichambreerde, geantichambreerd
anticiperen *25,37,106*
anticipeerde, geanticipeerd
anticlinaal de (...nalen) *22*
antidateren *ook* **antedateren** *37,70,106,115*
antidateerde, geantidateerd
Antigone *6*
Antigua en Barbuda *6,53*
antilope de (...n, ...s, GB: ...n) *43*
antilopegang *91*
Antimachus *6*
antimakassar de (...s) *22,25*
antimonium (Sb) het *ook* **antimoon** *3,115*
antinomie de (...mieën) *40*
Antiochië *6,53*
antipathie de (...thieën) *20,40*
antipode de (...n) *89*
Antipodeneilanden de *6,53*
antipyrine de *9,90*
antiqua de (...'s) *24,42*
antiquaar de (...quaren) *24*
antiquair de (...s) *3,22*
antiquariaat het (...aten) *24*
antiquarisch *24*
antiquiteit de (...en) *22,24*
antoniem het (...en) *9*
antoniuskruis het (...en) *54,65*
antonomasia de (...'s) *26,42*
antonymie de *9*
antraceen het *25*
antraciet de/het *25*
antracietgrijs, antracietkleurig *64*
antracose de *22,26,90*
antrax de (...en) *23*
antropo... *78*
antropogenie, antropologie, enz.
antropoïde de (...n) *37,89*
antropomorf *19*
antropomorfe
antropomorfiseren *19,106*
antropomorfiseerde, geantropomorfiseerd
antroponymie de *9*
antroposofie de *19*

antwoorden *37,106*
antwoordde, geantwoord
anurie de *14*
anus de (anussen) *1*
ANVR [Algemene Nederlandse Vereniging van Reisbureaus] de *104*
ANWB [Algemene Nederlandse Wielrijders Bond] de *104*
ANWB-kantoor *83*
aorist de (...en) *ook* **aoristus** *1,115*
aorta de (...'s) *42*
AOW [Algemene Ouderdomswet] de *104*
AOW'er *46*
AOW-premie *83*
a.p. [anno passato, anno praeterito, a priori] *100*
A.P. [Amsterdams Peil] *104*
Apache de (...n, ...s) (GB: apache) *3,43,53*
apache...: apachetraan, enz. *54,76,91*
apaiseren *3,37,106*
apaiseerde, geapaiseerd
apanage de (...s) *3,14,43*
a pari *63*
apart *14*
apathie de (...thieën) *14,20*
apathisch *20,113*
apathischer, meest apathisch
apatiet het *9,14*
apatride de (...n) *14,89*
apegapen *97*
ape(n)... zie **aap**
apenkooien *37,88,106*
apenkooide, geapenkooid
Apennijnen de *6,53*
Apennijns Schiereiland *6,53*
apepsie de *14,25*
aperçu het (...'s) *14,25,42*
aperitief de/het (...tieven) *1,14,19*
apert *14*
apertuur de (...turen) *14*
apex de *23*
aphelium het (...lia, ...s) *19*
Aphrodite *6*
Apia *6,53*
apicaal *22*
apicultuur de *9,22*
APK [Algemene Periodieke Keuring] de *104*
APK-...: APK-keuring, enz. (GB: apk-keuring) *83*
aplanaat de (...naten) *14*
aplaneren *14,37,106*
aplaneerde, geaplaneerd
aplasie de *14,26*
aplomb het *3*
apneu de (...s) *43*
Apocalyps de *9,22,58*
apocalyptiek de *9,22,54*
apocope de (...'s) *8,14,22,42*
apocoperen *22,37,106*
apocopeerde, geapocopeerd
apocrief *14,19,22*
apocriefe
apodictisch *14,22*
apodosis de (...doses, ...sissen) *1,14,15*
apogeum het (...s) *14,39*
apograaf de (...grafen) *14,19*
apokoinou de (...s) *11,14,22,43*
Apollinaire, Guillaume *6*
apollinisch [beheerst] *14,54*
Apollo *6*
Apollonius *6*
apollovlinder de (...s) *14,54,65*
apologetiek de (...en) *14*
apologie de (...gieën) *14,40*
apoplectisch *14,22*
apoplexie de (...plexieën) *14,23,40*
aporie de (...rieën) *14,40*
aposiopesis de *1,14,26*
apostaseren *14,37,106*
apostaseerde, geapostaseerd
apostasie de *14,26*
apostel de (...en, ...s) *14,15*
a posteriori *63*
apostil de (...tillen) *ook* **apostille** (...n, ...s) *21,91,115*
apostolaat het *14*

apostolair *3,14*
apostoliciteit de *14,25*
apostrof de (...stroffen, ...s) *14,19*
apotheek de (...theken) *14,20*
apothema het (...'s) *14,20,42*
apotheose de (...n) *14,20,26,89*
Appalachen de *6,53*
apparaat het (...raten) *1,14*
apparaten...: apparatenbouw, enz. *88*
apparaats...: apparaatskosten, enz. *98*
apparatsjik de (...s) *1,9,14,27*
apparent *1,14*
apparentement het (...en) *1,14*
apparenteren *14,37,106*
apparenteerde, geapparenteerd
appartement het (...en) *1,14*
appartementen...: appartementencomplex, enz. *88*
appartements...: appartementsrecht, enz. *98*
appassionato *14,16*
appel [vrucht] de (...en, ...s; ...tje)
appel...: appelbloesem, appelboom, enz. *64*
appèl [beroep] het (...s) *30,33*
appèl...: appèlrechter, enz. *64*
appellabel *14*
appellation de (...s) *3,14,25*
appellatoir *3,14*
appelleren *14,37,106*
appelleerde, geappelleerd
Appelscha *6,53*
appelsien de (...en) *9*
Appelterre-Eichem *6,53*
appendage de (...s) *14,27,43*
appendance de (...s) *14,25,43*
appendentie de (...s) *14,25,43*
appendicitis de *1,14,25*
appendix de/het (...dices) *14,23,25*
apperceptie de (...s) *14,25,43*
appercipiëren *14,37,38*
appercipieerde, geappercipieerd
appetijt de *13,14,18*
appetijtelijk *87*
appetizer de (...s) *3,14,26*
Appingedam *6,53*
applaudisseren *12,14,37*
applaudisseerde, geapplaudisseerd
applaus het *12,14*
applicatie de (...s) *14,22,43*
applicatie...: applicatiecursus, enz. *64,76*
appliceren *25,37,106*
appliceerde, geappliceerd
appliqué het *14,22,29*
appliqueren *22,37,106*
appliqueerde, geappliqueerd
appoggiatura de (...'s) *3,11,14,42*
apporteren *14,37,106*
apporteerde, geapporteerd
appositie de (...s) *14,43*
appositioneel *14,16,25*
appreciatie de (...s) *14,25,43*
appreciëren *14,25,37,38*
apprecieerde, geapprecieerd
appret het (...s) *3,14*
appreteren *14,37,106*
appreteerde, geappreteerd
approach de (...es) *3,10,14*
approbatie de (...s) *14,43*
approbatur het *11,14*
approvianderen *14,37,106*
approviandeerde, geapproviandeerd
approximatie de (...s) *14,23,43*
apr. [april] *100*
apraxie de *14,23*
après-ski de/het (...'s) *63*
april (apr.) de *56*
a prima vista *63*
apriori het (...'s) (GB: a-priori) *9,42*
a priori (a.p.) *63*
a-priorisch *78*
apriorisme het (...n, ...s) *91*
apropos het *10,30*
à propos *63*
apsis de (...sissen) *1,15,17,25*
APV [Algemene Politieverordening] de (...'s) *46,104*

aqua het *24*
aqua...: aquacultuur, aqualong, enz. *64,76*
aquaduct het (...en) *22,24*
aquamarijn de/het (...en) *13,24*
aquanaut de (...en) *12,24*
aquaplaning de/het *24*
aquarel de (...rellen; ...relletje) *24,112*
aquarelleren *14,24,106*
aquarelleerde, geaquarelleerd
aquarium het (...ria, ...s) *24*
aquavion het (...s) *24*
aquavit de/het *9,24*
Aquila *6,53*
Aquino, Thomas van *6*
Aquitanië *6,53*
ar de (arren; arretje) *112*
arren...: arrenslee, enz. *88*
Ar [argon] *100*
ara de (...'s) *42*
arabesk de (...en) *ook* **arabeske** (...n) *22,88,89*
Arabië *6,53,55*
Arabier, Arabisch
arabiseren *37,54,106*
arabiseerde, gearabiseerd
arabist de (...en) *54*
arachideolie de *3,66*
Arafat, Yasir *ook* **Yasser** *6*
Aragon, Louis *6*
Aragón [regio in Spanje] *6,53*
arak de *14*
aramee de *8,14*
Aramees *26,53,55*
Aramese
aramide het *14,90*
arbeid de *13*
arbeids...: arbeidsduur, arbeidsschaarste, arbeidsschuw, enz. *98,99*
arbeiden *13,37,106*
arbeidde, gearbeid
arbeider de (...s) *13*
arbeiders...: arbeidersbeweging, arbeidersstand, enz. *98,99*
arbeiderisme het *13,90*
arbiter de (...s) *9*
arbitrage de (...s) *27,43*
arbitrage...: arbitragecommissie, Arbitragehof (het), enz. *52,76,91*
arbitrair *3,9,37*
arbitreren *9,37,106*
arbitreerde, gearbitreerd
Arbodienst de (...en) (GB: Arbodienst) *83,103*
arboretum het (...reta, ...s) *1*
Arbowet [Arbeidsomstandighedenwet] de *58,83,103*
Arc, Jeanne d' *6*
Arcachon *6,53*
arcade de (...n, ...s) *22,43,91*
arcadia de (...'s) *22,42*
Arcadië *6,53*
arcanum het (...cana) *1,22*
Arcen *6,53*
arceren *25,37,106*
arceerde, gearceerd
archaïseren *3,26,37*
archaïseerde, gearchaïseerd
archaïsme het (...n) *3,37,89*
Archennes *6,53*
archetype het (...n, ...s) *3,9,43*
archi-... *3,77*
archi-dom, enz.
archief het (...chieven) *19*
archimandriet de (...en) *3,9*
Archimedes *6*
archipel de (...s) *3*
architect de (...en) *3,22*
architecten...: architectenbureau, enz. *88*
architraaf de (...traven) *3,9,19*
archivalisch *3,9*
archivaresse de (...n) *9,89*
archivaris de (...rissen) *1,3,9,15*
archiveren *9,37,106*
archiveerde, gearchiveerd
archivolt de (...en) *ook* **archivolte** (...n) *3,9,89*
archont de (...en) *3,18*

arctisch *22,54*
Arctische Archipel de *6,53*
Ardèche de *6,53*
ardoiseren *3,26,106*
ardoiseerde, geardoiseerd
Ardooie *6,53*
arduinen *114*
are (a) de (...n, ...s) *91*
area de (...'s) *1,42*
areka de (...'s) *42*
arèn de (...s) *33*
arèn... : arènpalm, enz. *64*
arena de (...'s) *42*
arend de (...en)
arend...: arendbuizerd, enz. *64*
arends...: arendsoog, enz. *98*
areola de (...'s) *1,42*
areopagus de *1,3*
Arezzo *6,53*
Arezzo, Guido van *6*
argeloos *26,87,113*
argeloze, argelozer, meest argeloos (GB: argeloost)
argentaan het *3*
Argentinië *6,53*
Argentijn, Argentijns(e)
argentum (Ag) het *1*
arglist de *2*
ARGO [Autonome Raad voor het Gemeenschapsonderwijs] de *103*
argon (Ar) het *3*
argot het (...s) *3,10*
argumentatie de (...s) *43*
argumentum ad hominem het (argumenta ...) *63*
argusogen, met – *54*
Århus *ook* **Aarhus** *6,53*
aria de (...'s; ...aatje) *42,112*
ariaan de (...anen) *1,14*
aride *9*
Ariège *6,53*
ariër de (...s) *37,53*
ariërverklaring *64*
ariëtta de (...'s) *ook* **ariëtte** (...s) *37,42,43*
arioso het (...'s) *26,42*
Ariosto, Ludovico *6*
arisch *53*
aristarch de (...en) *3,14*
aristocratie de (...tieën) *14,22,40*
Aristophanes *6*
Aristoteles *6*
aristotelisme het *54,90*
aritmetica de *20,22*
aritmie de *20*
Arizona *6,53*
ark de (...en) *ook* **arke** (...n) *88,89,115*
Arkansas *6,53*
arm de (...en)
arm...: armzwaai, enz. *64*
armsgat, armslengte *98*
armada de (...'s) *42*
armadillo de (...'s) *21,42*
armageddon het *14*
armagnac de (...s) *54*
arme de (...n)
armelijk *87*
armen...: armenhuis, enz. *89*
armee de (...meeën) *29,38*
armelui de (alleen mv.) *92*
armeluiskind het (...kinderen) *68,98*
Armenië *6,53,55*
Armeens(e), Armeniër
armetierig *ook* **armtierig** *92,115*
armezondaarsgezicht het (...en) *68,92,98*
arminiaan de (...anen) *1,54*
armoede de *ook* **armoe** *115*
armoede...: armoedegrens, enz. *76,90*
armoedje het *18*
armoedzaaier de (...s) *2,64*
Arnhem *6,53*
AROB [Administratieve Rechtspraak Overheidsbeschikkingen] de *103*
aroma het (...'s) *ook* **aroom** *42,115*
aromatiseren *37,106*
aromatiseerde, gearomatiseerd
aronskelk de (...en) *98*
arpeggio het (...'s) *3,42*

arr. [arrondissement] *100*
arrangement het (...en) *14,27*
arrangeren *14,27,106*
arrangeerde, gearrangeerd
arren... zie **ar**
arren, in – moede *62,111*
arresteren *14,106*
arresteerde, gearresteerd
arrivé, arrivee de (...s) *32,43*
arriveren *14,106*
arriveerde, gearriveerd
arrivisme het *14,90*
arro [arrogant] de (...'s) *46,102*
arrogant (arro) *14*
arrondissement (arr.) het (...en) *14,18*
arrondissements...:
arrondissementsrechtbank, enz. *98*
arroseren *14,26,106*
arroseerde, gearroseerd
arrosie de *14,26*
arrowroot de/het (...s) *67*
arseen (As) het *ook* **arsenicum, arseniek** *25,115*
arsenaal het (...nalen) *25*
arsenicum (As) het *ook* **arseen, arseniek** *22,25,115*
arsis de (arses) *1*
art. [artikel] *100*
Artaud, Antonin *6*
art deco de *63*
art-deco...: art-decostijl, enz. *84*
artdirector de (...s) *67*
artefact het (...en) *22*
artemisia de *26*
arterie de (...riën, ...s) *40,43*
arterieel *37,38*
arteriële
arteriosclerose de *22,26,90*
artesisch *26,54*
Artevelde, Jakob van *6*
articulatie de (...s) *22,43*
artiest de (...en) *9*
artiesten...: artiesteningang, enz. *88*
artificieel *25,37,38*
artificiële
artikel (art.) het (...en, ...s)
artikelen...: artikelenreeks, enz. *88*
artikelsgewijs *98*
artikeltwaalfgemeente de (...n, ...s) *43,68*
artillerie de (...rieën) *14,40*
artillerie...: artilleriebombardement, artillerie-eenheid, enz. *64,76*
artisanaal *9,26*
artisjok de (...sjokken) *1,27*
artisticiteit de *9,25*
artistiek *9*
artistieke
art nouveau de *63*
artotheek de (...theken) *20*
artritis de *1,20*
artrock de *67*
artroscopie de *20,22*
artrose de *20,26,90*
arts de (...en)
arts...: artsexamen, enz. *64*
artsen...: artsenbezoeker, enz. *88*
arts-assistent *79*
artsenij de (...en) *13*
artwork het (...s) *67*
Aruba *6,53*
Arubaan, Arubaans(e)
Aru-eilanden de *6,53*
As [arsenicum] *100*
as [lijn] de (assen)
assen...: assenkruis, enz. *88*
a.s. [aanstaande] *100*
asam de *3,14*
asbak de (...bakken) *64*
asbakkenras *88*
asbestose de *26,90*
asceet de (...ceten) *22,25*
ascendant de (...en) *3,25*
ascendent de (...en) *25*
Ascension [Brits eiland] *6,53*
ascese de *22,25,26*
ASCII [American Standard Code for Information Interchange] *103*
ASCII-...: ASCII-bestand, enz. *83*
Ascona *6,53*

ascorbinezuur het *22,90*
asdic [Anti Submarine Detection and Investigation Committee] de *103*
asem de *1,26*
asemen *26,37,106*
asemde, geasemd
asepsie de *ook* **asepsis** *1,25,115*
asfalt het *19*
asfyxiatie de *9,23*
asfyxiëren *9,23,37,38*
asfyxieerde, geasfyxieerd
ashram de (...s) *27,57*
asiel het (...en) *9,26*
asielzoekers... *68,98,99*
asielzoekersbeleid, asielzoekerscentrum, enz.
asileren *9,37,106*
asileerde, geasileerd
asin *3*
Asjchabad *6,53*
asjemenou *1,62*
Asjkenasi, Tswi *6*
ASLK [Algemene Spaar- en Lijfrentekas] de *104*
Asmara *6,53*
aso [asociaal] de (...'s) *46,102*
aso [algemeen secundair onderwijs] het *102*
asp. [aspirant] *100*
asparagus de (...gussen) *1,2*
aspect het (...en) *22*
asperge de (...s) *27,43*
asperge...: aspergesoep, enz. *76,91*
aspic de (...s) *22*
aspidistra de (...'s) *9,42*
aspiraat de (...raten) *18*
aspirant (asp.) de (...en) *18*
aspirant-...: aspirant-lid, aspirantstatus, enz. *64,79*
aspiratie de (...s) *43*
aspirine de (...n, ...s; ...rientje) *1,43,54,112*
aspirine...: aspirinetablet, enz. *76,91*
assagaai de (...en) *ook* **assegaai** *1,14,115*
assai *14,21*
assaisoneren *3,14,25*
assaisoneerde, geassaisonneerd
assaut het (...s) *10,14*
assegaai de (...en) *ook* **assagaai** *14,97,115*
assem de (...s) *1*
assemblage de (...s) *3,14,27,43*
assemblage...: assemblagefabriek, assemblage-industrie, enz. *76,91*
assemblee de (...s) *3,14,29*
assembleren *14,106*
assembleerde, geassembleerd
Assenede *6,53*
assepoester [smeerpoets, verstotelinge] de (...s) *ook* **assepoes** *54,97,115*
asserteren *14,106*
asserteerde, geasserteerd
assertie de (...s) *14,25,43*
assertief *14,19*
assertieve
assertiviteit de *9,14,19*
assertiviteits...: assertiviteitstraining, enz. *98*
assertoir *3,10,14*
assessment de/het (...s) *14*
assessmentcenter *67*
assessor de (...en, ...s) *14*
assibilatie de (...s) *14,43*
assignaat het (...naten) *14,18*
assimilatie de (...s) *14,43*
assimileren *14,37,106*
assimileerde, geassimileerd
assisen de (alleen mv.) *14,26*
assisenhof *88*
Assisi *6,53*
assist de (...en, ...s) *14*
assistent de (...en) *14*
assistent-...: assistent-arts, enz. *79*
assisteren *14,37,106*
assisteerde, geassisteerd
associatie de (...s) *14,25,43*
associatie...: associatieakkoord, enz. *64,76*

associé, associee de (...s) 32,43

associëren 37,38,106

associeerde, geassocieerd

assonantie de (...s) 14,25,43

assoneren 14,37,106

assoneerde, geassoneerd

assorteren 14,37,106

assorteerde, geassorteerd

assortiment het (...en) 1,14

assumeren 14,37,106

assumeerde, geassumeerd

Assumptie [Maria-Hemelvaart] de 14,25,56

assumptie [veronderstelling] de (...s) 14,25

assumptionist de (...en) 14,16,25

assurantie de (...tiën, ...s) 14,40,43

assurantie...: assurantiebedrijf, enz. 64,76

assurélijn de (...en) 14,29,64

assureren 14,37,106

assureerde, geassureerd

Assyrië 6,53

astaat (At) het *ook* **astatium** 115

Astaire, Fred 6

astasie de 26,78

astatium (At) het *ook* **astaat** 3,115

asterisk de (...en) 22

asteroïde de (...n) 37

asteroïden...: asteroïdengordel, enz. 89

asthenie de 20

asthenosfeer de 20

astma de/het 20

astma...: astma-aanval, astmapatiënt, enz. 64,76

astrakan het 54

astrant 18

astreinte de (...s) 3,43,90

astringent 2

astro... 78

astrochemie, astrofysica, astrograaf (...grafen), astronaut (...en), enz.

astroïde de (...n) 37,89

Asturië 6,53

Asunción 6,53

Asuncionees, Asuncionese

Aswoensdag de (...en) 56

asymmetrisch 9,14,78

asymptoot de (...toten) 9,14

asyndeton het (...deta) 9

At [astatium] 100

Atahualpa 6

atalanta de (...'s) 14,42

ataraxie de 14,23

Atatürk, Kemal 6

atavisme het (...n) 14,89

ataxie de 14,23

atb [all terrain bike] de (...'s) 46,101

atelier het (...s; ...tje) 8,14,21

a tempo 63

aterling de (...en) 2

atheïsme het 20,37,57

Athene 6,53

atheneïst de (...en) 20,37

atheneum het (...nea, ...s) 20,39

athermaan *ook* **athermisch** 20,78,115

atherosclerose de 20,22,26

à titre personnel 63

atjar de 3

Atjeh 6,53

Atjeeër, Atjees, Atjeese

atlant de (...en) 18

Atlantische Oceaan de 6,53

atletiek de 20

atm. [atmosfeer] 100

atmometer de (...s) 20

atmosfeer (atm.) de (...feren) 18,19,20

atol de/het (atollen) 14

atomair 3,14

atomisch 14

atomiseren 106

atomiseerde, geatomiseerd

atomisme het 14,90

atomizer de (...s) 3,14,26

atopie de (...pieën) 14,20

at random 67

atrium het (atria, ...s) 3

atriumfibrilleren 14,69,107

atrofiëren 19,37,38,106

atrofieerde, geatrofieerd

atropine de *90*
attaca de (...'s) *14,22,42*
attaché, attachee de (...s) *32,43*
attachékoffer, attachécase *64,66*
attacheren *14,27,106*
attacheerde, geattacheerd
attaque de (...s) *14,22,43*
attaqueren *14,22,38,106*
attaqueerde, geattaqueerd
attenderen *14,37,106*
attendeerde, geattendeerd
attenoje *3,14,21*
attentaat het (...taten) *14,18*
attentie de (...s) *14,25,43*
attentie...: attentiewaarde, enz. *64,76*
attest het (...en) *14*
attestatie de (...s) *14,43*
Attica *ook* **Attika** *6,53*
Attisch
atticisme het *14,25,54,90*
Attila *6*
attitude de (...n, ...s) *14,43*
attitude...: attitudeverandering, enz. *76,91*
attractie de (...s) *14,23,43*
attractie...: attractiepark, enz. *64,76*
attractief *14,19,22*
attractieve
attraperen *14,37,106*
attrapeerde, geattrapeerd
attributie de (...s) *14,43*
atv [arbeidstijdverkorting] de *101*
atv-...: atv-dag, enz. *83*
au *12*
Au [aurum] *100*
a.u.b. [alstublieft] *100*
aubade de (...s) *10,43,91*
au bain marie *63*
aubergine de (...s) *10,27,43*
Auckland *6,53*
auctie de (...s) *12,23,43*
auctionaris de (...rissen) *1,15,16,23*
auctor de (...es) *12,22*
auctor intellectualis de (auctores intellectuales) *63*
aucuba de (...'s) *12,22,42*
Aude *6,53*
audicien de (...s) *10,25,39*
audiëntie de (...s) *12,37,43*
audio... *12,78*
audioapparatuur, audio-industrie, audiorack, audiotheek, audiovisueel, enz.
audit de (...s) *3*
auditant de (...en) *10,12*
auditeur de (...s) *12*
auditeur-generaal, auditeur-militair *79*
auditief *12,19*
auditieve
auditor de (...en) *3*
auditorium het (...ria, ...s) *3*
auerhoen het (...hoenderen, ...hoenders) *12,28,64*
Aufklärung de *8,11,56*
au fond *63*
aug. [augustus] *100*
augiasstal de (...stallen) (GB: Augiasstal) *54,65*
augment het (...en) *12*
augmentatie de (...s) *12,43*
augurenlach de *12,88*
augurk de (...en) *12*
augustijn de (...en) *13,54*
augustijnenklooster *88*
augustus (aug.) de *12,56*
Aukaans het
aula de (...'s) *12,42*
au pair de (...s) *63*
au-pairmeisje *84*
aura de/het (...'s) *12,42*
Aurelius, Marcus *6*
aureool de/het (...reolen) *12*
aurora de *12*
aurum (Au) het *1,12*
Auschwitz *6,53*
auscultatie de (...s) *12,22*
ausdauer de *3,12,28*
au sérieux *63*
auspiciën de *12,25,40*

ausputzer de (...s) *3,11,12*
Aussie de (...s) *14,43,53*
Austen, Jane *6*
Austerlitz *6,53*
austraal *12*
Austraal-Azië *53*
Australië *6,53*
Australiër, Australisch(e)
autarchie de (...chieën) *12,40*
autarkie de *12,22*
auteur de (...s) *10,12*
auteurs...: auteursrecht, enz. *98*
authenticiteit de *12,20,25*
authentiek *12,20*
authentieke
authentiseren *12,20,106*
authentiseerde, geauthentiseerd
autisme het *12,90*
auto [automobiel] de (...'s; autootje) *10,12,42,112*
autoloos *87*
auto...: autoband, auto-industrie, autostrade (...s), enz. *64,76*
auto... [zelf-] *10,12,78*
autoanalyse, autobiografie, autocefaal, autoclaaf (...claven), autocratie, autodidact, autograaf (...grafen), auto-oxidatie, autosoom, autotroof (...trofe), autotypie, enz.
autochtoon de (...tonen) *3,12*
autodafe het (...'s) *8,12,42*
automaat de (...maten) *10,12*
automaat...: automaatkast, enz. *64*
automaten...: automatenhal, enz. *88*
automatic de (...s) *3,10,22*
automatie de (...tieën) *10,12,40*
automatiek de/het (...en) *10,12*
automatisme het (...n) *10,12,89*
autonomie de *12*
autonomieakkoord *64,76*
autoped de (...s) *10,12,18*
autopetten *10,12,107*
autopsie de (...sieën. ...s) *12,25,40*
autorijden *10,12,69,108*
reed auto, autogereden
autorisatie de (...s) *10,12,26*
autoritair *3,10,12*
autoritarisme het *10,12,90*
autosoom het (...somen) *12,26*
autostrade de (...s) *12,43,91*
autotroof *12,19*
autotrofe
autotypie de *9,12*
Auvergne *6,53*
Auxerre *6,53*
auxine de (...n, ...s) *12,23,43,91*
avaleren *14,37,106*
avaleerde, geavaleerd
avance de (...s) *3,25,43*
avanceren *25,37,106*
avanceerde, geavanceerd
avant-garde de (...s) *3,43,63*
avant-gardefilm *84,91*
avant-gardistisch *84*
avant la lettre *63*
avant-scène de (...s) *43,63*
Avarua *6,53*
AVBB [Algemene Vereniging voor Beroepsjournalisten in België] de *104*
ave het (...'s; aveetje) *8,29,42,112*
avegaar de (...s) *97*
Aveiro *6,53*
Ave-Maria [gebed] het (...'s) (GB: Ave Maria) *8,42,59*
avenant *18*
avenue de (...s) *3,43*
averechts *ook* **averecht** *1*
Avereest *6,53*
averij de (...en) *13*
averij-grosse de (...n) *13,25,79*
avers de (...en) *3,26*
aversie de (...s) *26*
averuit de *14,18*
Aveyron *6,53*
avicultuur de *9,22*
aviditeit de *9*
A-viertje het (...s) *83*
avifauna de (...'s) *9,12,19*
Avignon *6,53*

aviobrug de (...bruggen) *64*
a vista *63*
avitaminose de (...n, ...s) *26,43,91*
aviveren *9,37,106*
aviveerde, geaviveerd
avo [algemeen vormend/voortgezet onderwijs] het *102*
avocado de (...'s; ...dootje) *22,42,112*
avond de (...en)
avondlijk *87*
avond...: avondeditie, enz. *64*
Avondmaal het *59*
Avondmaals...: Avondmaalsviering, enz. *98*
avonds, 's – *1,48*
avonturieren *37,106*
avonturierde, geavonturierd
avontuur het (...turen) *1,2*
avontuurlijk *87*
avonturen...: avonturenfilm, enz. *88*
AVRO [Algemene Vereniging Radio Omroep] de *103*
AWACS [Airborne Warning and Control System] *103*
AWBZ [Algemene Wet Bijzondere Ziektekosten] de *104*
AWBZ-...: AWBZ-premie, enz. *83*
AWW [Algemene Weduwe- en Wezenwet] de *104*
AWW-pensioen *83*
Axel *6,53*
axel [sportterm] de (...s) *23,54*
axiaal *23*
axillair *3,14,23*
axiologie de *23*
axioma het (...'s, ...ata) *23,42*
axminster [tapijtgoed] het *54*
axolotl de (...s) *3,23*
axon het (...en) *23*
ayatollah de (...s) *14,20,21*
AZ [Academisch/Algemeen Ziekenhuis] het (...'s) *46,104*
azalea de (...'s) *1,26,42*
azen *26,37,106*
aasde, geaasd
Azerbeidzjan *6,53*
Azerbeidzjaan, Azerbeidzjaans(e), Azeri
Azië *6,53*
Aziaat, Aziatisch(e)
azijn de (...en) *13*
azimut het *11,20,26*
Aziz, Tareq *6*
Aznar, José *6*
Aznavour, Charles *6*
azokleurstof de (...stoffen) *26,64*
azoöspermie de *9,26,37*
azotisch *26*
azotometer de (...s) *26*
azotum het *1,26*
Azteek de (...teken) (GB: azteek) *26,53*
azuren *26,114*

b

b de (b's; b'tje) *46*
B-weg, B-omroep, B-kant (GB: b-kant) *61,83*
B [borium, Romeins cijfer, bloedgroep] *100*
B. [bachelor] *100*
Ba [barium] *100*
Baader, Andreas *6*
Baader-Meinhofgroep *6*
baadje het (...s) *18*
baaien *114*
baan de (banen)
baanloze (...n) *89*
baan...: baanbrekend, baanrecord, baanvast, enz. *64*
banen...: banengroei, enz. *88*
baantje het (...s)
baantjerijden *69,107*
baantjes...: baantjesjager, enz. *98*
baard de (...en) *18*
baardeloos *87*
baard...: baardhaar, enz. *64*
Baarle-Hertog *6,53*
Baarle-Nassau *6,53*
baarzen *26,106*
baarsde, gebaarsd
baas de (bazen) *26*
baat de (baten) *18*
baat...: baatzucht, enz. *64*
baba de (...'s) *42*
Babberich *6,53*
babbittmetaal het *54,65*
babi de (...'s) *9,42*
babi pangang de *63*
baboe de (...s) *11,43*
baby de (...'s; baby'tje) *8,42,45*
baby...: babyboom, babydoll, babyface, babylance, babysit, babysitbemiddeling, babyuitzet, babyvoeding, enz. *66,67,76*
Babylon *6,53*
Babylonië *6,53*
Babyloniër, Babylonisch
babysitten *69,107*
Bacaneilanden de *6,53*
baccalaureaat het *12,14,22*
baccalaureaats...: baccalaureaatsgraad, enz. *98*
baccalaureus de (...rei) *12,14,39*
baccarat het *54*
baccarat...: baccaratroos, enz. *65*
bacchanaal het (...nalen) *3,14*
bacchant de (...en) *3,14*
Bacchus *6*
Bach, Johann Sebastian *6*
bachelor (B.) de (...s) *1,3*
Bachte-Maria-Leerne *6,53*
bacil de (bacillen; bacilletje) *14,25,112*
bacillen...: bacillendrager, enz. *88*
bacillair *3,14,25*
back de (...s) *3,22*
backbencher de (...s) *3,22,67*
backen *3,106*
backte, gebackt
backgammon het *3,22,67*
backgammon...: backgammonspel, enz. *66*
background de (...s) *3,22,67*
backhand de (...s) *3,22,67*
Backhuysen, Ludolf *6*
backing de *3,22*
backside de (...s) *3,22,67*
back-up de (...s) *3,22,67*
back-up...: back-upbestand, enz. *84*
bacon de/het *1,8,22*
Bacon, Francis *6*
bacove de (...n, ...s) *22,43,91*
bactericide het (...n, ...s) *9,22,25*

bacterie de (...riën) *22,40*
bacterie...: bacteriedodend, bacterie-infectie, bacteriekweek, bacterievrij, enz. *64,76*
bacterieel *22,37,38*
bacteriële
bacterio... *22,78*
bacteriocide, bacteriolyse, bacteriostatisch, enz.
badding de (...s) *ook* **batting** *115*
Badeloch *6*
baden *106,109*
baadde, gebaad
Baden-Baden *6,53*
Baden-Powell, Robert *6*
Baden-Württemberg *6,53*
badge de/het (...s) *3,43*
badinage de (...s) *27,43,91*
badineren *14,106*
badineerde, gebadineerd
badminton het *1,3*
badminton...: badmintontoernooi, enz. *66*
badmintonnen *3,106*
badmintonde, gebadmintond
Baedeker, Karl *6*
baedeker de (...s) *54*
Baekeland, Leo *6*
Baelen [Luik] *6,53*
Baexem *6,53*
bagage de (...s) *27,43*
bagage...: bagagerek, enz. *76,91*
bagasse de *14,90*
bagatel [kleinigheid] de/het (...tellen; ...telletje) *112*
bagatelle [muziekstuk] de (...s) *43,91*
bagatelliseren *14,106*
bagatelliseerde, gebagatelliseerd
Bagdad *6,53*
baghera de (...'s) *20,42*
bagno [gevangenis] het (...'s) *3,42*
baguette de (...s) *3,43,91*
bah *20*
bahai het *21,57*
bahaigeloof *64*
Bahama's de *6,53*
Bahamaan, Bahamaans(e)
Bahasa Indonesia *55*
bahco de (...'s) *20,22,42*
Bahrein *6,53*
Bahreiner, Bahreini, Bahreins(e)
bahuvrihicompositum het (...sita) *9,22,64*
baileybrug de (...bruggen) *54,65*
bain de soleil de (bains de soleil) *63*
Bairiki *6,53*
baiser de (...s) *3,8*
baisse de (...s) *3,43*
baisse...: baissepositie, enz. *66,76,91*
baissier de (...s) *3,8,21*
Baja California *6,53*
bajadère de/het (...s) *21,30,91*
bajes de (...jessen) *1,15*
Bajkalgebergte *6,53*
bajonet de (...netten) *18,21*
bajonetschermen *69,107*
bakeliet het *18,22*
bakelieten *22,114*
baken het (...s) *ook* **baak** *115*
baken...: bakengeld, enz. *64*
Baker, Josephine *6*
Bakhuys, Bep *6*
bakkebaard de (...en) *97*
bakkeleien *13,106*
bakkeleide, gebakkeleid
bakker de (...s)
bakkers...: bakkersroom, enz. *98*
bakkes het (...en) *1,15*
baklava de (...'s) *22*
Bakoe *6,53*
Bakoenin, Michail *6*
Bakonywoud *6,53*
bakschieten *69,107*
bakstenen *114*
bakzeilhalen (GB: bakzeil halen) *13,69*
haalde bakzeil, bakzeilgehaald
bal de (ballen; balletje) *112*
bal...: balsport, balvast, enz. *64*
ballen...: ballenjongen, enz. *88*

Balakirev, Mili *6*
Balaklava *6,53*
balalaika de (...'s) *21,22,37,42*
balanceren *25,106*
balanceerde, gebalanceerd
balans de (...en) *26*
balata de/het (...'s) *14*
balatum de/het *1,14*
bal champêtre het (bals champêtres) *63*
Balchasjmeer *6,53*
baldakijn de/het (...en, ...s) *1,13*
Baldwin, James *6*
Balearen de *6,53*
balein de/het (...en) *13*
balein...: baleinwalvis, enz. *64*
baleinen *13,114*
Balen [Antwerpen] *6,53*
Bali *6,53*
balie de (...s) *9,43*
balie...: balie-employé, baliemedewerker, enz. *64,76*
balije de (...n) *13,89*
Balikpapan *6,53*
baljuw de (...s) *28*
balk de (...en)
balk...: balklaag, enz. *64*
balken...: balkenzolder, enz. *88*
Balkan de *53*
Balkanoorlog (GB: balkanoorlog) *65*
balkaniseren *14,26,54*
balkaniseerde, gebalkaniseerd
balkenbrij de *13,97*
balkon het (...s; ...konnetje) *22,112*
Ball, Lucille *6*
ballade de (...n, ...s) *14,43*
ballade...: balladevorm, enz. *76,91*
ballast de (...en) *14*
ballasten *14,106*
ballastte, geballast
ballerina de (...'s; ...naatje) *14,42,112*
ballerino de (...'s) *14,42*
ballet het (...letten) *14*
ballet...: balletdanseres, enz. *64*
balletje-balletje het *80*
ballista de (...'s) *14,42*
ballistiek de *14,22*
ballon de (ballonnen, ...s; ballonnetje) *112*
ballonvaren *69,107*
balloon de (...s) *3,11,14*
ballotage de (...s) *14,27,43,91*
balloteren *14,106*
balloteerde, geballoteerd
ballpoint de (...s) *3,67*
ballroom de/het (...s) *11,67*
ballroom...: ballroomdans, enz. *66*
Ballum *6,53*
bal masqué het (bals masqués) *63*
balneotherapie de *20,64*
balorig *4*
balpen de (balpennen; balpennetje) *64,112*
balsa het *26*
balsa...: balsahout, enz. *64,76*
balsamiek *ook* **balsemiek** *22,26,115*
balsamine de (...n) *ook* **balsemien** *26,89,115*
balsem de (...s) *1*
balsemen *15,106*
balsemde, gebalsemd
balsemiek *ook* **balsamiek** *22,26,115*
balsemien de (...en) *ook* **balsamine** *26,115*
Balthasar (Driekoningen) *ook* **Balthazar** *6*
Baltimore *6,53*
balts de *18*
balts...: baltsgedrag, enz. *64*
baltsen *106*
baltste, gebaltst
baluster de (...s) *14*
balustrade de (...n, ...s) *14,43,91*
Balzac, Honoré de *6*
Bamako *6,53*
bambino de (bambini, ...'s; ...nootje) *42,112*
bambocheren *27,106*
bambocheerde, gebambocheerd

bamboe [plant, stofnaam] de/het (...s) *11,43*
bamboe...: bamboeriet, enz. *64,76*
bamboe [stok] de (...boezen) *11,26*
bami de *9*
bami...: bamibal, enz. *64,76*
bamisweer het *54*
bamzaaien *106*
bamzaaide, gebamzaaid
banaal *14*
banaan de (...nanen)
banaan...: banaansoort, enz. *64*
bananen...: bananenboom, enz. *88*
banaliteit de (...en) *9*
bancair *3,22*
banco het *22*
band de (...en)
bandeloos *87*
band...: bandbreedte, enz. *64*
banden...: bandenpech, enz. *88*
band de (...s) *3*
band...: bandleider, enz. *66*
Banda-eilanden de *6,53*
bandage de (...s) *27,43,91*
Bandai *6,53*
bandana de (...'s) *42*
Bandar Seri Begawan *6,53*
bande de (...s) *43,91*
bandeau de (...s) *10,43*
bandelier de (...en, ...s) *97*
bandera de (...'s) *42*
banderilla de (...'s) *21,42*
banderillero de (...'s) *21,42*
banderolleren *14,106*
banderolleerde, gebanderolleerd
bandiet de (...en)
bandieten...: bandietenstreek, enz. *88*
banditisme het *90*
bandjir de (...s) *ook* **banjir** *115*
bandoneonist de (...en) *16*
bandstoten *69,107*
Bandung *ook* **Bandoeng** *6,53*
Bandy, Lou *6*
banen... zie **baan**
bangebroek de (...en) *92*
bangelijk *87*
bangerik de (...en) *15*
bangeschijter de (...s) *92*
Banggai-eilanden *6,53*
Bangkok *6,53*
Bangladesh *6,53*
Bengalees, Bengalese
Bangui *6,53*
Bangweulumeer *6,53*
banier de (...en) *14*
banisticus de (...tici) *22,25*
banistiek de *22*
Banja Luka *6,53*
banjir de (...s) *ook* **bandjir** *3,115*
banjo [muziekinstrument] de (...'s; banjootje) *42,112*
Banjul *6,53*
bank de (...en)
bank...: bankbiljet, enz. *64*
banken...: bankenconsortium, enz. *88*
bankabel *22*
bankdrukken *69,107*
banketbakker de (...s)
banketbakkers...: banketbakkersroom, banketbakkersspijs, enz. *98,99*
banketteren *14,106*
banketteerde, gebanketteerd
bankier de (...s)
bankiers...: bankiershuis, enz. *98*
bankieren *106*
bankierde, gebankierd
bankwerken *69,107*
Banneux *6,53*
banning order de (...s) *67*
Bantoe *55*
bantoe de (...s) *53*
bantoeïstiek de *22,38,54*
Bantrybaai de *6,53*
banvloeken *69,106*
banvloekte, gebanvloekt
baobab de (...s) *17*
baptist de (...en) *17,57*

baptisterium het (...ria, ...s) *17*
bar *113*
barder, barst
Barabbas *6*
barak de (...rakken) *14*
barakken...: barakkenkamp, enz. *88*
Baraque de Fraiture *6,53*
Baraque Michel *6,53*
baratteren *14,106*
baratteerde, gebaratteerd
baratterie de (...rieën) *14,40*
Barbados *6,53*
Barbadaan, Barbadaans(e)
barbarij de (...en) *1,13*
barbariseren *26,106*
barbariseerde, gebarbariseerd
barbarisme het (...n) *89*
Barbarossa *6*
barbecue de (...s) *3,11,43*
barbecue...: barbecuesaus, enz. *66,76*
barbecuen *37,105,106*
barbecuede, gebarbecued
barbiepop de (...poppen) *54*
barbiesjes de (alleen mv.) *ook* **barrebiesjes** *115*
barbituraat het (...raten) *18*
Barbizon *6,53*
barcarolle de (...s) *22,43,91*
Barcelona *6,53*
barcode de (...s) *22,43*
bard de (...en) *18*
bar-dancing de (...s) *3,80*
Bardot, Brigitte *6*
barema het (...'s) *42*
barensnood de *98*
barensteel de *2*
barenswee de (...weeën) *38,98*
Barentsz, Willem *6*
Barentszzee *6,53*
baret de (...retten) *14*
Bargoens *55*
Bari *6,53*
bariet het *18*
bariton de (...s) *9*
bariton...: baritonzanger, enz. *64*
Bar-le-Duc *6,53*
bar mitswa de (...'s) *63*
barmsijsje het (...s) *13*
Barnard, Benno *6*
barnevelder [kip] de (...s) *54*
barnstenen *114*
barnumreclame de (...s) *22,54,65*
barograaf de (...grafen) *19*
Barok de *56*
barok...: barokkunst, enz. *56,64*
barometer de (...s) *14*
barones de (...nessen) *ook* **baronesse** (...n) *14,115*
baronie de (...nieën) *40*
baroscoop de (...scopen) *22*
barouchet de (...chetten) *11,27*
barquette de (...s) *22,43,91*
barracuda de (...'s) *11,14,22*
barrage de (...s) *14,27,43*
barrage...: barragepartij, enz. *76,91*
Barraqué, Jean *6*
barre de (...s) *3,43,91*
barrebiesjes de *ook* **barbiesjes** *115*
barrel [vod] de (...en, ...s) *14*
barrel [inhoudsmaat] het (...s) *3*
barreren *14,106*
barreerde, gebarreerd
barrevoets *92*
barricade de (...n, ...s) *14,22,43*
barricade...: barricadeoorlog, enz. *76,91*
barricaderen *14,22,106*
barricadeerde, gebarricadeerd
barrière de (...s) *14,30,43*
barrière...: barrièremiddel, enz. *76,91*
Barsingerhorn *6,53*
barsten *106,109*
barstte, gebarsten
barstensvol *ook* **berstensvol** *98,115*
Bartholomeus *6*
Bartjens, Willem *6*
Bartlehiem *6,53*
Bartók, Béla *6*
barysfeer de (...sferen) *9,19*

barzoi de (...s) *26,43*
bas de (bassen)
bas...: bas-aria, basgitaar, enz. *64,85*
basaal *26,64*
basaal...: basaalmembraan, basaalmetabolisme, enz.
basalt het *26*
basalten *26,114*
basaltine de *26,90*
bascule de (...s) *ook* **baskuul** *22,43,115*
bascule...: basculesluiting, enz. *76,91*
base de (...n) *26*
basen...: basenpaar, enz. *89*
baseball het *3,8,67*
baseballen *105,106*
baseballde, gebaseballd
Basedow, Karl Adolph von *6*
Basel *ook* **Bazel** *6,53*
baseline de (...s) *3,8,67*
basement het (...en) *3,8*
basen *3,105,106*
basede, gebased
baseren *106*
baseerde, gebaseerd
Bashô *6*
Basic [Beginners All-purpose Symbolic Instruction Code] *55,103*
basidiocarp het (...en) *22,26*
Basie, William 'Count' *6*
basilica de (...'s) *9,22,42*
basilicum het *1,9,22*
basiliek de (...en) *9,22*
basiliekruid het *9*
basilisk de (...en) *9,22*
basipetaal *9*
basis de (bases, ...sissen) *1*
basis...: basisschool, enz. *64*
baskerville [lettertype] de *54*
basket de (...s) *3,18*
basket...: basketbal, enz. *66*
basketballen *105,106*
basketbalde, gebasketbald
Baskisch *55*
baskuul de (...kules) *ook* **bascule** *22,115*
baskuul...: baskuulsluiting, enz. *64*
bas-reliëf het (...s) *37,63*
bas-reliëf...: bas-reliëffotografie, enz. *84*
Basseterre [Saint Kitts en Nevis] *6,53*
Basse-Terre [Guadeloupe] *6,53*
bassin het (...s) *3*
basso continuo de *63*
basta de (...'s) *42*
bastaard de (...en, ...s) *ook* **basterd** *18,115*
bastaard...: bastaardhond, enz. *64*
basterd de (...en, ...s) *ook* **bastaard** *18,115*
basterd...: basterdsuiker, enz. *64*
bastion het (...s) *3*
bastonnade de (...s) *14,43,91*
bastonneren *14,106*
bastonneerde, gebastonneerd
bat [slaghout] het (...s) *3,18*
Bataaf de (...taven) *19,53*
Bataafse Republiek de *6*
bataat de (...taten) *14*
bataljon het (...s) *14,21*
bataljons...: bataljonscommandant, bataljonsstaf, enz. *98,99*
Batavier de (...en) *53*
batch de (batches) *3,27*
batch...: batchprocessing, enz. *67*
bate, ten – van (t.b.v.) *62,111*
bate, ten eigen – *62,111*
baten *106*
baatte, gebaat
bath de (...s) *20*
Bath *6,53*
Bathmen *6,53*
bathometer de (...s) *20*
bathyaal *9,20*
bathyscaaf de (...scafen) *9,19,20*
bathysfeer de (...sferen) *9,20*
batikken *15,106*
batikte, gebatikt
batisten *114*

Batjaneilanden de *6,53*
baton de (...s) *31*
batoneren *14,106*
batoneerde, gebatoneerd
batsman de (...mannen, ...men) *67*
batten *3,106*
batte, gebat
batterij de (...en) *13*
battledress de (...en, ...es) *3,67*
baud [eenheid van transmissiesnelheid] de (...s) *12,18*
Baudelaire, Charles *6*
Baule, La *6,53*
bauwen [geluid maken] *12,106*
bauwde, gebauwd
bauxiet het *10,12,23*
bauxiet...: bauxietmijn, enz. *64*
bavarois de *ook* **bavaroise** (...s) *3,91,115*
baxter [infuus(fles)] de (...s) *3,23,54*
Bayeux *6,53*
Bayonne *6,53*
Bayreuth *6,53*
Bayreuther Festspiele *6*
bazaar de (...s) *26*
Bazel *ook* **Basel** *6,53*
bazelen *26,106*
bazelde, gebazeld
bazen *26,106*
baasde, gebaasd
bazielkruid het *26*
bazin de (bazinnen; bazinnetje) *26,112*
bazooka de (...'s) *11,22,42*
BB [Belgische Boerenbond, Bescherming Burgerbevolking] de *104*
BBC [British Broadcasting Corporation] de *104*
b.b.h.h. [bezigheden buitenshuis hebbende] *100*
BBK [Beroepsvereniging van Beeldende Kunstenaars] de *104*
b.d. [buiten dienst] *100*
bdellium het *3*
Be [beryllium] *100*
beaat *18,38*
beachclub de (...s) *67*
beachvolleybal het *3,9,66*
beambte de (...n) *2,37,89*
beamen *37,106,108*
beaamde, beaamd
beangsten *37,106,108*
beangstte, beangst
Beardmoregletsjer de *6,53*
Beardsley, Aubrey *6*
Béarn *6,53*
bearnaisesaus de (...en, ...sauzen) *3,29,64*
beat de (...s) *9*
beat...: beatgeneration, beatmuziek, enz. *66,67*
beatificatie de (...s) *22,37,43*
beatnik de (...s) *9,22*
Beatrice *6*
Beatty, Warren *6*
beaufortschaal de *54,65*
Beaufortzee de *6,53*
Beaujolais [gebied in Frankrijk] de *6,53*
beaujolais [wijn] de *54*
beau monde de *63*
Beaune *6,53*
Beauraing *6,53*
beauté de (...s) *10,29,43*
beauty de (...'s) *9,11,42*
beauty...: beautycase, enz. *66,67,76*
Beauvoir, Simone de *6*
beaverteen het *ook* **bevertien** *9,115*
bebloed *109*
bebloede
beboeten *106,108,109*
beboette, beboet
bebop de *9,17*
bebop...: bebophaar, enz. *66*
bebroeden *106,108,109*
bebroedde, bebroed
Bécaud, Gilbert *6*
bechamelsaus de (...en, ...sauzen) *54,65*

Beckenbauer, Franz *6*
Becket, Thomas *6*
Beckett, Samuel *6*
Beckman, Thea *6*
Beckmann, Max *6*
becommentariëren *37,38,108*
becommentarieerde, becommentarieerd
becquerel (Bq) de *22,54*
bed het (bedden)
bed...: bedlegerig, bedtijd, enz. *64*
bedden...: beddengoed enz. *88*
bedauwen *12,106,108*
bedauwde, bedauwd
bede de (...n, ...s) *43*
bede...: bedehuis, enz. *76,91*
bedeelde de (...n) *89*
bedeesd *113*
bedeesder, meest bedeesd
bedektzadig *64*
bedelen [geld vragen] *106*
bedelde, gebedeld
bedelen [toedelen] *106,108*
bedeelde, bedeeld
bedelzingen *69,107*
bedenkelijk *87*
bederfelijk *19,87*
bederfwerend *64*
bederven *108*
bedierf, bedorven
bedevaart de (...en) *18,91*
bedevaart...: bedevaartganger, enz. *64*
bedevaarts...: bedevaartsoord, enz. *98*
bediende de (...n, ...s) *43*
bediende...: bediendecontract, enz. *76,91*
bedil-al de (...allen) (GB: bedilal) *85*
bedillen *106,108*
bedilde, bedild
bedisselen *106,108*
bedisselde, bedisseld
bedoeïen de (...en) *38,53*
bedoeïenen...: bedoeïenenkamp, enz. *88*
bedompt *17*
bedotten *106,108*
bedotte, bedot
bedplassen *69,107*
bedrage, ten – van *62,111*
bedreigen *13,106,108*
bedreigde, bedreigd
bedremmeld *18*
bedrieglijk *87*
bedrijf het (...drijven) *19*
bedrijven...: bedrijvenpark, enz. *88*
bedrijfs...: bedrijfsauto, bedrijfs-CAO, bedrijfsklaar, bedrijfsspionage, enz. *83,98,99*
bedroeven *19,106,108*
bedroefde, bedroefd
bedrogene de (...n) *89*
bedstee de (...steden, ...steeën) *ook* **bedstede** (...n) *38,64,115*
beduusd *18,113*
beduusder, meest beduusd
bedwateren *69,107*
Beecher Stowe, Harriet *6*
beëdigen *38,106,108*
beëdigde, beëdigd
beëindigen *38,106,108*
beëindigde, beëindigd
Beelaerts van Blokland, Frans *6*
beeld het (...en)
beeld...: beeldbepalend, beeldscherm, beeldschoon, enz. *64*
beelden...: beeldengalerij, enz. *88*
beeldhouwen *1,12,106*
beeldhouwde, gebeeldhouwd
beeldsnijden *69,107*
Beëlzebub [duivel] de (...s) *17,26,51*
beëlzebub [aap] de (...s) *17,26,37*
beemd de (...en) *18*
been het (beenderen, benen)
been...: beenbreuk, beenvormend, enz. *64*
beender...: beendergestel, enz. *64*
benen...: benenwagen, enz. *88*
beep de (...s) *9*

beer de (beren)
beer...: beerput, enz. *64*
bere...: beredruif, beregoed, enz. *95,96*
beren...: berenklauw, berenmuts, enz. *88*
Beerse [Antwerpen] *6,53*
Beersel [Vlaams-Brabant] *6,53*
Beerse Maas de *6,53*
Beerta *6,53*
beërven *37,106,108*
beërfde, beërfd
Beerze [waterloop Noord-Brabant] *6,53*
Beerzel [Antwerpen] *6,53*
Beesd *6,53*
Beesel [Nederlands-Limburg] *6,53*
beest het (...en)
beestmens *64*
beesten...: beestenboel, enz. *88*
beesten *106*
beestte, gebeest
Beethoven, Ludwig van *6*
beetpakken *69,106,108*
pakte beet, beetgepakt
BEF [Belgische frank] *100*
befloersen *19,106,108*
befloerste, befloerst
beganegrondwoning de (...en) *68*
begeerlijk *87*
begeerte de (...n, ...s) *43,91*
begeleiden *106,108,109*
begeleidde, begeleid
begerenswaard *ook* **begerenswaardig** *98,115*
begga de (...'s) *42*
begiftigde de (...n) *89*
begijn de (...en) *13*
begijn...: begijnhof, enz. *64*
begijnen...: begijnenkoek, enz. *88*
beginne, in den – *62,111*
beginner de (...s)
beginners...: beginnerscursus, enz. *98*
beglazen *26,106,108*
beglaasde, beglaasd
begonia de (...'s) *42*
begoochelen *2,5,106,108*
begoochelde, begoocheld
begoocheling de (...en) *2,10*
begrafenis de (...nissen) *19*
begrafenis...: begrafenisondernemer, begrafenisstoet, enz. *64*
begrenzen *26,106,108*
begrensde, begrensd
begrijpelijk *87*
begrip het (...grippen)
begriploos *87*
begrip...: begripteken, begripvol, enz. *64*
begrippenpaar *88*
begrips...: begripsomschrijving, enz. *98*
begroeiing de (...en) *4,38*
begroeten *106,108,109*
begroette, begroet
begrotelijk *87*
begroten *106,108,109*
begrootte, begroot
beguichelen *2,106,108*
beguichelde, beguicheld
begum de (...s) *1*
begunstigde de (...n) *89*
beha de (...'s; behaatje) *ook* **bh** *46,102,112,115*
beha...: behabeugel, enz. *83*
behandelen *106,108*
behandelde, behandeld
behartigenswaard *ook* **behartigenswaardig** *98,115*
behaviorisme het *9,57,90*
beheer het
beheer...: beheermaatschappij, enz. *64*
beheerst *18,113*
beheerster, meest beheerst
behelzen *26,106,108*
behelsde, behelsd
behemoth [dier] de (...s) *54*
behept *17,18*

beheren *106,108*
beheerde, beheerd
behoeden *106,108,109*
behoedde, behoed
behoefte de (...n, ...s) *43*
behoefte...: behoefteanalyse, behoeftevoorziening, enz. *76,91*
behoeve, ten – van (t.b.v.) *111*
behoud het
behoudzucht, behoudzuchtig *64*
behouds...: behoudsgezind, enz. *98*
behuwd... *64*
behuwddochter, enz.
bei [bes] de (...en) *13*
bei [Turkse titel] de (...s) *ook* **beg** *13,43,115*
beiaard de (...en, ...s) *13,18*
beiden *13,106*
beidde, gebeid
beider, in u – belang *28,62,111*
beiderhande *73,111*
beiderlei *13,73,111*
beiderzijds *73,111*
beidjes *13,18*
Beieren *6,53*
beieren *13,106*
beierde, gebeierd
beige *3,27*
beignet de (...s) *3,8*
Beijerland *6,53*
beijveren *13,106,108*
beijverde, beijverd
beijzeld *13*
Beilen [Drenthe] *6,53*
beïnvloeden *37,106,108,109*
beïnvloedde, beïnvloed
Beiroet *6,53*
Beiroeter, Beiroeti, Beiroetse
beitel de (...s) *13*
beitelen *13,106*
beitelde, gebeiteld
beits de/het (...en) *13*
beitsen *13,106*
beitste, gebeitst
bejaarde de (...n)
bejaarden...: bejaardentehuis, enz. *89*
bejag het *2*
Béjart, Maurice *6*
bekaaid, er – van afkomen *71*
bekaden *106,108,109*
bekaadde, bekaad
bekaf *62*
bekeerde de (...n) *89*
bekende de (...n) *89*
bekendmaken *69,106,108*
maakte bekend, bekendgemaakt
bekendstaan *69,106,108*
stond bekend, bekendgestaan
bekeren [tot inzicht brengen] *106,108*
bekeerde, bekeerd
bekeren [bekerwedstrijd spelen] *106,108*
bekerde, gebekerd
bekijven *13,108*
bekeef, bekeven
bekisten *106,108,109*
bekistte, bekist
bekkensnijden *69,88,107*
bekkentrekken *69,88,107*
beklaagde de (...n)
beklaagden...: beklaagdenbank, enz. *89*
beklagenswaard *ook* **beklagenswaardig** *98,115*
bekleden *106,108,109*
bekleedde, bekleed
beklijven *13,106,108*
beklijfde, beklijfd
bekokstoven *19,106,108*
bekokstoofde, bekokstoofd
bekoorlijk *87*
bekorten *106,108,109*
bekortte, bekort
bekribben *17,106,108*
bekribde, bekribd
bekritiseren *106,108*
bekritiseerde, bekritiseerd
bekvechten *69,106*
bekvechtte, gebekvecht

bel de (bellen; belletje) *112*
bel...: beltoon, enz. *64*
bellen...: bellenbaan, enz. *88*
belachelijk *87*
Belafonte, Harry *6*
belanden *106,108*
belandde, beland
belang het (...en)
belangeloos *87*
belang...: belanghebbend, belanghebbende (...n), belangstellende (...n), belangwekkend *64*
belangen...: belangenvereniging, enz. *88*
in u aller –, in u beider – *62,111*
belangstellen *69,106,108*
stelde belang, belanggesteld
belasten *106,108,109*
belastte, belast
belasting de (...en)
belasting...: belastingformulier, belastingkantoor, enz. *98*
belastingplichtige de (...n) *89*
belatafeld *18*
Belau *ook* **Palau** *6,53*
Belauer, Belaus(e)
belcanto het (...'s) *22,42*
beleid het *13*
beleidvol *64*
beleids...: beleidscentrum, beleidsmatig, beleidsnota, enz. *98,99*
bel-etage de (...s) *27,85,91*
beletten *106,108*
belette, belet
beleven *19,106,108*
beleefde, beleefd
belg [paard] de (...en) *54*
belgenmop de (...moppen) *54,65,88*
belgicisme het (...n) *25,54,89*
België *6,53*
Belg, Belgisch(e)
belialskind het (...kinderen) *54,65,98*
belichten *106,108,109*
belichtte, belicht
believen *19,106,108*
beliefde, beliefd
belijden *13,108*
beleed, beleden
Belize *6,53*
Belizaan, Belizaans(e)
Bell, Alexander Graham *6*
belladonna de (...'s) *3,42*
belle de (...s) *43,91*
belle époque de *63*
bellefleur de (...en, ...s) *3*
bellenblazen *69,88,108*
blies bellen, bellengeblazen
bellettrie de *9,14*
Belle van Zuylen *6*
belligerent *9,14*
Bellingwedde *6,53*
Bellini, Giovanni/Vicenzo *6*
Belloc, Hilaire *6*
Belmopan *6,53*
beloega de (...'s) *11,14,42*
Beloetsjistan *6,53*
belofte de (...n, ...s) *43*
belofte...: belofte-eed, beloftevol, enz. *76,91*
beloven *19,106,108*
beloofde, beloofd
bel paese de *63*
belt de (...en) *18*
beluchten *106,108,109*
beluchtte, belucht
belvedère de (...s) *30,43,91*
Belvédère *52*
bema het (...'s) *42*
bemesten *106,108,109*
bemestte, bemest
beminde de (...n) *89*
beminnelijk *87*
beminnenswaard *ook* **beminnenswaardig** *98,115*
bemoeial de (...allen) *38*
bemoeiing de (...en) *38*
bemoeilijken *106,108*
bemoeilijkte, bemoeilijkt
ben de (bennen; bennetje) *112*

benard *18*
benauwd *12*
benauwen *12,106,108*
benauwde, benauwd
Ben Bella, Mohammed Ahmed *6*
bende de (...n, ...s) *43*
bende...: bendeleider, enz. *76,91*
beneden... *64*
benedenwinds, benedenwoning, enz.
Beneden-Leeuwen *6,53*
Beneden-Maas de *6,53*
Benedenwindse Eilanden de *6,53*
benedictie de (...tiën, ...s) *23,40,43*
benedictijn de (...en) *13,22,57*
benedictijnen...:
benedictijnenklooster, enz. *88*
benedictine de *22,90*
benedictines de (...nessen) *15,22,57*
benedictuskruid het *54,65*
benedijen *13,106*
benedijde, gebenedijd
benefice, ter – van *62,111*
beneficevoorstelling de (...en) *9,25,66*
beneficiair *3,9,25*
beneficiarius de (...rii) *9,25*
beneficie de (...ciën, ...s) *9,25,40*
beneficium het (...cia, ...s) *9,25*
benefiet het (...en) *9*
benefiet...: benefietvoorstelling, enz. *64*
benefit of the doubt *67*
Benelux de *103*
benen... zie **been**
benevolentie de *25*
Bengali *55*
bengaline de/het *54,90*
Benghazi *6,53*
Ben-Goerion, David *6*
benigne *3*
benijden *106,108,109*
benijdde, benijd
benijdenswaard *ook*
benijdenswaardig *13,98,115*
Benin *6,53*
Beniner, Benins(e)
benjamin [jongste kind] de (...s; ...minnetje) *54,112*
benodigdheden de (alleen mv.) *18*
bent [genootschap] de (...s) *18*
bent...: bentgenoot, enz. *64*
bentheimersteen de/het *54,65*
Benthem, Evert van *6*
benutten *106,108,109*
benutte, benut
B en W [Burgemeester en Wethouders] *104*
benzedrine de/het *26,90*
benzeen het *26*
benzine de *26*
benzine...: benzineaccijns, benzinepomp, enz. *76,90*
benzoë de *26,37*
benzoë...: benzoëzuur, enz. *64,76*
benzol de/het *26*
beo de (...'s) *42*
beogen *37,106,108*
beoogde, beoogd
beoosten *38*
beotiër [domoor, lomperd] de (...s) *54*
bepaaldelijk *87*
bepalingaankondigend *64*
bepraten *106,108,109*
bepraatte, bepraat
beraadslagen *69,106,108*
beraadslaagde, beraadslaagd
berber [vloerkleed] de (...s) *54*
berber...: berbertapijt, enz. *65*
berberis de (...rissen) *1*
berberis...: berberisfamilie, enz. *64*
Berbers *55*
berceau de (...s) *10,25,43*
berceuse de (...s) *25,26,43,91*
Berchem [Antwerpen en Oost-Vlaanderen] *6,53*
Berchmans, Johannes *6*
berde, te – brengen *62,111*
berechten *106,108,109*
berechtte, berecht
beregelen *106,108*
beregelde, beregeld

bereiden [klaarmaken] *13,106,108,109*
bereidde, bereid
bereids *13*
bereidvaardig *13,64*
bereidwillig *13,64*
bereik het *13*
bereiken *13,106,108*
bereikte, bereikt
bereizen *26,106,108*
bereisde, bereisd
beren... zie **beer**
berenburg [sterke drank] de *54*
beresiet het *18,26*
bergaf *62*
bergafwaarts *18,62*
Bergambacht *6,53*
bergamot de (...motten) *18*
bergamot...: bergamotolie, enz. *64*
bergbeklimmen *69,106*
berge, te – rijzen *62,111*
Bergeijk *6,53*
Bergen-Belsen *6,53*
Berg en Dal *6,53*
Bergen op Zoom *6,53*
Berg en Terblijt *6,53*
bergerac [wijn] de *22,27,54*
bergère de (...s) *27,30,43,91*
Bergh [Gelderland] *6,53*
Berghmans, Ingrid *6*
Bergman, Ingmar/Ingrid *6*
Bergmann, Anton *6*
bergop *62*
bergopwaarts *18,62*
Bergschenhoek *6,53*
Bergse Maas de *6,53*
Bergson, Henri *6*
beriberi de *80*
bericht het (...en)
bericht...: berichtgever, enz. *64*
berichten...: berichtenverkeer, enz. *88*
berichten *106,108,109*
berichtte, bericht
berijden [rijden op] *13,108*
bereed, bereden
beril de/het (...rillen) *15*
berini de (...'s) *9,42,54*
berjozka de (...'s) *22,26,42*
berk de (...en)
berkhoen *64*
berken...: berkenboom, enz. *88*
Berkel en Rodenrijs *6,53*
Berkel-Enschot *6,53*
berkelium (Bk) het *1,54*
berken *114*
berkenhouten *88,114*
berkoen de (...en) *11,22*
Berlicum [Noord-Brabant] *6,53*
Berlijn *6,53*
Berlijner, Berlijns(e)
Berlikum [Friesland] *6,53*
berline [koets] de (...s) *43,54,91*
berliner [worst] de *54*
Berlinghieri *6*
Berlioz, Hector *6*
berlitzmethode de *54,65*
Bermuda [aardr. naam] *6,53*
Bermudadriehoek *65*
bermuda [broek] de (...'s) *54*
bermudashort *66*
Bernadette Soubirous *6*
bernage de *ook* **bernagie** *27,90,115*
bernardijn de (...en) *13,57*
bernardshond de (...en) *ook* **sint-bernardshond** *54,98*
Bernard(us) van Clairvaux *6*
Berner Oberland *6,53*
Bernhard, Thomas *6*
Bernhardt, Sarah *6*
Bernice *6*
Bernini, Lorenzo *6*
Bernisse *6,53*
bernoulli-effect het (...en) *54,65,76*
Bernstein, Leonard *6*
beroep het (...en)
beroepschrift *64*
beroepen...: beroepengids, enz. *88*
beroeps...: beroepsbegeleidend, beroepsblind, beroepscentrale, beroepsgeheim, enz. *98,99*

beroepskeuze de (...n, ...s) *98*
beroepskeuze...:
beroepskeuzeadviseur, enz. *76,91*
beroerte de (...n, ...s) *43,91*
berouw het *12*
berouw...: berouwhebbend,
berouwvol, enz. *64*
berouwen *12,106,108*
berouwde, berouwd
beroven *19,106,108*
beroofde, beroofd
berrie de (...s) *9,43*
Berry, Chuck *6*
berserkerwoede de *54,65*
bersten *106*
berstte/borst, geborsten
berstensvol *ook* **barstensvol** *98,115*
bertillonnage de (...s) *14,27,54*
Bertolucci, Bernardo *6*
berucht *2*
beryllium (Be) het *9,14*
bes [oude vrouw] de (bessen) *ook*
best *115*
bes [vrucht, muzieknoot] de (bessen)
bes...: besheide, enz. *64*
bessen...: bessensap, enz. *88*
Besançon *6,53*
bescheid het (...en) *13,18*
beschoeiing de (...en) *38*
beschouwelijk *12,87*
beschouwen *12,106,108*
beschouwde, beschouwd
beschroomd *2*
beschuldigde de (...n) *89*
beschutten *106,108*
beschutte, beschut
beseibelen *13,106,108*
beseibelde, beseibeld
besjoechelen *2,106,108*
besjoechelde, besjoecheld
Beskiden *6,53*
beslagname de *90*
beslechten *106,108,109*
beslechtte, beslecht
beslijkt *ook* **beslikt** *13,115*
beslist *113*
beslister, meest beslist
besluit het (...en)
besluiteloos *87*
besluit...: besluitvaardig,
besluitvorming, enz. *64*
besluite, ten – *62,111*
besmettelijk *87*
besmetten *106,108,109*
besmette, besmet
besnijdenis de (...nissen) *13,15*
besnoeien *106,108*
besnoeide, besnoeid
besnoeiing de (...en) *38*
besodemieteren *106,108*
besodemieterde, besodemieterd
besogne de/het (...s) *3,26,91*
bespioneren *16,106,108*
bespioneerde, bespioneerd
bespottelijk *87*
besproeiing de (...en) *38*
besproeiings...: besproeiingswagen,
enz. *98*
bessemerproces het (...cessen) *54,65*
best [oude vrouw] de (...en) *ook*
bes *115*
bestaan het
bestaans...: bestaansmiddel,
bestaanszekerheid, enz. *98,99*
bestand het (...en)
bestanddeel *64*
bestands...: bestandslijn,
bestandsschending, enz. *98,99*
besteden *106,108,109*
besteedde, besteed
bestekamer de (...s) *92*
bestemoer de (...s) *92*
...bestendig *64*
hittebestendig, inflatiebestendig,
stressbestendig enz.
bestensorder de/het (...s) *64*
bestialiteit de (...en) *9*
bestraten *106,108,109*
bestraatte, bestraat
bestseller de (...s) *67*
bestseller...: bestsellerauteur, enz. *66*

bestuur het (...sturen) *52*
bestuurlijk *87*
bestuurs...: bestuursfunctie, bestuurssecretaris, enz. *98,99*
bestuurder de (...s)
bestuurders...: bestuurderscabine, bestuurdersstoel, enz. *98,99*
bestwil, om – *62*
bèta de (...'s) *30,42*
bèta...: bèta-afdeling, bètablokker, enz. *64,76*
betamelijk *87*
betasten *106,108,109*
betastte, betast
bête *3,31*
Bethanië *6,53*
Bethlehem *6,53*
betichte de (...n) *89*
betichten *106,108,109*
betichtte, beticht
betijen *13,106,108*
betijde, betijd
betjah de (...s) *20,43*
betogen *106,108*
betoogde, betoogd
betonijzeren *64,114*
betonnen *114*
betoudover... *18,64*
betoudovergrootvader, enz.
betover... *18,64*
betovergrootmoeder, enz.
betr. [betreffend, betrekkelijk] *100*
betrachten *106,108,109*
betrachtte, betracht
betrekkelijk (betr.) *87*
betreurenswaard *ook* **betreurenswaardig** *98,115*
betrokkene de (...n) *89*
betten *106,109*
bette, gebet
betuline de *9,90*
betweter de (...s) *18,64*
betwijfelen *13,106,108*
betwijfelde, betwijfeld
beugel-bh de (...'s) *46,83*
beuk de (...en)
beuken...: beukenbos, beukennootje, enz. *88*
beuken *114*
beukenhouten *88,114*
beul de (...en)
beuls...: beulsknecht, enz. *98*
beunhaas de (...hazen) *26,64*
beunhazen *69,106*
beunhaasde, gebeunhaasd
beurs de (beurzen) *26*
beurs...: beursbericht, beursgenoteerd, enz. *64*
Beusichem *6,53*
beuzelen *26,106*
beuzelde, gebeuzeld
bevattelijk *87*
bevelhebbend *64*
bevelvoerend *64*
beven *19,106*
beefde, gebeefd
Beveren-Waas *6,53*
Beverley Hills *6,53*
Beverlo [België, Limburg] *6,53*
bevertien het *ook* **beaverteen** *115*
bevind het *18*
bevindelijk *87*
bevloeiing de (...en) *38*
bevloeiings...: bevloeiingswerken, enz. *98*
bevochten *106,108,109*
bevochtte, bevocht
bevoogden *106,108,109*
bevoogdde, bevoogd
bevoorraden *106,108,109*
bevoorraadde, bevoorraad
bevoorrechten *106,108,109*
bevoorrechtte, bevoorrecht
bevorderlijk *87*
bevrachten *106,108,109*
bevrachtte, bevracht
bevreemden *106,108,109*
bevreemdde, bevreemd
bevrijden *106,108,109*
bevrijdde, bevrijd

Bevrijdingsdag de (GB: bevrijdingsdag) *56,98*
bevroeden *106,108,109*
bevroedde, bevroed
bevruchten *106,108,109*
bevruchtte, bevrucht
bewaarheiden *106,108,109*
bewaarheidde, bewaarheid
beweeglijk *87*
bewegwijzeren *106,108*
bewegwijzerde, bewegwijzerd
beweiden *13,106,108,109*
beweidde, beweid
bewerkelijk *87*
bewerkstelligen *106,108*
bewerkstelligde, bewerkstelligd
bewieroken *106,108*
bewierookte, bewierookt
bewijs het (...wijzen) *26*
bewind het *18*
bewind...: bewindvoerder, enz. *64*
bewinds...: bewindsvrouw, enz. *98*
bewonderenswaard *ook* **bewonderenswaardig** *98,115*
bewoner de (...s)
bewoners...: bewonersvereniging, enz. *98*
bewusteloos *26,87*
bewusteloze
bewustzijn het *64*
bewustzijns...: bewustzijnsniveau, bewustzijnsverruimend, enz. *98*
Beyers Naudé, Christiaan *6*
bezaaiing de (...en) *38*
bezaan de (...zanen) *26*
bezaans...: bezaansmast, bezaansschoot, enz. *98,99*
bezant de (...en) *18,26*
bezatten *106,108,109*
bezatte, bezat
bezemen *15,106*
bezemde, gebezemd
bezetene de (...n) *89*
bezie de (...ziën) *26,40*
bezienswaard *ook* **bezienswaardig** *98,115*
Béziers *6,53*
bezighouden *69*
hield bezig, beziggehouden
bezijden *13*
bezit het
bezittelijk *87*
bezitneming *64*
bezits...: bezitsrecht, enz. *98*
bezoeker de (...s)
bezoekers...: bezoekersaantal, bezoekersstroom, enz. *98,99*
bezoldigen *26,106,108*
bezoldigde, bezoldigd
bezwaarde de (...n) *89*
bezwaarlijk *87*
bezwijken *13,108*
bezweek, bezweken
bezwijmen *13,106,108*
bezwijmde, bezwijmd
b.g.g. [bij geen gehoor] *100*
BGJG [Bond van Grote en Jonge Gezinnen] de *104*
bh [bustehouder] de (...'s; bh'tje) *ook* **beha** *46,101*
bh-...: bh-bandje, enz. *83*
Bhagavadgita *6,58*
Bhagwan Shri Rajneesh *6*
Bhagwanbeweging *65*
Bhopal *6,53*
Bhutan *6,53*
Bhutaan, Bhutaans(e)
Bhutto, Benazir *6*
bi [biseksueel] *9*
Bi [bismut] *100*
b.i. [bouwkundig ingenieur] *100*
bi... *9,78*
bicarbonaat, bisyllabisch, enz.
Biafra *6,53*
biaislint het (...en) *3,8,64*
Bialystok *6,53*
biandrie de *9*
Biarritz *6,53*
bias de (...es) *3*
biatlon de (...s) *9,20*
bibberatie de (...s) *43*

bibelot het (...s; ...lootje) *10,112*
biblicisme het *25,90*
biblio... *9*
bibliobus, bibliofiel, bibliograaf (...grafen), bibliografie (...fieën), bibliometrie, bibliotheconomie, bibliotheek, enz.
bibliothecaresse de (...n, ...s, GB: ...n) *20,22,91*
bibliothecaris de (...rissen) *9,20,22*
biblistiek de *9,22*
bic [pen] de (...s) *22,54*
bicamerisme het *22,90*
biceps de (...en) *25*
bidelot de (...s; ...lootje) *10,112*
bidet de/het (...s) *3,9*
bidon de (...s) *9*
bidonville de (...s) *3,9,43*
bie [bijzonder] *9*
bieb de (...s) *17*
biechten *106*
biechtte, gebiecht
biechthoren *69,107*
biedermeier het *3,56*
biedermeier...: biedermeierstijl, enz. *64*
bief de (bieven) *19*
biels de (...en, bielzen) *26*
bielsen *26,114*
biënnale de (...s) *14,37,91*
bies de (biezen) *26*
bies...: bieslint, bieslook, enz. *64*
Biesbosch de *6,53*
biet de (...en) *ook* **beet** *115*
biet...: bietsuiker, enz. *64*
bieten...: bietensap, enz. *88*
bietebauw de (...en) *12,97*
bietsen *18,106*
bietste, gebietst
biezen [bies aanbrengen] *26,106*
biesde, gebiesd
biezen [van bies] *26,114*
bifilair *3,9,14*
bifora de (...foren) *9*
bifurcatie de (...s) *22,43*
big de (biggen; biggetje) *112*
biggekruid *96*
biggen...: biggenmerk, enz. *88*
bigamie de *9*
big band de (...s) *67*
big bang de *67*
big-bang...: big-bangtheorie, enz. *84*
Big Ben de *6*
big boss de (...es) *67*
big brother de *67*
big mac de (...s) *67*
bignonia de (...'s) *3,42*
bigot *9*
bigotte
bigotterie de (...rieën) *9,14*
bij [insect] de (...en) *13*
bijen...: bijenkorf, enz. *88*
bij... *64*
bijbehorend, bijeffect, bijgelegen, bijgenaamd, bijgeval, bijgevolg, bijkomstig, enz.
bij... *70,106*
bijbetalen: betaalde bij, bijbetaald; enz.
bijaldien *73*
bijbel de (...s) *59*
bijbel...: bijbelboek, bijbelvast, enz. *64*
bijdehand *18,113*
bijdehante, bijdehanter, bijdehandst
bijdetijds *62*
bij dezen *62,111*
bijdrage de (...n, ...s) *43*
bijdrage...: bijdrageregeling, enz. *76,91*
bijeen *73*
bijeen... *64*
bijeenkomst, enz.
bijeen... *70,106*
bijeenschrapen: schraapte bijeen, bijeengeschraapt; enz.
bijholte de (...n, ...s) *43*
bijholte...: bijholteontsteking, enz. *76,91*
bijl de (...en) *13*

bijl. [bijlage] *100*
bijlage (bijl.) de (...n)
bijlagen...: bijlagenredactie, enz. *89*
Bijlands Kanaal het *6,53*
Bijlmermeer de *6,53*
bijna
bijna-...: bijna-ramp, enz. *85*
bijnadoodervaring de (...en) *68*
bijou het (...s; ...tje) *9,11,27,37*
bijouterie de (...rieën) *9,11,40*
bijstand de
bijstands...: bijstandsmoeder, enz. *98*
bijster *13*
bijt de (...en) *13,18*
bijten [happen] *13*
beet, gebeten
bijten [een bijt hakken] *13,106*
bijtte, gebijt
bij tijd en wijle *62,111*
bijtijds *62*
bijv. [bijvoorbeeld] *ook* **bv.** *100,115*
bijval de
bijvals...: bijvalsbetuiging, enz. *98*
bijvoeglijk *87*
bij voorbaat *62*
bijvoorbeeld (bijv., bv.) *73*
bijwijlen *13,62*
bijwoordelijk *87*
bijz. [bijzonder] *100*
bijziend *64*
bijzonder (bijz.) *2,26,113*
bijzonderder, bijzonderst
bikini de (...'s; ...nietje) *42,54,112*
bikini...: bikinislip, enz. *65,76*
Biko, Steve *6*
Bikschote *6,53*
bil de (billen; billetje) *112*
bil...: bilnaad, enz. *64*
billen...: billenkoek, enz. *88*
Bildt, Het [Friesland] *6,53*
bilirubine de *9,90*
biljard [getal] het (...en) *18,21,74*
biljart [spel, tafel] het (...en, ...s) *18*
biljarten *106*
biljartte, gebiljart
biljoen het (...en) *21,74*
billboard het (...s) *67*
billfold de (...s) *67*
billijken *1*
billijkte, gebillijkt
Billiton *6,53*
bilocatie de *9,22*
Bilt, De [Utrecht] *6,53*
Bilthoven *6,53*
bilzekruid het *97*
Bilzen *6,53*
bimbambeieren het *13,62*
bimetallisme het *9,14,90*
BIN [Belgisch Instituut voor Normalisatie] het *103*
binair *3*
binasboek het (...en) *83*
bingo het (...'s) *3*
bingo...: bingoavond, enz. *64,76*
bingoën *37,105,106*
bingode, gebingood
binnen... *64,72*
binnendoor, binnengaats, binnenmuur, enz.
binnen... *70,106,108*
binnenhalen: haalde binnen, binnengehaald; enz.
Binnenhof het *52*
binnenkort *72*
Binnenmaas *6,53*
Binnen-Mongolië *6,53*
binnenrijven *13,19,106,108*
rijfde binnen, binnengerijfd
binnens... *4,98*
binnenshuis, binnensmonds, binnenskamers, enz.
binnenstebuiten *73*
binnenstijds *ook* **binnentijds** *98,115*
Binnen-Vlaanderen *6,53*
Binoche, Juliette *6*
binocle de (...s) *3,22,91*
binoculair het (...s) *3,9,22*
bint het (...en) *18*
bint...: bintlaag, enz. *64*

bio... *78*
bioafval, biochemisch, bio-energie, bio-industrie, enz.
biocide de/het (...n, ...s) *25,91*
biogarde de *90*
biograaf de (...grafen) *19*
biografie de (...fieën) *40*
biologisch-dynamisch *9,80*
biomantie de (...tieën) *25,40*
bionica de *22*
biopoëse de *26,37,90*
biopsie de (...sieën) *17,25,40*
bioritme het (...n, ...s) *20,91*
bioscoop de (...copen) *22*
biosofie de (...fieën) *26,40*
biotine de *90*
biotoop de (...topen) *17*
bipatride de (...n) *9,89*
biplaan de (...planen, ...s) *9*
bips de (...en) *17*
birdie de (...s) *3,9,43*
bis *9*
bisam het *9,26*
bisam...: bisamrat, enz. *64*
biscuit de/het (...s; ...je) *9,24,112*
Bisjkek *6,53*
Bismarck, Otto von *6*
bismut (Bi) het *18*
bismut...: bismutverbinding, enz. *64*
Bissau *6,53*
bisschop de (...schoppen) *14*
bisschoppelijk *87*
bisschoppen...: bisschoppensynode, enz. *88*
bisschops...: bisschopsstad, bisschopswijn, enz. *98,99*
bissectrice de (...s) *14,22,25*
bisseren *14,106*
bisseerde, gebisseerd
bistouri de (...'s) *9,11,42*
bistro de (...'s; bistrootje) *9,42,112*
bistro...: bistro-eigenaar, bistrobestek, enz. *64,76*
bit [informatie-eenheid] de (...s) *18*
bit [mondstuk] het (bitten) *18*
bitterzoet *80*
bitterzout *80*
bitumen het (...tumina) *9*
bitumineren *9,106*
bitumineerde, gebitumineerd
bitumineus *9,26*
bitumineuze
bivak het (...vakken) *9*
bivakkeren *9,14,106*
bivakkeerde, gebivakkeerd
bivalent *9,18*
bixine de *9,23,90*
BiZa [(Ministerie van) Binnenlandse Zaken] *103*
bizar *26,113*
bizarder, bizarst
Bizet, Georges *6*
bizon de (...s) *26*
BJB [Boerenjeugdbond] de *104*
Bk [berkelium] *100*
BKR [Beeldende-Kunstenaarsregeling] de *104*
blaartrekkend *64*
blaasje het (...s)
blaasjes...: blaasjeskruid, blaasjesziekte, enz. *98,99*
blabla de *80*
black box de (black boxes) *22,67*
blackjack het *22,67*
blackmail de *22,67*
black-out de (...s) *22,67*
Blackpool *6,53*
black power de *57,67*
black spot de (...s) *67*
black tie de (...s) *67*
blad het (...en, bladeren; blaadje) *112*
blad...: bladmuziek, bladverliezend, enz. *64*
bladen...: bladenman, enz. *88*
blader... *64*
bladerdeeg, bladerrijk, enz.
bladzij (blz.) de (...zijden) *ook* **bladzijde** (...n) *115*
blague de *3*
Blair, Tony *6*

blamage de (...s) *14,27,91*
blameren *106*
blameerde, geblameerd
blancheren *27,106*
blancheerde, geblancheerd
blanco *22*
Blancquaert, Edgard *6*
blanke de (...n) *89*
Blankers-Koen, Fanny *6*
blanketsel het (...s) *22*
blankhouten *64,114*
blankvoorn de (...s) *64*
blankwerk het *64*
Blaricum *6,53*
blasé *26,29*
blasfemeren *19,106*
blasfemeerde, geblasfemeerd
blasfemie de (...mieën) *19,40*
blastula de (...'s) *42*
blaten *106*
blaatte, geblaat
blauw... *12,64,80*
blauwbaard, blauwdruk, blauwgroen, enz.
blauwbekken *69,106*
blauwbekte, geblauwbekt
blauwblauw *80*
blauwen [blauw maken] *12,106*
blauwde, geblauwd
Blauwe Nijl de *6,53*
blauweregen de (...s) *12,92*
blauwvoeterie de *ook* **blauwvoeterij** *12,57,64,115*
blazen *26*
blies, geblazen
blazer [musicus] de (...s)
blazers...: blazersensemble, blazerssectie, enz. *98,99*
blazer [jasje] de (...s) *8,26*
blazoen het (...en) *26*
bleekselderie de *ook* **bleekselderij** *13,64,115*
blees de (blezen) *26*
blees...: bleesbaak, enz. *64*
blefaroplast het (...en) *19*
blefaroplegie de (gieën) *19,40*
blei [vis] de (...en) *13*
Bleiswijk *6,53*
blende de (...n) *89*
blèren *33,106*
blèrde, geblèrd
Blerick *6,53*
Blériot, Louis *6*
blesseren *106*
blesseerde, geblesseerd
blessure de (...n, ...s) *ook* **blessuur** *43,115*
blessure...: blessuretijd, enz. *76,91*
bleu *3*
bleue
bliep de (...en) *17*
blieven *19,106*
bliefde, gebliefd
blij [verheugd] *13,113*
blije/blijde, blijer, blijst
blijdschap de *13,18*
blijf-van-mijn-lijfhuis het (...huizen) *26,81*
Blijham *6,53*
blijkens *13,111*
blijspel het (...en) *64*
blijvertje het (...s) *18*
blikken *114*
blikogen *69,106,108*
blikoogde, geblikoogd
bliksem de (...s) *1*
bliksemen *15,106*
bliksemde, gebliksemd
blikskaters *64*
blindaas de (...dazen) *26,64*
blind date de (...s) *43,67*
blinddoek de (...en) *4,64*
blinddoeken *69,106,108*
blinddoekte, geblinddoekt
blinde de (...n)
blinden...: blindenschool, enz. *89*
blindedarm de *92*
blindedarm...: blindedarmontsteking, enz. *64,68*
blindeman de (...mannen; ...mannetje) *92,112*

blindengeleidehond de (...en) *13,89,93*
blindgeboren *64*
blind hole de (...s) *43,67*
blindvaren *69,108*
voer blind, blindgevaren
blindvliegen *69*
vloog blind, blindgevlogen
blindweg *73*
blitskikker de (...s) *18,64*
blitzkrieg de *3*
Blixen, Karen *6*
blizzard de (...s) *3*
blo *ook* **blode** *113,115*
blode, bloder, bloodst
b.l.o. [buitengewoon lager onderwijs] het *100*
bloc, en – *63*
blocnote de (...s; ...nootje) *3,22,112*
blocnote...: blocnotevel, enz. *66*
blode *ook* **blo** *113,115*
bloder, bloodst
bloed de/het
bloedeloos *87*
bloed...: bloeddoorlopen, bloeddorstig, bloeddruk, enz. *64*
bloederziekte (geen mv.) *64*
bloedsomloop *98*
bloede, in koelen – *62,111*
bloede, van koninklijken – *62,111*
bloeden *106*
bloedde, gebloed
bloedkoralen *64,114*
bloedschendig *ook* **bloedschennig** *64,115*
bloedvergieten *69,107*
bloem de (...en; bloemetje, bloempje) *112*
bloem...: bloemdragend, bloempot, bloemrijk, enz. *64*
bloemen...: bloemencorso, enz. *88*
bloembol de (...bollen) *64*
bloembollen...: bloembollencultuur, enz. *88*
bloemetje het (...s)
bloemetjes...: bloemetjesbehang, enz. *98*
bloemlezen *69,106,108*
bloemleesde, gebloemleesd
bloemschikken *69,107*
bloemschilderen *69,107*
bloes de (bloezen; ...je) *ook* **blouse** *11,26,115*
bloesem de (...s) *1,26*
bloesemen *15,26,106*
bloesemde, gebloesemd
bloezen *11,26,106*
bloesde, gebloesd
blok het (blokken)
blok...: blokhak, blokvormig, enz. *64*
blokken...: blokkendoos, enz. *88*
blokkade de (...s) *43*
blokkade...: blokkadeactie, enz. *76,91*
blokletteren *69,106,108*
blokletterde, geblokletterd
blokrijden *69,107*
blokzeilen *69,106,108*
blokzeilde, geblokzeild
blonde de (...n; blondje) *89,112*
blondgelokt *64*
blondine de (...s) *43,91*
bloodaard de (...s) *10,18*
bloody mary de (...'s) *42,67*
bloody shame de *67*
blooper de (...s) *11*
bloot... *69,106*
blootstellen: stelde bloot, blootgesteld; enz.
blootshoofds *18,98*
blootsvoets *18,98*
blotebillengezicht het (...en) *68,88,92*
bloten *106*
blootte, gebloot
bloterik de (...en) *15*
blotevoetendokter de (...s) *68,88,92*
blouse de (...s; ...tje) *ook* **bloes** *11,112,115*
blouson de (...s) *11,26*
blouwen [hennep braken] *12,106*
blouwde, geblouwd

blow de (...s; ...tje) *10*
blowen *10,106*
blowde, geblowd
blow-out de (...s) *10,12,67*
blow-up de (...s) *10,67*
blozen *26,106*
bloosde, gebloosd
blue chip de (...s) *67*
blue jeans de *67*
blue movie de (...s) *67*
blues de *3,11*
blues...: bluesband, blueszanger, enz. *66,67*
blusher de (...s) *27*
blut *18*
blz. [bladzij(de)] *100*
bmr-prik [bof, mazelen, rodehond] de (...-prikken) *83*
bnp [bruto nationaal product] het *101*
boa de (...'s) *42*
board de/het (...s) *10,18*
boarding de/het (...s) *10*
bob de (...s) *17*
bob...: bobbaan, enz. *64*
BOB [Bijzondere Opsporingsbrigade] de *104*
bobben *17,106*
bobde, gebobd
bobby de (...'s) *9,42*
bobijn de (...en) *13,14*
bobijn...: bobijnklos, enz. *64*
bobine de (...s) *14,43,91*
bobo de (...'s) *42*
bobslee de (...sleeën) *17,38*
bobslee...: bobsleeteam, enz. *64,76*
bobsleeën *38,106,108*
bobsleede, gebobsleed
bobtail de (...s) *67*
BOC [Belgisch Olympisch Comité] het *104*
Boccaccino, Boccaccio *6*
Boccaccio, Giovanni *6*
Boccherini, Luigi *6*
bochel de (...s) *2,5*
Bocholtz [Nederlands Limburg] *6,53*
bocht de/het (...en) *2*
bocht...: bochtscharnier, enz. *64*
bochtenwerk *88*
bock de/het *22*
bockbier *64*
bod [bieding] het *18*
bode de (...n, ...s) *43*
bode...: bodedienst, enz. *76,91*
bodega de (...'s) *42*
bodemen *15,106*
bodemde, gebodemd
bodhisattva de (...'s) *14,20,42*
body de (...'s) *9,42*
body...: body-art, bodybuilding, bodystocking, enz. *67,76,85*
boe
boe...: boegeroep, enz. *64*
Boebka, Sergei *6*
Boechout [Antwerpen] *6,53*
Boeck, Felix de *6*
Boedapest *6,53*
Boeddha *6,14,20,59*
boeddha, als een – *54*
boeddhabeeld, boeddhazit *65*
boeddhisme het *14,20,57,90*
boef de (boeven) *19*
boeven...: boeventronie, enz. *88*
boegseren *26,106*
boegseerde, geboegseerd
boegsprietlopen *69,107*
boei de (...en)
boeien...: boeienkoning, enz. *88*
boek het (...en)
boek...: boekbespreking, enz. *64*
boeken...: boekenbon, enz. *88*
Boekarest *6,53*
boekbinden *69,107*
boekdrukken *69,107*
boeket de/het (...ketten) *11,22*
boekhouden *69,106*
hield boek, boekgehouden
Boekhout [Belgisch Limburg] *6,53*
Boekhoute [Oost-Vlaanderen] *6,53*
Boekovski, Vladimir *6*
boekstaven *69,106,108*
boekstaafde, geboekstaafd

boekweit de *13,18*
boekweit...: boekweitmeel, enz. *64*
boeleren *11,106*
boeleerde, geboeleerd
boelijn de (...s) *11,13*
boemerang de (...s) *11*
boemerang...: boemerangeffect, enz. *64*
boe noch ba *20,62*
boer de (...en)
boeren...: boerenbedrijf, enz. *88*
boerde de (...n) *89*
Boerenkrijg de *56,88*
Boerhaave, Herman *6*
boerka de (...'s) *11,42*
Boerkina Faso *ook* **Burkina Faso** *6,53*
boernoes de (...en) *11,26*
Boeroendi *ook* **Burundi** *6,53*
boert de (...en) *18*
boerten *106*
boertte, geboert
boete de (...n, ...s) *43*
boete...: boetekleed, enz. *76,91*
boeten *106*
boette, geboet
boetiek de (...s) *9,11,22*
boetseren *18,26,106*
boetseerde, geboetseerd
boetvaardig *18*
boeven... zie **boef**
Boeykens, Walter *6*
boezel de/het (...s) *26*
boezem de (...s) *26*
boezem...: boezemvriend, enz. *64*
boezemfibrilleren *14,69,107*
boezeroen de/het (...en, ...s) *11,26*
bogaard de (...en) *18*
Bogaarden *6,53*
Bogart, Humphrey *6*
Bogdanovich, Peter *6*
bogey de (...s) *3,9,43*
bogie de (...s) *9,43*
Bogotá *6,53*
Bogotaan, Bogotaanse
bohème de *30,90*
bohémien de (...s) *29,39*
bohémienne de (...s) *29,39*
Böhm, Karl *6*
boiler de (...s) *3*
Bois de Boulogne *6,53*
boiseren *3,26,106*
boiseerde, geboiseerd
bojaar de (...jaren) *21*
bok de (bokken)
bok...: boktor, enz. *64*
bokken...: bokkensprong, enz. *88*
boks...: boksbaard, enz. *98*
bokaal de (...kalen) *22*
bokkinees de (...nezen) *26*
Bokrijk *6,53*
boksen *23,106*
bokste, gebokst
bokser [iem. die bokst] de (...s) *23*
boksers...: boksersneus, enz. *98*
bokspringen *69,107*
Boksum [Friesland] *6,53*
bol de (bollen; bolletje) *112*
bol...: bolgewas, bolvormig, enz. *64*
bollen...: bollenkweker, enz. *88*
bola de (...'s) *42*
bolderik de (...en) *15*
boldriehoek de (...en) *68*
boldriehoeksmeting *98*
boleet de (...leten) *18*
bolero de (...'s; ...rootje) *42,112*
Boleyn, Anna *6*
bolhol *80*
bolide de (...n, ...s) *9,43,91*
Bolívar, Simón *6*
Bolivia *6,53*
Boliviaan, Boliviaans(e)
Böll, Heinrich *6*
bollandist de (...en) *57*
bollebof de (...s) *97*
bolleboos de (...bozen) *26,97*
bollejagen *97,107*
bolletje het (...s)
bolletjes...: bolletjestrui, enz. *98*
bolletrieboom de (...bomen) *9,14,64*
bollewangenhapsnoet de (...en) *68,88,92*

bolometer de (...s) *14*
bolrond *80*
bolsjewiek de (...en) *9,27,57*
bolsjewisme het *27,57,90*
bolstaand *64*
Bolsward *6,53*
bolus de (...lussen) *1*
bolwerken *69,106,108*
bolwerkte, gebolwerkt
Bolzano *6,53*
bom de (bommen; bommetje) *112*
bom...: bomaanslag, bomvol, enz. *64*
bommen...: bommenwerper, enz. *88*
bombam *80*
bombarde de (...n, ...s, GB: ...n) *43,91*
bombardement het (...en)
bombardements...: bombardementsvliegtuig, enz. *98*
bombarderen *106*
bombardeerde, gebombardeerd
bombarie de *9*
bombastisch *113*
bombastischer, meest bombastisch
Bombay *6,53*
bombaynoot de (...noten) *54,65*
bombazijn het (...en) *13,26*
bombazijnen *13,26,114*
bombe de (...s) *43,91*
bomberjack het (...s) *3,22,67*
bomen... zie **boom**
Bommelerwaard de *6,53*
bommerd de (...s) *18*
bommoeder [bewust ongehuwde moeder] de (...s) (GB: bom-moeder) *83*
bon de (bonnen; bonnetje) *112*
bon...: bonboekje, enz. *64*
bonnen...: bonnenstelsel, enz. *88*
bonafide *9,19*
Bonaire *6,53*
Bonairiaan, Bonairiaans(e)
bonbon de (...s; bonbonnetje) *80,112*
bonbon...: bonbondoos, enz. *64*
bonbonnière de (...s) *14,30,43,91*
bond [vereniging] de (...en) *18,52*
bondgenoot *64*
bonds...: bondsbestuur, bondsstaat, enz. *98,99*
bondage de *27,90*
bonen... zie **boon**
bongerd de (...s) *18*
bongo de (...'s) *42*
Bonheiden *6,53*
bonheur de (...s) *20*
bonheur du jour de (bonheurs du jour) *63*
Bonhoeffer, Dietrich *6*
bonhomie de *14*
bonhomme de (...s) *3,20,43*
boni het (...'s) *9,42*
Bonifatius *6*
bonificatie de (...s) *9,22,43*
bonificeren *9,25,106*
bonificeerde, gebonificeerd
boniment het *9*
Bonineilanden de *6,53*
bonis, in – *63*
boniseur de (...s) *26*
bonje de *90*
bonjour *11,27*
bon-mot het (...s) *63*
Bonn *6,53*
bonne de (...s) *43,91*
bonnefooi, op de – *62*
bonnet de (...netten) *14*
bonnetterie de (...rieën) *14,40*
bons de (bonzen) *26*
bonsai de (...s) *26*
bonsai...: bonsaikweker, enz. *64,76*
bont [stof] het (...en) *18*
bonten *114*
bontgekleurd *18,64*
bontgoed het (...eren) *18,64*
bon ton de *63*
bonus de (...nussen) *1*
bonus...: bonusaandeel, enz. *64*
bonus-malusregeling de (...en) *1,81*
bon-vivant de (...s) *63*
bonze de (...n) *26,89*

bonzen *26,106*
bonsde, gebonsd
boobytrap de (...s) *9,11,67*
boodschap de (...schappen)
boodschappen...: boodschappentas, enz. *88*
boogiewoogie de (...s) (GB: boogie woogie) *43,67*
booglassen *69,107*
boogschieten *69,107*
Boogschutter de (...s) *53*
Booischot *6,53*
Booitshoeke *6,53*
bookmaker de (...s) *8,11,67*
boom [gewas] de (bomen)
boom...: boomgaard, boomlang, enz. *64*
bomen...: bomenrij, enz. *88*
boom [toename] de (...s) *11*
boon de (bonen)
boon...: boonrank, boonvormig, enz. *64*
bonen...: bonenstaak, enz. *88*
boord [rand, scheepswand] de/het (...en) *18*
boord...: boordwapen, enz. *64*
boordevol *95*
boordenknoop *88*
boorden *106*
boordde, geboord
boordroeien *18,69,107*
boort [diamantafval] het *18*
Boortmeerbeek *6,53*
boos *26,113*
boze, bozer, boost
booster de (...s) *11*
booster...: boosterdosis, enz. *66*
boot de (boten)
boot...: bootreis, enz. *64*
boten...: botenhuis, enz. *88*
boots...: bootsman, enz. *98*
bootee de (...s) *9,11*
booten *11,106*
bootte, geboot
bootsen *18,106*
bootste, gebootst
bop de *17*
Bophuthatswana *6,53*
boraat het (...raten) *18*
borax de *23*
borax...: boraxglas, boraxzuur, enz. *64*
Borchtlombeek *6,53*
Borculo *6,53*
bord het (...en)
bord...: bordspel, enz. *64*
borden...: bordenwasser, enz. *88*
Bordeaux [plaats] *6,10,53*
Bordelees, Bordelese
bordeaux...: bordeauxrood, enz. *54,65*
bordeaux [wijn] de (...s) *54*
bordelaise de (...s) *3,26,91*
borderel het (...rellen) *14*
bordes het (...dessen) *15*
bordpapieren *114*
boreaal *1*
Borgia, Lucrezia *6*
boride het (...n) *9,89*
Borobudur *6,53*
Borromeïsche Eilanden de *6,53*
borsalino de (...'s) *26,42*
Borsbeek [Antwerpen] *6,53*
Borsbeke [Oost-Vlaanderen] *6,53*
Borsele [gemeente] *6,53*
Borssele [dorp] *6,53*
borsjtsj de *3*
borstzwemmen *69,107*
bosbes de (...bessen) *64*
bosbessensap *88*
Bosboom-Toussaint, Geertruida *6*
Bosch, Jeroen *6*
Bosch en Duin *6,53*
Bosjesman (GB: bosjesman) *6,53*
Bosnië-Hercegovina *ook* **Bosnië-Herzegovina** *6,53*
Bosniër, Bosnisch(e)
boson het (...en) *26*
Bosporus de *6,53*
boss de (bosses) *3*
bossanova de (...'s) *14,42*

bosschage het (...s) *2,14,27*
Bosschenaar de *6,53*
bosseleren *14,106*
bosseleerde, gebosseleerd
boston [kaartspel] de/het (...s) *54*
bostonnen *14,106*
bostonde, gebostond
bot [vis, been] de/het (botten) *18*
bot...: botbreuk, enz. *64*
bottenkraker *88*
botanica de *22*
botanicus de (...nici) *22,25*
botanie de *9*
botaniseren *26,106*
botaniseerde, gebotaniseerd
botel het (...s) *10*
boten... zie **boot**
boter-kaas-en-eieren het *62*
Botnische Golf de *6,53*
Botswana *6,53*
Botswaan, Botswaans(e)
botten *106*
botte, gebot
botterik de (...en) *15*
Botticelli, Alessandro *6*
bottine de (...s; ...tje) *14,91,112*
bottleneck de (...s) *3,22,67*
bottom-up *67*
Bottrop *6,53*
botulisme het *90*
botvieren *69,106,108*
vierde bot, botgevierd
botweg *73*
boucharderen *11,27,106*
bouchardeerde, gebouchardeerd
bouclé het *11,22,29*
bouclé...: bouclégaren, enz. *66,76*
boud [stoutmoedig] *12,18,113*
boute
bouderen *11,106*
boudeerde, geboudeerd
Boudier-Bakker, Ina *6*
boudoir het (...s; ...tje) *3,11*
boudweg *18,73*
bouffante de (...s) *11,14,91*
Bougainville *6,53*
bougainville [plantnaam] de (...s) *ook*
bougainvillea (...'s) *42,43,54,91*
bougie de (...s) *9,11,27,43*
bougie...: bougiesleutel, enz. *64,76*
bougisseren *11,14,106*
bougisseerde, gebougisseerd
Bouhuys, Mies *6*
bouillabaisse de *3,11,21*
bouilli de/het *9,11,21*
bouilloire de (...s) *3,11,21*
bouillon de (...s) *11,21*
boulevard de (...s) *3,11*
boulevard...: boulevardblad, enz. *66*
Boulez, Pierre *6*
boulimia nervosa de *63*
boulimie de *9,11*
Boumedienne, Houari *6*
Bounty-eilanden de *6,53*
bourbon [drank] de (...s) *54*
Bourbonnais *6,53*
bourdon de (...s) *11*
Bourg-en-Bresse *6,53*
bourgeois de (enk. en mv.; ...tje) *3,11,27,112*
bourgeoisie de *11,26,27*
Bourgogne [streek] *6,53*
bourgogne [wijn] de (...s) *43,54,91*
Bourgondië *6,53*
Bourgondiër, Bourgondisch(e)
bourgondische levensstijl *54*
bourree de (...s) *8,11,14*
Bourtange *6,53*
boussole de (...s) *11,14,91*
bout [staaf, stuk vlees] de (...en) *12,18*
boutade de (...s) *11,43,91*
bouten *12,106*
boutte, gebout
boutonnière de (...s) *11,14,30,91*
Boutros Ghali, Boutros *6*
bouvier de (...s; ...tje) *8,11,21,112*
Bouvignies *6,53*
Bouvrie, Jan des *6*
bouwen [construeren] *12,106*
bouwde, gebouwd

bouw- en woningtoezicht het *12,86*
bouwkundige de (...n) *12,89*
bouzouki de (...'s) *9,11,26,42*
bouzouki...: bouzoukiavond, enz. *64,76*
BOVAG [Bond van Autohandelaren en Garagehouders] de *103*
boven... *64,72*
bovenaards, bovengenoemd, bovenin, bovenlichaam, bovenstaand, enz.
boven... *70,106*
bovenhalen, haalde boven, bovengehaald; enz.
bovenal *73*
Boven-Leeuwen *6,53*
Bovenwindse Eilanden de *6,53*
bovenzees *8,26*
bovenzeese
bovicatie de (...s) *9,22,43*
bovien *9*
bovist de (...en) *18*
bowdenkabel de (...s) *54,65*
bowl de (...s) *10*
bowlen *10,106*
bowlde, gebowld
bowling de/het (...s) *10*
bowling...: bowlingbaan, enz. *66*
box de (...en) *23*
box...: boxcamera, enz. *66*
boxcalf het *22,23,67*
boxer [hond]de (...s) *23*
boxer...: boxershort, enz. *67*
Boxmeer *6,53*
Boxtel *6,53*
boy de (...s) *3,21*
boycot de (...s, ...cotten) *21,22,54*
boycot...: boycotactie, enz. *66*
boycotten *21,22,106*
boycotte, geboycot
Boyle, Robert *6*
Boyomawatervallen de *6,53*
boze, uit den – *62,111*
Bq [becquerel] *100*
Br [broom, bromium] *100*
Br. [broeder] *100*
br. [breed(te), bruto] *100*
braaf *19*
brave
braakland het (...en) *64*
braakliggend *64*
braam de (bramen)
braam...: braamstruik, enz. *64*
bramen...: bramenjam, enz. *88*
Braassemermeer *6,53*
Brabançonne de *58*
Brabo de (...'s) *42,53*
Brac [Kroatië] *6,53*
brace de (...s) *3,8,25*
bracelet de (...letten) *25*
brachiaal *3*
brachycefaal de (...falen) *3,9,25*
brachygrafie de *3,9*
bracket de/het (...s) *3,22*
bracteaat de (...aten) *22,38*
bractee de (...teeën) *8,22,38*
braden *106*
braadde, gebraden
braderie de (...rieën) *40*
bradycardie de *9,22*
Brahma *6*
brahmaan de (...manen) *20,57*
brahmanisme het *20,57,90*
Brahmaputra *6,53*
Brahms, Johannes *6*
braille het *54*
braille...: brailleschrift, enz. *65,76,90*
brainbox de (...en) *8,23,67*
braindrain de (...s) *8,67*
brainstormen *8,106,108*
brainstormde, gebrainstormd
braintrust de (...s) *8,67*
brainwashen *8,106,108*
brainwashte, gebrainwasht
brainwave de (...s) *8,43,67*
braiseren *3,26,106*
braiseerde, gebraiseerd
Bramante *6*
bramen... zie **braam**

brancard de (...s) *3,22*
brancardier de (...s) *8,21,22*
branche de (...s) *3,27,43*
branche...: brancheorganisatie, branchevreemd, enz. *76,91*
branden *106*
brandde, gebrand
brandewijn de (...en) *93*
brandmerken *69,106,108*
brandmerkte, gebrandmerkt
brandpunt het (...en) *64*
brandpunts...: brandpuntsafstand, enz. *98*
brandschatten *69,106,108*
brandschatte, gebrandschat
brandschilderen *69,106,108*
brandschilderde, gebrandschilderd
brandstichten *69,106*
stichtte brand, brandgesticht
Brandt, Willy *6*
Brandt Corstius, Hugo/Liesbeth *6*
brandvertragend *64*
brandwerend *64*
brandwond de (...en)
brandwonden...: brandwondencentrum, enz. *88*
brandy de (...'s) *3,9,42*
branie de (...s) *9*
branie...: branieachtig, branieschopper, enz. *64,76*
braniën *37,106*
braniede, gebranied
brasade de *26,90*
brasem de (...s) *1*
braseren *26,106*
braseerde, gebraseerd
Brasília *6,53*
brasiline de *26,90*
brassband de (...s) *3,67*
Brasschaat *6,53*
brasserie de (...rieën) *14,40*
brassière de (...s) *14,30,91*
Bratislava *6,53*
braveren *19,106*
braveerde, gebraveerd
bravissimo *14*
bravoure de *11*
bravoure...: bravourearia, bravourestuk, enz. *76,90*
braziel het *9,26*
braziel...: brazielhout, enz. *64*
Brazilië *6,53*
Braziliaan, Braziliaans(e)
Brazzaville *6,53*
break de (...s) *8*
breakdance de (...s) *8,25,67*
breakdancen *107*
breakdown de (...s) *8,12,67*
break-evenpoint het (...s) *8,9,84*
break-out de (...s) *8,67*
breakpoint het (...s) *3,8,67*
Brecht, Bertolt *6*
Bredero, Gerbrand Adriaensz. *ook* **Breero** *6*
breed... *64*
breedband, breeddenkend, breedgeschouderd, enz.
breedbeeldtelevisie de (...s) *68*
breedte (br.) de (...n, ...s) *4*
breedte...: breedtegraad, enz. *76,91*
breeduit *73*
breefok de (...fokken) *8*
breeveertien de *8*
breidel de (...s) *13*
breidelloos *87*
breidelen *13,106*
breidelde, gebreideld
breien *13,106*
breide, gebreid
brein [verstand] het (...en) *13*
breitschwanz het *3*
brekebeen de (...benen) *93*
Brel, Jacques *6*
breloque de (...s) *3,22*
brems de (bremzen) *ook* **bremze** *26*
brengun de (...s) *67*
Brescia *6,53*
Bretagne *6,53,55*
Bretons
bretel de (...tellen, ...s) *15*

Breughel, Pieter III *6*
Breughel, Jan II de Jongere *6*
breve de (...n) *89*
brevetteren *14,106*
brevetteerde, gebrevetteerd
Breytenbach, Breyten *6*
Brezjnev, Leonid *6*
Briançon *6,53*
bric-à-brac het (GB: bric à brac) *63*
bricoleren *14,22,106*
bricoleerde, gebricoleerd
bridge het *27*
bridge...: bridgeavond, bridgeclub, bridgepartij, enz. *66,67,76*
bridgen *27,105,106*
bridgede, gebridged
brie de *9*
brief de (brieven) *19*
brief...: briefopener, enz. *64*
brieven...: brievenbus, enz. *88*
briefen *19,106*
briefde/briefte, gebriefd/gebrieft
briefing de (...s) *19*
Brielle *6,53*
briesen *106*
brieste, gebriest
brieven... zie **brief**
brigade de (...n, ...s) *43*
brigade...: brigadecommandant, enz. *76,91*
brigadieren *106*
brigadierde, gebrigadierd
brigantijn de (...en) *13*
brigges de *1*
brij de (...en) *13*
brijn [zout] het *13*
brijn...: brijnpomp, enz. *64*
brijnen *13,106*
brijnde, gebrijnd
briket de (...ketten) *22*
bril de (brillen; brilletje) *112*
bril...: brilmontuur, enz. *64*
brillen...: brillenkoker, enz. *88*
briljant de (...en) *21*
briljant...: briljantslijper, enz. *64*
briljanten *21,114*
brillantine de *21,90*
brille de *21,90*
brio de/het *3*
brioche de (...s) *3,27,43*
Brionische eilanden de *6,53*
brique *9,22*
brisant
brisantboom, brisantgranaat *64*
Brisbane *6,53*
brisk-walking het *3,67*
bristolpapier het *54,65*
brits [broek, planken] de (...en) *18,26*
Brits-Columbia *6,53*
britsen *18,26,106*
britste, gebritst
Brno *6,53*
Broadway *6,53*
broccoli de *9,22*
broche de (...s) *27,43,91*
brocheren *27,106*
brocheerde, gebrocheerd
brochette de (...s; ...chetje) *27,43,91,112*
brochure de (...s) *27,43,91*
brode, om den – *62,111*
broderie de (...s) *9,14,43*
Broechem *6,53*
Broeck, Walter van den *6*
broed het *18*
broeden *106*
broedde, gebroed
broeikaseffect het *64*
broek [kledingstuk] de (...en)
broek...: broekriem, enz. *64*
broeken...: broekenman, enz. *88*
broeks...: broekspijp, enz. *98*
broek [moerasland] het (...en)
Broek in Waterland *6,53*
Broek op Langedijk *6,53*
broes de (broezen) *26*
brogue de (...s) *3,43*
brok de/het (brokken)
brokstuk *64*
brokken...: brokkenmaker, enz. *88*
broksgewijs *98*

brokaat het *18,22*
brokaten *22,114*
broker de (...s) *22*
bromelia de (...'s) *42*
bromide het (...n) *89*
bromium (Br) het *3*
bron de (bronnen; bronnetje) *112*
bron...: bronvermelding, enz. *64*
bronnen...: bronnenmateriaal, enz. *88*
bronchiaal *3*
bronchiën de (alleen mv.) *3,40*
bronchitis de *1,3*
bronchoscopie de *3,22*
brons het (bronzen) *26*
brons...: bronsgroen, bronsverf, enz. *64*
bronst de *18*
bronst...: bronsttijd, enz. *64*
bronstijd [tijdperk] de *56*
Brontë, Anne/Charlotte/Emily *6*
brontosaurus de (...russen) *1,12*
Bronx de *6,53*
bronzen [van brons] *26,114*
bronzen *26,106*
bronsde, gebronsd
brood het (broden)
brodeloos *87*
brood...: broodmager, broodtrommel, enz. *64*
broodje het (...s)
broodjes...: broodjeswinkel, broodjeszaak, enz. *98,99*
broodje-aap het *81*
broodroven *19,106,108*
broodroofde, gebroodroofd
Brooklyn *6,53*
broos de (brozen) *26*
broos *26,113*
broze, brozer, broost
broots de (...en) *18*
brootsen *18,106*
brootste, gebrootst
bros *113*
brosser, brost
brouille de (...s) *11,21,91*
brouilleren *11,21,106*
brouilleerde, gebrouilleerd
brouillon het (...s) *11,21*
brousse de *11,25*
brouwen [bereiden] *12,106*
brouwde, gebrouwen
brouwen [spreken met keelklanken] *12,106*
brouwde, gebrouwd
Brouwershavense Gat *6,53*
brownie de (...s) *9,12,43*
browning de (...s) *12*
browsen *12,105,106*
browste, gebrowst
Broz, Josip *6*
brozem de (...s) *1,26*
Brubeck, Dave *6*
Bruckner, Anton *6*
Bruegel, Pieter *6*
Brueghel, Jan I de Oudere *6*
Brueghel, Pieter II de Jongere *6*
brug de (bruggen; ...je, bruggetje) *112*
brug...: brugwachter, enz. *64*
bruggen...: bruggenbouwer, enz. *88*
Brüggen, Frans *6*
Brugman, Johannes *6*
bruid de (...en)
bruids...: bruidsjurk, bruidsschat, enz. *98,99*
bruidegom de (...s) *ook* **bruigom** *97,115*
bruiloft de (...en) *18*
bruilofts...: bruiloftsfeest, enz. *98*
bruin... *64,80*
bruinbrood, bruinkool, bruinrood, bruinvis, enz.
bruinbakken *69,106*
bakte bruin, bruingebakken
bruine de (...n; bruintje) *89*
bruinebonensoep de *68*
Bruinisse *6,53*
bruisen *26,106*
bruiste, gebruist
Brulez, Raymond *6*

brunch de (brunches) *3,27*
brunchen *27,106*
brunchte, gebruncht
Brunei *6,53*
Bruneier, Bruneis(e)
brunette de (...n, ...s; brunetje) *43,91,112*
Brunssum *6,53*
brushen *27,106*
brushte, gebrusht
brushleer het *27,66*
brut *3*
brutaalweg *73*
brutaliseren *26,106*
brutaliseerde, gebrutaliseerd
bruto... (br.) *78*
brutogewicht, bruto-inkomen, bruto-opbrengst, enz.
bruusk *22,113*
bruusker, meest bruusk
bruuskeren *22,106*
bruuskeerde, gebruuskeerd
bso [bijzonder secundair onderwijs] het *101*
BTK [Bijzonder Tijdelijk Kader] het *104*
BTW [belasting over de toegevoegde waarde] de *104*
BTW-...: BTW-tarief, enz. *83*
bubblegum de *3,67*
buccaal *14,22*
bucefaal de (...falen) *19,25,54*
bucentaur de (...en) *12,25*
Büch, Boudewijn *6*
Buchenwald *6,53*
Büchner, Georg *6*
bucht de *2*
Buck, Pearl *6*
bucket de (...s) *3,22*
bucketseat *67*
Buckinx, Pieter *6*
buckram het *3,22*
bucolisch *22*
Buddingh', Cees *6*
buddy de (...'s) *9,42*
buddyseat *67*
budget het (...s, ...getten) *3,5,18*
budget...: budgetbewaking, enz. *64*
budgettair *3,5,14*
budgetteren *3,5,14,106*
budgetteerde, gebudgetteerd
budoka de (...'s) *22,42*
Buenos Aires *6,53*
Buenos Airees, Buenos Airese
Buffalo Bill *6*
buffet het (...fetten) *14*
Buffet, Bernard *6*
bug de (...s) *3*
buggy de (...'s) *9,42*
bühne de (...n) *3,20,89*
bui de (...en)
buien...: buienwolk, enz. *88*
buien *106*
buide, gebuid
buiig *38*
buikdansen *69,107*
buikschuiven *69,107*
buikspreken *69,107*
buil de (...en)
builen...: builenpest, enz. *88*
building de (...s) *3*
buis de/het (buizen) *26*
buis...: buisleiding, buisvormig, enz. *64*
buizen...: buizenstelsel, enz. *88*
buit de *18*
buiten... *64,72*
buitenaards, buitenaf, buitendeur, buitenspel, enz.
buiten... *70,106*
buitenzetten: zette buiten, buitengezet; enz.
buitengewonelastenregeling *68*
buitenissig *1*
buitenmate *73*
buitenshuis *98*
buitenslands *98*
buitmaken *69,106,108*
maakte buit, buitgemaakt
buizen *26,106*
buisde, gebuisd

buizen... zie **buis**
buizerd de (...s) *18*
Bujumbura *6,53*
buks de (...en) *23*
buks...: buksboom, enz. *64*
bukskin het *67*
bul de (bullen; bulletje) *112*
buldog, bulterriër *64*
bullebak, bullebijter, bullepees *97*
Bulgarije *6,53,55*
Bulgaar, Bulgaars(e)
bulkcarrier de (...s) *3,67*
Bull, John *6*
bullarium het (...ria, ...s) *14*
bulldozer de (...s) *14,67*
bulletin het (...s) *3,14*
bulletin...: bulletinboard, enz. *66*
bullshit de *14,67*
bully de (...'s) *9,11,42*
bulterriër de (...s) *14,37*
buma [burgerman(netje)] de (...'s) *46,102*
BUMA [Bureau voor Muziekauteursrecht] *103*
BUMA-STEMRA *80*
bungalow de (...s) *10*
bungeejumpen *3,69,106*
bungeejumpte, gebungeejumpt
bungeejumping de (GB: bungee jumping) *3,67*
Bunnik *6,53*
bunny de (...'s) *9,42*
bunsenbrander de (...s) *54,65*
buntgras het *18*
Buñuel, Luis *6*
Bunyan, John *6*
bunzing de (...en, ...s; bunzinkje) *26,112*
bups de *17*
burcht de (...en) *2*
Burckhardt, Jacob *6*
bureau het (...s; ...tje) *10*
bureau...: bureauagenda, bureauredacteur, bureau-uren, enz. *64,76*
bureaucratie de (...tieën) *10,22,40*
bureaucratiseren *10,22,26*
bureaucratiseerde, gebureaucratiseerd
bureau-ministre het (bureaux-ministres) *63*
buren... zie **buur**
burg de (...en) *2*
burgemeester (burg.) de (...s) *97*
burgemeesters...: burgemeestersketting, burgemeesterssjerp, enz. *98,99*
burger de (...s)
burgerlijk *87*
burger...: burgeroorlog, enz. *64*
Burgess, Anthony *6*
Burg-Reuland *6,53*
burijn de (...en) *ook* **burin** *13,115*
burijn...: burijngravure, enz. *64*
Burkina Faso *ook* **Boerkina Faso** *6,53*
Burkinees, Burkinese
burlen *106*
burlde, geburld
burlesk *22,113*
burlesker, meest burlesk
burleske de (...n) *22,89*
burn-out de (...s) *67*
burn-outsyndroom *84*
Burroughs, William S. *6*
bursaal de (...salen) *26*
Burssens, Gaston *6*
Burundi *ook* **Boeroendi** *6,53*
Burundees, Burundese
bush de *11,27*
Bush, Kate *6*
bush-bush de *11,27,80*
business de *3,14*
business...: business-seat, businessclass, enz. *67,85*
Busken Huet, Conrad *6*
buskruit het *18,64*
buso [buitengewoon secundair onderwijs] het *102*
Busoni, Ferruccio *6*
Bussum *6,53*
Bussumer *15*

buste de (...n, ...s) *43*
buste...: bustehouder, enz. *76,91*
bustier de (...s) *8,21*
buten *106*
buutte, gebuut
butler de (...s) *3*
butt-ending het *67*
butterfly de (...'s) *3,42*
button de (...s) *3*
button-down *3,67*
butyrometer de (...s) *9*
buur de (buren)
buur...: buurjongen, enz. *64*
buren...: burenruzie, enz. *88*
buurten *106*
buurtte, gebuurt
buxi de (...'s) *9,23,42*
Buxtehude, Dietrich *6*
buxus de (buxussen) *1,23*
buy-out de (...s) *3,67*
Buys Ballot, Christophorus Henricus *6*
Buysse, Cyriel *6*
BuZa [(Ministerie van) Buitenlandse Zaken] *104*
buzzer de (...s) *3*
bv. [bijvoorbeeld] *ook* **bijv.** *100,115*
B.V. [besloten vennootschap] de (...'s; B.V.'tje) *46,100*
bvb [bijzondere verbruiksbelasting] de *101*
BVBA [besloten vennootschap met beperkte aansprakelijkheid] de (...'s) *46,100*
BVD [Binnenlandse Veiligheidsdienst] de *104*
BW [Burgerlijk Wetboek] het *104*
BWB [Belgische Wielrijdersbond] de *104*
bye *3*
byebye *80*
bypass de (...passes) *3,14*
bypass...: bypassoperatie, enz. *66*
Byron, George Gordon *6*
byssus het *1,9,14*
byssus...: byssusklier, enz. *64*
byte de (...s) *3,43*
byzantijns [slaafs] *54*
Byzantijnse Rijk *6,53*
Byzantium *6,53*
Byzantijns(e)
b.z.a. [biedt zich aan] *100*
BZN [Bond zonder Naam] de *104*

C

c de (c's; c'tje) *46*
C-omroep, c-sleutel, C-status, c-straal *61,83*
c. [cent, centiem] *100*
C [carbonium, Celsius, coulomb, Romeins cijfer] *100*
ca [centiare] *100*
ca. [circa] *100*
c.a. [cum annexis] *100*
Ca [calcium] *100*
cab de (...s) *3,17,22*
caballero de (...'s; ...rootje) *22,42,112*
caban de (...s) *22*
cabaret het (...s) *3,14,22*
cabaretesk *14,22*
cabaretier de (...s) *8,14,22*
cabaretière de (...s) *14,22,30*
cabine de (...s; ...tje) *9,22,112*
cabine...: cabinepersoneel, enz. *76,91*
Cabotstraat de *6,53*
cabriolet de (...s, ...letten) *3,22*
cacao de *12,22*
cachegeheugen het (...s) *22,27,66*
cachelot de (...lotten) *22,27*
cache-nez de (...s; ...tje) *63,112*
cache-pot de (...s) *63*
cacheren *22,27,106*
cacheerde, gecacheerd
cachet het (...chetten) *3,22,27*
cachetteren *14,22,27*
cachetteerde, gecachetteerd
cachexie de *22,23,27*
cacholong de/het *22,27*
cachot het (...chotten) *22,27*
cactaceeën de (alleen mv.) *22,25,38*
cactee de (...teeën) *8,22,38*
cactus de (...tussen) *1,22*
CAD [computer aided design, Canadese dollar] *100,103*
cadanceren *22,25,106*
cadanceerde, gecadanceerd
cadans de (...en) *22,26*
caddie de (...s) *ook* **caddy** (...'s) *9,22,42*
cadeau het (...s; ...tje) *10,22,43*
cadeau...: cadeauartikel, enz. *64,76*
cadens de (...en) *22,26*
cadet [leerling] de (...detten) *22*
cadetten...: cadettenploeg, enz. *88*
Cadier en Keer *6,53*
Cádiz *6,53*
cadmium...
cadmiumrood, enz. *64*
cadmium (Cd) het *18,22*
Cadzand *6,53*
Caen *6,53*
Caesar, Gaius Julius *6*
café het (...s; cafeetje) *22,29,43,112*
café...: cafélawaai, café-eigenaar, enz. *64,76*
café-chantant het (...s) *63*
café complet *63*
cafeïne de *ook* **coffeïne** *14,37,115*
cafeïne...: cafeïnegehalte, cafeïnevrij, enz. *76,90*
café-restaurant het (...s) *63*
cafetaria de (...'s; ...aatje) *22,42,112*
cafetaria...: cafetariahouder, enz. *64,76*
Cage, John *6*
Cagliari *6,53*
cahier het (...s; ...tje) *8,22,112*
CAI [centrale antenne-inrichting] de (...'s) *46,104*
Caicoseilanden de *6,53*
Caine, Michael *6*
Caïro *ook* **Kaïro** *6,53*
Caïroot
caissière de (...s) *3,22,30*
caisson de (...s) *3,14,22*
caisson...: caissonziekte, enz. *66*

cajunmuziek de *11,66*
cake de (...s; ...je) *8,22,112*
cake...: cakemeel, enz. *64,76*
cakewalk de (...s) *8,22,67*
cal [calorie] *100*
Calabrië *6,53*
Calais *6,53*
calamiteit de (...en) *9,14,22*
calamiteiten...: calamiteitenplan, enz. *88*
Caland, Pieter *6*
calando *14,22*
calciet het *22,25*
calcificatie de (...s) *22,25,43*
calcinatie de (...s) *9,22,25*
calcium (Ca) het *22,25*
calcium...: calciumcarbonaat, enz. *64*
calculatie de (...s) *22,43*
calculatie...: calculatieformulier, enz.
calculator de (...en, ...s) *22*
calculator...: calculatortoetsen, enz. *64*
calculatoren...: calculatorenkamer, enz. *88*
Calcutta *6,53*
calèche de (...s) *3,22,30*
Caledonië *6,53*
caleidoscoop de (...scopen) *13,22*
calembour de (...s) *3,11,22*
calendarium het (...ria, ...s) *22*
Calgary *6,53*
calgon het *3,22*
Californië *6,53*
californium (Cf) het *1,22*
Caligula *6*
call de (...s) *3,22*
call...: callgirl, calloptie, callmoney, enz. *66,67*
callanetics de (alleen mv.) *3,14,22*
callanetics...: callaneticskleding, enz. *66*
Callantsoog *6,53*
Callas, Maria *6*
Calliope *6*
calorie (cal) de (...rieën) *14,22,40*
calorie...: caloriearm, enz. *64,76*
calorimeter de (...s) *9,14,22*
calque de (...s) *22,43*
calqueren *22,106*
calqueerde, gecalqueerd
calumet de (...metten) *14,22*
Calvados *6,53*
calvados [drank] de *54*
calvarieberg de (...en) *54*
Calvijn, Johannes *6*
calville de (...s) *43,54*
calvinisme het *22,57,90*
Calvino, Italo *6*
calypso de (...'s) *9,22,42*
Calypso *6*
camaraderie de (...s) *14,22*
Camargue de *6,53*
camarilla de (...'s; ...laatje) *21,22,112*
camber de *3,22*
cambio het (...'s) *22,42*
cambium het (...bia) *22*
Cambodja *6,53*
Cambodjaan, Cambodjaans(e)
cambric het *3,22*
cambric...: cambriczwachtel, enz. *66*
Cambridge *6,53*
Cambrium [tijdvak] het *22,56*
cambrium [gesteente] het *22,54*
camcorder de (...s) *3,22*
camee de (...meeën; ...tje) *8,22,38*
camel *3,22*
camelia de (...'s) *14,22,42*
camembert [kaas] de *54*
camera de (...'s; ...raatje) *22,42,112*
camera...: camerabeeld, camera-instelling, enz. *64,76*
camera obscura de (camera obscura's) *42,63*
camion de (...s) *22*
Camorra *6*
camouflage de (...s) *11,22,43*
camouflage...: camouflagekleur, camouflage-uitrusting, enz. *76,91*

camoufleren *11,22,106*
camoufleerde, gecamoufleerd
Camp, Gaston van *6*
campagne de (...s) *3,22,43*
campagne...: campagnecoördinator, campagneadviseur, enz. *76,91*
campanile de (...s) *22,43,91*
campanula de (...'s) *22,42*
campari de (...'s) *42,54*
campari...: camparIglas, enz. *64,76*
Campbell, Naomi *6*
Campen, Jacob van *6*
camper de (...s) *3,22*
Campert, Remco *6*
camping de (...s) *3,22*
campionissimo de (...simi, ...'s) *3,42*
campus de (...pussen) *1,22*
Camus, Albert *6*
Canada *6,26,53*
Canadees, Canadese, Canadezen
canada [boom] de (...'s; ...daatje) *42,54,112*
canada...: canadahout, enz. *65,76*
canaille het (...s) *21,22,91*
canapé de (...s; ...peetje) *22,29,112*
canapé...: canapépolitiek, enz. *64,76*
canard de (...s) *3,22*
Canarische Eilanden de *6,53*
Canariër, Canarisch(e)
canasta het *14,22*
Canberra *6,53*
cancan de (...s) *3,22*
cancan...: cancandanseres, enz. *66*
cancelen *3,22,25*
cancelde, gecanceld
cancerologie de *22,25*
cand. [candidatus] *100*
candela (cd) de (...'s) *22,42*
canderen *22,106*
candeerde, gecandeerd
candidanda de (...dae) *8,22*
candid camera de (...'s) *22,42,67*
candybar de (...s) *9,22,67*
Canetti, Elias *6*
Canisius, Petrus *6*
cannabis de *9,14,22*
cannabis...: cannabiskwekerij, enz. *64*
canneleren *14,22,106*
canneleerde, gecanneleerd
cannelloni de *14,22*
cannelure de (...s) *14,22,91*
Cannes *6,53*
canon de (...s) *22*
canon...: canonzang, enz. *64*
cañon de (...s) *3,22*
canoniek *9,14,22*
canonieke
canoniseren *22,26,106*
canoniseerde, gecanoniseerd
canope de (...n) *14,22*
canopen...: canopencollectie, enz. *89*
cantabile het (...s) *22,43,91*
Cantabrië *6,53*
cantate de (...n, ...s) *22,43,91*
Canterbury *6,53*
cantharel de (...rellen) *20,22*
cantharide de (...n) *20,22,89*
canticum het (...tica) *1,22*
cantiek de/het *ook* **kantiek** *22,115*
cantilene de (...n, ...s) *22,43,91*
cantileren *22,106*
cantileerde, gecantileerd
canto het (...'s) *22,42*
cantor de (...s) *22*
cantorij de (...en) *13,22*
cantus de (...tussen) *1,22*
canule de (...s) *14,22,91*
canvas het *22*
canvas...: canvasdoek, enz. *64*
canvassen *22,106*
canvaste, gecanvast
canzone de (...n, ...s) *3,22,91*
CAO [collectieve arbeidsovereenkomst] de (...'s) *46,104*
CAO-...: CAO-niveau, CAO-overleg, enz. *83*
caoutchouc de/het *3,11,22*

cap de (...s) *3,22*
capabel *1,22*
capaciteit de (...en) *9,22,25*
capaciteits...: capaciteitsvergroting, enz. *98*
cape de (...s; ...je) *8,22,43,112*
Cape Canaveral *6,53*
Capelle aan den IJssel *6,53*
capillair het (...en) *3,14,22*
capillariteit de *14,22*
capita selecta *63*
capitonneren *14,22,106*
capitonneerde, gecapitonneerd
capitulatie de (...s) *22,43*
capitulatie...: capitulatieverdrag, enz. *64,76*
Capone, Al(fonso) *6*
Capote, Truman *6*
capoteren *14,22,106*
capoteerde, gecapoteerd
cappuccino de (...'s; ...nootje) *14,42,112*
Capri *6,53*
capriccio het (...'s) *3,22,42*
caprice de (...s) *22,25,43*
capricieus *22,25,26*
capricieuze
capriool de (...olen) *22*
caprolactam de/het *22*
capsule de (...s; ...tje) *22,43,91*
captain de (...s) *3,22*
captain of industry [captains of industry] *67*
captatio benevolentiae *63*
captie de (...s) *22,25,43*
capuchon de (...s; ...chonnetje) *22,27,112*
caput het (capita) *11,22*
caquelon de (...s) *3,22*
cara [chronische aspecifieke respiratoire aandoeningen] de *22,102*
cara...: carapatiënt, enz. *76,83*
Carabas, de markies van *6*
carabinieri de (alleen mv.) *9,21,22*
caracal de (...s) *22*
Caracas *6,53*
Caraceen
caracole de (...s) *22,43,91*
Caraïbische Zee de *ook* **Caribische Zee** *6,53*
carambola de (...'s) *3,22,42*
carambole de (...s) *3,22,43*
caramboleren *22,106*
caramboleerde, gecaramboleerd
Caravaggio *6*
caravan de (...s) *3,22*
caravan...: caravanterrein, enz. *66*
carbid het *18,22*
carbol de/het *22*
carbolineum het *22,39*
carbon het (carbonnetje) *22,112*
carbon...: carbonpapier, enz. *64*
carboniseren *14,22,26*
carboniseerde, gecarboniseerd
carbonium (C) *3,22*
Carboon het *22,56*
carburateur de (...s) *ook* **carburator** (...en, ...s) *22,115*
Carcassonne *6,53*
carcinogeen het (...genen) *9,22,25*
carcinoom de/het (...nomen) *9,22,25*
cardanas de (...nassen) *22*
cardanusring de (...en) *54,65*
Cardenal, Ernesto *6*
cardiaal *22*
Cardiff *6,53*
cardigan de (...s) *54*
Cardijn, Jozef *6*
cardio... *22,78*
cardiochirurg, cardiogeen, cardiologisch, enz.
Carducci, Giosuè *6*
cardulance de (...s) *22,25,43*
Carey, Mariah *6*
carga de (...'s) *3,22,42*
cargadoor de (...s) *22*
cargo de (...'s) *22,42*
cargo...: cargoverzekering, enz. *64,76*

Caribische Zee de *ook* **Caraïbische Zee** *6,53*
cariës de *14,22,37*
carieus *22,26*
carieuze
carillon de/het (...s) *14,21,22*
caritas de *ook* **charitas** *22,115*
caritatief *ook* **charitatief** *19,22,115*
caritatieve
Carle, Eric *6*
Carlisle [Engeland] *6,53*
Carmiggelt, Simon *6*
Carmina Burana *58*
carnalliet het *14,22*
carnaval het (...s) *22*
carnavals...: carnavalskraker, carnavalsstoet, enz. *98,99*
Carnegie, Andrew *6*
carnivoor de (...voren) *9,22*
Carolinen *6,53*
carolusgulden de (...s) *54,65*
Carolus Magnus *6*
caroteen het *ook* **carotine** *22,90,115*
carotenoïde de (...n) *22,37,89*
carpaccio de (...'s) *3,22,42*
carpe diem *63*
Carpentras *6,53*
carpool de (...s) *11,22,67*
carpool...: carpoolstrook, enz. *66*
carpoolen *69,106,108*
carpoolde, gecarpoold
carport de (...s) *3,22,67*
carré de/het (...s; carreetje) *22,29,112*
carré...: carrévorm, enz. *64,76*
Carré, John Le *6*
Carreras, José *6*
carrier de (...s) *3,14,22*
carrière de (...s) *14,22,30*
carrière...: carrièremaker, enz. *76,91*
carrièrisme het *14,22,30*
Carroll, Lewis *6*
carrosserie de (...rieën) *14,22,40*
carrousel de/het (...s; ...selletje) *14,22,112*
carrousel...: carrouselbank, enz. *64*
carte blanche *63*
carter het (...s) *54*
cartesiaans *54*
Carthago *6,53*
carto... *22,78*
cartograaf, cartometrie, cartotheek, enz.
cartoon de (...s) *3,11,22*
cartoon...: cartoontekenaar, enz. *66*
cartoonale de (...s) *11,22,91*
cartoonesk *11,22*
cartoonist de (...en) *11,22*
cartotheek de (...theken) *20,22*
cartouche de (...s) *11,22,27*
Caruso, Enrico *6*
carwash de (...washes) *22,27,67*
Casablanca *6,53*
Casals, Pablo *6*
casanova de (...'s) *42,54*
cascade de (...n, ...s) *22,43,91*
casco het (...'s) *22,42*
casco...: cascoverzekering, enz. *64,76*
case de (...s) *8,22,43*
case...: casestudie, casestudy, enz. *66,67*
caseïne de *22,37,90*
cash de *3,22,27*
cash...: cashdividend, cashflow, enz. *66,67*
cash-and-carry de (...'s) *67,42*
cash-and-carry...: cash-and-carryformule, enz. *84*
cashewnoot de (...noten) *22,27,66*
casino het (...'s) *22,42*
casino...: casinobrood, casino-economie, enz. *64,76*
Cassandra *6*
cassant *14,22*
cassatie de (...s) *22,43*
cassatie...: cassatiemiddel, enz. *64,76*
cassave de *14,22*
cassave...: cassavemeel, enz. *76,90*
Cassavetes, John *6*

casselerrib de *22,54,65*
casseren *14,22,106*
casseerde, gecasseerd
cassette de (...n, ...s) *14,22,43*
cassette...: cassettebandje, enz. *76,91*
Cassiodorus *6*
Cassiopeia *53*
cassis de *22*
cast de (...s) *3,22*
castagnetten de (alleen mv.) *3,22*
Castaneda, Carlos *6*
Castel Gandolfo *6,53*
casten *3,22,106*
castte, gecast
Casteren *6,53*
castigeren *3,22,106*
castigeerde, gecastigeerd
Castiliaans *55*
Castilië *6,53*
casting de (...s) *3,22*
Castor en Pollux *6*
castorolie de *22,64*
castreren *22,106*
castreerde, gecastreerd
Castricum *6,53*
Castricummer
Castries *6,53*
casu, in – *63*
casualisme het *22,90*
casuïstiek de *22,37*
casu quo (c.q.) *63*
casus de (casus, ...sussen) *1,22*
casus...: casuspositie, enz. *64*
casus belli *63*
CAT [Computerised Axial Tomography] de *103*
CAT-...: CAT-scan *83*
cat. [catalogus, categorie] *100*
cataclysme het (...n) *9,22,89*
catacombe de (...n, ...s, GB: ...n) *14,22,91*
Catalaans *55*
catalepsie de *14,22*
catalogiseren *ook* **catalogeren** *22,106,115*
catalogiseerde, gecatalogiseerd
catalogus (cat.) de (...logi, ...gussen) *1,14,22*
Catalonië *6,53*
catamaran de (...s) *14,22*
cataract de (...en) *14,22*
catarraal *14,22*
catarre de (...s) *14,22,43*
catastrofe de (...n, ...s) *14,22,91*
catatonie de *14,22*
catch-as-catch-can het *67*
catchen *3,22,106*
catchte, gecatcht
catechese de *22,90*
catechiseren *22,26,106*
catechiseerde, gecatechiseerd
catechismus de (...mussen) *22*
catechumeen de (...menen) *22*
categoraal *14,22*
categorie de (...rieën) *14,22,40*
categoriseren *14,22,26*
categoriseerde, gecategoriseerd
catenaccio het *3,22*
catenen de (alleen mv.) *22*
cateren *3,106*
caterde, gecaterd
catering de (...s) *3,22*
catering...: cateringbedrijf, enz. *66*
catgut het (...s) *3,22,67*
Catharina van Rusland *6*
catharinavenster het (...s) *54,65*
catharsis de (...sissen) *1,20,22*
cathedra, ex – *63*
Cats, Jacob *6*
catwalk de (...s) *3,22,67*
caudillo de (...'s) *12,22,42*
causaliteit de *12,22*
causaliteit...: causaliteitsbeginsel, enz. *98*
causatief *12,19,22*
causatieve
cause célèbre de (causes célèbres) *63*
causerie de (...rieën) *12,22,40*

cauteriseren *12,22,26*
cauteriseerde, gecauteriseerd
cautie de (...s) *12,22*
cautioneren *12,16,22*
cautioneerde, gecautioneerd
cavalcade de (...n, ...s) *22,43,91*
cavalerie de (...s) *14,22,43*
cavalerie...: cavaleriekazerne, cavalerieofficier, enz. *64,76*
cavalier de (...s) *8,21,22*
cavatine de (...s) *22,43,91*
Cavell, Edith *6*
caverne de (...n, ...s) *22,43,91*
cavia de (...'s; ...aatje) *22,42,112*
cayenne de *21,22*
cayenne...: cayennepeper, enz. *76,90*
Cayenne *6,53*
Caymaneilanden de *6,53*
Caymaneilander, Caymaneilands(e)
CBHK [Centraal Bureau voor Hypothecair Krediet] het *104*
CBR [Centraal Bureau Rijvaardigheidsbewijzen] het *104*
CBS [Centraal Bureau voor de Statistiek] het *104*
CBS-...: CBS-cijfer *83*
cc [kubieke centimeter] *100*
c.c. [carbon copy, kopie conform] *100*
CCOD [Christelijke Centrale van de Openbare Diensten] de *104*
cd [candela] *100*
cd [compactdisc] de (...'s; cd'tje) *46,101*
cd-...: cd-installatie, cd-track, enz. *83*
Cd [cadmium] *100*
CD [corps diplomatique] het *104*
CDA [Christen-democratisch Appel] het *104*
CDA'er *46*
CDA-...: CDA-fractie, enz. *83*
cd-i [cd + interactief] de (...'s) *46,101*
cd-i-...: cd-i-speler, enz. *83*
cd-rom [cd + read only memory] de (...s) *46,101*
cd-rom...: cd-romspeler, enz. *83*
Ce [cerium] *100*
cecogram het (...grammen) *22,25*
cedel de/het (...s; ...tje) *ook* **ceel** *25,115*
cedent de (...en) *25*
ceder de (...s) *25*
ceder...: cederhout, enz. *64*
cederen *25,114*
cederen *25,106*
cedeerde, gecedeerd
cederhouten *114*
cedille de (...s) *21,25,29*
ceel de/het (celen) *ook* **cedel** *25,115*
ceintuur de (...turen, ...s) *3,25*
cel de (cellen; celletje) *25,112*
cel...: celdeling, enz. *64*
cellen...: cellencomplex, enz. *88*
Cela, Camilo José *6*
Celan, Paul *6*
Celebes *6,53*
celebrant de (...en) *25*
celebreren *25,106*
celebreerde, gecelebreerd
celesta de (...'s) *25,42*
celestijn de (...en) *25,54,57*
celestijnen...: celestijnenorde, enz. *88*
celibaat het *25*
celibatair *3,14,25*
Céline, Louis-Ferdinand *6*
Celliers, Jan François *6*
Cellini, Benvenuto *6*
cello de (...'s; cellootje) *25,42,112*
cello...: celloconcert, enz. *64,76*
cello... *25,78*
cellofaan, cellotape, enz.
cellu... *25,37,78*
cellulair, cellulitis, celluloid, cellulose, enz.
celotex het *23,25,54*
Cels. [Celsius] *ook* **C** *100*
Celsius, Anders *6*
Celsius (C, Cels.) *54*
cembalo het (...'s) *3,42*
cement de/het *25*
cement...: cementindustrie, enz. *64*

cementen [materiaal] *25,114*
cementen *25,106*
cementte, gecement
cementeren *25,106*
cementeerde, gecementeerd
cenotaaf de (...tafen) *19,25*
censeren *25,106*
censeerde, gecenseerd
censor de (...en, ...s) *25*
censorship *67*
censureren *25,106*
censureerde, gecensureerd
census de *25*
censuur de (...suren) *25*
cent (c., ct.) de (...en, ...s) *25*
centen...: centenbak, enz. *88*
centaur de (...en) *ook* **kentaur** *12,25,115*
centavo de (...'s) *25,42*
centenaire de (...s) *3,25,43*
centenaire...: centenaireviering, enz. *76,91*
centennium het (...tennia) *3,25*
center de (...s) *25*
center...: centerfold, enz. *67*
centesimaal *25,26*
centesimo de (...'s) *25,26,42*
centi... *9,25,78*
centiare (ca), centigram (cg), centimeter (cm), enz.
centime (c.) de (...s) *ook* **centiem** (...en) *9,25,115*
centimo de (...'s) *25,42*
cento de (...tonen, ...to's) *25,42*
centraal *25*
Centraal-Afrikaanse Meren *6,53*
Centraal-Afrikaanse Republiek *6,53*
Centraal-Afrikaan, Centraal-Afrikaans(e)
Centraal-Amerika *6,53*
Centraal-Amerikaans
Centraal-Azië *6,53*
Centraal-Aziatisch
Centraal Massief *6,53*
centraalstation het (...s) *25,64*
Centraal Station (CS) het *6,52*
centrale de (...s) *25,43,91*
centralebankenbestuur het *68*
centraleverwarmingsinstallatie de (...s) *68*
centralisatie de (...s) *25,26,43*
centre court het (centre courts) *67*
centreren *25,106*
centreerde, gecentreerd
centrifugaal *3,25*
centrifuge de (...s) *25,27,43*
centrifuge...: centrifugeonderdeel, enz. *76,91*
centrifugeren *25,106*
centrifugeerde, gecentrifugeerd
centripetaal *25*
centrisch *25*
centrum het (...tra, ...s) *25*
centrum...: centrumfunctie, centrumrechts, enz. *64*
centurie de (...riën, ...s) *25,40*
centurio de (...'s) *25,42*
ceramiek de *ook* **keramiek** *25,115*
ceramisch *ook* **keramisch** *25,115*
ceramist de (...en) *ook* **keramist** *25,115*
Cerberus *6*
cercle de (...s) *22,25,43*
cerealiën de (alleen mv.) *25,40*
cerebellum het *1,25*
cerebraal *25*
ceremoniaris de (...rii, ...rissen) *1,25,37*
ceremonie de (...nieën, ...niën, ...s) *25,40*
ceremonieel *25,37,38*
ceremoniële
cérémonie protocollaire de *63*
Ceres *6*
cerise de/het (...s) *25,26,43*
cerium (Ce) het *25*
ceroplastiek de *22,25*
cert. [certificaat] *100*
certificaat (cert.) het (...caten) *9,22,25*

certificeren *ook* **certifiëren** *25,37,38,106*
certificeerde, gecertificeerd
certifieerde, gecertifieerd
cerussiet het *14,25*
Cervantes Saavedra, Miguel de *6*
cervelaatworst de (...en) *25,64*
cervicaal *22,25*
cervicitis de *1,9,25*
cerviduct de/het (...en) *9,22,25*
cervix de (...en) *23,25*
ces de (cessen) *25*
cesium (Cs) het *25,26*
cesseren *25,106*
cesseerde, gecesseerd
cessie de (...s) *25,43*
cessionaris de (...rissen) *16,25*
cesuur de (...suren) *25,26,29*
cetera, et – [etc.] *63*
ceteris paribus *63*
Ceulemans, Raymond *6*
Cevennen *6,53*
Ceylon *6,53*
Cézanne, Paul *6*
Cf [californium] *100*
cfk [chloor fluor koolstof] de (...'s) *46,101*
cfk-...: cfk-vrij, enz. *83*
cg [centigram] *100*
Chaam *6,53*
chablis de *54*
Chabrol, Claude *6*
cha-cha-cha de (...'s) *42,63*
chaconne de (...s) *22,27,91*
chador de (...s) *3*
Chagall, Marc *6*
chagrijn het (...en) *13,27*
chagrijnen *13,27,107*
chagrijnig *ook* **sacherijnig** *13,27,115*
chaise longue de (chaises longues) *63*
chakra het (...'s) *27,42*
chalcedon de (...en) *54*
chalet de/het (...s; ...je) *3,27,112*
Châlons-sur-Marne *6,53*
Chalon-sur-Saône *6,53*
chamade de (...s) *27,43,91*
Chamberlain, Neville *6*
chambertin de *54*
chambree de (...s) *27,29*
chambreren *27,106*
chambreerde, gechambreerd
chambrette de (...s) *27,43,91*
chamois het *3,27*
chamotte de *27*
champagne [drank] de (...s) *3,54*
champagne...: champagneontbijt, enz. *65,76*
champenoise de (...s) *3,27,91*
champetter de (...s) *27*
champignon de (...s; ...onnetje) *3,27,112*
champignon...: champignonsaus, enz. *64*
Champollion *6*
Champs-Elysées, avenue des *6,53*
Chanel, Coco *6*
change de (...s) *3,27,43*
changeant *3,27*
changement het (...en) *3,27*
changeren *27,106*
changeerde, gechangeerd
chanson de/het (...s; chansonnetje) *3,27,112*
chansonnier de (...s) *8,21,27*
chansonnière de (...s) *21,27,30*
chantabel *27*
chantage de (...s) *27*
chantage...: chantagemiddel, enz. *90*
chanteren *27,106*
chanteerde, gechanteerd
chaoot de (chaoten) *3*
chaos de *3,37*
chaotisch *3,37,113*
chaotischer, meest chaotisch
chapelle ardente de (chapelles ardentes) *63*
chaperon de (...s) *14,27*
chaperonne de (...s) *14,27,43*
chaperonneren *14,27,106*
chaperonneerde, gechaperonneerd

chapiter het (...s) 9,27
Chaplin, Charly 6
charade de (...s) 27,43,91
charcuterie de (...rieën, ...s) 22,27,40
charge de (...s) 27,43,91
chargeren 27,106
chargeerde, gechargeerd
charisma het (...'s) 3,42
charitas de *ook* **caritas** 3,115
charitatief *ook* **caritatief** 3,19,115
charitatieve
charivari het (...'s) 27,42
Charivarius 6
charlatan de (...s) 27
charlatanerie de 14,27
Charleroi 6,53
charleston de (...s) 54
Charlotte Amalie 6,53
charmant 27
charme de (...s) 27,43
charme...: charmezanger, enz. 76,91
charmeren 27,106
charmeerde, gecharmeerd
charta de (...'s) 3,42
chartaal 3
charter de/het (...s) 3
charter...: chartervliegtuig, enz. 66
charteren 3,106
charterde, gecharterd
Chartres 6,53
chartreuse de (...s) 43,54
chasseur de (...s) 27
chassidisch 3,14
chassinet het (...netten) 3,14,27
chassis het (enk. en mv.) 9,27
chatbox de (...en, ...es) 23,67
chateau het (...s; ...tje) 10,27,31
chateau...: chateauwijn, enz. 66,76
chateaubriand [biefstuk] de (...s) 31,54
Chateaubriand, François-René vicomte de 6
Châteaubriant, Alphonse de 6
Chathameilanden de 6,53
chatten 3,106
chatte, gechat
Chaucer, Geoffrey 6
chaufferen 10,14,27
chauffeerde, gechauffeerd
chauffeur de (...s) 10,14,27
chauffeuren 10,14,27
chauffeurde, gechauffeurd
chauffeuse de (...s) 10,14,27
chaussee de (...seeën) 27,29,38
chauvinisme het 10,27
check de (...s) 22
check...: checklist, enz. 67
checken 3,22,106
checkte, gecheckt
cheddar de 54
cheddar...: cheddarkaas, enz. 65
cheerio 3,9
cheerleader de (...s) 3,9,67
cheeseburger de (...s) 3,9,67
cheeta de (...'s) 9,20,42
chef de (...s) 27
chef-...: chef-kok, chef-staf, enz. 80
chef de bureau de (chefs de bureau) 63
chef d'équipe de (chefs d'équipe) 63
chelatietherapie de 3,20,64
chemicaliën de (alleen mv.) 3,22,40
chemicus de (...mici) 3,22,25
chemie de 3
chemie...: chemie-industrie, chemiesector, enz. 64,76
chemise de (...s) 26,27,91
chemo... 3,78
chemokar, chemokuur, chemotrofie, enz.
chemurgie de 1,3
chenille de/het (...s) 21,27,43
Cheops 6
cheque de (...s) 22,27,30,43
cheque...: chequeboek, enz. 64,76
Cherbourg 6,53
cherry brandy de (...'s) 42,67
cherrytomaat de (...maten) 3,9,66
chertepartij de (...en) 27,64
cherub de (...s) *ook* **cherubijn** (...en) 3,17,115
chester de (...s) 54
chester...: chesterkaas, enz. 65

chesterfield [meubel, kleding] de (...s) *54*
chevalier de (...s) *8,21,27*
Chevalier, Maurice *6*
cheviot de/het (...s) *54*
cheviot...: cheviotschaap, enz. *65*
chevron de (...s) *27*
chianti de *9,22*
Chiapas *6,53*
chiasme het (...n, ...s) *3,43,91*
chic *22,27,113*
chique, chiquer, chicst
Chicago *6,53*
chicane de (...s) *3,43,91*
chicaneren *22,27,106*
chicaneerde, gechicaneerd
chick de (...s) *3,22*
chiffon het (...s; chiffonnetje) *14,27,112*
chiffonnière de (...s) *14,27,30*
chignon de (...s) *3,27*
chihuahua de (...'s) *3,27,42*
chijl de *ook* **chylus** *3,13,115*
chijm de *3,13*
chikwadraattoets de (...en) *3,9,24*
Childebert *6*
Childerik *6*
Chili *6,53*
Chileen, Chileens(e)
chili de *9,14,27*
chili...: chilipoeder *64,76*
chiliade de (...n, ...s) *3,9,14*
chiliasme het *3,9,14*
chili con carne de *63*
Chilperik *6*
Chimaera *6*
chimaera de (...'s, ...maeren) *3,8,42*
chimaerisch *3,8*
chimère de (...s) *27,30,91*
chimpansee de (...s; ...tje) *27,29*
China *6,26,53,55*
Chinees, Chinese, Chinezen
chinchilla de (...'s) *3,14,42*
chinezen [eten; drugs snuiven] *26,54,106*
chineesde, gechineesd
chinoiserie de (...rieën, ...s) *27,40*
chinook de (...s) *3*
chintz het *26,27*
chip de (...s) *3*
chip...: chipknip, enz. *66*
chipolata de (...'s) *14,27,42*
chipolata...: chipolatapudding, enz. *64,76*
chippendale [stijl] het *54*
chippendale...: chippendalemeubel, enz. *65,66,76*
chippendale [persoon] de (...s) *3,8,43*
chips de (alleen mv.) *3*
chips...: chipsfabriek, chipszakje, enz. *64,98*
Chirac, Jacques *6*
chiro... *3,78*
chiromantie, chiropracticus, enz.
chirurg de (...en) *27*
Chisinau *6,53*
chitine het *3,90*
chlamydia de *3,9*
Chlodovech *6*
chloor (Cl) de/het *3*
chloor...: chloorverbinding, chloorvrij, enz. *64*
chloren *3,106*
chloorde, gechloord
chloreren *3,106*
chloreerde, gechloreerd
chloride de (...n) *89*
chloro... *3,9,78*
chloroform, chlorofyl, chloroplast, enz.
chloroformeren *3,106*
chloroformeerde, gechloroformeerd
chloroformiseren *3,26,106*
chloroformiseerde, gechloroformiseerd
chlorose de *3,26,90*
Chlotarius *6*
Chlotilde *6*
choco de (...'s; chocootje) *27,42,112*
choco...: chocomel, chocopasta, enz. *64,76*

chocola de (...laatje) *ook* **chocolade** (...laatje) *27,112,115*
chocola...: chocolabruin, enz. *64,76*
chocolade...: chocoladeijs, enz. *76,90*
chocoladen *22,27,114*
chocolaterie de (...rieën) *14,27,40*
choke de (...s) *3,27,43*
choken *27,105,106*
chookte, gechookt
cholera de *3*
cholera...: cholerabacil, cholera-epidemie, enz. *64,76*
cholericus de (...rici) *3,22,25*
choleriek *22*
cholesterol de *3,14*
Chomsky, Noam *6*
Chopin, Frédéric *6*
choppen *3,106*
chopte, gechopt
chopper de (...s) *3*
choquant *22,27*
choqueren *ook* **shockeren** *22,27,115*
choqueerde, gechoqueerd
chordometer de (...s) *3,64*
choreograaf de (...grafen) *3,19*
choreograferen *3,106*
choreografeerde, gechoreografeerd
choreografie de (...fieën) *3,40*
chorizo de (...'s) *3,26,42*
chorus de/het (...russen) *22*
chowchow de (...s) *3*
Chr. [Christus] *100*
chrestomathie de (...thieën) *3,22,40*
Chrétien de Troyes *6*
chrisma het (...mata) *3,22*
chrismon het (chrismen) *3*
christelijk *22,80,87*
christelijk-...: christelijk-gereformeerd, christelijk-historisch, enz.
christen de (...en) *22,57*
christen...: christen-democratie, christengemeente, enz. *64,79*
Christie, Agatha *6*
Christmaseiland *6,53*
Christmaseilander, Christmaseilands(e)
Christophorus *6*
Christus (Chr.) *22,59*
Christus...: Christusbeeld, Christuslegende, enz. *65*
christusdoorn *54,65*
Chroesjtsjov, Nikita *6*
chroma de (...'s) *3,22,42*
chromaatgeel het *3,64*
chromeren *106*
chromeerde, gechromeerd
chromium (Cr) het *3*
chromo de (...'s) *3,42*
chromo...: chromosfeer, enz. *64,76*
chromosoom het (...somen) *3,26*
chromosoom...: chromosoomonderzoek, enz. *64*
chroniqueur de (...s) *22*
chronisch *113*
chronischer, meest chronisch
chrono de (...'s) *22,42*
chrono...: chronograaf, chronogram, chronologie, enz. *78*
chroom (Cr) het *3*
chroom...: chroomzuur, enz. *64*
chrysant de (...en) *3,9,22*
chrysanthemum de (...s) *3,20,22*
chrysoliet [stof] de/het *3,9,22*
Chrysostomus, Johannes *6*
Churchill, Winston *6*
chutney de (...s) *3,9,43*
chylus de *ook* **chijl** *3,9,115*
c.i. [civiel-ingenieur] *100*
CIA [Central Intelligence Agency] de *104*
ciao *3,12*
ciborie de (...riën, ...s) *9,25,40*
CIC [crisisinterventiecentrum] het *104*
cicade de (...n, ...s) *22,25,91*
Cicero, Marcus Tullius *6*
cicero [lettertype] *54*
cicerone de (...s) *3,43,91*

cichorei de *3,13,25*
Cid, El *6*
...cide *25,89*
pesticide, insecticide, genocide, enz.
cider de (...s) *9,25*
Cie. [compagnie] *100*
cie. [commissie] *100*
c.i.f. [cost, insurance, freight] *100*
cigarillo de (...'s; ...rillootje) *21,25,112*
cijfer het (...s) *13,25*
cijferen *13,25,106*
cijferde, gecijferd
cijns de (cijnzen) *13,25,26*
cilinder de (...s) *9,14,25*
Çiller, Tansu *6*
CIM [Centrum voor Informatie over de Media] het *103*
cimbaal de (...balen) *25*
Cincinnati *6,53*
cine... *9,25*
cineclub, cinefiel, enz.
cineast de (...en) *ook* **kineast** *25,115*
cinema de (...'s) *ook* **kinema** *25,42,115*
cinemascope de *3,22,25*
cinematografie de *ook* **kinematografie** *25,115*
cinnaber het *14,25*
cinquecento het *3,24*
cipier de (...s) *9,25*
cipiers...: cipiersdienst, enz. *98*
cipres de (...pressen) *9,25*
cipressen...: cipressenhout, enz. *88*
circa (ca.) *22,25*
circonflexe de/het (...s) *ook* **circumflex** *22,23,115*
circuit het (...s) *9,24,25*
circulaire de (...s) *3,22,25*
circulatie de (...s) *22,25,43*
circumcisie de (...s) *22,25,26*
circumflex de/het (...en) *ook* **circonflexe** *22,23,115*
circus de/het (...cussen) *22,25*
cirkel de (...s) *25*
cirkel...: cirkelredenering, cirkelvormig, enz. *64*
cirkelen *25,106*
cirkelde, gecirkeld
cirrocumulus de (...muli) *14,22,25*
cirrose de *14,25,26*
cirrus de (cirri) *25*
cis de (cissen) *9,25*
ciseleren *9,25,106*
ciseleerde, geciseleerd
Ciskei *6,53*
cisplatina het *9,25*
cisterciënzer de (...s) *25,37,57*
cisterciënzer...: cisterciënzerabdij, enz. *64*
cisterne de (...n) *25,89*
citaat het (...taten) *25*
citaten...: citatenboek, enz. *88*
citadel de (...dellen, ...s) *25*
citer de (...s) *9,25*
citeren *25,106*
citeerde, geciteerd
Cito [Centraal Instituut voor Toetsontwikkeling] het *103*
Cito-...: Cito-toets, enz. *83*
citraat het *18,25*
citroen de (...en) *25*
citronella de *14,25*
citrusfruit het *25,64*
city de (...'s) *9,25,42*
city...: citybag, cityhopper, cityvorming, enz. *66,67*
civet de/het (...vetten) *9,25*
civiel *9,25*
civiel-ingenieur (c.i.) de (...s) *9,25,79*
civielrechtelijk *25,64,87*
civilisatie de (...s) *9,25,26*
civisme het *9,25*
civitas de (...tates) *9,25*
CJP [Cultureel Jongerenpaspoort] het (...'s) *46,104*
Cl [chloor] *100*
cl [centiliter] *100*
c.l. [cum laude, citato loco] *100*
Claes, Ernest *6*
claim de (...s) *8,22*
claimen *8,22,106*
claimde, geclaimd

clair-obscur het *63*
Clairvaux, Bernard(us) van *6*
clairvoyant de (...s) *3,22,63*
clan de (...s) *3,22*
clandestien *9,22*
Clapton, Eric *6*
claque de (...s) *22*
claqueur de (...s) *22*
claris de (...rissen) *22*
clash de (clashes) *3,27*
clashen *3,27,106*
clashte, geclasht
classic de (...s) *3,22*
classicisme het *22,25,57*
classicus de (...sici) *22,25*
classificatie de (...s) *22,43*
classificatie...: classificatiesysteem, enz. *64,76*
classis de (classen, classes) *22*
claus de (...en, clauzen) *12,22,26*
Claus, Hugo *6*
claustra de (...'s) *12,22,42*
claustrofobie de *12,22*
claustrum het (...tra, ...s) *12,22*
clausule de (...s) *12,22,91*
clausuleren *12,22,106*
clausuleerde, geclausuleerd
clave de (...s) *22,43,91*
claviatuur de (...turen) *22*
clavicula de (...s, ...lae) *8,22,42*
claviger de (...s) *22*
clavis de (claves) *1,22*
claxon de (...s; claxonnetje) *22,23,112*
claxonneren *14,22,23*
claxonneerde, geclaxonneerd
Clay, Cassius *6*
clean *9,22*
clearance de *3,22,25*
Cleese, John *6*
cleistogaam *3,13,22*
clematis de (...tissen) *1,22*
Clemenceau, Georges
clement *22*
clementine de (...s) *22,29,91*
Cleopatra *6*
clepsydra de (...'s) *9,22,42*
clergé de *22,27,29*
clergyman de (...s) *9,22,67*
clericus de (...rici) *9,22,25*
clerus de *22*
Cleveland *6,53*
clever *3,22,113*
cleverder, cleverst
cliché het (...s; clicheetje) *8,27,29,112*
cliché...: clichébeeld, clichématig, enz. *64,76*
clicheren *22,27,106*
clicheerde, geclicheerd
click de (...s) *22*
clicket de (...s) *18,22*
cliënt de (...en) *22,37*
cliënten...: cliëntenbestand, enz. *88*
clientèle de *ook* **cliënteel** *30,37,39,115*
cliffhanger de (...s) *22,67*
clignoteur de (...s) *3,22*
climacterium het *22*
climax de (...en) *22,23*
clinch de (...en, clinches) *22,27*
clinic de (...s) *3,22*
clinicus de (...nici) *9,22,25*
clinometer de (...s) *9,22*
Clinton, Bill *6*
Clio *6*
cliometrie de *9,22*
clip de (...s) *22*
clipper de (...s) *22*
clitoris de (...tores, ...rissen) *1,14,22*
clivia de (...'s) *9,22,42*
cloaca de (...'s) *22,42*
clochard de (...s) *3,22,27*
cloche de (...s) *22,27,43*
clog de (...s) *3,22*
close *3,22*
close finish de *67*
closereading het *9,22,67*
closet het (...s) *22*
closet...: closetpapier, enz. *64*
close-up de (...s) *3,22,67*
clou de (...s) *11,22,43*
clown de (...s) *12,22*
clowns...: clownspak, enz. *98*

clownesk *22*
club de (...s) *17,22*
cluniacenzer de (...s) *22,25,57*
cluster de/het (...s) *22*
cluster...: clustervorming, enz. *64*
clusteren *22,106*
clusterde, geclusterd
cm [centimeter] *100*
Cm (curium) *100*
CMBV [Christelijke Middenstands- en Burgersvrouwen] de *104*
CNV [Christelijk Nationaal Vakverbond] het *104*
co [compagnon] de *46,102*
Co [kobalt] *100*
co... *22,37,78,85*
coassistent (GB: co-assistent), codecisie, codirecteur, coïncidentie, coöperatie, co-ouder, coproductie, copiloot, co-schap, enz.
coach de (coaches) *3,10,22*
coachen *3,22,106*
coachte, gecoacht
coaguleren *22,106*
coaguleerde, gecoaguleerd
coalitie de (...s) *22*
coalitie...: coalitieoverleg, coalitiepartij, enz. *64,76*
coaster de (...s) *10,22*
coat de (...s) *10,22*
coaten *22,106*
coatte, gecoat
coaxkabel de (...s) *22,23,64*
Cobol [Common business oriented language] het *55,103*
Cobra [Kopenhagen, Brussel, Amsterdam (stroming)] *103*
cobra [slang] de (...'s) *22,42*
COC [Cultuur- en Ontspanningscentrum] het (...'s) *46,104*
coca de (...'s) *22,42*
cocaïne de *22,37*
cocaïne...: cocaïneaffaire, cocaïnegebruik, cocaïne-inspuiting, enz. *76,90*
coccus de (cocci) *14,22*
cochenille de (...s) *21,22,27*
Cockburn Town *6,53*
Cockerill, John *6*
cockerspaniël de (...s) *22,37,67*
Cockney [dialect] *9,22,55*
cockney [persoon] de (...s) *9,22,43*
cockpit de (...s) *22*
cocktail de (...s) *8,22*
cocktail...: cocktailjurk, cocktailparty, enz. *66,67*
cocon de (...s; coconnetje) *22,112*
cocoonen *11,22,106*
cocoonde, gecocoond
cocotte de (...s) *3,22,91*
co-counselen *22,85,106*
co-counselde, geco-counseld
Cocteau, Jean *6*
coda de (...'s) *22,42*
code de (...s) *22,43*
code...: codenaam, enz. *76,91*
codeïne de *22,37,90*
coderen *22,106*
codeerde, gecodeerd
codex de (...dices) *22,23,25*
codicil het (...cillen, ...s) *9,22,25*
codicologie de *22*
codificeren *22,25,106*
codificeerde, gecodificeerd
codille de *21,22*
coëfficiënt de (...en) *22,25,37*
coeliakie de *3,22,25*
Coen, Jan Pieterszoon *6*
Coenen, Jo *6*
Coevorden *6,53*
coëxisteren *22,23,37*
coëxisteerde, gecoëxisteerd
coffeeshop de (...s) *22,27,67*
coffeïne de *ook* **cafeïne** *14,37,115*
cofferdam de (...dammen) *22*
cofiliatie de *9,22*
cognaat de (...naten) *3,22*
cognac de (...s) *54*
cognac...: cognacglas, enz. *64*
cognitie de (...s) *22,43*

cognossement het (...en) *14,22*
cohabitatie de (...s) *22,43*
coherent *18,22*
cohesie de *22,26*
cohort de (...en) *ook* **cohorte** (...n) *22,89,115*
coifferen *3,14,22*
coiffeerde, gecoiffeerd
coiffeuse de (...s) *14,22,26*
coiffure de (...s) *3,14,22*
coïncideren *22,25,37*
coïncideerde, gecoïncideerd
cointreau de (...s) *43,54*
coïteren *22,37,106*
coïteerde, gecoïteerd
coïtus de *1,22,37*
coitus interruptus *63*
coke de (...s) *3,22*
cokes de (alleen mv.) *3,22*
col de (...s; colletje) *22,112*
coltrui *64*
Col. [Colossenzen] *100*
cola de (...'s; colaatje) *22,42,112*
cola-light de *79*
cola-tic de (...s) *79*
colbert de/het (...s) *54*
colbert...: colbertkostuum, enz. *65*
cold turkey de *67*
cold-turkeymethode *84*
Cole, Nat 'King' *6*
Coleridge, Samuel Taylor *6*
colibacterie de (...riën) *9,22,40*
Colijn, Hendrik *6*
Colijnsplaat *6,53*
collaar het (...s, ...laren) *14,22*
collaberen *14,22,106*
collabeerde, gecollabeerd
collaborateur de (...s) *14,22*
collage de (...s) *14,22,27*
collageen het *14,22*
collaps de (...en) *14,22*
collateraal *14,22*
collationeren *14,16,22*
collationeerde, gecollationeerd
collecte de (...n, ...s) *14,22,43*
collecte...: collectebus, enz. *76,91*
collectie de (...s) *22,43*
collectief *9,19,22*
collectieve
collectievelastendruk de *68*
collectioneren *14,16,22*
collectioneerde, gecollectioneerd
collectivisatie de (...s) *9,22,26*
collector de (...en, ...s) *1,14,22*
collector's item het (collector's items) *43,67*
collectrice de (...s) *14,22,25*
collega de (...gae, ...'s; collegaatje) *22,42,112*
collega-...: collega-auteur, collega-journalist, enz. *80*
college het (...s) *22,27,43*
college...: collegegeld, college-uur, enz. *76,91*
colli [postpakket] het (...'s; collietje) *ook* **collo** *9,112,115*
collideren *14,22,106*
collideerde, gecollideerd
collie [hond] de (...s) *9,14,22*
collier het (...s) *8,21,22*
collineair *3,14,22*
Collingwood, Robin George *6*
collisie de (...s) *14,22,26*
collo het (colli; collootje) *ook* **colli** *22,112,115*
collocatie de (...s) *14,22,43*
Collodi, Carlo *6*
collodion het *ook* **collodium** *14,22,115*
colloïde de/het (...n) *14,22,37*
colloquium het (...quia) *14,22,24*
colloquium doctum het *63*
collusie de (...s) *14,22,26*
colluvium het *14,22*
Colmar *6,53*
colofon de/het (...s) *14,22*
Colombia *6,53*
Colombiaan, Colombiaans(e)
colombine de (...s) *14,22,91*
colon het (...s) *22*
colonnade de (...s) *14,22,91*
colonne de (...s) *14,22,91*

coloradokever de (...s) *54,65*
Colorado Springs *6,53*
coloratuur de (...turen) *14,22*
colorimeter de (...s) *9,14,22*
Colosseum *52*
colostrum het *14,22*
colportage de (...s) *22,27*
colportageroman *90*
colposcoop de (...scopen) *22*
colt de (...s) *54*
columbarium het (...ria, ...s) *14,22*
Columbus, Christoforus *ook* **Christoffel** *6*
column de (...s; ...pje) *14,22,112*
columnist de (...en) *22*
columnistenprijs *88*
coluren de (alleen mv.) *14,22*
coma de/het (...'s) *22,42*
coma...: comapatiënt, enz. *64,76*
comateus *22,26*
comateuze
combattant de (...en) *14,22*
combi de (...'s) *9,46,102*
combi...: combiketel, enz. *76,83*
combinatie de (...s) *22,43*
combinatie...: combinatieslot, enz. *64,76*
combine de (...s) *22,43,91*
combinen *3,22,105,106*
combinede, gecombined
combineren *22,106*
combineerde, gecombineerd
comble het (...s) *22,43,91*
combo de/het (...'s; combootje) *22,42,112*
combustibel *9,22*
comeback de (...s) *3,22,67*
Comecon de *52*
Comédie Française, La *6*
comédienne de (...s) *22,29,39*
comedy de (...'s) *9,22,42*
comedyserie *66*
Comenius, Johan Amos *6*
come sopra *63*
comestibles de (alleen mv.) *3,22*
comfort het (...s) *3,22*
comfortabel *22*
comic de (...s) *3,14,22*
comicus de (...mici) *14,22*
coming man de (coming men) *67*
comité het (...s) *14,22,29*
commandant de (...en) *14,22*
commanderen *14,22,106*
commandeerde, gecommandeerd
commandeur de (...s) *14,22*
commandeurskruis *98*
commanditair *3,14,22*
commandite de (...s) *9,14,22*
commando de (...'s) *14,22,42*
commando...: commandoactie, commando-eenheid, enz. *64,76*
commedia dell' arte de (commedia's dell' arte) *63*
comme il faut *63*
commemorabel *14,22*
commemoratie de (...s) *14,22,43*
commensaal de (...s, ...salen) *14,22,26*
commensurabel *14,22*
commentaar de/het (...taren) *14,22*
commentariëren *22,37,38*
commentarieerde, gecommentarieerd
commerce de *14,22,25*
commercial de (...s) *14,22,25*
commercialiseren *14,22,26*
commercialiseerde, gecommercialiseerd
commercialiteit de *14,22,25*
commercie de *14,22,25*
commercieel *22,37,38*
commerciële
commère de (...s) *14,22,30*
Commewijne *6,53*
commies de (...miezen) *14,22,26*
commissaris de (...rissen) *1,14,22*
commissaris...: commissarispost, enz. *64*
commissarissen...: commissarissenvergadering, enz. *88*
commissaris-generaal de (commissarissen-generaal) *14,22,79*

commissie (cie.) de (...s) *14,22*
commissie...: commissievergadering, enz. *64,76*
commissionair de (...s) *14,16,22*
commissoriaal *14,22*
commissuur de (...suren) *14,22*
commis-voyageur de (...s) *63*
committent de (...en) *14,22*
committeren *14,22,106*
committeerde, gecommitteerd
commode de (...s) *14,22,91*
commodo *14,22*
commodore de (...s) *14,22,91*
common sense de *67*
commotie de (...s) *14,22,43*
communaal *14,22*
communautair *10,14,22*
communautarisering de *10,14,22*
commune de (...s) *14,22,91*
communicabel *14,22*
communicant de (...en) *14,22*
communicatie de (...s) *22,43*
communicatie...:
communicatieadviseur, enz. *64,76*
communicatief *14,19,22*
communicatieve
communiceren *14,22,25*
communiceerde, gecommuniceerd
communie de (...niën, ...s) *14,22,40*
communie...: communiedoek, enz. *64,76*
communiqué het (...s; ...queetje) *22,29,112*
communisme het *14,22,57*
communis opinio de *63*
communist de (...en) *14,22,57*
communisten...: communistenleider, enz. *88*
communiteit de (...en) *14,22*
commutatie de *14,22*
commutatief *14,19,22*
commutatieve
commuun *14,22*
Comomeer het *6,53*
Comoren de *6,53*
Comorees, Comorese

compact *22*
compactcassette de (...s) *14,22,64*
compactdisc de (...s) *22,67*
compagnie (Cie.) de (...nieën, ...s) *3,22,40*
compagnie...:
compagniecommandant, enz. *64,76*
compagnies...:
compagniescommandant, enz. *98*
compagnon (co) de (...s) *3,22*
comparant de (...en) *22*
comparatief *19,22*
comparatieve
comparativus de (...tivi) *1,9,22*
compareren *22,106*
compareerde, gecompareerd
comparitie de (...s) *22*
compartimenteren *9,22,106*
compartimenteerde,
gecompartimenteerd
compascuum het (...cua) *22,39*
compassie de *22*
compatibiliteit de *9,22*
compatriot de (...otten) *14,22*
compendium het (...dia, ...s) *22*
compensatie de (...s) *22,43*
compensatie...: compensatieorder, enz. *64,76*
compensatoir *3,10,22*
compère de (...s) *22,30,91*
competent *18,22*
competeren *14,22,106*
competeerde, gecompeteerd
competitie de (...s) *22,43*
competitie...: competitiedrift,
competitie-element, enz. *64,76*
competitief *19,22*
competitieve
competitiviteit de *19,22*
compie de (...pieën, ...s) *22,40*
Compiègne *6,53*
compilatie de (...s) *22,43*
compilatie...: compilatie-cd,
compilatiewerk, enz. *64,76,83*
compilator de (...en, ...s) *22*

compiler de (...s) *3,22*
compileren *22,106*
compileerde, gecompileerd
compleet *22*
complement het (...en) *22*
complementair *3,22*
complementariteit de *22*
complementeren *22,106*
complementeerde, gecomplementeerd
complet de/het (...s) *3,22*
completen de (alleen mv.) *22*
completeren *22,106*
completeerde, gecompleteerd
complex *22,23,113*
complexer, meest complex
complexiteit de *9,22,23*
complicatie de (...s) *22,43*
complice de (...n, ...s) *22,25,43*
compliceren *22,25,106*
compliceerde, gecompliceerd
compliciteit de *9,22,25*
compliment het (...en) *22*
complimenteren *22,106*
complimenteerde, gecomplimenteerd
complimenteus *22,26*
complimenteuze
complot het (...plotten) *7,22*
complot...: complottheorie, enz. *64*
complotteren *7,14,22*
complotteerde, gecomplotteerd
component de (...en) *22*
componenten...: componentenlijm, enz. *88*
componentieel *22,37,38*
componentiële
componeren *14,22,106*
componeerde, gecomponeerd
componist de (...en) *14,22*
componisten...: componistenbond, enz. *88*
composer de (...s) *22,26*
composiet de (...en) *22,26*
composiet...: composietstijl, enz. *64*
composieten...: composietenfamilie, enz. *88*
compositie de (...s) *22*
compositie...: compositiefoto, enz. *64,76*
compositorisch *22*
compositum het (...sita) *1,22*
compost de/het *22*
compote de (...s) *22,31,43*
compote...: compotelepel, enz. *76,91*
compound de (...s) *12,22*
compound...: compounddynamo, enz. *66*
compressibiliteit de *9,22*
compressie de *22*
compressor de (...en, ...s) *22*
comprimé de (...s; ...meetje) *22,29,112*
comprimeren *22,106*
comprimeerde, gecomprimeerd
compromis het (compromis, ...missen) *9,22*
compromisloos *87*
compromis...: compromisvoorstel, enz. *64*
compromissoir *3,10,14*
compromittant *9,14,22*
compromitteren *9,14,22*
compromitteerde, gecompromitteerd
comptabele de (...n) *22,89*
comptabiliteit de *9,22*
comptabiliteits...: comptabiliteitswet, enz. *98*
compulsie de (...s) *22,26,43*
computer de (...s) *3,11,22*
computer...: computergestuurd, computerproducent, enz. *64*
computeren *11,22,106*
computerde, gecomputerd
computeriseren *11,22,26*
computeriseerde, gecomputeriseerd
comtoise de (...s) *22,26,91*
Conakry *6,53*

con amore *63*
conatief *19,22*
conatieve
con brio *63*
concaaf *19,22*
concave
concelebratie de (...s) *22,43*
concentratie de (...s) *22,43*
concentrisch *22,25*
concept het (...en) *22,25*
concept...: concepthouder, enz. *64*
concept-... *22,25,79*
concept-reglement, concept-tekst, enz.
conceptie de (...s) *22,25,43*
conceptual art de *67*
conceptualisme het *22,25,90*
concern het (...s) *3,22,25*
concern...: concernleiding, enz. *66*
concert het (...en) *22,25*
concertante de (...s) *22,25,91*
concertina de (...'s) *22,25,42*
concertino het (...'s) *22,25,42*
concerto het (...certi, ...'s) *22,25,42*
concessie de (...s) *22,25*
concessie...: concessieaanvraag, enz. *64,76*
concessief *19,22,25*
concessieve
concessionaris de (...rissen) *16,22,25*
conchoïde de (...n, ...s) *3,22,37*
conchyliologie de *3,9,22*
conciërge de (...s) *22,27,37*
concies *22,25,26*
concieze
conciliatie de (...s) *9,22,25*
concilie het (...liën, ...s) *22,25,40*
conciliëren *25,37,38*
concilieerde, geconcilieerd
concipiëren *25,37,38*
concipieerde, geconcipieerd
conclaaf het (...claven) *ook* **conclave** (...n) *19,22,115*
concluderen *22,106*
concludeerde, geconcludeerd
conclusie de (...s) *22,26,43*
concomitant *14,22*
concomiteren *14,22,106*
concomiteerde, geconcomiteerd
concordaat het (...daten) *18,22*
concordantie de (...tiën, ...s) *22,25,40*
concordia de *22*
concours de/het (...en) *11,22*
concours hippique het *63*
concreet *22*
concrement het (...en) *22*
concretiseren *22,26,106*
concretiseerde, geconcretiseerd
concreto, in – *63*
concubant de (...en) *18,22*
concubine de (...s) *22,43,91*
concurrent de (...en) *14,22*
concurrentie de *14,22,25*
concurrentie...:
concurrentieanalyse, enz. *64,76*
condens de *22*
condens...: condenswater, enz. *64*
condensatie de (...s) *22,26*
condensatie...: condensatiewarmte, enz. *64,76*
condensator de (...en, ...s) *22,26*
condensor de (...s) *22,26*
conditie de (...tiën, ...s) *22,40,43*
conditie...: conditie-oefening, conditietraining, enz. *64,76*
conditionalis de (...lissen) *1,16,22*
conditioneel *16,22*
conditioneren *16,22,106*
conditioneerde, geconditioneerd
conditio sine qua non *63*
condoleance de (...s) *22,25,29*
condoleance...: condoleanceregister, enz. *76,91*
condoleantie de (...s) *22,25,29*
condoleantie...: condoleantiebrief, enz. *64,76*
condoleren *14,22,106*
condoleerde, gecondoleerd
condomaat de (...maten) *22*
condomerie de (...rieën) *22*

condominium het (...s) 22
condoom het (...s) 22
condoom...: condoomautomaat, enz. *64*
condor de (...s) *1*,22
condottiere de (...s, ...tieri) *14*,2*1*,22
conductie de (...s) 22,2*3*
conductrice de (...s) 22,2*5*,9*1*
conduite de *3*,9,22
condyloma het (...mata) 9,22
con espressione *63*
confectie de 22,2*3*
confectie...: confectie-industrie, confectiekleding, enz. *64*,*76*
confectioneren *16*,22,2*3*
confectioneerde, geconfectioneerd
confederaal 22
confederatie de (...s) 22,4*3*
confer 22
conferatur *1*,22
conference de (...s) 22,4*3*,9*1*
conferencier de (...s) *8*,22,2*7*
conferentie de (...s) 22,2*5*
conferentie...: conferentieoord, enz. *64*,*76*
confereren *14*,22,*106*
confereerde, geconfereerd
confessie de (...s) 22
confessionalisme het *14*,*16*,22
confessioneel *14*,22
confetti de 9,*14*,22
confidentie de (...s) 22,2*5*
confidentieel 22,*37*,*38*
confidentiële
configuratie de (...s) 22,4*3*
confirmandus de (...mandi) *1*,22
confirmatie de (...s) 22,4*3*
confirmeren 22,*106*
confirmeerde, geconfirmeerd
confiscatie de (...s) 22,4*3*
confiserie de (...s) 22,26,4*3*
confisqueren 22,*106*
confisqueerde, geconfisqueerd
confiteor het (...s) 22
confiture de (...n, ...s) *ook* **confituur** (...turen) 22,4*3*,9*1*,*115*
conflagratie de (...s) 22,4*3*
conflict het (...en) 22
conflicteren 22,*106*
conflicteerde, geconflicteerd
conflictueus 22,26
conflictueuze
confligeren 22,*106*
confligeerde, geconfligeerd
conform 22
conformatie de (...s) 22,4*3*
conformeren 22,*106*
conformeerde, geconformeerd
con forza *63*
confrater de (...s) 22
confrère de (...s) 22,*30*,9*1*
confrérie de (...rieën, ...s) 22,29,4*0*
confrontatie de (...s) 22,4*3*
confucianisme het *54*,*57*
Confucius 6
confusie de (...s) 22,26
confuus 22,26
confuse
conga de (...'s) *3*,22,42
congé de/het (...s) 22,2*7*,29
congenialiteit de 22
congenitaal 22
congestie de (...s) 22,2*7*
conglomeratie de (...s) *14*,22,4*3*
conglutineren 22,*106*
conglutineerde, geconglutineerd
Congo *ook* **Kongo** 6,*53*
Congolees, Congolese
congregatie de (...tiën, ...s) 22,4*0*
congres het (...gressen) 22
congresseren *14*,22,*106*
congresseerde, gecongresseerd
congruentie de (...s) 22,2*5*
congrueren 22,*106*
congrueerde, gecongrueerd
conifeer de (...feren) 9,*19*,22
Coninck, Herman De 6
Coninck, Pieter de 6
Coninx, Stijn 6
conisch 22
conjectuur de (...turen) 22

conjugatie de (...s) *22,43*
conjunctie de (...s) *22,23,43*
conjunctief de (...tieven) *19,22*
conjunctiva de (...vae) *8,22*
conjunctivitis de *9,22*
conjunctuur de (...turen) *22*
conjunctuur...:
conjunctuurbeweging,
conjunctuurgevoelig, enz. *64*
conjuratie de (...s) *22,43*
con moto *22,63*
connaisseur de (...s) *3,14,22*
Connecticut *6,53*
connectie de (...s) *22,23*
Connery, Sean *6*
connex *14,22,23*
conniventie de (...s) *14,22,25*
Connors, Jimmy *6*
connotatie de (...s) *14,22,43*
conopeum het (...s) *14,22,39*
conquistador de (...dores) *9,22,24*
Conrad, Joseph *6*
conrector de (...en, ...s) *22*
conrectors...: conrectorsfunctie,
enz. *98*
consacreren *ook* **consecreren**
22,106,115
consacreerde, geconsacreerd
Conscience, Hendrik *6*
consciëntie de (...s) *22,25,37*
consciëntieus *25,26,37*
consciëntieuze
conscriptie de (...s) *22,25*
consecreren *ook* **consacreren**
22,106,115
consecreerde, geconsecreerd
consecutief *19,22*
consecutieve
consensus de *22,26*
consensus...: consensuscultuur, enz.
64
consent het (...en) *22*
consent...: consentbiljet, enz. *64*
consenteren *22,106*
consenteerde, geconsenteerd
consequent *22,24*
consequentie de (...s) *22,24,43*
conservatief *19,22*
conservatieve
conservatief-... *22,80*
conservatief-liberaal, enz.
conservatoir *3,10,22*
conservator de (...en, ...s) *22*
conservatorium het (...ria, ...s) *22*
conservatorium...:
conservatoriumstudent, enz. *64*
conservatrice de (...s) *22,25,91*
conserven de (alleen mv.) *19,22*
conserven...: conservenblik, enz. *88*
conserveren *22,106*
conserveerde, geconserveerd
considerabel *22*
consideratie de (...s) *22,43*
consignataris de (...rissen) *1,3,22*
consignatie de (...s) *22,43*
consigne het (...s) *3,22,91*
consigneren *3,22,106*
consigneerde, geconsigneerd
consilium abeundi *63*
consistent *22*
consistentie de (...s) *22,43*
consistorie de/het (...s) *22*
consistoriekamer *64*
consolbaken het (...s) *22,64*
console de (...s) *22,43*
console...: consoletafel, enz. *76,91*
consolidatie de (...s) *22,43*
consols de (alleen mv.) *22*
consommé de (...s) *14,22,29,43*
consonant de (...en) *22*
consonanten...: consonantenschrift,
enz. *88*
consoneren *22,106*
consoneerde, geconsoneerd
consorten de (alleen mv.) *ook*
konsoorten *22,115*
consortium het (...tia, ...s) *22*
conspiratie de (...s) *22,43*
Constable, John *6*
constant *22*

constante de (...n) *22,89*
constantie de (...s) *22,25*
Constantijn de Grote *6*
Constantinopel *6,53*
constateren *22,106*
constateerde, geconstateerd
constellatie de (...s) *22,43*
consternatie de (...s) *22,43*
constipatie de (...s) *22,43*
constituante de (...n, ...s) *22,43,91*
constituent de (...en) *22*
constitueren *22,106*
constitueerde, geconstitueerd
constitutie de (...s) *22,43*
constitutionaliseren *22,26,106*
constitutionaliseerde,
geconstitutionaliseerd
constitutioneel *22*
constringentia de (alleen mv.) *22,25*
constringerend *22*
constructie de (...s) *22,23*
constructivisme het *22,90*
construeren *22,106*
construeerde, geconstrueerd
consul de (...s) *22*
consulent de (...en) *22*
consul-generaal de (consuls-generaal)
22,79
consult het (...en) *22*
consulta de *22*
consultancy de *9,22,25*
consultatie de (...s) *22,43*
consultatiebureau *64*
consument de (...en) *22*
consumentvriendelijk *64*
consumenten...: consumentenbond,
enz. *88*
consumeren [verbruiken] *22,106*
consumeerde, geconsumeerd
consummatie de *14,22*
consummeren [volbrengen] *14,22,106*
consummeerde, geconsummeerd
consumptie de (...s) *22,25*
consumptie...: consumptieartikel,
consumptie-ijs, enz. *64,76*
consumptief *19,22*
consumptieve
contact het (...en) *22*
contact...: contactadvertentie,
contactgestoord, enz. *64*
contacteren *22,106*
contacteerde, gecontacteerd
contactlenzenspecialist de (...en) *68*
container de (...s) *8,22*
container...: containeroverslag, enz.
66
contaminatie de (...s) *22,43*
contant *22*
contanten de (alleen mv.) *22*
conté het *22,29*
conté...: contékrijt, enz. *64,76*
contemplatie de (...s) *22,43*
contemplatief *19,22*
contemplatieve
contemporain *3,22*
content *22*
contenteren *22,106*
contenteerde, gecontenteerd
contentieus *22,26*
contentieuze
contestant de (...en) *22*
contestatie de (...s) *22,43*
context de (...en) *22,23*
contigu *22*
contigue
contiguïteit de *22,37*
continent het (...en) *22*
continenten...:
continentenverschuiving, enz. *88*
continentie de (...s) *22,25,43*
contingent het (...en) *22*
contingents...: contingentsperiode,
enz. *98*
contingenteren *22,106*
contingenteerde, gecontingenteerd
contingentie de (...s) *22,25,43*
continu *22*
continue
continu... *22,64*
continuarbeid, continudienst,
continurooster, enz.

continuatie de (...s) *22,43*
continuïteit de *22,37*
continuüm het (...nua, ...s) *22,37*
conto het (conti, ...'s) *22,42*
contour de (...en) *11,22*
contour...: contourlijn, enz. *64*
contouren...: contourennota, enz. *88*
contra de (...'s) *22,42*
contra... *22,78*
contra-alt, contrabas, contraexpertise, enz.
contrabande de *22,90*
contraceptie de (...s) *22,25*
contraceptie...: contraceptiemiddel, enz. *64,76*
contraceptivum het (...tiva) *9,22,25*
contract het (...en) *22*
contracteren *22,106*
contracteerde, gecontracteerd
contractie de (...s) *22,23,43*
contradictie de (...s) *22,23,43*
contradictio in terminis *63*
contraheren *22,106*
contraheerde, gecontraheerd
contrair *3,22*
contramine de *22,90*
Contrareformatie de *22,56*
contrarie *22*
contrariëren *22,37,38*
contrarieerde, gecontrarieerd
contraseign het (...s) *3,22*
contrasigneren *3,22,106*
contrasigneerde, gecontrasigneerd
contrast het (...en) *22*
contrast...: contrastvloeistof, enz. *64*
contrasteren *22,106*
contrasteerde, gecontrasteerd
contraveniëren *22,37,38*
contravenieerde, gecontravenieerd
contrecoeur, à – *63*
contrefilet de/het (...s) *8,22*
contrefort het (...s) *22*
contreien de (alleen mv.) *13,22*
contrescarp de (...en) *22*
contribuabel *22*
contribueren *22,106*
contribueerde, gecontribueerd
contributie de (...s) *22*
contritie de *22*
controle de (...s) *22,31,43*
controle...: controleapparaat, controle-instantie, enz. *76,91*
controleren *22,106*
controleerde, gecontroleerd
controller de (...s) *3,22*
controverse de (...n, ...s) *22,43,91*
controversieel *ook* **controversioneel** *22,37,115*
controversiële
conurbatie de (...s) *22,43*
conus de (...nussen) *22*
convalescentie de *22,25*
convectie de (...s) *22,23*
convector de (...s) *22*
convenant het (...en, ...s) *22*
convenanten...: convenantencultuur, enz. *88*
conveniëntie de (...s) *22,25,37*
conveniëren *22,37,38*
convenieerde, geconvenieerd
conventie de (...s) *22,25*
conventikel het (...s) *9,22*
conventioneel *22*
conventueel de (...elen) *22*
convergentie de *22,25*
convergentie...: convergentieplan, enz. *64,76*
convergeren *22,106*
convergeerde, geconvergeerd
convers de (...en) *22,26*
conversatie de (...s) *22,26,43*
conversatie...: conversatietoon, enz. *64,76*
conversie de (...s) *22,26*
conversie...: conversiekoers, enz. *64,76*
converteren *22,106*
converteerde, geconverteerd
convertibiliteit de *9,22*
convertible de (...s) *3,22,43*

convertiet de (...en) *9,22*
convertor de (...en, ...s) *3,22*
convex *22,23*
convictie de (...s) *22,23*
convocatie de (...s) *22,43*
convocatiebriefje *64*
convoceren *22,25,106*
convoceerde, geconvoceerd
convoluut het (...luten) *22*
convulsie de (...s) *22,26*
Cook, James *6*
Cookeilanden de *6,53*
Cookeilander, Cookeilands(e)
cool *3,11,22*
coole
cooljazz de *11,22,67*
coöp. [coöperatie] *100*
coöperatie (coöp.) de (...s) *22,37,43*
coöperatief *19,37*
coöperatieve
coöperator de (...en, ...s) *22,37*
coöpereren *22,37,106*
coöpereerde, gecoöpereerd
coopertest de (...s) *54,65*
coöpteren *22,37,106*
coöpteerde, gecoöpteerd
coördinaat de (...naten) *22,37*
coördinaatas, coördinaatvlak *64*
coördinaten...: coördinatenstelsel, enz. *88*
coördinatie de (...s) *22,37,43*
coördinatie...: coördinatietabel, enz. *64,76*
coördinator de (...en, ...s) *22,37*
coördinatrice de (...s) *25,37,91*
Coornhert, Dirk Volkertszoon *ook* **Dirck Volckertszoon** *6*
Copernicus, Nicolaus *6*
copieus *22,26*
copieuze
copla de (...'s) *22,42*
Coppens, Rik *6*
Coppi, Fausto *6*
Coppola, Francis Ford *6*
coprofagie de *22*
coprolalie de *22*
coproliet de (...en) *9,18,22*
copula de (...lae, ...'s) *8,22,42*
copulatie de (...s) *22,43*
copulatie...: copulatieorgaan, enz. *64,76*
copyright het (...s) *9,22,67*
copyright...: copyrighthouder, enz. *66*
copyshop de (...s) *22,67*
copywriter de (...s) *9,22,67*
coquille de (...s) *21,22*
Cor. [Corinthiërs] *100*
coram populo *63*
Corbusier, Le *6*
cordiaal *22*
cordiet het *9,18,22*
Córdoba *6,53*
cordon bleu de (cordons bleus) *63*
corduroy de/het *21,22*
Coremans, Eduard *6*
Corfu *ook* **Korfoe** *6,53*
corgi de (...'s) *9,22,42*
Corinthe *ook* **Korinthe** *6,53*
Corinthisch *ook* **Korinthisch** *6,53*
Coriolanus *6*
cornedbeef de/het *9,22,67*
Corneille, Pierre *6*
corner de (...s) *22*
corner...: cornerbal, enz. *66*
cornet [horentje] de/het (...s, ...ten) *22*
cornflakes de (alleen mv.) *8,22,67*
corollarium het (...ria) *14,22*
corona de (...'s) *14,22,42*
coronagraaf de (...grafen) *14,19,22*
coronair *3,22*
coronary care de *67*
corporaal [behorend tot het corps] *22*
corporale het (...n) *22,89*
corporatie de (...s) *22,43*
corporeel *22*
corps [vereniging] het (corpora, ...en) *3,22*
corps...: corpsstudent, enz. *64*
corps de ballet *63*

corps diplomatique (CD) *63*
corpulent *22*
corpulentie de *22,25*
corpus het (corpora, ...pussen) *1,7,22*
corpusculair *1,3,22*
corpus delicti het (corpora delicti) *63*
correct *22*
correctie de (...s) *22,23*
correctie...: correctieteken, enz. *64,76*
corrector de (...en, ...s) *22*
correctrice de (...s) *22,25,91*
Correggio, Antonio da *6*
correlatie de (...s) *14,22,43*
correlatie...: correlatiecoëfficiënt, enz. *64,76*
correspondentie de (...s) *14,22,25*
correspondentie...: correspondentieadres, enz. *64,76*
corresponderen *14,22,106*
correspondeerde, gecorrespondeerd
corrida de (...'s) *14,22,42*
corridor de (...s) *14,22*
corrigenda de (alleen mv.) *14,22*
corrigeren *14,22,27*
corrigeerde, gecorrigeerd
corroderen *14,22,106*
corrodeerde, gecorrodeerd
corrosie de *14,22,26*
corrumperen *14,22,106*
corrumpeerde, gecorrumpeerd
corrupt *14,22*
corruptie de (...s) *14,22,25*
corruptie...: corruptieaffaire, enz. *64,76*
corsage de/het (...s) *22,27,91*
Corsari, Willy *6*
corselet het (...s, ...letten) *22,25*
Corsica *6,53,55*
Corsicaan, Corsicaans(e), Corsu
corso het (...'s; corsootje) *22,42,112*
Cortázar, Julio *6*
Corte, Jules de *6*
cortège de/het (...s) *22,30,91*
Cortes de (alleen mv.) *22,52*
cortex de *22,23*
corticoïde het (...n) *ook* **corticosteroïde** (...n) *22,37,115*
corticosteron het *22*
Coruña, La *6,53*
corvee de/het (...s; ...tje) *22,29,43*
corveeën *22,38,106*
corveede, gecorveed
corveeër de (...s) *22,38*
coryfee de (...feeën) *9,22,38*
cos [cosinus] *100*
cosecans de (...cansen, ...canten) *22,26*
cosinus (cos) de (...nussen) *9,22*
cosmetica de (alleen mv.) *22*
cosmetica...: cosmeticabedrijf, cosmetica-industrie, enz. *64,76*
cosmetisch *22*
Costa, Isaac da *6*
Costa Blanca de *6,53*
Costa Brava de *6,53*
Costa Cantábrica de *6,53*
Costa d'Argent de *6,53*
Costa del Sol de *6,53*
Costa Dorada de *6,53*
Costa-Gravas, Constantin *6*
Costa Rica *6,53*
Costa Ricaan, Costa Ricaans(e)
Coster, Charles de *6*
Coster, Laurens Jansz. *6*
costumier de (...s) *8,21,22*
costumière de (...s) *22,30,91*
cosy de (...'s) *9,22,42*
cosy-corner de (...s) *67*
Côte d'Argent de *6,53*
Côte d'Azur de *6,53*
Côte d'Or de *6,53*
coterie de (...rieën, ...s) *22,40*
Cothen *6,53*
cothurn de (...en) *ook* **cothurne** (...n) *20,22,115*
cothurnen...: cothurnenliteratuur, enz. *88,89*
cotillon de (...s) *14,21,22*
cottage de (...s) *3,14,22*
cottage...: cottagecheese, enz. *67*

Coubertin, Pierre baron de *6*
couchette de (...s) *11,22,27*
coulance de *11,22,25*
coulant *11,22*
couleur locale de *63*
coulisse de (...n, ...s) *11,14,22*
coulisselandschap *91*
couloir de (...s) *3,11,22*
coulomb (C) de (...s) *3,11,22*
counselen *12,22,106*
counselde, gecounseld
counselor de (...s) *1,12,22*
countdown de (...s) *12,22,67*
counter de (...s) *12,22*
counter...: countertenor, enz. *66*
counteren *12,22,106*
counterde, gecounterd
counterfeiting de *12,22,67*
country de *9,12,22*
country...: countryzanger, enz. *66*
country-and-western de *67*
coup [staatsgreep] de (...s) *11,22*
coup...: couppleger, enz. *66*
coupe [schaal, kapsel, snit] de (...s) *11,22,43*
coupe...: coupenaad, enz. *66,76*
coupé de (...s; coupeetje) *11,29,112*
couperen *11,22,106*
coupeerde, gecoupeerd
couperose de *11,22,26*
Couperus, Louis *6*
coupe soleil de (coupes soleil) *63*
coupeuse de (...s) *11,22,26*
couplet het (...pletten) *11,22*
coupon de (...s; couponnetje) *11,22,112*
coupure de (...s) *11,22,91*
cour de (...s) *11,22*
courage de *11,22,27*
courant de (...en) *ook* **krant** *11,22,115*
courant (ct.) *11,22*
courantier de (...s) *8,11,21*
Courbet, Gustave *6*
Courbois, Kitty *6*
coureur de (...s) *11,22*
courgette de (...s) *11,22,43*
course de (...s) *3,22,43*
courseware de *3,22,67*
court het (...s) *3,22*
courtage de (...s) *11,22,27*
Courths-Mahler, Hedwig *6*
courtisane de (...n, ...s) *11,22,26*
courtoisie de *3,11,22*
couscous [gerecht] de *11,22*
Cousteau, Jacques-Yves *6*
Coutances *6,53*
coûte que coûte *31,63*
couture de *11,22,90*
couturier de (...s) *3,11,22*
couvade de *11,22,90*
couvert [eetgerei] het (...s) *3,11,22*
couvert [envelop] het (...en) *11,22*
couverture de (...s) *11,22,43*
couveuse de (...s) *11,22,26*
couveuse...: couveusekind, enz. *91*
cover de/het (...s) *3,22*
cover...: coverartikel, covergirl, enz. *66,67*
covercal de *3,22*
coveren *22,106*
coverde, gecoverd
cowboy de (...s) *12,22,67*
cowboy...: cowboyfilm, enz. *66*
cowgirl de (...s) *12,22,67*
coxa de (...'s) *22,23,42*
coyote de (...s) *21,22,43*
CPB [Centraal Planbureau] het *104*
CPN [Communistische Partij Nederland] de *104*
CPNB [Collectieve Propaganda van het Nederlandse Boek] de *104*
c.q. [casu quo] *100*
Cr [chromium] *100*
crack de (...s) *3,22*
crack...: crackdealer, enz. *67*
cracker de (...s) *3,22*
Cramer, Rie *6*
Cranach, Lucas *6*
cranberry de (...'s) *9,22,42*
Cranendonck [Noord-Brabant] *6,53*

craniometrie de *9,22*
crank de (...s) *3,22*
crapaud de (...s; ...tje) *10,22,112*
crapuul het *14,22*
craquelé het *22,29*
craquelure de (...n) *22,89*
crash de (crashes) *3,22,27*
crash...: crashtest, enz. *66*
crashen *22,27,106*
crashte, gecrasht
crasis de *1,22,26*
crawl de *3,22*
crawl...: crawlslag, enz. *66*
crawlen *3,22,106*
crawlde, gecrawld
Craxi, Bettino *6*
crayon de/het (...s) *3,21,22*
crazy *8,9,22*
creamcracker de (...s) *9,22,67*
creatie de (...s) *22,43*
creatief *19,22*
creatieve
creativiteit de *9,22*
creativiteits...: creativiteitscentrum, enz. *99*
creatuur de/het (...turen) *22*
crèche de (...s) *22,27,30*
credenstafel de (...s) *22,64*
credit het *3,22*
credit...: creditcard, creditkaart, enz. *66,67*
crediteren *22,106*
crediteerde, gecrediteerd
crediteur de (...en, ...s) *9,22*
crediteuren...: crediteurenbank, enz. *88*
credo het (...'s) *22,42*
credunt *11,22*
creëren *22,37,38*
creëerde, gecreëerd
crematie de (...s) *22,43*
crematie...: crematieoven, enz. *64,76*
crematorium het (...ria, ...s) *22*
crème de (...s) *22,30,43*
crèmekleurig *64*
crème de la crème *63*
crème fraîche de *63*
Cremer, Jan *6*
cremeren *22,106*
cremeerde, gecremeerd
cremometer de (...s) *22*
cremona de (...'s) *42,54*
creneleren *14,22,106*
creneleerde, gecreneleerd
crenologie de *14,22*
creoline de/het *9,22*
creool de (creolen) *22*
Creool... *22,55*
Creoolfrans, enz.
Creools *22,55*
creoolse de (...n) *22,89*
creosoot de/het *18,22,26*
creosoteren *22,26,106*
creosoteerde, gecreosoteerd
crêpe de (...s) *22,31,43*
crêpe...: crêpepapier, enz. *66,76*
creperen *22,106*
crepeerde, gecrepeerd
crêperie de (...s) *22,31,43*
cresc. [crescendo] *100*
crescendo (cresc.) het (...'s) *22,27,42*
cretinisme het *22,90*
cretonne het *14,22*
cretonnen *14,22,114*
Creutzfeld-Jakob *6,54*
crew de (...s) *3,22*
CRI [Centrale Recherche Informatiedienst] de *104*
criant *18,22*
cricket het *22*
cricket...: cricketelftal, cricketmatch, enz. *66,67*
cricketen *22,106*
crickette, gecricket
cricoïd de (...en) *18,22,37*
cri du coeur *63*
crime de (...s) *9,22,43*
crimen het (crimina) *9,22*
crimen laesae majestatis *63*
criminaliseren *22,26,106*
criminaliseerde, gecriminaliseerd

criminaliteit de *22*
criminaliteits...:
criminaliteitsbestrijding,
criminaliteitscijfer, enz. *98,99*
crimineel de (...nelen; ...tje) *22*
criminogeen *22*
criminosofie de *22*
crin het *3,22*
crinoline de (...s) *9,22,91*
crisis de (crises, ...sissen) *1,9,22*
criterium het (...ria, ...s) *22*
critica de (...'s) *9,22,42*
criticaster de (...s) *9,22*
criticus de (...tici) *9,22,25*
crochet het *22,27*
Croesus *6*
croesus [zeer rijk persoon] de (...sussen) *54*
Croiset, Gerard/Hans/Jules/Max *6*
croissant de (...s) *3,14,22*
croissanterie de (...rieën, ...s) *14,22,40*
Crombach [Luik] *6,53*
cromlech de (...s) *3,22*
Cromstrijen *6,53*
Cromwell, Oliver *6*
Cronus *6*
croonen *11,22,106*
croonde, gecroond
croque-monsieur de (...s) *63*
croquet [spel] het *22*
croquet...: croquetspel, enz. *66*
Crosby, Bing *6*
cross de (...en, crosses) *22,25*
cross...: crosscountry, crossfiets, cross-over, enz. *66,67*
crossen *22,105,106*
croste, gecrost
croupier de (...s) *8,11,21*
crouton de (...s) *11,22,31*
cru *22,113*
crue, cruer, meest cru
cru de (...'s) *22,42*
cruciaal *22,25*
crucifix het (...en) *22,23,25*
Cruijff, Johan *6*
cruise de (...s) *11,22,43*
cruise...: cruiseschip, enz. *66*
cruisen (GB: cruisde, gecruisd) *22,105,106*
cruiste, gecruist
crusher de (...s) *22,27*
crustaceeën de (alleen mv.) *22,25,38*
crux de (cruces) *22,23*
cruzado de (...'s) *11,22,42*
cryo... *9,22,78*
cryobiologie, cryogeen, cryometer, enz.
crypt de (...en) *ook* **crypte** (...n) *9,22,115*
crypt...: cryptanalyse, enz. *64*
cryptisch *9,22,113*
cryptischer, meest cryptisch
crypto... *9,22,78*
cryptofoon, cryptogram, cryptomnesie, enz.
Cs [cesium] *100*
CS [chef-staf, Centraal Station] *104*
c.s. [cum suis] *100*
csardas de (...dassen) *3*
CSE [Centraal Schriftelijk Eindexamen] het *104*
ct. [courant] *100*
cts. [cents] *100*
CT-scan [computertomografie] de (...s) *3,22,83*
Cuba *6,53*
Cubaan, Cubaans(e)
cue de (...s) *11,21,22*
Cuernavaca *6,53*
Cuijk *6,53*
cuisine de (...s) *9,22,24*
culdoscopie de *22*
Culemborg *6,53*
culi de (...'s) *9,22,42*
culinair *3,9,22*
culminatie de (...s) *22,43*
culotte de (...s; culotje) *22,43,112*
culpoos *22,26*
culpose
cult de *22*
cult...: cultboek, enz. *64*

cultivar de (...s) *9,22*
cultivator de (...en, ...s) *9,22*
cultivéparel de (...s) *22,29,64*
cultiveren *22,106*
cultiveerde, gecultiveerd
culture [plantage] de (...s) *22,43,91*
cultureel-... *22,80*
cultureel-historisch, cultureel-maatschappelijk, enz.
cultus de (culten) *1,22*
cultuur de (...turen) *22*
cumarine de (...s) *22*
cum grano salis *63*
cum laude (c.l.) *63*
cummerband de (...s) *3,22*
cumpref [cumulatief preferent aandeel] de/het (...s) *46,102*
cum suis (c.s.) *63*
cumulatie de (...s) *14,22,43*
cumulatief *14,19*
cumulatieve
cumuleren *22,106*
cumuleerde, gecumuleerd
cumulocirrus de *14,22,25*
cumulonimbus de *14,22*
cumulostratus de *14,22*
cumulus de (...muli) *1*
cunnilingus de *ook* **cunnilinctus** *14,22,115*
cunnus de (cunni) *14,22*
cup de (...s) *22*
cup...: cupfighter, cupfinale, enz. *66,67*
cupelleren *14,22,106*
cupelleerde, gecupelleerd
Cupido *6*
cupido de (...'s; ...dootje) *42,54,112*
cupriet het *18,22*
curabel *22*
Curaçao *6,53*
Curaçaoër, Curaçaoënaar, Curaçaos(e)
curaçao [likeur] de *54*
curandus de (...randi) *22*
curare het *11,22*
curatele de (...n) *22,89*
curator de (...en, ...s) *22*
curatorium het (...ria, ...s) *22*
curatrice de (...s) *22,25,91*
cureren *22,106*
cureerde, gecureerd
curettage de (...s) *14,22,27*
curette de (...n, ...s) *14,22,91*
curetteren *14,22,106*
curetteerde, gecuretteerd
curia de (...riae) *8,22*
curie de (...s) *9,22*
Curie, Marya/Pierre *6*
curieus *22,26*
curieuze
curiositeit de (...en) *22,26*
curiositeitenkabinet *88*
curiositeits...: curiositeitswaarde, enz. *98*
curiosum het (...osa) *1,22,26*
curium (Cm) het *22*
curling het *3,22*
curriculum het (...cula) *1,14,22*
curriculum vitae (cv) het (curricula vitae) *63*
curry de *9,22*
curry...: currysaus, enz. *66*
cursief de (...sieven) *19,22*
cursief *19,22*
cursieve
cursiefje het (...s) *22*
cursiefjes...: cursiefjesschrijver, enz. *99*
cursist de (...en) *22*
cursiveren *22,106*
cursiveerde, gecursiveerd
cursor de *22*
cursus de (...sussen) *22*
curve de (...n, ...s, GB: ...n) *22,91*
curvimeter de (...s) *9,22*
custard de *18,22*
custard...: custardpudding, enz. *64*
custode de (...n, ...s) *ook* **custos** *22,91,115*
custodie de (...diën) *22,40*

custos de (...todes) *ook* **custode** *1,22,115*
cutine de 22
cutter de (...s) 22
cutter...: cutterzuiger, enz. *66*
cutteren *22,106*
cutterde, gecutterd
Cuyp, Albert *6*
cv [centrale verwarming, curriculum vitae] de/het (...'s) *46,101*
cv-...: cv-ketel, enz. *83*
CV [commanditaire vennootschap, coöperatieve vereniging] de *100*
CVE [centrale verwerkingseenheid] de *104*
CVG [comité voor veiligheid en gezondheid] het *104*
CVP [Christelijke Volkspartij] de *104*
CVP-...: CVP-fractie, enz. *83*
cyaan het *ook* **cyanide** (...n) *9,25,115*
cyaan...: cyaankali, enz. *64*
cyanogeen het *9,25*
cyanose de *9,25,26*
Cybele *6*
cyber... *3,25,66*
cybernetisch, cyberspace, enz.
cyclaam de (...clamen) *9,22,25*
cyclisch *9,22,25*
cyclo... *22,25,78*
cyclocross, cyclorama, cyclostyle, enz.
cycloïde de (...n) *22,25,37*
cycloon de (...clonen) *9,22,25*
cycloop de (...clopen) *9,22,25*
cyclus de (...cli, ...clussen) *9,22,25*
cynicus de (...nici) *9,22,25*
cynisch *9,25*
cypergras het (...grassen) *9,25,64*
cypers *9,25*
Cyprus *6,53*
Cyprioot, Cypriote, Cypriotisch, Cyprisch
Cyrano de Bergerac, Savinien *6*
Cyrene, Simon van *6*
cyrillisch *54*
cyste de (...n) *9,22*
cystennier *89*
cystoscopie de (...pieën) *9,25,40*
cyto... *9,25,78*
cytogenetica, cytoplasma, cytosine, enz.

d

d de (d's; d'tje) *46*
D-day, D-trein, D-mark *61,83*
D66 [Democraten 1966] *104*
D66'er *46*
D66-...: D66-leider, enz. *83*
daad de (daden)
dadelijk, dadeloos *87*
daad...: daadkracht, daadwerkelijk, enz. *64*
dadendrang *88*
daar... *71*
daaraan, daaroverheen, daartegenaan, daarvandaan, enz.
daaraanvolgend (d.a.v.) *73*
daarenboven *73*
daarentegen *73*
daarlaten *69,106*
liet daar, daargelaten
daas de (dazen) *26*
dabben *17,106*
dabde, gedabd
da capo *63*
Dacca *ook* **Dhaka** *6,53*
Dachau *6,53*
dactyliotheek de (...theken) *9,20,22*
dactylisch *9,22*
dactylo... *9,22,78*
dactylografie, enz.
dactyloscoperen *9,22,106*
dactyloscopeerde, gedactyloscopeerd
dactylus de (...tylen, ...tyli) *9,22*
dadaïsme het *37,57,90*
dade(n)... zie **daad**
Daedalus *6*
Daens, Adolf/Pieter *6*
dag [dolk, voegijzer] de (daggen) *ook* **dagge** *115*
dag [etmaal] de (...en; ...je, daagjes) *112*
dagelijks *87*
dag...: dagindeling, dagschuw, enz. *64*
dageraad *97*
dagenlang *88*
dag. [dagelijks] *100*
dagdieven *19,106,108*
dagdiefde, gedagdiefd
dagdromen *69,106,108*
dagdroomde, gedagdroomd
dag-en-nachtevening de (...en) *81*
dagge de (...n) *ook* **dag** *89,115*
dagtekenen *69,106,108*
dagtekende, gedagtekend
daguerreotyperen *9,14,106*
daguerreotypeerde, gedaguerreotypeerd
daguerreotypie de *9,14*
dagvaarden *69,106,108*
dagvaardde, gedagvaard
Dahl, Roald *6*
dahlia de (...'s) *20,42,54*
daim het *3*
Daisne, Johan *6*
daisy wheel het (...s) *ook* **daisywiel** (...en) *9,66,67,115*
dalai lama de (...'s) *42,63*
Dalí, Salvador *6*
dalkonschildje het (...s) *54,65*
dalles de *1*
dalles...: dalleshoer, enz. *64*
dalmatica de (...'s) *ook* **dalmatiek** *22,42,115*
Dalmatië *6,53*
dalmatiër de (...s) *ook* **dalmatiner** *9,37,115*
Dalmatische Eilanden *6,53*
dal segno *63*

dalton... *54,65*
daltononderwijs, daltonschool, enz.
daltonisme het *14,54,90*
daluur het (...uren) *64*
daluren...: dalurenkaart, enz. *88*
dalven *19,106*
dalfde, gedalfd
damar de (...s) *14*
damasceren *22,106*
damasceerde, gedamasceerd
Damascus *6,53*
damast het (...en) *14*
damast...: damastpapier, enz. *64*
damasten *14,114*
dame de (...s) *43*
dame...: dameruil, enz. *76,91*
dames...: damesblad, dameszadel, enz. *98,99*
dame blanche de (dames blanches) *63*
dame-jeanne de (...s) *43,63*
damesenkelspel het (...en) *68*
Damocles *6*
Danaë *6*
danaïde [opening] de (...n) *37,54,89*
Danaïden de *6*
dancing de (...s) *3,25*
dandy de (...'s; dandy'tje) *3,9,45*
dandy...: dandyachtig (GB: dandy-achtig), dandylook, enz. *37,66,67*
dandyisme het *3,9,90*
dankjewel het *62*
dankuwel het *62*
dankzeggen *69,106,107*
zegde/zei dank, dankgezegd
dankzij *73*
Danneels, Godfried *6*
dansant *3*
dansante
danse macabre de (danses macabres) *63*
dansen *106*
danste, gedanst
danseuse de (...s) *26,43,91*
Dante Alighieri *6*
dantesk *22,54*
Dantzig *ook* **Gdansk** *6,53*
Dantzig, Rudi van *6*
Daphnis en Chloë *6*
dar de (darren; darretje) *112*
darren...: darrencel, enz. *88*
darcy de *54*
Dardaniden de *6*
Dar es Salaam *6,53*
Darío, Rubén *6*
darten *106*
dartte, gedart
Dartmoor *6,53*
darts (alleen mv.) *3*
darts...: dartsschijf, enz. *66*
darwinisme het *54,90*
das [dier] de (dassen)
das...: dashond, enz. *64*
dassen...: dassenburcht, enz. *88*
das [kledingstuk] de (dassen)
das...: dasspeld, enz. *64*
dassen...: dassenwinkel, enz. *88*
dashboard het (...s) *10,27,67*
dashboard...: dashboardkastje, enz. *66*
dasymeter de (...s) *9,25,64*
dat. [datum, datief] *100*
data de (alleen mv.)
data...: databank, database, data-entry, datatheek, enz. *20,64,66,76*
date de (...s) *3,43*
datief (dat.) de (...tieven) *19*
dativus de (...tivi) *1,9,19*
dato, na – *62,63*
dato, de – (d.d.) *63*
dat-recorder [digital-audio-taperecorder] de (...s) (GB: DAT-recorder) *22,83*
datsja de (...'s) *27,42*
dattum *1*
datzelfde *73*
Daudet, Alphonse *6*
Daumier, Honoré *6*
dauphin de (...s) *3,10,19*
dauphine de (...s) *9,10,19*

Dauphiné *6,53*
dauw [ochtendnevel] de *12*
dauw...: dauwdruppel, enz. *64*
dauwen *12,106*
dauwde, gedauwd
dauwtrappen *69,107*
d.a.v. [daaraanvolgend] *100*
David, Jan Baptist *6*
davidsster de (...sterren) *ook* **davidster** *54,65,115*
Daviscup de *22,54,65*
Daviscup...: Daviscupfinale, enz. *66*
davit de (...s) *18*
davylamp de (...en) *54,65*
Dawhah *6,53*
Dayan, Moshe *6*
dazen *26,106*
daasde, gedaasd
dazig *26*
dB [decibel] *100*
DB [dagelijks bestuur] het *104*
dcc [digitale compactcassette] de (...'s) *46,101*
dcc-...: dcc-speler, enz. *83*
d.d. [de dato] *100*
DDR [Deutsche Demokratische Republik] de *104*
ddt [dichlorodiphenyltrichloorethaan] het *101*
de... *78*
deëscalatie, deformatie, enz.
dead ball de (...s) *67*
dead heat de (...s) *67*
deadline de (...s) *43,67*
deafroïseren *26,37,106*
deafroïseerde, gedeafroïseerd
deal de (...s; ...tje) *9*
dealen *9,106*
dealde, gedeald
Dean, James *6*
Death Valley *6,53*
deb. [debet, debent] *100*
debacle de/het (...s) *22,29,31*
debarkeren *22,106*
debarkeerde, gedebarkeerd
debater de (...s) *8,9*
debatingclub de (...s) *8,9,67*
debatteren *14,106*
debatteerde, gedebatteerd
debet (deb.) het *18*
debet...: debetrente, enz. *64*
debiel de (...en) *9*
debielen...: debieleninrichting, enz. *88*
debiet het *9,18*
debiliseren *9,26,106*
debiliseerde, gedebiliseerd
debiliteit de *9*
De Bilt *6,53*
debiteren *9,106*
debiteerde, gedebiteerd
debiteur de (...en, ...s)
debiteuren...: debiteurensaldo, enz. *88*
deboucheren *11,27,106*
deboucheerde, gedeboucheerd
debrailleren [braille omzetten] *14,21,106*
debrailleerde, gedebrailleerd
Debray, Régis *6*
debrayeren [ontkoppelen] *21,106*
debrayeerde, gedebrayeerd
debriefen *9,19,106*
debriefte, gedebrieft
Debrot, Cola *6*
debuggen *3,9,106*
debugde, gedebugd
Deburghgraeve, Fred(erik) *6*
Debussy, Claude *6*
debutant de (...en)
debutantenbal *88*
dec. [december] *100*
deca... *22,78*
decaliter, decagram, decameter, enz.
decaan de (...canen) *22*
decade de (...n, ...s) *22,43,91*
decadent *18,22*
decadentie de *22,25*
decaëder de (...s) *22,37*
decafeïneren *22,37,106*
decafeïneerde, gedecafeïneerd

decalage de (...s) *27,43,91*
decalogus de *ook* **decaloog** *22,115*
Decamerone *58*
decanaal *ook* **dekenaal** *1,22,115*
decanaat het (...naten) *ook* **dekenaat** *1,22,115*
decanteren *22,106*
decanteerde, gedecanteerd
decatiseren *22,26,106*
decatiseerde, gedecatiseerd
decatlon de/het (...s) *20,22*
december (dec.) de (...s) *25,56*
decemviraat het (...raten) *18,25*
decennium het (...nia, ...niën) *14,25,40*
decennialang *64*
decent *25*
decentie de *25*
decentraliseren *25,26,106*
decentraliseerde, gedecentraliseerd
deceptie de (...s) *25*
decharge de *27,29,90*
deci... *25,78*
decibel (dB), decigram (dg), deciliter (dl), enz.
decideren *25,106*
decideerde, gedecideerd
deciel het (...en) *9,25*
decimaal de (...malen) *25*
decimaal...: decimaalteken, enz. *64*
decime de (...n, ...s) *25,43,91*
decimeren *25,106*
decimeerde, gedecimeerd
decisie de (...s) *9,26*
decisief *9,19,25*
decisieve
deck het (...s) *22*
declamatie de (...s) *22,43*
declamator de (...en, ...s) *22*
declarant de (...en) *18,22*
declaratie de (...s) *22,43*
declaratie...: declaratieformulier, enz. *64,76*
declaratoir *3,22*
declasseren *22,106*
declasseerde, gedeclasseerd
Decleir, Jan *6*
declinatie de (...s) *22,43*
decoder de (...s) *9,22*
decoderen *22,106*
decodeerde, gedecodeerd
decolleté het (...s; ...teetje) *22,29,112*
deconfiture de (...s) *3,22,29*
decor het (...s) *10,22*
decoratie de (...s) *22,43*
decoratie...: decoratieschilder, enz. *64,76*
decoratief *19,22*
decoratieve
decoreren *22,106*
decoreerde, gedecoreerd
decorum het *1,22*
decouperen *11,22,106*
decoupeerde, gedecoupeerd
decreet het (...creten) *22*
decrepiteren *22,106*
decrepiteerde, gedecrepiteerd
decrescendo het (...'s) *22,27,42*
decreteren *22,106*
decreteerde, gedecreteerd
decubitus de *1,22*
dedaigneus *3,26,29*
dedaigneuze
dédain het *3,29*
de dato (d.d.) *63*
dedicatie de (...s) *22,43*
deduceren *25,106*
deduceerde, gededuceerd
deductie de (...s) *23*
deductief *19,22*
deductieve
deejay de (...s) *ook* **dj** *102,115*
deelnemen *69*
nam deel, deelgenomen
deelnemer de (...s)
deelnemers...: deelnemerslijst, enz. *98*
deeltijd de (...en)
deeltijd...: deeltijdbaan, enz. *64*
deeltje het (...s)
deeltjes...: deeltjesbundel, deeltjesstraling, enz. *98,99*

deemoed de *8,18*
deern de (...en, ...s) *ook* **deerne** (...n, ...s) *115*
deerniswekkend *64*
deëscalatie de (...s) *37,38*
de facto *63*
defaitisme het *3,29,90*
defaultwaarde de (...n, ...s) *9,66,91*
defect het (...en) *22*
defectief het (...tieven) *19,22*
defensie de (...s) *26*
defensie...: defensieapparaat, defensie-uitgaven, defensiezaken, enz. *64,76*
defensief *19*
defensieve
deferentie de *25*
defibrillator de (...en, ...s) *9,14*
deficiëntie de (...s) *25,37,43*
deficiëntie...: deficiëntieziekte, enz. *64,76*
deficit het (...s) *9,25,29*
deficitair *9,25,29*
defilé het (...s; ...leetje) *29,43,112*
defileren *14,106*
defileerde, gedefileerd
definiendum het (...enda) *1,39*
definiëren *37,38,106*
definieerde, gedefinieerd
definitief *19*
definitieve
deflationistisch *16*
deflatoir *3*
deflecteren *22,106*
deflecteerde, gedeflecteerd
deflexie de (...s) *23*
Defoe, Daniel *6*
Degas, Edgar *6*
degelijk *2*
degene *73*
degeneratief *19*
degeneratieve
dégénéré de (...s) *29,43*
deglaceren *25,106*
deglaceerde, gedeglaceerd
degout de *11,29,31*
degoutant *11,29,31*
degradatie de (...s) *43*
degradatie...: degradatieduel, enz. *64,76*
degraderen *106*
degradeerde, gedegradeerd
degressief *19*
degressieve
dei [titel] de (...s) *13*
deïficatie de (...s) *22,37,43*
deiktisch *13,22*
deinen *13,106*
deinde, gedeind
Deinze *6,53*
deinzen *13,26,106*
deinsde, gedeinsd
Deirdre *6*
deïsme het *37,90*
deixis de *1,13,23*
deizen *13,26,106*
deisde, gedeisd
déjà vu het (...'s) *42,63*
déjà-vu-indruk *76,84*
dejeuner het (...s; ...neetje) *27,29,112*
de jure *63*
dekenaal *ook* **decanaal** *1,22,115*
dekenaat het (...naten) *ook* **decanaat** *1,22,115*
dekenij de (...en) *13*
deksel de/het (...s) *23*
del. [deleatur, delineavit] *100*
Delacroix, Eugène *6*
Delaware *6,53*
delcredere het *22,90*
dele, ten – *62,111*
dele, in genen – *62,111*
deleatur (del.) het (...s) *3*
Deledda, Grazia *6*
delegatie de (...s) *43*
delegatie...: delegatieleider, enz. *64,76*
deleten *9,105,106*
deletete, gedeletet

delfstof de (...stoffen)
delfstoffen...: delfstoffenwinning, enz. *88*
Delfzijl *6,53*
Delhi *6,53*
delibereren *106*
delibereerde, gedelibereerd
delicaat *22*
delicatesse de (...n) *22*
delicatessen...: delicatessenwinkel, enz. *89*
delicieus *26,27*
delicieuze
delict het (...en) *22*
delineavit (del.) het *3*
delinquent de (...en) *24*
delinquenten...: delinquentenzorg, enz. *88*
delinquentie de (...s) *24,25*
delirium het (...s) *1*
Delon, Alain *6*
Delors, Jacques *6*
Delphi *6,53*
delta de (...'s) *42*
delta...: deltavliegtuig, enz. *64,76*
deltavliegen *69,107*
Deltawerken de (alleen mv.) *52*
Delvaux, Paul *6*
delven *19,106,107*
delfde/dolf, gedolven
demagogie de *1*
demarcatie de (...s) *22,43*
demarcatie...: demarcatielijn, enz. *64,76*
demarche de (...s) *27,29,91*
De Marne *6,53*
demarqueren *22,106*
demarqueerde, gedemarqueerd
demarrage de (...s) *14,27,91*
demarreren *14,106*
demarreerde, gedemarreerd
demaskeren *22,106*
demaskeerde, gedemaskeerd
demasqué het (...s) *22,29,43*
Demedts, André *6*
dement *18*
dementi [tegenspraak] het (...'s) *3,9,42*
dementie [geestelijke aftakeling] de *ook* **dementia** *9,25,115*
demi-... *63,77*
demi-finale, demi-mondaine, demi-reliëf, enz.
Demirel, Süleyman *6*
demissionair *3,14*
demiurg de (...en) *3*
demo de (...'s; demootje) *42,102,112*
demo...: demodiskette, enz. *83*
democratie de (...tieën) *22,40*
democratisch-... *2,22,80*
democratisch-liberaal, democratisch-socialistisch, enz.
democratiseren *22,26,106*
democratiseerde, gedemocratiseerd
Democritus van Abdera *6*
De Moeren *6,53*
demonstratie de (...s) *43*
demonstratie...: demonstratiewedstrijd, enz. *64,76*
demonstratief *19*
demonstratieve
demoscopie de (...pieën) *22*
Demosthenes *6*
demotie de (...s) *43*
den de (dennen; dennetje) *112*
dennen...: dennenappel, dennentak, enz. *88*
denarius de (...rii) *2*
Den Bosch *6,53*
Den Briel *6,53*
dendriet de (...en) *18*
dendrochronologie de *3*
dendroliet de (...en) *18*
Deneuve, Catherine *6*
Deng Xiaoping *6*
Den Haag *6,53*
Den Ham *6,53*
Den Helder *6,53*
denier de (...s) *8,21*
denigrerend *18*

denim het *1*
denkelijk *87*
denonceren *25,29,106*
denonceerde, gedenonceerd
densiteit de
densiteits...: densiteitsverschil, enz. *98*
densitometrisch *9*
denunciëren *25,37,38*
denuncieerde, gedenuncieerd
deodorant de (...s) *18*
De Panne *6,53*
depanneren *14,106*
depanneerde, gedepanneerd
departement het (...en)
departementsambtenaar *98*
depêche de (...s) *27,29,31*
dependance de (...s) *25,29,91*
dependentie de (...s) *25*
De Pinte *6,53*
deplorabel *14*
deponens het (...nentia) *25*
deponeren *106*
deponeerde, gedeponeerd
deponie de (...nieën) *40*
deportatie de (...s) *43*
deposito het (...'s) *42*
deposito...: depositorekening, enz. *64,76*
depot de/het (...s; depootje) *10,31,112*
dépôt, en – *29,31,63*
depouilleren *11,21,29*
depouilleerde, gedepouilleerd
Depp, Johnny *6*
depreciëren *25,37,38*
deprecieerde, gedeprecieerd
depressief *19*
depressieve
depressiviteit de *9,19*
depri *9*
Dept. [departement] *100*
deputatie de (...s) *43*
deraillement het (...en) *21,29*
derailleren *21,29,106*
derailleerde, gederailleerd
derangeren *27,29,106*
derangeerde, gederangeerd
derby de (...'s) *3,9,42*
derde *75*
derde...: derde-eeuws, derdeklasser, derdemacht, derdeordeling, enz. *76,92*
derde...: derdedivisieclub, enz. *68*
derden...: derdendaags, derdenarrest, enz. *89*
derde...: derdegraadsverbranding, derdemachtswortel, enz. *68,98*
Derde Rijk het *52*
derde wereld de *53*
derdewereld...: derdewereldland, derdewereldwinkel, enz. *68*
derg. [dergelijke(n)] *100*
dergelijk *2*
derhalve *19,73,111*
derivaat het (...vaten) *9*
derivatief *9,19*
derivatieve
dermate *73,111*
dermatitis de *1,9*
dermatoplastiek de *22*
Dermoût, Maria *6*
Dèr Mouw, Johan Andreas *6*
dernier cri de *63*
derny de (...'s) *9,42,54*
derny...: dernymotor, enz. *65,76*
De Ronde Venen *6,53*
derrick [boortoren] de (...s) *54*
Derrida, Jacques *6*
derrière de (...s) *14,30,91*
dertien *74*
dertien...: dertiendelig, enz. *64*
Dertienavond de *56,64*
dertienavond...: dertienavondkoning, enz. *68*
dertiende *75*
dertiende...: dertiende-eeuwer, dertiende-eeuws, enz. *76,92*
dertig *74*
dertig...: dertigjarig, dertigplusser, enz. *64*

derven *19,106*
derfde, gederfd
derwaarts *73,111*
derwijze *26,73,111*
derwisj de (...en) *9,27*
des [diëthylstilbestrol] het *102*
des-...: des-dochter, enz. (GB: DES-dochter) *83*
des... *77,106*
desinteresse, desillusie, enz.
des... *106*
desinfecteren: desinfecteerde, gedesinfecteerd; enz.
desa de (...'s) *14,42*
desalniettemin *4,73,111*
desastreus *26*
desastreuze
desavoueren *11,106*
desavoueerde, gedesavoueerd
Descartes, René *6*
descendant de (...en) *18,25*
descendent de (...en) *18,25*
descriptie de (...s) *22,25*
descriptief *19,22*
descriptieve
desem de (...s) *1,26*
deserteren *106*
deserteerde, gedeserteerd
desgelijks *73,111*
desgevraagd *73,111*
desgewenst *73,111*
Desgrange, Henri *6*
desideratum het (...rata) *1*
design het (...s) *3,9*
design...: designprijs, enz. *66*
designatie de (...s) *3,43*
designen *3,105,106*
designde, gedesignd
desinfectans het (...tantia) *22,25*
desisteren *106*
desisteerde, gedesisteerd
desktop publishing (dtp) de *67*
deskundige de (...n)
deskundigen...:
deskundigencommissie, enz. *89*
Des Moines *6,53*
desniettegenstaande *73,111*
desniettemin *73,111*
desnoods *73,111*
desolaat *25*
desondanks *73,111*
desoxyribonucleïnezuur het *9,23,37*
desperaat *14*
desperado de (...'s) *14,42*
despereren *14,106*
despereerde, gedespereerd
Despiau, Charles *6*
despotisme het *90*
Desprez, Josquin *6*
dessert het (...en, ...s) *14*
dessert...: dessertwijn, enz. *64*
dessin het (...s) *3,14*
dessineren *14,106*
dessineerde, gedessineerd
dessous de (alleen mv.) *3,11*
des te meer *73,111*
destijds *73,111*
destillaat het (...laten) *ook* **distillaat** *14,115*
destilleren *ook* **distilleren** *14,106,115*
destilleerde, gedestilleerd
destinatie de (...s) *43*
destroyer de (...s) *3,21*
destructie de *23*
destructief *19,22*
destructieve
desverlangd *73,111*
deswege *73,111*
detachement het (...en) *27,29*
detacheren *27,29,106*
detacheerde, gedetacheerd
detail het (...s) *21*
détail, en – *63*
detailleren *21,106*
detailleerde, gedetailleerd
detaillisme het *21,90*
detecteren *22,106*
detecteerde, gedetecteerd
detectie de *23*
detectie...: detectiepoort, enz. *64,76*

detective de (...s) *3,19,22*
detective...: detectiveachtig, detectiveserie, enz. *64,76*
detector de (...en, ...s) *22*
detente de *3,29,90*
detentie de (...s) *43*
detentie...: detentiekamp, enz. *64,76*
detergens het (...gentia) *ook* **detergent** *25,115*
determinatie de (...s) *43*
determinatie...: determinatiegraad, enz. *64,76*
determinatief *19*
determinatieve
determinisme het *57,90*
detineren *106*
detineerde, gedetineerd
detoneren *106*
detoneerde, gedetoneerd
deuce het *3,25*
deugd de (...en)
deugdelijk *87*
deugd...: deugddoend, enz. *64*
deus ex machina de (dei ..., deus ...'s) *63*
deuterium (D) het *1,3*
deuterium...: deuteriumoxide, enz. *7,64*
deuvik de (...en) *1,15*
deuviken *15,106*
deuvikte, gedeuvikt
deux-chevaux de (...s, ...tje) *43,63,112*
deux-pièces de (alleen mv.) *63*
devaluatie de (...s) *43*
devalueren *106*
devalueerde, gedevalueerd
deverbatief *19*
deverbatieve
devesteren *106*
devesteerde, gedevesteerd
deviant de (...en) *18,29*
deviatie de (...s) *43*
deviëren *37,38,106*
devieerde, gedevieerd
devies het (...viezen) *26*
deviezen...: deviezenhandel, enz. *88*
devolveren *19,106*
devolveerde, gedevolveerd
Devoon [periode] het *56*
devoon [gesteente] het *54*
devoot *10,18*
devotie de (...s) *43*
dewelke *73*
deweysysteem het *9,54,65*
dewijl *13,73*
dextrien het (...en) *ook* **dextrine** (...n) *9,23,115*
dextrose de *23,26,90*
Deyssel, Lodewijk van *6*
dezelfde *73*
dezen, bij/in/te – *62,111*
dezerzijds *73,111*
dezulke *73*
dg [decigram] *100*
dgl. [dergelijke] *100*
DH [dirham] *100*
D'Haese, Roel *6*
Dhaka *ook* **Dacca** *6,53*
dhr. [de heer] *100*
d.i. [dit is, dat is] *100*
dia de (...'s; diaatje) *42,112*
dia...: dia-avond, diaprojector, enz. *64,76*
diabeet de (...beten) *18*
diabetes de *1*
diabeticus de (...tici) *22,25*
diabolo de (...'s; ...lootje) *42,112*
diachronie de *3*
diaconaal *22*
diaconaat het (...naten) *18,22*
diacones de (...nessen) *22*
diaconessen...: diaconessenhuis, enz. *88*
diaconie de (...nieën) *22,40*
diadeem de/het (...demen) *21*
diafaan *19*
diafragma het (...'s) *42*
diafragma...: diafragmagetal, enz. *64,76*
diagnose de (...n, ...s) *26,43*
diagnose...: diagnosestelling, enz. *76,91*

diagnosticeren *25,106*
diagnosticeerde, gediagnosticeerd
diagnosticus de (...tici) *22,25*
diagnostiek de *22*
diagonaal de (...nalen)
diagonaalvlak *64*
diagonaalsgewijs *98*
diaken de (...en, ...s) *22*
diaken...: diakenopleiding, enz. *64*
diakritisch *22*
dialect het (...en) *22*
dialectica de *ook* **dialectiek** *22,115*
dialecticus de (...tici) *22,25*
dialectiek de *ook* **dialectica** *22,115*
dialectisme het *22,90*
dialogiseren *26,106*
dialogiseerde, gedialogiseerd
dialysator de (...en, ...s) *9*
dialyse de (...s) *9,43,91*
dialyseren *9,26,106*
dialyseerde, gedialyseerd
diamant de/het (...en) *18*
diamantair de (...s) *3*
diamantkloven *69,107*
diamantslijpen *69,107*
diapason de (...s) *26*
diapositief het (...tieven) *19*
diarree de *8,14,20*
diaspora de *3*
diastase de (...n) *26,89*
diastole de (...n) *89*
diatheek de (...theken) *20*
diathermaan *20*
diathese de *20,90*
diatomeeën de (alleen mv.) *38*
diatribe de (...n, ...s) *43,91*
dicarbonzuur het *22,64*
dichotomie de (...mieën) *3,40*
dicht... *64,69,106*
dichtbebost, dichtbegroeid,
dichtbevolkt, enz.
dichtbij *72,113*
dichterbij, dichtst bij
dichtdraaien *69,106*
dichtdraaien: draaide dicht,
dichtgedraaid; enz.
dichten *106*
dichtte, gedicht
dichter de (...s)
dichter-...: dichter-schilder,
dichter-vertaler *80*
dichters...: dichtersgroep, enz. *98*
dichtstbijzijnd *64*
dictaat het (...taten) *18,22*
dictafoon de (...s) *22*
dictator de (...s) *22*
dictee het (...s; ...tje) *8,22,43*
dicteren *22,106*
dicteerde, gedicteerd
dictie de (...s) *23*
dictionaire de (...s; ...nairtje (GB:
...nairetje)) *16,23,112*
dictum het (dicta, ...s) *1,22*
didacticus de (...tici) *22,25*
didactiek de *22*
didactisch *22*
Diderot, Denis *6*
didgeridoo de (...s) *3,11,43*
dieet het (diëten) *37,38*
dief de (dieven) *19*
dieven...: dieventaal, enz. *88*
diefje-met-verlos het *62*
diegene *73*
diehard de (...s) *3,67*
diëlektrisch *22,37*
dienaangaande *73,111*
dienares de (...ressen) *ook*
dienaresse (...n) *89,115*
Dien Bien Phu *6,53*
dienovereenkomstig *73,111*
dienst de (...en)
dienst...: dienstbetrekking,
dienstdoend, enz. *64*
diensten...: dienstenbond, enz. *88*
dienstbode de (...n, ...s) *43*
dienstbode...: dienstbodekamer,
enz. *76,91*
dienstdoen *69*
deed dienst, dienstgedaan
dientengevolge *73,111*

diep... *64*
diepblauw, diepgeworteld, diepgravend, enz.
Diepenbrock, Alphons *6*
diepgaan *69*
ging diep, diepgegaan
diepte de (...n, ...s) *43*
diepte...: dieptebom, diepteonderzoek, enz. *76,91*
diepvriezen *69,107*
diepgevroren
diepzee de (...zeeën) *38,64*
diepzee...: diepzeeduiker, diepzee-expeditie, enz. *64,76*
diepzeeduiken *69,107*
dier het (...en)
dier...: dierproef, enz. *64*
dieren...: dierenwinkel, enz. *88*
diëresis de *1,37*
dies de *39*
dies...: diesviering, enz. *64*
diesel de (...s) *54*
diesel...: dieselmotor, dieselelektrisch, enz. *65*
dieselen *54,106*
dieselde, gedieseld
diësis de *1,37*
Diessen *6,53*
diëtetiek de *ook* **diëtiek** *22,37,115*
diëtist de (...en) *37*
Dietrich, Marlene *6*
Diets *55*
iemand iets diets maken *54,62*
dievegge de (...n, ...s) *19,43,91*
dieven *19,106*
diefde, gediefd
dieven... zie **dief**
diezelfde *73*
diffameren *14,106*
diffameerde, gediffameerd
differentiaal de (...tialen) *14*
differentiaal...: differentiaaldiagnose, enz. *64*
differentie de (...s) *14,25*
differentieel *14,37,38*
differentiële
differentiëren *14,37,38*
differentieerde, gedifferentieerd
diffessie de *14*
difficiel *9,14,25*
diffractie de (...s) *14,23,43*
diffunderen *14,106*
diffundeerde, gediffundeerd
diffusie de *14,26*
diffusor de (...s) *14*
diffuus *14,26*
diffuse
difterie de *9*
difteritis de *1,9*
diftong de (...en) *19*
diftongeren *19,106*
diftongeerde, gediftongeerd
digereren *106*
digereerde, gedigereerd
digestief het (...tieven) *19*
digitalis de *1*
digitaliseren *26,106*
digitaliseerde, gedigitaliseerd
diglossie de *3,9*
dignitaris de (...rissen) *1,15*
digressie de (...s) *43*
dij [bovenbeen] de (...en) *13*
dij...: dijader, dijbeen, enz. *64,76*
dijenkletser *88*
Dijck, Antoon van *6*
dijk de (...en)
dijk...: dijkbreuk, enz. *64*
dijkenbouwer *88*
Dijk, Ko van *6*
dijkage de (...s) *27,43,91*
dijkgraaf de (...graven) *19,64*
Dijon *6,53*
dijonmosterd de *54,65*
Diksmuide *6,53*
dikte de (...n, ...s) *43,91*
dilatatie de (...s) *43*
dilatoir *3,14*
dildo de (...'s) *42*
dilemma het (...'s) *14,42*
dilettant de (...en) *14,18*
dilettanten...: dilettantentoneel, enz. *88*

diligence de (...s) *3,25,91*
diligent *14*
dille de
dille...: dillesaus, enz. *76,90*
diluviaal *14,19*
Diluvium het *56*
dimensie de (...s) *26,43*
dimensioneren *16,26,106*
dimensioneerde, gedimensioneerd
diminutief het (...tieven) *9,19*
Dinant *6,53*
diner het (...s; dineetje) *8,112*
diner...: dinerpauze, enz. *64*
diner dansant het (diners dansants) *63*
dinges *1*
dinghy de (...'s) *9,20,42*
dingo de (...'s) *42*
dinkie de (...s) *9,43*
dinky toy de (...s) *54,67*
dino de (...'s; dinootje) *46,102,112*
dinosauriër de (...s) *ook* **dinosaurus** (...russen) *12,37,115*
dinsdag de (...en) *56*
dinsdag...: dinsdagavond, enz. *64*
dinsdags...: dinsdagsmorgens, enz. *98*
Dinxperlo *6,53*
diocees het (...cesen) *ook* **diocese** (...n) *25,115*
diocesaan *25,26*
diode de (...n, ...s) *91*
dionysisch [uitbundig] *54*
Dionysus *6*
dioptrica de *22*
dioptrie de (...trieën) *40*
Dior, Christian *6*
dioxide het (...n, ...s) *7,9,91*
dioxine de (...n, ...s) *9,23,43*
dioxine...: dioxinegehalte, dioxine-uitstoot, enz. *76,91*
diploïd *37*
diploïde
diploma het (...'s; ...maatje) *42,112*
diploma...: diploma-uitreiking, diplomazwendel, enz. *64,76*
diplomaat de (...maten)
diplomaten...: diplomatenkorps, enz. *88*
diplopie de *9*
dipool de (...polen) *9*
dipool...: dipoolantenne, enz. *64*
dir. [direct, directeur] *100*
direct (dir.) *22*
directeur (dir.) de (...en, ...s) *22*
directeur-...: directeur-eigenaar, directeur-generaal, directeur-grootaandeelhouder, directeur-zaakvoerder, enz. *80*
directeurs...: directeursfunctie, enz. *98*
directie de (...s) *23*
directie...: directieniveau, directieoverleg, enz. *64,76*
directief *19,22*
directieve
direct mail de *67*
direct-mail...: direct-mailactie *84*
directoire de (...s; ...toirtje, ...toiretje) *3,22,112*
directory de (...'s) *3,42*
directrice de (...s) *22,25,91*
dirigeren *14,106*
dirigeerde, gedirigeerd
dirty mind de (...s) *67*
dis... *64*
diskrediet, disloyaal, enz.
dis... *106*
disfunctioneren: disfunctioneerde, gedisfunctioneerd; enz.
disagio het (...'s) *3*
discant de (...en) *18,22*
discipel de (...en, ...s) *9,25*
disciplinair *3,9,25*
discipline de (...s) *9,25,91*
disciplineren *9,25,106*
disciplineerde, gedisciplineerd
disco de (...'s; discootje) *22,42,112*
disco...: disco-installatie, discomuziek, enz. *64,76*
disconteren *22,106*
disconteerde, gedisconteerd

disconto het (...'s) *22,42*
disconto...: discontobank, enz. *64,76*

discordantie de (...s) *22,25*

discotheek de (...theken) *20,22*

discount de (...s) *12,22*
discount...: discountprijs, enz. *66*

discours het (...en) *11,22*

discreet *22*

discrepantie de (...s) *22,25*

discretie de *9*

discriminatie de (...s) *22*
discriminatie...: discriminatieverbod, enz. *64,76*

discriminatoir *3,22*

disculperen *22,106*
disculpeerde, gedisculpeerd

discus de (...cussen) *1,22*

discussiant de (...en) *22*

discussie de (...s) *22*
discussie...: discussieavond, discussiegroep, enz. *64,76*

discussiëren *22,37,38*
discussieerde, gediscussieerd

discuswerpen *22,69,107*

discuteren *22,106*
discuteerde, gediscuteerd

disjunctie de (...s) *23*

disk de (...s) *22*
disk...: diskdrive, diskjockey (ook: deejay, dj), diskman, enz. *67*

diskette de (...s) *22,43,91*

diskwalificeren *24,25,106*
diskwalificeerde, gediskwalificeerd

Disney, Walt *6*

Disneyfilm de *65*

dispacheur de (...s) *27*

disparaat *14*

dispatching de *3,27*

dispenseren *26,106*
dispenseerde, gedispenseerd

dispergeren *106*
dispergeerde, gedispergeerd

dispersie de (...s) *26*

dispersief *19,26*
dispersieve

display de/het (...s; ...tje) *8,43*

displayen *8,106*
displayde, gedisplayd

disponibel *9*

disposable het (...s) *3,43*

dispositie de (...s) *43*

dispuut het (...puten) *9*

Disraeli, Benjamin *6*

dissenter de (...s) *14*

dissertatie de (...s) *14,43*

dissident de (...en) *14,18*
dissidenten...: dissidentenbeweging, enz. *88*

dissimilatie de (...s) *14,43*

dissociëren *14,37,38*
dissocieerde, gedissocieerd

dissonantie de (...s) *14,25*

distantie de (...s) *25,43*

distantiëren *27,37,38*
distantieerde, gedistantieerd

Di Stefano, Alfredo *6*

distichon het (...ticha, ...s) *3,9*

distillaat het (...laten) *ook* **destillaat** *14,115*

distilleren *ook* **destilleren** *14,106,115*
distilleerde, gedistilleerd

distinctie de (...s) *23,43*

distinctief *19,22*
distinctieve

distorsie de (...s) *26*

distr. [district] *100*

distractie de (...s) *23,43*

distribueren *106*
distribueerde, gedistribueerd

distributief *19*
distributieve

district (distr.) het (...en) *22*
districten...: districtenstelsel, enz. *88*
districts...: districtschef, districtshoofd, enz. *98,99*

dithyrambe de (...n) *9,20,89*

ditmaal *73*

dittografie de (...fieën) *14,40*

ditzelfde *73*

diurese de *26,90*

diureticum het (...tica) *22*
div. [diverse(n), dividend] *100*
diva de (...'s; divaatje) *42,112*
divergeren *106*
divergeerde, gedivergeerd
diversifiëren *37,38,106*
diversifieerde, gediversifieerd
diverteren *106*
diverteerde, gediverteerd
divertimento het (...'s) *42*
divertissement het (...en) *14*
dividend (div.) het (...en) *18*
dividend...: dividendreserve, enz. *64*
divisie de (...s) *26,43*
divisie...: divisieadmiraal, divisiecommandant, enz. *64,76*
dixieland de *9,23,67*
dixieland...: dixielandmuziek, enz. *66*
dizzy *9*
dj [diskjockey] de (...'s) *ook* **deejay** (...s) *46,101*
djahé de *8*
djati de/het (...'s) *9,42*
djati...: djatiboom, enz. *64,76*
djellaba de (...'s) *42*
Djengis Khan *6*
djeroek de (...s) *3,11*
Djibouti *6,53*
Djiboutiaan, Djiboutiaans(e)
djihad de *3*
djin de (...s) *3*
dktp-prik [difterie, kinkhoest, tetanus, poliomyelitis] de (...-prikken) *83*
dl [deciliter] *100*
dm [decimeter] *100*
DM [Deutsche Mark] *100*
D-mark [Deutsche Mark] de (...en) *83*
d.m.v. [door middel van] *100*
dn [dyne] *100*
DNA [Desoxyribo Nucleic Acid] het *104*
DNA-...: DNA-onderzoek, enz. *83*
Dnepr *ook* **Dnjepr** *6,53*
dobermannpincher de (...s) *27,54,65*
Döblin, Alfred *6*
docent de (...en) *25*
docenten...: docentenkamer, enz. *88*
doceren [onderwijzen] *25,106*
doceerde, gedoceerd
dociel *25*
docimologie de *25*
DOCIP [Documentatiecentrum cinematografische pers] het *104*
doctor (dr.) [iem. met doctorsgraad] de (...en, ...s) *1,22*
doctors...: doctorsgraad, enz. *98*
doctoraal *22*
doctoraat het (...raten) *18,22*
doctorandus (drs.) de (...randi, ...dussen) *1,22*
doctorandus...: doctorandustitel, enz. *64*
doctoreren *22,106*
doctoreerde, gedoctoreerd
Doctorow, Edgar Lawrence *6*
doctrinair *3,22*
doctrine de (...s) *22,43,91*
docudrama het (...'s) *22,42*
document het (...en) *22*
documentaire de (...s) *3,22,43*
documentaire...: documentairefilmer, enz. *76,91*
documenteren *22,106*
documenteerde, gedocumenteerd
dodaars de (...en, ...aarzen) *26*
dodde de (...n)
doddengras *89*
dode de (...n)
dodekop *92*
doden...: dodenherdenking, enz. *89*
dodecaëder de (...s) *22,37*
dodecafonie de *22*
dodemansknop de (...pen) *68,98*
doden *106*
doodde, gedood
Dodewaard *6,53*
dodijnen *13,106*
dodijnde, gedodijnd

dodo de (...'s) *42*
Dodoma *6,53*
Doebai *6,53*
doe-het-zelf... *81*
doe-het-zelfartikel,
doe-het-zelfzaak, enz.
doe-het-zelver de (...s) *81*
doekoen de (...s) *11*
doelloos *4,26*
doelloze
doelpunten *69,106,108*
doelpuntte, gedoelpunt
doelpuntenmaker de (...s) *88*
doema de (...'s) *11,42*
doemdenken *69,107*
doerak de (...rakken, ...raks) *11*
doerian de (...s) *11*
does de (doezen) *11,26*
Doetinchem *6,53*
doezelen *26,106*
doezelde, gedoezeld
doge de (...n, ...s)
dogepaleis *91*
dogma het (...'s , dogmata) *42*
dogmaticus de (...tici) *22,25*
dogmatiseren *26,106*
dogmatiseerde, gedogmatiseerd
dogmatisme het *90*
dojo de (...'s) *42*
doka de (...'s; dokaatje) *46,102,112*
doksaal het (...salen) *23*
dokter [arts] de (...s) *1,22*
dokters...: doktersassistent, enz. *98*
dokteren *22,106*
dokterde, gedokterd
dol... *64,92,98*
dolblij, doldriest, dolenthousiast,
dollekervel, dolleman, dollemansrit,
enz.
dolby de *54*
dolce far niente *63*
doldraaien *69,106*
draaide dol, dolgedraaid
dolfijn de (...en; ...tje) *13*
dolfinarium het (...ria, ...s) *1*
dolichocefaal *3,25*
dolik de *1*
Dollard de *6,53*
dolle mina de (...'s) *54,62*
dolly de (...'s) *9,42*
dolus de *1*
domein het (...en) *13*
domein...: domeinrecht, enz. *64*
Domela Nieuwenhuis, Ferdinand *6*
domesticatie de *22*
domesticeren *25,106*
domesticeerde, gedomesticeerd
domicilie het (...s, ...liën) *25,40,43*
domiciliëren *25,37,38*
domicilieerde, gedomicilieerd
domina de (...nae, ...na's) *8,42*
dominant *14*
dominee (ds.) de (...s) *8*
dominee-dichter *80*
dominees...: domineesvrouw, enz. *98*
Domingo, Placido *6*
Dominica *6,53*
Dominicaan, Domincaans(e)
dominicaan [monnik] de (...canen)
22,57
Dominicaanse Republiek de *6,53*
Dominicaan, Dominicaans(e)
dominicanerorde de *54,65*
domino de/het (...'s) *42*
domino...: dominosteen,
domino-effect, enz. *64,76*
dominoën *37,106*
dominode, gedominood
domme, zich van den – houden *62,111*
dommekracht de (...en) *92*
dommerd de (...s) *18*
dommerik de (...en) *15*
dompteur de (...s) *17*
domweg *73*
doña de (...'s) *3,42*
donataris de (...rissen) *1,15*
donatrice de (...s) *25,43,91*
Donau de *6,53*

donderdag de (...en) *56*
donderdag...: donderdagochtend, enz. *64*
donderdags...: donderdagsmiddags, enz. *98*
Dönitz, Karl *6*
Donizetti, Gaetano *6*
Don Juan [verhaalfiguur] *6*
don juan, een – (vrouwenversierder) *54*
donker... *64*
donkerblauw, donkerblond, donkergroen, enz.
donkey de (...s) *9,43*
donna de (...'s) *42*
donor de (...en, ...s) *1*
donor...: donorregistratie, enz. *64*
Don Quichot [verhaalfiguur] *6*
don quichot, een – (onpraktische idealist), donquichotterie *54*
donut de (...s) *3*
dood de
dodelijk *87*
dood...: doodziek, enz. *64*
doods...: doodsbang, doodskist, doodsschrik, enz. *98,99*
dood... *69,106*
doodbloeden: bloedde dood, doodgebloed; enz.
doof *19*
dove
doofstom *80*
doofstomme de (...n) *80*
doofstommen...: doofstommenonderwijs, enz. *89*
Doolaard, A. den *6*
doop de (dopen)
doop...: doopceel, doopnaam, doopvont, enz. *64*
doopsgezind *98*
door... *70,106*
doordrammen: dramde door, doorgedramd; enz.
doorboren [gaten maken in] *70,106,108*
doorboorde, doorboord
doorboren [blijven boren] *70,106*
boorde door, doorgeboord
doorbreken [een opening breken door] *70,108*
doorbrak, doorbroken
doorbreken [in delen gescheiden worden] *70*
brak door, doorgebroken
doordeweeks *73*
doordouwer de (...s) *12*
doordrenken *70,106,108*
doordrenkte, doordrenkt
doordringen [voortgaan met dringen] *70,108*
drong door, doorgedrongen
doordringen [penetreren, overtuigen] *70,108*
doordrong, doordrongen
doorgaans *73*
doorgronden *70,106,108*
doorgrondde, doorgrond
doorklieven [door klieven stuk maken] *70,106*
kliefde door, doorgekliefd
doorklieven [klievend gaan door] *70,106,108*
doorkliefde, doorkliefd
doorkruisen [in allerlei richtingen doorlopen] *70,106,108*
doorkruiste, doorkruist
doorkruisen [doorhalen] *70,106*
kruiste door, doorgekruist
doorleven [leven in een tijdruimte] *70,106,108*
doorleefde, doorleefd
doorleven [blijven leven] *70,106*
leefde door, doorgeleefd
doorlopen [gaan door iets] *70,108*
doorliep, doorlopen
doorlopen [verder lopen] *70*
liep door, doorgelopen
doorn de (...en, ...s) *1*
doorn...: doornappel, enz. *64*
doornen...: doornenkroon *88*

doorploegen [doorgaan met ploegen] *70,106*
ploegde door, doorgeploegd
doorploegen [voren trekken door] *70,106,108*
doorploegde, doorploegd
doorroken [met rook doortrekken] *70,106,108*
doorrookte, doorrookt
doorroken [doorgaan met roken] *70,106*
rookte door, doorgerookt
doorschieten [met een schot doorboren] *70,108*
doorschoot, doorschoten
doorschieten [blijven schieten] *70*
schoot door, doorgeschoten
doorsnee de (...sneden) *ook* **doorsnede** (...n) *89,115*
doorsnee...: doorsneeburger, enz. *64,76*
doorspekken *70,106,108*
doorspekte, doorspekt
doorspoelen [doorstromen] *70,106,108*
doorspoelde, doorspoeld
doorspoelen [verder spoelen] *70,106*
spoelde door, doorgespoeld
doorstaan *70,108*
doorstond, doorstaan
doorsteken [doodsteken] *70,108*
doorstak, doorstoken
doorsteken [door of in een opening steken] *70*
stak door, doorgestoken
doorstoten [met een stoot doorboren] *70,107,108*
doorstiet/doorstootte, doorstoten
doorstoten [voortgaan met stoten] *70,107*
stiet/stootte door, doorgestoten
doortasten [tastend onderzoeken] *70,106,108*
doortastte, doortast
doortasten [krachtig ingrijpen] *70,106*
tastte door, doorgetast
doortrekken [verder gaan met trekken, toilet doorspoelen] *70*
trok door, doorgetrokken
doortrekken [geheel doordringen in] *70,108*
doortrok, doortrokken
doorutteren *37,70,106*
utterde door, doorgeütterd
doorvaren [voortgaan met varen] *70*
voer door, doorgevaren
doorvaren [gaan door] *70,108*
doorvoer, doorvaren
doorverbinden *70,108*
verbond door, doorverbonden
doorverkopen *70,108*
verkocht door, doorverkocht
doorvertellen *70,106,108*
vertelde door, doorverteld
doorverwijzen *70,108*
verwees door, doorverwezen
doorvoelen *70,106,108*
doorvoelde, doorvoeld
doorvorsen *70,106,108*
doorvorste, doorvorst
doorweken *70,106,108*
doorweekte, doorweekt
Doorwerth *6,53*
doorwrocht 2
doorzeven *70,106,108*
doorzeefde, doorzeefd
doorzien [doorgronden] *70,108*
doorzag, doorzien
doorzien [vluchtig bekijken] *70*
zag door, doorgezien
doorzoeken [blijven zoeken] *70*
zocht door, doorgezocht
doorzoeken [overal zoeken] *70,108*
doorzocht, doorzocht
dope de (...s) *3,43*
doperwt de (...en) 2
doping de *3*
doping...: dopingcontrole, enz. *66*

Doppler, Christian *6*
dopplereffect het *54,65*
dop-regeling [doorstroming onderwijspersoneel] de (...en) *83*
dorade de (...n, ...s) *43,91*
Dordogne *6,53*
Dordrecht *6,53*
Dordtenaar, Dordts(e)
Dordtse Kil de *6,53*
Doré, Gustave *6*
dormitorium het (...ria, ...s) *3*
dorp het (...en)
dorps...: dorpsgek, dorpsschool, enz. *98,99*
Dorrestein, Renate *6*
Dorrestijn, Hans *6*
dorsaal *25*
dorstlessend *64*
DOS [disk operating system] *103*
doseren *26,106*
doseerde, gedoseerd
dosis de (...sissen, doses) *1,15*
Dos Passos, John *6*
dossier het (...s) *8,14,21*
Dostojevski, Fjodor *ook* **Fedor** *6*
Dottenijs *6,53*
dotteren *106*
dotterde, gedotterd
Dou, Gerard *6*
douairière de (...s) *11,30,91*
douane de (...n, ...s) *11,43*
douane...: douane-expediteur, douanekantoor, enz. *76,91*
douanier de (...s) *8,11,21*
double de (...s) *3,43*
doublé het *11,29*
double-breasted *67*
doubleren *11,106*
doubleerde, gedoubleerd
doublet het (...bletten) *11*
doublure de (...s) *11,43,91*
douceur de (...s) *11,25*
douche de (...s) *11,27,43*
douche...: douchekop, enz. *64,76*
douchen *27,105,106*
douchte, gedoucht
Douglas, Kirk/Michael *6*
Douro de *6,53*
douw [duw] de (...en) *12,28*
douwen *12,28,106*
douwde, gedouwd
Douwes Dekker, Eduard *6*
dove de (...n)
doven...: doveninstituut, enz. *89*
doveman de *92*
dovemansoren *98*
doven *106*
doofde, gedoofd
Dow-Jonesindex de *65*
down *12*
Downing Street *6,53*
downloaden *10,106,108*
downloadde, gedownload
Downsyndroom het *65*
doxologie de (...gieën) *23,40*
doyen de (...s) *3,21*
Doyle, Sir Arthur Conan *6*
d'r *48*
dr. [dienaar, doctor, druk] *100*
draaglijk *87*
draaiing de (...en; draaiinkje) *38,112*
draaiings...: draaiingsas, enz. *98*
draak de (draken)
draken...: drakenbloed, enz. *88*
drab de/het *17*
drachme de (...n) *3,43,89*
draconisch *22*
dragee de (...s; ...tje) *8,43*
dragline de (...s) *43,67*
dragonder de (...s) *3*
drain de (...s) *3*
drainage de (...s) *3,27,43*
drainage...: drainagesysteem, enz. *76,91*
draineren *3,106*
draineerde, gedraineerd
draken... zie **draak**
drama het (...'s; dramaatje) *42,112*
drama...: dramaserie, enz. *64,76*
dramaticus de (...tici) *22,25*
dramatiseren *26,106*
dramatiseerde, gedramatiseerd

dramatis personae de (alleen mv.) *63*
drank de (...en)
drank...: drankvergunning, enz. *64*
dranken...: drankenproducent, enz. *88*
drapeau de (...s) *10,43*
draperen *14,106*
drapeerde, gedrapeerd
drastisch *113*
drastischer, meest drastisch
draven *19,106*
draafde, gedraafd
dravik de *1*
draw de (...s) *3*
drawback de (...s) *3,22,67*
dreadlock de (...s) *3,22,67*
dreef de (dreven) *19*
dreigen *13,106*
dreigde, gedreigd
dreinen *13,106*
dreinde, gedreind
Drenthe *ook* **Drente** *6,53,115*
Drent, Drents(e)
Drentse A de *6,53*
Drentse Hoofdvaart de *6,53*
drenzen *26,106*
drensde, gedrensd
dressboy de (...s) *3,43,67*
Dresselhuys, Mary *6*
dressoir de/het (...s) *3,14*
dressuur de (dressuren) *14*
dreumes de (...en; ...je) *1,15*
Dreyfus, Alfred *6*
drie de (drieën; ...tje) *38,41,74*
drie...: driedubbel, drieduizend, drieduizend veertig, drie-eenheid, drieëndertig, drie-enig, driehonderd, driehonderddertien, driekwart, driester, drietiende, enz. *64,74,75,76*
drieërlei *38,111*
drie...: driebandentoernooi, driesterrenhotel, enz. *68,88*
drie...: driebaansweg, enz. *68,98*
driebanden *69,106,108*
driebandde, gedrieband
Driebergen-Rijsenburg *6,53*
driehoog-achter *79*
drie-in-de-pan de (...-pannen) *62*
Driekoningen de (alleen mv.) *56*
driekoningen...: driekoningenavond, driekoningenfeest, enz. *56,68*
Drievuldigheid de *59*
Drievuldigheidszondag *65,99*
Drievuldigheidsdag *65,98*
drijven *19*
dreef, gedreven
drinkebroer de (...s) *93*
drinkgelag het (...en) *2,64*
drive de (...s) *3,43*
drive-in de (...s) *3,67*
drive-in...: drive-inwoning, enz. *84*
droef *19*
droeve
droefenis de *19*
droesem de (...s) *1*
drogisterij de (...en) *13*
drogisterijartikel *64*
drogreden de (...en) *64*
drol de (drollen; drolletje) *112*
drollen...: drollenvanger, enz. *88*
Drôme de *6,53*
dromedaris de (...rissen) *1,14,15*
dronkaard de (...s) *18*
dronkelap de (...lappen) *92*
dronkeman de (...mannen) *92*
dronkemans...: dronkemanspraat, enz. *98*
droog... *69,106*
drooglegen: legde droog, drooggelegd; enz.
Droog Haspengouw *6,53*
droom de (dromen)
droom...: droombeeld, enz. *64*
dromenland *88*
dropkick de (...s) *22,67*
drop-out de (...s) *67*
dropshot het (...s) *67*
droschke de (...n) *27,89*
drost de (...en) *ook* **drossaard** (...s) *18,115*

drs. [doctorandus] *100*
Drs. P 6
drug de (...s) *3*
drugstore *67*
drugs...: drugscircuit, drugsscene, drugssmokkel, drugsverslaafde, drugsvrij, enz. *66,67,98*
druïde de (...n, ...s, GB: ...n) *37,43,91*
druif de (druiven) *19*
druiven...: druiventros, enz. *88*
druisen *106*
druiste, gedruist
druiven... zie **druif**
druiventreden *69,88,107*
drukbezet *64*
drukbezocht *64*
drumstick de (...s) *22,67*
druppelsgewijs *ook* **druppelsgewijze** *26,98,115*
dry *3*
dryade de (...n) *9,21,89*
ds. [dominee] *100*
dtp [desktop publishing] *101*
dtp'er *46*
d.t.p. [daar ter plaatse] *100*
dtp'en *46,106*
dtp'de, ge-dtp'd
dtp-prik [difterie, tetanus, poliomyelitis], de (...-prikken) *83,101*
dub de (dubben) *17*
dubbel... *64,83*
dubbel-cd, dubbelleven, dubbelparkeerder, enz.
dubbel... *69,106*
dubbelvouwen: vouwde dubbel, dubbelgevouwen; enz.
dubbelloopsgeweer het (...geweren) *68,98*
dubben *17,106*
dubde, gedubd
dubieus *26*
dubieuze
Dublin *6,53*
Dubrovnik *6,53*
duce de (...s) *3,11,43*
Duchamp, Marcel *6*
ductus de *22*
duecento het *3*
duelleren *14,106*
duelleerde, geduelleerd
duet het (duetten) *28*
Dufay, Willem *6*
Dufy, Raoul *6*
dug-out de (...s) *67*
Duhamel, Georges *6*
duiden *106*
duidde, geduid
duif de (duiven) *19*
duiveboon, duivekervel *96*
duiven...: duiventil, enz. *88*
duiker de (...s)
duiker...: duikerklok, enz. *64*
duikers...: duikerspak, duikersziekte, enz. *98,99*
duim de (...en)
duim...: duimblessure, duimbreed, enz. *64*
duimelot *97*
duimendik *88*
duimendraaien *69,88,107*
duimzuigen *69,107*
duin de/het (...en)
duin...: duinflora, enz. *64*
duinen...: duinenrij, enz. *88*
duist de/het *18*
duit de (...en)
duitblad *64*
duitendief *88*
Duits *55,65*
Duits...: Duitsgezind, Duitssprekend, Duitstalig, enz.
duivekaters *97*
duivel de (...en, ...s) *ook* **duvel** *115*
duivel...: duiveljager, enz. *64*
duivels...: duivelskunstenaar, enz. *98*
duiven... zie **duif**
duizelen *106*
duizelde, geduizeld

duizend het (...en; ...je) *74*
duizend...: duizendblad, duizend dertien, duizendmaal, duizendschoon, enz. *64,74*
duizend...: duizendguldenkruid, enz. *68*
duizend-en-een-nacht de *33,62*
Duizendjarig Rijk het *56*
dukaat de (...katen) *22*
dukaten...: dukatengoud, enz. *88*
dukdalf de (...dalven) *19,22*
Dulcinea *6*
dulcinea [beminde] de (...'s) *42,54*
dulden *106*
duldde, geduld
Dulieu, Jean *6*
Dumas, Alexandre *6*
Du Maurier, Daphne *6*
dumb de (...s) *3*
dumdumkogel de (...s) *54,65*
dummy de (...'s) *9,42*
dun... *64*
dunbevolkt, dungesneden, enz.
Duncan, Isadora *6*
duo... *78*
duobaan, duopresentatie, duo-uitkaart, enz.
duodecimo het (...'s) *25,42*
duplex *23*
duplicaat het (...caten) *22*
dupliceren *25,106*
dupliceerde, geduplicieerd
dupliek de (...en) *22*
duplo, in – *63*
duppie het (...s) *9,43*
Duquesnoy, Jeroen *6*
dur de *11*
Duras, Marguerite *6*
duratief *19*
duratieve
Durbuy *6,53*
Dürer, Albrecht *6*
Dürrenmatt, Friedrich *6*
durven *19,106*
durfde, gedurfd
Dusjanbe *6,53*
Düsseldorf *6,53*
Dutroux, Marc *6*
duümviraat het (...raten) *18,37*
duur *113*
duurder, duurst
duvel de (...s) *ook* **duivel** *115*
duvels...: duvelstoejager, enz. *98*
duveljagen *69,106,108*
duveljaagde, geduveljaagd
Duyns, Cherry *6*
D.V. [Deo volente] *100*
Dvořák, Antonin *6*
dw. [deelwoord, dienstwillig] *100*
dwaas *26*
dwaze
dwars... *64*
dwarsdoorsnede, dwarsgestreept, enz.
dwarsbomen *69,106,108*
dwarsboomde, gedwarsboomd
dwarsdoorsnede de (...n) *ook* **dwarsdoorsnee** (...sneden) *89,115*
dwarslaesie de (...s) *8,9,64*
dwarsliggen *69*
lag dwars, dwarsgelegen
dwarszitten *69*
zat dwars, dwarsgezeten
dwaselijk *26*
dweilen *13,106*
dweilde, gedweild
dwingeland de (...en) *93*
Dwingeloo *6,53*
d.w.z. [dat wil zeggen] *100*
Dy [dysprosium] *100*
Dylan, Bob *6*
dynamica de *9,22*
dynamiek de *9,22*
dynamiet het *9,18*
dynamisch *9,113*
dynamischer, meest dynamisch
dynamiseren *9,26,106*
dynamiseerde, gedynamiseerd
dynamo de (...'s; ...mootje) *9,42,112*
dynamo...: dynamometer, enz. *64,76*

dynast de (...en) *9*
dynastie de (...tieën) *9,40*
dynastiek *9,22*
dyne (dn) de (...s) *9,91*
dysartrie de *9*
dysenterie de *9*
dyslecticus de (...tici) *9,22,25*
dyslectisch *9,22*
dyslexie de *9,23*
dysmenorroe de *3,9,14*
dyspepsie de *9,25*
dysplasie de (...sieën) *9,26,40*
dyspneu de *9*
dysprosium (Dy) het *1,9*
dystrofie de *9*
Dzjoengarije *6,53*

e

e de (e's; e'tje) *46*
E-weg, e-laag, e-mail *83*
earl de (...s) *3*
earmarken *38,69,108*
earmarkte, geëarmarkt
Eastbourne *6,53*
easy rider de (...s) *67*
eau de (eaux) *10*
eau de cologne de (eaux de cologne) *63*
eau-de-colognefles *84*
eau de toilette de (eaux de toilette) *63*
eb de *ook* **ebbe** *17,115*
eb...: ebstroom, enz. *64*
ebaucheren *10,27,37*
ebaucheerde, geëbaucheerd
ebbe de *ook* **eb** *90,115*
ebben *37,106*
ebde, geëbd
ebbenhouten *88,114*
Eben-Emael *6,53*
ebonieten *14,114*
e.c. [exempli causa] *100*
ecart de (...s) *3,22,29*
ecarté het *22,29*
ecartelé *22,29*
ecarteren *22,29,37*
ecarteerde, geëcarteerd
ecclesia de (...'s) *22,26,42*
Ecevit, Bülent *6*
e.c.g. [elektrocardiogram] het (...'s) *46,100*
echappement het (...en) *14,27,29*
echaufferen *14,29,37*
echauffeerde, geëchauffeerd
echec het (...s) *22,27,29*
echelle de (...s) *27,29,91*
echelon het (...s) *14,27,29*
echelonneren *14,29,37*
echelonneerde, geëchelonneerd
echo de (...'s; echootje) *5,42,112*
echo...: echoput, enz. *64,76*
echoën *10,37,106*
echode, geëchood
echografie de (...fieën) *40*
echopraxie de *23*
echoscopie de (...pieën) *22,40*
echtbreken *69,107*
Echteld *6,53*
echtelieden de (alleen mv.) *2*
echtelijk de *2*
echten *37,106*
echtte, geëcht
echtscheidingsprocedure de (...s) *98*
eclair de (...s) *3,22,29*
eclatant *22,29*
eclecticisme het *22,25,90*
eclecticus de (...tici) *22,25*
eclips de (...en) *22,29*
eclipseren *22,29,37*
eclipseerde, geëclipseerd
ecliptica de (...'s) *22,42*
ecloge de (...s) *22,43,91*
eco... *22,78,83*
ecobalans, ecocide, ecologie, ecosysteem, ecotainer, ecotaks, enz.
Eco, Umberto *6*
economie de (...mieën) *22,40*
economiseren *22,26,37*
economiseerde, geëconomiseerd
economyclass de *67*
econoom de (...nomen) *22*
economendebat *88*
ecrin het (...s) *3,22,29*
ecru *22,29*
ecstasy (xtc) de *9,23,25*
ectoderm het (...en) *22*
ectopie de (...pieën) *22,40*

ecu [European currency unit] de (...'s) *46,102*
ecu...: ecurente, ecu-uitgifte, enz. *76,83*
Ecuador *6,53*
Ecuadoraan, Ecuadoraans(e)
eczeem het (...zemen) *23*
ed. [edidit, editeur, editio] *100*
e.d. [en dergelijke(n)] *100*
edammer [kaas] de (...s) *54*
edelachtbaar *2*
edele de (...n) *89*
edelweiss het
Eden *6,53*
de Hof van Eden (aards paradijs)
een hof van Eden (lustoord) *54*
edict het (...en) *22*
edik de *22*
Edinburgh *6,53*
Edison, Thomas Alva *6*
edison [muziekprijs] de (...s) *54*
editen *3,37,106*
editte, geëdit
editie de (...s) *43*
editor de (...s) *3*
educatie de (...s) *22,43*
educatief *19*
educatieve
educt het (...en) *22*
eed de (eden)
eed...: eedaflegging, eedafnemer, enz. *64*
Eeden, Frederik van *6*
EEG [Europese Economische Gemeenschap] de *104*
EEG-...: EEG-land, enz. *83*
e.e.g. [elektro-encefalogram] het (...'s) *46,100*
eega de (...'s, eegaas; eegaatje) *8,42,112*
eekhoorn de (...s) *ook* **eekhoren** (...s) *115*
een de (enen; ...tje) *33,74*
een...: eenakter, eendaags, eendimensionaal, eeneiig, eenmaking, eenruit, eentiende, enz. *64,75*
een...: eenoudergezin, eenpartijstelsel, eenzaadlobbig, enz. *68*
een...: eenpitsstel, enz. *68,99*
een...: eengezinswoning, eenpersoonsbed, enz. *68,98*
eend de (...en)
eendvogel *64*
eendekroos *96*
eenden...: eendenei, enz. *88*
eendags... *98*
eendagsvlieg, eendagsvlinder, enz.
eendracht de *33*
eendrachtelijk *87*
een en ander *33,62*
eenendertigen *33,38,74*
eenendertigde, geëenendertigd
eenentwintigen *33,38,74*
eenentwintigde, geëenentwintigd
eenheid de (eenheden) *33*
eenheden...: eenhedenstelsel, enz. *88*
eenheids...: eenheidscel, eenheidsprijs, enz. *98,99*
eenhoorn de (...s) *ook* **eenhoren** (...s) *33,115*
eenieder *33,73*
eenling de (...en; eenlingetje) *33,112*
een of ander *33,62*
een of meer *33,62*
eenre, ter – zijde *62,111*
eens
eens...: eensgezind, eensdenkend, enz. *64*
een-twee-drie *33,62*
een-tweetje het (...s) *33,43,80*
eenvoudigweg *33,73*
eenzaat de (...zaten) *18,33*
eenzelfde *73*

eer de
eerlijk *87*
eer...: eerbetoon, eervol, enz. *64*
ere...: ereambt, ereburger, ere-escorte, enz. *76,90*
eershalve *98*
eerste *75*
eerste...: eerstecommunicant, eerstedagenenvelop, eerstegraadsverbranding, eerstehulpverlening, eerstejaars, eerstejaarsstudent, eersteklas(ser), eersteklascoupé, eerstelijnsgezondheidszorg, eersterangs, enz. *68,92,98,99*
Eerste Kamer de *52*
Eerste-Kamer...: Eerste-Kamerlid, enz. *65*
Eerste Wereldoorlog de *56,68*
eerstkomend (e.k.) *64*
eerw. [eerwaarde] *100*
eerwaarde (eerw.) de (...n) *60,89*
eetgerei het *13,64*
eeuw de (...en)
eeuw...: eeuwfeest, enz. *64*
eeuwen...: eeuwenoud, eeuwenlang, enz. *88*
efedrine de *19,90*
efelide de (...n) *19,89*
efemeer *19*
efemeriden de (alleen mv.) *9,19*
efendi de (...'s) *9,19,42*
effect het (...en) *22*
effect...: effectbal, enz. *64*
effecten...: effectenbeurs, enz. *88*
effectief *19,22*
effectieve
effectiviteit de (...en) *9,22*
effectueren *22,37,106*
effectueerde, geëffectueerd
effenaf *73*
effenen *37,106*
effende, geëffend
efferent *14*
efficiency de *3,9,25*
efficiënt *25,37*
efficiëntie de *25,37*
effigie de *9*
effileren *9,37,106*
effileerde, geëffileerd
effluent het (...en) *14,37*
EFTA [European Free Trade Association] de *103*
eg de (eggen) *ook* **egge** *115*
EG [Europese Gemeenschap] de *104*
EG-...: EG-beleid, enz. *83*
e.g. [eerstgenoemde, exempli gratia] *100*
egaliseren *26,37,106*
egaliseerde, geëgaliseerd
egalitair *3,29*
egalitarisme het *29,90*
egard de/het (...s) *3,29*
Egeïsche Zee de *6,53*
egel de (...s)
egel...: egelvarken, enz. *64*
egelskop *98*
egelantier de (...en, ...s) *2*
egge de (...n) *ook* **eg** *89,115*
Eggewaartskapelle *6,53*
egghead de (...s) *67*
Egidius *ook* **Aegidius** *6*
EGKS [Europese Gemeenschap voor Kolen en Staal] de *104*
Egmond aan Zee *6,53*
Egmond-Binnen *6,53*
ego het (...'s; egootje) *42,112*
ego...: egodocument, enz. *64,76*
egoïsme het *37,90*
egotrippen *37,106,108*
egotripte, geëgotript
egreneren *29,37,106*
egreneerde, geëgreneerd
Egypte *6,53*
Egyptenaar, Egyptisch(e)
Egyptisch-Arabisch *55*
egyptologie de *54*
eh *20*

EHBO [Eerste Hulp Bij Ongelukken] de *104*
EHBO'er *46*
EHBO-...: EHBO-diploma, enz. *83*
ei het (eieren) *13,38*
ei...: eigeel, enz. *64,76*
e.i. [elektrotechnisch ingenieur] *100*
eiber de (...s) *13*
Eichendorff, Joseph Freiherr von *6*
eider de (...s) *13*
eider...: eiderdons, enz. *64*
eideticus de (...tici) *13,22,25*
eidetiek de *13,22*
eiertikken *69,107*
Eifel, de [Duitsland] *6*
Eiffeltoren de *6*
eig. [eigenlijk] *100*
eigenaar de (...naren, ...s)
eigenaren...: eigenarenbelasting, enz. *88*
eigenaars...: eigenaarsrecht, enz. *98*
eigenaar-bewoner de (eigenaars-bewoners, eigenaren-bewoners) *80*
eigenaresse de (...n, ...s) *91*
eigenbelang het (...en) *64*
Eigenbilzen *6,53*
eigendom de/het (...dommen)
eigendoms...: eigendomsbewijs, enz. *98*
eigengebakken *64*
eigengereid *13,64*
eigenheimer de (...s) *13,64*
eigenlijk *2*
Eijsden [Nederlands-Limburg] *6,53*
eik de (...en) *13*
eik...: eikvaren, enz. *64*
eiken...: eikenblad, eikenprocessierups, enz. *68,88*
eikelen *13,38,106*
eikelde, geëikeld
eilaas *13*
eiland het (...en) *13*
eiland...: eilandbestuur, enz. *64*
eilanden...: eilandenrijk, enz. *88*
eilands...: eilandsraad, enz. *98*
eind het (...en) *ook* **einde** (...n) *115*
eindelijk, eindeloos *87*
eind...: eindresultaat, enz. *64*
eindejaar het *91*
eindejaars...: eindejaarspremie, enz. *98*
einden *38,106*
eindde, geëind
eindigen *38,106*
eindigde, geëindigd
einsteinium (Es) het *54*
einzelgänger de (...s) *3,26*
eis [voorwaarde] de (...en) *13*
eisen...: eisenpakket, enz. *88*
eïs [muziektoon] de (eïssen) *37*
eisen *38,106*
eiste, geëist
Eisenhower, Dwight *6*
ejaculaat het (...laten) *18,21,22*
ejaculeren *21,22,37*
ejaculeerde, geëjaculeerd
ejecteur de (...en, ...s) *22*
EK [Europese Kampioenschappen, Europees Kampioenschap] de/het *46,104*
e.k. [eerstkomend(e), eerste kwartier] *100*
Eksaarde *6,53*
Eksel *6,53*
el de (ellen; elletje) *112*
elleboog, ellepijp *97*
ellen...: ellenlang, enz. *88*
elaboraat het (...raten) *18*
elan het *29*
elasticiteit de *9,25*
elasticiteits...: elasticiteitsgrens, enz. *98*
elastieken *37,106*
elastiekte, geëlastiekt
elastieken *114*
elastiekspringen *69,107*
Elckerlyc *6*
eldorado het (...'s; ...dootje) *42,112*
elect de (...en) *22*
electoraal *22*

electoraat het (...raten) *22*
electric boogie de *67*
elefantiasis de *1,19*
élégance de *3,25,29*
elegant *29*
elegie de (...gieën) *29,40*
elektra de/het *22*
elektricien de (...s) *22,25,39*
elektriciteit de *22,25*
elektriciteits...: elektriciteitscentrale, elektriciteitsmaatschappij, enz. *98,99*
elektrificatie de *22*
elektrificeren *22,25,37*
elektrificeerde, geëlektrificeerd
elektriseren *22,26,37*
elektriseerde, geëlektriseerd
elektro... *22,78*
elektroanalyse, elektrocardiogram (e.c.g.), elektrochemisch, elektro-encefalogram (e.e.g.), elektroforese, elektrolyse, elektrolyt, elektrolytisch, elektroscoop, elektroshock, enz.
elektrocuteren *7,22,37*
elektrocuteerde, geëlektrocuteerd
elektrocutie de (...s) *7,22,43*
elektrode de (...n, ...s) *22,91*
elektron het (...en) *22*
elektronvolt (eV) *64*
elektronen...: elektronenbundel, enz. *88*
elektronica de *22*
elektronica...: elektronicagigant, enz. *64,76*
elektronicus de (...nici) *22,25*
elementair *3,29*
elevatie de (...tiën, ...s) *29,40*
elevatie...: elevatiehoek, enz. *64,76*
elf [fantasiefiguur] de (...en) *19*
elfen...: elfenbankje, enz. *88*
elf [getal] de (elven) *19,74*
elf...: elfjarig, elftal, enz. *64*
elf...: elfmetergebied, elftalcommissie, enz. *68*
Elfsteden...: Elfstedenkruisje, Elfstedentocht, enz. *68,88*
elfde *75*
elfde...: elfde-eeuwer, elfde-eeuws, enz. *76,92*
elfendertigst, op z'n – *19,62,74*
elft de (...en) *18*
elideren *29,37,106*
elideerde, geëlideerd
elimineren *37,106*
elimineerde, geëlimineerd
Eliot, George *6*
elisie de (...s) *9,26,43*
elitair *3,29*
elite de (...s) *29,43*
elite...: elitecultuur, elite-eenheid, enz. *76,91*
elixer het (...s) *ook* **elixir** (...s) *1,23,115*
elkeen *33,73*
elleboog de (...bogen) *97*
ellebogenwerk *88*
ellende de (...n, ...s) *91*
Ellikom *6,53*
Elliot, T.S. *6*
ellips de (...en) *14*
ellips...: ellipsboog, ellipsvormig, enz. *64*
ellipsoïde de (...n) *14,37,89*
elmsvuur het *54,65*
elocutie de *22*
éloge de (...s) *27,29,91*
eloquent *24*
elorating de (...s) *8,54,65*
El Paso *6,53*
elpee de (...s; ...tje) *ook* **lp** *43,102,115*
elpen *114*
els de (elzen) *26*
elzen...: elzenhout, enz. *88*
El Salvador *6,53*
Salvadoraan, Salvadoraans(e)
Elsene *6,53*

Elsschot, Willem *6*
Eltingh, Jacco *6*
eluvium het *19*
Elyseïsche Velden de *ook* **Elyzeese Velden** *6,53*
Elysisch *52*
Elysium *52*
Elzas de *6,53*
elzen... zie els
elzevier de (...s) *54,97*
em. [emeritus, eminentie] *100*
email [glazuur] het *21*
email...: emaillak, enz. *64*
e-mail [electronic mail] de (...s; ...tje) *9,83*
e-mail...: e-mailadres, enz. *84*
e-mailen *3,37,106*
e-mailde, geë-maild
emaillen *21,29,114*
emailleren *21,29,37*
emailleerde, geëmailleerd
emanatie de (...s) *29,43*
emancipatie de (...s) *25*
emancipatie...: emancipatiebeweging, enz. *64,76*
emancipatoir *3,10,25*
emanciperen *25,37,106*
emancipeerde, geëmancipeerd
emasculatie de (...s) *22,29,43*
emballage de (...s) *14,27,91*
emballeren *14,37,106*
emballeerde, geëmballeerd
embargo het (...'s) *42*
embarkeren *22,37,106*
embarkeerde, geëmbarkeerd
embedded *3*
embleem het (...blemen) *1*
emblema het (...'s, ...mata) *42*
emblemata...: emblematabundel, enz. *64*
embolie de *9*
embonpoint de/het (...s) *3*
embouchure de (...s) *3,11,27*
embrayeren *21,37,106*
embrayeerde, geëmbrayeerd
embryo het (...'s; ...ootje) *9,42,112*
embryo...: embryotransplantatie, enz. *64,76*
emelt de (...en) *18*
emenderen *37,106*
emendeerde, geëmendeerd
emerald het *18*
emeritaat het *18*
emeritus (em.) de (...riti) *1*
emersie de (...s) *26,29*
emfase de *7,19,26*
emfatisch *19*
emfyseem het (...semen) *9,19,26*
emigrant de (...en) *29*
emigranten...: emigrantenfamilie, enz. *88*
emigratie de (...s) *29*
emigratie...: emigratiegolf, enz. *64,76*
emigreren *29,37,106*
emigreerde, geëmigreerd
éminence grise de (éminences grises) *63*
eminentie (em.) de (...s) *25,43*
emir de (...s) *9*
emiraat het (...raten) *9,18*
emisario de (...'s) *14,42*
emissie de (...s) *14,29,43*
emissie...: emissiebank, enz. *64,76*
emittent de (...en) *14*
emitteren *14,37,106*
emitteerde, geëmitteerd
Emmaüsgangers de (alleen mv.) *6*
Emmental [rivierdal] *6,53*
emmentaler de (...s) *54*
emmeren *37,106*
emmerde, geëmmerd
Emmy Award de (...s) *52*
emoe de (...s) *11,43*
emolumenten de (alleen mv.) *14*
emotioneren *16,29,37*
emotioneerde, geëmotioneerd
empaleren *37,106*
empaleerde, geëmpaleerd
empathie de *20*

empire het *3*
empiricus de (...rici) *22,25*
empirie de *9*
emplacement het (...en) *3,25*
emplooi het (...en) *10,21*
employé, employee de (...s; employeetje) *32,43*
EMS [Europees Monetair Systeem] het *104*
EMU [Europese Monetaire Unie] de *103*
emulatie de *14*
emulgeren *37,106*
emulgeerde, geëmulgeerd
emulsie de (...s) *26,29,43*
emulsie...: emulsielaag, enz. *64,76*
enakskind het (...kinderen) *98*
Ename *6,53*
en bloc *63*
encadreren *22,37,106*
encadreerde, geëncadreerd
encanailleren *21,22,37*
encanailleerde, geëncanailleerd
encefalitis de *1,19,25*
enclave de (...s) *3,22,91*
enclise de *ook* **enclisis** *22,90,115*
enclitisch *22*
encountergroep de (...en) *66*
encrypteren *9,22,37*
encrypteerde, geëncrypteerd
encycliek de (...en) *9,22,25*
encyclopedie de (...dieën) *9,22,40*
end [einde] het (...en) *18*
endemie de (...mieën) *40*
en dépôt *29,31,63*
en détail *29,63*
Endlösung de *3,11,26*
endocarditis de *1,22*
endocrien *9,22*
endocriene
endocrinologie de *9,22*
endogamie de *3,9*
endorfine de *90*
endoscopie de (...pieën) *22,40*
endossabel *14*
endossant de (...en) *ook* **indossant** *14,18,115*
endossement het (...en) *ook* **indossement** *14,18,115*
endosseren *ook* **indosseren** *37,106,115*
endosseerde, geëndosseerd
endotheel het *20*
endotherm *20*
endotoxine de/het (...n, ...s) *23,91*
enduro de (...'s) *42*
enema het (...'s) *42*
enenmale, ten – *62,111*
energetica de *22*
energeticus de (...tici) *22,25*
energie de (...gieën) *27*
energie...: energiebesparing, energie-intensief, enz. *64,76*
enerveren *37,106*
enerveerde, geënerveerd
enerzijds *73,111*
en face *63*
en famille *63*
enfant terrible het (enfants terribles) *63*
enfileren *19,37,106*
enfileerde, geënfileerd
enfin *3*
engagement het (...en) *3,27*
engageren *3,27,37*
engageerde, geëngageerd
engel de (...en)
engel...: engelbewaarder, enz. *64*
engelen...: engelenbak, enz. *88*
Engeland *6,53*
Engels(e), Engelsman, Engelstalig
Engelandvaarder de (...s) *53,65*
Engels het *55,65*
Engels...: Engelsgezind, Engelssprekend, Engelstalig, enz.
engineer de (...s) *3*
engineering de *3*
en gros *63*
en-groshandel *84*
engte de (...n, ...s)
engte...: engtevrees, enz. *76,91*

enigerhande *73,111*
enigerlei *13,73,111*
enigermate *111*
enigerwijs *ook* **enigerwijze** *26,111*
enigma het (...'s, ...mata) *42*
enigszins *4*
enjambement het (...en) *3,27*
enjamberen *3,37,106*
enjambeerde, geënjambeerd
enk. [enkelvoud] *100*
enlumineren *37,106*
enlumineerde, geënlumineerd
en masse *63*
en passant *63*
en petit comité *63*
en plein public *63*
en profil *63*
enquête de (...s) *3,22,31*
enquête...: enquêtecommissie, enz. *76,91*
enquêteren *22,31,37*
enquêteerde, geënquêteerd
enquêteur de (...s) *22,31*
enquêtrice de (...s) *22,25,31*
Enquist, Anna *6*
ensceneren *25,30,37*
ensceneerde, geënsceneerd
Enschede *6,53*
Enschedé (drukkersfamilie) *6*
ensemble het (...s) *3,43*
ensemble...: ensembleklank, enz. *76,91*
ensilage de *25,27,90*
ensileren *25,37,106*
ensileerde, geënsileerd
en suite *63*
ent [tak] de (...en) *18*
entameren *37,106*
entameerde, geëntameerd
enten *37,106*
entte, geënt
entente de (...s) *3,91*
enteren *37,106*
enterde, geënterd
enteritis de *1*
entertainen *8,37,106*
entertainde, geëntertaind
enthousiasme het *11,20,90*
enthousiasmeren *11,20,37*
enthousiasmeerde, geënthousiasmeerd
entomograaf de (...grafen) *19*
entomoliet de (...en) *9,18*
entourage de (...s) *3,11,27*
entr'acte de (...n, ...s) *63*
entraineren *3,37,106*
entraineerde, geëntraineerd
entrecote de (...s) *3,22,31*
entre-deux de/het (entre-deuxs; ...tje, GB: ...-deutje) *63,112*
entree de/het (...s) *29,43*
entree...: entreebewijs, enz. *64,76*
entrefilet de/het (...s) *3,8*
entremets de/het (enk. en mv.; ...tje) *3,112*
entre nous *63*
entrepot het (...s; ...pootje) *3,10,112*
entrepreneur de (...s) *3*
entresol de (...s) *3*
enumeratie de (...s) *43*
enuntiatief *19*
enuntiatieve
enuresis de (enk. en mv.) *1*
envelop de (...loppen; ...je) *ook* **enveloppe** (...n) *115*
environment het (...s) *3*
en vogue *63*
enz. [enzovoort(s)] *100*
enzovoort (enz.) *ook* **enzovoorts** *73,115*
enzym het (...en) *9,26*
enzymatisch *9,26*
EO [Evangelische Omroep] de *104*
e.o. [en omgeving, en omstreken, ex officio] *100*
Eoceen [tijdperk] het *56*
eoceen [gesteente] het *54*
EOE [European Options Exchange] de *104*
eoliet de (...en) *9,18*

eolusharp de (...en) *54,65*
eosine de/het *26,90*
EP [Europees Parlement] het *104*
e.p. [en personne, ex professo] *100*
epacta de (alleen mv.) *22*
epateren *29,37,106*
 epateerde, geëpateerd
epaulement het (...en) *10,29*
epaulet de (...letten) *10,29*
epenthesis de (...ses) *1,20*
epicentrum het (...centra, ...s) *9,25*
epiclese de (...s) *9,22,26*
epicurisme het *9,22,90*
Epicurus *6*
epicus de (epici) *9,22,25*
epicycloïde de (...n) *22,25,37*
epidemie de (...mieën) *9,40*
epidermis de *1,9*
epidiascoop de (...scopen) *9,22*
epiek de *22*
Epifanie de *9,56*
epifoor de (...foren) *9*
epifyse de (...n, ...s) *9,26,91*
epifyt de (...en) *9*
epiglottis de (...glottes) *1,3,9*
epigonisme het *9,90*
epigoon de (...gonen) *9*
epigraaf de (...grafen) *9,19*
epilepsie de *9,25*
epileptica de (...'s) *9,22,42*
epilepticus de (...tici) *9,22,25*
epileren *9,37,106*
 epileerde, geëpileerd
episch *9*
episcoop de (...scopen) *9,22*
episcopaal *22*
episcopaat het (...paten) *22*
episiotomie de (...mieën) *9,26,40*
episode de (...n, ...s) *9,91*
epistolair *3*
epitaaf de/het (...tafen) *9,19*
epitheel het *ook* **epithelium** *9,20,115*
epitheton het (...theta) *9,20*
epitome het (...s) *9,43*
epizoën de (alleen mv.) *9,26,37*
epizoötie de *9,26,37*
epoche de (...n) *3,89*
epode de (...n) *29,89*
eponiem het (...en) *9*
 eponiemenwoordenboek *88*
epopee de (...peeën) *29,38*
epoque de (...s) *22,29*
epoxy het *9,23*
 epoxy...: epoxyhars, enz. *64,76*
epsilon de (...s) *9*
EPU [Europese Politieke Unie] de *104*
equalizer de (...s) *3,24,26*
equatie de (...s) *24,43*
equator de *24*
equatoriaal de/het (...alen) *24*
Equatoriaal-Guinea *6,53*
 Equatoriaal-Guineeër, Equatoriaal-Guinees, Equatoriaal-Guinese
equilibrist de (...en) *22,24*
equilibrium het (...bria, ...s) *22,24*
equinoctiaal *22,23,24*
equinoctium het (...tia) *22,23,24*
equinox de (...en) *22,23,24*
equipage de (...s) *22,24,27*
 equipage...: equipagemeester, equipage-uitrusting, enz. *76,91*
equipe de (...s) *22,29,91*
equipement het (...en) *22,29*
equiperen *22,37,106*
 equipeerde, geëquipeerd
equivalent het (...en) *24*
equivocatie de (...s) *22,24*
Er [erbium] *100*
er... *71*
 eraan, erbovenop, eromheen, eronderuit, eropaan, enz.
era de (...'s) *42*
erasmiaans *54*
Erasmusprijs de *65*
erbarmelijk *87*
erbium (Er) het *1*
ere... zie **eer**
erectie de (...s) *23*
eremiet de (...en) *ook* **heremiet** *9,97,115*

eren *38,106*
eerde, geëerd
Erevan *ook* **Jerevan** *6,53*
erf het (erven) *19*
erfelijk *87*
erf...: erfbezit, enz. *64*
erfenis de (...nissen) *19*
ergeren *37,106*
ergerde, geërgerd
ergerlijk *87*
ergernis de (...nissen) *15*
ergotherapeut de (...en) *20,64*
ergotisme het *90*
erica de (...'s) *22,42*
Eriemeer *6,53*
erinyen de (alleen mv.) *9,54*
Eritrea *6,53*
Eritreeër, Eritrees, Eritrese
erkennen *106,108*
erkende, erkend
erkentelijk *87*
erlangen *106,108*
erlangde, erlangd
erlenmeyer de (...s) *54*
ermitage de (...s) *ook* **hermitage** *27,91,115*
eroderen *29,37,106*
erodeerde, geërodeerd
eronderuit kunnen *71*
kon eronderuit, eronderuit gekund
eropin slaan *71*
sloeg eropin, eropin geslagen
eroscentrum het (...s, ...centra) *54,65*
erosie de (...s) *26,43*
erosie...: erosiebasis, erosiegevoelig, enz. *64,76*
erotica de (alleen mv.) *22*
erotiek de *22*
erotiseren *26,37,106*
erotiseerde, geërotiseerd
Erpe-Mere *6,53*
Erps-Kwerps *6,53*
erratisch *1,14*
erratum het (...rata) *1,14*
ersatz de/het (...en) *26*
ertussenuit trekken *71*
trok ertussenuit, ertussenuit getrokken
erudiet *9*
eruditie de *9*
eruitzien *69*
zag eruit, eruitgezien
eruptie de (...s) *25*
eruptief *19*
eruptieve
ervan afwijken *71*
week ervan af, ervan afgeweken
ervandoor gaan *71*
ging ervandoor, ervandoor gegaan
ervanlangs geven *71*
gaf ervanlangs, ervanlangs gegeven
ervan uitgaan *71*
ging ervan uit, ervan uitgegaan
ervaren *106,108*
ervaarde/ervoer, ervaren
ervaring de (...en; ...rinkje) *112*
erven *19,37,106*
erfde, geërfd
ervoor staan *71*
stond ervoor, ervoor gestaan
Erwetegem *6,53*
erwt de (...en) *2*
erwten...: erwtensoep, enz. *88*
erysipelas de *9,25*
erythema het *9,20*
erytrocyt de (...en) *9,25*
es de (essen)
es...: esdoorn, enz. *64*
essen...: essenhout, enz. *88*
Es [einsteinium] *100*
ESA [European Space Agency] de *103*
esbattement het (...en) *14*
escadrille de/het (...s) *21,22,91*
escaleren *22,37,106*
escaleerde, geëscaleerd
escalope de (...s) *22,43,91*
escamoteren *22,37,106*
escamoteerde, geëscamoteerd
escapade de (...s) *22,91*
escape de (...s) *3,8,22*

escargot de (...s) *3,10,22*
escarpe de (...n) *22,89*
eschatologie de *3*
Eschenbach, Wolfram von *6*
Escher, Maurits Cornelis *6*
Escorial, El *52*
escort de (...s) *22*
escort...: escortservice, enz. *64*
escorte het (...s) *22,91*
escorteren *22,37,106*
escorteerde, geëscorteerd
escouade de (...n, ...s) *11,22,91*
escudo de (...'s) *22,42*
esculaap de (...lapen) *22,54*
esculaap...: esculaapteken, enz. *65*
esdoorn de (...s) *ook* **esdoren** *115*
Esfahan *ook* **Isfahan** *6,53*
eskader het (...s) *22*
eskadron het (...s) *22*
eskimo de (...'s; ...mootje) *42,53,112*
eskimo...: eskimohond, enz. *64,76*
eskimoteren *37,106*
eskimoteerde, geëskimoteerd
esmerauden *12,114*
esoterie de (...rieën) *26,40*
esp de (...en)
espen...: espenblad, enz. *88*
espada de (...'s) *14,42*
espadrille de (...s) *21,91*
espagnolet de (...letten) *3*
espalier de (...s) *8*
espartogras het *66*
esperantist de (...en) *54*
Esperanto *55*
esplanade de (...n, ...s) *91*
espresso de (...'s; ...sootje) *42,112*
espresso...: espressoapparaat, enz. *64,76*
esprit de (...s) *9*
essaai het (...s) *14,21*
essay het (...s; ...tje) *8,43,45*
essay...: essaybundel, enz. *64,76*
essayeren *21,37,106*
essayeerde, geëssayeerd
essayist de (...en) *21*
essayistiek de *21,22*
essence de (...n, ...s) *3,25,91*
essentialia de (alleen mv.) *25*
essentie de (...s) *25,43*
essentieel *25,37,38*
essentiële
Essex *6,53*
establishment het *3,27*
estafette de (...n, ...s) *14*
estafette...: estafetteactie, estafetteloop, enz. *76,91*
ester de (...s) *20*
estheet de (...theten) *20*
esthetica de (...'s) *20,22*
estheticienne de (...s) *20,25,39*
estheticisme het *20,25,90*
estheticus de (...tici) *20,22,25*
esthetiek de *9,20,22*
esthetisch *20,113*
esthetischer, meest esthetisch
esthetiseren *20,26,37*
esthetiseerde, geësthetiseerd
Estland *6,53,55*
Est, Estlander, Estlands(e), Estisch
estouffade de (...n, ...s) *11,14,43*
estrade de (...n, ...s) *43,91*
estrik de (...en) *15*
estuarium het (...ria) *37*
ETA [Euzkadi ta Askatasuna] de *103*
etablissement het (...en) *9,14,29*
etage de (...s) *27,29*
etage...: etagewoning, enz. *76,91*
etagère de (...s) *27,29,30*
etalage de (...s) *27,29,43*
etalage...: etalagepop, enz. *76,91*
etaleren *14,29,37*
etaleerde, geëtaleerd
etappe de (...n, ...s) *29,43*
etappe...: etappeoverwinning, etappeplaats, enz. *76,91*
etatisme het *29,57,90*
etc. [et cetera] *100*
et cetera (etc.) *63*
eten het
etens...: etenstijd, enz. *98*

eterij de *13*
eternieten *9,114*
ethaan het *20*
ethanol het *20*
etheen de *20*
ether de (...s) *20*
ether...: etherreclame, enz. *64*
etherisch *20*
ethica de (...'s) *20,22,42*
ethicus de (ethici) *20,22,25*
ethiek de *9,20,22*
Ethiopië *6,53*
Ethiopiër, Ethiopisch(e)
ethisch *20*
ethologie de *20*
ethos het *20*
ethyl het *9,20*
ethyleen het *9,20*
etiket [sticker] het (...ketten) *22*
etiketteren *14,22,37*
etiketteerde, geëtiketteerd
etioleren *37,106*
etioleerde, geëtioleerd
etiquette [omgangsregels] de *22,29*
etiquette...: etiquetteboek, enz. *76,90*
etniciteit de (...en) *20,25*
etnisch *20*
etnocentrisch *20,25*
etnofaulisme het (...n, ...s) *12,20,91*
etnofobie de (...bieën) *20,40*
etnografica de (alleen mv.) *20,22*
etsen *37,106*
etste, geëtst
et-teken (&) het (...s) *85*
ettelijk *1*
Etten-Leur *6,53*
etteren *37,106*
etterde, geëtterd
etude de (...s) *29,91*
etui het (...s; ...tje) *3,29,43*
etymologicon het (...gica, ...s) *9,22*
etymologie de (...gieën) *9,40*
etymologiseren *9,26,37*
etymologiseerde, geëtymologiseerd
etymon het (...ma) *9*
Eu [europium] *100*
EU [Europese Unie] de *104*
EU-...: EU-lidstaat, enz. *83*
eubiotiek de *3,22*
eucalyptus de (...tussen) *3,9,22*
eucalyptus...: eucalyptusolie, enz. *64*
eucharistie de *3*
eucharistie...: eucharistieviering, enz. *64,76*
Euclides *6*
euclidisch *3,22*
eudiometer de (...s) *3*
eufemisme het (...n) *3,89*
eufemistisch *3,113*
eufemistischer, meest eufemistisch
eufonie de *3*
eufonisch *3,113*
eufonischer, meest eufonisch
eufoor *3*
euforie de *3*
euforisch *3,113*
euforischer, meest euforisch
Eufraat de *6,53*
eugenese de *3,26,90*
eugenetica de *3,22*
eukaryoot de (...ryoten) *3,9,22*
eunuch de (...en) *3*
Eurazië *6,53*
eureka *3,22*
Euripides *6*
euritmie *3,20*
euro [munteenheid] de (...'s) *42*
euro... *78*
euroambtenaar, eurocitytrein, eurocraat, euro-enthousiasme, europarlement, enz.
Europa *6,53*
Europeaan, Europeeër, Europees, Europese
europeaniseren *38,54,106*
europeaniseerde, geëuropeaniseerd
europium (Eu) de *3,54*

Eurovisie de *52*
Eurovisie...: Eurovisiesongfestival, enz. *65*
Eurydice *6*
Eusebio *6*
Eustachius *6*
eustachiusbuis de (...buizen) *54,65*
Euterpe *6*
euthanaseren *3,20,38*
euthanaseerde, geëuthanaseerd
euthanasie de *3,20,26*
euthanasie...: euthanasieverklaring, enz. *64,76*
euthanaticum het (...tica) *3,20,22*
eutrofie de *3*
eutrofiëring de *3,37*
eutroof *3,19*
eutrofe
eV [elektrovolt] *100*
e.v. [eerstvolgende, en volgende, ex voto] *100*
EVA [Europese Vrijhandelsassociatie] de *103*
e.v.a. [en vele andere(n), en volgens afspraak] *100*
evaatje het (...s) *43,54,112*
evacuatie de (...s) *22,37*
evacuatie...: evacuatiebevel, enz. *64,76*
evacué, evacuee de (...s; ...eetje) *32,43,112*
evacueren *22,37,106*
evacueerde, geëvacueerd
evakostuum het *54,65*
evaluatie de (...s)
evaluatie...: evaluatiegesprek, enz. *64,76*
evaluatief *19*
evaluatieve
evalueren *37,106*
evalueerde, geëvalueerd
evangeliarium het (...ria, ...s) *59*
evangelie het (...liën, ...s) *40*
evangelie...: evangelieprediker, enz. *64,76*
evangeliseren *26,37,106*
evangeliseerde, geëvangeliseerd
evaporeren *14,37,106*
evaporeerde, geëvaporeerd
evasie de (...s) *26,29*
evenals *73*
evenaren *37,106*
evenaarde, geëvenaard
eveneens *73*
evenement het (...en)
evenementen...: evenementenhal, enz. *88*
evengoed *73*
eveningdress de (...es) *67*
evenknie de (...knieën) *40,64*
evenmin *73*
evennachtslijn de (...en) *4,68,98*
eventualiter *9*
eventueel (evt.) *37,38*
eventuele
evenveel *73*
evenwaardig *73*
evenwel *73*
evenwicht het
evenwichts...: evenwichtsbalk, evenwichtsstoornis, enz. *98,99*
evenwijdig *13*
evenzeer *73*
evenzo *73*
evenzogoed *73*
evergreen de (...s) *67*
evident *18*
evidentie de (...s) *25,43*
evocatie de (...s) *22,43*
evocatie...: evocatierecht, enz. *64,76*
evocatief *22*
evocatieve, evocatiever, evocatiefst
evoceren *25,37,106*
evoceerde, geëvoceerd
evolueren *37,38,106*
evolueerde, geëvolueerd
evolutie de (...s) *43*
evolutie...: evolutieleer, enz. *64,76*
evolutionair *3,16*
evoqueren *22,37,106*
evoqueerde, geëvoqueerd

EVP [Evangelische Volkspartij] de *104*
evt. [eventueel] *100*
evulgetur het *3,11*
ex de (...en) *23*
ex. [exemplaar] *100*
Ex. [Exodus] *100*
ex-... *23,77*
ex-bankier, ex-burgemeester, ex-asielzoeker, enz.
exact *22,23,113*
exacter, exactst/meest exact
ex aequo *63*
exageren *23,37,106*
exageerde, geëxageerd
exalteren *23,37,106*
exalteerde, geëxalteerd
examen het (...s, ...mina) *23*
examinanda de (...dae, ...'s) *23,42*
examinandus de (...nandi) *1,23*
examinator de (...en, ...s) *23*
examinatrice de (...s) *23,25*
examineren *23,37,106*
examineerde, geëxamineerd
exantheem het (...themen) *20,23*
exarch de (...en) *3,23*
exc. [excellentie] *100*
ex cathedra *63*
ex-cathedraonderwijs *84*
excavatie de (...s) *22,23,43*
excellence, par – *63*
excellentie (exc.) de (...s) *14,23,25*
excelleren *14,23,37*
excelleerde, geëxcelleerd
excelsior *23,25*
excentriciteit de (...en) *9,23,25*
excentriek *22,23*
excentrisch *23*
exceptie de (...s) *23,43*
exceptioneel *16,23*
excerperen *23,37,106*
excerpeerde, geëxcerpeerd
excerpt het (...en) *23*
exces het (...cessen) *23*
excessief *19,23*
excessieve
excisie de (...s) *23,26*
excitatie de (...s) *23*
exciteren *23,37,106*
exciteerde, geëxciteerd
excl. [exclusief] *100*
exclameren *22,23,37*
exclameerde, geëxclameerd
exclave de (...s) *22,23,43*
exclusie de (...s) *22,23,26*
exclusief (excl.) *19,22,23*
exclusieve
exclusivisme het *22,23,90*
exclusiviteit de *22,23*
excommuniceren *22,23,37*
excommuniceerde, geëxcommuniceerd
excommuniëren *23,37,38*
excommunieerde, geëxcommunieerd
excreet het (excreten) *22,23*
excrement het (...en) *22,23*
excretie de (...s) *22,23,43*
excursie de (...s) *22,23,26*
excusabel *22,23,26*
excuseren *22,23,37*
excuseerde, geëxcuseerd
excuus het (...cuses) *22,23*
excuus...: excuusbrief, excuustruus (GB: excuus-Truus), enz. *54,64*
executabel *1,22,23*
executant de (...en) *22,23*
executeren *22,23,37*
executeerde, geëxecuteerd
executeur de (...en, ...s) *22,23*
executeur-...: executeur-testamentair (executeurs-testamentairs), enz. *79*
executie de (...s) *22,23*
executie...: executiepeloton, enz. *64,76*
executief *19,22,23*
executieve
executive class de (executive classes) *67*
executoir *3,22,23*
executoriaal *14,22,23*

exegeet de (...geten) *3,18,23*
exegese de (...n, ...s) *23,26,91*
exempel het (...en, ...s) *23*
exemplaar (ex.) het (...plaren) *23*
exemplair *3,23*
exempt *23*
exemptie de (...s) *23,25,43*
exequatur het (...s) *1,23,24*
exequiën de (alleen mv.) *23,24,40*
exerceren *23,25,37*
exerceerde, geëxerceerd
exercitie de (...tiën, ...s) *23,25,40*
exercitie...: exercitieveld, enz. *64,76*
exhalatie de (...tiën, ...s) *20,23,40*
exhauster de (...s) *ook* **exhaustor** (...s) *1,20,23*
exhaustief *19,20,23*
exhaustieve
exhiberen *20,23,37*
exhibeerde, geëxhibeerd
exhibitie de (...s) *20,23,43*
exhibitionist de (...en) *16,20*
exhibitum het (...bita) *20,23*
exhumatie de (...s) *20,23,43*
exil het (...s) *ook* **exilium** *9,23,115*
existentialisme het *23,57,90*
existentie de (...s) *23,25*
existentie...: existentiefilosoof, enz. *64,76*
existentieel *23,37*
existentiële
existeren *23,37,106*
existeerde, geëxisteerd
exit de (...s) *23*
exit...: exitgesprek, enz. *66*
ex jure *63*
ex-libris het (ex-libris, ex-librissen) *63*
exobiologie de *23*
exocetraket de (...ketten) *23,25,66*
exocrien *9,22,23*
exodus [uittocht] de *23*
ex officio (e.o.) *63*
exogamie de *3,23*
exogeen *23*
exonereren *23,37,106*
exonereerde, geëxonereerd
exoniem het (...en) *9,23*
exoot de (exoten) *18,23*
exorbitant *23*
exorciseren *23,25,37*
exorciseerde, geëxorciseerd
exorcisme het *23,25,90*
exordium het (...dia, ...s) *23*
exosfeer de *19,23*
exoskelet het (...letten) *23*
exoterisch *23*
exotherm *20,23*
exotisch *23,113*
exotischer, meest exotisch
exotoxine de (...n, ...s) *23,90*
expander de (...s) *23*
expanderen *23,37,106*
expandeerde, geëxpandeerd
expansie de (...s) *23,25*
expansie...: expansiepolitiek, enz. *64,76*
expansionisme het *16,23,25*
expatriëren *23,37,38*
expatrieerde, geëxpatrieerd
expediënt de/het (...en) *23,37*
expediëren *23,37,38*
expedieerde, geëxpedieerd
expeditie de (...s) *23*
expeditie...: expeditieleger, enz. *64,76*
expeditionair *3,16,23*
expensief *19,23*
expensieve
experiëntie de (...s) *23,37,43*
experimenteren *23,37,106*
experimenteerde, geëxperimenteerd
expert de (...s) *3,23*
expertise de (...n, ...s) *23,26,43*
expertise...: expertisecentrum, enz. *76,91*
expiratie de (...s) *23,43*
expiratorisch *23*
expireren *23,37,106*
expireerde, geëxpireerd
explantatie de (...s) *23,43*
expletief *19,23*
expletieve

expliceren *ook* **expliqueren** *25,37,115*
expliceerde, geëxpliceerd
expliciet *23,25*
explicit het (...s) *22,23*
explicitatie de (...s) *23,25,43*
expliciteren *23,25,37*
expliciteerde, geëxpliciteerd
expliqueren *ook* **expliceren** *22,37,115*
expliqueerde, geëxpliqueerd
exploderen *23,37,106*
explodeerde, geëxplodeerd
exploitabel *3,23*
exploitant de (...en) *3,23*
exploitatie de (...s) *3,23,43*
exploitatie...: exploitatiekosten, enz. *64,76*
exploiteren *3,23,37*
exploiteerde, geëxploiteerd
exploot het (...ploten) *18,23*
exploratie de (...s) *23*
exploratie...: exploratieactiviteit, enz. *64,76*
exploreren *23,37,106*
exploreerde, geëxploreerd
explosie de (...s) *23,26*
explosie...: explosiegevaar, enz. *64,76*
explosief *19,23*
explosieve
explosiviteit de *19,23*
expo de (...'s) *23,42,102*
exponentieel *23,37,38*
exponentiële
exponeren *23,37,106*
exponeerde, geëxponeerd
export de (...en) *23*
export...: exportartikel, enz. *64*
exporteren *23,37,106*
exporteerde, geëxporteerd
exposant de (...en) *23,26*
exposé het (...s; ...seetje) *23,29,112*
exposeren *23,26,37*
exposeerde, geëxposeerd
expositie de (...s) *23,43*
expositie...: expositiecentrum, enz. *64,76*
expres *23*
expres...: exprestrein, enz. *64*
expresse de (...n, ...s, GB: ...n) *23,91*
expressie de (...s) *23*
expressie...: expressievorm, enz. *64,76*
expressief *19,23*
expressieve
expressionisme het *23,57,90*
expressionistisch *16,23*
expressiviteit de *19,23*
ex professo (e.p.) *63*
expulsie de (...s) *23,26,43*
expulsie...: expulsiegebied, enz. *64,76*
exquis *22,23,113*
exquiser/meer exquis, meest exquis
exquisiet *23,24,113*
exquisieter/meer exquisiet, meest exquisiet
exsiccator de (...en, ...s) *14,22,23*
extase de (...s) *23,26,91*
extatisch *23*
ex-tempore het (...'s) *42,63*
extensie de (...s) *23,25,43*
extensief *19,23*
extensieve
extensiveren *23,37,106*
extensiveerde, geëxtensiveerd
extenso, in – *63*
exterieur het (...s) *23*
exterminatie de (...s) *23,43*
extern *23*
externe de (...n) *23,89*
exterritoriaal *14,23*
exterritorialiteit de *14,23*
extincteur de (...s) *22,23*
extinctie de (...s) *22,23,25*
extirpatie de (...s) *23,43*
extirperen *23,37,106*
extirpeerde, geëxtirpeerd
extra het (...'s; extraatje) *23,42,112*
extra... *23,78*
extraordinair (GB: extra-ordinair), extrasystole, extraterritoriaal, extra-uterien, enz.

extract het (...en) *22,23*
extractie de (...s) *22,23,25*
extraheren *23,37,106*
extraheerde, geëxtraheerd
extranea de (...neae, ...'s) *3,23,42*
extraneus de (...nei, GB: ...neï) *23,39*
extrapoleren *23,37,106*
extrapoleerde, geëxtrapoleerd
extra time de (...s) *67*
extravagant *23*
extravert *ook* **extrovert** *23,115*
extreem *23*
extreem-links, extreem-rechts *79*
extremis, in – *63*
extremisme het *23,90*
extremiteit de (...en) *23*
extrinsiek *22,23,26*
extrovert *ook* **extravert** *23,115*
exuberantie de *23,25*
ex-voto de/het (...'s; ...tootje)
42,63,112
Eybers, Elisabeth *6*
Eyck, Hubert/Jan van *6*
eyeliner de (...s) *67*
eye-opener de (...s) *67,85*
Eyk, Henriëtte van *6*
Eykman, Karel *6*
Eynatten *6,53*
Eyremeer [Australië] *6,53*
EZ [(Ministerie van) Economische
Zaken] het *104*
Ezechiël *6*
ezel de (...s)
ezel...: ezeldrijver, enz. *64*
ezels...: ezelsoren, enz. *98*
ezelen *37,106*
ezelde, geëzeld
ezelin de (...linnen; ...linnetje) *112*
ezelinnen...: ezelinnenmelk, enz. *88*
Ezemaal *6,53*

f

f de (f's, f'en; f'je) *46*
f-gat, f-sleutel, F-side *61,83*
f. [fecit, femininum, folio, forte] *100*
F [Fahrenheit, farad, fluor] *100*
F-16 de (...'s) *46*
F-16-vliegtuig *83*
fa de (...'s) *42*
fa. [firma] *100*
faam de *19*
faas de (fazen) *19,26*
fabel de (...en, ...s; ...tje) *1*
Fabergé-ei het (...-eieren) *65*
fabricage de (...s) *22,27*
fabricage...: fabricagefout, enz. *76,91*
fabricatie de *22*
fabriceren *ook* **fabrikeren** *25,106,115*
fabriceerde, gefabriceerd
fabriek de (...en)
fabrieks...: fabriekshal, fabrieksmatig, fabriekssluiting, enz. *98,99*
fabrieken *22,106*
fabriekte, gefabriekt
fabrikaat het (...katen) *9,22*
fabrikant de (...en) *9,22*
fabrikeren *ook* **fabriceren** *22,106,115*
fabrikeerde, gefabrikeerd
fabulant de (...en) *1*
fabuleus *1,26*
fabuleuze
façade de (...n, ...s) *25,91*
face [uitspr.: fas] de *25*
face-à-main *63*
en face *63*
face... [uitspr.: fees] *8,25,67*
facelift, face-off, enz.
facet het (...cetten) *25*
facet...: facetoog, enz. *64*
facetten...: facettenoog, enz. *88*
face to face *67*
facie de/het (...s) *9,25*
facilitair *3,9,25*
faciliteit de (...en) *9,13,25*
faciliteiten...: faciliteitengemeente, enz. *88*
facit het (...s) *25*
facsimile de/het (...'s; ...leetje) *23,29,42,112*
facsimile...: facsimiledruk, facsimile-uitgave, enz. *64,76*
factie de (..tiën, ...s) *23,40,43*
factitief het (...tieven) *9,19,22*
facto, de – *63*
factoor de (...toren) *22*
factor de (...en) *22*
factor...: factoranalyse, enz. *64*
factorij de (...en) *13,22*
factoring de *3,22*
factoring...: factoringmaatschappij, enz. *66*
factotum de/het (...s) *1,22*
factum het (facta) *1,22*
factureren *22,106*
factureerde, gefactureerd
factuur de (...turen) *22*
facultair *3,22*
facultatief *19,22*
facultatieve
faculteit de (...en) *13,22*
faculteits...: faculteitsraad, enz. *98*
fade de (...s) *3,8,43*
fade-out *67*
faden *8,105,106*
fadede, gefaded
fado de (...'s) *11,42*
Faeröer de *6,53*
Faeröerder, Faeröers(e), Faeröersk
faëton de (...s) *19,37*
fagocyt de (...en) *9,25*

fagocytose de *9,25,90*
fagottist de (...en) *14*
Fahrenheit (F) *51*
Fahrenheitschaal *65*
faience de (...s) *21,25,91*
failleren *21,106*
failleerde, gefailleerd
failliet de/het (...en) *21*
faillissement het (...en) *14,21*
faillissements...:
faillissementsaanvraag, enz. *98*
fair *3,113*
fairder, fairst
fair play *67*
fairway de (...s) *3,43*
faisabel *3,26*
fait accompli het (faits accomplis) *63*
faits divers (alleen mv.) *63*
fake de (...s) *3,8,43*
faken *8,105,106*
fakete, gefaket
fakir de (...s; fakiertje) *9,112*
falafel de *14*
falangisme het *14,57,90*
falanx de (...en) *14,23*
falasha de (...'s) *27,42*
falderappes het *1,19*
Fale *6,53*
falie de (...s) *9,43*
faliekant *9*
Falklandeilanden de *6,53*
Falklandeilander,
Falklandeilands(e)
Falla, Manuel de *6*
Fallaci, Oriana *6*
fallisme het *14,90*
fallocratie de (...tieën) *14,22,40*
fall-out de *67*
fallus de (...lussen) *1,19*
fallus...: fallussymbool, enz. *64*
falsaris de (...rissen) *1,15*
falset de/het (...setten) *19*
falset...: falsetstem, enz. *64*
falsificatie de (...s) *19,22,43*
falsificeren *25,106*
falsificeerde, gefalsificeerd
falsifiëren *37,38,106*
falsifieerde, gefalsifieerd
fameus *26*
fameuze
familiaal *9*
familiaar *ook* **familiair** *9,115*
familiale de (...s) *9,91*
familiaris de (...ares) *1,9*
familiariteit de (...en) *9,13*
familie de (...s) *9,43*
familie...: familiealbum,
familiesfeer, familie-uitje,
familieziek, enz. *64,76*
fan [bewonderaar, waaier] de (...s) *3*
fan...: fanclub, fanmail, enz. *66,67*
fanaat de (fanaten) *14*
fanaticus de (...tici) *9,22,25*
fanatiek *9,14*
fanatieke
fanatiekeling de (...en) *9*
fanatisme het *90*
fancy de *3,9,25*
fancy...: fancyartikel, fancyfair, enz.
66,67,76
fandango de (...'s) *3,42*
fanfare de (...n, ...s)
fanfare...: fanfarekorps, enz. *76,91*
fango de (...'s) *3,42*
fantaseren *26,106*
fantaseerde, gefantaseerd
fantasia de (...'s) *42*
fantasie de (...sieën) *40*
fantasie...: fantasieartikel,
fantasieletter, fantasievol, enz.
64,76
fantasma het (...'s, ...mata) *42*
fantasmagorie de (...rieën) *40*
fantastisch *113*
fantastischer, meest fantastisch
fantoom het (...tomen) *19*
fantoom...: fantoompijn, enz. *64*
fanzine het (...s) *67*
FAO [Food and Agricultural
Organisation] de *104*
farad (F) de (...s) *3,18*

farao de (...'s) *42*
farce de (...n, ...s) *25,91*
farceren *25,106*
farceerde, gefarceerd
farceur de (...s) *25*
farde de (...n, ...s) *91*
farizeeën de (alleen mv.) (GB: Farizeeën) *57*
farizeeër de (...s) *8,38,54*
farizees *8,26,54*
farizeese
farizeïsme het *8,37,54,90*
farmaceutica de *22,25*
farmaceutica...: farmaceutica-industrie, enz. *64,76*
farmacie de (...cieën) *25,40*
farmacie...: farmaciebedrijf, enz. *64,76*
farmaco... *22*
farmacochemie, farmacologisch, enz.
farmacon het (...maca) *22*
farmacopee de (...s) *8,22,43*
faro de/het *19*
Farsi *55*
faryngaal de (...galen) *9*
farynx de (...en) *9,23*
fascia de (...ciae, ...ciën) *8,25,37*
fascinatie de (...s) *25,43*
fascine de (...n, ...s) *25,91*
fascineren *25,106*
fascineerde, gefascineerd
fascisme het *25,27,90*
fascist de (...en) *25,27*
fascistoïde *25,27,37*
fase de (...n, ...s) *26*
fase...: faseverschil, enz. *76,91*
faseren *26,106*
faseerde, gefaseerd
fashion de *3,27*
fashionable *3,27*
Fassbinder, Rainer Werner *6*
fastback *67*
fastfood het *67*
fastfood...: fastfoodketen, enz. *66*
fat [modegek] de (fatten) *19*
fatalisme het *14,90*
fata morgana de (fata morgana's) *42,63*
fatigeren *14,106*
fatigeerde, gefatigeerd
fatsoen het (...en)
fatsoens...: fatsoenshalve, fatsoensnorm, enz. *98*
fatum het (fata) *1*
fatwa de (...'s) *42*
Faulkner, William *6*
faun de (...en) *12*
fauna de (...'s) *12,42*
fauna...: faunabeheer, enz. *64,76*
fausset de/het (...setten) *10,14*
faustiaans *54*
fauteuil de (...s) *3,10*
fauvisme het *10,57,90*
faux amis de (alleen mv.) *63*
faux pas de *63*
Faverey, Hans *6*
faveure, ten – van *62,111*
favoriet de (...en)
favorieten...: favorietenrol, enz. *88*
favoriseren *9,26,106*
favoriseerde, gefavoriseerd
favoritisme het *9,90*
favus de *1*
fax de (...en) *23*
fax...: faxapparaat, enz. *83*
faxen *23,106*
faxte, gefaxt
fazant de (...en) *26*
fazanten...: fazantennest, enz. *88*
FBI [Federal Bureau of Investigation] de *104*
FC [Football Club] *104*
FDF [Front Démocratique des Francophones] het *104*
Fe [ijzer] *100*
feature de (...s) *3,9*
febr. [februari] *100*
febriel *9*
febriele

februari (febr.) de *9,56*
februari...: februarimaand, enz. *64,76*
Februaristaking de *56*
fec. [fecit] *100*
fecaal *22*
fecaliën de (alleen mv.) *8,22,40*
feces de (alleen mv.) *1,8,25*
fecit (f., fec.) *25*
fecundatie de *22*
fedajien de (alleen mv.) *21*
federaliseren *26,106*
federaliseerde, gefederaliseerd
federatie de (...s) *43*
federatief *9,19*
federatieve
fee de (feeën) *38*
feeën...: feeënkoningin, enz. *88*
feedback de *67*
feeërie de (...rieën, ...s) *8,38,40,43*
feeëriek *8,38*
feeërieke
feeling de *9*
feesten *106*
feestte, gefeest
feestvieren *69,106*
vierde feest, feestgevierd
feil [fout] de (...en) *13*
feilloos *87*
feilen *13,106*
feilde, gefeild
feit het (...en) *13*
feitelijk *87*
feiten...: feitenkennis, enz. *88*
feite, in – *13,62*
Feith, Rhijnvis *6*
fel... *64*
felbegeerd, felrood, enz.
felicitatie de (...s) *9,25*
felicitatie...: felicitatiedienst, enz. *64,76*
feliciteren *25,106*
feliciteerde, gefeliciteerd
felien *9*
feliene
fellah de (...s) *20,43*
fellatio de *ook* **fellatie** *14,115*
felleem het *14*
Fellini, Federico *6*
fellow de (...s) *3*
fellow traveller *67*
feloek de (...en) *11,14*
felonie de (...nieën) *14,40*
fels de (...en) *19,26*
felsen *19,26,106*
felste, gefelst
femel de (...s) *19*
femelen *19,106*
femelde, gefemeld
feminien *9*
feminiene
femininisatie de *ook* **feminisatie** *9,26,115*
femininum (f.) het (...nina) *9*
feminiseren *26,106*
feminiseerde, gefeminiseerd
feminisme het *9,90*
feministe de (...n, ...s) *9,88*
femisch *9*
femme fatale de (femmes fatales) *63*
femto... *78*
femtogram, femtoseconde, enz.
femur het (...en) *1*
fen [munt] de (...s) *19*
fender de (...s) *19*
fenegriek de/het *19*
feniks de (...en) *19,23*
fenol het (...en) *14*
fenol...: fenoloplossing, enz. *64*
fenologie de *14*
fenomeen het (...menen) *19*
fenotype het (...n, ...s) *9,19,91*
fentanyl het *9,19*
fenyl... *9,64*
fenylalcohol, fenylzuur, enz.
feodalisme het *ook* **feudalisme** *90,115*
fermate de (...n, ...s) *91*
ferment het (...en) *1*
fermette de (...n, ...s; fermetje) *91,112*
fermiteit de *ook* **fermeteit** *1,115*

fermoor het (...moren) *19*
feromoon het (...monen) *14*
ferriet het *14*
ferro... *78*
ferrochroomband, ferromagnetisch, enz.
ferronnière de (...s) *14,30,91*
ferry de (...'s) *9,42*
ferry...: ferryboot, enz. *66,76*
fertiel *9*
fertiele
fertilisatie de (...s) *9,26*
ferula de (...lae, ...'s) *8,42*
fervent *19*
Ferwerderadeel *6,53*
festijn het (...en) *13*
festival het (...s; ...valletje) *9,112*
festiviteit de (...en) *9*
festiviteiten...: festiviteitenagenda, enz. *88*
festoen de/het (...en) *11*
feston de/het (...s; festonnetje) *112*
festonneren *14,106*
festonneerde, gefestonneerd
feta de *3*
feta...: fetakaas, enz. *66,76*
fêteren *31,106*
fêteerde, gefêteerd
fetisj de (...en) *27*
fetisjisme het *9,27,90*
feudalisme het *ook* **feodalisme** *90,115*
feuille morte de (feuilles mortes) *63*
feuilletee het *8,21,29*
feuilletee...: feuilleteedeeg, enz. *66,76*
feuilleteren *14,21,106*
feuilleteerde, gefeuilleteerd
feuilleton de/het (...s; ...tonnetje) *14,21,112*
feuilleton...: feuilletonschrijver, enz. *64*
Feyenoord (voetbalclub) *6*
fez de (fezzen) *26*
fezelen *26,106*
fezelde, gefezeld

ff [fortissimo] *100*
fiacre de (...s) *22,91*
fiasco het (...'s) *22,42*
fiat het (...s) *3*
fiatteren *14,106*
fiatteerde, gefiatteerd
fiber de/het *9*
fiberfill *67*
fibreus *26*
fibreuze
fibril de (...brillen) *15*
fibrillatie de (...s) *14*
fibrilleren *14,106*
fibrilleerde, gefibrilleerd
fibrine de *9,90*
fibrinolyse de *9,26,90*
fibro... *9,78*
fibroblast, fibromyalgie, enz.
fibroom het (...bromen) *9*
fibrositis de *1,26*
fibula de (...'s, ...lae)*8,42*
fiche de/het (...s) *27*
fiche...: fichedoos, enz. *76,91*
ficheren *27,106*
ficheerde, geficheerd
fichu de (...'s; fichuutje) *27,42,112*
fictie de (...s) *23,43*
fictief *19,22*
fictieve
fictionaliseren *16,23,26,106*
fictionaliseerde, gefictionaliseerd
ficus de (...cussen) *1,22*
fideel *9*
fideï-... *9,37,63*
fideï-commis, fideï-commissair, enz.
fideïsme het *9,37,90*
fideliteit de *9,13*
fiduciair *3,9,25*
fiducie de *9,25*
fiedelen *106*
fiedelde, gefiedeld
fielden *106*
fieldde, gefield
fieldwork het *67*
fielt de (...en) *18*
fielten...: fieltenstreek, enz. *88*

fier *113*
fierder, fierst
fierljeppen *3,19,106*
fierljepte, gefierljept
fiertel de (...s) *19*
fieselemie de (...mieën) *9,40*
fiësta de (...'s) *37,42*
fiets de (...en)
fiets...: fietsketting, enz. *64*
fietsen...: fietsenrek, enz. *88*
fietsster de (...s) *4*
FIFA [Fédération Internationale de Football Associations] de *103*
fifties de (alleen mv.) *9,43*
fiftyfifty *80*
fig. [figuur, figuurlijk] *100*
figaro de (...'s; ...rootje) *3,42,112*
Figueras *6,53*
figurant de (...en)
figuranten...: figurantenrol, enz. *88*
figuratie de (...s) *43*
figuratief *9,19*
figuratieve
figurisme het *90*
figuur... *69,107*
figuurrijden, figuurzagen, enz.
figuur (fig.) de/het (...guren) *100*
figuurlijk *87*
Fiji *6,53*
Fijiër, Fijisch(e)
fijn... *64*
fijnbesnaard, fijngoed, fijnmazig, enz.
fijn... *69,106*
fijnhakken: hakte fijn, fijngehakt; enz.
fijt [ontsteking] de/het (...en) *13*
fiksen [opknappen] *23,106*
fikste, gefikst
filagram het (...grammen) *ook* **filigram** *14,115*
filament het (...en) *14,19*
filantropie de *14,19*
filatelie de *14,19*
fil d'écosse het *63*
file [uitspr.: faajl] de/het (...s; ...tje) *3*
file...: fileserver, enz. *67*
file [uitspr.: fiele] de (...s) *9,43*
file...: file-informatie, fileprobleem, enz. *76,91*
fileparkeren *69,107*
fileren *14,106*
fileerde, gefileerd
filet de/het (...s; fileetje) *8,112*
filet américain, filet d'anvers *63*
filharmonisch *19*
filiaal het (...alen) *14*
filiaal...: filiaalchef, enz. *64*
filiatie de (...s) *14*
filibuster de (...s) *9*
filigraan het *ook* **filigrein** *14,115*
filigram het (...grammen) *ook* **filagram** *14,115*
Filipijnen *ook* **Filippijnen** *6,53,55*
Filipijn, Filipijns(e), Filipino
Filipijnse Zee *ook* **Filipijnenzee** *6,53*
filippica de (...'s) *14,22,42*
filippine de (...n, ...s) *9,14,91*
filister de (...s) *14*
filistijnen de (alleen mv.) *13,14,54*
filo... *78*
filologie, filopedisch, enz.
filosoferen *26,106*
filosofeerde, gefilosofeerd
filosofie de (...fieën) *40*
filosoof de (...sofen) *19,26*
filozellen *26,114*
filteren *106*
filterde, gefilterd
fimose de *ook* **fimosis** *26,90,115*
finale de (...s) *43*
financieel *25,37,38*
financiële
financieel-... *25,38,80*
financieel-economisch, financieel-technisch, enz.
financiën de (alleen mv.) *ook* **financies** *25,37,40,115*
financieren *25,106*
financierde, gefinancierd

financies de (alleen mv.) *ook* **financiën** *25,115*
financiewezen het *25,64*
fin de siècle het *63*
fin-de-sièclestijl *84*
fineer het *19*
fine fleur de *63*
fineliner de (...s) *67*
fineren *106*
fineerde, gefineerd
finesse de (...s) *91*
fingeren *106*
fingeerde, gefingeerd
fingerspitzengefühl het *3*
fingertip de (...s) *67*
fini *9*
finiet *9*
finiete
finish de *3,27*
finish...: finishfoto, enz. *66*
finishen *27,106*
finishte, gefinisht
finishing touch de *67*
finlandisering de *26,54*
finnjol de (...jollen) *14*
finoegristiek de *11*
Fins-Oegrisch *55*
fint de (...en) *18*
FIOD [Fiscale Inlichtingen- en Opsporingsdienst] de *103*
fiool [flesje] de (fiolen) *19*
firewall de (...s) *67*
firma (fa.) de (...'s; firmaatje) *42,112*
firn de *3*
first lady de (first lady's) *42,67*
fis de/het (fissen) *9*
fiscaal-... *22,80*
fiscaal-economisch, fiscaal-technisch, enz.
fiscaliseren *22,26,106*
fiscaliseerde, gefiscaliseerd
Fischer, Bobby *6*
Fischer-Dieskau, Dietrich *6*
fiscus de *1,22*
Fisher, Irving/John *6*
fish-eyelens de (...lenzen) *3,27,84*
fissuur de (...suren) *14*
fistel de (...s) *1*
fisten *106*
fistte, gefist
fistfucking de/het *22,67*
fistuleus *26*
fistuleuze
fitis de (...tissen) *1,9,15*
fitness de *3*
fitness...: fitnesscentrum, enz. *66*
fitnessen *15,105,106*
fitneste, gefitnest
fit-o-meter de (...s) *85*
fits de (...en) *19*
fitting de (...en, ...s; fittinkje) *112*
Fittipaldi, Emerson *6*
Fitzgerald, Ella/Scott *6*
fixatie de (...s) *23,43*
fixatief het (...tieven) *19,23*
fixen [drugs spuiten] *23,106*
fixte, gefixt
fixeren *23,106*
fixeerde, gefixeerd
fixum het (fixa, ...s) *23*
fjeld het (...s) *18,21*
fjord de/het (...en) *18,21*
fjorden...: fjordenkust, enz. *88*
fl. [florijn] *100*
flabberen *106*
flabberde, geflabberd
flabellum het (...bella, ...s) *14*
flacon de (...s; flaconnetje) *22,112*
fladderen *106*
fladderde, gefladderd
flagellantisme het *14,90*
flagelleren *14,106*
flagelleerde, geflagelleerd
flageolet de (...letten) *14,27*
flageolettist de (...en) *14,27*
flagrant *19*
flagstone de (...s) *67*
flair de/het *3*
flakkeren *19,106*
flakkerde, geflakkerd

flambard de (...s) *3*
flambé *29*
flambeeuw de (...en) *2*
flamberen *106*
flambeerde, geflambeerd
flambouw de (...en) *12*
flamboyant *3,21*
flame de (...s) *3,8,43*
flamelamp *66*
flamenco de (...'s) *22,42*
flamenco...: flamencogitaar, enz. *64,76*
flamingantisme het *19,90*
flamingo de (...'s; ...gootje) *3,42,112*
flamingo...: flamingoplant, enz. *64,76*
flammé het *14,29*
flamoes de (...moezen) *11,26*
flan de (...s) *3*
flandricisme het (...n, ...s) *25,43,91*
flanel de/het (...nellen; flanelletje) *14,112*
flanellen *14,114*
flaneren *14,106*
flaneerde, geflaneerd
flansen *26,106*
flanste, geflanst
flap de (flappen)
flap...: flapoor, flap-over, flapuit, enz. *64,85*
flappen...: flappentap, enz. *88*
flard de (...en) *18*
flash de (flashes) *3,27*
flashback, flashlight *67*
flashen *3,27,106*
flashte, geflasht
flat de (...s; ...je) *3*
flat...: flatbewoner, enz. *66*
flatteren *14,106*
flatteerde, geflatteerd
flatteus *14,26*
flatteuze
flatulentie de (...s) *1,14*
flatus de (...tussen) *1*
Flaubert, Gustave *6*
flauw... *12,64*
flauwhartig, flauwzoet, enz.
flauwekul de *12,92*
flauwerik de (...en) *15*
flauwvallen *69*
viel flauw, flauwgevallen
flebile *8,9*
flebitis de *1*
flèche de (...s) *27,30,91*
flecteren *22,106*
flecteerde, geflecteerd
fleece de/het *9,25*
fleetowner de (...s) *9,67*
flegmaticus de (...tici) *22,25*
flemen *19,106*
fleemde, gefleemd
flens de (flenzen) *26*
flensen *26,106*
flenste, geflenst
flenzen *26,106*
flensde, geflensd
fles de (flessen)
fles...: flesopener, flesgroen, enz. *64*
flessen...: flessenhals, flessengroen, enz. *88*
fleuret de/het (...retten) *ook* **floret** *115*
fleuris de/het *1*
fleuron de/het (...s) *3*
flex(i)... *9,23*
flexibaan, flexwerker, enz.
flexibel *23*
flexibilisering de (...en) *23,26*
flexie de (...s) *9,23*
flexografie de *23*
flexuur de (...xuren) *23*
flierefluiten *97,107*
fliffis de (...fissen) *1,14,15*
flikflak de (...flakken) *80*
flikflooien *106*
flikflooide, geflikflooid
flikkeren *106*
flikkerde, geflikkerd
flinkweg *73*
flinter de (...s) *19*

flip de (flippen)
flip...: flipflop, flip-over, flipside, flipstick, enz. *67,80*
flippo de (...'s; flippootje) *42,112*
flippoën *37,106*
flippode, geflippood
flirtation de (...s) *3,8*
flirten *106*
flirtte, geflirt
floatel het (...s) *10*
floating point het (...s) *67*
flobert de (...s) *3,54*
flobertgeweer *65*
flocculatie de (...s) *14,22*
flocculeren *14,22,106*
flocculeerde, geflocculeerd
floëem het (floëmen) *38*
floers het (...en) *26*
flonkeren *106*
flonkerde, geflonkerd
floodlight het *67*
floor de *3*
floor...: floormanager, floorshow, enz. *67*
floppy de (...'s; floppy'tje) *9,42,45*
floppy...: floppydisk, enz. *67*
flor de *3*
flora de (...'s) *42*
floralia de (alleen mv.) *ook* **floraliën** *40,115*
florentine de *54,90*
floret de/het (...retten) *14*
floretschermen *69,107*
florettist de (...en) *14*
florijn (fl.) de (...en) *13*
florissant *14*
flos [uiteinde van sigaar] de (flossen) *19,25*
floss [tanddraad] de *ook* **vlos** *25,115*
flossen *ook* **vlossen** *19,106,115*
floste, geflost
floteren [scheiden] *14,106*
floteerde, gefloteerd
flotteren [vlotten; los over elkaar liggen] *14,106*
flotteerde, geflotteerd
flottielje de (...s) *14,21,43*
flottielje...: flottieljevaartuig, enz. *76,91*
flou [zacht] *11*
flous de (flouzen) *12,26*
flouw [net] de (...en) *ook* **vlouw** *12,19,115*
flowchart de (...s) *67*
flowerpower de *67*
flox de (...en) *23*
fluctuatie de (...s) *22*
fluctueren *22,106*
fluctueerde, gefluctueerd
fluïdiseren *26,37,106*
fluïdiseerde, gefluïdiseerd
fluïdium het *ook* **fluïde** *37,115*
fluit de (...en)
fluit...: fluitketel, enz. *64*
fluitenkruid *88*
fluks [dadelijk] *19,23*
fluor (F) de/het *19*
fluoresceïne de *25,37,90*
fluorescentie de (...s) *25,43*
fluoresceren *25,106*
fluoresceerde, gefluoresceerd
fluorescoop de (...scopen) *22*
fluoride het (...n, ...s) *91*
flûte de (...s) *3,31*
fluviatiel *9,19*
fluviatiele
fluviometer de (...s) *19,64*
fluwelen *114*
fluwijn de/het (...en) *13*
flux [stroomdichtheid] de *23*
flux de bouche het *63*
flux de paroles het *63*
fluxie de (...s) *23,43*
flyer de (...s) *3*
Flying Fish Cove *6,53*
fly-over de (...s) *67*
FM [frequentiemodulatie] de *104*
FM-...: FM-zender, enz. *83*
fnazel de (...s) *26*
fnuiken *106*
fnuikte, gefnuikt

FNV [Federatie Nederlandse Vakbeweging] de *104*
foam de/het *3*
fobie de (...bieën) *40*
focaliseren [concentreren] *22,26,106*
focaliseerde, gefocaliseerd
Focquenbroch, Willem *6*
focus de/het (...cussen) *1,22*
focussen *22,106*
focuste, gefocust
focusseren *14,22,106*
focusseerde, gefocusseerd
foedraal het (...dralen) *11*
foefelen *106*
foefelde, gefoefeld
foeilelijk *64*
foelie de (...s) *ook* **folie** *9,43,115*
foeliën *37,106*
foeliede, gefoelied
foerage de *11,27,90*
foerageren *11,27,106*
foerageerde, gefoerageerd
foerier de (...s) *11*
foert *18*
foetaal *11*
foeteren *19,106*
foeterde, gefoeterd
foetsie de (...s) *9*
foetus de/het (...tussen) *3,11*
foeyonghai de *3*
foezel de (...s) *26*
Foggia *6,53*
föhn de (...en, ...s) *3,20*
föhnen *3,20,106*
föhnde, geföhnd
fok de (fokken)
fok...: fokzeil, enz. *64*
fokken...: fokkenmaat, enz. *88*
foksia de (...'s) *ook* **fuchsia** *23,42,115*
fol. [folio] *100*
foliant de (...en) *14*
folie de/het (...s) *ook* **foelie** *9,43,115*
foliëren *14,37,38,106*
folieerde, gefolieerd
folinezuur het (...zuren) *14*
folio (f., fol.) het (...'s; ...ootje) *42,112*
folio recto *63*
folio verso *63*
folk de *3*
folk...: folkmuziek, folksong, enz. *66,67*
folklore de
folklore...: folkloremarkt, enz. *76,90*
folklorisme het (...n) *89*
folliculair *3,14,22*
follikel de (...s) *1,14,22*
follow-up de (...s) *67*
folteren *106*
folterde, gefolterd
fomenteren *106*
fomenteerde, gefomenteerd
foncé *25,29*
fond [achtergrond; bouillon] de/het (...s) *3,18*
fond, à – *30,63*
fond, au – *63*
fondament het (...en) *ook* **fundament, fondement** *1,115*
fondant de/het (...en, ...s) *3*
fondement het (...en) *ook* **fundament, fondament** *1,115*
fonds het (...en) *18*
fonds...: fondsbril, enz. *64*
fondsen...: fondsenbeurs, enz. *88*
fondue de (...s) *3,43*
fondue...: fonduestel, enz. *66,76*
fonduen *37,106*
fonduede, gefondued
foneem het (...nemen) *19*
foneticus de (...tici) *19,22,25*
fonetiek de *19*
foniatrie de *19*
fonkelen *106*
fonkelde, gefonkeld
fono... *19,78*
fonofoor, fonograaf, fonoliet, fonologisch, fonotheek, enz.
font [letterset] het (...s) *18*
Fontainebleau *6,53*
fontanel de (...nellen) *1,19*

fontein de (...en) *13*
Fonteyn, Margot *6*
...foob *17,19*
hydrofoob, xenofoob, enz.
foodprocessor de (...s) *11,25,67*
fooi de (...en)
fooien...: fooienpot, enz. *88*
foolproof *11,67*
foor [markt] de (foren) *19*
forain *3*
foraminifeer de (...feren) *9,19*
force de *25*
force de frappe, force majeure *63*
forceps de (...en) *25*
forceren *25,106*
forceerde, geforceerd
fordje het *54*
forehand de (...s) *67*
forel de (...rellen; forelletje) *112*
forel...: forelschimmel, enz. *64*
forellen...: forellenkwekerij, enz. *88*
forens de (...rensen, ...renzen) *26*
forenzen...: forenzentrein, enz. *88*
forensen...: forensentrein, enz. *88*
forensisme het *26,90*
forenzen *26,106*
forensde, geforensd
forfait het (...s) *3*
forfait...: forfaitcijfers, enz. *66*
forfait, à – *30,63*
forfaitair *3,14*
forint de (...en) *19*
forma, pro – *63*
forma, in optima – *63*
formaldehyde het *9,90*
formaline de *9,14,90*
formaliseren *26,106*
formaliseerde, geformaliseerd
formaliter *3,9*
formant de (...en) *19*
format de/het (...s) *3*
formatie de (...s) *43*
formatievliegen *69,107*
formatteren *14,106*
formatteerde, geformatteerd
formeel *19*
formeren *19,106*
formeerde, geformeerd
formiaat het (...miaten) *18*
formica het *22,114*
formica...: formicatafel, enz. *64*
formidabel *1*
formol de/het *19*
Formosa *6,53*
formulair *3*
formule de (...s; ...tje) *43*
formule...: formulewagen, enz. *76,91*
formule-1-... *83*
formule-1-coureur, formule-1-wagen, enz.
fornuis het (...nuizen) *26*
foro... *19,78*
forometrie, foronomie, enz.
forsgebouwd *64*
Forsyth, Frederick *6*
Forsyth, William (tuinbouwkundige) *6*
Forsythe, William (danser, choreograaf) *6*
forsythia de (...'s) *9,20,42,54*
fort [vesting] het (...en) *18*
fort...: fortcommandant, enz. *64*
forten...: fortenlinie, enz. *88*
fort [sterk punt] het (...s) *3*
Fort-de-France *6,53*
forte (f.) *3*
fortepiano de (...'s) *42,63*
fortificatie de (...s, ...tiën) *22,40,43*
fortificeren *25,106*
fortificeerde, gefortificeerd
fortiori, a – *63*
fortis de (fortes) *1*
fortissimo (ff) het (...simi, ...'s) *14,42*
Fort Lauderdale *6,53*
Fortmann, Han *6*
forto het (forti, ...'s) *42*
Fortran *55*
fortuin de/het (...en)
fortuinlijk *87*

forum het (fora, ...s) *1*
forward de (...s) *3*
fosburyflop de (...s) *54,67*
fosfaat het (...faten) *19*
fosfatase de *19,26,90*
fosfiet het (...en) *9,19*
fosfine de (...n) *19,89*
fosfolipiden de (alleen mv.) *9,19*
fosfor (P) de/het *19*
fosfor...: fosforbom, enz. *64*
fosforescentie de *19,25*
fosforesceren *19,25,106*
fosforesceerde, gefosforesceerd
fosforigzuur het *19,64*
fossiel het (...en) *9*
fossielen...: fossielenjager, enz. *88*
fossilisatie de *9,14,26*
fossiliseren *9,14,26*
fossiliseerde, gefossiliseerd
fot [maateenheid] de *18,19*
fotisme het (...n) *19,89*
foto de (...'s; fotootje) *19,42,112*
foto...: fotoalbum, fotoboek, foto-element, enz. *64,76*
foto... *19,78*
fototaxis, fototropie, fototypie, enz.
fotofinish de (...es) *27,66*
fotogeniek *9,27*
fotogenieke
fotograaf de (...grafen) *19*
fotograferen *19,106*
fotografeerde, gefotografeerd
fotografie de (...s, ...fieën; ...tje) *40*
fotokopie de (...pieën) *7,19,40*
fotokopiëren *7,19,37*
fotokopieerde, gefotokopieerd
fotolyse de (...n, ...s) *9,19,91*
foton het (...en) *19*
fotonica de *19,22*
fotozetten *19,69,107*
Foucauld, Charles de *6*
Foucault, Paul Michel *6*
foudroyant *3,11,21*
fouilleren *11,21,106*
fouilleerde, gefouilleerd
foulard de/het (...s) *3,11*
foundation de (...s) *3,8,27*
fourneren *11,106*
fourneerde, gefourneerd
fournissement het (...en) *11,14*
fournituren de (alleen mv.) *11*
fourragère de (...s) *11,14,30*
fout de (...en)
fout...: foutmelding, enz. *64*
fouten...: foutenfestival, enz. *88*
foutief *9,19*
foutieve
foutparkeren *69,107*
Fowles, John *6*
fox de (...en) *23*
foxterriër, foxtrot *67*
foxtrotten *23,106*
foxtrotte, gefoxtrot
foyer de (...s) *3,8,21*
Fr [francium] *100*
fr. [franco, frank] *100*
Fr. [frater] *100*
fraaiigheid de (...heden) *38*
fractal de (...s) *22*
fractie de (...s) *23*
fractie...: fractieberaad, fractieoverleg, enz. *64,76*
fractioneren *16,23,106*
fractioneerde, gefractioneerd
fractuur de (...turen) *22*
Frage, in – *3,63*
fragiel *9*
fragiele
fragiliteit de *9*
Fragonard, Jean *6*
fraîcheur de *3,27,31*
fraise *3,26*
framboesia de *11*
framboos de (...bozen) *26*
frambozen...: frambozenjam, frambozenrood, enz. *88*
frame het (...s; ...pje) *3,8*
framing de (...s) *3,8*
franc [Franse of Zwitserse munt] de (...s) *3*

Française de (...s) *3,25,53*
francala de (...'s) *22,42*
franchise de (...s) *3,9,27*
franchise...: franchisenemer, enz. *76,91*
franchising de *3,27*
franciscaan de (...canen) *22,25,57*
franciscanen...: franciscanenklooster, enz. *88*
franciscaner *22,25,57*
franciscanes de (...nessen) *15,22,25*
Franciscus van Assisi *6*
francium (Fr) het *25*
Franck, César *6*
franc-maçon de (francs-maçons) *63*
franc-maçonnerie de *63*
franco... *22,78*
francofiel, francofonie, enz.
franco (fr.) *22*
francoprijs *64*
Francorchamps *6,53*
franc-tireur de (francs-tireurs) *63*
Franekeradeel *6,53*
frangipane de (...s) *3,27,91*
Franglais *3,55*
franje de (...s) *43*
franje...: franjeaap, franjevleugelig, enz. *76,91*
frank (fr.) [Belgische munt] de (...en) *22*
frankeren *22,106*
frankeerde, gefrankeerd
Frankfurt am Main *6,53*
Frankfurt an der Oder *6,53*
frankipaal de (...palen) *9*
Frankisch *53*
Frankrijk *6,53*
Française, Frans(e), Fransman, Fransoos, Fransozen
Frans *55,65*
Frans...: Fransgezind, Franssprekend, Franstalig, enz.
fransdol *57*
fransen *26,106*
franste, gefranst
Frans-Guyana *6,53,53*
Frans-Guyaan, Frans-Guyaans(e), Frans-Guyanees, Frans-Guyanese
fransijn het (...en) *13*
fransje [voedsel, bies] het (...s) *54*
franskiljon de (...s) *21,57*
franskiljonisme het *16,57,90*
fransman [arbeider] de (...s) *54*
Frans-Polynesië *6,53*
frappant *14*
frappe de (...n) *3,89*
frapperen *14,106*
frappeerde, gefrappeerd
frase de (...n, ...s) *19,26,91*
fraseologie de (...gieën) *19,26,40*
fraseren *19,26,106*
fraseerde, gefraseerd
frater (Fr.) de (...s) *19*
frater...: fraterschool, enz. *64*
fraterniseren *26,106*
fraterniseerde, gefraterniseerd
frats de (...en)
fratsen...: fratsenmaker, enz. *88*
fraude de (...s) *12,43*
fraude...: fraudegevoelig, fraudeonderzoek, enz. *76,91*
frauderen *12,106*
fraudeerde, gefraudeerd
frauduleus *12,26*
frauduleuze
frazelen *26,106*
frazelde, gefrazeld
freak de (...s) *3,9*
freaken *9,106*
freakte, gefreakt
freatisch *19,37*
Frederikshavn [Denemarken] *6,53*
Frederikstad [Noorwegen] *6,53*
free... *9,67*
freekick, freestyle, freetrade, enz.
freebasen *9,105,106*
freebasede, gefreebased
freelance *9,67*
freelancen *9,105,106*
freelancete, gefreelancet

frees de (frezen) *19,26*
frees...: freesmachine, enz. *64*
Freetown *6,53*
freewheelen *9,105,106*
freewheelde, gefreewheeld
freezebeweging de (...en) *9,26,66*
fregat het (...gatten) *18,19*
Freinet, Célestin *6*
freinetonderwijs het *13,54,65*
frêle *31,113*
frêler, frêlest
frenesie de *19,26*
frenetiek *9,19*
frenetieke
frenologie de *1,19*
freon de (...en, ...s) *19*
frequentatief het (...tieven) *9,19,24*
frequenteren *24,106*
frequenteerde, gefrequenteerd
frequentie de (...s) *24*
frequentie...: frequentieverdeling, enz. *64,76*
fresco de (...ci, ...co's) *22,42*
Frescobaldi, Girolamo *6*
frescoschilderen *22,69,107*
fresia de (...'s; ...aatje) *26,42,54,112*
fresnellens de (...lenzen) *26,54,65*
fret [dier] het (fretten) *18*
fretten...: frettenjacht, enz. *88*
fretten *106*
frette, gefret
Freud, Sigmund *6*
freudiaans *54*
freule de (...s) *3,91*
Freya *6*
frezen *19,26,106*
freesde, gefreesd
fricandeau de (...s) *10,22,43*
fricassee de (...seeën, ...sees) *14,22,38*
fricatief de (...tieven) *9,19,22*
frictie de (...s) *23,43*
frictie...: frictiewerkloosheid, enz. *64,76*
frictioneren *16,23,106*
frictioneerde, gefrictioneerd
Friedman, Carl/Milton *6*
Friedrichshafen [Duitsland] *6,53*
friemelen *106*
friemelde, gefriemeld
fries [stof] het *19*
fries [sierrand] de/het (friezen) *19,26*
friet de (...en) *ook* **frites** *115*
frigidaire de (...s) *3,27,91*
frigide *9*
meer frigide, meest frigide
frigiditeit de *9,13*
frigo de (...'s) *42*
frigorie de (...rieën) *40*
frijnen *13,106*
frijnde, gefrijnd
frikadel de (...dellen; ...delletje) *9,22,112*
frimaire de *3*
Frimout, Dirk *6*
fris... *64*
frisgewassen, frisgroen, enz.
frisbee de (...s) *3,9*
frisbeeën *9,38,106*
frisbeede, gefrisbeed
Frisch, Max *6*
frisco de (...'s; friscootje) *22,42,112*
frisdrank de (...en)
frisdrank...: frisdrankconcern, enz. *64*
frisdranken...: frisdrankenindustrie, enz. *88*
friseren *9,26,106*
friseerde, gefriseerd
frisicus de (...sici) *9,22,26*
frisisme het (...n) *9,26,89*
frisistiek de *9,26*
frisket het (...ketten) *9,22*
frisling de (...en) *9*
frissen *106*
friste, gefrist
frisuur de (...suren) *9,26*
frit de *ook* **fritte** *115*
friteren *9,106*
friteerde, gefriteerd
frites de (alleen mv.) *ook* **friet** *3,9,115*

friteuse de (...s) *3,9,91*
fritte de *ook* **frit** *115*
fritten *106*
fritte, gefrit
frituren *9,106*
frituurde, gefrituurd
frituur de (...turen) *9*
frivolité de (...s; ...teetje) *29,43,112*
frivoliteit de (...en) *13,19*
frivool *19*
fröbelen *3,54,106*
fröbelde, gefröbeld
fröbelschool de (...scholen) *3,54,65*
froisseren *3,14,106*
froisseerde, gefroisseerd
frommel de (...s) *19*
fronde de (...s) *19,43*
frondeel het (...delen) *19*
fronderen *19,106*
frondeerde, gefrondeerd
frons de (fronsen, fronzen) *26*
fronsel de (...s) *26*
fronselen *26,106*
fronselde, gefronseld
fronsen *26,106*
fronste, gefronst
front het (...en)
front...: frontsoldaat, enz. *64*
fronten...: frontensysteem, enz. *88*
frontispice het (...s) *ook* **frontispies** (...en) *9,25,115*
fronton het (...s; ...tonnetje) *112*
frottage de (...s) *14,27,91*
frotté het (...s) *14,29,43*
frotté...: frottégaren *64,76*
frotteren *14,106*
frotteerde, gefrotteerd
froufrou de (...s) *80*
fructidor de *3,22*
fructifiëren *22,37,106*
fructifieerde, gefructifieerd
fructivoor de (...voren) *22*
fructose de *22,26,90*
fructuarius de (...rii) *22,37*
frugaal *19*
fruiten *106*
fruitte, gefruit
frul de (frullen; frulletje) *112*
frunniken *15,106*
frunnikte, gefrunnikt
frunzing de (...en, ...s) *26*
frusti de (...'s) *42*
frustratie de (...s) *43*
frustratoir *3*
frutselen *106*
frutselde, gefrutseld
ftaalzuur het *64*
ftisis de *1,26*
fuchsia de (...'s) *ook* **foksia** *23,42,115*
fuchsine de *9,23,90*
fuck *3,22*
fuel de *3*
fuga de (...'s; fugaatje) *42,112*
fugato het (...'s) *42*
fuif de (fuiven) *19*
fuifroeien *69,107*
fuik de (...en)
fuik...: fuikwerking, enz. *64*
fuiken...: fuikenknoper, enz. *88*
fuiven *19,106*
fuifde, gefuifd
fulguratie de (...s) *1*
fulguriet de (...en) *1,9*
full *3*
full...: fullcolour, fulldress, fullprof, fullspeed, fulltime, fulltimeaanstelling, enz. *67*
full house *67*
fulminant *9*
fulmineren *9,106*
fulmineerde, gefulmineerd
fulpen *114*
fumarole de (...n) *89*
fumigatie de (...s) *9*
functie de (...s) *23*
functieloos *87*
functie...: functieanalyse, functie-eis, functiestoornis, enz. *64,76*
functionaliteit de *16,23*

functionaris de (...rissen) *15,16,23*
functioneel *16,23*
functioneren *16,23,106*
functioneerde, gefunctioneerd
fund het (...s) *3*
fundament het (...en) *ook* **fondament, fondement** *1*
fundamentalisme het *1,90*
fundatie de (...tiën, ...s) *40,43*
funderen *106*
fundeerde, gefundeerd
fundi de (...'s) *9,42*
fundraisen *3,106*
fundraisde, gefundraisd
fundraising de (...s) *67*
fundum, ad – *63*
fundus de (fundi) *1*
Funen *ook* **Fyn** *6,53*
funerair *3*
funerarium het (...ria) *14*
Funès, Louis de *6*
funest *113*
funester, meest funest
fungeren *106*
fungeerde, gefungeerd
fungibel *9*
fungibiliteit de *9*
fungicide de/het (...n) *9,25,89*
fungus de (fungi) *1*
funiculaire de (...s) *3,22,91*
funk de *3*
funk...: funkmuziek, enz. *66*
funkia de (...'s) *42*
funky *3,9*
funshoppen *27,67,106*
funshopte, gefunshopt
funshopping de *27,67*
furie de (...riën, ...s) *40,43*
furieus *26*
furieuze
furiositeit de *26*
furioso *26*
furlong de (...s) *3*
Furneauxeilanden de *6,53*
furore de *90*

furunkel de (...s) *1*
fusain de (...s) *3,26*
fusee de (...s) *8,26,43*
fuselage de (...s) *26,27,91*
fuselier de (...s) *26*
fuseren *26,106*
fuseerde, gefuseerd
fusie de (...s) *26,43*
fusie...: fusiegemeente, fusieoverleg, enz. *64,76*
fusillade de (...s) *3,21,26*
fusilleren *21,26,106*
fusilleerde, gefusilleerd
fusioneren *16,26,106*
fusioneerde, gefusioneerd
fustage de (...s) *3,27,91*
fustein het *13*
futiel *9*
futiliseren *14,26,106*
futiliseerde, gefutiliseerd
futiliteit de (...en) *9,14*
futon de (...s) *11*
futselen *106*
futselde, gefutseld
futurisme het *90*
futurum het (...tura) *1*
fuut de (futen) *19*
fylacterion het (...ria) *9,19,22*
fyle [volksstam] de (...n) *9,19,89*
fylliet de (...en) *9,14,19*
fylogenese de *9,19,90*
fylogenetisch *9,19*
fylogenie de *9,19*
fylum het (fyla) *1,9,19*
fysiater de (...s) *9,19*
fysiatrie de *9,19*
fysica de *9,19,22*
fysicalisme het *9,19,22*
fysico-... *9,22,78*
fysico-chemicus, fysico-mathematisch, enz.
fysicus de (...sici) *9,22,25*
fysiek het *9,19*
fysio... *9,19,78*
fysiologisch, fysiotherapie, enz.

fysiognomie de (...mieën) *ook*
fysionomie (...mieën) *9,40,115*
fysisch *9,19*
fysisch-chemisch *9,19,80*
...fyt *9,19*
epifyt, geofyt, xerofyt, enz.
fytine het *9,19,90*
fyto... *9,19,78*
fytochemie, fytologie, fytosanitair, enz.

g

g de (g's; g'tje) *46*
g-snaar, g-sleutel, G-strings *61,83*
g [gram] *100*
Ga [gallium] *100*
gaaf de (gaven) *ook* **gave** *19,115*
gaaf *19*
gave, gaver, gaafst
gaaischieten *69,107*
gaanderij de (...en) *13*
gaandeweg *73*
gaard de (...en) *ook* **gaarde** (...n) *18,89,115*
gaas het (gazen) *26*
gaatjeszwam de (...zwammen) *99*
GAB [Gewestelijk Arbeidsbureau] het (...'s) *46,104*
gabardine de (...s) *43,91*
gabber de (...s)
gabber...: gabberhouse, gabbertaal, enz. *64,66*
Gabon *6,53*
Gabonees, Gabonese
Gaborone *6,53*
gadeslaan *69*
sloeg gade, gadegeslagen
gadget het (...s) *3*
gado-gado de *3*
gadolinium (Gd) het *1,9*
gadverdamme *18,73*
Gaelisch *55*
gaffelen *106*
gaffelde, gegaffeld
gag de (...s) *3*
gaga de (...'s) *3,42*
Gagarin, Joeri *6*
gage de (...s) *27,91*
gaggelen *2,106*
gaggelde, gegaggeld
gaine de (...s) *3,91*
Gainsborough, Thomas *6*
gajes het *1*
GAK [Gemeenschappelijk Administratiekantoor] het (...'s) *103*
gakken *106*
gakte, gegakt
gakkeren *106*
gakkerde, gegakkerd
gala het (...'s) *42*
gala...: gala-avond, galaconcert, gala-uniform, enz. *64,76*
galactiet [stuk melksteen] de (...en) *22*
galactiet [stofnaam] het *22*
galactisch *22*
galactometer de (...s) *22,64*
galactose de *22,26*
galant *14*
galanterie de (...rieën) *14,40*
galanterie...: galanteriewinkel, enz. *64,76*
galantine de *14,90*
Galápagoseilanden de *6,53*
Galatea *6*
galaxie de (...laxieën) *23,40*
galei de (...en) *13,14*
galei...: galeistraf, enz. *64,76*
galerie de (...rieën, ...s) *14,40,43*
galerie...: galeriehouder, enz. *64,76*
galerij de (...en) *13*
galerij...: galerijwoning, enz. *64,76*
galg de (...en) *2*
galgen...: galgenhumor, galgenmaal, enz. *88*
Galicië *6,53*
Galicisch *55*
galigaan de (...ganen) *14*
galigaan...: galigaangras, enz. *64*
Galilea *6,53*
Galilei, Allessandro/Galileo/Vincenzo *6*
galjas de (...jassen) *2,21*

galjoen het (...en, ...s) *11,21*
galjoot de (...joten) *18,21*
gallen *106*
galde, gegald
gallicaans *14,22,57*
gallicanisme het *14,22,57,90*
gallicisme het (...n) *14,25,89*
Gallico, Paul *6*
Gallië *6,53*
Galliër, Gallisch(e)
Gallinja *55*
gallisch [boos] *14*
gallium (Ga) het *1,14*
gallofobie de *14*
gallomanie de *14*
gallon de/het (...s) *3*
galmei het *13*
galmen *106*
galmde, gegalmd
galoche de (...s) *3,27,91*
galon de/het (galonnen, ...s; galonnetje) *3,14,112*
galonneren *14,106*
galonneerde, gegalonneerd
galop de (...s) *14*
galoppade de (...s) *14,43,91*
galopperen *14,106*
galoppeerde, gegaloppeerd
galvanisatie de *19,26*
galvaniseren *19,26,106*
galvaniseerde, gegalvaniseerd
galvano de (...'s) *19,42*
galvano...: galvanochromie, galvanometer, enz. *64,76*
gamay de (...s) *3,43*
gamba de (...'s) *ook* **gambe** (...n, ...s) *42,91,115*
gambade de (...s) *43,91*
gambe de (...n, ...s) *ook* **gamba** *91,115*
gambiet het (...en) *9*
gambir het *9*
gambir...: gambirstruik, enz. *64*
game de (...s; ...pje) *3*
game...: gameboy, enz. *67*
gamel de (...mellen) *14*
gamelan de (...s) *14*
gametofyt de (...en) *9*
gametogenese de *26*
gamine de (...s) *9,43,91*
gamma de/het (...'s) *42*
gamma...: gamma-uil, gammawetenschap, enz. *64,76*
gamogenese de (...n) *26,89*
Gandhi, Indira/Mahatma/Rajiv *6*
gang [bende] de (...s) *3*
gang de (...en; gangetje) *112*
gang...: gangkast, enz. *64*
gangenstelsel *88*
Ganges [rivier] de *6,53*
ganglion de/het (ganglia, gangliën) *3*
ganglioom het (...omen) *9*
gangmaken *69,106*
gangmaakte, gegangmaakt
gangreen het *3,9*
gangreneus *26*
gangreneuze
gangstarap de *67*
gangster de (...s) *3*
gangster...: gangsterfilm, enz. *66*
gannef de (...en, ...neven) *1,19*
gans de (ganzen) *26*
gansvogel *64*
ganzebloem *96*
ganzen...: ganzenbord, ganzenei, ganzenpen, enz. *88*
gans *26*
ganse
ganselijk *87*
ganser, van – harte *62,111*
gansknuppelen *69,107*
gansrijden *69,107*
Ganymedes *6*
ganze(n)... zie **gans**
ganzenborden *69,106*
ganzenbordde, geganzenbord
ganzerik de (...en) *15*
gap de (...s) *3*
gapen *106*
gaapte, gegaapt
gappen *106*
gapte, gegapt

garage de (...s) *27,43*
garage...: garagebedrijf, enz. *76,91*
garagist de (...en) *27*
garamond de *54*
garanderen *106*
garandeerde, gegarandeerd
garantie de (...s) *43*
garantie...: garantieaandeel, garantiebewijs, enz. *64,76*
Garapan *6,53*
Garcia Lorca, Federico *6*
García Márquez, Gabriel *6*
garçon de (...s) *3,25*
gard [keukengereedschap] de (...en) *ook* **garde** *18,115*
Gardameer *6,53*
garde [wacht] de (...s) *43*
garde...: gardeofficier, enz. *76,91*
gardenia de (...'s) *42*
garderobe de (...s) *43*
garderobe...: garderobejuffrouw, enz. *76,91*
garen *106*
gaarde, gegaard
garen-en-bandwinkel de (...s) *81*
garf de (garven) *ook* **garve** *19,115*
garven...: garvenbinder, enz. *88*
Gargantua *6*
gargantuesk (GB: Gargantuesk) *54*
gargouille de (...s) *3,11,21,91*
Garibaldi, Giuseppe *6*
garibaldi de (...'s) *42,54*
garibaldi...: garibaldihoed, enz. *65,76*
Garmisch-Partenkirchen *6,53*
garnaal de (...nalen)
garnaleplant *96*
garnalen...: garnalenbroodje, enz. *88*
garnituur het (...turen) *9*
garnizoen het (...en) *9,11,26*
garnizoens...: garnizoenscommandant, garnizoensstad, enz. *98,99*
garoe de *11*
garoe...: garoeboom, enz. *64,76*
garoeda de (...'s) *11,42*
garstig *1*
garve de (...n) *ook* **garf** *89,115*
garven *19,106*
garfde, gegarfd
garven... zie **garf**
gasco de (...'s) *22,42*
Gascogne [Frankrijk] *6,53*
gasoline de *9,26,90*
gasometer de (...s) *26*
gaspeldoorn de (...s, ...dorens) *ook* **gaspeldoren** (...s) *2,115*
gassen *106*
gaste, gegast
gast de (...en)
gast...: gastcollege, enz. *64*
gasten...: gastenverblijf, enz. *88*
gasteren *106*
gasteerde, gegasteerd
gastrectomie de (...mieën) *22,40*
gastrilogie de *9*
gastritis de *1,9*
gastro... *78*
gastro-enteritis, gastro-enterologie, gastromanie, gastronomie, gastrorragie, gastroscoop, enz.
gat het (gaten; gaatje) *112*
gat...: gatlikker, enz. *64*
gaten...: gatenkaas, enz. *88*
gate [poort(schakeling)] de (...s) *3,43*
gaten *106*
gaatte, gegaat
gatlikken *69,106*
gatlikte, gegatlikt
GATT [General Agreement on Tariffs and Trade] de *103*
GATT-...: GATT-akkoord, enz. *83*
gaucherie de (...rieën) *3,27,40*
gaucho de (...'s) *3,27,42*
Gaudí, Antoní *6*
gaufreren *14,106*
gaufreerde, gegaufreerd
gauge de *3*
Gauguin, Paul *6*
Gaulle, Charles de *6*

gaullisme het *3,10,57,90*
gauss (Gs) de *54*
gauw [snel] *12,28*
gauwdief de (...dieven) *12,19,64*
gave de (...n) *ook* **gaaf** *19,89,115*
gaviaal de (...alen) *19*
gavotte de (...s) *3,91*
gay de (...s) *3,8*
gay...: gaykrant, gayscene, enz. *66,67*
Gazastrook de *6,53*
gazel de (...zellen) *ook* **gazelle** (...n) *115*
gazellen...: gazellenoog, enz. *88,89*
gazen *26,114*
gazeus *26*
gazeuse
gazeuse de (...s) *26,43,91*
gazon het (...s; gazonnetje) *26,112*
gazpacho de (...'s) *3,42*
gcm [gram-centimeter] *100*
Gd [gadolinium] *100*
Gdansk *ook* **Dantzig** *6,53*
Ge [germanium] *100*
geaccidenteerd *23*
geacheveerd *27*
geadresseerde de (...n) *14,89*
geaffecteerd *14,22*
geaggregeerde de (...n) *14,89*
geallieerde de (...n) *38,89*
geanimeerd *14*
gearing de (...s) *3,9*
GEB [Gemeentelijk Energiebedrijf] het *104*
geb. [geboren, gebonden] *100*
gebaar het (...baren)
gebaren...: gebarentaal, enz. *88*
gebakkelei het *13*
gebaren *106*
gebaarde, gebaard
gebazel het *26*
gebed het (...en)
gebeden...: gebedenboek, enz. *88*
gebeds...: gebedsgenezer, enz. *98*
gebeid *13,18*
gebeier het *13*
gebelgd *18*
gebenedijd *13,18*
gebeneficieerde de (...n) *25,38,89*
gebeteren *107*
gebeuren *106*
gebeurde, gebeurd
gebeurlijk *87*
gebied het (...en) *18*
gebieds...: gebiedsaanduiding, enz. *98*
gebint het (...en) *ook* **gebinte** (...n) *115*
gebintbalk *64*
gebit het (...bitten) *18*
gebit...: gebitplaat, enz. *64*
gebits...: gebitselement, gebitsziekte, enz. *98,99*
geblèr het *33*
gebocheld *2,18*
gebod het (...en)
gebods...: gebodsbord, enz. *98*
geboogd *18*
geboorte de (...n, ...s)
geboorte...: geboorteakte, geboortebeperking, geboorte-eiland, enz. *76,91*
gebouw het (...en) *12*
gebouwen...: gebouwencomplex, enz. *88*
gebr. [gebroeders] *100*
gebrek het (...en)
gebreksziekte *99*
gebreke, in – stellen *62,106,111*
Gebreselassie, Haile *6*
gebrouilleerd *11,21*
gebruik het (...en)
gebruikelijk *87*
gebruiks...: gebruikssfeer, gebruiksvoorschrift, enz. *98,99*
gebruiker de (...s)
gebruikers...: gebruikersbelasting, gebruikersinterface, enz. *66,98*
gebruikmaken *69,106*
maakte gebruik, gebruikgemaakt
gechicaneer het *22,27*

gecivliseerd *25,26*
geclausuleerd *22*
gecommitteerde de (...n) *14,22,89*
geconditioneerd *16,22*
gecrispeerd *18,22*
gecultiveerd *22*
gedaante de (...n, ...s)
gedaante...: gedaanteverandering, enz. *76,91*
gedachte de (...n, ...s)
gedachteloos *87*
gedachte...: gedachtewisseling, enz. *76,91*
gedachtelezen *69,107*
gedag zeggen *62*
gedecideerd *25*
gedecolleteerd *14,14*
gedeisd *13,18*
Gedeputeerde Staten (Ged. St., GS) de *52*
gedesillusioneerd *14,16*
gedestilleerd *ook* **gedistilleerd** *14,115*
gedetailleerd *21*
gedetineerde de (...n) *89*
gedicht het (...en) *2*
gedichten...: gedichtenbundel, enz. *88*
gedijen *13,106*
gedijde, gedijd
gedistilleerd *ook* **gedestilleerd** *14,115*
gedistingeerd *18*
gedoogde de (...n)
gedoogden...: gedoogdenpas, enz. *89*
gedoogzone de (...s) *43,64*
gedoogzonebeleid *68,91*
gedrag het (gedragingen)
gedrags...: gedragsstoornis, gedragswetenschap, enz. *98,99*
gedrieën *38*
gedrocht het (...en) *2*
gedrochtelijk *87*
Ged. St. [Gedeputeerde Staten] *100*
geducht *2*
geduld het
gedwee *38*
gedweeë, gedweeër, gedweest
geëerd *38*
geel... *80*
geelbruin, geelgroen, enz.
geelgieten *69,107*
geelkoperen *114*
geëmailleerd *21,37*
geëmancipeerd *25,37*
geëmmer het *37*
geëmployeerde de (...n) *21,37,89*
geëndosseerde de (...n) *37,89*
geeneens *73*
geëngageerd *27,37*
geënquêteerde de (...n) *22,31,37*
geenszins *4*
Geeraerts, Jef *6*
geërfde de (...n) *37,89*
geest de (...en)
geestelijk, geesteloos *87*
geestdrift, geestdrijver *64*
geesten...: geestenbezweerder, enz. *88*
geestes...: geestesgesteldheid, geestesziek, geesteszwakte, enz. *98,99*
geeuw de (...en) *2*
geeuw...: geeuwhonger, enz. *64*
geeuwen *2,106*
geeuwde, gegeeuwd
geëxalteerd *23,37*
gefailleerde de (...n) *89*
gegeven het (...s)
gegevens...: gegevensopslag, gegevensstroom, enz. *98,99*
gegiechel het *2*
gegijzelde de (...n) *13,89*
gegoed *113*
gegoeder/meer gegoed, meest gegoed
gegradueerde de (...n) *89*
gehakketak het *93*
gehandicapte de (...n) *3,22*
gehandicapten...:
gehandicaptenzorg, enz. *89*
gehannes het *1*
geheid *13,18*
geheim het (...en) *13*

geheimenis de (...nissen) *13,15*
geheimhouden *13,69*
hield geheim, geheimgehouden
gehoor het
gehoor...: gehoorapparaat, enz. *64*
gehoorsafstand *98*
gehoornd *ook* **gehorend** *115*
gehoorzamen *106*
gehoorzaamde, gehoorzaamd
gehore, ten – brengen *62,111*
gehucht het (...en) *2*
gehuifd *18*
gehuwde de (...n) *89*
gei de (...en) *13*
geien *13,106*
geide, gegeid
geigerteller de (...s) *54,65*
geijkt *13,37*
geil *13*
geilbekken *13,69,106*
geilbekte, gegeilbekt
geilen *13,106*
geilde, gegeild
geïllustreerd *37*
gein de (...en) *13*
gein...: geinponem, enz. *64*
geïnsinueerde de (...n) *37,89*
geïnteresseerde de (...n) *14,37,89*
geïnterneerde de (...n) *37,89*
geïntimeerde de (...n) *37,89*
geintje het (...s) *13*
geïnverteerde de (...n) *37,89*
geïrriteerd *14,37*
geiser de (...s) *13,26*
geisha de (...'s) *3,27,42*
geit de (...en) *13*
geiten...: geitenbreier, geitenkaas, enz. *88*
geiten *13,106*
geitte, gegeit
geitenwollensokkentype het (...n, ...s) *68,88,92*
gejeremieer het *38*
gejij het *13*
gejou het *28*
gejuich het *2*
gek de (gekken)
gekken...: gekkenhuis, gekkenpraat, enz. *88,92*
geks...: gekskap, enz. *98*
gekeperd *18*
gekkekoeienziekte de *68,88,92*
gekkemanswerk het *68,92,98*
gekken *106*
gekte, gegekt
gekkerd de (...s) *18*
gekko de (...'s) *42*
gekloft *18*
gekostumeerd *22*
gekrijs het *13*
gekscheren *69,106*
gekscheerde, gegekscheerd
gekwalificeerd *24,25*
gekwartierd *18,24*
gel de/het (gellen, ...s; gelletje) *3,112*
gelaat het (gelaten)
gelaatkunde, gelaatkundige *64*
gelaats...: gelaatskleur, gelaatsspier, enz. *98,99*
gelach [het lachen] het *2*
gelaedeerde de (...n) *8,89*
gelag [drinkpartij, noodzakelijkheid] het (...en) *2*
gelag...: gelagzaal, enz. *64*
gelande de (...n) *89*
gelang, (al) naar – (van) *62*
gelasten *106*
gelastte, gelast
gelastigde de (...n) *89*
gelatine de (...s) *27*
gelatine...: gelatinepudding, enz. *76,91*
gelauwerd *12*
geld het (...en)
geldelijk *87*
geld...: geldinzameling, enz. *64*
geldswaarde, geldswaardig *98*
Gelderse Vallei de *6,53*
gelduitgifteautomaat de (...maten) *68,85,91*

gelee de (...s) *27,29,43*
geleedpotigen de (alleen mv.) *18,64*
gelei de (...en) *13,27*
geleide het (...s) *13*
geleidelijk *87*
geleide...: geleidebrief, enz. *76,91*
geleiden *13,106,109*
geleidde, geleid
geleren *27,106*
geleerde, gegeleerd
geletruidrager de (...s) *68*
gelid het (gelederen) *18*
gelid...: gelidknoop, enz. *64*
gelieven *19,106*
geliefde, geliefd
gelijk... *64*
gelijksoortig, gelijkspel, enz.
gelijk... *69,106*
gelijkmaken: maakte gelijk, gelijkgemaakt; enz.
gelijke de (...n) *89*
gelijkelijk *87*
gelinieerd *9*
gelobd *17,18*
geloof het (...loven) *19*
geloofs...: geloofsbelijdenis, geloofsstuk, enz. *98,99*
geloven *19,106*
geloofde, geloofd
geluid het (...en)
geluidloos *87*
geluid...: geluidarm, geluiddempend, geluidhinder, enz. *64*
geluids...: geluidsarm, geluidshinder, geluidsscherm, enz. *98,99*
geluk het (gelukken)
geluk...: gelukwens, gelukzalig, enz. *64*
geluks...: geluksgetal, geluksspel, enz. *98,99*
gelukken *106*
gelukte, gelukt
gelukwensen *69,106*
wenste geluk, gelukgewenst

gem. [gemiddeld] *100*
gemaal de/het (...malen) *2*
gemak het (...makken)
gemakkelijk *87*
gemakzucht, gemakzuchtig *64*
gemaks...: gemakshalve, gemaksvoedsel, enz. *98*
gemaniëreerd *37*
gemeen... *64*
gemeengoed, gemeenslachtig, enz.
gemeenlijk *87*
gemeenschap de (...schappen)
gemeenschappelijk *87*
gemeenschaps...: gemeenschapsgeld, enz. *98*
gemeente de (...n, ...s)
gemeentelijk *87*
gemeente...: gemeentearchief, gemeenteraad, enz. *76,91*
gemeenteraadslid het (...leden) *68,98*
gemeier het *13*
gemêleerd *31*
gemelijk *87*
gemenebest [republiek] het (...en) *54*
gemenebest...: gemenebestland, enz. *64*
gemenerik de (...en) *15*
geminaat de (...naten) *9*
gemoed het (...moederen) *18*
gemoedelijk *87*
gemoeds...: gemoedsstemming, gemoedstoestand, enz. *98,99*
gems de (gemzen) *26*
gems...: gemsbok, enz. *64*
gemzen...: gemzenleer, enz. *88*
gen het (...en)
gen...: gentherapie, enz. *64*
genen...: genenbank, enz. *88*
genade de (...n, ...s)
genadeloos *87*
genade...: genadeslag, enz. *76,91*
genaken *106*
genaakte, genaakt
gênant *27,31*

gendarme de (...n, ...s) *3,27*
gendarme...: gendarme-eenheid, gendarmelid, enz. *76,91*
Gendt [Gelderland] *6,53*
gêne de *27,31*
genealogie de (...gieën) *40*
geneesheer-directeur de (geneesheren-directeuren, geneesheren-directeurs) *22,80*
geneeslijk *ook* **geneselijk** *87,115*
geneigd *13*
generaal de (...s)
generaals...: generaalsbewind, enz. *98*
generaal-majoor de (...s) *79*
generaal-overste de (...n) *79*
generalisatie de (...s) *26,43*
generaliseren *26,106*
generaliseerde, gegeneraliseerd
generalissimus de (...simi) *14*
Generaliteitslanden de *53*
generatie de (...s) *43*
generatie...: generatiekloof, enz. *64,76*
generatief *19*
generatieve
generator de (...en, ...s) *1*
generator...: generatorgas, enz. *64*
generatrice de (...s) *25,43*
generen *27,106*
geneerde, gegeneerd
genereren *106*
genereerde, gegenereerd
genereus *26*
genereuze
generfd *18,19*
generlei *13,73*
generositeit de *26*
genese de *26,90*
geneselijk *ook* **geneeslijk** *87,115*
genesis de *1*
Genet, Jean *6*
genetica de (...'s) *22,42*
geneticus de (...tici) *22,25*
geneugte de (...n, ...s) *91*
Genève *6,53*
genezen *26,106*
genas, genezen
geniaal *9,38*
genie [zeer begaafd persoon] het (...nieën) *27,40*
genie [legerafdeling] de *27*
genie...: genie-eenheid, geniesoldaat, enz. *64,76*
genist de (...en) *27*
genitaliën de (alleen mv.) *40*
genitief (gen.) de (...tieven) *9,19*
genius de (...niën) *1,37*
Gennep *6,53*
genocide de (...n) *25,89*
genoeglijk *87*
Genoelselderen *6,53*
genoffel de (...s) *27*
genologie de (...gieën) *40*
genootschap het (...schappen) *52*
genopathie de *20*
genotteren *107*
genotype het (...n, ...s) *9,91*
genre het (...s) *3,27*
genre...: genreschilder, enz. *76,91*
Gent [Oost-Vlaanderen] *6,53*
Gentbrugge *6,53*
gentiaan de (...anen) *25*
gentianine de *25,90*
gentleman de (gentlemen) *3*
gentlemen's agreement het (gentlemen's agreements) *67*
genuïniteit de *37*
genus het (genera) *1*
geo... *78*
geocentrisch, geotektoniek, geothermisch, enz.
geodesie de *9,26*
geofysica de *9,22*
geofyten de (alleen mv.) *9,19*
geogenie de *2,9*
geoïde de (...n) *38,89*
geolied *37*
geopposeerde de (...n) *26,89*
Georgetown *6,53*

Georgia *6,53*
Georgië *6,53,55*
Georgiër, Georgisch(e)
geostatica de *22*
geosynclinale de (...n) *ook*
geosynclinaal (...nalen) *9,22,115*
geoutilleerd *11,21,38*
geouwehoer het *1,92*
gepassioneerd *16,18*
gepavoiseerd *3,26*
gepeins het *13*
gepensioneerde de (...n) *16,89*
gepikeerd *9*
geplisseerd *14*
geprivilegieerd *9*
geprononceerd *25*
geproportioneerd *16*
geraamte het (...n, ...s)
geraamte...: geraamtetekening, enz. *76,91*
Geraardsbergen *6,53*
geraffineerd *14*
geranium de (...s) *3*
gerant de (...en, ...s) *3,27,29*
Gerards, Balthasar *ook* **Balthazar** *6*
gerbera de (...'s) 42
gerecht het (...en) 2
gerechtelijk *87*
gerechts...: gerechtsgebouw, gerechtssecretaris, enz. *98,99*
gerechtigde de (...n) *89*
geredelijk *87*
gereed... *69,106*
gereedmaken: maakte gereed, gereedgemaakt; enz.
gereedschap het (...schappen) *18*
gereedschaps...: gereedschapskist, gereedschapsstaal, enz. *98,99*
gerei [spullen] het *13*
gerekestreerde de (...n) *ook*
gerekwestreerde (...n) *22,24,89*
gerekwireerde de (...n) *24,89*
geren *106*
geerde, gegeerd
gerenommeerd *14*

Gerhardt, Ida *6*
geriatrie de *9*
Géricault, Théodore *6*
gerief het
geriefelijk, gerieflijk *87*
gerief...: geriefkast, enz. *64*
gerieve, ten – van *62,111*
gerieven *19,106*
geriefde, geriefd
gerij [het constant rijden] het *13*
geringachten *69,106*
achtte gering, geringgeacht
geringschatten *107*
geringschatte/schatte gering, geringgeschat
Gerlach, Eva *6*
Gerlache, Adrien de *6*
Germaans *55*
Germanen *6,53*
germaniseren *26,106*
germaniseerde, gegermaniseerd
germanisme het (...n) *89*
germanium (Ge) het *1*
germicide de/het (...n) *25,89*
germinatief *19*
germinatieve
geroezemoes het *26*
geronto... *78*
gerontocratie, gerontologie, gerontopsychiatrie, enz.
geroutineerd *11,18*
Gershwin, George *6*
gerst de
gerst...: gerstkorrel, enz. *64*
gerste...: gerstekorrel, gerstepap, enz. *90*
gerucht [praatje] het (...en) *2,18*
geruchten...: geruchtenstroom, enz. *88*
gerugd [van een rug voorzien] *2,18*
geruggensteund *88*
gerundium het (...dia) *3*
gerundivum het (...diva) *3*
geruststellen *69,106*
stelde gerust, gerustgesteld

geschied... *64*
geschiedschrijver, enz.
geschieden *106,109*
geschiedde, geschied
geschiedenis de (...nissen) *15*
geschil het (geschillen; geschilletje) *112*
geschilpunt *64*
geschillen...: geschillencommissie, enz. *88*
geschut het *18*
geschut...: geschutkoepel, enz. *64*
geschuts...: geschutskoepel, enz. *98*
gesel de (...en, ...s) *26*
geselen *26,106*
geselde, gegeseld
geserreerd *14*
gesjacher het *2*
gesjochten *2,27*
geslaagde de (...n) *89*
geslaagden...: geslaagdenfeest, enz. *88*
geslacht het (...en) *2*
geslachtelijk, geslachtloos *87*
geslachts...: geslachtsdaad, geslachtsziekte, enz. *98,99*
gesofistikeerd *22*
gesoigneerd *3*
gespen *106*
gespte, gegespt
gesprek het (...sprekken)
gespreks...: gesprekspartner, gespreksstof, enz. *98,99*
gestaag *2*
gestaltpsychologie de *9,66*
gestand doen *62*
Gestapo [Geheime Staatspolizei] de *103*
geste de (...s) *27,91*
gesteente het (...n, ...s)
gesteente...: gesteentelaag, enz. *76,91*
gesticulatie de (...s) *22,43*
gesticuleren *22,106*
gesticuleerde, gegesticuleerd
gestie de (...s) *9,43*
gestileerd *9*
gestrest *109*
getal het (getallen; getalletje) *112*
getal...: getalwaarde, enz. *64*
getallen...: getallenreeks, enz. *88*
getals...: getalsverhouding, enz. *98*
getale, in groten – *62,111*
geteisem het *1,13*
getij het (...tijden, ...en) *ook* **getijde** (...n) *13,115*
getij...: getijstroom, enz. *64*
getijden...: getijdenbeweging, enz. *88,89*
getinneerd *14*
getourmenteerd *11,18*
getouw het (...en) *12,28*
getroosten *106,109*
getroostte, getroost
getrouw *12,28*
getrouwe de (...n) *12,28,89*
getrouwelijk *12,28,87*
getto het (...'s) *20,42*
getto...: gettoblaster, gettovorming, enz. *66,67,76*
getuige (get.) de (...n)
getuigen...: getuigenbank, enz. *89*
getuige-deskundige de (...n) *80*
getuigen *106*
getuigde, getuigd
getuigenis de/het (...nissen) *15*
getweeën *38*
geüniformeerd *37*
geürm het *37*
geus [persoon; vlag] de (geuzen) *26*
geuzen...: geuzennaam, enz. *88*
geuze de *ook* **geus** (geuzen) *26,115*
geuzelambiek *90*
gevaar het (...varen)
gevaarlijk, gevaarloos *2,87*
gevaarsignaal, gevaarvol *64*
gevaren...: gevarentoeslag, enz. *88*
gevaars...: gevaarsbord, enz. *98*
gevangen... *69,106*
gevangenzetten: zette gevangen, gevangengezet; enz.

gevangene de (...n)
gevangenen...: gevangenenkamp, enz. *89*
gevangenis de (...nissen) *15*
gevangenis...: gevangenisdirecteur, gevangenisstraf, enz. *64*
gevankelijk *87*
gevaren... zie **gevaar**
gevecht het (...en)
gevechts...: gevechtseenheid, gevechtszone, enz. *98,99*
gevederd *18*
geveinsd *13,18*
geven *19*
gaf, gegeven
gevergeerd *18*
gevind [van vinnen voorzien] *18*
gevleid [zich gevleid voelen] *13*
gevlij, in het – komen *13*
gevoeglijk *ook* **gevoegelijk** *87,115*
gevoel het
gevoelloos *87*
gevoelvol *64*
gevoels...: gevoelsmens, gevoelszenuw, enz. *98,99*
gevoelen *106*
gevoelde, gevoeld
gevogelte het *90*
gevoileerd *3,18*
gevolg het (...en)
gevolglijk *87*
gevolg...: gevolgtrekking, enz. *64*
gevolmachtigde de (...n) *2,89*
gewaad het (...waden) *18*
gewaarworden *69*
werd gewaar, gewaargeworden
gewagen *106*
gewaagde, gewaagd
gewag maken van *2,62*
gewapenderhand *111*
gewei het (...en) *13*
geweidragend *64*
geweld het
geweldloos *87*
geweld...: geweldpleger, enz. *64*
gewelds...: geweldsgolf, geweldsscène, enz. *98,99*
gewelddadig *4*
gewelf het (...welven) *19*
gewennen *106*
gewende, gewend
gewest het (...en)
gewestelijk *87*
gewest...: gewestraad, enz. *64*
geweten het (...s)
gewetenloos *87*
gewetens...: gewetenskwestie, enz. *98*
gewetensbezwaarde de (...n) *89,98*
gewicht het (...en) *2*
gewichtloos, gewichtsloos *87,98*
gewichtheffer, gewichtstuk *64*
gewichts...: gewichtsklasse, enz. *98*
gewichtheffen *69,107*
gewiekst *113*
gewiekster, meest gewiekst
gewijd *13*
gewijsde het (...n) *89*
gewonde de (...n)
gewonden...: gewondentransport, enz. *89*
gewoonlijk *87*
gewoonte de (...n, ...s)
gewoonte...: gewoontedier, enz. *76,91*
geworden *108*
gewerd, geworden
gewricht het (...en) *2*
gewrichts...: gewrichtsontsteking, gewrichtsziekte, enz. *98,99*
gewrocht de (...en) *2*
Geyl, Pieter *6*
gez. [gezang, gezusters] *100*
gezag het *2*
gezag...: gezaghebbend, gezagvoerder, gezagvol, enz. *64*
gezags...: gezagsgetrouw, gezagsondermijning, gezagsstructuur, enz. *98,99*

gezalfde de (...n) *89*
gezamenlijk *26,87*
gezantschap het (...schappen) *18*
gezantschaps...: gezantschapsraad, gezantschapssecretaris, enz. *98,99*
gezegde het (...n, ...s)
gezegde...: gezegdeboek, enz. *76,91*
gezeggen *107*
gezeglijk *87*
gezeik het *13*
gezicht het (...en) *2*
gezichtloos *87*
gezichts...: gezichtsbedrog, gezichtsstoornis, enz. *98,99*
gezin het (gezinnen; gezinnetje) *112*
gezins...: gezinsauto, gezinssituatie, gezinsvervangend, enz. *98,99*
...gezind *18,64*
eensgezind, vijandiggezind, regeringsgezind, enz.
gezindte de (...n, ...s) *4,91*
gezwind *18*
gft [groente, fruit en tuin] *101*
gft-...: gft-afval, enz. *83*
G.G. [gouverneur-generaal] *100*
GGD [Gemeentelijke Geneeskundige Dienst] de (GGD'en, GGD's) *46,104*
g.g.d. [grootste gemene deler] *100*
GG en GD [Gemeentelijke Geneeskundige en Gezondheidsdienst] de *104*
Ghana *6,53*
Ghanees, Ghanese
ghostwriter de (...s) *20,67*
Ghysen, Jos *6*
Giacometti, Alberto *6*
gibbon de (...s) *9,14*
Gibraltar *6,53*
Gibraltarees, Gibraltarese
Gibran, Khalil *6*
gibus de (...bussen) *27,54*
gideonsbende de (...n, ...s) (GB: Gideonsbende) *54,65*
gids de (...en) *18*
gidsen *106*
gidste, gegidst
giebelen *9,106*
giebelde, gegiebeld
giechelen *2,5,106*
giechelde, gegiecheld
giegagen *2,9,106*
giegaagde, gegiegaagd
gieren *106*
gierde, gegierd
Gieseking, Walter *6*
Giessen [Noord-Brabant] *6,53*
Giessenlanden *6,53*
gietcokes de *22,66*
gietijzeren *114*
gif het (giffen) *ook* **gift** (...en) *115*
gif...: gifbeker, enz. *64*
gift...: giftangel, enz. *64*
gig de (giggen, ...s) *3*
giga... *78*
gigabyte (Gb), giga-elektronvolt, gigahertz, gigawatt, enz.
gigant de (...en) *2*
Gigli, Beniamino *6*
gigolo de (...'s) *3,42*
gigue de (...s) *3,43*
gijl [gist] het *13*
gijl...: gijlbier, enz. *64*
gijlieden *64*
gijn [takel] het (...en, ...s) *13*
Gijón *6,53*
gijpen *13,106*
gijpte, gegijpt
Gijsen, Marnix *6*
Gijzelbrechtegem *6,53*
gijzelen *13,26,106*
gijzelde, gegijzeld
Gilberteilanden de *6,53*
gilde de/het (...n, ...s, GB: ...n)
gilde...: gildebroeder, enz. (GB: gilden...) *91*
gilet het (...s) *27*
Gilgamesj *6*
gillen *106*
gilde, gegild
Gillespie, John Birks 'Dizzy' *6*
gillettemesje het (...s) *63*

gilling de (...en) *2*
Gilze en Rijen *ook* **Gilze-Rijen** *6,53*
gimmick de (...s) *3,22*
gin de (...s) *3*
ginds *18*
gingerale het (...s) *67*
gingivitis de *1,9,19*
ginkgo de (...'s) *3,42*
ginnegappen *97,106*
ginnegapte, geginnegapt
Ginsberg, Allen *6*
ginseng de *3*
gin-tonic de *3,22,80*
Giotto di Bondone *6*
gipsen *114*
gipsy de (...'s) *3,9,42*
giraf de (giraffen) *ook* **giraffe** (...n, ...s) *27,91,115*
girande de (...s) *27,91*
girandole de (...s) *27,91*
Girard, René *6*
Giraudoux, Jean *6*
gireren *106*
gireerde, gegireerd
giro de (...'s) *42*
giro...: girobetaalkaart, giro-overschrijving, enz. *64,76*
girondijnen de (alleen mv.) (GB: Girondijnen) *57*
gis [muzieknoot] de (gissen) *9*
Giscard d'Estaing, Valéry *6*
gispen *106*
gispte, gegispt
gissen *106*
giste, gegist
gisten *106*
gistte, gegist
gister... *ook* **gisteren...** *64,115*
gisteravond, gistermiddag, enz.
gisterenavond, gisterenmiddag, enz.
gitten *114*
gitzwart *64*
giveaway de (...s) *43,67*
Gizeh *6,53*
Glabbeek *6,53*
glacé de/het (...s; glaceetje) *29,43,112*
glacé...: glacépapier, enz. *64,76*
glaceren *25,106*
glaceerde, geglaceerd
glaciaal het (...alen) *25*
glaciologie de *25*
glacis het (enk. en mv.) *9,25*
glad... *69,106*
gladschaven: schaafde glad, gladgeschaafd; enz.
glad... *64,73*
gladgeschaafd, gladjakker, gladjanus, gladweg, enz.
gladden *106*
gladde, geglad
gladiator de (...en, ...s) *9*
gladiool de (...olen) *ook* **gladiolus** (...lussen) *9,115*
gladjes *18*
glamour de *3*
glamour...: glamourfoto, glamourgirl, enz. *66,67*
glamrock de *22,67*
glanduleus *26*
glanduleuze
glans de (glansen, glanzen) *26*
glanzen *26,106*
glansde, geglansd
glariën *9,37,106*
glariede, geglaried
glarieogen *9,38,106*
glarieoogde, geglarieoogd
glas het (glazen; glaasje) *26,112*
glas...: glasbak, enz. *64*
glazen...: glazenwasser, enz. *88*
glasblazen *69,107*
glas-in-loodraam het (...ramen) *81*
glasnost de *3*
glauberzout het *54,65*
glaucoom het *12,22*
glazen *26,114*
glazen... zie **glas**
glazenmaken *69,107*
Glazoenov, Alexander *6*
glazuren *26,106*
glazuurde, geglazuurd

glazuur het *26*
gld. [gulden] *100*
glee de (gleeën) *38*
glei [stro] het *ook* **glui** *13,115*
gleis het *13*
gleiswerk *64*
gleizen *13,26,106*
gleisde, gegleisd
gletsjer de (...s) *27*
gletsjer...: gletsjerrivier, enz. *64*
gleuf de (gleuven) *19*
glibberen *106*
glibberde, geglibberd
glider de (...s) *3*
glijden *13*
gleed, gegleden
glij-ijzer het (...s) *76*
glimlachen *69,106*
glimlachte, geglimlacht
glimmeren *106*
glimmerde, geglimmerd
glinsteren *106*
glinsterde, geglinsterd
glioom het (gliomen) *9*
glippen *106*
glipte, geglipt
glissade de (...n, ...s) *3,14,91*
glissando het (...sandi, ...'s) *3,14,42*
glissen *106*
gliste, geglist
glitter de (...s) *3*
glitter...: glitterjurk, glitterrock, enz. *66,67*
globaliseren *26,106*
globaliseerde, geglobaliseerd
globe de (...n, ...s)
globetrotter *91*
globine de (...n) *9,89*
globuleus *26*
globuleuze
globuline de *9,90*
gloed de *18*
gloed...: gloednieuw, gloedwolk, enz. *64*
gloeien *106*
gloeide, gegloeid
glooien *106*
glooide, geglooid
glooiing de (...en) *38*
gloor [glans] de *2*
gloren *2,106*
gloorde, gegloord
gloria de/het (...'s) *42*
glorie de (...riën, ...s) *40,43*
glorie...: glorietijd, enz. *64,76*
gloriëren *37,38,106*
glorieerde, geglorieerd
glorieus *26*
glorieuze
Glorieux, François *6*
glorificatie de *22*
gloriole de (...n, ...s) *91*
glos de (glossen) *ook* **glosse** *115*
glossarium het (...ria) *3,14*
glosse de (...n) *ook* **glos** *89,115*
glosseem het (...semen) *14*
glossen *106*
gloste, geglost
glosseren *106*
glosseerde, geglosseerd
glossolalie de *14*
glossy de (...'s) *3,9,42*
glottis de (...tissen) *1*
glottis...: glottisslag, enz. *64*
glottochronologie de *14*
gloxinia de (...'s) *23,42,54*
Gluck, Christoph Willibald (von) *6*
glückauf *3,22*
gluconzuur het *22,64*
glucose de *22,26*
glucose...: glucosestroop, enz. *90*
glühwein de *3*
glui het *ook* **glei** *115*
gluipen *106*
gluipte, gegluipt
gluiperd de (...s) *ook* **gluiper** *18,115*
glunderen *106*
glunderde, geglunderd
gluren *106*
gluurde, gegluurd
glutamine de (...n, ...s) *9,91*

gluten het
gluten...: glutenbrood, enz. *64*
glutineus *26*
glutineuze
glyceride de/het (...n) *9,25,89*
glycerine de *9,25*
glycerine...: glycerinezeep, enz. *76,90*
glycerol de *9,25*
glycine de (...n, ...s) *9,25,91*
glycogeen het *9,22*
glycol de (...en) *9,22*
glycoproteïne de (...n) *9,22,37*
glycoside de/het (...n) *9,22,25*
glyfiek de *ook* **glyptiek** *9,19,115*
glypten de (alleen mv.) *9*
glyptotheek de (...theken) *9,20*
GMT [Greenwich Mean Time] *104*
gnathologie de *20*
gneis het *13*
gniffelen *106*
gniffelde, gegniffeld
gnoe de (...s) *11,43*
gnoom de (gnomen) *ook* **gnome** (...n) *89,115*
gnosis de *1*
gnosticisme het *25,90*
gnosticus de (...tici) *22,25*
gnuiven *19,106*
gnuifde, gegnuifd
goal de (...s; ...tje) *3,10*
goal...: goalbal, goalgetter, goalkeeper, enz. *66,67*
goalie de (...s) *3,9,43*
goaltjesdief de *98*
gobelin de/het (...s) *3*
Gobiwoestijn de *6,53*
gocart de (...s) *ook* **go-kart** (...s) *67,115*
God de (goden) *59*
goddeloos, godloos *87*
Godmens *59*
goden...: godenwereld, enz. *88*
gods...: godsdienst, godsgruwelijk, (in) godsherennaam, godslasterlijk, (in) godsnaam, godsonmogelijk, godsspraak, enz. *98,99*
god...: godallemachtig, godbetert, godgeleerde, godsamme, godverdomme (gvd), godzijdank, enz. *59,62,64*
Gods...: Godsbode, Godsgezant, Godskind (Jezus), (van) Godswege, enz. *59,98*
Godard, Jean-Luc *6*
godfather de (...s) *67*
godin de (godinnen; godinnetje) *112*
Godveerdegem *6,53*
Goebbels, Joseph *6*
goed *1,113*
beter, best
goed... *64*
goedbezocht, goedbloed, goedgeefs, goedgevuld, goedlachs, goedschiks, enz.
goed... *69,106*
goedkeuren: keurde goed, goedgekeurd; enz.
goedemiddag *92*
goedemorgen *92*
goedenacht *92*
goedenavond *92,111*
goedendag *92,111*
goedendagzeggen *69,106*
zegde/zei goedendag, goedendaggezegd
goeden doen, in – *62,111*
Goedereede *6,53*
goedertieren *111*
Goede Vrijdag *56,62*
goedheiligman de *68*
goedsmoeds *111*
goegemeente de *2,90*
goeierd de (...s) *1,18*

goeiig *38*
Goejanverwellesluis *6,53*
Goelagarchipel de *52*
goelijk *1,87*
goeman de (...mannen) *2*
Goeree en Overflakkee *6,53*
goeroe de (...s) *11,43*
goesting de (...en) *11*
Goethe, Johann Wolfgang (von) *6*
goëtie de *37*
Gogh, Vincent van *6*
gogogirl de (...s) *67*
Gogol, Nikolaj *6*
goh *20*
Goirle *6,53*
goj de (gojim) *ook* **gojim** (...s) *21,115*
go-kart de (...s) *ook* **gocart** *67,115*
gokken *106*
gokte, gegokt
Golanhoogte de *6,53*
golden delicious *67*
golden retriever *67*
Goldwyn, Samuel *6*
golem de (...s) *1*
golf de (golven) *19*
golf...: golfslag, enz. *64*
golven...: golvenspel, enz. *88*
golf [spel] het *3*
golf...: golfcourse, golfkampioenschap, enz. *66,67*
golfen [golf spelen] *106*
golfde/golfte, gegolfd/gegolft
Golfstroom, de warme de *6,53*
Golf van Aden de *6,53*
Golf van Ajaccio de *6,53*
Golf van Akaba de *6,53*
Golf van Bengalen de *6,53*
Golf van Biskaje de *6,53*
Golf van Cambay de *6,53*
Golf van Campeche de *6,53*
Golf van Mexico de *6,53*
Golf van Oman de *6,53*
Golgotha de *6,53*
Goliath [bijbelfiguur] *6*
goliath, een – (groot en ruw persoon) *54*
goliathkever *64*
golven [bewegen] *19,106*
golfde, gegolfd
golven... zie **golf**
GOM [gewestelijke ontwikkelingsmaatschappij] de *103*
gom de/het (gommen; gommetje) *ook* **gum** *112,115*
gomarist de (...en) *14*
Gombrowicz, Witold *6*
gommen *ook* **gummen** *106,115*
gomde, gegomd
gonade de (...n) *89*
Goncourt, Edmond de *6*
gondelen *106*
gondelde, gegondeld
gondola de (...'s) *42*
gonfalon de (...s) *3*
goniometrie de *9*
gonorroe de (...s) *3,14,43*
gonzen *26,106*
gonsde, gegonsd
goochel... *2,10,64*
goocheldoos, goochelkunst, goocheltruc, enz.
goochelaar de (...s) *2,10*
goochelen *2,10,106*
goochelde, gegoocheld
goochem *2,5,10*
goochemerd de (...s) *2,10,18*
goodwill de *67*
Goodyear, Charles *6*
gooien *106*
gooide, gegooid
gooi-en-smijtwerk het *81*
Gooik *6,53*
goor *113*
goorder, goorst
gootsteen de (...stenen) *64*
Gooyer, Rijk de *6*
Gorbatsjov, Michail *6*
gorden *106*
gordde, gegord

gordiaans *54*
gordijn de/het (...en) *13*
Gordimer, Nadine *6*
Gore, Al *6*
Goretta, Claude *6*
gorgelen *2,106*
gorgelde, gegorgeld
gorgonisch *14*
gorgonzola de (...'s) *3,42,54*
gorilla de (...'s) *14,42*
Gorinchem *ook* **Gorcum, Gorkum** *6,53*
gors [land] de/het (gorzen) *26*
gors [vogel] de (gorzen) *26*
Gorssel *6,53*
gort de (...en)
gort...: gortdroog, gortmolen, enz. *64*
gorten...: gortenpap, enz. *88*
GOS [Gemenebest van Onafhankelijke Staten] het *103*
Goscinny, René *6*
gospel de (...s) *1,3*
gospel...: gospelmuziek, gospelsong, enz. *66,67*
gossip de *3*
Göteborg *6,53*
gotiek de *57*
gotisch [schrift, bouwstijl] *57*
Gotisch [taal] *55*
gotspe de (...s) *3,43*
gottegot *18*
götterdämmerung de (GB: Götterdämmerung) *3*
gouache de (...s) *3,91*
goud (Au) het *12*
goud...: goudeerlijk, goudrenet, goudtransport, enz. *64*
goudenregen
goudsbloem *98*
gouden *114*
Gouden Eeuw, de – *56*
goudenmedaillewinnaar de (...s) *68*
goudsmeden *69,107*
goulardwater het *54,65*
goulash de *3,11,27*
goulash...: goulashvlees, enz. *66*
Gould, Glenn *6*
gourmand de (...s) *3,11*
gourmet de (...s) *3,11*
gourmet...: gourmetstel, enz. *66*
gourmetten *3,11,106*
gourmette, gegourmet
goût de *3*
goûter het (...s) *3*
gouteren *3,11,106*
gouteerde, gegouteerd
gouvernante de (...s) *3,11,91*
gouvernement het (...en) *11*
gouverneren *11,106*
gouverneerde, gegouverneerd
gouverneur de (...s) *11*
gouverneurs...: gouverneurspost, enz. *98*
gouverneur-generaal (G.G.) de (gouverneurs-generaal) *11,79*
gouw [streek, water, vogel] de (...en) *12,28*
gouw...: gouwgraaf, enz. *64*
Gouwzee de *6,53*
gozer de (...s) *26*
GPV [Gereformeerd Politiek Verbond] het *104*
gr. [graad/graden, groot/grootte] *100*
graad (gr.) [rang, temperatuur] de (graden) *18*
graad...: graadmeter, enz. *64*
graden...: gradenboog, enz. *88*
graaf de (graven) *19*
graaflijk, grafelijk *87*
graven...: gravenkroon, enz. *88*
graag *113*
grager, graagst / liever, liefst
graaien *106*
graaide, gegraaid
graal de *59*
graal...: graalroman, enz. *64*
graat [m.b.t. vis] de (graten) *18*
graatloos *87*
graat...: graatmager, graatverband, enz. *64*
graten...: gratenbordje, enz. *88*

grabbelen *106*
grabbelde, gegrabbeld
Gracchus, Gaius/Tiberius *6*
gracht de (...en) *2*
gracht...: grachtwater, enz. *64*
grachten...: grachtenpand, enz. *88*
gracieus *25,26*
gracieuze
gradatie de (...tiën, ...s) *40,43*
graden... zie **graad**
graderen *106*
gradeerde, gegradeerd
gradiënt de (...en) *37*
graduale het (...n) *89*
graduatie de (...s) *43*
graeciseren *8,25,106*
graeciseerde, gegraeciseerd
graecisme het (...n) *8,25,89*
graecomaan de (...manen) *8,22*
graecus de (graeci) *8,22,25*
graf het (graven) *19*
graf...: grafschennis, enz. *64*
gravendienst *88*
grafeem het (...femen) *14,19*
graffiteren *9,14,106*
graffiteerde, gegraffiteerd
graffiti de (alleen mv.) *9,14*
graffiti...: graffitikunstenaar, enz. *64,76*
graffito het (...fiti) *ook* **sgraffito** *9,14*
graficus de (...fici) *9,22,25*
grafie de (...fieën) *9,40*
grafiet het *9,18,19*
grafiet...: grafietpotlood, enz. *64*
grafologie de *14*
grafostatica de *14,22*
Graft-De Rijp *6,53*
graminologie de *9,14*
grammatica de (...'s) *14,22,42*
grammatica...: grammaticaboek, grammaticaonderwijs, enz. *64,76*
grammaticaliteit de *14,22*
grammaticus de (...tici) *14,22,25*
grammofoon de (...s) *14,19*
granaat de (...naten)
granaat...: granaatscherf, enz. *64*
granatenbaan *88*
Granados y Campina, Enrique *6*
granaten *114*
Gran Canaria de *6,53*
grand café het (grands cafés) *43,63*
Grand Canyon de *6,53*
grande de (...s) *3,43*
grandeur de *3*
grandezza de *3,14*
grandioos *26*
grandioze
grand prix de (grands prix) *63*
grandprixtoernooi, grandprixwedstrijd *68,84*
grand seigneur de (grands seigneurs) *63*
grand slam het (grand slams) *67*
grandslam...: grand-slamcup, grand-slamtitel, enz. (GB: grandslamcup, enz.) *67,84*
granen *106*
graande, gegraand
graniet het *9,14,18*
granieten *14,114*
granito het *9,14*
granivoor de (...voren) *9,14*
granman de (...mannen) *3*
granollen *14,106*
granolde, gegranold
granotypie de *9,14*
granulair *3,14*
granulatie de (...s) *14*
granulatie...: granulatieweefsel, enz. *64,76*
granuleren *14,106*
granuleerde, gegranuleerd
granuleus *14,26*
granuleuze
grap de (grappen)
grap...: grapjas, enz. *64*
grappenmaker *88*
grapefruit de (...s) *3,8*
grapefruit...: grapefruitdrank, enz. *66*

grapjassen *69,106*
grapjaste, gegrapjast
grappa de (...'s; grappaatje) *3,42,112*
grappen *106*
grapte, gegrapt
grasduinen *69,106*
grasduinde, gegrasduind
grasmaaien *69,106*
maaide gras, grasgemaaid
Grass, Günter *6*
grasseren *14,106*
grasseerde, gegrasseerd
graten... zie **graat**
gratie de (...tiën) *40*
gratie...: gratieverzoek, enz. *64,76*
gratiëren *37,38,106*
gratieerde, gegratieerd
gratificatie de (...tiën, ...s) *22,40,43*
gratificeren *ook* **gratifiëren** *25,106,115*
gratificeerde, gegratificeerd
gratifieerde, gegratifieerd
gratin de (...s) *3*
gratineren *14,106*
gratineerde, gegratineerd
gratis *1*
gratuit *3,9*
gratuite
gratuïteit de *37*
Grauw [Zeeland] *6,53*
grauw de/het *12*
grauw... *12,28,64*
grauwbruin, grauwschimmel, grauwsluier, enz.
grauwen *12,106*
grauwde, gegrauwd
gravamen het (...vamina) *19*
grave *3*
graveel het *19*
gravel het *3*
gravel...: gravelspecialist, enz. *66*
graven *19*
groef, gegraven
graven... zie **graaf/graf**
graveren *19,106*
graveerde, gegraveerd
graviditeit de *9,19*
gravimeter de (...s) *9,19*
gravin de (gravinnen; gravinnetje) *19,112*
gravitatie de *9,19*
gravitatie...: gravitatieveld, enz. *64,76*
graviteren *9,19,106*
graviteerde, gegraviteerd
gravure de (...n, ...s) *19,91*
gray (Gy) de *54*
Graz [Oostenrijk] *6,53*
grazen *26,106*
graasde, gegraasd
grazioso *3*
greb de (grebben) *ook* **grebbe** (...n) *17,115*
Greco, El *6*
Gréco, Juliette *6*
green [m.b.t. golfspel] de (...s) *3,9*
green...: greenkeeper, greenpoint, enz. *67*
green [boomsoort] de (grenen)
greenhout *64*
grenen...: grenenhout, grenenhouten, enz. *88*
Greenaway, Peter *6*
Greenspan, Alan *6*
Greenwichtijd (G.T.) de *65*
Greenwich Village *6,53*
gregoriaans *54*
grein het (...en) *13*
greinen *13,106*
greinde, gegreind
greineren *13,106*
greineerde, gegreineerd
gremiale het (...n) *89*
gremium het (...mia) *8*
Grenada *6,53*
Grenadaan, Grenadaans(e)
grenadine de *90*
grendelen *106*
grendelde, gegrendeld
grenen *114*
grenen... zie **green**

grens de (grenzen) *26*
grenzeloos *87*
grens...: grensoverschrijdend, grensstreek, enz. *64*
grenzen *26,106*
grensde, gegrensd
greppelen *106*
greppelde, gegreppeld
gres het
gresbuis *64*
Greshoff, Jan *6*
greyhound de (...s) *67*
gribus de (...bussen) *9*
grief de (grieven) *ook* **grieve** *19,115*
grieventrommel *88*
Grieks-orthodox *20,53,57,79*
griend de (...en) *18*
griend...: griendland, enz. *64*
Griendtsveen *6,53*
grienen *106*
griende, gegriend
griepen *106*
griepte, gegriept
grieve de (...n) *ook* **grief** *19,115*
grieventrommel *89*
grieven *19,106*
griefde, gegriefd
griezel de (...s) *26*
griezelen *26,106*
griezelde, gegriezeld
griffelen *ook* **griffen** *106,115*
griffelde, gegriffeld
grifte, gegrift
griffie de (...s) *9,43*
griffie...: griffierecht, enz. *64,76*
griffioen de (...en) *ook* **griffoen** (...en) *14,115*
Griffith, David Wark *6*
griffon de (...s) *14*
grijns de (grijnzen) *13,26*
grijnslachen *69,106*
grijnslachte, gegrijnslacht
grijnzaard de (...s) *13,26*
grijnzen *13,26,106*
grijnsde, gegrijnsd
grijpen *13*
greep, gegrepen
grijs *13,26*
grijze
grijs... *64,80*
grijsblauw, grijsharig, grijstint, enz.
grijsaard de (...s) *18*
grijsrijden *69*
reed grijs, grijsgereden
grijzen *13,26,106*
grijsde, gegrijsd
grijzezonewapen het (...s) *68,91,92*
grijzig *26*
gril de [idee, rilling] (grillen; grilletje) *112*
grill de [vleesrooster] (...s) *3*
grill...: grillpan, grillroom, enz. *66,67*
grille de [rooster op auto] (...s) *3,21*
grillen [huiveren] *106*
grilde, gegrild
grillen [roosteren] *ook* **grilleren** *105,106,115*
grilde, gegrild
grilleerde, gegrilleerd
Grillparzer, Franz *6*
grimassen *14,106*
grimaste, gegrimast
grime de (...s) *3*
grimeren *9,14,106*
grimeerde, gegrimeerd
grimlachen *69,106*
grimlachte, gegrimlacht
Grimm, Jacob/Wilhelm *6*
grimmen *106*
grimde, gegrimd
grind de/het *18*
grind...: grindpad, enz. *64*
grinden *ook* **grinten** *106,115*
grindde, gegrind
grinniken *15,106*
grinnikte, gegrinnikt
grinten *ook* **grinden** *106,115*
grintte, gegrint
griotte [marmer] het *21*

griotte [kers, snoepje] de (...s; griotje) *21,91,112*
grisaille de/het (...n, ...s) *3,21,91*
Grisham, John *6*
grissen *106*
griste, gegrist
gritstralen *69,106*
gritstraalde, gegritstraald
grizzly de (...'s) *3,9,42*
grizzlybeer *66*
groef de (groeven, groeves) *ook* **groeve** *19,115*
groef...: groefrail, groefzaag, enz. *64,66*
groei de
groei...: groeiaandeel, groeicijfer, groei-explosie, groei-impuls (GB: groeiimpuls), enz. *64,76*
groeien *106*
groeide, gegroeid
groen... *64,80*
groenblijvend, groengrijs, groenvoorziening, enz.
groene de (...n) *89*
groenen *106*
groende, gegroend
groenlopen *69,106*
liep groen, groengelopen
groente de (...n, ...s)
groente...: groenteboer, enz. *91*
Groen van Prinsterer, Guillaume *6*
groep de (...en)
groeps...: groepsgevoel, groepsseks, enz. *98,99*
groepage de (...s) *11,27*
groepage...: groepagedienst, enz. *76,91*
groepen *106*
groepte, gegroept
groeperen *106*
groepeerde, gegroepeerd
groeten *106*
groette, gegroet
groeve de (...n, ...s) *ook* **groef** *19,91,115*
groeven *19,106*
groefde, gegroefd
groezelig *26*
grof *19*
grove
grof... *64*
grofgebouwd, grofkorrelig, grofmeel, grofweg, enz.
grofte de (...s) *91*
grog de (...s) *3*
grog...: grogstem, enz. *66*
groggy *3,9*
grollen *106*
grolde, gegrold
grommen *106*
gromde, gegromd
grond de (...en)
grondeloos *87*
grond...: grondeigenaar, enz. *64*
gronde, te – richten *62,111*
gronden *106*
grondde, gegrond
grondverven *69,106*
grondverfde, gegrondverfd
grondvesten *69,106*
grondvestte, gegrondvest
grondwet de (...wetten)
grondwettelijk *87*
grondwets...: grondwetsartikel, grondswetszaken, enz. *98,99*
Groninger Oldambt *6,53*
groot... *69,106*
grootmaken: maakte groot, grootgemaakt; enz.
groot... *64*
grootaandeelhouder, grootbeeld, grootmeester, grootschalig, grootsteeds, grootverbruik, grootwinkelbedrijf, enz.
Grootaers, Ludovic *6*
Groot-Bijgaarden *6,53*
Groot-Brittannië *6,53*
Brit, Brits(e)
Groote, Geert *6*
Grootebroek *6,53*

Grootegast *6,53*
Groot-Gelmen *6,53*
groot-mediaan het *79*
grootte (gr.) de (...n, ...s) *4,91*
Groslot, Robert *6*
grosse de (...n) *3,89*
grosseren *106*
grosseerde, gegrosseerd
Grossglockner *6,53*
grossier de (...s) *14*
grossiers...: grossiersprijs, enz. *98*
grossieren *14,106*
grossierde, gegrossierd
grosso modo *63*
Grote Antillen de *6,53*
grotelijks *87*
grotemensenwerk het *68,88*
grotendeels *111*
Grote Oceaan de *6,53*
grotesk *22,113*
grotesker, meest grotesk
groteske de (...n) *22,89*
Grote-Spouwen *6,53*
grotestadsleven het *68,98*
Grote Zoutwoestijn de *6,53*
Groult, Benoîte/Flora *6*
groupie de (...s) *3,43*
Grauw [Friesland} *6,53*
grovelijk *19,87*
Grubbenvorst *6,53*
gruizelen *26,106*
gruizelde, gegruizeld
gruizen *26,106*
gruisde, gegruisd
Grünewald, Matthias *6*
grunge de *3,27*
grunge...: grungegroep, enz. *66*
grup de (gruppen) *17*
grupstal *64*
grutten *106*
grutte, gegrut
grutten de (alleen mv.)
grutten...: gruttenmeel, enz. *88*
grutto de (...'s) *42,115*
gruwel de (...en)
gruwelijk *87*
gruwel...: gruweldaad, enz. *64*
gruwelen *106*
gruwelde, gegruweld
gruwen *106*
gruwde, gegruwd
Gruwez, Luuk *6*
gruyère de (...s) *31,54*
gruyèrekaas *65*
gruzelementen de (alleen mv.) *26*
GS [Gedeputeerde Staten] de *104*
gsm de (...'s; gsm'etje) *46,101*
gsm-apparaat *83*
Gstaad *6,53*
G.T. [Greenwichtijd] *104*
guacamole de *3,22*
Guadalajara *6,53*
Guadalupe [Spanje] *6,53*
Guadeloupe [departement van Frankrijk] *6,53*
Guadelouper, Guadeloups(e)
Guam *6,53*
Guamees, Guamese
Guanajuato *6,53*
Guangdong *6,53*
Guangxi Zhuang *6,53*
guanine de/het *3,90*
guano de *3*
Guantánamo *6,53*
Guardini, Romano *6*
Guareschi, Giovanni *6*
guargom de/het *28,66*
Guarneri, Andrea *6*
Guatemala *6,53*
Guatemalaan, Guatemalaans(e), Guatemalteek, Guatemalteeks(e)
Guatemala-Stad *6,53*
guave de (...n, ...s) *3,91*
gueridon de (...s) *3*
Guernica y Luno *ook* **Guernica**
Guernsey *6,53*
guerrilla de (...'s) *3,14,42*
guerrilla...: guerrillabeweging, guerrilla-eenheid, guerrillaoorlog, enz. *66,76*

guerrillero de (...'s) *3,14,42*
Guevara, Che *6*
guichelheil het *2,13,64*
guillocheren *21,27,106*
guillocheerde, geguillocheerd
guillotine de (...s) *21,54,91*
guillotineren *21,54,106*
guillotineerde, geguillotineerd
Guinee *6,53*
Guineeër, Guinees, Guineese
Guinee-Bissau *6,53*
Guinee-Bissauer, Guinee-Bissaus(e)
Guinees biggetje het (Guineese biggetjes) *53,62*
Guinness, Alec *6*
guipure de (...s) *3,9,43*
guipure...: guipuresteek, enz. *76,91*
guirlande de (...s) *3,9,91*
guit de (...en)
guiten...: guitenstreek, enz. *88*
gulden (gld.) de (...s)
gulden...: guldenteken, enz. *64*
guldens...: guldenskoers, enz. *98*
gullen *106*
gulde, geguld
gulpen *106*
gulpte, gegulpt
gum de/het (gummen; gummetje) *ook* **gom** *112,115*
gummen *ook* **gommen** *106,115*
gumde, gegumd
gummi de/het *9*
gummi...: gummi-jas, gummiknuppel, enz. *64,76*
gunnen *106*
gunde, gegund
gunnera de (...'s) *14,42*
gunste, ten – van *62,111*
guppy de (...'s) *9,42*
Gurdjieff, Georg Ivanovitsj *6*
Gutenberg, Johannes *6*
Gutschoven *6,53*
gutsen *106*
gutste, gegutst
Gutt, Camille *6*
guttapercha de *3,14*
guttapercha...: guttaperchaboom, enz. *66,76*
guttatie de *14*
gutturaal *1,14*
Guyana *6,53*
Guyaan, Guyaans(e), Guyanees, Guyanese
gvd [godverdomme] *100*
gym [gymnastiek] de (...s) *9,102*
gymkana de (...'s) *9,42*
gymmen *9,106*
gymde, gegymd
gymn. [gymnasium, gymnasiaal, gymnastiek, gymnastisch] *100*
gymnasium (gymn.) het (...sia, ...s) *3,9*
gymnasium...: gymnasiumopleiding, enz. *64*
gymnastiek (gymn.) de *9*
gymnastiseren *9,106*
gymnastiseerde, gegymnastiseerd
gymp de (...en; ...je, gympie) *9,112*
gynaecologie de *1,8,9,22*
gynandrie de *9*
gyro... *9*
gyrokompas, gyromantie, gyroscoop, enz.
gyros de *9*
Gysseling, Maurits *6*

h

h de (h's; h'tje) *46*
H-bom *61,83*
h. [hoogte, hora] *100*
H [hydrogenium, henry] *100*
H. [heilige] *59,100*
ha [hectare] *100*
h.a. [hoc anno, huius anni] *100*
Haacht *6,53*
haaf de (haven) *19*
haag de (hagen)
haag...: haagbeuk, enz. *64*
hagen...: hagenprediker, enz. *88*
haai de (...en)
haai...: haaibaai, enz. *64*
haaien...: haaientand, enz. *88*
haaienvinnensoep de *68,88*
haaiig *38*
haak de (haken)
haak...: haakanker, haakvormig, enz. *64*
haken...: hakenkruis, enz. *88*
Haaltert *6,53*
haan de (hanen)
hanen...: hanenkam, enz. *88*
haantje-de-voorste het *62*
haar... *69,107*
haargolven, haarknippen, enz.
Haaren [Noord-Brabant] *6,53*
Haarlemmerliede *6,53*
haarlemmerolie de *54,65*
haars inziens *62,111*
haarstilist de (...en) *9,64*
haarvat het (...en)
haarvaten...: haarvatennet, enz. *88*
haarzelf *73*
haas de (hazen) *26*
haas...: haaskarbonade, enz. *64*
hazedistel, hazewind *96,97*
hazen...: hazenpeper, enz. *88*
haasje-over het *85*
Haasse, Hella *6*
haasten *106*
haastte, gehaast
haastje-repje *62*
Haastrecht *6,53*
haat de
hatelijk *87*
haat...: haatdragend, haatgevoel, enz. *64*
haat-liefdeverhouding de (...en) *81*
habbekrats de (...en) *97*
haberdoedas de (...dassen) *3,14*
habiel *9*
habiele
habijt het (...en) *13,18*
habilitatie de *14*
habiliteren *14,106*
habiliteerde, gehabiliteerd
habitat de (...s) *18*
habitué, habituee de (...s; habitueetje) *32,43*
hachee de/het *8,27*
hachelen, de bout – *2,106*
hachelijk *2*
hachje het (...s) *2*
haciënda de (...'s) *25,37,42*
hacken *3,22,106*
hackte, gehackt
hacker de (...s) *3,22*
Hadewijch *6*
hadith de *20*
hadji de (...'s) *ook* **hadzji** (...'s) *27,42,115*
Haelen [Nederland, Limburg] *6,53*
Haenen, Paul *6*
Haesaerts, Paul *6*
hagedis de (...dissen) *97*
hagelwit *64*
hagen... zie **haag**
hagiografie de (...fieën) *40*

hagiotherapie de *20*
Haifa *6,53*
haik de (...s) *3*
haiku de (...'s; haikoetje) *11,22,42,112*
Haile Selassie *6*
hairspray de (...s) *43,67*
hairstylist de (...s) *67*
Haïti *6,53*
Haïtiaan, Haïtiaans(e)
hak de (hakken)
hak...: hakstuk, enz. *64*
hakken...: hakkenbar, enz. *88*
haken... zie **haak**
hakkenei de (...en) *13*
hakketakken *97,106*
hakketakte, gehakketakt
hakketeren *97,106*
hakketeerde, gehakketeerd
hal de (hallen; halletje) *112*
hal...: haldeur, enz. *64*
hallen...: hallentoren, enz. *88*
halcyon de (...en) *ook* **halcyoon** (...cyonen) *9,25,115*
Halen [België, Limburg] *6,53*
Halewijn *6*
Haley, Bill *6*
half
half...: halfautomatisch, halfback, halfbakken, halfeen, halfgeopend, halfhalf, halfjaarcijfers, halfom, halfsteensmuur, halftime, halfuur, halfvolley, halfwaardetijd, halfzwaargewicht, enz. *64,67,68,74*
halve *19*
half-...: half-om-half, half-om-halfgehakt, half-en-half *62,81*
halfagras het *19*
halfsluiten *69*
sloot half, halfgesloten
halitose de *26,90*
hall de (...s) *3*
Halle-Booienhoven *6,53*
halleluja het (...'s) *ook* **alleluja** *14,42,115*
halleluja...: hallelujastemming, enz. *64,76*
hallucinair *3,14,25*
hallucinatie de (...s) *14,25*
hallucinatoir *3,14,25*
hallucinatorisch *14,25*
hallucineren *14,25,106*
hallucineerde, gehallucineerd
hallucinogeen het (...genen) *14,25*
hallucinose de *14,25,90*
halma het *54*
halmaspel *65*
halo de (...'s) *42*
halo...: halo-effect, haloverschijnsel, enz. *64,76*
halofiel *9,14*
halofyt de (...en) *9,14*
halogeen het (...genen) *14*
halogeen...: halogeenlamp, enz. *64*
halogenide het (...n, ...s) *14,91*
haloïde het (...n, ...s) *14,37,91*
haloscoop de (...scopen) *14,22*
hals de (halzen) *26*
hals...: halsband, halsbrekend, enz. *64*
halsoverkop *62*
halsstarrig *4*
halt *18*
halte de (...n, ...s)
halte...: haltepaal, enz. *76,91*
halva... *78*
halvanaise, halvaproduct, halvarine, enz.
...**halve** *19,98,111*
beroepshalve, eerlijkheidshalve, mijnenthalve, enz.
halve... *19,92*
halvegare, halvemaan, halvezool, enz.
halvefinaleplaats de (...en) *68*
halver... *19,111*
halverhoogte, halverwege, halverwind, enz.

halveren *19,106*
halveerde, gehalveerd
ham de (hammen; hammetje) *112*
ham...: hamlap, enz. *64*
hammenbeen, hammenvet *88*
hamadryade de (...n) *9,14,89*
hamburger de (...s; ...tje) *54*
hamei de (...en) *13*
hamei...: hameibalk, enz. *64,76*
hamerslingeren *69,107*
hamerwerpen *69,107*
Hamilton *6,53*
hammam de (...s) *14*
Hammarskjöld, Dag *6*
hammondorgel het (...s) *54,65*
Hamont-Achel *6,53*
Hampshire *6,53*
hamstring de (...s) *3*
hand de (...en)
hand...: handbal, handdroog, handgemaakt, enz. *64*
handen...: handenarbeid, handenvol, enz. *88*
handballen *69,106*
handbalde, gehandbald
handdadig *4*
handdelig *4*
handdoek de (...en; ...je) *4*
handdoeken...: handdoekenrek, enz. *88*
handel [handvat] de/het (...s; ...tje) *ook* **hendel** *3,115*
handel de
handelwijs, handelwijze *64*
handels...: handelsakkoord, handelscentrum, handelsstad, enz. *98,99*
Händel, Georg Friedrich *6*
handeldrijven *69,106*
dreef handel, handelgedreven
handelsrekenen *69,107*
handen *106*
handde, gehand
hand- en spandiensten de (alleen mv.) *86*
handenwringen *69,107*
handhaven *19,106*
handhaafde, gehandhaafd
handicap de (...s) *3,22*
handicap...: handicaprace, enz. *67*
handicappen *3,22,106*
handicapte, gehandicapt
handjeklap het *64*
handjeplak het *64*
handjevol het *64*
handlezen *69,107*
handopsteken *69,107*
hand-out de (...s) *67*
handreiking de (...en) *13,64*
hands [sportterm]het *3*
handsbal *66*
handschoen de (...en)
handschoen...: handschoendoos, enz. *64*
handschoenen...: handschoenenkastje, enz. *88*
handschrift het (...en)
handschrift...: handschriftkunde, enz. *64*
handschriften...: handschriftenafdeling, enz. *88*
handtastelijk *4*
handtekenen *69,107*
handtekening de (...en)
handtekeningen...: handtekeningenactie, enz. *88*
handvat het (...vatten) *18,64*
handvol de *64*
handwerken *69,106*
handwerkte, gehandwerkt
handwerksman de (...mannen) *98*
handweven *69,107*
handzetten *69,107*
hanen... zie **haan**
hangar de (...s) *ook* **hangaar** (...s) *3,115*
hang-en-sluitwerk het *81*
hangglider de (...s) *3,67*
hang-legkast de (...en) *81*
hangop de *73*

hannekemaaier de (...s) *97*
hannes de (...en) *1,15*
hannesen *1,15,106*
hanneste, gehannest
Hanoi *6,53*
hans [praalhans] de (hanzen) *26,54*
hansop de (...soppen) *54*
hansworst de (...en) *54,65*
hanteren *106*
hanteerde, gehanteerd
Hanze de *52*
Hanzestad *65*
hapax de (...en) *23*
haplografie de (...fieën) *40*
haploïd *9,18,37*
happening de (...s) *3*
happy *3,9*
happy end het (...s) *67*
happy few de (alleen mv.) *67*
happy hour het (...s) *67*
hapsnap *73*
haptisch *17*
haptofoor de (...foren) *17,19*
haptonomie de *17*
harakiri het *9,22*
harasseren *14,106*
harasseerde, geharasseerd
harceleren *25,106*
harceleerde, geharceleerd
hard... *18,64*
hardblauw, hardgekookt, hardleers, hardwerkend, enz.
hard... *18,69,106*
hardmaken: maakte hard, hardgemaakt; enz.
hardboard het *67*
hardboiled *67*
hardcore de *67*
hardcourt het (...s) *67*
hardcover de (...s) *67*
harddisk de (...s) *67*
harddrug de (...s) *67*
harddrugs...: harddrugsgebruiker, enz. *66,98*
hardebollen *69,106*
hardebolde, gehardebold
Hardegarijp *6,53*
harden *106*
hardde, gehard
harderwijker [haring] de (...s) *54*
hard feelings *67*
hardglas het *64*
hardhout het *64*
Hardinxveld-Giessendam *6,53*
hardliner de (...s) *67*
hardmetaal het *64*
hardnekkig *18*
hardop *73*
hardporno de *64*
hardrock de *67*
hardrock...: hardrockband, hardrockmuziek, enz. *66,67*
hardsteen de/het *64*
hardvochtig *4,18*
hardware de *67*
Hardy, Oliver *6*
harem de (...s) *1*
Haren [Limburg (België), Groningen] *6,53*
harent, te(n) – *111*
harentwege *111*
harentwil, om – *ook* **harentwille** *62,111,115*
harerzijds *111*
haricot vert de (haricots verts) *63*
haring de (...en; harinkje) *112*
haringkaken *69,107*
haringspeten *69,107*
Harinxmakanaal, Van *6,53*
harkkeerder de (...s) *4*
harlekijn de (...s) *13*
harlekijngarnaal *64*
harlekijns...: harlekijnspak, enz. *98*
harlekinade de (...s) *22,91*
harmattan de *14*
harmonica de (...'s; ...caatje) *7,42,112*
harmonica...: harmonicaspeler, enz. *64,76*
harmonie de (...nieën, ...s) *40,43*
harmonie...: harmonieorkest, enz. *64,76*

harmoniek de *22*
harmoniëren *37,38,106*
harmonieerde, geharmonieerd
harmonieus *26*
harmonieuze
harmonisatie de (...s) *26*
harmonisatiewet *64*
harmoniseren *26,106*
harmoniseerde, geharmoniseerd
harmonium de (...s) *1*
Harmsen van Beek, Fritzi *6*
harnachement het (...en) *27*
harnassen *106*
harnaste, geharnast
harpij de (...en) *13*
harpist de (...en) *ook* **harpenist** *115*
harpoeneren *106*
harpoeneerde, geharpoeneerd
harpuizen *26,106*
harpuisde, geharpuisd
harrewarren *97,106*
harrewarde, geharreward
harrier de (...s) *3*
Harrison, George *6*
hars de/het (...en) *26*
harses de (alleen mv.) *1*
harshoudend *64*
hart het (...en)
hartelijk, harteloos *87*
hart...: hartklep, hartveroverend, enz. *64*
hartelap *97*
harten...: hartenaas, hartenbreker, naar hartenlust (GB: hartelust), enz. *88*
harts...: hartsvriendin, enz. *98*
harte, van ganser – *62,111*
hartenjagen *69,88,106*
hartenjaagde, gehartenjaagd
hartgrondig *18*
harthout [kernhout] het *18,64*
Hartjesdag de *56*
hart-longmachine de (...s) *81*
hartstikke *4,18*
hartstocht de (...en) *18*
hartstochtelijk *87*
hasj de *27*
hasj...: hasjsmokkel, enz. *64*
hasjiesj de *27*
Haspengouw *6,53*
hassebasje het (...s) *97*
hassebassen *97,106*
hassebaste, gehassebast
Hasselt *6,53*
Hasselaar, Hasseltenaar, Hasselts(e)
hasta la vista *63*
hatchback de (...s) *67*
hate... zie **haat**
hat-eenheid de (...heden) *83*
haten *106*
haatte, gehaat
hatsiekiedee *115*
hatsjie *9,27*
hattrick de (...s) *3,22*
Hauptmann, Gerhart *6*
hausmacher de (...s) *3*
hausse de (...s) *3,10,14*
hausse...: haussepositie, enz. *66,76,91*
haussier de (...s) *8,10,14*
hautain *3,10*
haute couture de *63*
haute cuisine de *63*
haute finance de *63*
Hautes-Alpes de *6,53*
Haute-Saône de *6,53*
Haute-Savoie de *6,53*
haute volée de *63*
haut-reliëf het (...s) *63*
Hauts-de-Seine *6,53*
hauw de (...en) *12,28*
Havana *6,53*
Havanees, Havanese
havanna [sigaar] de (...'s) *42,54*
havannasigaar *65*
have de *90*
haveloos *87*
Havelte *6,53*
have-not de (...s) *67*
havergort de *ook* **haverdegort** *18,64,115*

havermout de *12,18*
havermout...: havermoutpap, enz. *64*
Haverschmidt, François *6*
havezaat de (...zaten) *ook* **havezate** (...n) *18,97,115*
havik de (...en) *1,15*
haviks...: haviksoog, enz. *98*
havo [hoger algemeen voortgezet onderwijs] de/het (...'s) *46,102*
havo'er *46*
havo-...: havo-diploma, havo-4-leerling, enz. *83*
Hawaii *6,53*
hawaiihemd het (...en) *54,65*
Haydn, Franz Joseph *6*
Hayworth, Rita *6*
hazard de (...s) *3*
hazard...: hazardspel, enz. *66*
hazelaren *114*
hazelnoot de (...noten)
hazelnoot...: hazelnootpasta, enz. *64*
hazelnoten...: hazelnotenboom, enz. *88*
haze(n)... zie **haas**
hazenpad, het – kiezen *62,88*
hbo [hoger beroepsonderwijs] de/het (...'s) *46,101*
hbo'er *46*
hbo-...: hbo-instelling, hbo-student, enz. *83*
hbs [hogere burgerschool] de (hbs'en) *101*
hbs'er *46*
hbs-...: hbs-opleiding *83*
h.c. [honoris causa] *100*
Hd. [Hoogduits] *100*
H.D. [Hoogstdezelve] *104*
hd-tv [high definition television] *101*
He [helium] *100*
h.e. [hoc est, hora est] *100*
hè *33*
hé *33*
headbangen *67,106*
headbangde, geheadbangd
headhunter de (...s) *67*
headhunters...: headhuntersbureau, enz. *66,98*
headline de (...s) *67*
heao [hoger economisch en administratief onderwijs] de/het (...'s) *46,102*
heao'er *46*
heao-...: heao-opleiding, enz. *83*
hearing de (...s) *3,9*
heat de (...s) *3,9*
heavy *3,9*
heavy metal de *67*
hebbeding het (...en; ...dingetje) *93,112*
hebbes *1*
hebraïca de (alleen mv.) *22,37*
hebraïsme het (...n) *37,89*
Hebreeër de (...s) *38,53*
Hebreeuws *55*
Hebriden de *6,53*
hecatombe de (...n, ...s) *22,91*
Hechtel-Eksel *6,53*
hechten *106*
hechtte, gehecht
hectare (ha) de (...n, ...s) *22*
hectare...: hectaretoeslag, enz. *76,91*
hectisch *22,113*
hectischer, meest hectisch
hecto... *22,78*
hectoliter, hectografisch, enz.
hectograferen *22,106*
hectografeerde, gehectografeerd
heden het
heden...: hedenavond, hedendaags, enz. *64*
heden ten dage *62,111*
hedonisme het *57,90*
heeft de (...en) *18*
heelal het *8*
heen... *69,106*
heenzenden: zond heen, heengezonden; enz.
heen-en-weer de/het *81*
heen-en-weer...: heen-en-weerdienst, enz. *81*

heer [leger, menigte] het (heren) *ook* **heir** *115*
heer...: heerbaan, enz. *64*
heer [man] de (heren)
heeroom *64*
heren...: herenboer, herenmode, enz. *88*
Heerenveen *6,53*
Heerewaarden *6,53*
Heerhugowaard *6,53*
Heerma, Enneüs *6*
heersen *106*
heerste, geheerst
heerszuchtig *4*
hees *26*
hese
Hees [Limburg (België)] *6,53*
Heesch [Noord-Brabant] *6,53*
Heeswijk-Dinther *6,53*
heet... *64*
heet...: heetgebakerd, heethoofd, enz.
heetlopen *69*
liep heet, heetgelopen
heetwater... *68*
heetwaterketel, enz.
Heeze *6,53*
hef de *ook* **heffe** *115*
heffen *19*
hief, geheven
heft het (...en) *18*
heftruck de (...s) *22,66*
heg de (heggen; ...je, heggetje) *ook* **hegge** *112,115*
heggen...: heggenschaar, enz. *88*
hegeliaan de (...lianen) *54*
hegemonie de (...nieën) *40*
hegge de (...n) *ook* **heg** *115*
heggen...: heggenschaar, enz. *89*
hèhè *33,73*
hei de (heiden) *13*
hei...: heibrem, enz. *64,76*
heibei de (...en) *13*
heibel de (...s) *13*
heide de (...n, ...s) *13*
heide...: heidekruid, enz. *76,91*
heiden de (...en) *13*
heien *13,106*
heide, geheid
Hei- en Boeicop *6,53*
heiig *13,38*
Heijden, A.F.Th. van der *6*
Heije, Jan Pieter *6*
Heijermans, Herman *6*
heikel *13*
heil het *13*
heilloos *87*
heil...: heildronk, enz. *64*
heils...: heilsprofeet, enz. *98*
Heiland de (...en) (GB: heiland) *59*
heilbot de (...botten) *13,18*
heilbrengend *13,64*
heilig *13*
heiligavond de (...en) *13,64*
heiligbeen het (...beenderen, ...benen) *13,64*
heiligdom het (...dommen; ...dommetje) *13,112*
heiligdoms...: heiligdomskamer, enz. *98*
heilige (H.) de (...n) *13,59*
heiligen...: heiligenbeeld, enz. *89*
heiligedag de (...en) *13,92*
heiligen *13,106*
heiligde, geheiligd
heiligschennend *ook* **heiligschendend** *13,64,115*
heiligschennis de (...nissen) *13,64*
heiligverklaring de (...en) *13,64*
Heiloo *6,53*
Heilsleger het *52*
heimelijk *13,87*
heimwee het *8,13*
Hein, Piet *ook* **Heyn** *6*
heinde *13*
heining de (...en; heininkje) *13,112*
heining...: heiningdraad, enz. *64*
Heinkenszand *6,53*
Heino *6,53*
heir het (...en) *ook* **heer** *13,115*
heir...: heirbaan, enz. *64*

heisa de *13*
Heist-aan-Zee *6,53*
heisteren *13,106*
heisterde, geheisterd
Heist-op-den-Berg *6,53*
heitje het (...s) *13,18*
hek het (hekken)
hek...: hekwerk, enz. *64*
hekkensluiter *88*
Hek, Youp van 't *6*
heks de (...en)
heksen...: heksenketel, enz. *88*
hel de
helle...: hellevuur, enz. *90*
hel... *64*
helblauw, helverlicht, enz.
helcogeen *22*
helcose de (...s) *22,26,91*
held de (...en)
heldhaftig *64*
helden...: heldendaad, enz. *88*
helderblauw *64*
helderziend *64*
heleboel *73*
Helen-Bos *6,53*
heli de (...'s) *46,102*
heli...: helihaven, enz. *83*
helicon de (...s) *22*
helikopter de (...s) *22*
helikopter...: helikopterdek, enz. *64*
heliocentrisch *25*
heliochromie de *3*
heliograferen *69,106*
heliografeerde, geheliografeerd
heliogravure de (...n, ...s) *19,91*
helioscoop de (...scopen) *22*
heliosis de *1*
heliotherapie de *20*
helium (He) het
helium...: heliumkern, enz. *64*
helix de (...lices) *23,25*
Hellendoorn *6,53*
helleniseren *14,26,106*
helleniseerde, gehelleniseerd
hellenisme het *14,90*
Héloïse *6*
heloot de (...loten) *18*
helosis de *1*
helpdesk de (...s) *67*
Helvoirt *6,53*
hemagglutinatie de *14*
he-man de (he-men) *67*
hemangioom het (...giomen) *3*
hemartrose de (...n) *26,90*
hematiet de/het *9*
hemato... *78*
hematofaag, hematogeen,
hematopoëse, hematozoën, enz.
hemd het (...en; hemdje, hempje) *112*
hemd...: hemdjurk, enz. *64*
hemden...: hemdenlinnen, enz. *88*
hemds...: hemdsmouw, enz. *98*
hemel de (...en, ...s)
hemel...: hemelhoog, hemellichaam,
hemeltergend, enz. *64*
hemels...: hemelsbreed,
(in) hemelsnaam, enz. *98*
hemeltjelief *64*
Hemelvaart de *56*
hemelvaartsdag *56,98*
Hemelvader de *59*
Hemerijckx, Frans *6*
hemerotheek de (...theken) *20*
hemi... *78*
hemianosmie, hemicyclus,
hemisferisch, enz.
hemistiche de (...n, ...s) *3,9,91*
hemmen *ook* **hummen** *106,115*
hemde, gehemd
hemo... *78*
hemodialyse (...n), hemodilutie,
hemodynamica, hemofilie,
hemoglobine (...n, ...s), hemolyse,
hemopoëse, hemospermie,
hemostase, enz.
hemorragie de (...gieën) *14,40*
hemorroïden de (alleen mv.) *14,37*
hemzelf *73*
hen de (hennen; hennetje) *112*
hennen...: hennenei, enz. *88*

hendel [handvat] de/het (...s; ...tje) *ook* **handel** *115*
hendiadys de (...dyssen) *9*
hendrik, brave – *15,54*
Hendrik-Ido-Ambacht *6,53*
Hendrix, Jimi *6*
Henegouwse Kempen de *6,53*
Henegouwse Leemstreek de *6,53*
hengst de (...en) *18*
hengstveulen *64*
hengsten...: hengstenbal, enz. *88*
hengsten *106*
hengstte, gehengst
hennep de *1*
hennepen *114*
henotheïsme het *20,37,90*
henry (H) de (...'s) *9,42,54*
hens, alle – *62*
henzelf *73*
heparine de *9,90*
hepatitis de *1*
Hepburn, Audrey/Katherine *6*
hepi-vakantie [hemelvaartsdag-Pinksteren] de *83*
heptameter de (...s) *64*
heptatlon de (...s) *20*
her het (herren; herretje) *112*
her... *69*
herademen, herexamen, herformuleren, enz.
heracleïsch *2,37,54*
Herákleion *6,53*
heraldicus de (...dici) *22,25*
heraldiek de *22*
heraut de (...en) *12*
herbarium het (...s, ...ria) *1*
herbergen *106*
herbergde, geherbergd
herbicide de/het (...n) *25,89*
herbivoor de (...voren) *19*
Hercegovina *ook* **Herzegovina** *6,53*
hercules [sterk persoon] de (...lessen) *54*
hercules...: herculesarbeid, enz. *65*
herculisch *22,54*
herder de (...s)
herders...: herdershond, herdersstaf, enz. *98,99*
hereditair *3*
heremetijd *ook* **heremijntijd** *62,115*
heremiet de (...en) *ook* **eremiet** *9,97,115*
heremiet...: heremietkreeft *64*
heren... zie **heer**
herenigen *106,108*
herenigde, herenigd
Herentals *6,53*
Herenthout *6,53*
heresie de (...sieën) *26,40*
herfst de (...en) *56*
herfst...: herfsttij, herfststemming, enz. *64*
Hergé *6*
Hergenrath *6,53*
herik de *1*
herinneren *106,108*
herinnerde, herinnerd
herkansen *106,108*
herkanste, herkanst
Herk-de-Stad *6,53*
Herkenbosch *6,53*
herkennen *106,108*
herkende, herkend
hermafrodiet de (...en) *9,19*
hermandad (de heilige –) de *18,54*
hermelijn de/het (...en) *13*
hermelijn...: hermelijnvlinder, enz. *64*
hermelijnen *13,114*
hermeneutiek de *3*
hermesstaf de (...staven) *19,54,65*
hermetisch *9*
hermitage de (...s) *ook* **ermitage** *27,91,115*
hernhutter de (...s) *57*
hernia de (...'s) *42*
hernia...: herniaoperatie, enz. *64,76*
hernieuwen *106,108*
hernieuwde, hernieuwd
heroïek de *38*

heroïne de *37*
heroïne...: heroïnehond, enz. *76,90*
heroïsch *2,37,113*
heroïscher, meest heroïsch
heroïsme het *37,90*
heros de (...roën) *37*
heroveren *106,108*
heroverde, heroverd
herpes de *1*
Herselt *6,53*
hersenen de (alleen mv.) (hersentjes) *ook* **hersens** *112,115*
hersen...: hersenoedeem, hersenpan, enz. *64*
herstellen *106,108*
herstelde, hersteld
hert het (...en)
hertzwijn *64*
herten...: hertenkamp, enz. *88*
herts...: hertshoorn, enz. *98*
hertog de (...en)
hertogelijk *87*
hertogs...: hertogskroon, enz. *98*
hertz (Hz) de *54*
hertzgolf *65*
herv. [hervormd] *100*
hervatten *106,108*
hervatte, hervat
Hervormde Kerk de *52*
hervormen *106,108*
hervormde, hervormd (herv.)
Hervorming de *56*
hervormings...: hervormingsgezind, enz. *56,98*
Herwijnen *6,53*
Herzberg, Judith *6*
Herzegovina *ook* **Hercegovina** *6,53*
Herzl, Theodor *6*
Hesiodus *6*
hesp de (...en)
hespen...: hespenworst, enz. *88*
hetaere de (...n) *8,89*
Het Bildt [Friesland] *6,53*
hetelucht... *92*
heteluchtballon, heteluchtverwarming, enz. *68*
heten *106*
heette, geheten
heten [heet maken] *106*
heette, geheet
heterdaad, op – *18,62,111*
hetero de (...'s) *42*
hetero...: hetero-erotiek, , heteroseksueel, enz. *64,78*
heterochromie de *3*
heterochroon *3*
heterochtoon *3*
heterocyclisch *9,22,25*
heterodoxie de *23*
heterofiel de (...en) *9,19*
heterofilie [gerichtheid op andere geslacht] de *9*
heterofyllie [plantkundige aanduiding] de *9,14*
heterogenesis de *1,26*
heteromorfie de *19*
heteroniem het (...en) *9*
heterosis de *1,26*
heterosyllabisch *9,14*
heterotaxie de *23*
heterotherm *20*
heterotypisch *9*
heterozygoot *9,26*
hetgeen *73*
Het Gooi en Vechtstreek *6,53*
hetwelk *73*
het-woord het (...en) *85*
hetze de (...s) *26,91*
hetzelfde *73*
hetzelve *19,73*
hetzij *13,73*
heugen *106*
heugde, geheugd
heuglijk *ook* **heugelijk** *87,115*
heupwiegen *69,106*
heupwiegde, geheupwiegd
heuristiek de *1*
heus *26*
heuse
heusig *26*
hevea de (...'s) *42*

hevel de (...s) *19*
hevelen *19,106*
hevelde, geheveld
Heverlee *6,53*
hexaan het (hexanen) *23*
hexadecimaal *23,25*
hexaëder de (...s) *23,37*
hexagoon de (...gonen) *23*
hexagram het (...grammen) *23*
hexameron het *23*
hexameter de (...s) *23*
Heyboer, Anton *6*
Heyd *6,53*
Heyerdahl, Thor *6*
Heyn, Piet *ook* **Hein** *6*
Heythuysen *6,53*
hezbollah de *20,57*
Hf [hafnium] *100*
hg [hectogram] *100*
Hg [hydrargyrum] *100*
HH. [Heiligen] *59,100*
H.H. [Hare Hoogheid] *60,100*
h.i. [haars/huns inziens] *100*
hiaat de/het (...aten) *18*
hibernatie de (...s) *9,43*
hibiscus de *1,9,22*
hidalgo de (...'s) *42*
hidradenitis de *1,9*
hidrotica de (alleen mv.) *9,22*
hidzjra de *18,27*
hiel de (...en)
hiel...: hielbeen, enz. *64*
hielenlikker *88*
hier... *71*
hierna, hiernaartoe, hiertegenover, hiervandaan, enz.
hiërarchie de (...chieën) *37,40*
hiërarchisch *37*
hiëratisch *37*
hiernamaals het *64*
hiëroglief de (...en) *ook* **hiëroglyfe** (...n) *9,37,115*
hiëroglifisch *ook* **hiëroglyfisch** *9,37,115*
Hierro, El *6,53*
hier ter stede *62,111*
hierzo *73*
hieuwen *106*
hieuwde, gehieuwd
hifi [high fidelity] de *3,102*
hifi-...: hifi-installatie, hifi-winkel, enz. *76,83*
high *3*
higher, highst
highbrow *67*
high fidelity [hifi] *67*
high profile *67*
Highsmith, Patricia *6*
high society *67*
high sticking *67*
hightech de *67*
hightechindustrie *84*
hij [persoon] *13*
hijgen *13,106*
hijgde, gehijgd
hijsen *13,26*
hees, gehesen
hijzelf *73*
hilariteit de *9*
hilum het (hila) *1,9*
hilus het (hili) *1,9*
Hilversum *6,53*
Hilversummer *15*
Himalaja de *ook* **Himalaya** *6,53*
Hinault, Bernard *6*
hinde de (...n, ...s, GB: ...n)
hinde...: hindekalf, enz. (GB: hinden...) *91*
Hindeloopen *6,53*
Hindemith, Paul *6*
Hindi *55*
Hindi-Javaans *55*
hindoe de (...s) *11,57*
hindoe...: hindoeleider, enz. *64*
hindoeïsme het *11,38,57*
Hindoestan *6,53*
Hindoe, Hindoestaan(s)
Hindoestani *55*
hineininterpretieren *3,69,107*
hinkepink de (...en) *ook* **hinkelepink** (...en) *93,115*

hinkepinken *93,106*
hinkepinkte, gehinkepinkt
hinkepoot de (...poten) *93*
hink-stapspringen *81,107*
hink-stapsprong de (...en) *81*
hinniken *1,15,106*
hinnikte, gehinnikt
hint de (...s) *18*
hinten *106*
hintte, gehint
hinterland het *3,9*
hiphop de *67*
hiphop...: hiphopcultuur, enz. *66*
hiphoppen *80,106*
hiphopte, gehiphopt
hippiatrie de *14*
hippie de (...s) *9,43*
hippie...: hippiegeneratie, hippie-ideaal, enz. *64,76*
hippisch *14*
hippocampus de (...pussen) *14,22*
Hippocrates *6*
hippocratisch *14,22*
hippodroom de/het (...dromen) *14*
Hippolytushoef *6,53*
hippopotamus de (...mi, ...mussen) *14*
hiragana het *9*
Hirohito *6*
Hiroshima *6,53*
hirsuties de *26*
hirsutisme het *26,90*
hispanisme het (...n) *54,89*
hispanoloog de (...logen) *54*
histamine de/het *9,90*
histiocyt de (...en) *9,25*
histogenese de *26,90*
histoire bataille *63*
histopathologie de *20*
historica de (...'s) *22,42*
historicisme het *25,90*
historiciteit de *25*
historicus de (...rici) *22,25*
historie de (...riën, ...s) *40,43*
historie...: historieschilder, enz. *64,76*
historiek de (...en) *22*
historiograaf de (...grafen) *19*
historiografisch *9*
historisch *9*
historiseren *26,106*
historiseerde, gehistoriseerd
historistisch *9*
histrionisch *9*
Hitchcock, Alfred *6*
hitlergroet de *54,65*
hitleriaans (GB: Hitleriaans) *54*
hitparade de (...s) *67*
hitsig *26*
hitsingle de (...s) *67*
hitte de
hitte...: hittebestendig, hittegolf, enz. *76,90*
hittepetit de (...titten) *97*
hiv [human immunodeficiency virus] het (GB: HIV) *102*
hiv-...: hiv-virus, enz. *83,85*
H.K.H. [Hare Koninklijke Hoogheid] *60,100*
H.K.M. [Hare Koninklijke Majesteit] *60,100*
hl [hectoliter] *100*
h.l. [hoc loco] *100*
hm [hectometer] *100*
H.M. [Hare Majesteit] *60,100*
hno [huishoud- en nijverheidsonderwijs] de/het *101*
hno'er *46*
hno-...: hno-afdeling, enz. *83*
Ho [holmium] *100*
h.o. [hoger onderwijs] *100*
hobbedob de (...dobben) *17,97*
hobbeldebobbel *73*
hobbezak de (...zakken) *97*
hobby de (...'s; hobby'tje) *9,42,45*
hobby...: hobbyorganisatie, hobbyruimte, enz. *64,76*
hobbyen *9,106*
hobbyde, gehobbyd
hobbyisme het *9,90*
hobo de (...'s; hobootje) *42,112*
hobo...: hoboconcert, enz. *64,76*

hoboïst de (...en) *37*
hobstempel de (...s) *17*
hobu [hoger onderwijs buiten de universiteit] het *102*
hoc *22*
Ho Chi Minhstad *ook* **Ho Tsji Minhstad** *6,53*
hockey het *9,22*
hockey...: hockeyelftal, hockeyveld, enz. *64,76*
hockeyen *9,22,106*
hockeyde, gehockeyd
hocus-pocus de/het *22,80*
hodeldebodel *ook* **hoteldebotel** *73,115*
hodgkin de *3,54*
hoed de (...en)
hoedslak *64*
hoeden...: hoedenplank, enz. *88*
hoedanig *73*
hoede de
hoederecht *90*
hoeden *106*
hoedde, gehoed
hoef de (hoeven) *19*
hoef...: hoefijzer, enz. *64*
Hoegaarden *6,53*
hoegenaamd *64*
hoegrootheid de *64*
Hoeilaart *6,53*
Hoeksche Waard *ook* **Hoekse Waard** *6,53*
hoeksgewijs *ook* **hoeksgewijze** *98,115*
hoela-hoela de *80*
hoelahoep de (...en) *73*
hoelang *73*
hoe-langer-hoe-liever [plantje] het *62*
hoempa de (...'s) *ook* **hoempapa, oempa** *42*
hoempa...: hoempamuziek, hoempapamuziek, enz. *64,76*
hoenderik de (...en) *15*
Hoenderloo *6,53*
hoer de (...en)
hoeren...: hoerenloper, enz. *88*
hoera het (...'s; hoeraatje) *42,112*
hoera...: hoerastemming, enz. *64,76*
hoererij de (...en) *13*
hoeri de (...'s) *9,42*
hoes de (hoezen) *26*
hoes...: hoeslaken, enz. *64*
hoezenpoes *88*
Hoeselt *6,53*
Hoessein, Saddam *6*
hoesten *106*
hoestte, gehoest
hoeststillend *64*
hoeve de (...n, ...s) *19*
hoeve...: hoeveboter, enz. *76,91*
hoeveel *73*
hoeven *19,106,107*
hoefde, gehoefd/gehoeven
hoever *ook* **hoeverre** *73,115*
hoewel *73*
hoezee het (...s) *26,43*
hoezeer *73*
hoezo *73*
hof de/het (hoven) *19*
hoffelijk *87*
hof...: hofdame, hofhorig, enz. *64*
Hoffman, Dustin *6*
Hoffman, Thom *6*
hofstede de (...n) *ook* **hofstee** (...steden, ...steeën) *89,115*
hof van cassatie het (hoven van cassatie) *19,22,52*
Hof van Eden [aards paradijs] de *6,53*
hof van Eden, een – [lustoord] *54,62*
hogedruk...
hogedrukgebied, hogedrukreiniger, enz. *68*
hogelijk *ook* **hooglijk** *87,115*
hogepriester de (...s) *64,92*
hogere burgerschool (hbs) de (...scholen) *68*
hogereind het (...en) *ook* **hogereinde** (...n) *64,115*
hogeremachtsvergelijking de (...en) *68,98*
hogerhand de *64*

Hogerhuis het *52*
hogerop *72*
hogerwal de *64*
hogeschool de (...scholen) *64,92*
hogeschool...: hogeschoolraad, enz. *68*
hogeschoolrijden *69,107*
hogesnelheids... *68,98*
hogesnelheidslijn, enz.
Hoge Venen *6,53*
hohouwer de (...s) *12,64*
hol het (...en; holletje) *112*
hol...: holbewoner, enz. *64*
holen...: holenbeer, enz. *88*
hol
hol...: holglas, holrond, holstaand, enz. *64*
holsblok *98*
holarctis de *22*
holbeinwerk het *54,65*
holderdebolder *73*
Hölderlin, Friedrich *6*
holding de (...s) *3*
holding...: holdingconstructie, enz. *66*
holding company de (...'s) *42,67*
hold-up de (...s) *67*
hole de (...s) *3*
hole-in-one de *67*
Holiday, Billie *6*
holisme het *14,90*
holistisch *14*
hollandermop de (...moppen) *54,65*
hollandiseren *26,106*
hollandiseerde, gehollandiseerd
hollanditis de *1,54*
Hollandse IJssel de *ook* **Hollandsche IJssel** *6,53*
hollerithsysteem het *54,65*
Hollywood *6,53*
holmeslicht het (...en) *54,65*
holocaust de (...en) *12,22*
Holoceen [tijdperk] het *14,25,56*
holoceen [gesteente] het *14,25*
holocrien *9,14,22*
holografie de *14*
holokristallijn *13,14*
holte de (...n, ...s)
holte...: holtedier, enz. *76,91*
home het (...s) *3*
home...: homecomputer, enz. *67*
homeopaat de (...paten) *20*
homeopathie de *20*
homeopatisch *20*
homeostase de *26,90*
homeotherm *ook* **homoiotherm** *20,115*
homer de (...s) *3*
home referee de (...s) *67*
homerisch *54*
Homerus *6*
homiletiek de *9,22*
homilie de (...lieën) *40*
hominide de (...n) *9,89*
hommage de (...s) *14,27,91*
hommeles *1*
homo de (...'s) *42,78*
homo...: homo-erotisch, homohuwelijk, homoscene, homoseksueel, enz. *64,66*
homocyclisch *9,22*
homodont *18*
homofiel de (...en) *9,19*
homofilie de *9,19*
homofoob *17,19*
homogamie de *9*
homogeniseren *26,106*
homogeniseerde, gehomogeniseerd
homoiotherm *ook* **homeotherm** *20,21,115*
homokinetisch *22*
homoniem het (...en) *9*
homonymie de *9*
homo sapiens de *63*
homozygoot *9,26*
homunculus de (...culi) *22*
hond de (...en)
honden...: hondenasiel, hondenweer, enz. *88*
honds...: hondsberoerd, hondsbloem, hondsvot, enz. *98*

honderd het (...en; ...je) *74*
honderd...: honderddelig, honderddrie, honderdmaal, honderdtal, honderduit, enz. *64,74*
honds *113*
hondser, meest honds
Honduras *6,53*
Hondurees, Hondurese
Hongarije *6,53*
Hongaar, Hongaars(e)
honger de
honger...: hongerwinter, enz. *64*
hongersnood *98*
hongerlijden *69*
leed honger, hongergeleden
Hongkong *6,53*
Hongkonger, Hongkongs(e)
Honiara *6,53*
honing de *ook* **honig** *115*
honkballen *69,106*
honkbalde, gehonkbald
honklopen *69,107*
honnepon de (...ponnen; ...ponnetje) *97,112*
honneurs de (alleen mv.) *3*
Honolulu *6,53*
honorabel *14*
honorair *3*
honorarium het (...s, ...ria) *14*
honoreren *14,106*
honoreerde, gehonoreerd
honoris causa (h.c.) *63*
Hontenisse *6,53*
hoofd het (...en)
hoofdelijk, hoofdeloos *87*
hoofd...: hoofdofficier, hoofdstuk, hoofdverkeersweg, hoofdzaak, enz. *64,68*
hoofdrekenen *69,107*
hoofdschudden *69,107*
Hooft, Pieter Corneliszoon *6*
hoog... *64*
hoogaltaar, hoogblond, hoogbegaafd, hoogbouw, hoogedelgestreng, hooggeplaatst, hoogzwanger, enz.
hoogaars de (...aarzen) *26,64*
hoogachten *69,106*
achtte hoog, hooggeacht
Hoogduits (Hd.) *55*
Hooge en Lage Mierde *6,53*
Hooge en Lage Zwaluwe *6,53*
Hoogeland *6,53*
Hoogeloon *6,53*
Hoogeveen *6,53*
Hoogeveense Vaart de *6,53*
Hoogezand-Sappemeer *6,53*
hooggebergte het (...n, ...s) *64,91*
hooggeëerd *38*
hooggerechtshof het (...hoven) *19,98*
hoogheemraadschap het (...schappen) *52*
Hoogheid, Hare/Zijne Koninklijke – *60*
hoogleraar de (...s, ...raren) *64*
hoogleraars...: hoogleraarsambt, enz. *98*
hooglijk *ook* **hogelijk** *87,115*
hoogmoed de *64*
hoogmoeds...: hoogmoedswaanzin, enz. *98*
hoogrendementsketel de (...s) *68,98*
hoogschatten *69,106*
schatte hoog, hooggeschat
hoogspringen *69,107*
hoogst...
hoogstbiedende, hoogstnoodzakelijk, hoogstpersoonlijk, hoogstwaarschijnlijk, enz.
Hoogstdezelve (H.D.) *59,64*
hoogte (h.) de (...n, ...s)
hoogte...: hoogtevrees, enz. *76,91*
hoogtij het *13,64*
hoogtij...: hoogtijdag, enz. *64,76*
hooguit *73*
hoogvlakte de (...n, ...s) *64,91*
Hoogvlakte van Golan de *6,53*
hoogwater het *64*
hoogwater...: hoogwaterlijn, enz. *68*
hooimijt de (...en) *13,18,64*

hook de (...s) *3,11*
hooked *3,11*
hooking het *3,11*
hooligan de (...s) *3,11*
hooliganisme het *11,90*
hoop de *ook* **hope** *115*
hopelijk, hopeloos *87*
hoopgevend, hoopvol *64*
Hoop Scheffer, Jaap de *6*
hoor en wederhoor *62*
hoorn de (...en, ...s) *ook* **horen** *115*
hoorn...: hoorngeschal, enz. *64*
hoorndol *ook* **horendol** *64,115*
hoornen *114*
Hoornse Hop *6,53*
hop [plant] de *ook* **hoppe** *115*
hop...: hopplant, enz. *64*
hope... zie **hoop**
hopje het (...s) *54*
hoppe de *ook* **hop** *115*
hopsa *ook* **hopsasa** *115*
hora est [h.e.] *63*
Horatius Flaccus, Quintus *6*
horde de (...n, ...s)
horde...: hordeloop, enz. *76,91*
hordeïne de *37,90*
hordelopen *69,107*
horden *106*
hordde, gehord
horeca de *22,102*
horeca...: horeca-exploitant, horecaonderneming, horecasector, enz. *76,83*
horen de (...s) *ook* **hoorn** *115*
horen...: horendrager, enz. *64*
horendol *ook* **hoorndol** *64,115*
horizon de (...zonnen) *ook* **horizont** (...en) *26,115*
horizontaal *26*
horizontalisme het *26,90*
horlepiep de (...en) *ook* **horlepijp** (...en) *97,115*
horloge het (...s) *27*
horloge...: horlogebandje, horloge-industrie, enz. *76,91*
horlogerie de (...rieën) *27,40*
hormoon het (...monen) *ook* **hormon** (...en) *115*
hormoon...: hormoonpreparaat, enz. *64*
hormonen...: hormonenhandel, enz. *88*
horoscoop de (...scopen) *22*
Horowitz, Vladimir *6*
horreur de (...s) *14*
horribel *14*
horror de (...s) *14*
hors [vis] de (...en) *26*
horsmakreel *64*
hors [zandplaat] de/het (horzen) *26*
hors concours *63*
hors d'oeuvre de/het (...s) *63*
horse de *3*
Horssen *6,53*
horten *106*
hortte, gehort
hortensia de (...'s) *26,42*
horticultuur de *9,22*
hortus de (...tussen) *1,15*
hortus botanicus de (hortussen botanicus) *63*
Horváth, Odön von *6*
horzel de (...s) *26*
hosanna het (...'s) *26,42*
hospes de (...pessen, hospites) *1,15*
hospik de (...pikken) *15*
hospita de (...'s) *42*
hospitaal het (...talen; ...tje) *9*
hospitalisatie de *9*
hospitaliseren *26,106*
hospitaliseerde, gehospitaliseerd
hospiteren *106*
hospiteerde, gehospiteerd
hospitium het (...tia, ...s) *1*
hossebossen *97,106*
hosseboste, gehossebost
hostess de (...tesses) *3*
hostie de (...s, ...tiën) *40,43*
hostie...: hostiekelk, enz. *64,76*
hostiliteit de (...en) *9*

hostorganisatie de (...s) *66*
hotdog de (...s) *67*
hotel het (...s; hotelletje) *112*
hoteldebotel *ook* **hodeldebodel** *73,115*
hotelier de (...s) *8,20,31*
hotellerie de *14*
hotel-restaurant het (...s) *80*
hotemetoot de (...toten) *1*
hot issue de/het (...s) *67*
hot item het (...s) *67*
hotjazz de *67*
hotline de (...s) *67*
hot news het *67*
hotpants de (alleen mv.) *67*
Ho Tsji Minh *6*
Ho Tsji Minhstad *ook* **Ho Chi Minhstad** *6,53*
hotten *106*
hotte, gehot
Hottentot de (...totten) *6,53*
Hottentots *55*
hottentotten...: hottentottenbrood, enz. *88*
hottentots [onverstaanbare taal] *54,55*
houdgreep de (...grepen) *18*
Houdini, Harry *6*
houdoe *11,12,73*
houdster de (...s) *4*
hou en trouw *12,28,62*
Houffalize *6,53*
houpost de (...en) *12,28*
house de *3,12*
house...: housemuziek, housescene, enz. *66,67,76*
housen *12,106*
houste, gehoust
(GB: housde/housede, gehousd/gehoused)
house-warmingparty de (...'s) *42,67*
hout het (...en) *18*
hout...: houtarm, houtblok, enz. *64*
houtskool *98*
houten [van hout] *114*
houthakken *69,106*
hakte hout, houtgehakt
Houthalen-Helchteren *6,53*
Houthem *6,53*
houtje-touwtje het (...s) *12,28,80*
houtje-touwtje...: houtje-touwtjejas, enz. *81*
houvast het (...en) *12,28*
houw de (...en) *12,28*
houw...: houwdegen, enz. *64*
houweel het (...welen) *12*
houwen *12*
hieuw, gehouwen
houwitser de (...s) *12,26*
hovaardig *10,19*
hovaardij de *10,13,19*
hoveling de (...en) *19*
hovenier de (...s) *19*
hoveniers...: hovenierskunst, enz. *98*
hovenieren *106*
hovenierde, gehovenierd
hovercraft de (...s) *3,22*
hoveren *3,106*
hoverde, gehoverd
hoving de (...en) *19*
Höweler, Marijke *6*
hozen *26,106*
hoosde, gehoosd
hr. [heer] *100*
hs. [handschrift] *100*
h.s. [hoc sensu] *100*
HSL [hogesnelheidslijn] de *104*
HST [hogesnelheidstrein] de *104*
h.t. [hoc tempore] *100*
h.t.l. [hier te lande] *100*
hts [hogere technische school] de (hts'en) *101*
hts'er *46*
hts-...: hts-opleiding, enz. *83*
hubertusbrood het *54,65*
huerta de (...'s) *11,42*
hugenoot de (...noten) *57*
huichelaar de (...s) *2*
huichelarij de *2,13*
huichelen *2,106*
huichelde, gehuicheld

huid de (...en) *18*
huid...: huidarts, enz.
huiden...: huidenvetter, enz. *88*
huidskleur *98*
huif de (huiven) *19*
huifkarrentocht de (...en; ...je) *68*
huig de (...en) 2
huig-r *83*
Huijbergen *6,53*
huilebalk de (...en) *93*
huilebalken *93,106*
huilebalkte, gehuilebalkt
huis het (huizen) *26*
huiselijk, huislijk *87*
huis...: huisdeur, enz. *64*
huizen...: huizenhoog, huizenmarkt, enz. *88*
huis-, tuin- en keukenmiddeltje het (...s) *86*
huis-aan-huisblad het (...en) *81*
huisarts de (...en)
huisartsen...: huisartsentarief, enz. *88*
huisbakken *64*
huishoudelijk *87*
huishouden *69*
hield huis, huisgehouden
huisje-boompje-beestje *62*
huisje-boompje-beestjegezin *81*
Huissen [Gelderland] *6,53*
Huis ten Bosch *6*
huisvesten *106*
huisvestte, gehuisvest
huisvrede de *64*
huisvrede...: huisvredebreuk, enz. *76,90*
huiswaarts *18*
huiven *19,106*
huifde, gehuifd
huiveringwekkend *64*
huize, ten – van *62,111*
huize, van goeden – *62,111*
huizen *26,106*
huisde, gehuisd
Huizen [Noord-Holland] *6,53*
huizen... zie **huis**
hulde de
hulde...: huldeblijk, enz. *76,90*
huldigen *1,106*
huldigde, gehuldigd
hulp de (...en)
hulpeloos *87*
hulp...: hulpbehoevend, hulpdienst, hulpvaardig, enz. *64*
huls de (hulzen) *26*
hulst de (...en)
hulst...: hulsttak, enz. *64*
humaniseren *26,106*
humaniseerde, gehumaniseerd
humanisme het *57,90*
humanistiek de *57*
humanitair *3*
human resources de *67*
humbug de *3*
humeus *26*
humeuze
humiliant *9*
humiliatie de (...s) *9,43*
humiliëren *37,38,106*
humilieerde, gehumilieerd
hummen *ook* **hemmen** *106,115*
humde, gehumd
humoreske de (...n) *22,89*
humoristisch *14*
Humperdinck, Engelbert *6*
humus de *1*
hunebed het (...bedden) *97*
hunebedbouwers *64*
Hunnen de (alleen mv.) *53*
hunnent, te(n) – *111*
hunnenthalve *111*
hunnentwege *111*
hunnentwil, om – *ook* **hunnentwille** *62,111,115*
hunnerzijds *111*
Hunze de *6,53*
hunzelf *73*
huppeldepup *73*
hupsakee *8*
hurry de *9*

husky de (...'s) *9,42*
hussiet de (...en) *57*
hutsekluts de *93*
hutspot de *ook* **hutsepot** *115*
hüttenkäse de (GB: Hüttenkäse) *3*
huttentut de (...tutten) *97*
Hutu de (...'s) *11,42,53*
huwelijk het (...en) 2
huwelijks...: huwelijksnacht, enz. *98*
Huxley, Aldous *6*
Huydecoper, Balthazar *6*
Huygens, Christiaan/Constantijn *6*
huzaar de (...zaren) *26*
huzaren...: huzarensalade, enz. *88*
H.W. [hoog water] *100*
hyacint de/het (...en) *9,20,25*
hyacinten...: hyacintenglas, enz. *88*
hyalien *9*
hyaliene
hyaliet het *9*
hyalietglas *64*
hyaloïdeus *9,26,37*
hyaloïdeuze
hybride de (...n) *9,89*
hybridisatie de *9,26*
hybridisch *9*
hybridiseren *9,26,106*
hybridiseerde, gehybridiseerd
hybris de *9*
hydatide de (...n) *9,89*
hydra de (...'s) *9,42*
hydraat het (...draten) *9,18*
hydrant de (...en) *9*
hydrateren *9,106*
hydrateerde, gehydrateerd
hydraulica de *9,12,22*
hydraulisch *9,12*
hydrazine de *9,26,90*
hydremie de *9*
hydreren *9,106*
hydreerde, gehydreerd
hydria de (...'s) *9,42*
hydride het (...n) *9,89*
hydro... *9,78*
hydrobiologie, hydrocefaal, hydro-elektrisch, hydrofiel, hydrofoob, hydrofyt, hydrogenium (H), hydrolyse, hydronymie, hydrosis, hydrosol, hydrostatica, hydrothermaal, hydrotropisme, hydroxide, hydroxylgroep, enz.
hydrogeneren *9,106*
hydrogeneerde, gehydrogeneerd
hyena de (...'s) *9,42*
hyetometer de (...s) *9*
hygiëne de *9,37,90*
hygiënisch
hygro... *9,78*
hygrodermie, hygrofyt, hygrograaf (...grafen), hygroscoop, enz.
hymen het (...s) *9*
hymeneeën de (alleen mv.) *9,38*
hymne de (...n, ...s, GB: ...n) *9,91*
hymnisch *9*
hypallage de (...s) *9,14,43,91*
hype de (...s) *3*
hypen *105,106*
hypete, gehypet
hyper... *9*
hypercorrectie, hypermodern, enz.
hyperboliseren *26,106*
hyperboliseerde, gehyperboliseerd
hyperboloïde de (...n) *9,37,89*
Hyperboreeërs *6,38*
hyperemie de *8,9*
hyperesthesie de *9,20*
hyperfagie de *9,19*
hyperglycaemie de *8,9,22*
hypermetropie de *9*
hyperoniem het (...en) *9*
hyperplasie de *9,26*
hypertensie de *9,25*
hypertonie de *9*
hypertrofie de (...fieën) *9,19*
hyperventileren *9,106*
hyperventileerde, gehyperventileerd
hypnolepsie de *9,25*

hypnopedie de *9*
hypnose de *9,26,90*
hypnotherapie de (...pieën) *9,20,40*
hypnoticum het (...tica) *9,22*
hypnotiseren *9,26,106*
hypnotiseerde, gehypnotiseerd
hypnotisme het *9,90*
hypo het *9*
hypocentrum het (...tra, ...s) *9,25*
hypochloriet het *3,9*
hypochonder de (...s) *3,9*
hypochondrie de *3,9*
hypochroom *3,9*
hypocriet de (...en) *9,22*
hypocrisie de *9,22,26*
hypocritisch *9,22*
hypocycloïde de (...n) *22,25,37*
hypodermis de *1,9*
hypofyse de (...n, ...s) *9,19,26*
hypogeusie de *9,26*
hypoglycaemie de *8,9,22*
hypohydratie de *9*
hypomimie de *9*
hyponiem het (...en) *9*
hyponymie de *9*
hypoplasie de *9,26*
hyposmie de *9*
hyposomnie de *9*
hypostase de (...n) *9,26,89*
hypostaseren *9,26,106*
hypostaseerde, gehypostaseerd
hypotactisch *9,22*
hypotaxis de *1,9,23*
hypotensie de *9,25*
hypotenusa de (...'s) *9,26,42*
hypothalamus de *1,9,20*
hypothecair *9,20,22*
hypothecaris de (...rissen) *9,20,22*
hypotheek de (...theken) *9,20*
hypotheek...: hypotheekbank, enz. *64*
hypothekeren *9,20,106*
hypothekeerde, gehypothekeerd
hypothermie de *9,20*
hypothese de (...n, ...s) *9,20,91*
hypothymie de *9,20*
hypothyreoïdie de *9,20,38*
hypotonie de *9*
hypotrofie de *9,19*
hypsometer de (...s) *9*
hysop de *9*
hysterica de (...'s) *9,22,42*
hystericus de (...rici) *9,22,25*
hysterie de *9*
hysterisch *9,113*
hysterischer, meest hysterisch
hysteron proteron het (hystera protera) (GB: hysteron-proteron) *63*
hysterotomie de *9*
Hz [hertz] *100*

i

i de (i's; i'tje) *46*
i-grec *61,83*
I [jood, jodium] *100*
ia *21*
i.a.a. [in afschrift aan] *100*
iaën *38,106*
iade, geïaad
IATA [International Air Transport Association] de *103*
iatrogeen *21*
iatrosoof de (...sofen) *19,21*
i.b.d. [in buitengewone dienst] *100*
Iberisch Schiereiland *6,53*
ibid. [ibidem] *100*
ibidem (ibid.) *9*
Ibiza *6,53*
i.b.v. [in bezit van] *100*
IC [Integrated Circuit] het (...'s) *46,104*
i.c. [in casu] *100*
Icarus *6*
ichtyofaag de (...fagen) *3,9*
ichtyologie de *3,9*
ichtyosis de *1,9*
icing de/het (...s) *3,25*
icon de (...en) *ook* **icoon** *9,22,115*
iconisch *9,22*
iconoclasme het (...n) *9,22,89*
iconografie de (...fieën) *9,22,40*
iconografisch *9,22*
iconologie de *9,22*
iconologisch *9,22*
iconoscoop de (...scopen) *9,22*
iconostase de (...n) *9,22,89*
icoon de *ook* **icon** *9,22,115*
id. [idem] *100*
Idaho *6,53*
ideaal het (...alen) *1,9,21*
idealiseren *9,26,106*
idealiseerde, geïdealiseerd
idealisme het *9,90*
idealistisch *9,113*
idealistischer, meest idealistisch
idealiter *9*
idee de/het (ideeën, ...s; ...tje) *9,38,43*
ideeën...: ideeënbus, enz. *88*
ideëel *9,37,38*
ideële
idee-fixe de/het (...n) *23,63*
Idegem *6,53*
idem (id.) *9*
identiek *9*
identieke
identificatie de (...s) *9,22,43*
identificatie...: identificatieplicht, enz. *64,76*
identificeren *9,25,37,106*
identificeerde, geïdentificeerd
identiteit de (...en) *9*
identiteits...: identiteitsbewijs, enz. *98*
ideologie de (...gieën) *9,40*
ideologiseren *9,26,37,106*
ideologiseerde, geïdeologiseerd
idio... *9,78*
idiolect, idiomatisch, idiopathisch, idiosyncrasie, enz.
idioom het (...omen) *9*
idioot de (...oten) *9*
idioterie de (...rieën) *9,40*
idioticon het (...tica, ...s) *9,22*
idiotie de *9*
idiot savant de (idiots savants) *63*
idool het (idolen) *9*
idylle de (...n, ...s) *9,14,91*
idyllisch *9,14,113*
idyllischer, meest idyllisch
i.e. [id est] *100*
iebel *9*
iegelijk *1,9*

iemker de (...s) *ook* **imker** *9,115*
iep de (...en)
iepziekte *64*
iepen...: iepenlaan, enz. *88*
Ieper de *6,53*
Ieperlee *6,53*
Iers-Gaelisch *55*
ietsepietsie het *9,73*
ietwat *73*
iezegrim de (...grimmen, ...s) *9,26*
iglo de (...'s) *9,42*
Ignatius van Loyola *6*
ignoreren *37,106*
ignoreerde, geïgnoreerd
i-grec de (...s) *63*
i.h.a. [in het algemeen] *100*
i.h.b. [in het bijzonder] *100*
ij de (...'s; ij'tje) *13,46*
IJ, het [water] *6,53*
ijdel *13*
ijdellijk *2,13*
ijk de (...en) *13*
ijk...: ijkpunt, enz. *64*
ijken *13,106*
ijkte, geijkt
ijker de (...s) *13*
ijl *13*
ijlen *13,106*
ijlde, geijld
ijlings *13*
IJlst *6,53*
IJmond *6,53*
IJmuiden *6,53*
ijs [bevroren substantie] het *13*
ijs...: ijsbeer, ijsco (...'s, ijscootje), ijslolly (...'s) , enz. *64,66*
ijselijk *87*
ijstijd *56*
ijs...: *13,106,107*
ijsberen, ijsbeerde, geijsbeerd; ijsdansen, ijssurfen, ijszeilen, enz.
IJsland *6,53,55*
IJslands(e), IJslander
IJssel de *6,53*
IJsselham *6,53*
IJsselmeer *6,53*
IJsselmonde *6,53*
IJsselmuiden *6,53*
IJsselstein *6,53*
IJssel-Vecht *6,53*
ijver de *13*
ijverzucht, ijverzuchtig *64*
ijveren *13,106*
ijverde, geijverd
ijzel de *26*
ijzelen *26,106*
ijzelde, geijzeld
ijzen *13,26,106*
ijsde, geijsd
IJzendijke *6,53*
ijzer het (...s) *13*
IJzer [rivier] de *6,53*
ijzertijd de *56*
ijzig *26*
ijzingwekkend *64*
ik de/het (ikken)
ik-...: ik-figuur, ik-persoon, enz. *85*
ikebana het *3,9*
IKON [Interkerkelijke Omroep Nederland] de *103*
IKV [Interkerkelijk Vredesberaad] het *104*
Ile-de-France *ook* **Île-de-France** *6,53*
Ilias *58*
illegaal de (...galen) *14*
illegalen...: illegalenkwestie, enz. *88*
illegaliteit de *14*
Illinois *6,53*
illuminatie de (...s) *14*
illumineren *14,37,106*
illumineerde, geïllumineerd
illusie de (...s) *14,43*
illusionair *3,14,16*
illusioneren *14,16,37,106*
illusioneerde, geïllusioneerd
illusionist de (...en) *14,16*
illusionistisch *14,16*
illusoir *3,14*
illuster *14*

illustratie de (...s) *14,43*
illustratie...: illustratiemateriaal, enz. *64,76*

illustrator de (...en, ...s) *14*

illustreren *14,37,106*
illustreerde, geïllustreerd

illuvium het *14*

i.m. [in margine] *100*

im... *1,4*
immobiliteit, impopulair, enz.

image de/het (...s) *3,43*
imagebuilding *67*

imaginair *3*

imaginatie de (...s) *43*

imagineren *37,106*
imagineerde, geïmagineerd

imago de/het (...'s) *42*
imago...: imagoverbetering, enz. *64,76*

imam de (...s) *3*

imbeciel de (...en) *25*

imbiberen *37,106*
imbibeerde, geïmbibeerd

IMF [Internationaal Monetair Fonds] het *104*

imitatie de (...s) *14,43*
imitatie...: imitatieleer, enz. *64,76*

imitator de (...en, ...s) *14*

imiteren *14,37,106*
imiteerde, geïmiteerd

imker de (...s) *ook* **iemker** *9,115*

imkeren *9,37,106*
imkerde, geïmkerd

immanent *14*

immaterieel *14,37,38*
immateriële

immatriculeren *14,22,37*
immatriculeerde, geïmmatriculeerd

immens *14*

immigrant de (...en) *14*
immigranten...: immigrantenbeleid, enz. *88*

immigratie de (...s) *14,43*
immigratie...: immigratiebeleid, enz. *64,76*

immigreren *14,37,106*
immigreerde, geïmmigreerd

imminent *14*

immobilia de (alleen mv.) *ook* **immobiliën** *14,40,115*

immobiliseren *14,26,37*
immobliseerde, geïmmobiliseerd

immobilisme het *14,90*

immoreel *14*

immortaliteit de *14*

immortelle de (...n) *14*
immortellenkrans *89*

immuniseren *14,26,37*
immuniseerde, geïmmuniseerd

immuniteit de (...en) *14*
immuniteits...: immuniteitsleer, immuniteitssysteem, enz. *98,99*

immunogeen *14*

immunologie de *14*

immuun... *14,64*
immuunreactie, immuunsysteem, enz.

impact de (...s) *3,22*

impala de (...'s) *42*

impasse de (...n, ...s) *43,91*

impediëren *37,38,106*
impedieerde, geïmpedieerd

impenetrabel *14*

imperatief (imp.) de (...tieven) *19*

imperator (imp.) de (...en, ...s) *1*

imperfectie de (...s) *23,43*

imperfectum het (imperfecta) *22*

imperiaal de/het (...s, ...alen) *21*

imperialisme het *21,57,90*

imperialistisch *21*

imperium het (...ria, ...s) *1*

impertinentie de (...s, ...tiën) *40,43*

implanteren *37,106*
implanteerde, geïmplanteerd

implementatie de (...s) *43*

implementeren *37,106*
implementeerde, geïmplementeerd

implicatie de (...s) *22,43*

impliceren *25,37,106*
impliceerde, geïmpliceerd

impliciet *9,25*
imploderen *37,106*
implodeerde, geïmplodeerd
implosie de (...s) *43*
imponderabilia de (alleen mv.) *ook* **imponderabiliën** *40,115*
imponeren *37,106*
imponeerde, geïmponeerd
impopulair *3*
import de (...en)
import...: importartikel, enz. *64*
importantie de *25*
importeren *37,106*
importeerde, geïmporteerd
importuun *3*
imposant *26*
impotentie de *25*
impr. [imprimatur] *100*
impregneren *37,106*
impregneerde, geïmpregneerd
impresariaat het (...aten) *14*
impresario de (...'s) *14,42*
impressie de (...s) *43*
impressionisme het *16,57,90*
impressionistisch *16*
imprimatur (impr.) het (...s) *3*
imprimé het (...s) *3,29,43*
improductief *19,22*
improductieve
improductiviteit de *19,22*
impromptu de/het (...'s) *3,42*
improvisatie de (...s; ...tje) *26,43*
improvisator de (...en, ...s) *26*
improvisatorisch *26*
improviseren *26,37,106*
improviseerde, geïmproviseerd
improviste, à l' – *63*
impuls de (...en) *26*
impuls...: impulsaankoop, enz. *64*
impulsief *19,26*
impulsieve
imputeren *37,106*
imputeerde, geïmputeerd
In [indium] *100*
in... *64*
inactief, incapabel, inefficiëntie, enz.
in... *70,106*
inademen: ademde in, ingeademd; enz.
in absentia *63*
in abstracto *63*
inacceptabel *23*
inaccuraat *22*
in acht nemen *69*
inachtneming de *68*
inactief *19,22*
inactieve
inadequaat *24*
in allen dele *62,111*
in allen gevalle *62,111*
in allerijl *62,111*
inanitie de *9*
in arren moede *62,111*
inas [inrichtingsassistente] de (inassen) *102*
inauguratie de (...s) *12,43*
inaugureren *37,106*
inaugureerde, geïnaugureerd
in bedrijf stellen *62*
inbedrijfstelling de *68*
in bezit nemen *62*
inbezitneming de *68*
in bonis *63*
inboorling de (...en) *1*
inbreker de (...s)
inbrekers...: inbrekerspad, enz. *98*
inca de (...'s) *22,42,53*
incalculeren *22,106*
calculeerde in, ingecalculeerd
incantatie de (...s) *22,43*
incapabel *14,22*
incarnatie de (...s) *22,43*
incarneren *22,37,106*
incarneerde, geïncarneerd
incasseren *22,37,106*
incasseerde, geïncasseerd
incasso het (...'s; ...sootje) *22,42,112*
incasso...: incassobureau, enz. *64,76*

in casu (i.c.) *63*
incest de *25*
incest...: incestervaring, enz. *64*
incestueus *25,26*
incestueuze
inch de/het (inches) *3,27*
inchecken *22,106*
checkte in, ingecheckt
inchoatief het (...tieven) *19*
incident het (...en) *25*
incideren *25,37,106*
incideerde, geïncideerd
incisie de (...s) *25,26,43*
inciviek de (...en) *22,25*
incl. [inclusief] *100*
inclinatie de (...s) *22,43*
inclinatie...: inclinatiekaart, enz. *64*
inclineren *22,37,106*
inclineerde, geïnclineerd
includeren *22,37,106*
includeerde, geïncludeerd
incluis *22*
inclusief (incl.) *19,22*
inclusieve
incognito *22*
incoherent *22*
in-companytraining de (...en) *67*
incompatibel *22*
incompetent *22*
incompleet *22*
in concreto *63*
inconsequent *22,24*
inconsistent *22*
incontinentie de *22*
incorporeren *22,37,106*
incorporeerde, geïncorporeerd
incorrect *22*
incourant *11,22*
incrimineren *22,37,106*
incrimineerde, geïncrimineerd
incrowd de (...s) *67*
incrusteren *22,37,106*
incrusteerde, geïncrusteerd
incubatie de (...s) *22*
incubatie...: incubatietijd, enz. *64*
inculperen *22,37,106*
inculpeerde, geïnculpeerd
incunabel de (...en) *22*
indecent *25*
indemniseren *26,37,106*
indemniseerde, geïndemniseerd
in den beginne *62,111*
in den blinde *62,111*
in den lande *62,111*
in den vreemde *62,111*
inderdaad *73,111*
inderhaast *73,111*
in der minne schikken *62,111*
indertijd *73,111*
index de (...en, ...dices) *23,25*
index...: indexcijfer, enz. *64*
indexeren *23,37,106*
indexeerde, geïndexeerd
in dezen *62,111*
in dezer voege *62,111*
India *6,53*
Indiaas, Indiase, Indiër
indiaan de (...anen) *53*
indianen...: indianenverhaal, enz. *88*
indiaans *53*
Indianapolis *6,53*
indicatie de (...s) *22,43*
indicatie...: indicatiegebied, enz. *64,76*
indicativus de (...tivi) *1,22*
indicator de (...en, ...s) *22*
indiceren *25,37,106*
indiceerde, geïndiceerd
indicie de (...ciën, ...s) *25,40,43*
indictie de (...s) *23,43*
indienstneming de (...en) *68*
in dienst treden *62*
indiensttreding de (...en) *68*
in dier voege *62,111*
indifferentie de *14*
indigestie de (...s) *43*
indigo de/het *2*
indigo...: indigoblauw, enz. *64,76*
Indische Oceaan de *6,53*
indischman de (...mannen) *53,64*

indiscreet *22*
indiscutabel *22*
individu het (...en, ...'s) *9,42*
individualiseren *26,37,106*
individualiseerde, geïndividualiseerd
individualistisch *9*
indo de (...'s) (GB: Indo) *42,53*
Indo-China *6,53*
indoctrineren *22,37,106*
indoctrineerde, geïndoctrineerd
Indo-Europees [GB: Indo-europees] *55*
indogermanistiek de *54*
Indo-Iraans *55*
indolent *14*
Indonesië *6,53*
Indonesiër, Indonesisch(e)
indoor *3*
indoor...: indooratletiek, enz. *66*
indossant de (...en) *ook* **endossant** *14,115*
indossement het (...en) *ook* **endossement** *14,115*
indosseren *ook* **endosseren** *37,106,115*
indosseerde, geïndosseerd
Indre-et-Loire *6,53*
indrukwekkend *64*
in dubio *63*
induceren *25,37,106*
induceerde, geïnduceerd
inductie de (...s) *23,43*
inductie...: inductiestroom, enz. *64,76*
inductiekoken *23,69,107*
indulgent *3*
indulgentie de (...s, ...tiën) *40,43*
in duplo *63*
Indus de *6,53*
industrialisatie de (...s) *26*
industrialisatie...: industrialisatieproces, enz. *64,76*
industrialiseren *26,37,106*
industrialiseerde, geïndustrialiseerd
industrie de (...strieën, ...s) *40,43*
industrie...: industriearbeider, enz. *64,76*
industrieel de (...striëlen) *37,38*
ineen *73*
ineen... *70,106*
ineenschrompelen: schrompelde ineen, ineengeschrompeld; enz.
ineens *73*
inefficiënt *25,37*
in- en ingemeen *86*
inenten *37,106*
entte in, ingeënt
inertie de *25*
in extenso *63*
infaam *19*
infanterie (inf.) de
infanterie...: infanterieregiment, infanterie-eenheid, enz. *64,76*
infanticide de (...n, ...s) *25,91*
infantiliseren *26,37,106*
infantiliseerde, geïnfantiliseerd
infarct het (...en) *22*
infarct...: infarctpatiënt, enz. *64*
infecteren *22,37,106*
infecteerde, geïnfecteerd
infectie de (...s) *23,43*
infectie...: infectiehaard, enz. *64,76*
infectieus *ook* **infectueus** *22,26,115*
infectieuze
in feite *62*
infereren *37,106*
infereerde, geïnfereerd
inferieur *3*
inferioriteit de *3*
inferno het (...'s) *42*
infertiliteit de *9*
infibulatie de (...s) *9,19*
infiltreren *37,106*
infiltreerde, geïnfiltreerd
infinitesimaalrekening de *64*
infinitief (inf.) de (...tieven) *ook* **infinitivus** *9,19,115*
infix het (...en) *23*
inflatie de (...s) *43*
inflatie...: inflatiecijfer, enz. *64,76*

inflationistisch *16*
inflatoir *3*
inflecteren *22,37,106*
inflecteerde, geïnflecteerd
inflexibiliteit de *23*
inflorescentie de (...s) *25,43*
influenceren *25,37,106*
influenceerde, geïnfluenceerd
influenza de *26*
influenza...: influenzabacterie, influenza-epidemie, enz. *64,76*
info de (...'s) *42,102*
info...: infoavond, infobalie, enz. *76,83*
informatica de *22*
informatie de (...s) *43*
informatie...: informatiebestand, informatie-industrie, informatie-uitwisseling, enz. *64,76*
infra... *78*
infrageluid, infrarood, infrastructuur, enz.
in Frage *3,63*
infusie de (...s) *26,43*
infusie...: infusiediertje, enz. *64,76*
infuus het (...fusen) *26*
infuus...: infuusfles, infuusstandaard, enz. *64*
ing. [ingenieur] *100*
in gebreke stellen *62,111*
ingebrekestelling de (...en) *68*
in gebruik nemen *62*
ingebruikneming de *68*
in genen dele *62,111*
ingenieur (ir., ing.) de (...s) *3*
ingenieurs...: ingenieursdiploma, enz. *98*
ingenieus *26*
ingenieuze
ingénu *3,29*
ingénue
ingeval [indien] *73*
in geval van *62*
ingevolge *73*
ingewand het (...en) *18*
ingewands...: ingewandsstoornis, ingewandsworm, enz. *98,99*
ingewijde de (...n) *89*
in godsnaam *59,62*
in goeden doen *62,111*
ingrediënt het (...en) *37*
ingrosseren *37,106*
ingrosseerde, geïngrosseerd
in groten getale *62,111*
inhalatie de (...s) *43*
inhalatie...: inhalatieapparaat, enz. *64,76*
inhaleren *37,106*
inhaleerde, geïnhaleerd
in hechtenis nemen *62*
inhechtenisneming de (...en) *68*
in hemelsnaam *ook* **in 's hemelsnaam** *62,115*
inherent *18*
inhibitie de (...s) *43*
inhoud de (...en)
inhouds...: inhoudsopgave, enz. *98*
initiaal de (...alen) *27*
initialiseren *27,37,106*
initialiseerde, geïnitialiseerd
initiatie de (...s) *27,43*
initiatie...: initiatierite, enz. *64,76*
initiatief het (...tieven) *19,27*
initiatief...: initiatiefnemer, enz. *64*
initieel *27,37,38*
initiële
initiëren *27,37,38,106*
initieerde, geïnitieerd
injecteren *22,37,106*
injecteerde, geïnjecteerd
injectie de (...s) *23,43*
injectie...: injectienaald, enz. *64,76*
inkarnaat het *18,22*
inkjet de (...s) *67*
inkjetprinter *67*
in koelen bloede *62,111*
inkomen het (...s)
inkomens...: inkomensgroep, inkomenssituatie, enz. *98,99*

inkomsten de (alleen mv.)
inkomsten...: inkomstenbelasting, enz. *88*
inkoop de (...kopen)
inkoop...: inkoopafdeling, inkoopmanager, enz. *64,66*
inkoopsprijs *98*
inkt de (...en)
inkt...: inktvis, enz. *64*
inkten *37,106*
inktte, geïnkt
inl. [inleiding] *100*
inlaat de (...laten) *18*
inlay de (...s) *3*
inleiden *13,106*
leidde in, ingeleid
inleiding (inl.) de (...en; ...inkje) *13,112*
in levenden lijve *62,111*
in lichterlaaie *ook* **in lichtelaaie** *62,115*
inlichting (inl.) de (...en)
inlichtingen...: inlichtingendienst, enz. *88*
inlichtings...: inlichtingsbureau, enz. *98*
inlijven *13,19,106*
lijfde in, ingelijfd
inloggen *106*
logde in, ingelogd
in margine [i.m.] *63*
in memoriam het (...s) *63*
inmiddels *1*
inname de (...n, ...s) *4,91*
in natura *63*
innen *37,106*
inde, geïnd
innocent *25*
innovatie de (...s) *14,43*
innovatie...: innovatieproject, enz. *64,76*
innoveren *14,37,106*
innoveerde, geïnnoveerd
Innsbruck *6,53*
inoculeren *22,37,106*
inoculeerde, geïnoculeerd
in optima forma *63*
in petto *63*
input de (...s) *3*
inquisitie de (...s) *24,43*
inquisitoriaal *24*
I.N.R.I. [Iesus Nazarenus Rex Iudaeorum] *104*
inrichten *106*
richtte in, ingericht
inrij... de
inrij...: inrijpoort, enz. *64*
inscriptie de (...s) *22,43*
insect het (...en) *7*
insecten...: insecteneter, enz. *88*
insecticide het (...n) *22,25,89*
insectivoor de (...voren) *19,22*
insemineren *37,106*
insemineerde, geïnsemineerd
insereren *37,106*
insereerde, geïnsereerd
insgelijks *111*
in 's hemelsnaam *ook* **in hemelsnaam** *62,111,115*
inside-information de *67,76*
insider de (...s) *3*
insigne het (...s) *3,43,91*
insinuatie de (...s) *43*
insinueren *37,106*
insinueerde, geïnsinueerd
insisteren *37,106*
insisteerde, geïnsisteerd
insolent *26*
insolide *113*
insolider, insoliedst/meest insolide
insolvabiliteit de *19*
insolventie de *19*
insp. [inspecteur, inspectie] *100*
in spe *29,63*
inspecteren *22,37,106*
inspecteerde, geïnspecteerd
inspecteur (insp.) de (...s) *22*
inspecteur-generaal *79*
inspectie (insp.) de (...tiën, ...s) *23,40,43*
inspectie...: inspectiedienst, enz. *64,76*

inspiciënt de (...en) *25,37*
inspireren *37,106*
inspireerde, geïnspireerd
instabiel *9*
instabiele
installatie de (...s) *14,43*
installatie...: installatiekosten, enz. *64,76*
installeren *14,37,106*
installeerde, geïnstalleerd
in stand houden (GB: instandhouden) *69*
instandhouding de *68*
instant *18*
instant...: instantkoffie, enz. *64*
instantané het (...s; ...neetje) *29,43,112*
instantie de (...s) *43*
in statu nascendi *63*
instigeren *37,106*
instigeerde, geïnstigeerd
instinct het (...en) *22*
institueren *37,106*
institueerde, geïnstitueerd
institutionaliseren *16,26,37,106*
institutionaliseerde, geïnstitutionaliseerd
instituut het (...tuten)
instituuts...: instituutsbibliotheek, enz. *98*
instructie de (...s) *23,43*
instructie...: instructieboek, enz. *64,76*
instrueren *37,106*
instrueerde, geïnstrueerd
instrument het (...en)
instrument...: instrumentmaker, enz. *64*
instrumenten...: instrumentenpaneel, enz. *88*
instrumenteren *37,106*
instrumenteerde, geïnstrumenteerd
insufficiënt *25,37*
insulair *3*
insuline de *9*
insuline...: insulinepomp, enz. *76,90*
insulteren *37,106*
insulteerde, geïnsulteerd
insurgent de (...en) *26*
int. [interest, intrest] *100*
intact *22*
intake de (...s) *3,43*
intake...: intakegesprek, enz. *66*
intapen *3,105,106*
tapete in, ingetapet
integendeel *73*
integraal de (...gralen)
integraal...: integraalrekening, enz. *64,77*
integratie de (...s)
integratie...: integratieprobleem, enz. *64,76*
integreren *37,106*
integreerde, geïntegreerd
integriteit de *9*
intellect het (...en) *14,22*
intelligent *14*
intelligentie de (...s) *14,43*
intelligentie...: intelligentiequotiënt (IQ), intelligentietest, enz. *64,76*
intelligentsia de (alleen mv.) *14*
intendance de (...s) *25,43,91*
intenderen *37,106*
intendeerde, geïntendeerd
intensief *19,26*
intensieve
intensifiëren *26,37,38,106*
intensifieerde, geïntensifieerd
intensiteit de (...en) *26*
intensive care de *67*
intensive-careafdeling *84*
intensiveren *26,37,106*
intensiveerde, geïntensiveerd
intentie de (...s) *43*
intentie...: intentieverklaring, enz. *64,76*
inter... *64,77*
interactie, intercultureel, inter-Europees, interlinguaal, enz.
interbancair *3,22*
interbellum het (...s) *3*

intercalatie de (...s) *14,22,43*
intercedent de (...en) *25*
intercederen *25,37,106*
intercedeerde, geïntercedeerd
intercepteren *25,37,106*
intercepteerde, geïntercepteerd
intercity de (...'s) *3,42*
intercity...: intercitytrein, enz. *66*
intercom de (...s) *22*
interdict het (...en) *22*
interdiocesaan *25*
interessant *14*
interesse de (...s) *14*
interesse...: interessegebied, enz. *76,91*
interesseren *14,37,106*
interesseerde, geïnteresseerd
interest (int.) de (...en) *ook* **intrest** *1,115*
inter-Europees *53,77*
interface de (...s) *3,43*
interfereren *37,106*
interfereerde, geïnterfereerd
interieur het (...s)
interieur...: interieurverzorger, enz. *64*
interim de/het (...s)
interim-...: interim-bestuur, enz. *77*
interjectie de (...s) *23,43*
interland de (...s) *64*
interlock de/het *22*
intermediair de/het (...s) *3*
intermezzo het (...'s; ...zootje) *3,42,112*
intermitterend *14*
internaliseren *26,37,106*
internaliseerde, geïnternaliseerd
internationaal-politiek *79*
internationaliseren *26,37,106*
internationaliseerde, geïnternationaliseerd
interneren *37,106*
interneerde, geïnterneerd
internet het *54*
internet...: internetaansluiting, enz. *65*
internetten *106*
internette, geïnternet
interpelleren *14,37,106*
interpelleerde, geïnterpelleerd
interplanetair *3*
Interpol [Internationale Politieorganisatie] *103*
interpoleren *37,106*
interpoleerde, geïnterpoleerd
interpreteren *37,106*
interpreteerde, geïnterpreteerd
interpunctie de (...s) *23,43*
interpungeren *37,106*
interpungeerde, geïnterpungeerd
interregnum het (...regna, ...s) *3*
interrogeren *14,37,106*
interrogeerde, geïnterrogeerd
interrumperen *14,37,106*
interrumpeerde, geïnterrumpeerd
interruptie de (...s) *14,43*
interruptie...: interruptiedebat, enz. *64,76*
interscolair *3,22*
intertekstualiteit de *23*
interval het (...vallen; ...valletje) *112*
interval...: intervaltraining, enz. *64*
interveniëren *37,38,106*
intervenieerde, geïntervenieerd
interventie de (...s) *43*
interventie...: interventiemacht, enz. *64,76*
interventionistisch *16*
interversie de (...s) *26,43*
interview het (...s; ...tje) *3,11*
interview...: interviewfragment, enz. *66*
interviewen *11,37,106*
interviewde, geïnterviewd
intijds *73*
intimidatie de (...s) *43*
intimidatie...: intimidatiepoging, enz. *64,76*
intimideren *37,106*
intimideerde, geïntimideerd
intimistisch *9*

intimiteit de (...en) *9*
intimus de (...timi) *1,9*
intolerantie de *14*
intoneren *37,106*
intoneerde, geïntoneerd
intoxicatie de (...s) *22,23,43*
intra... *78*
intramusculair, intra-uterien, enz.
intra-Europees *53,77*
intransitief (intr.) de (...tieven) *19,26*
intraveneus *26*
intraveneuze
intrede de *ook* **intree** *115*
intredezang *90*
intree de *ook* **intrede** *115*
intree...: intreerede, enz. *64,76*
intrest (int.) de (...en) *ook* **interest** *1,115*
intrige de (...s) *27,91*
intrigeren *37,106*
intrigeerde, geïntrigeerd
intrinsiek *9*
intrinsieke
in triplo *63*
intro... *78*
introspectie, introversie, enz.
introducé, introducee de (...s; introduceetje) *32,43*
introduceren *25,37,106*
introduceerde, geïntroduceerd
introductie de (...s) *23,43*
introductie...: introductieweek, enz. *64,76*
introïtus de/het (...tussen) *37*
introspectie de (...s) *22,43*
introvert *3*
intuïtie de (...s) *37,43*
intussen *73*
in u beider belang *62,111*
inunderen *37,106*
inundeerde, geïnundeerd
inval de (invallen; invalletje) *112*
inval...: invalkracht, enz. *64*
invals...: invalshoek, enz. *98*
invalide de (...n)
invaliden...: invalidenwagen, enz. *89*
invaliditeit de
invaliditeits...:
invaliditeitsuitkering, enz. *98*
invasie de (...s) *26,43*
invasie...: invasieleger, enz. *64,76*
invectief het (...tieven) *19,22*
inventaris de (...rissen) *1,15*
inventariseren *26,37,106*
inventariseerde, geïnventariseerd
inventief *19*
inventieve
inversie de (...s) *26,43*
inverteren *37,106*
inverteerde, geïnverteerd
inverzekeringstelling de (...en) *68*
investeren *37,106*
investeerde, geïnvesteerd
investituur de (...turen) *9*
investituur...: investituurstrijd (GB: Investituurstrijd), enz. *64*
invitatie de (...s) *9,43*
invitatie...: invitatieconcert, enz. *64,76*
invité, invitee de (...s) *32,43*
inviteren *37,106*
inviteerde, geïnviteerd
in-vitrofertilisatie (IVF) de (...s) *84*
invloed de (...en)
invloedrijk *64*
invloedssfeer *99*
in voce [i.v.] *63*
involveren *19,37,106*
involveerde, geïnvolveerd
in vrijheid stellen *62*
invrijheidstelling de (...en) *68,115*
in werking stellen *62,106*
inwerkingstelling de *68*
in werking treden *62*
inwerkingtreding de *68*
inweven *19,106*
weefde in, ingeweven
inwijden *13,106*
wijdde in, ingewijd
inwijkeling de (...en) *13*
inz. [inzonderheid] *100*

inzage de
inzagerecht *90*
inzake *73*
inzonderheid (inz.) *73*
inzoomen *11,106*
zoomde in, ingezoomd
in zoverre *62*
i.o. [in oprichting, in opdracht] *100*
IOC [Internationaal Olympisch Comité] het *104*
Iocaste *6*
ion het (...en) *16*
ionen...: ionenbuis, enz. *88*
Ionesco, Eugène *6*
ionisatie de *26*
Ionische Zee de *6,53*
ioniseren *26,38,106*
ioniseerde, geïoniseerd
Iowa *6,53*
Iphigenia *6*
ippon het (...s) *14*
ipso facto *63*
ipso jure *63*
i.p.v. [in plaats van] *100*
IQ [intelligentiequotiënt] het *104*
IQ-...: IQ-test, enz. *83*
Ir [iridium] *100*
ir. [ingenieur] *100*
ir... *14*
irrationaliteit, irrealistisch, enz.
IRA [Irish Republican Army] de *103*
Irak *6,53*
Iraak, Irakees, Irakese, Iraki
Iran *6,53*
Iraans(e), Iraniër
irenisch *14*
Irian Jaya *6,53*
iridium (Ir) het *14*
iris de (irissen) *9,15*
iris...: irisdiafragma, enz. *64*
iriscopie de *22*
iriseren *26,37,106*
iriseerde, geïriseerd
Irish coffee de *67*
Irkoetsk *6,53*
ironie de (...nieën) *40*
ironisch *113*
ironischer, meest ironisch
ironiseren *26,37,106*
ironiseerde, geïroniseerd
irrealis de *1,14*
irredentisme het *14,90*
irreëel *14,37,38*
irreële, irreëler, irreëelst
irrelevant *14*
irreversibel *14,26*
irrigatie de (...s) *14,43*
irrigatie...: irrigatiekanaal, enz. *64,76*
irrigeren *14,37,106*
irrigeerde, geïrrigeerd
irritatie de (...s) *14,43*
irriteren *14,37,106*
irriteerde, geïrriteerd
IRT [Interregionaal Rechercheteam] het (...'s) *46,104*
ISBN [internationaal standaardboeknummer] het (...'s) *46,104*
ischias de *3*
ISDN [Integrated Services Digital Network] het (...'s) *46,104*
Isère *6,53*
Isfahan *ook* **Esfahan** *6,53*
isgelijkteken het (...s) *68*
Isjtar de *6*
Isjvara *6*
islam de *57*
Islamabad *6,53*
islamiet de (...en) *57*
islamieten...: islamietenverbond, enz. *88*
islamiseren *37,57,106*
islamiseerde, geïslamiseerd
islamitisch *57*
i.s.m. [in samenwerking met] *100*
ISO [International Standardization Organization] de *103*
ISO-...: ISO-norm, enz. *83*
iso... *78*
isoglosse, isomorf, isotherm, enz.

isohypse de (...n) *9,89*
isolatie de (...s) *26,43*
isolatie...: isolatiecel, enz. *64,76*
isolationistisch *16*
isoleren *26,37,106*
isoleerde, geïsoleerd
isomeriseren *26,37,106*
isomeriseerde, geïsomeriseerd
isomorf *19*
isomorfe
Israël *6,53*
Israëliër, Israëliet, Israëlisch(e), Israëli
Israels, Isaac/Jozef *6*
issue het (...s) *3,43*
Istanbul *6,53*
Italiaans *55,65*
Italiaans...: Italiaansgezind, Italiaanssprekend, Italiaanstalig, enz.
italianiseren *37,54,106*
italianiseerde, geïtalianiseerd
Italië *6,53*
Italiaan, Italiaans(e)
item (it.) het (...s) *3*
iteratie de (...s) *43*
itereren *37,106*
itereerde, geïtereerd
Ithaca *6,53*
itinerarium het (...ria) *9*
i.t.t. [in tegenstelling tot] *100*
i.v. [in voce] *100*
Ives, Charles *6*
IVF [in-vitrofertilisatie] de *104*
IVF-...: IVF-behandeling, enz. *83*
IVK [Instituut voor Veterinaire Keuring] het *104*
i.v.m. [in verband met] *100*
ivo [individueel voortgezet onderwijs] het *101*
ivo'er *46*
ivo-...: ivo-mavo, ivo-school, enz. *83*
ivoor de/het
ivoor...: ivoorhandel, enz. *64*
Ivoorkust *6,53*
Ivoriaan, Ivoriaans(e)
ivoren *114*
Ivriet *55*
Izegem *6,53*
Izenberge *6,53*
Izmir *6,53*

j

j de (j's; j'tje) *46*
J-biljet *61,83*
J [joule] *100*
jaar het (jaren)
jaar...: jaarabonnement, enz. *64*
jarenlang *88*
Jabbeke *6,53*
jabot de/het (...s; jabootje) *10,27,112*
jabroer de (...s) *64*
JAC [jongerenadviescentrum] het (...'s) *46,103*
JAC-...: JAC-medewerker, enz. *83*
jacht [het jagen] de *2*
jacht...: jachtakte, enz. *64*
jacht [schip] het (...en) *2*
jack de/het (...s) *3,22*
jacket de/het (...s) *3,22*
jacketkroon *66*
jackpot de (...s, ...potten) *3,22*
Jack the Ripper *6*
Jacobswoude *6,53*
Jacott, Ruth *6*
jacquard de (...s) *3,22,27*
jacquet de/het (...quetten, ...s) *3,22,27*
jacuzzi de (...'s) *11,22,42*
jade de/het *90*
jadeïet het *38*
jaden *114*
jaeger het (...s) *8,54,114*
jaeger...: jaegerondergoed, enz. *65*
jaffa de (...'s) *42,54*
jaffa-appel, jaffasinaasappel *65,76*
jagen *107*
jaagde/joeg, gejaagd
jager de (...s)
jager...: jagermeester, enz. *64*
jagers...: jagersjas, enz. *98*
Jagger, Mick *6*
jaguar de (...s) *3*
Jahwe *ook* **Jahweh** *20,59,115*
jajem de *1*
jajemen *1,15,106*
jajemde, gejajemd
jak [dier] de (jakken, ...s) *21,22*
jak [kledingstuk] de/het (jakken) *22*
Jak. [Jakobus] *100*
Jakarta *6,53*
jakhals de (...halzen) *21,26*
jakkes *1*
jaknikken *69,106*
knikte ja, jageknikt
Jakob [bijbelse figuur] *6*
jakobs...: jakobsladder, jakobsschelp, enz. *54,98,99*
jakobijn de (...en) *13,22,57*
jakobijnen...: jakobijnenmuts, enz. *88*
Jakobus (Jak.) *51*
Jalalabad *6,53*
jalap de (...lappen) *ook* **jalappe** (...n) *115*
jalappen...: jalappenhars, enz. *88,89*
jaloers *26*
jaloerse
jaloezie [afgunst] de *11,26*
jaloezie [zonwering] de (...zieën) *11,26,40*
jaloezie...: jaloeziesluiting, enz. *64,76*
jalon de (...s) *27*
jalonneren *14,27,106*
jalonneerde, gejalonneerd
jalousie de métier *63*
jam [broodbeleg] de (...s) *3,27*
jam...: jampot, enz. *64*
jam [knol] de (jammen; jammetje) *21,112*
Jamaica *6,53*
Jamaicaan, Jamaicaans(e)
jambe de (...n) *89*

jamboree de (...s) *3,43*
jammen *3,106*
jamde, gejamd
jamsession de (...s) *67*
jan. [januari] *100*
Jan (Jantje) *6*
jan, boven – zijn *54,62*
jan modaal, jan lul, enz. *54,62*
jantje contrarie, jantje secuur, jantje-van-leiden *54,62*
janslot (tak van bomen) *54,98*
jan-in-de-zak, jan rap en zijn maat, jan-van-gent *54,62*
jandoedel, jandorie, janhagel, janklaassen, janneman, jansaliegeest, enz. *54,65,68*
janboerenfluitjes, op z'n – (GB: jan-boerenfluitjes) *54,62*
janitsaar de (...saren) *9*
jankepot de (...potten) *93*
jankerd de (...s) *18*
Jan Klaassen [verhaalfiguur] *6*
jansenisme het *54,90*
Janssen, Jan [oud-wielrenner] *6*
januari (jan.) de *9,56*
Janus [godheid] *6*
janus...: januskop, enz. *54,65*
Jap [Japanner] de (Jappen) *6,53*
jappen...: jappenkamp, enz. *54,88*
Japan *6,53,55*
Japanner, Japans(e)
japanologie de *14,54*
japon de (...ponnen, ...s; japonnetje) *112*
jardinière de (...s) *27,30,43*
jaren... zie **jaar**
jarige de (...n) *89*
Jarmusch, Jim *6*
jarretel de (...tellen, ...s; ...telletje) *ook* **jarretelle** (...n, ...s) *112,115*
jarretel...: jarretelgordel, enz. *64*
jarretelle...: jarretellegordel, enz. *91*
jasmijn de (...en) *13*
jaspis [voorwerp] de (...pissen) *1,15*
jaspis [stofnaam] het *1*
jasses *1*
jatmoos het (...mozen) *ook* **jatmous** *115*
jatmouzen *12,26,107*
javakoffie de *54,65*
Javazee de *6,53*
jawel *73*
jawoord het (...en) *64*
jazeker *73*
jazz de *3*
jazz...: jazzorkest, jazzrock, jazz-zanger, enz. *66,67,85*
jazzy *3,9*
J.C. [Jezus Christus] *59,100*
Jeanne d'Arc *6*
jeans de (enk. en mv.) *3,9*
jeans...: jeansmerk, enz. *66*
jeep de (...s) *3,9*
Jehova *59*
jehova [Jehova's getuige] de (...'s) *42,54,57*
jein het (...s) *13*
jeinen *13,106*
jeinde, gejeind
Jeltsin, Boris *6*
je maintiendrai *63*
Jemen *6,53*
Jemeniet, Jemenitisch(e)
jeminee *8,9*
jenaplanschool de (...scholen) *54,65*
jenever de (...s; ...tje) *27*
jeneverbes *64*
jenzen *26,106*
jensde, gejensd
Jer. [Jeremia] *100*
jeremiade de (...n, ...s) *54,91*
jeremiëren *37,38,106*
jeremieerde, gejeremieerd
Jerevan *ook* **Erevan**
Jericho *6,53*
jerrycan de (...s) *67*
Jersey *6,53*
jersey de (...s) *3,9,43*
Jeruzalem *6,53*
Jes. [Jesaja] *100*

jet de (...s) *3*
jet...: jetlag, jetmotor, jetset, enz. *67*
jetskiën *3,37,106*
jetskiede, gejetskied
jetstream de (...s) *67*
jeu [aardigheid] de *27*
jeu [spel] het (jeux) *27*
jeu de boules, jeu de mots *63*
jeugd de *18*
jeuïg *27,38*
jeune premier de (jeunes premiers) *63*
jeunesse dorée de *63*
Jezabel *6*
jezelf *73*
jezuïet de (...en) *26,38,57*
jezuïeten...: jezuïetencollege, enz. *88*
jezuïtisch *26,37,57*
Jezus *51*
Jezus...: Jezusfreak, Jezuskind, enz. *59,65*
Jezus van Nazareth *6*
jg. [jaargang] *100*
jhr. [jonkheer] *100*
jicht de *2*
Jiddisch *55*
jiffy de (...'s) *3,9,42*
jiffy...: jiffypotje, enz. *66*
jigger de (...s) *3*
jihad de *3*
jijbak de (...bakken) *64*
jijen en jouen *13,28,106*
jijde en joude, gejijd en gejoud
jijzelf *73*
jingle de (...s) *3,43*
jingo de (...'s) *3,42*
jingoïsme het *3,37,90*
jitterbug de *3*
jiu-jitsu het *ook* **jioe-jitsoe** (GB: jiujitsu) *3,11,115*
jive de (...s) *3,43*
jiven *3,105,106*
jivede, gejived
jkvr. [jonkvrouw(e)] *100*
jl. [jongstleden] *100*
job [baan] de (...s) *3*
job...: jobstudent, enz. *66*
Job *6*
jobs...: jobstijding, enz. *54,98*
joch het (jochies; jochie) *2,112*
jockey de (...s) *3,22,43*
jockey...: jockeypet, enz. *66,76*
joden... zie **jood**
jodhpurs [rijbroek] de *3,54*
jodide het (...n) *89*
jodium (I) het *1*
jodium...: jodiumtinctuur, enz. *64*
jodoform de/het *19*
Joegoslavië *6,53*
Joegoslaaf, Joegoslaviër, Joegoslavisch(e)
jofel *19*
joggen *3,106*
jogde, gejogd
jogging de *3*
jogging...: joggingpak, enz. *66*
Jogjakarta *6,53*
joh *20*
Joh. [Johannes] *100*
johannieter de (...s) *14,57*
johannieter...: johannieterkruis, enz. *64*
Johnson, Magic *6*
joie de vivre *63*
joint de (...s) *3*
joint venture de (joint ventures) *67*
jojo de (...'s; jojootje) *21,42,112*
jojo...: jojobeleid, jojo-effect, enz. *64,76*
jojoën *21,37,106*
jojode, gejojood
jojoka de (...'s) *22,42*
joke de (...s) *3,43*
jokkebrok de (...brokken) *93*
jokkernij de (...en) *13*
jol de (jollen; jolletje) *112*
jollen...: jollenman, enz. *88*
jolijt de/het *13*
jonagold de (...s) *3,54*
jonassen *54,106*
jonaste, gejonast
jonathan de (...s) *20,54*

Jonckheere, Karel *6*
jongedame de (...s) *43,92*
jongeheer de (...heren) *92*
jongejannen *92,106*
jongejande, gejongejand
jongejuffrouw de (...en) *92*
jongelieden de (alleen mv.) *92*
jongelui de (alleen mv.) *92*
jongeman de (...mannen) *92*
jongen de (...s; jongetje) *112*
jongens...: jongensgek, jongensschool, enz. *98,99*
jongen *106*
jongde, gejongd
jongere de (...n)
jongeren...: jongerentaal, enz. *89*
jongerejaarsstudent de (...en) *68,99*
jongerenadviescentrum (JAC) het (...centra, ...s) *68,89*
jonggeborene de (...n) *64,89*
jonggehuwde de (...n) *64,89*
jonggestorven *64*
jonggezel de (...zellen) *64*
jongleren *106*
jongleerde, gejongleerd
jongmens het (jongelieden, jongelui) *64*
jongs, van – af *62*
jongstleden (jl.) *4*
jongvolwassene de (...n) *64,89*
jonkheer (jhr.) de (...heren) *64*
jonkvrouw(e) (jkvr.) de (...vrouwen) *64*
jonkvrouwelijk *87*
jonkvrouwenwas *88*
jonquille de (...n, ...s) *3,21,91*
jood [godsdienst] de (joden) *57*
joden...: jodenster, enz. *88*
Jood [nationaliteit] de (Joden) *53*
Joplin, Janis/Scott *6*
Jordan, Michael *6*
Jordanië *6,53,55*
Jordaans(e), Jordaniër
jota de (...'s) *21,42*
jottem *1*
jouen [tutoyeren] *12,28,106*
joude, gejoud
jouïssance de (...s) *3,38,43*
jouker *12*
joule (J) de (...s) *11,43,54*
jour de (...s) *11,27*
journaal het (...s, ...nalen) *11,27*
journaal...: journaalstudio, enz. *64*
journaille het *11,21,27*
journalist de (...en) *11,27*
journalist-dichter *80*
journalistenforum *88*
journalistiek de *11,27*
jouwen [beschimpen] *12,28,106*
jouwde, gejouwd
jouwerzijds *28,111*
jovialiteit de *19*
Joyce, James *6*
joyeus *21,26,27*
joyeuze
joyriden *3,107*
joystick de (...s) *22,67*
Joz. [Jozua] *100*
jozef, de ware – de *51*
jozefshuwelijk het (...en) *54,65*
jr. [junior] *51,100*
Juan Fernándezeilanden de *ook* **Juan Fernandezeilanden** *6,53*
jubilaresse de (...n, ...s) *91*
jubilaris de (...rissen) *1,15*
jubilee het (...s) *8,43*
jubileum het (...lea, ...s) *39*
juchtleder het *ook* **juchtleer** *2,115*
juchtleren *114*
judaïca de (alleen mv.) (GB: judaica) *22,37,54*
judaïsme het *37,54,90*
Judas [bijbelse figuur] de (...dassen) *54*
judas...: judasstreek, enz. *65*
judassen *106*
judaste, gejudast
judiceren *25,106*
judiceerde, gejudiceerd
judicieel *25,37,38*
judiciële

judicieus *26,27*
judicieuze
judicium het (...cia, ...s) *25*
judoën *37,106*
judode, gejudood
judogi de (...'s) *42*
judoka de (...'s) *42*
juffer de (...en, ...s)
juffershondje *98*
juffertje-in-'t-groen het (juffertjes-in-'t-groen) *62*
juffrouw de (...en) *2*
Jugendstil de *3,11,52*
juicebar de (...s) *67*
juichen *2,106*
juichte, gejuicht
jujube de (...s) *91*
jukebox de (...en) *3,11,23*
jul. [juli] *100*
juli (jul.) de *9,56*
juli...: julidag, enz. *64,76*
julienne de *3,90*
jumbo de (...'s; jumbootje) *42,112*
jumbojet *67*
jumelage de (...s) *3,91*
jumelles de (alleen mv.) *3*
jump de (...s) *3*
jumpshot, jumpsuit *67*
jumper de (...s) *3*
jun. [juni] *100*
junctie de (...s) *23,43*
juncto *22*
junctuur de (...turen, ...s) *22*
jungle de (...s) *3,43*
jungle...: junglemes, enz. *66,76*
juni (jun.) de *9,56*
juni...: junikever, enz. *64,76*
junior (jr.) de (...en, ...ores)
junior...: juniorkaart, enz. *64*
junioren...: juniorenkampioen, enz. *88*
junk de (...en, ...s) *3*
junkbond, junkfood *66,67*
junkie de (...s) *3,9,43*
junta de (...'s) *3,42*
junta...: juntaleider, enz. *66,76*

jupon de (...s) *27*
jure, de/ex – *63*
jureren *3,106*
jureerde, gejureerd
juridisch *14*
jurisdictie de (...tiën, ...s) *23,40,43*
jurisprudentie de *25*
jurist de (...en)
juristen...: juristenrecht, enz. *88*
jury de (...'s) *3,9,42*
jury...: jurylid, juryuitspraak, enz. *64,76*
jus de (justje) *3,112*
jus...: jusblokje, enz. *66*
jus d'orange de *63*
justeren *106*
justeerde, gejusteerd
justificatie de (...s) *9,22*
justificeren *ook* **justifiëren** *25,37,38*
justificeerde, gejustificeerd
justifieerde, gejustifieerd
justitiabelen de (alleen mv.) *9*
justitie de *9*
justitie...: justitieapparaat, justitiebegroting, enz. *64,76*
justitieel *9,37,38*
justitiële
justitioneel *9,16*
jut de (jutten)
juttenpeer *88*
jut, de kop van – de *54,62*
jute de
jutezak *90,114*
juten *114*
juttemis de *ook* **jutmis** *97,115*
jutten *106*
jutte, gejut
juvenaat het (...naten) *19*
juweel het (...welen)
juwelen...: juwelenkistje, enz. *88*
juwelen *114*
juwelier de (...s)
juweliers...: juweliersbranche, juwelierszaak, enz. *98,99*
juxtapositie de *23,64*

k

k de (k's; k'tje) *46*
K [kalium, Kelvin] *100*
ka [bazige vrouw] de (...'s; kaatje) *42,112*
ka [kade] de (kaden) *ook* **kade, kaai** *115*
kaag de (kagen) *2*
kaai de (...en) *ook* **kade, ka** *115*
kaaidraaien *69,106*
kaaidraaide, gekaaidraaid
kaaien *106*
kaaide, gekaaid
kaak de (kaken)
kaak...: kaakspier, enz. *64*
kakebeen (ook: kaakbeen, kaaksbeen) *97*
kaalknippen *69,106*
knipte kaal, kaalgeknipt
Kaap de Goede Hoop de *6,53*
Kaaps(e)
Kaapstad *6,53*
Kaapstatter, Kapenaar
Kaapverdië *6,53*
Kaapverdiër, Kaapverdisch(e)
Kaapverdische Eilanden de *6,53*
kaard [gereedschap, haak, steel] de (...en) *ook* **kaarde** (...n) *18,115*
kaard...: kaardtrommel, enz. *64*
kaardenbol, kaardendistel *88*
kaarden *106*
kaardde, gekaard
kaars de (...en) *26*
kaars...: kaarslicht, enz. *64*
kaarsen...: kaarsenpit, enz. *88*
kaart de (...en)
kaart...: kaartavond, enz. *64*
kaarten...: kaartenhuis, enz. *88*
kaarten *106*
kaartte, gekaart
kaartleggen *69,107*
kaartlezen *69,107*
kaartspelen *69,106*
speelde kaart, kaartgespeeld
kaas de (kazen) *26*
kaas...: kaasschaaf, kaassoufflé, enz. *64*
kaasfonduen *37,69,106*
kaasfonduede, gekaasfondued
kaasjeskruid het *18,98*
kaatsen *106*
kaatste, gekaatst
kaatsster de (...s) *4*
kabaai de (...en; ...tje) *ook* **kabaja** *21,115*
kabaal [herrie] het *14*
kabaja de (...'s) *ook* **kabaai** *21,42,115*
kabbala de *14*
kabbalist de (...en) *14*
kabbalistiek de *14*
kabelaring de (...s) *14*
kabeljauw de (...en) *12,28*
kabinet het (...netten)
kabinetstuk *64*
kabinets...: kabinetschef, kabinetscrisis, enz. *98,99*
Kaboel *ook* **Kabul** *6,53*
kabouter de (...s) *12*
kabuki het *9,22*
Kabul *ook* **Kaboel** *6,53*
kachel de (...s; ...tje) *2*
kadaster het (...s) *22*
kadastraal *22*
kadastreren *22,106*
kadastreerde, gekadastreerd
kadaver het (...s) *22*
kadaverdiscipline *64*
kaddisj de (...en) *9,22,27*
kade de (...n, ...s) *ook* **ka, kaai** *43,115*
kade...: kademuur, enz. *76,91*
kadetje [broodje] het (...s) *22*

kadi de (...'s) *9,22,42*
kadukig *1,22*
kaduuk *22*
Kafka, Franz *6*
kafkaësk *37,54*
kafkaiaans *54*
kaft de/het (...en)
kaftan de (...s) *22*
kaften *106*
kaftte, gekaft
Kaïn *6*
kaïn [wraakzuchtig iemand] *37,54*
kaïnsmerk, kaïnsteken
(GB: Kaïnsmerk, Kaïnsteken) *65*
Kaïro *ook* **Caïro** *6,53*
Kajafas *6*
kajak de (...jakken, ...s) *21,22*
kajapoetolie de *21,22,64*
kajotster de (...s) *21*
kajotter de (...s) *21*
kajuit de (...en) *21*
kajuitzeiljacht *64*
kajuits...: kajuitsjongen, enz. *98*
kakadoris de (...rissen) *1,15,22*
kake... zie **kaak**
kakelbont *64*
kakemono de (...'s) *22,42*
kakenestje het (...s) *97*
kaketoe de (...s) *1,11,43*
kaki het (...'s) *3,9,22*
kaki...: kakikleurig, kakiuniform,
enz. *64,76,114*
kakkebroek de (...en) *93*
kakkestoelemeien *93,107*
kakkineus *1,26*
kakkineuze
kakofonie de (...nieën) *1,22,40*
kalanderen *14,22,106*
kalanderde, gekalanderd
kalasjnikov de (...s) *3,27,54*
kalebas de (...bassen) *ook* **kalbas**
(...bassen) *22,97,115*
kalefateren *ook* **kalfateren** *97,106,115*
kalefaterde, gekalefaterd
kalender de (...s) *14,22*
kalf het (kalveren; kalfje, kalvertjes)
19,112
kalfkoe *64*
kalfs...: kalfsborst, kalfsschenkel,
kalfszwezerik, enz. *98,99*
kali de *9,22*
kali...: kali-industrie, kalizout, enz.
64,76
kaliber het (...s) *14,22*
kalibreren *14,22,106*
kalibreerde, gekalibreerd
kalief de (...en) *14,19,22*
kalifaat het (...faten) *14,19,22*
kalisse de *22*
kalisse...: kalissestok, enz. *76,90*
kalium (K) het *1,22*
kalium...: kaliumbromide, enz. *64*
kalkoen de (...en)
kalkoen...: kalkoenfilet, enz. *64*
kalkoenen...: kalkoenenvlees, enz.
88
kalle de (...n) *89*
kalligraaf de (...grafen) *14,19,22*
kalligraferen *14,19,106*
kalligrafeerde, gekalligrafeerd
kalligrafie de (...fieën) *14,22,40*
Kalmukkië *6,53*
kalmweg *73*
kalomel het *22*
kalot de (...lotten) *14,22*
kalven *19,106*
kalfde, gekalfd
kalver... *19,64*
kalverbox, kalverliefde, enz.
kalvijn de (...en) *13,22*
Kamagurka *6*
kameel de (...melen)
kameel...: kameelhaar, enz. *64*
kamelen...: kamelendrijver, enz. *88*
kameleon de/het (...s) *22*
kamelot de (...lotten) *14,22*
kamenier de (...s) *ook* **kamenierster**
(...s) *115*
Kamer [de Tweede –] de *52*
Kamer...: Kamerdebat, Kamerlid,
Kamerreces, enz. *65*

kameraad de (...raden) *1,14,18*
kameraadschappelijk *87*
Kameroen *6,53*
Kameroener, Kameroens(e)
kamikaze de (...s) *22,26,43*
kamikaze...: kamikazeactie, kamikazepiloot, enz. *76,91*
kamille de (...n, ...s) *14,22,43*
kamille...: kamillethee, enz. *76,91*
kamizool het (...zolen) *22,26*
Kampala *6,53*
kampanje [scheepsdek] de (...s) *22,43,91*
kampement het (...en) *22*
kamperen *106*
kampeerde, gekampeerd
kamperfoelie de (...s) *9,22,43*
kampernoelje de (...s) *ook* **kampernoelie** (...s) *22,43,91,115*
kampioen de (...en) *21,38*
kampioens...: kampioensploeg, enz. *98*
kampong de (...s) *22*
kan de (kannen; kannetje) *112*
kannen...: kannenkijker, enz. *88*
Kanaal het *6,53*
Kanaaltunnel *65*
Kanaal Gent-Terneuzen het *6,53*
Kanaal van Beverlo het *6,53*
Kanaal van Bossuit het *6,53*
kanaalzwemmen *69,107*
Kanaän *6,37,53*
kanaliseren *22,26,106*
kanaliseerde, gekanaliseerd
kanarie de (...s) *9,43*
kanarie...: kanariepietje, kanariegeel, enz. *64,76*
kanaster de (...s) *22*
kand. [kandidaat] *100*
kandidaat (kand.) de (...daten) *22*
kandidaat-notaris *79*
kandidaten...: kandidatenlijst, enz. *88*
kandidaatstelling *64*
kandidaats...: kandidaatsexamen, enz. *98*
kandidaats het *22*
kandidatuur de (...turen) *22*
kandideren *22,106*
kandideerde, gekandideerd
kandij de *13,22*
kandij...: kandijsuiker, enz. *64,76*
Kandinsky, Vassily *6*
kaneel de/het *14*
kangoeroe de (...s) *1,43*
kangoeroe...: kangoeroeauto, kangoeroeschip, enz. *64,76*
Kaninefaten de (alleen mv.) *ook* **Kaninnefaten** *53,115*
kanis de (...nissen) *1,22*
kanji de *9,21,22*
kankerlijer de (...s) *13*
kannibaal de (...balen) *14,22*
kannibalisme het *14,22,90*
kano de (...'s; kanootje) *42,112*
kano...: kanovaarder, enz. *64,76*
kanoën *37,106*
kanode, gekanood
kanoet de (...en) *18,22*
kanon het (kanonnen; kanonnetje) *22,112*
kanon...: kanonschot, enz. *64*
kanonnen...: kanonnenvlees, enz. *88*
kanonskogel *98*
kanonnade de (...s) *14,43,91*
kanonneren *14,22,106*
kanonneerde, gekanonneerd
kanonnier de (...s) *14,22*
kanovaren *69,107*
kansel de (...s) *26*
kansel...: kanselrede, enz. *64*
kanselarij de (...en) *13,26*
kanselarij...: kanselarijtaal, enz. *64,76*
kanten *106*
kantte, gekant
kant-en-klaar *62*
kant-en-klaarmaaltijd, kant-en-klare oplossing *81*
kanterkaas de (...kazen) *26,64*
kantianisme het *54,90*

kantiek de/het (...en) *ook* **cantiek** *22,115*
kantine de (...s; ...tje) *22,43,112*
kantine...: kantinebeheerder, enz. *76,91*
kantje boord *62*
kantjil de (...s) *ook* **kantjiel** (...s) *9,115*
kantklossen *69,107*
kantklosster de (...s) *4*
kanton het (...s) *22*
kanton...: kantonrechter, enz. *64*
Kantonees *55*
Kantonese
kantonnaal *14*
kantonneren *14,106*
kantonneerde, gekantonneerd
kantonnier de (...s) *14*
kantoor het (...toren)
kantoor...: kantoorklerk, enz. *64*
kantorencentrum *88*
kantore, ten – van *62,111*
kanunnik de (...en) *14,15*
kanunnikes de (...kessen) *14,15*
kaolien het *22,37*
kapel de (kapellen; kapelletje) *14,112*
kapelaan de (...s) *14,22*
Kapelle-op-den-Bos *6,53*
kaper de (...s)
kaper...: kaperbrief, enz. *64*
kapersnest *98*
kapitaal de/het (...talen) *14*
kapitaal...: kapitaalintensief, kapitaalmarkt, enz. *64*
kapitalisatie de *26*
kapitaliseren *26,106*
kapitaliseerde, gekapitaliseerd
kapitalisme het *90*
kapiteel het (...telen) *14,22*
kapitein de (...s) *13,22*
kapiteins...: kapiteinshut, kapiteinsster, enz. *98,99*
kapitein-commandant de (kapiteins-commandanten) *80*
kapitein-generaal de (kapiteins-generaal) *79*
kapitein-ingenieur de (kapiteins-ingenieurs) *80*
kapitein-luitenant-ter-zee de (kapitein-luitenants-ter-zee) *79*
kapitein-ter-zee de (kapiteins-ter-zee) *79*
kapitein-vlieger de (kapitein-vliegers) *79*
kapittel het (...en, ...s) *14,22*
kapittel...: kapittelkerk, enz. *64*
kapittelen *14,22,106*
kapittelde, gekapitteld
kapoen de (...en) *14*
kapoeres *ook* **kapoerewiet** *115*
kapoets de (...en) *14*
kapok de (...pokken) *22*
kapotgaan *69,106*
ging kapot, kapotgegaan
kapotmaken *69,106*
maakte kapot, kapotgemaakt
kapotslaan *69,106*
sloeg kapot, kapotgeslagen
kappa [begrepen] *22*
kappa de (...'s) *22,42*
kapper de (...s; ...tje)
kappers...: kappersbedrijf, kappersschool, enz. *98,99*
kaproen de (...en) *22*
kapseizen *13,26,106*
kapseisde, gekapseisd
kapsones de (alleen mv.) *1*
kapucijn de (...en) *13,22,25*
kapucijnaap *64*
kapucijnenorde *88*
kapucijner [erwt] de (...s)
kapucijnermonnik de (...en) *64*
kapucines de (...nessen) *22,25*
kar de (karren; karretje) *112*
karren...: karrenvracht, enz. *88*
karaat (kt) het (...s, ...raten) *14*
karabijn de (...en) *13,14*
karabinier de (...s) *14*
Karachi *6,53*
karaf de (...raffen) *14*
karakter het (...s) *14*

karakterieel *14,37,38*
karakteriële
karakteriseren *14,26,106*
karakteriseerde, gekarakteriseerd
karakterologie de *14*
karamel de (...mellen, ...s) *14,22*
karamel...: karamelpudding, enz. *64*
karamellevers *97*
karameliseren *14,22,106*
karameliseerde, gekarameliseerd
karaoke de *3,22*
karate het *22,90*
karateka de (...'s) *22,42*
karavaan de (...vanen) *14*
karavansera de (...'s) *ook*
karavanserai (...s) *42,43,115*
karbeel de (...belen) *ook* **korbeel**
22,115
karbies de (...biezen) *22,26*
karbonade de (...n, ...s; ...naadje)
22,91,112
karbouw de (...en) *12,28*
kardemom de *22*
kardinaal de (...nalen)
kardinaalvogel, kardinaalrood *64*
kardinaals...: kardinaalshoed, enz.
98
kardinaal-bisschop de
(kardinaal-bisschoppen) *79*
karekiet de (...en) *ook* **karkiet** *22,115*
Karelroman de (...s) *65*
karet de/het *22*
kariatide de (...n) *9,22,89*
kariboe de (...s) *22,43*
karikaturaal *22*
karikaturiseren *26,106*
karikaturiseerde, gekarikaturiseerd
karikatuur de (...turen) *22*
Karinthië *6,53*
karkas de/het (...kassen) *22*
karkiet de (...en) *ook* **karekiet** *22,115*
karma het *22*
karmeliet de (...en) *9,22*
karmelietes de (...tessen) *9,15,22*
karmijn het *13,22*
karmijnrood *64*
karmozijn het *13,22*
karmozijnen *13,22,114*
karnemelk de *93*
karnemelk...: karnemelkpap, enz. *64*
karnemelkse pap *62*
karnemelkspap *98*
karolingisch *54*
karonje de/het (...s) *22,43,91*
karos de (...rossen) *14,22*
karot de (...rotten) *14,22*
karpet het (...petten) *18,22*
Karpov, Anatoli *6*
karteren *106*
karteerde, gekarteerd
kartets de (...en) *22*
karton het (...s; kartonnetje) *22,112*
karton...: kartonpapier, enz. *64*
kartonnage de (...s) *22,27,91*
kartonnen *22,114*
kartonneren *14,22,106*
kartonneerde, gekartonneerd
kartouw de (...en) *12,28*
kartuizer de (...s) *26*
kartuizer...: kartuizerorde, enz. *64*
karveel de/het (...s, ...velen; ...tje) *19*
karwats de (...en) *22*
karwei [werk] de/het (...en) *13*
karweien *13,106*
karweide, gekarweid
karwij [plant] de *13*
karwij...: karwijzaad, enz. *64,76*
karyotype het (...n, ...s) *9,43,91*
kashba de (...'s) *ook* **kasba** (...'s)
27,42,115
Kashmir *ook* **Kasjmir, Kasjmier** *6,53*
Kashmiri, Kashmirs(e)
kasjmier [stof] het *54*
kasjmieren *54,114*
Kasparov, Gary *6*
kassa de (...'s) *42*
kassei de (...en) *13*
kassei...: kasseiweg, enz. *64,76*
kasseien...: kasseienstrook, enz. *88*
kasserol de (...rollen; ...rolletje) *ook*
kastrol *22,112,115*

kassian *22*
kassier de (...s) *14*
kassiersbriefje *98*
kassiewijle *ook* **kassiewijne** *13,22,115*
kast de (...en)
kast...: kastdeur, enz. *64*
kasten...: kastenwand, enz. *88*
kastanje de (...s) *43*
kastanje...: kastanjeboom, enz. *76,91*
kaste de (...n)
kasteloos *87*
kasten...: kastenstelsel, enz. *89*
kastelein de (...s) *13,22*
kastie het *9,22*
kastijden *13,106*
kastijdde, gekastijd
kastoor de/het *10,22*
kastoren *22,114*
kastrol de (...trollen) *ook* **kasserol** *22,115*
kasuaris de (...rissen) *1,22,26*
kat de (katten)
katoog *64*
kattedoorn (ook: kattedoren), kattekruid *96*
katten...: kattenstaart, enz. *88*
katabool *14,22*
katafalk de (...en) *19,22*
katalysator de (...en, ...s) *9,22,26*
katalyse de (...s) *9,22,91*
katalyseren *9,22,106*
katalyseerde, gekatalyseerd
katalytisch *9,22*
katapult de (...en) *22*
katapulteren *22,106*
katapulteerde, gekatapulteerd
kat-en-muisspel het *81*
katenspek het *97*
katern de/het (...en) *22*
katheder de (...s) *20,22*
kathedraal de (...dralen) *20,22*
kathedraal...: kathedraalglas, enz. *64*
katheter de (...s) *7,20,22*
katheteriseren *20,22,106*
katheteriseerde, gekatheteriseerd
Kathmandu *ook* **Katmandu** *6,53*
kathode de (...n, ...s) *20,22,43*
kathode...: kathodestraalbuis, enz. *76,91*
katholicisme het *20,22,25*
katholiciteit de *20,22,25*
katholiek de (...en) *20,22*
katholiekendag *88*
kation het (...en) *14,22*
katjang de (...s) *3*
katknuppelen *69,107*
Katmandu *ook* **Kathmandu** *6,53*
katoenen *114*
Katowice *6,53*
katrol de (katrollen; katrolletje) *112*
katsjoe de *3,11,27*
kattebelletje [briefje] het (...s) *97*
kattenbelletje [belletje van een kat] het (...s) *88*
katzwijm, in – *13,62*
Kaukasië *6,53*
Kaukasus de *6,53*
kauri de (...'s) *9,12,42*
kauw de (...en) *12,28*
kauwen *12,106*
kauwde, gekauwd
kauwgom de/het (...pje, ...gommetje) *ook* **kauwgum** *12,112,115*
KAV [Christelijke Arbeidersvrouwenbeweging] de *104*
kavalje het (...s) *22,43,91*
kavelen *106*
kavelde, gekaveld
kaviaar de *22*
Kawasaki *6,53*
Kaye, Danny *6*
Kazachstan *6,53,55*
Kazach, Kazachs(e), Kazak, Kazaks(e)
Kazantzakis, Nikos *6*
kazemat de (...matten) *26,97*
kazen *26,106*
kaasde, gekaasd

kazerne de (...n, ...s) *22,43*
kazerne...: kazernecommandant, enz. *76,91*
kazerneren *22,106*
kazerneerde, gekazerneerd
kazuifel de/het (...s) *19,22,26*
kb [kilobyte] *100*
KB [Koninklijk Besluit, Koninklijke Bibliotheek] *104*
KBAB [Koninklijke Belgische Atletiekbond] de *104*
KBG [Christelijke Bond van Gepensioneerden] de
KBVB [Koninklijke Belgische Voetbalbond] de *104*
KBWB [Koninklijke Belgische Wielrijdersbond] de *104*
kca [klein chemisch afval] *101*
kca-...: kca-box, enz. *83*
kcal [kilocalorie] *100*
Keaton, Buster *6*
Keats, John *6*
kebab de *3,17*
kebon de (...s) *3*
kedive de (...n, ...s) *3,43,91*
keep de (kepen) *22*
keepen *9,106*
keepte, gekeept
keeper de (...s) *9*
keepster de (...s) *9*
kees de (kezen) *26*
kefir de *3,9*
keg de (keggen; keggetje) *ook* **kegge** (...n) *112,115*
kei de (...en) *13*
kei...: keihard, enz. *64*
keiengroeve *88*
keiig *13,38*
keil de (...en) *13*
keil...: keilbout, enz. *64*
keilen *13,106*
keilde, gekeild
keiler de (...s) *13*
keirin de (...s) *3,13*
keizer de (...s) *13*
keizer...: keizerrijk, enz. *64*
keizers...: keizerskroon, enz. *98*
kek *22*
keker de (...s) *22*
kelere de *ook* **klere, kolere** *115*
kelim de (...s) *3*
Kelt de (...en)(GB: kelt) *53*
Keltisch [taal] *55*
keltistiek de *54*
Kelvin (K) de (...s) *54*
KEMA [Instituut voor Keuring van Elektrotechnische Materialen te Arnhem] *103*
KEMA-...: KEMA-keur, enz. *83*
kemel de (...s) *1*
kemelgeit *64*
kemelshaar *98*
kenau de (...s) *12,22,43*
kendo het *3*
Kenia *6,53*
Keniaan, Keniaans(e)
Kennedy, John F. *6*
kennel de (...s) *1*
kennelijk *87*
kennis [bekendheid] de *1*
kennis [bekende] de (...nissen) *1,15*
kennissen...: kennissenkring, enz. *88*
kennismaken *69,106*
maakte kennis, kennisgemaakt
kennisnemen *69*
nam kennis, kennisgenomen
kentaur de (...en) *ook* **centaur** *12,22,115*
Kentucky *6,53*
kentumtaal de (...talen) *22,64*
keper [patroon] de (...s) *22*
kepie de (...s) *9,43*
Kepler, Johann *6*
keppeltje het (...s) *43*
keramiek de *ook* **ceramiek** *22,115*
keramisch *ook* **ceramisch** *22,115*
keramist de (...en) *ook* **ceramist** *22,115*
keratine de *22,90*

kerf de (kerven) *19*
Kerk [kerkgenootschap] de *52*
kerk [gebouw] de (...en)
kerkelijk *87*
kerk...: kerkdeur, enz. *64*
kerkenraad *88*
Kerkhove, Valeer van *6*
Kerklatijn (GB: kerklatijn) *55*
kermissen *106*
kermiste, gekermist
kernhem [kaassoort] de *54*
kerosine de *26,90*
Kerouac, Jack *6*
kerrie de *9,14*
kerrie...: kerriepoeder, enz. *64,76*
kers de (...en) *26*
kersen...: kersenbonbon enz. *88*
kersouw de (...en) *12,28*
kerspel het (...en, ...s) *1*
kerst de *56*
kerst...: kerstavond, enz. *56,64*
kerstekind *90*
Kerstkind het *59*
Kerstmis [feestdag] de *56*
kerstmis [mis] de (...missen) *56*
kerven *19,107*
kerfde/korf, gekerfd/gekorven
Kessel-Lo *6,53*
ketchup de *3,27*
ketjap de *3*
ketoembar de *3*
ketting de (...en; kettinkje) *112*
keu de (...en, ...s) *22,43*
keuen *22,106*
keude, gekeud
keulenaar [boot] de (...s) *54*
keuromanie de *9*
keurs het (...en, keurzen) *26*
keurslijf *64*
keus de (keuzen, keuzes) *ook* **keuze** *26,115*
keuvelen *106*
keuvelde, gekeuveld
keuze de (...n, ...s) *ook* **keus** *26,43,115*
keuze...: keuzevak, enz. *76,91*
Kevelaer *6,53*
kevlar het *3*
keyboard het (...s) *3,9*
keynesiaans *54*
Key West *6,53*
kezen *26,106*
keesde, gekeesd
KFL [Katholieke Filmliga] de *104*
kg [kilogram] *100*
KGB [Russische geheime dienst] de *104*
kgf [kilogramforce] *100*
kgm [kilogrammeter] *100*
Khaddafi, Moe'ammar al- *6*
Khamenei, Ali *6*
Khartoem *6,53*
Khnopff, Fernand *6*
Khomeiny, Ruhallah *6*
kHz [kilohertz] *100*
KI [kunstmatige inseminatie, kunstmatige intelligentie] de *104*
KIB [Kamer van Inbeschuldigingstelling] de *104*
kibboets de (...en, ...iem) *3,11,14*
kibboetsnik *64*
kick de (...s) *3*
kickboksen *22,69,106*
kickbokste, gekickbokst
kickboxing de/het *22,23,67*
kicken *22,106*
kickte, gekickt
kickeren *22,106*
kickerde, gekickerd
kidnappen *3,106*
kidnapte, gekidnapt
kief de/het *9*
kiekeboe *93*
kiekendief de (...dieven) *19,88*
kielekiele *73*
kielhalen *69,106*
kielhaalde, gekielhaald
kiepauto de (...'s) *ook* **kipauto** *9,42,115*
kierewiet *9,97*
kies *26*
kiese

kies de (kiezen) *26*
kies...: kiespijn, enz. *64*
kiezentrekker *88*
kieskauwen *12,69,106*
kieskauwde, gekieskauwd
kietelen *ook* **kittelen** *106,115*
kietelde, gekieteld
kieuw de (...en) *2,28*
Kiev *ook* **Kiëv** *6,53*
kieviet de (...en) *ook* **kievit** (...en) *9,15,115*
kieviets...: kievietsei, enz. *98*
kiezel de/het (...s) *26*
kiezen *26*
koos, gekozen
kiezen... zie **kies**
kift de *ook* **kif** *115*
kiften *106*
kiftte, gekift
Kigali *6,53*
kijk-in-de-pot de *62*
kijkuit de (...en) *73*
kijven *13,19*
keef, gekeven
kik de (kikken) *22*
kikken *106*
kikte, gekikt
kikkeren *106*
kikkerde, gekikkerd
Kikongo *55*
Kilimanjaro de *6,53*
kille de (...n) *89*
killen *105,106*
kilde, gekild
killer de (...s) *3*
killersatelliet *64*
killersinstinct, killersmentaliteit *98*
kilo de/het (...'s; kilootje) *42,112*
kiloampère (kA) de *54,76*
kilobyte (kB) de (...s) *3,43,66*
kilocalorie (kcal) de (...rieën) *22,40,64*
kilocycle de *3*
kilogram (kg) de/het (...grammen) *64*
kilogramforce (kgf) de *25,66*
kilogrammeter (kgm) de (...s) *64*
kilohertz (kHz) de *54*
kilojoule (kJ) de (...s) *54*
kilometer (km) de (...s) *64*
kilometer...: kilometervergoeding, enz. *64*
kilometerslang *98*
kilometrage de (...s) *27,91*
kilo-ohm de/het *20,76*
kilovolt (kV) de (...s) *54*
kilovoltampère (kVA) de *30,54,66*
kilowatt (kW) de (...s) *54*
kilowattuur (kWh) *64*
kilt de (...s) *3*
kilte de *90*
kimono de (...'s; ...nootje) *42,112*
kin de (kinnen; kinnetje) *112*
kin...: kinbaard, enz. *64*
kinnebak *97*
kina de (...'s) *42*
kinase het *26,90*
kind het (kinderen)
kindgericht, kindlief, kindvrouwtje *64*
kindsdeel, kindskind *98*
kinder... *64*
kinderachtig, kinderarts, kinderziekte, enz.
kindlief *64*
kinds *18*
kineast de (...en) *ook* **cineast** *22,115*
kinema de (...'s) *ook* **cinema** *22,42,115*
kinematografie de *ook* **cinematografie** *115*
kinesiologie de *9*
kinesist de (...en) *9,26*
kinesitherapeut de (...en) *9,20,26*
kinesitherapie de *9,20,26*
kinesthesie de *9,20,26*
kinetica de *9,22*
kinetisch *9*
kingsize *3*
Kingston *6,53*
Kingstown *6,53*
kinine de *9,90*

kinne... zie **kin**
kinnesinne de *97*
Kinshasa *6,53*
kiosk de (...en) *22*
kip de (kippen; kippetje) *112*
kip...: kipfilet, kiplekker, enz. *64*
kippen...: kippenbout, enz. *88*
kip-kerriesalade de (...s) *81*
Kipling, Rudyard *6*
kipptoestel het (...stellen) *54*
kir [wijn] de *9,54*
Kirgizië *6,53*
Kirgies(e), Kirgizisch(e)
Kiribati *6,53*
Kiribatiër, Kiribatisch(e)
kirsch de *9,27*
kismet het *18*
kissebissen *97,106*
kissebiste, gekissebist
kist de (...en)
kist...: kistwerk, enz. *64*
kisten...: kistenmaker, enz. *88*
kit [kleefmiddel] de/het *18*
kit [kan] de (kitten) *18*
kitchenette de (...s) *27,43,91*
kitsch de *9,27*
kitscherig *9,27*
kittelen *ook* **kietelen** *106,115*
kittelde, gekitteld
kittelorig *9*
kiwi de (...'s; kiwietje) *9,42,112*
kJ [kilojoule] *100*
k.k. [kosten (voor de) koper] *100*
KL [Koninklijke Landmacht] de *104*
klaaglijk *87*
klaar... *69,106*
klaarspelen: speelde klaar, klaargespeeld; enz.
klaar-over de (...s) *85*
klaarte de *90*
klaas, een houten – *26,54*
klabak de (...bakken) *22*
klad de/het (kladden) *18*
kladschilderen *69,107*
klakkeloos *26,87*
klakkeloze
klamaaien *106*
klamaaide, geklamaaid
klamboe de (...s) *43*
klandizie de *9,26*
klant de (...en)
klant...: klantgericht, klantnummer, klantvriendelijk, enz. *64*
klanten...: klantenbinding, enz. *88*
klaplopen *69,107*
klappeien *13,106*
klappeide, geklappeid
klappertanden *69,106*
klappertandde, geklappertand
klapwieken *69,106*
klapwiekte, geklapwiekt
klare de *90*
klarinet de (...netten) *14,22*
klarinettist de (...en) *14,22*
klaroen de (...en) *22*
klas de (klassen) *ook* **klasse** (...n) *115*
klasseloos *87*
klas...: klaslokaal, enz. *64*
klassen...: klassenvertegenwoordiger, enz. *88*
klasse [zeer goed]
klassespeler *92*
klassement het (...en)
klassements...: klassementsleider, enz. *98*
klasseren *106*
klasseerde, geklasseerd
klassiek *22*
klassikaal *22*
klauteren *12,106*
klauterde, geklauterd
klauw de (...en) *12,28*
klauwen *12,28,106*
klauwde, geklauwd
klauwier de (...en) *12,28*
klavarscribo het *22*
klavechord het (...en, ...s) *3,22*
klavecimbel de/het (...s) *22,25*
klavecinist de (...en) *22,25*
klaverjassen *69,106*
klaverjaste, geklaverjast

klavertjevier het (klavertjesvier) *62*
Klazienaveen *6,53*
kleden *106*
kleedde, gekleed
kledij de *13*
kleed het (kleden, kleren, klederen) *18*
kleermaker de (...s) *64*
kleermakerszit *99*
klei de *13*
klei...: kleigrond, klei-industrie, enz. *64,76*
kleiig *38*
klein... *69,106*
kleinmaken: maakte klein, kleingemaakt; enz.
klein... *64*
kleinbedrijf, kleinbehuisd, kleingeld, kleinsteeds, enz.
Klein, Calvin *6*
Klein-Azië *6,53*
Klein-Brabant *6,53*
Kleinduimpje [sprookjesfiguur] *6*
kleinduimpje [klein persoon] het (...s) *54,64*
kleine de (...n; kleintje) *89,112*
Kleine Antillen de *6,53*
Kleine-Brogel *6,53*
kleineren *106*
kleineerde, gekleineerd
Kleine-Spouwen *6,53*
Klein-Gelmen *6,53*
kleinood het (...noden, ...nodiën) *13,18*
kleinte de *90*
kleinzen *13,26,106*
kleinsde, gekleinsd
kleinzerig *26*
kleptofobie de *22*
kleptomaan de (...manen) *22*
klere de *ook* **kelere, kolere** *115*
klere... *97*
klerelijer, klerewijf, klerezooi, enz.
klerikaal *22*
klerikalisme het *22,90*
klessebessen *97,106*
klessebeste, geklessebest
kletsen *106*
kletste, gekletst
kletsica de *22*
kletsmeier de (...s) *13*
kletsmeieren *13,106*
kletsmeierde, gekletsmeierd
kleur de (...en)
kleurloos *87*
kleur...: kleurboek, kleurecht, enz. *64*
kleuren...: kleurenblind, kleuren-tv, enz. *83,88*
kleven *19,106*
kleefde, gekleefd
klewang de (...s) *3*
kliek de (...en) *22*
kliekgeest *64*
klieven *19,106*
kliefde, gekliefd
klikklakken *69,106*
klikklakte, geklikklakt
klimaat het (klimaten)
klimaat...: klimaatverandering, enz. *64*
klimatologie de *22*
klimatotherapie de *20,22*
klimop de/het *73,85*
Klimt, Gustav *6*
kling de (...en; klingetje) *112*
kliniek de (...en) *9,22*
klinisch *9,22*
klinkaard de (...s) *18*
klinkklaar *4*
klisteerspuit de (...en) *22*
klister de (...s) *22*
klisteren *106*
klisterde, geklisterd
klit de (klitten)
klit...: klitvrucht, enz. *64*
klittenband *88*
klitten *106*
klitte, geklit
KLM [Koninklijke Luchtvaartmaatschappij] de *104*
kloet de (...en) *18*

kloeten *106*
kloette, gekloet
kloffie het (...s) *14,43*
klojo de (...'s) *21,42*
klok de (klokken)
klok...: klokgelui, enz. *64*
klokken...: klokkenmaker, enz. *88*
klok-en-hamerspel het (klok-en-hamerspellen) *81*
klokgieten *69,107*
klokje het (...s)
klokjes...: klokjesgentiaan, enz. *98*
klokkengieten *69,88,107*
klomp de (...en)
klomp...: klompvoet, enz. *64*
klompen...: klompendans, enz. *88*
Klompé, Marga *6*
klonen *22,106*
kloonde, gekloond
kloneren *22,106*
kloneerde, gekloneerd
klonisch *22*
klontje het (...s)
klontjes...: klontjespot, klontjessuiker, enz. *98,99*
kloof de (kloven) *ook* **klove** *19,115*
klooien *106*
klooide, geklooid
kloon de (klonen) *22*
klooster-Latijn (GB: kloosterlatijn) *55*
kloot de (kloten)
kloten...: klotentrekker, enz. *88*
kloothannesen *69,107*
klootschieten *69,107*
kloris de (...rissen) *1,15,54*
klote... *92*
klotebibber, klotekerel, kloteklapper, enz.
kloten *106*
klootte, gekloot
klove de (...n) *ook* **kloof** *19,89,115*
kloven *106*
kloofde, gekloofd
kludde de (...s) *43,91*
kluif de (kluiven) *19*
kluis de (kluizen) *26*
kluit de (...en) *18*
kluithoudend *64*
kluiten...: kluitenbreker, enz. *88*
kluiven *19*
kloof, gekloven
kluizenaar de (...s) *26*
kluizenaars...: kluizenaarsbestaan, enz. *98*
klunen *106*
kluunde, gekluund
kluns de (klunzen) *26*
klunzen *26,106*
klunsde, geklunsd
klunzerig *26*
klunzig *26*
klusjesman de (...mannen) *98*
kluwenen *106*
kluwende, gekluwend
klysma het (...'s) *9,22,42*
klystron het (...s) *9,22*
km [kilometer] *100*
km/u [kilometer per uur] *ook* **km/h** *100,115*
KMI [Koninklijk Meteorologisch Instituut] het *104*
knaap de (knapen)
knapen...: knapenleeftijd, enz. *88*
KNAC [Koninklijke Nederlandse Automobielclub] de *104*
knäckebröd het *3*
knapen... zie **knaap**
knapperd de (...s) *18*
knarsetanden *93,106*
knarsetandde, geknarsetand
knautia de (...'s) *12,42,54*
knauw de (...en) *12,28*
knauwen *12,28,106*
knauwde, geknauwd
knecht de (...en, ...s) *2*
knechtenloon *88*
knechtswerk *98*
knechten *106*
knechtte, geknecht

kneden *106*
kneedde, gekneed
kneeing het *3*
Knef, Hildegard *6*
kneippkuur de (...kuren) *54,65*
kneu de (...en) *22*
kneus de (kneuzen) *26*
kneuzen *26,106*
kneusde, gekneusd
knevelen *106*
knevelde, gekneveld
knickerbocker de (...s) *22,54*
knie de (knieën) *40*
kniesoor de (...oren) *26*
kniesster de (...s) *4*
kniezen *26,106*
kniesde, gekniesd
kniezerig *26*
knijpen *13*
kneep, geknepen
knikkebenen *93,106*
knikkebeende, geknikkebeend
knikkebollen *93,106*
knikkebolde, geknikkebold
knipogen *69,106*
knipoogde, geknipoogd
KNMI [Koninklijk Nederlands Meteorologisch Instituut] het *104*
kno-arts [keel-, neus- en oorarts] *83*
knockdown de (...s) *67*
knock-out (k.o.) de (...s) *67*
knoeien *106*
knoeide, geknoeid
knoeierij de (...en) *13*
knoeperd de (...s) *ook* **knoeper** (...s) *18,115*
knoert de (...en) *18*
knoerthard (ook knoerhard) *64*
knoet de (...en) *18*
Knokke-Heist *6,53*
knol de (knollen; knolletje) *112*
knol...: knolgewas, knolvormig, enz. *64*
knollen...: knollenveld, enz. *88*
knoop de (knopen)
knoop...: knoopsluiting, enz. *64*
knopen...: knopendoos, enz. *88*
knoopsgat *98*
knop de (knoppen)
knop...: knopspeld, knopvormig, enz. *64*
knoppen...: knoppenkapiteel, enz. *88*
knorf de (knorven) *ook* **knurf** *19,115*
knorren *106*
knorde, geknord
knorrepot de (...potten) *93*
knotszwaaien *69,107*
knotten *106*
knotte, geknot
knowhow de *67*
KNS [Koninklijke Nederlandse Schouwburg] de *104*
knurf de (knurven) *ook* **knorf** *19,115*
KNVB [Koninklijke Nederlandse Voetbalbond] de *104*
KNWU [Koninklijke Nederlandse Wielrijdersunie] de *104*
k.o. [knock-out] *100*
koala de (...'s) *42*
kobalt het *18*
kobaltblauw *64*
kobbe de (...n) *89*
kobold de (...en, ...s) *18*
kocher de (...s) *54*
Kockengen *6,53*
Kodály, Zoltán *6*
koddebeier de (...s) *13,97*
kodokan de (...s) *22*
koe de (koeien)
koe...: koebrug, enz. *64*
koeien...: koeienvlaai, enz. *88*
koedoe de (...s) *11,43*
koeioneren *16,106*
koeioneerde, gekoeioneerd
koek de (...en)
koek...: koekdeeg, enz. *64*
koekebakker, koekebrood, koekepeer *97*
koeken...: koekenpan, enz. *88*

koekeloeren *97,106*
koekeloerde, gekoekeloerd
koek-en-zopie *62*
koekhappen *69,107*
koekoek de (...en)
koekoeks...: koekoeksjong, koekoekszang, enz. *98,99*
koelak de (...lakken) *11,22*
koelie de (...s) *9,22,43*
koelte de (...s) *91*
koel-vriescombinatie de *81*
koempoelan de (...s) *11,22*
koenjit de *11,22*
koepok de (...pokken)
koepok...: koepokstof, enz. *64*
Koerdistan *6,53,55*
Koerd, Koerdisch
koerier de (...s)
koeriers...: koeriersdienst, enz. *98*
koers de (...en) *26*
koers-winstverhouding de *81*
koertsjatovium (Ku) het *54*
koeskoes [buideldier] de (...koezen) *11,22,26*
Koestler, Arthur *6*
koet de (...en) *18*
koeterwaals *55*
koetsier de (...s)
koetsiers...: koetsiersjas, enz. *98*
Koeweit *6,53*
Koeweiter, Koeweiti, Koeweits(e)
koffie de
koffie...: koffiearoma, koffie-extract, koffie-uur, enz. *64,76*
koffiedikkijker de (...s) *64*
koffiedrinken *69*
dronk koffie, koffiegedronken
koffielezen *69,107*
koffietafelen *69,106*
koffietafelde, gekoffietafeld
koffiezetten *69,106*
zette koffie, koffiegezet
Kofi Annan *6*
kofschip het (...schepen) *2*
kog de (koggen) *ook* **kogge** *115*
kogelslingeren *69,107*
kogelstoten *69,107*
kogge de (...n) *ook* **kog** *89,115*
kohier het (...en) *22*
koine de *22,55*
kojak de (...s) *22*
kok de (...s)
koks...: koksmuts, koksschool, enz. *98,99*
koka de (...'s) *22,42*
Kokanje, Land van – het *53*
kokanjemast de (...en) *22*
kokarde de (...s) *22,43,91*
kokendheet *64*
koket *14,22*
koketteren *14,22,106*
kokketteerde, gekoketteerd
koketterie de (...rieën) *14,22,40*
kokhalzen *26,106*
kokhalsde, gekokhalsd
kokinje het (...s) *22,91*
kokkerd de (...s) *ook* **kokker** (...s) *18,115*
kokkerellen *14,106*
kokkerelde, gekokkereld
kokkie de (...s) *9,43*
kokkin de (...kinnen) *5*
kokos het *22*
Kokoschka, Oskar *6*
Koksijde *6,53*
kola [plantk. aanduiding] de (...'s) *22,42*
kola...: kolaboom, kola-extract, enz. *64,76*
kolbak de (...bakken, ...s) *22*
kolchoz de (...en) *3*
kolen... zie **kool**
kolere de *ook* **klere, kelere** *115*
kolere...: kolerewerk, enz. *76,97*
kolf de (kolven) *19*
kolibrie de (...s) *9,22,43*
koliek de/het (...en) *22*
Kollumerland *6,53*
Kollwitz, Käthe *6*
kolokwint de (...en) *22,24*

kolom de (kolommen; kolommetje) *112*
kolom...: kolomkachel, enz. *64*
kolommenbalans *88*
kolombijntje het (...s) *13,22,43*
kolonel de (...s) *22*
kolonels...: kolonelsdictatuur, enz. *98*
kolonel-ingenieur de (kolonels-ingenieurs) *80*
koloniaal *22*
kolonialiseren *22,26,106*
kolonialiseerde, gekolonialiseerd
kolonialisme het *22,90*
kolonie de (...niën, ...s) *22,40,43*
kolonie...: koloniehuis, enz. *64,76*
kolonisator de (...en, ...s) *14,26*
koloniseren *22,26,106*
koloniseerde, gekoloniseerd
koloriet het *22*
kolos de (...lossen) *22*
kolossaal *14,22*
kolossus de (...sussen) *1,14,22*
kolven *19,106*
kolfde, gekolfd
komaan *73*
komaf de *73*
kombaars de (...baarzen) *26*
kombuis de (...buizen) *26*
komediant de (...en) *22*
komediantesk *22*
komedie de (...s) *22,43*
komedie...: komediespeler, enz. *64,76*
komediespelen *69,106*
speelde komedie, komediegespeeld
komeet de (...meten) *22*
komeet...: komeetkern, enz. *64*
kometen...: kometenbaan, enz. *88*
Komen-Waasten *6,53*
komfoor [warmhoudtoestel] het (...foren) *10,22*
komfoort [hielstuk] de/het (...en, ...s) *10,22*
komiek de (...en) *22*
komijn de *13*
komijn...: komijnzaad, enz. *64*
komijnekaas *90*
Komintern de *52,103*
komisch *22,113*
komischer, meest komisch
komma de/het (...'s; kommaatje) *42,112*
kommaliebehoefte de (...n, ...s) *22,64*
kommaliewant het *18,22,64*
kompaan de (...panen) *22*
kompas het (...passen) *22*
kompel de (...s) *22*
kompres het (...pressen) *22*
Komrij, Gerrit *6*
kond doen *18,62*
konfijten *13,22,106*
konfijtte, gekonfijt
Kongo *ook* **Congo** *6,53*
Kongolees, Kongolese
kongsi de (...'s) *ook* **kongsie** (...s) *22,42,43,115*
konijn het (...en; ...tje)
konijnen...: konijnenhok, enz. *88*
koning de (...en; koninkje) *112*
koninklijk *87*
koning-keizer, koning-stadhouder *79*
konings...: koningsblauw, koningsdochter, enz. *98*
koningin de (...ginnen; ...ginnetje) *60,112*
koninginnen...: koninginnensoep, koninginnenrit, enz. *88*
Koninginnedag *56,94*
koningin-moeder, koningin-regentes, koningin-weduwe *79*
Koningsbosch *6,53*
Koningshooikt *6,53*
Koninklijk Besluit (KB) het *58*
koninkrijk het (...en)
koninkrijks...: koninkrijkseiland, koninkrijkszaken, enz. *98,99*
Koninksem *6,53*

konkelfoezen *26,106*
konkelfoesde, gekonkelfoesd
Konrád, György *6*
konsoorten de (alleen mv.) *ook* **consorten** *10,22,115*
konstabel de (...s) *22*
kont de (...en) *18*
kont...: kontlikker, enz. *64*
kont... *69,107*
kontkruipen, kontlikken, kontneuken, enz.
konterfeiten *13,106*
konterfeitte, gekonterfeit
konterfoort de/het (...en, ...s) *18,22*
Kontich *6,53*
Kon-Tiki *52*
konvooi het (...en) *9,22*
konvooi...: konvooischip, enz. *64,76*
konvooieren *21,22,106*
konvooieerde, gekonvooieerd
koof de (koven) *19*
kooi de (...en)
kooi...: kooiconstructie, kooi-eend (GB: kooieend), enz. *64,76*
kooidroes de *ook* **kooierdroes** *115*
kooien *106*
kooide, gekooid
kooiker de (...s)
kooikershond *98*
kool de (kolen)
kool...: koolzaad, kooloxide, koolzwart, enz. *7,64*
kolen...: kolendamp, enz. *88*
kooldioxide het *7,64*
kooldioxide...: kooldioxidegehalte, kooldioxide-uitstoot, enz. *68,76*
koolhydraat het (...draten) *9,64*
koolmonoxide het *7,64*
koolmonoxidevergiftiging *68*
koolrabi de (...'s) *42*
kooltje-vuur het (kooltjes-vuur) *62*
Koons, Jeff *6*
koord de/het (...en) *18*
koord...: koorddanser, enz. *64*
koorddansen *69,107*
koorde de (...n)
koordenveelhoek *89*
koosjer *ook* **kosjer, kousjer** *27,115*
koot de (koten) *18*
koot...: kootbeen, enz. *64*
Kooten, Kees/Willem van *6*
kop de (koppen)
kop...: kopbal, koppotig, enz. *64*
kop van jut *54,62*
koppen...: koppensneller, enz. *88*
kopal de/het *14,22*
kopal...: kopallak, enz. *64*
kopeke de (...n) *22,89*
kopen *2*
kocht, gekocht
koper de (...s)
kopers...: kopersmarkt, kopersstaking, enz. *98,99*
koperen *114*
kop-hals-rompboerderij de (...en) *81*
kopie de (...pieën) *22,40*
kopie...: kopieboek, enz. *64,76*
kopieerder de (...s) *22,38*
kopiëren *22,37,38,106*
kopieerde, gekopieerd
kopiist de (...en) *22,37*
kopij de (...en) *13,22*
kopij...: kopijrecht, enz. *64,76*
kopjeduikelen *69,106*
duikelde kopje, kopjegeduikeld
kopje-onder *62*
koppensnellen *69,107*
koppiekoppie *80*
kopra de *22*
koprollen *69,106*
koprolde, gekoprold
kopschudden *69,107*
kop-staartbotsing de (...en) *81*
kopten de (alleen mv.) *57*
koptisch *57*
Koptisch [taal] *55*
kor de (korren) *ook* **korre** *115*
koraal de/het (...ralen) *14*
koralen *22,114*
koralijn het *13,22*

koran de (...s) *22,59*
Korbeek-Dijle *6,53*
Korbeek-Lo *6,53*
korbeel de (...belen) *ook* **karbeel** *22,115*
kordaat *22*
kordelier de (...s) *22*
kordon het (...s) *22*
korf de (korven) *19*
korfballen *69,106*
korfbalde, gekorfbald
Korfoe *ook* **Corfu** *6,53*
koriander de *22*
Korinthe *ook* **Corinthe** *6,53*
Korinthisch *ook* **Corinthisch** *6,53*
korjaal de (...jalen) *22*
kormoraan de (...ranen) *22*
kornak de (...s) *22*
kornalijn het *13,22*
kornet [muziekinstrument] de (...netten) *22*
kornoelje de (...s) *22,43*
Koror *6,53*
korporaal [rang] de (...s) *22*
korporaals...: korporaalsrang, korporaalsstrepen, enz. *98,99*
korps [eenheid, letterformaat] het (...en) *22*
korps...: korpscommandant, korpsgrootte, enz. *64*
korre de (...n) *ook* **kor** *89,115*
korsakovsyndroom het (...dromen) *54,65*
korset het (...setten) *22*
kort... *64,73*
kortaangebonden, kortaf, kortdurend, kortom, kortweg, enz.
korteafstandsloper de (...s) *68,98*
kortebaan de *92*
kortebaan...: kortebaanwedstrijd, enz. *68*
kortegolf de *92*
kortegolf...: kortegolfantenne, kortegolfontvangst, enz. *68*
korten *106*
kortte, gekort
kortetermijn... *68*
kortetermijnlening, kortetermijnwinst, enz.
kort geding *62*
Kortijs *6,53*
kortoren *106*
kortoorde, gekortoord
Kortrijk *6,53*
kortsluiten *69*
sloot kort, kortgesloten
kortstaarten *69,106*
kortstaartte, gekortstaart
kortwieken *69,106*
kortwiekte, gekortwiekt
kortzicht, op – *62*
koruna de (...'s) *11,22,42*
korund het *18,22*
korven *19,106*
korfde, gekorfd
korvet de (...vetten) *22*
Kosinski, Jerzy *6*
kosjer *ook* **koosjer, kousjer** *27,115*
kosmisch *22*
kosmograaf de (...grafen) *19,22*
kosmografie de (...fieën) *22*
kosmologie de *22*
kosmonaut de (...en) *12,22*
kosmopoliet de (...en) *22*
kosmopolitisme het *22,90*
kosmos de *22*
Kosovo *6,53*
Kosovaar, Kosovaars(e)
Koss, Johann Olav *6*
kossem de (...s) *1,22*
Kossmann, Alfred *6*
kost de (...en)
kostelijk, kosteloos *87*
kost...: kostwinner, enz. *64*
kosten...: kostenbesparing, kostendekkend, kostenbewust, enz. *88*
koste, ten – van *62,111*
kosten *106*
kostte, gekost
kosten-batenanalyse de (...n, ...s) *81*

kostumeren *22,106*
kostumeerde, gekostumeerd
kostuum het (...s) *22*
kotelet de (...letten) *22*
kou de (...tje) *ook* **koude** *12,115*
kouwelijk *87*
kou...: koubeitel, koukleum, enz. *64*
koudbloed de (...en) *64*
koudbloedpaard het (...en) *68*
koude de *ook* **kou** *12,115*
koude...: koudegolf, enz. *76,90*
Koudekerk aan den Rijn *6,53*
koude oorlog [kille relatieband] *62*
koudeoorlogsdenken
(GB: koude-oorlogsdenken) *68*
Koude Oorlog, de *56*
koudgeperst *64*
koudsmeden *69,107*
koudweg *73*
koukleumen *69,107*
kous de (...en) *26*
kous...: kousophouder, enz. *64*
kousen...: kousenband, enz. *88*
kousjer *ook* **koosjer, kosjer** *27,115*
kout de *18*
kouten *106*
koutte, gekout
kouter [ploegmes] het (...s) *12*
kouter [persoon, akker] de (...s) *12*
kouvatten *69,106*
vatte kou, kougevat
kozak de (...zakken) *53*
kozakken...: kozakkendans, enz. *88*
kozijn het (...en) *13*
KPB [Communistische Partij van België] de *104*
kpc [kiloparsec] *100*
Kr [krypton] *100*
Kr. [kroon] *100*
kraai de (...en)
kraaiheide *64*
kraaien...: kraaiennest, kraaienpootje, enz. *88*
kraal de (kralen)
kraaloog *64*
kralen...: kralensnoer, enz. *88*
Kraaykamp, Johnny *6*
krab de (krabben; krabbetje) *ook* **krabbe** (...n) *112,115*
krab...: krabcocktail *66*
krabbescheer *97*
krabben...: krabbengang, enz. *88*
Krabbé, Jeroen/Tim *6*
krabbekat de (...katten) *93*
krabben *17,106*
krabde, gekrabd
Krabbendijke *6,53*
krabsel het (...s) *17*
krach de (...s) *2,22*
kracht de (...en) *2*
krachteloos *87*
kracht...: krachtpatser, krachtsport, enz. *64*
krachten...: krachtenbundeling, enz. *88*
krachts...: krachtsinspanning, enz. *98*
krag de (kraggen) *ook* **kragge** (...n) *2,115*
Krajicek, Richard *6*
Krakatau *6,53*
krakeel het (...kelen) *14*
krakepit de (...pitten) *93*
krakkemikkig *ook* **krakemikkig, krikkemikkig** *97,115*
kralen... zie kraal
kramakkig *14*
krambamboeli de *3*
krammen *106*
kramde, gekramd
krankjorum *1*
krankzinnige de (...n)
krankzinnigen...: krankzinnigengesticht, enz. *89*
kransen *26,106*
kranste, gekranst
krant de (...en) *ook* **courant** *115*
kranten...: krantenartikel, enz. *88*
krapte de *17,90*
krassen *106*
kraste, gekrast
kraton de (...s) *22*

krauw de (...en) *12,28*
krauwel de (...s) *12,28*
krauwen *12,28,106*
krauwde, gekrauwd
krediet het (...en) 22
kreeft de (...en)
kreeftdicht, kreeftvers *64*
kreeften...: kreeftensoep, enz. *88*
kreeftsbloem, kreeftskeerkring *98*
Kreeft de (...en) *53*
kreits de (...en) *13*
krek 22
Kremlin het *6,52*
kremlinologie de *54*
krent de (...en)
krenten...: krentenbrood, enz. *88*
Kreta *6,53*
Kretenzer, Kretenzisch(e)
kretologie de 22
kreuk de (...en)
kreukloos *87*
kreuk...: kreukherstellend, kreukvrij, enz. *64*
kreupele de (...n) *89*
krib de (kribben) *ook* **kribbe** (...n) *17,115*
kribbenbijter *88,89*
kribben *106*
kribde, gekribd
kribbenbijten *88,107*
kriek de (...en)
krieken...: kriekenlambiek, kriekenpit, enz. *88*
krieuwel de (...en) 2
krieuwelen *2,28,106*
krieuwelde, gekrieuweld
kriezel de (...s) 26
krijg de (...en)
krijgs...: krijgsraad, enz. *98*
krijgsgevangene de (...n) *98*
krijgsgevangenenkamp *89*
krijsen *13,107*
krees/krijste, gekresen/gekrijst
krijt het *13*
krijt...: krijtgrond, enz. *64*
Krijt het *56*
krijten *13,106*
krijtte, gekrijt
krikkemik de (...mikken) *97*
krikkemikkig *ook* **krakemikkig, krakkemikkig** *97,115*
krikkrak *73*
krill het *3*
krimi de (...'s) *9,22,42*
Krimpen aan de Lek *6,53*
Krimpen aan den IJssel *6,53*
krip [stof] het (...pen) *17*
krip...: kripfloers, enz. *64*
kriskras *73*
kristal het (...tallen; ...talletje) *22,112*
kristal...: kristallens, enz. *64*
kristalliet de (...en) *14*
kristallijnen *13,14,114*
kristalliseren *14,26,106*
kristalliseerde, gekristalliseerd
kristalloïde het (...n) *37,89*
kritiek de (...en) 22
kritisch *22,113*
kritischer, meest kritisch
kritiseren *22,26,106*
kritiseerde, gekritiseerd
KRO [Katholieke Radio-omroep] de *104*
Kroatië *6,53,55*
Kroaat(s), Kroatisch(e)
kroeg de (...en)
kroeg...: kroegbaas, enz. *64*
kroegentocht *88*
kroeglopen *69,107*
kroepoek de *11,22*
kroes de (kroezen) 26
kroet het *18*
kroezelen *26,106*
kroezelde, gekroezeld
kroezen *26,106*
kroesde, gekroesd
krokant 22
kroket de (...ketten) *7,22*

krokodil de (...dillen; ...dilletje) *22,112*
krokodillen...: krokodillenei, krokodillentranen, enz. *88*
krokus de (...kussen) *22*
krokus...: krokusvakantie, enz. *64*
Kroll, Erwin/Lucien *6*
Kröller-Müller, Museum *6*
krom... *69,106*
kromgroeien: groeide krom, kromgegroeid; enz.
Kromme Rijn de *6,53*
krommes het (...messen) *64*
kromte de (...n, ...s) *43*
kromte...: kromtecirkel, enz. *76,91*
kroniek de (...en) *22*
krontjong de (...s) *22*
kroot de (kroten) *18*
krot het (krotten)
krotwoning *64*
krotten...: krottenwijk, enz. *88*
Kruger, Paul *6*
kruid [plant, specerij] het (...en) *18*
kruid...: kruidkoek, enz. *64*
kruiden...: kruidendrank, enz. *88*
kruiden *106*
kruidde, gekruid
kruidenier de (...s; ...tje)
kruideniers...: kruideniersmentaliteit, kruidenierszaak, enz. *98,99*
kruidje-roer-mij-niet het (...en, kruidjes-roer-mij-niet) *62,81*
kruien *106*
kruide, gekruid
kruiing de (...en) *38*
kruis [lichaamsdeel, muziekterm] het (...en, kruizen) *26*
kruis [andere bet.] het (...en) *26*
kruisen *26,106*
kruiste, gekruist
kruisigen *26,106*
kruisigde, gekruisigd
kruisjassen *69,106*
kruisjaste, gekruisjast

kruit [ontplofbaar mengsel] het *18*
kruizemunt de *97*
krul de (krullen; krulletje) *112*
krul...: krulandijvie, enz. *64*
krullen...: krullenbol, enz. *88*
Krupp, Alfred *6*
kryoliet het *9,22*
krypton (Kr) het *9,22*
krytron het (...s) *9,22*
KSA [Katholieke Studentenactie] de *104*
KSJ [Katholieke Studerende Jeugd] de *104*
kso [kunst-secundair onderwijs] het *101*
kt [karaat] *100*
Kuala Lumpur *6,53*
kub de (kubben) *ook* **kubbe** *17,115*
kubboot *64*
kub. [kubiek(e)] *100*
kubbe de (...n) *ook* **kub** *89,115*
kubiekgetal het (...tallen) *64*
kubiekwortel de (...s) *64*
kubisme het *22,90*
kubus de (...bussen) *22*
kubus...: kubusvormig, kubuswoning, enz. *64*
kuchen *2,5,106*
kuchte, gekucht
kudde de (...n, ...s) *43*
kudde...: kuddedier, kudde-instinct, enz. *76,91*
kudu de (...'s) *11,11,42*
kuieren *106*
kuierde, gekuierd
kuif de (kuiven) *19*
kuis *26*
kuise
kuisen *106*
kuiste, gekuist
kuit de (...en)
kuit...: kuitbroek *64*
kuitenbijter, kuitenflikker *88*
kuitschieten *69*
schoot kuit, kuitgeschoten

kukeleku *22*
Ku Klux Klan de *ook* **Ku-klux-klan** *6,52*
kulas de (...lassen) *22*
Kümel, Harry *6*
kumquat de (...s) *22,24*
Kumtich *6,53*
kunde de (...s) *43,91*
Kundera, Milan *6*
kungfu het *11*
kunne de (...n) *89*
kunst de (...en)
kunsteloos *87*
kunst...: kunstboek, enz. *64*
kunsten...: kunstenmaker, enz. *88*
kunst... *69,107*
kunstrijden, kunstzwemmen, enz.
kunst- en vliegwerk het *86*
kunstrijden *69,107*
kunststoten *69,107*
kunstvliegen *69,107*
kunstzwemmen *69,107*
kür de (...en) *3*
kuras het (...rassen) *22*
kurassier de (...s) *14,22*
kurhaus het *3*
kurk [voorwerp] de (...en) *1*
kurk...: kurkeik, enz. *64*
kurken...: kurkentrekker, enz. *88*
kurk [stofnaam] de/het
kurk...: kurkboom, kurkdroog, enz. *64*
kurken *114*
kurkuma de (...'s) *22,42*
Kurosawa, Akira *6*
kursaal de/het (...salen) *3*
Kurth, Godefroid *6*
kut de (kutten)
kut...: kutsmoes, enz. *64*
kuttenkop *88*
kuub de *17*
kuuroord het (...en) *64*
Kuyper, Abraham *6*
kV [kilovolt] *100*
kVA [kilovoltampère] *100*
KvK [Kamer van Koophandel] de *104*
KVLV [Katholiek vormingswerk voor landelijke vrouwen] het *104*
KVSV [Katholiek Vlaams Sportverbond] het *104*
kvv'er [kortverbandvrijwilliger] *46,101*
kW [kilowatt] *100*
kwaad... *64*
kwaadschiks, kwaadwilligheid, enz.
kwaadspreken *69*
sprak kwaad, kwaadgesproken
kwaaie de (...n) *89*
kwaaiigheid de *38*
kwab de (kwabben) *ook* **kwabbe** (...n) *17,115*
kwab...: kwabwang, enz. *64*
kwadraat het (...draten) *24*
kwadraat...: kwadraatwortel, enz. *64*
kwadraatsvergelijking *98*
kwadrant het (...en) *24*
kwadrateren *24,106*
kwadrateerde, gekwadrateerd
kwadratuur de (...turen) *24*
kwadreren *24,106*
kwadreerde, gekwadreerd
kwagga de (...'s) *ook* **quagga** *24,42*
kwajongen de (...s)
kwajongens...: kwajongensstreek, kwajongenswerk, enz. *98,99*
kwakzalven *19,106*
kwakzalfde, gekwakzalfd
kwalificatie de (...s) *22,24,43*
kwalificatie...: kwalificatie-eis, kwalificatiewedstrijd, enz. *64,76*
kwalificeren *24,25,106*
kwalificeerde, gekwalificeerd
kwalitatief *19,24*
kwalitatieve
kwaliteit de (...en) *13,24*
kwaliteits...: kwaliteitscontrole, kwaliteitsstempel, kwaliteitszorg, enz. *98,99*
kwansuis *24*

kwant de (...en) *24*
kwantificeerde, gekwantificeerd
kwantificeren *24,25,106*
kwantificeerde, gekwantificeerd
kwantitatief *19,24*
kwantitatieve
kwantiteit de (...en) *13,24*
kwantiteits...: kwantiteitstheorie, enz. *98*
kwantum het (...s) *7,24*
kwantum...: kwantumkorting, enz. *64*
kwark de *24*
kwark...: kwarktaart, enz. *64*
kwart de/het (...en) *24*
kwart...: kwarteeuw, kwartnoot, kwartviool, enz. *64*
kwart...: kwartliterklasse, kwartfinaleplaats, enz. *68*
kwartaal het (...talen) *24*
kwartaal...: kwartaalcijfers, enz. *64*
kwartetten *24,106*
kwartette, gekwartet
kwartijn de (...en) *13,24*
kwartileren *24,106*
kwartileerde, gekwartileerd
kwartje het (...s)
kwartjes...: kwartjesfilosofie, enz. *98*
kwarto het (...'s) *24,42*
kwartoformaat *64*
kwarts het *24*
kwarts...: kwartshorloge, enz. *64*
kwartsiet het *24*
kwassie de (...s) *24,43*
kwassie...: kwassiehout, enz. *64,76*
kwatrijn het (...en) *13,24*
KWB [Christelijke Werknemersbeweging] de *104*
kwee de (kweeën) *8,38*
kwee...: kweeappel, enz. *64,76*
kwekkebekken *93,106*
kwekkebekte, gekwekkebekt
kwestie de (...s) *24,43*
kwestieus *24,26*
kwestieuze
kwetsen *106*
kwetste, gekwetst
kwetsuur de (kwetsuren; ...tje) *26*
kWh [kilowattuur] *100*
kwibus de (...bussen) *24*
kwijl de/het *13*
kwijl...: kwijldoekje, enz. *64*
kwijlen *13,106*
kwijlde, gekwijld
kwijnen *13,106*
kwijnde, gekwijnd
kwijten *13*
kweet, gekweten
kwijtraken *69,106*
raakte kwijt, kwijtgeraakt
kwijtschelden *69*
schold kwijt, kwijtgescholden
kwijtspelen *69,106*
speelde kwijt, kwijtgespeeld
kwikdampgelijkrichter de (...s) *68*
kwint de (...en) *24*
kwint...: kwintakkoord, enz. *64*
kwinten...: kwintencirkel, enz. *88*
kwintessens de *24*
kwintet het (...tetten) *24*
Kwintsheul *6,53*
kwispedoor de/het (...doren) *24*
kwispelstaarten *69,106*
kwispelstaartte, gekwispelstaart
kwitantie de (...s) *24,43*
kwiteren *24,106*
kwiteerde, gekwiteerd
Kwo-min-tang *6*
kyaniseren *9,22,106*
kyaniseerde, gekyaniseerd
kyfose de (...s) *9,22,43,91*
kynologie de *9,22*
Kyoto *6,53*
kyrië het (...'s) *9,37,42*
kyrië-eleïson het *37,63,76*
KZ [Konzentrationslager] het *104*
KZ-syndroom *83*

l

l de (l'en, l's; l'etje) *46*
L-kamer, L-vorm *61,83*
l [liter] *100*
l. [lees, links, lira, lire] *100*
L [Romeins cijfer] *100*
L. [Luxemburg] *100*
la de (laas, ...'s; laatje) *ook* **lade** (laatje) *42,112,115*
latafel *64*
La [lanthanium] *100*
laaf de (laven) *19*
laag de (lagen)
laag...: laagvormig, enz. *64*
lagen...: lagenhout, enz. *88*
laag... *64*
laagfrequent, laaggeschoold, laagopgeleid, laagseizoen, laagvliegend, enz.
laag-bij-de-gronds *62*
Laagland-Schots *55*
laagsgewijs *ook* **laagsgewijze** *26,98,115*
laagte de (...n, ...s)
laagte...: laagterecord, enz. *76,91*
laaien *106*
laaide, gelaaid
laars de (laarzen) *26*
laarzen...: laarzenknecht, enz. *88*
laat... *64*
laatantiek, laatgotisch, laatmiddeleeuws, enz.
laatstejaars de *92*
laatstgeboren *64*
laatstgenoemde (l.g.) de (...n) *64,89*
laatstleden (ll.) *73*
lab het (...s) *17,102*
labarum het (...s) *1,14*
La Baule *6,53*
labbekak de (...kakken) *93*
labberdaan de (...danen) *54*
label de/het (...s) *8*
labelen *8,106*
labelde, gelabeld
labiaal [orgelpijp] het (...alen) *14*
labiaal...: labiaalpijp, enz. *64*
labiaal [lipklank] de (...alen) *14*
labiel *9*
labiele
labiliteit de *9*
labiodentaal de (...talen) *9*
laborant de (...en) *14*
laboratorium de (...ria, ...s) *1,14*
laborieus *26*
laborieuze
labrador de (...s) *54*
labskous de *ook* **lapskous** *17,115*
labyrint het (...en) *9,20*
labyrintisch *9,20*
lacet het (...cetten) *25*
lacet...: lacetwerk, enz. *64*
lach de *2*
lachebek de (...bekken) *93*
lachen *2,5,106*
lachte, gelachen
Lachmon, Jagernath *6*
laconiek *22*
laconisme het *22,90*
lacrimoso *22*
lacrosse het *22,90*
lactaat het (...taten) *22*
lactase de *22,26,90*
lactatie de *22*
lactatie...: lactatieperiode, enz. *64,76*
lactogeen *22*
lactometer de (...s) *22*
lactose de *22,27,90*
lactovegetariër de (...s) *22,37*
lacunair *3,22*
lacune de (...s) *22,43,91*

lacuneus *22,26*
lacuneuze
lade de (...n, ...s; laatje) *ook* **la** (laatje) *43,112,115*
lade...: ladekast, enz. *76,91*
laden *106*
laadde, geladen
lady de (...'s) *8,9,42*
ladykiller, ladylike, ladyshave *67*
laederen *8,106*
laedeerde, gelaedeerd
Laermans, Eugeen *6*
laesie de (...s) *8,26,43*
laevulose de *8,26,90*
lafaard de (...s) *14,18*
lafenis de (...nissen) *15,19*
La Fontaine, Jean de *6*
lagedrukbewolking de *68*
lagedrukgebied het (...en) *68*
lagelonenland het (...en) *68*
Lage Mierde *6,53*
lagen... zie **laag**
lagere-inkomensgroepen de (alleen mv.) *68,76*
Lagerfeld, Karl *6*
Lagerkvist, Pär *6*
Lagerlöf, Selma *6*
lagerwal de *64*
Lage Vuursche *6,53*
Lage Zwaluwe *6,53*
lagune de (...n, ...s) *43*
lagune...: lagunekust, enz. *76,91*
laïceren *25,37,106*
laïceerde, gelaïceerd
laïciseren *25,37,106*
laïciseerde, gelaïciseerd
laïcisme het *25,37,90*
laisser aller (GB: laisser-aller) *63*
laisser faire *63*
laissez passer *63*
lakei de (...en) *13*
lakooi de (...en) *14*
laks *23*
lala *73*

lam het (lammeren; lammetje) *112*
lams...: lamsschouder, lamsvlees, enz. *98,99*
lama de (...'s) *42*
lamaïsme het *37,90*
lamantijn de (...en) *13,14*
lambada de (...'s) *42*
lambdacisme het *25,90*
lambert de (...s) *54*
lambertsnoot *65,98*
lambiek de *9*
lambrekijn de (...s) *13*
lambriseren *7,26,106*
lambriseerde, gelambriseerd
lambrisering de (...en) *7,26*
lamé het *29*
lamel de (lamellen; lamelletje) *ook* **lamelle** (...n) *112,115*
lamel...: lamelvloer, enz. *64*
lamellen...: lamellengordijn, enz. *88,89*
lamelleren *14,106*
lamelleerde, gelamelleerd
lamenteren *14,106*
lamenteerde, gelamenteerd
lamentoso *14,26*
laminaat het (...naten) *14*
laminair *3,14*
lamineren *14,106*
lamineerde, gelamineerd
lamleggen *69,106*
legde lam, lamgelegd
lammeling de (...en) *14*
lammenadig *14*
lammergier de (...en) *14*
lammy de (...'s) *9,42*
lammycoat *67*
lamoen het (...en) *14*
lamp de (...en)
lamp...: lamphouder, enz. *64*
lampen...: lampenkap, enz. *88*
lampenist de (...en) *14*
lampet het (...petten) *18*
lampet...: lampetkan, enz. *64*
lampion de (lampionnen, ...s; lampionnetje) *112*

lampongaap de (...apen) *64*
lamprei de (...en) *13*
lamslaan *69*
sloeg lam, lamgeslagen
lamstraal de (...stralen) *64*
lancaster het (...s) *54*
lanceren *25,106*
lanceerde, gelanceerd
lancet het (...cetten) *25*
land het (...en)
landelijk *87*
land...: landaanwinning, enz. *64*
landen...: landenwedstrijd, enz. *88*
lands...: landsadvocaat, enz. *98*
landauer de (...s) *54*
landaulet de (...s) *54*
lande, in den – *62,111*
landen *106*
landde, geland
landerijen de (alleen mv.) *13*
ländler de (...s) *3*
landlopen *69,107*
landmeten *69,107*
landouw de (...en) *12,28*
Land van Maas en Waal *6,53*
lang... *64*
langgehoopt, langgerekt,
langgestrafte, enz.
langeafstandsloper de (...s) *68,98*
langebaan de *92*
langebaan...: langebaanwedstrijd,
enz. *68*
langegolf de *92*
langegolf...: langegolfontvangst,
enz. *68*
Langemark-Poelkapelle *6,53*
Langendonck, Prosper van *6*
langetermijnrente de (...n, ...s) *68*
Langgässer, Elisabeth *6*
langlauf de *3*
langlaufen *3,106*
langlaufte, gelanglauft
langoest de (...en) *11,18*
langoureus *11,26*
langoureuze
langoustine de (...s) *11,43,91*
langsdoorsnede de (...n) *64,89*
langsgaan *69*
ging langs, langsgegaan
langsscheeps *4,64*
Languedoc de *6,53*
languido *3*
languissant *3*
languit *73,85*
langwijlig *13*
langzaam *26*
langzaamaan *62*
langzaamaanactie
(GB: langzaam-aan-actie) *68,85*
langzamerhand *62*
lanital het *9*
lankmoedig *1*
Lannoo, Joris *6*
lanoline de *9*
lanoline...: lanolinezalf, enz. *76,90*
Lanoye, Tom *6*
lans de (...en) *26*
lansier de (...s) *25*
lantaarn de (...s) *ook* **lantaren** (...s)
115
lantaarn...: lantaarndrager, enz. *64*
lanterfanten *106*
lanterfantte, gelanterfant
lanthaan het *ook* **lanthanium** *20,115*
lanthaniden de (alleen mv.) *20*
lanthanium (La) het *ook* **lanthaan**
3,20,115
Laocoön *6*
Laos *6,53*
Laotiaan, Laotiaans(e)
Lao-tse *ook* **Lau-tse** *6*
lap de (lappen)
lap...: lapnaad, enz. *64*
lappen...: lappenpop, enz. *88*
laparoscopie de *14,22*
laparotomie de (...mieën) *14*
La Paz *6,53*
lapel de (...pellen) *14*
lapidair *3,14*
lapidarium het (...daria) *3*

lapis lazuli de *63*
lapskous de *ook* **labskous** *17,115*
lapsus de (...sussen) *17*
laptop de (...s) *67*
lapzalven *69,106*
lapzalfde, gelapzalfd
lapzwans de (...en) *17,26*
laqué het *22,29*
larderen *106*
lardeerde, gelardeerd
larf de (larven) *ook* **larve** *19,115*
larghetto het (...'s) *20,42*
largo het (...'s) *3,42*
larie de *9*
larie...: lariekoek, enz. *64,76*
lariks de (...en) *23*
larmoyant *21*
La Roche-en-Ardenne *6,53*
Larousse, Pierre Athanase *6*
larve de (...n) *ook* **larf** *19,89,115*
laryngaal *9*
laryngitis de *9*
laryngoscoop de (...scopen) *9,22*
larynx de (...en) *9,23*
lasagne de (...s) *3,26,91*
lascief *19,25*
lascieve
lasciviteit de *19,25*
laser de (...s) *8,26*
laserdisk, laserstraal *66,67,83*
lash-schip het (...-schepen) *66,85*
lasso de (...'s; lassootje) *42,112*
last de (...en)
last...: lastezel, enz. *64*
lasten...: lastendruk, enz. *88*
laste, ten – van *62,111*
lasten *106*
lastte, gelast
lastigvallen *69*
viel lastig, lastiggevallen
last-minute... *84*
last-minuteaanbieding, last-minutereis, enz.
Las Vegas *6,53*
lat de (latten)
lat...: latwerk, enz. *64*
latten...: lattenbodem, enz. *88*
Lat. [Latijn(s)] *100*
latei de (...en) *13*
latei...: lateihout, enz. *64,76*
latent *18*
latentie de
latentie...: latentietijd, enz. *64,76*
lateraal *14*
latex de/het *23*
latex...: latexverf, enz. *64*
lathyrus de (...russen) *9,20*
latierboom de (...bomen) *14,64*
Latijn *55*
Latijns-Amerika *6,53*
Latijns-Amerikaan, Latijns-Amerikaans(e)
latiniseren *26,106*
latiniseerde, gelatiniseerd
latinisme het (...n) *89*
latino de (...'s) (GB: Latino) *42,53*
latin rock de *67*
latitude de *14,90*
laton het *14*
latrelatie [living apart together] de (...s) (GB: lat-relatie) *43,83*
latrine de (...s) *43,91*
latten *106*
latte, gelat
latuw de *14*
laudanum het *12*
laudatie de (...s) *ook* **laudatio** (...'s) *12,43,115*
lauden de (alleen mv.) *12*
laureaat de (...aten) *12,18*
laurier de (...en) *12*
Lausanne *6,53*
Lau-tse *ook* **Lao-tse** *6*
lauw *12,28*
lauwer de (...en) *12,28*
lauwer...: lauwerkrans, enz. *64*
lauweren *12,28,106*
lauwerde, gelauwerd
lavabo de (...'s) *42*

lavas de (...vassen) *14*
lavatory de (...'s) *3,42*
lavei de/het *13*
laveien *13,106*
laveide, gelaveid
laveloos *26,87*
laveloze
laven *19,106*
laafde, gelaafd
laveren *106*
laveerde, gelaveerd
lavet de/het (...vetten) *19*
lavo [lager algemeen voortgezet onderwijs] de/het (...'s) *102*
lavo'er *46*
lavo-...: lavo-leerling, enz. *83*
Lavoisier, Antoine Laurent *6*
lawaaierig *38*
lawaaiig *38*
lawaai maken *69*
lawaaimaker de (...s) *64*
lawine de (...n, ...s; ...tje) *43,112*
lawine...: lawinegevaar, enz. *76,91*
lawntennis het *66*
lawrencium (Lr) het *54*
laxans het (laxantia) *23*
laxatief het (...tieven) *19,23*
laxeren *23,106*
laxeerde, gelaxeerd
lay-out de (...s) *67*
lay-out...: lay-outafdeling, enz. *84*
lay-outen *3,69,106*
lay-outte, gelay-out
lay-up de (...s) *67*
lazaret het (...retten) *26,54*
lazaret...: lazaretschip, enz. *64*
lazarus *54*
lazarus...: lazarusklep, enz. *65*
lazeren *26,106*
lazerde, gelazerd
lazerstraal [vervelende vent] de (...stralen) *26*
lazerstralen *26,106*
lazerstraalde, gelazerstraald
lazuren *26,114*
lazuur het *26*
lazuur...: lazuursteen, enz. *64*
lb. [libra] *100*
L.B. [lector benevole, loco-burgemeester] *100*
lbo [lager beroepsonderwijs] het *101*
lbo'er *46*
lbo-...: lbo-leerling, enz. *83*
l.c. [loco citato] *100*
LCD [liquid crystal display] de (...'s) *46,101*
leader de (...s) *9*
leadzanger de (...s) *66*
leaflet de/het (...s) *3,9*
league de (...s) *3,43*
league...: leaguefinale, enz. *66*
leao [lager economisch en administratief onderwijs] de/het (...'s) *102*
leao'er *46*
leao...: leao-leerling, enz. *83*
Leary, Timothy *6*
lease de *9*
lease...: leasebedrijf, leaseauto (GB: lease-auto), leaseovereenkomst (GB: lease-overeenkomst), enz. *66,76,85*
leasen *9,105,106*
leasde/leaste, geleasd/geleast
leasing de (...s) *9*
Léautaud, Paul *6*
Leavitt, David *6*
leb de (lebben) *ook* **lebbe** (...n) *17,89,115*
leb...: lebmaag, enz. *64*
lebbes het *1*
Le Carré, John *6*
lecithine de (...n) *20,25,89*
Le Corbusier *6*
lectionarium het (...ria) *22*
lector de (...en, ...s) *22*
lectoraat het (...raten) *22*
lector benevole (L.B.) *63*
lectori salutem (L.S.) *63*
lectrice de (...s) *22,25,43*
lectuur de *22*

LED [light emitting diode] de *102*
Ledeganck, Karel-Lodewijk *6*
ledemaat de/het (...maten) *97*
leden... zie **lid**
leder het *ook* **leer** *115*
leder...: lederwaren, enz. *64*
lederen *ook* **leren** *114,115*
ledigen *106*
ledigde, geledigd
lediggaan *69,106*
ging ledig, lediggegaan
ledikant het (...en) *22*
leed het *18*
leed...: leedvermaak, leedwezen, enz. *64*
leeftijd de (...en)
leeftijds...: leeftijdsgebonden, leeftijdsgroep, enz. *98*
leeg... *69,106*
leegbloeden: bloedde leeg, leeggebloed; enz.
leeg... *64*
leeghoofd, leegstaand, leegverkoop, enz.
leegte de (...n, ...s, GB: geen meervoud) *91*
leek de (leken)
leken...: lekenbroeder, enz. *88*
leeman de (...mannen) *8*
leemte de (...n, ...s) *91*
leentjebuur spelen *62*
leepogig *64*
leepoog het (...ogen) *64*
leer het *ook* **leder** *115*
leer...: leerfabriek, enz. *64*
leerling de (...en; leerlingetje) *112*
leerling...: leerlingwezen, enz. *64*
leerlingen...: leerlingenadministratie, enz. *88*
leerling-... *79*
leerling-monteur, leerling-verpleegster, enz.
leerlooien *69,107*
leertouwen *69,107*
leesster de (...s) *4*
leest de (...en)
leest...: leesthaak, enz. *64*
leestenhout *88*
leeuw de (...en) *2*
leeuwaap, leeuwhondje *64*
leeuwen...: leeuwendeel, leeuwenkooi, enz. *88*
Leeuw de (...en) *53*
Leeuwarden *6,53*
Leeuwarderadeel *6,53*
leeuwerik de (...en) *15*
leewater het *8,64*
leewieken *8,106*
leewiekte, geleewiekt
Le Fauconnier, Henry *6*
legaat de/het (legaten) *2*
legaliseren *26,106*
legaliseerde, gelegaliseerd
legasthenie de *20*
legateren *106*
legateerde, gelegateerd
legato *ook* **ligato** *3,115*
legenda de (...'s) *42*
legendarisch *113*
legendarischer, meest legendarisch
legende de (...n, ...s) *43*
legende...: legendevorming, enz. *76,91*
Léger, Fernand *6*
Leger des Heils het *6,52*
legeren [andere betekenissen] *34,106*
legerde, gelegerd
legeren [samensmelten] *34,106*
legeerde, gelegeerd
leges de (alleen mv.) *3*
leggiero *3*
legging de (...s) *3*
legio *3*
legioen het (...en) *11*
legioen...: legioensoldaat, enz. *64*
legionair *3,16*
legionella de (...'s) *16,42*
legislatief *19*
legislatieve
legislatuur de *9*

legitiem *9*
legitimaris de (...rissen) *9,15*
legitimatie de (...s) *9,43*
legitimatie...: legitimatiebewijs, enz. *64,76*
legitimeren *9,106*
legitimeerde, gelegitimeerd
lego de/het *54*
leguaan de (...anen) *28*
legumine de *9,90*
lei de (...en) *13*
lei...: leidekker, enz. *64,76*
Leibniz, Gottfried Wilhelm von *6*
leiden [richting geven, aansturen] *13,106*
leidde, geleid
leider de (...s) *13*
leiders...: leidersfiguur, enz. *98*
leidmotief het (...tieven) *ook* **leitmotiv** *4,13,19*
leidraad de (...draden) *4,13*
Leidschendam *6,53*
Leidschenveen *6,53*
leidsel het (...s) *ook* **leisel** *13,115*
leidsman de (leidslieden, ...mannen) *13,98*
leidster de (...s) *13*
Leie de *6,53*
leien *13,114*
Leigh, Mike *6*
Leimuiden *6,53*
Leipzig *6,53*
leis de (leizen) *13,26*
leisel het (...s) *ook* **leidsel** *13,115*
leitmotiv het (...tiven) *ook* **leidmotief** *3*
leken... zie **leek**
lekkage de (...s) *27,43,91*
lekker *113*
lekkerder, lekkerst
lekkerbeetje het (...s) *64*
lekkerbekje het (...s) *64*
lekkerbekken *69,106*
lekkerbekte, gelekkerbekt
lekkernij de (...en) *13*
leliaard de (...s) *9,18*
lelie de (leliën, ...s) *40,43*
lelie...: lelieblank, leliebloem, enz. *64*
leliën...: leliënolie, enz. *88*
lelietje-van-dalen het (lelietjes-van-dalen) *62*
lelijkerd de (...s) *18*
lellebel de (...bellen) *15,97*
Lelystad *6,53*
Lelystatter, Lelystads(e)
Lem, Stanislaw *6*
Le Mans *6,53*
lemma het (...'s, ...mata) *42*
lemmet het (...en) *14,15*
lemmetje het (...s) *ook* **limmetje** *115*
lemming de (...en, ...s) *3*
lemniscaat de (...caten) *22*
lende de (...n, ...denen)
lenden...: lendendoek, enz. *89*
lengte de (...n, ...s) *43*
lengte...: lengteas, lengte-eenheid, enz. *76,91*
lenigen *106*
lenigde, gelenigd
Lenin, Vladimir Iljitsj *6*
leninisme het *54,90*
lenis de (lenes) *3*
lenitief het (...tieven) *19*
Lennon, John *6*
lens de (lenzen) *26*
lens...: lensopening, enz.
lenzen...: lenzenvloeistof, enz. *88*
lensen [met een lens doorboren] *26,106*
lenste, gelenst
lente de (...s) *43,56*
lente...: lenteavond, lente-uitje, enz. *76,91*
lenticulair *3,9,22*
lenzen [met weinig zeil varen] *26,106*
lensde, gelensd
lenzen... zie **lens**
Leonardo da Vinci *6*
Leoncavallo, Ruggiero *6*
leperd de (...s) *18*

leporello het (...'s) *14,42*
leporelloboek *64*
lepra de
lepra...: lepralijder, enz. *64,76*
lepreus *26*
lepreuze
leproos de (...prozen) *26*
leprozen...: leprozengesticht, enz. *88*
leprozerie de (...rieën) *26,40*
lepton het (...en) *17*
leptosoom *17,26*
LER [Limburgse Economische Raad] de *104*
leraar de (...s, ...raren)
leraren...: lerarenkamer, enz. *88*
leraars...: leraarsambt, enz. *98*
lerares de (...ressen) *15*
lesbienne de (...s) *39,43,91*
lesbisch *9*
lesbo de (...'s) *42,102*
lesgeven *69*
gaf les, lesgegeven
Lesotho *6,53*
Lesothaan, Lesothaans(e)
Lesseps, Ferdinand de *6*
leste, ten langen – *62,111*
let de (...s) *3,18*
letaal *20*
letaliteit de *20*
lethargie de *20*
letten *106*
lette, gelet
letter... *69,107*
lettergieten, letterzetten, enz.
Letzeburgs *55*
leukemie de *22*
leukerd de (...s) *18*
leukocyt de (...en) *9,22,25*
leukodermia de *ook* **leukodermie** *22,115*
leukoplast de/het *22*
leukopoëse de *22,37,90*
leukose de *22,26,90*
leukotomie de *22*
leuze de (...n) *ook* **leus** (leuzen) *26,89,115*
lev de (leva, levs) *19*
Lev. [Leviticus] *100*
levade de (...n, ...s) *43,91*
leven het (...s)
levenloos *87*
levens...: levensbedreigend, levensjaar, levensschets, enz. *98,99*
leven *19,106*
leefde, geleefd
levendbarend *64*
levensverzekeringsmaatschappij de (...en) *68,98*
leverancier de (...s) *25*
leverantie de (...s) *43*
leverantie...: leverantiecontract, enz. *64,76*
Levi, Primo *6*
leviathan de (...s) *20*
leviet de (...en) *9,54*
leviraatshuwelijk het (...en) *98*
Lévi-Strauss, Claude *6*
levitatie de *9*
levitisch *54*
Lewis, Sinclair *6*
lewisiet het *54*
lex de (leges) *3,23*
lexeem het (...xemen) *23*
lexicaal *22,23*
lexicograaf de (...grafen) *19,22,23*
lexicografie de *22,23*
lexicologie de *22,23*
lexicon het (lexica, ...s) *22,23*
Leyden, Lucas van *6*
Leys, Hendrik *6*
lezen *26*
las, gelezen
lezenaar de (...s) *26*
l.g. [laatstgenoemde] *100*
lhno [lager huishoud- en nijverheidsonderwijs] het *101*
lhno'er *46*
lhno-...: lhno-leerling, enz. *83*
li het (...'s) *9,42*
Li [lithium] *100*
l.i. [landbouwkundig ingenieur] *100*

liaan de (...anen) *ook* **liane** (...n) *115*
liaison de (...s) *3*
Lias het *56*
lias de (liassen) *9*
lias...: liaspen, enz. *64*
liasseren *14,106*
liasseerde, geliasseerd
lib. [liberaal] *100*
Libanon *6,53*
Libanees, Libanese
libatie de (...tiën, ...s) *43*
libel de (libellen; libelletje) *112*
libellist de (...en) *14*
liberaliseren *26,106*
liberaliseerde, geliberaliseerd
liberalisme het *57,90*
liberaliteit de *9,13*
Liberia *6,53*
Liberiaan, Liberiaans(e)
libero de (...'s) *42*
libertair *3*
libertijn de (...en) *9,13*
libertijns *9,13*
libidineus *9,26*
libidineuze
libido de/het *9*
Libië *6,53*
Libiër, Libisch(e)
librarius de (...rii) *3*
libratie de (...tiën, ...ties) *40,43*
libre het *3,90*
librettist de (...en) *14*
libretto het (...'s) *42*
Libreville *6,53*
librije de (...n) *13,89*
librium de/het *1*
lic. [licentiaat] *100*
licentiaat (lic.) [persoon] de (...aten) *25*
licentiaat (lic.) [graad] het (...aten) *25*
licentie de (...s) *25,43*
licentie...: licentiehouder, enz. *64,76*
lichaam het (...chamen) *2*
lichamelijk *87*
lichaams...: lichaamsgewicht, lichaamsstraf, enz. *98,99*
licht het (...en)
lichtelijk *87*
licht...: lichtgevoelig, lichtsignaal, enz. *64*
licht... *64*
lichtblauw, lichtgebouwd, lichtzinnig, enz.
lichtekooi de (...en) *93*
lichten *106*
lichtte, gelicht
Lichtenstein, Roy *6*
lichterlaaie, in – *ook* **lichtelaaie, in –** *62,111*
Lichthart, Jan Cornelisz. (vlootvoogd) *6*
lictor de (...en) *22*
lid het (leden) *18*
lid...: lidstaat, enz. *64*
leden...: ledenkorting, enz. *88*
lidmaat de/het (...maten) *18*
lido het (...'s) *42*
liebaard de (...en, ...s) *9*
Liechtenstein *6,53*
Liechtensteiner, Liechtensteins(e)
lied het (liederen)
lied...: liedboek, enz. *64*
lieder...: liederboek, enz. *64*
liederen...: liederenbundel, enz. *88*
liedje het (...s)
liedjes...: liedjesdichter, liedjeszanger, enz. *98,99*
lief *19*
lieve
liefde de (...n, ...s) *43,91*
liefdeloos *87*
liefdedaad (daad van liefde) *91*
liefdes...: liefdesbrief, liefdesdaad (geslachtsdaad), enz. *98,99*
liefelijk *ook* **lieflijk** *87,115*
liefhebben *69*
had lief, liefgehad
liefhebberijtoneel het *64*
liefkozen *26,69,106*
liefkoosde, geliefkoosd
lieflijk *ook* **liefelijk** *87,115*

liegbeest het (...en) *ook* **liegebeest** *64,93*
lier de (...en)
lier...: lierdicht, enz. *64*
lierenman *88*
liëren *37,38,106*
lieerde, gelieerd
lies de (liezen) *26*
Lieveheer de *59*
lieveheers...: lieveheersbeestje, enz. *68,98*
lieveling de (...en; ...lingetje) *112*
lievelings...: lievelingsmuziek, lievelingsschrijver, enz. *98,99*
lievemoederen *92,107*
lieverd de (...s) *18*
lieverlee, van – *ook* **lieverlede, van –** *62,111,115*
Lievevrouw de *59*
Lievevrouwebeeld, Lievevrouwekerk *68,94*
lievevrouwebedstro het *68,94*
lievig *19*
lifestyle de (...s) *67*
liflaf de (...laffen) *73*
liflaffen *106*
liflafte, geliflaft
liften *106*
liftte, gelift
liga de (...'s) *9,42*
ligament het (...en) *9*
ligatissimo *9,14*
ligato *ook* **legato** *115*
ligatuur de (...turen) *9*
ligbox de (...en) *23*
ligboxenstal *88*
Ligeti, György *6*
liggen *2*
lag, gelegen
ligniet het *9,18*
lignine de *9,90*
Ligthart, Jan (opvoedkundige) *6*
ligue de (...s) *3,43*
liguster de (...s) *9*
liguster...: ligusterhaag, enz. *64*
lij de *13*
lij...: lijboord, enz. *64,76*
lijdelijk *13,87*
lijden [verduren, doorstaan] *13*
leed, geleden
lijdend voorwerp het *62*
lijdendvoorwerpzin *68,99*
lijdzaam *13*
lijf het (lijven) *19*
lijfelijk *87*
lijf...: lijfarts, enz. *64*
lijfs...: lijfsbehoud, enz. *98*
lijk het (...en)
lijk...: lijkbleek, lijkroof, enz. *64*
lijken...: lijkenhuis, enz. *88*
...lijk *2,87*
vrouwelijk, lichamelijk, koninklijk, enz.
lijken *13*
leek, geleken
lijmen *13,106*
lijmde, gelijmd
lijn de (...en) *13*
lijn...: lijndienst, enz. *64*
lijnen...: lijnenspel, enz. *88*
lijntekenen *69,107*
lijntrekken *69,107*
lijnzaad het (...zaden) *13*
lijnzaad...: lijnzaadolie, enz. *64*
lijp *13*
lijp de (...en) *13*
lijpkikker *64*
lijpo de (...'s) *13,42*
lijs de (lijzen) *13,26*
lijst de (...en)
lijst...: lijstaanvoerder, enz. *64*
lijsten...: lijstenmaker, enz. *88*
lijsten *106*
lijstte, gelijst
lijster de (...s) *13*
lijster...: lijsterbes, enz. *64*
lijve, in levenden – *62,111*
lijve, aan den – ondervinden *62,111*
lijvig *13,19*
lijwaarts *13*

lijzebet de (...betten) *54*
lijzen *13,26,106*
lijsde, gelijsd
lijzig *13,26*
likdoorn de (...s) *ook* **likdoren** (...s) *115*
likdoorn...: likdoornzalf, enz. *64*
likeur de (...en) *9,22*
likeur...: likeurglas, enz. *64*
likkebaarden *93,106*
likkebaardde, gelikkebaard
likkepot de (...potten) *93*
likmevestje *62*
lik-op-stukbeleid het *81*
lila het *9*
lila-achtig *37*
Lillehammer *6,53*
lillen *106*
lilde, gelild
lilliput... *14,64*
lilliputformaat, enz.
lilliputter de (...s) *14*
Lilongwe *6,53*
Lima *6,53*
Limaër, Limeen
liman de (...s) *9*
limbo de (...'s) *42*
limbus de (limbi) *3*
Limerick [Ierland] *6,53*
limerick de (...s) *14,54*
limiet de (...en) *9*
limit de (...s) *3*
limitatie de (...s) *9,43*
limitatief *9,19*
limitatieve
limiter de (...s) *3*
limiteren *9,106*
limiteerde, gelimiteerd
limmetje het (...s) *ook* **lemmetje** *115*
limnologie de *9*
limonade de (...s) *43*
limonade...: limonadesiroop, enz. *76,91*
limoniet het *9*
limousine de (...s) *11,43,91*
limpido *9*
Lindbergh, Charles *6*
linde de (...n, ...s) *43*
linde...: lindebloesem, enz. *76,91*
lineair *3,9*
lineamenten de (alleen mv.) *9*
linea recta *63*
linesman de (linesmen) *67*
Lingala *55*
lingerie de (...rieën, ...s) *27,40,43*
lingerie...: lingeriewinkel, enz. *66,76*
linguaal de/het (...alen) *3*
linguafoon de (...fonen, ...s) *3*
lingua franca de *63*
linguïstiek de *37*
liniaal de/het (linialen) *1,9*
liniatuur de (...turen) *1,9*
linie de (...s) *9,43*
linie...: linieschip, enz. *64,76*
liniëren *37,38,106*
linieerde, gelinieerd
liniment het (...en) *9*
linker... *64*
linkerhoek, linkermiddenvelder, linkerrijstrook, linkerschouder, enz.
linkerd de (...s) *18*
linking pin de (...s) *67*
linkmichel de (...s) *ook* **linkmiegel** *9*
linksaf *73*
linksdraaiend *64*
links-extremistisch *79*
linktrainer de (...s) *67*
Linnaeus, Carolus *6*
linnen het
linnen...: linnengoed, enz. *64*
linnerie de (...rieën) *40*
lino de (...'s) *42*
lino...: linotype, enz. *64,76*
linoleum de/het *39*
linoleum...: linoleumsnede, enz. *64*
linolzuur het (...zuren) *9,64*
lint het (...en) *18*
lint...: lintcassette, enz. *64*
linze de (...n) *26*
linzen...: linzensoep, enz. *89*

lip de (lippen)
lip...: lipklank, lipsynchroon, enz. *64*
lippen...: lippenstift, enz. *88*
lipariet het (...en) *9*
lipase de (...n) *9,26,89*
lipemie de *9,14*
lipide de/het (...n, ...s) *9,91*
liplezen *69,107*
lipofaag de (...fagen) *9,19*
lipogeen *9*
lipoïde de/het (...n) *9,37,89*
lipoïdose de *9,37,90*
lippizaner de (...s) *54*
Lipsius, Justus *6*
lipssleutel de (...s) *54,65*
lipsslot het (...sloten) *54,65*
lipstick de (...s) *67*
liquida de (...dae) *8,9,24*
liquidatie de (...s) *9,24,43*
liquidatie...: liquidatiekas, liquidatie-uitverkoop, enz. *64,76*
liquide *9,22*
liquideren *9,24,106*
liquideerde, geliquideerd
liquiditeit de (...en) *24*
liquiditeiten...: liquiditeitenbeheer, enz. *88*
liquiditeits...: liquiditeitsmoelijkheden, enz. *98*
lire (l.) de (...'s) *ook* **lira** (...s) *42,43,115*
lis de/het (lissen)
lis...: lisdodde, enz. *64*
lissenfamilie *88*
liseen de (...senen) *ook* **lisene** (...n) *26,115*
Liszt, Franz *6*
litanie de (...nieën) *40*
liter (l) de (...s) *9*
liter...: literfles, enz. *64*
literaat de (...raten) *14*
literair *ook* **litterair** *3,14,115*
literair-historisch *14,80*
literator de (...en) *ook* **litterator** *14,115*
literatuur de (...turen) *ook* **litteratuur** *14,115*
Lith *6,53*
lithium (Li) het *20*
litho de (...'s; lithootje) *20,42,112*
lithochromie de *20*
lithogenese de *20,90*
lithoglyptiek de *9,20*
lithograferen *20,106*
lithografeerde, gelithografeerd
lithografie de (...fieën) *20,40*
lithopoon het *20*
lithoscoop de (...scopen) *20,22*
lithosfeer de *20*
litigeren *9,106*
litigeerde, gelitigeerd
litigieus *9,26,27*
litigieuze
litoraal *9,14*
litotes de (...tessen) *9,14*
Litouwen *6,53,55*
Litouwer, Litouws(e)
lits-jumeaux het (...s; ...meauxtje) *63,112*
litteken het (...en, ...s) *4,18*
litteken...: littekenweefsel, enz. *64*
litterair *ook* **literair** *3,14,115*
litterator de (...toren) *ook* **literator** *14,115*
litteratuur de (...turen) *ook* **literatuur** *14,115*
liturgie de (...gieën) *14,40*
liturgiologie de *14*
live *3*
live...: live-cd, liveopname, liveshow, live-uitzending, enz. *66,67,76,83*
living de (...s) *3*
livrei de (...en) *13*
livrei...: livreiknecht, enz. *64,76*
Ljubljana *6,53*
l.k. [laatste kwartier] *100*
ll. [laatstleden] *100*
llano de (...'s) *3,42*
Lloyd, Edward *6*
Lloyd Webber, Andrew *6*

lm [lumen] *100*
l.o. [lager onderwijs, lichamelijke oefening/opvoeding] *100*
loafer de (...s) *3*
lob [sportterm] de (...s; ...je) *17*
lob [overige betekenissen] de (lobben; lobbetje) *17,112*
lobben *106*
lobde, gelobd
lobbes de (...en) *1,15*
lobby de (...'s) *9,42*
lobby...: lobbyactiviteit, enz. *66,76*
lobbyen *9,106*
lobbyde, gelobbyd
lobbyist de (...en) *9*
lobectomie de *22*
lobelia de (...'s) *42*
Lobith *6,53*
lobotomie de (...mieën) *40*
loc [locomotief] de (...s) *22,102*
locatie de (...s) *22,43*
locatie...: locatiesubsidie, enz. *64,76*
locatief de (...tieven) *ook* **locativus** (...vi) *19,22,115*
Lochem *6,53*
Loch Ness *6,53*
Lochristi *6,53*
Locke, John *6*
locker de (...s) *22*
lock-out de/het (...s) *67*
loco... *77*
locoaffaire, locohandel, locomarkt, enz.
loco-... [plaatsvervangend] *77*
loco-burgemeester, loco-secretaris, enz.
loco laudato *63*
locomotief de (...tieven) *19,22*
locus de (loci) *22*
locutie de (...tiën, ...ties) *22,40,43*
lodderogen *69,106*
lodderoogde, gelodderoogd
loden *114*
loden *106*
loodde, gelood
loempia de (...'s) *11,42*
loensen *26,106*
loenste, geloenst
loep de (...en) *11*
loepzuiver *64*
loeres de (...en) *ook* **loeris** (...rissen) *15,115*
loerogen *69,106*
loeroogde, geloeroogd
loet de (...en) *11,18*
loeven *19,106*
loefde, geloefd
loever, te – *ook* **loevert, te –** *62,115*
Loevestein *6*
loewak de (...s) *11*
Loey, Adolf van *6*
loftuiting de (...en) *64*
log [logaritme] *100*
logafasie de *26*
loganbes de (...bessen) *54,65*
logaritme (log) de (...n, ...s) *20*
logaritme...: logaritmestelsel, enz. *76,91*
logaritmisch *20*
loge de (...s) *27,43,91*
logé, logee de (...s; logeetje) *32,43*
logement het (...en) *27*
logement...: logementhouder, enz. *64*
logements...: logementsprijs, enz. *98*
logenstraffen *2,106*
logenstrafte, gelogenstraft
logeren *27,106*
logeerde, gelogeerd
loggia de (...'s) *3,42*
logica de *22*
logicisme het *25,90*
logicus de (...gici) *22,25*
logies het *27*
logisch *9,113*
logischer, meest logisch
logischerwijs *ook* **logischerwijze** *2,115*
logistiek de *9*
logo het (...'s) *42*

logo... *78*
logogeen, logogram, logopedie, enz.
logos de *3*
loipe de (...n, ...s) *3,43,91*
Loire de *6,53*
lokaal het (...kalen) *22*
lokaal...: lokaaltrein, enz. *64*
lokaal *22*
lokaliseren *22,26,106*
lokaliseerde, gelokaliseerd
lokaliteit de (...en) *22*
loket het (...ketten) *14*
lokettist de (...en) *14,22*
lol de (lolletje) *112*
lol...: lolbroek, enz. *64*
lolita de (...'s; ...taatje) *42,54,112*
lollepot de (...potten) *93*
Lollobrigida, Gina *6*
lolly de (...'s; lolly'tje) *9,42,45*
lolobal de (...ballen) *64*
lom [leer- en opvoedingsmoeilijkheden] het *102*
lom...: lomschool, enz. *83*
lombarde de (...n) *54,89*
Lombardije *6,53*
Lombardijs, Lombardisch
Lombardsijde *6,53*
lombardtarief het *64*
lombok de (...s) *54*
Lomé *6,53*
lommerd de (...s) *18*
lommerd...: lommerdbriefje, enz. *64*
lommerrijk *4*
lomp de (...en)
lompen...: lompenhandel, enz. *88*
lomperd de (...s) *18*
lomperik de (...en) *15*
Londen *6,53*
Londonderry *6,53*
longdrink de (...s) *67*
longe de (...s) *3*
longemfyseem het *9,64*
longicefaal *9,25*
longimetrie de *9*
longitudinaal *9*
Longobardisch *55*
longroom de (...s) *67*
lontarpalm de (...en) *64*
Lontzen *6,53*
Loo, Tessa de *6*
loochenen *2,10,106*
loochende, geloochend
lood het *18*
lood...: loodgieter, loodzwaar, enz. *64*
loodje, het – leggen *18,62*
loods de (...en) *18*
loods...: loodsboot, enz. *64*
loodsen *18,106*
loodste, geloodst
Loofhuttenfeest het (...en) *56*
loog de/het (logen) *2*
loog...: loogkuip, enz. *64*
look-zonder-look het *62*
loon-en-prijsspiraal de (...ralen) *81*
Loon op Zand *6,53*
Loonse en Drunense Duinen de *6,53*
looping de (...s) *3,11*
loop-in-'t-lijntje de (...s) *62*
loos *26*
loze
...loos (...loze) *87*
eerloos, achteloos, zorgeloos, enz.
Loosdrechtse Plassen de *6,53*
loot de (loten) *18*
Looy, Jacobus van *6*
lor de/het (lorren; lorretje) *112*
lorren...: lorrenman, enz. *88*
lord de (...s) *3*
lordose de *26,90*
lorejas de (...jassen) *97*
Lorentz, Hendrik *6*
lorentzkracht de (GB: Lorentz-kracht) *54,65*
Lorenz, Konrad/Max *6*
lorgnet de/het (...netten) *3*
lorgnon de/het (...s) *3*
lori de (...'s) *9,42*
lork de (...en)
lorken...: lorkenhout, enz. *88*

Lorrain, Claude *6*
lorre de (...s) *43,91*
lorrie de (...s) *9,43*
lorum, in de – *1,62*
los... *69,106*
losbarsten: barstte los, losgebarsten; enz.
losceel de/het (...celen) *ook* **loscedel** (...s) *25,115*
loser de (...s) *3,11*
losjesweg *73*
löss de *3*
löss...: lössbodem, löss-streek, enz. *66,85*
lossebandstoot de (...stoten) *68*
Lössplateau *6,53*
los-vast *80*
lot [noodlot] het
lotgenoot *64*
lots...: lotsverbondenheid, enz. *98*
lot [loterijbriefje] het (loten; lootje) *112*
loten *106*
lootte, geloot
loterij de (...en; ...tje) *13*
loterij...: loterijbriefje, enz. *64*
Lotharingen *6,53*
Lotharius *6*
Loti, Pierre *6*
lotie de (...s) *43*
lotion de (...s; ...onnetje) *3,112*
lotje, van – getikt zijn *54,62*
Lotsy, Karel *6*
lotto de/het (...'s) *42*
lotto...: lottoballetje, enz. *64,76*
lotus de (...tussen) *1*
lotus...: lotusbloem, enz. *64*
louche *11,27,113*
loucher, louchest
louis d'or de (...s) *54,63*
Louisiana *6,53*
lounge de (...s) *3,43*
louter *12*
louteren *12,106*
louterde, gelouterd
louvredeur de (...en) *11,66*
louw *12,28*
love de *3*
lovegame *67*
loven *19,106*
loofde, geloofd
lowbudget *67*
Lowry, Malcolm *6*
loxodroom de/het (...dromen) *23*
loyaal *21*
loyaliteit de *21*
loyaliteits...: loyaliteitsverklaring, enz. *98*
lozen *26,106*
loosde, geloosd
lp de (...'s) *ook* **elpee** *46,101,115*
LPG [liquefied petroleum gas] het *101*
Lr [lawrencium] *100*
L.S. [lectori salutem, loco-secretaris] *100*
l.s. [lagere school] *100*
LSD [lyserginezuurdiëthylamide] de/het *101*
lt. [luitenant] *100*
lts [lagere technische school] de (lts'en) *101*
lts'er *46*
lts-...: lts-leerling, enz. *83*
Lu [lutetium] *100*
Luanda *6,53*
Luandees, Luandese
lub de (lubben) *ook* **lubbe** (...n) *17,115*
Lubbeek *6,53*
lubben *106*
lubde, gelubd
Lübeck *6,53*
Luccioni, Maartje *6*
Lucebert *6*
lucht de (...en) *2*
lucht...: luchtvaart, luchtgekoeld, enz. *64*
luchten *2,106*
luchtte, gelucht
luchter de (...s) *2*
luchthart-treurniet de (...en) *80*

lucide *25,113*
meer lucide, meest lucide
luciditeit de *25*
lucifer de (...s) *25,54*
lucratief *19,22*
lucratieve
Lucrezia Borgia *6*
lucullisch *54*
lucullus de (...lussen) *54*
lucullusmaal *65*
ludiek *9*
ludificatie de (...s) *9,22,43*
lues de *3*
luetisch *3*
luguber *14*
lui *113*
luie, luier, luist
luiaard de (...s) *18*
luid... *64*
luidkeels, luidruchtig, luidspreker, enz.
luiden *106*
luidde, geluid
luierik de (...en) *15*
luiigheid de *38*
luilak de (...lakken)
luilak...: luilakviering, enz. *64*
luilakken *106*
luilakte, geluilakt
luilekkerland het *54,68*
luipaard de/het (...en) *18*
luipaard...: luipaardhaai, enz. *64*
luis de (luizen) *26*
luis...: luismijt, enz. *64*
luizen...: luizenbaan, luizenei, enz. *88*
luisterrijk *4*
luistervinken *69,106*
luistervinkte, geluistervinkt
luit de (...en) *18*
luit...: luitspel, enz. *64*
luitenant (lt.) de (...s) *18*
luitenants...: luitenantsuniform, enz. *98*
luitenant-adjudant de (luitenants-adjudanten) *80*
luitenant-generaal de (...s) *79*
luitenant-kolonel de (...s) *79*
luitenant-ter-zee de (luitenants-ter-zee) *79*
luiwammes de (...en) *1,15*
luiwammesen *15,106*
luiwammeste, geluiwammest
luizen *26,106*
luisde, geluisd
luizen... zie **luis**
luizig *26*
lul de (lullen; lulletje) *112*
lul...: lulkoek, lulverhaal, enz. *64*
lullensmid *88*
lullen *106*
lulde, geluld
lullepot de (...potten) *93*
lullepraat de *93*
lumbaalpunctie de (...s) *23,43,64*
lumbago de *3*
lumbecken *22,54,106*
lumbeckte, gelumbeckt
lumberjack het (...s) *67*
lumen (lm) het (lumina) *3*
lumen...: lumenseconde, enz. *64*
Lumière, Auguste/Louis *6*
luminal het *54*
luminescentie de *25*
lumineus *26*
lumineuze
luminifoor de (...foren) *19*
luminisme het *57,90*
luminositeit de (...en) *26*
lumpsum de *3*
lunair *3*
lunapark het (...en) *54,65*
lunarium het (...ria, ...s) *1*
lunaticus de (...tici) *22,25*
lunch de (...en, lunches) *3*
lunch...: lunchafspraak, lunchroom, enz. *66,67*
lunchen *3,106*
lunchte, geluncht
Lüneburger Heide de *6,53*
lunet de (...netten) *14*

lunzen *26,106*
lunsde, gelunsd
lupine de (...n, ...s) *43,91*
lupinose de *26,90*
lupuline de *90*
lupus de *3*
lurex de/het *23*
lurven de (alleen mv.) *19*
lus de (lussen)
lusfilm *64*
lussen...: lussenweefsel, enz. *88*
Lusaka *6,53*
lusitanist de (...en) *54*
lusten *106*
lustte, gelust
lustrum het (...tra, ...s) *3*
lustrum...: lustrumjaar, enz. *64*
luteïne de/het *37,90*
lutetium (Lu) het *1*
luth. [luthers] *100*
Luther, Maarten *6*
lutheranisme het *57,90*
luthers (luth.) *57*
Lutoslawski, Witold *6*
lutrijn de (...en) *13*
Lutz, Luc/Pieter/Ton *6*
luw *2*
lux (lx) de *23*
luxmeter *64*
luxaflex de *23,54*
luxe de (...s) *23*
luxe...: luxeartikel, luxe-editie, luxeprobleem, enz. *76,91*
Luxemburg (L.) *6,53*
Luxemburger, Luxemburgs(e)
Luxemburg, Rosa *6*
luxueus *23,26*
luxueuze
Luyken, Jan *6*
Luyksgestel *6,53*
luzerne de *26,90*
LVV [Liberaal Vlaams Verbond] het *104*
lx [lux] *100*
lyceïst de (...en) *9,37*
lyceum het (...cea, ...s) *9,25,39*
lychee de (...s) *9,27,43*
lycopodium de/het *9,22*
lycra de/het *9,22*
lyddiet [springstof] het *9,14*
lydiet [kiezellei] het *9,14*
lymfatisch *9,19*
lymfe de *ook* **lymf** *9,19,115*
lymfe...: lymfeklier, enz. *76,90*
lymfoblast de/het (...en) *9,19*
lymfocyt de (...en) *9,19,25*
lymfografie de *9,19*
lymfoom de/het (...fomen) *9,19*
lymfosarcoom het *9,19,22*
Lynch, David *6*
lynchen *9,27,106*
lynchte, gelyncht
lynx de (...en) *9,23*
lynx...: lynxoog, enz. *64*
lynxen...: lynxenbescherming *88*
lyofiel *9*
lyofiele
lyofilisatie de *9,26*
lyofoob *9,17*
lyofobe
Lyon *6,53*
lyra de (...'s) *9,42*
lyricus de (...rici) *9,22,25*
lyriek de *9*
lyrisch *9,113*
lyrischer, meest lyrisch
lyrisme het *9,90*
...lyse *9,26*
analyse, elektrolyse, hydrolyse, enz.
lysine de/het *9,26,90*
lysol de/het *9,26*
lysosoom het (...somen) *9,26*

m

m de (m'en, m's; m'etje) *46*
m [meter] *100*
m. [mannelijk] *100*
M [Romeins cijfer] *100*
ma de (...'s; maatje) *42,112*
mA [milliampère] *100*
Maagd de (...en) *53*
maagd [ongerepte vrouw] de (...en)
maagdelijk *87*
maagden...: maagdenvlies, enz. *88*
maag-darm... (GB: maagdarm...) *81*
maag-darmkanaal, enz.
maaibenen *69,106,108*
maaibeende, gemaaibeend
maaivoeten *69,106,108*
maaivoette, gemaaivoet
...maal *74*
eenmaal, miljoenmaal, enz.
maalderij de (...en) *ook* **malerij** *115*
maaltijd de (...en) *13,18*
maan de (manen) *53*
maanloos *87*
maan...: maanlicht, maanvormig, enz. *64*
maneschijn *94*
maans...: maansverduistering, enz. *98*
maand de (...en)
maandelijks *87*
maand...: maandblad, enz. *64*
maandenlang *88*
maandag de (...en) *56*
maandag...: maandagochtend, enz. *64*
's maandags...: 's maandagsmiddags *48,98*
Maarheeze *6,53*
Maarke-Kerkem *6,53*
maarschalk de (...en)
maarschalksstaf *99*
Maarssen *6,53*
maart (mrt.) de *56*
maart...: maartmaand, enz. *64*
maas de (mazen) *26*
mazen...: mazenwerk, enz. *88*
Maaseik *6,53*
Maasmechelen *6,53*
Maas-Waalkanaal *6,53*
maat [eenheid, hoeveelheid] de (maten) *18*
mateloos *87*
maat...: maatbeker, maatgevend, enz. *64*
maat [makker] de (...s, maten) *18*
matennaaier *88*
maathouden *69,106*
hield maat, maatgehouden
maatschappij (Mij.) de (...en) *13,18,52*
maatschappij...: maatschappijbevestigend, maatschappijleer, enz. *64*
maatslaan *69,107*
macaber *22*
macadam de/het *22,54*
macadam...: macadamweg, enz. *65*
macadamiseren *22,26,106*
macadamiseerde, gemacadamiseerd
macaroni de *9,22*
macaroni...: macaroni-eter, macaronischotel, enz. *64,76*
Mac Arthur, Douglas *6*
Macau *6,53*
Macauer, Macaus(e)
Macbeth *6*
MacDonald, Ross *6*
macédoine de (...s) *3,25,29*
Macedonië *6,53,55*
Macedoniër, Macedonisch(e)
macereren *25,106*
macereerde, gemacereerd

mach de *54*
machmeter *65*
Machaut, Guillaume de *6*
machete de (...s) *3,43*
macheteslag *91*
Machiavelli, Niccolò *6*
machiavellisme het *54,57,90*
machinaal *27*
machine de (...s; machinetje, machientje) *27,43,112*
machine...: machinegeweer, machine-industrie, enz. *76,91*
machineren *27,106*
machineerde, gemachineerd
machinerie de (...rieën) *27,40*
machineschrijven *27,69,107*
machinist de (...en) *27*
machinisten...: machinistenschool, enz. *88*
machismo het *3*
machistisch *27*
macho de (...'s) *3,42*
macho...: machogedrag, macho-uiterlijk, enz. *66,76*
macht de (...en)
machteloos *87*
macht...: machthebbend, machthebber, enz. *64*
machtenscheiding *88*
machts...: machtsmisbruik, machtsstrijd, enz. *98,99*
...**macht** *92*
derdemacht, vierdemacht, enz.
machtigen *106*
machtigde, gemachtigd
macis de *9,25*
macisolie *64*
Macke, August *6*
MacLaine, Shirley *6*
maçon de (...s) *25*
maçonnerie de *14,25*
maçonniek *14,22,25*
Macpherson, James *6*
macramé het *14,22,29*
macro de (...'s; macrootje) *22,42,112*
macro... *22,78*
macrobiotisch, macro-economie, macroklimaat, enz.
macrocefalie de *22,25*
macrocheilie de *13,22*
macroftalmie de *20,22*
macroglossie de *22*
macrokosmos de *7,22*
Macropedius, Georgius *6*
macroplasie de *22,26*
macropsie de *22,25*
macrosomie de *22,26*
maculatuur de (...turen) *22*
Madagaskar *6,53*
Malagassiër, Malagassisch(e)
madam [negatieve aanduiding] de (madammen, ...s; madammeke, madammetje) *14,112*
madame (Mad.) [mevrouw] de (...s, mesdames) *3*
made de (...n, ...s)
made...: madeworm, enz. *76,91*
Madeira *6,53*
madelief de (...lieven) *19*
madera de (...'s) *42,54*
maderasaus *64*
maderiseren *26,106*
maderiseerde, gemaderiseerd
madonna de (...'s; ...naatje) *42,112*
madonna...: madonnabeeld, enz. *64,76*
madras het *54*
Madrid *6,53*
Madrileen, Madrileens(e)
madrigaal het (...galen) *ook* **madrigal** (...en) *9,115*
Mae, Vanessa *6*
Maerlant, Jacob van *6*
Maes, Sylveer *6*
maesta de (...'s) *3,37,42*
maestoso *3,26,37*
maestro de (...'s) *3,37,42*
Maeterlinck, Maurice *6*
maffia de (...'s) *14,42*
maffia...: maffiabaas, maffiaorganisatie, enz. *64,76*

maffioos *14,26*
maffiose
maffioso de (...osi) *14,26*
magazijn het (...en) *13,26*
magazine het (...s) *3,26,43*
Magelhaens, Fernão de *6*
magenta het *3*
maggi de *54*
maggi...: maggiblokje, enz. *64,76*
Maghreb *6,53*
magie de *9*
magiër de (...s) *37*
magisch-realistisch *80*
magistraat de (...straten)
magistratelijk *87*
magistraats...: magistraatsambt, enz. *98*
magma het *3*
magnesia de *26*
magnesiet de/het *26*
magnesium (Mg) het *1,26*
magnesium...: magnesiumpoeder, enz. *64*
magnetiet het *9*
magnetiseren *26,106*
magnetiseerde, gemagnetiseerd
magnetiseur de (...s) *26*
magnetiseuse de (...n, ...s) *26,91*
magneto... *78*
magnetodynamisch, magneto-elektrisch, magnetochemie, enz.
magnetron de (...s) *3*
magnificat het *9,22*
magnifiek *3,9,22*
magnitude de (...n, ...s) *43,91*
magnolia de (...'s) *42*
magnum de (...s) *3*
magot de (...s, ...gotten) *3,10*
Magritte, René *6*
Magyaars *55*
Mahabharata *6,58*
maharadja de (...'s) *21,42*
Maharishi *6*
Mahdi de (...'s) *20,42,59*
mahdist de (...en) *20,54,57*
Mahfouz, Nagib *6*
mahjong het *20*
Mahler, Gustav *6*
mahonie het *9*
mahonie...: mahoniehout, enz. *64,76*
mahoniehouten *9,114*
maiden... *8,67*
maidenspeech, maidentrip, maidenparty, enz.
mail de (...s) *8*
mail...: mailboot, enz. *66*
mailen *8,106*
mailde, gemaild
mailing de (...s) *8*
maillot de/het (...s; maillootje) *10,21,112*
Maine *6,53*
mainframe het (...s) *43,67*
maintenee de (...s) *3,8,43*
mainteneren *3,106*
mainteneerde, gemainteneerd
mais de (GB: maïs) *37*
mais...: maisgeel, maiskolf, enz. *64*
maisonnette de (...s) *3,14,91*
maître de (...s) *3,31,91*
maître d'hôtel de (maîtres d'hôtel) *31,63*
maîtresse de (...n, ...s) *3,31,91*
maitta het *14,37*
maizena de (GB: maïzena) *26,37*
majem de/het *1,21*
majemen *15,21,106*
majemde, gemajemd
majestatisch *21,113*
majestatischer, meest majestatisch
majesteit de (...en) *13,21*
majesteitelijk *87*
majesteits...: majesteitsschennis, enz. *99*
majestueus *21,26*
majestueuze
majeur de *21,27*
majolica de/het (...'s) *21,22,42*
majolica...: majolicaparel, enz. *64,76*

majoor (maj.) de (...s) *21*
majoor-ingenieur de (majoors-ingenieurs) *3,80*
majoorse de (...n) *21,89*
major [oudste, hoofdterm] de (...s) *21*
majoraat het (...raten) *21*
Majorca *ook* **Mallorca** *6,53*
majordomus de (...mussen) *21*
majoreren *21,106*
majoreerde, gemajoreerd
majorette de (...n, ...s, GB: ...s; ...retje) *21,43,112*
majorette...: majorettekorps, majorette-uniform, enz. *76,91*
majuskel de (...s) *1,21,22*
makaak de (...kaken) *22*
makaron de (...ronen, ...rons) *ook* **makron** *1,22,115*
makassarolie de *14,54,65*
make de (...s) *43,91*
makelaardij de (...en) *ook* **makelarij** (...en) *115*
makelij de *13*
make-up de (...s) *8,67*
make-up...: make-updoos, enz. *84*
maki de (...'s) *9,22,42*
makke de (...s) *43,91*
makkelijk *87*
makreel de (...krelen) *14*
makreel...: makreelfilet, enz. *64*
makron de (...en, ...s) *ook* **makaron** *22,115*
mala de (...'s) *42*
Malabo *6,53*
malachiet het *3*
malachiet...: malachietgroen, enz. *64*
malacologie de *22*
malafide *9,19*
malaga de (...'s) *42,54*
malaise de *3,26*
malaise...: malaisegevoel, enz. *76,90*
Malakka *6,53*
malapropisme het (...n) *14,89*
malaria de *14*
malaria...: malariamug, malaria-epidemie, enz. *64,76*
Malawi *6,53*
Malawiër, Malawisch(e)
Malawimeer *6,53*
Malcolm X *6*
malcontent *22*
malcontenten de (alleen mv.) *57*
Malé *6,53*
maledictie de (...s) *23,43*
Malediven de *6,53*
Maledivier, Maledivisch(e)
Maleisië *6,53,55*
Maleis, Maleisiër, Maleisisch(e)
malen [in de war zijn, piekeren] *106*
maalde, gemaald
malen [fijnmaken, pompen] *106*
maalde, gemalen
malentendu het (...'s) *3,42,63*
malerij de (...en) *ook* **maalderij** (...en) *115*
Malevitsj, Kasimir Severinovitsj *6*
malheur het (...en, ...s) *20*
Mali *6,53*
Malinees, Malinese
malicieus *14,25,26*
malicieuze
malie de (...liën, ...s) *9,40*
malie...: maliebaan, enz. *64,76*
maliënkolder *88*
maligne *3*
Mallarmé, Stéphane *6*
Malle, Louis *6*
mallejan de (...s) *92*
mallemoer de *92*
mallemolen de (...s) *92*
mallepraat de *92*
malloot de (...loten) *14,18*
Mallorca *ook* **Majorca** *6,53*
Malmédy *6,53*
Malmö *6,53*
Malot, Hector *6*
Malraux, André *6*
malrove de (...n)
malrovenkruid *89*
malt het *18*
malt...: maltbier, enz. *64*

Malta *6,53*
Maltees, Maltese, Maltezer
malta de (...'s) *42,54*
maltase de *26,90*
maltezerhond de (...en) *26,54,65*
malthusianisme het *20,54,90*
maltose de *26,90*
maltraiteren *3,106*
maltraiteerde, gemaltraiteerd
malus de (...lussen) *1*
maluwe de (...n) *ook* **malve** *89,115*
malva de (...'s) *42*
malve de (...n) *ook* **maluwe** *89,115*
malversatie de (...tiën, ...s) *40*
malverseren *26,106*
malverseerde, gemalverseerd
malvezij de *13,26*
mama de (...'s; mamaatje) *ook*
mamma *42,112,115*
mamba de (...'s) *42*
mambo de (...'s) *42*
mamillair *3,14*
mamma [borstklier] de (mammae)
8,14
mamma...: mamma-amputatie,
mammacarcinoom, enz. *64,76*
mamma de (...'s; mammaatje) *ook*
mama *42,112,115*
mammalia de (alleen mv.) *14*
mammeluk de (...lukken) *1,14*
mammoet de (...en, ...s) *14*
mammoet...: mammoettanker,
mammoetwet, enz. *64*
mammografie de (...grafieën) *14,40*
mammon de *14*
mamzel de (...zellen, ...s) *26*
man de (mannen; mannetje, manneke)
112
manlijk, manloos, mannelijk *87*
man...: mandekking, manhaftig,
enz. *64*
mannen...: mannenbroeders,
mannenmode, enz. *80,88*
mans...: manshoog, manspersoon,
enz. *98*

management het *3*
management...:
managementopleiding,
managementteam, enz. *66,67*
managen *3,105,106*
managede, gemanaged
manager de (...s) *3*
managerziekte *66*
managers...: managersopleiding,
enz. *66,98*
Managua *6,53*
manche de (...s) *3,27,91*
manchester het (...s) *54*
manchet de (...chetten) *27*
manco het (...'s) *22,42*
manco...: mancolijst, enz. *64,76*
mand de (...en)
mandfles, mandvol *64*
manden...: mandenmaker, enz. *88*
mandaat het (...daten) *18*
mandaat...: mandaatgebied, enz. *64*
mandala de (...'s) *1,42*
mandarijn de (...en) *1,13*
Mandarijnenchinees *55,88*
Mandarijns *55*
mandateren *14,106*
mandateerde, gemandateerd
Mandela, Nelson *6*
mandement het (...en) *1*
mandemie de (...mieën) *40*
mandibel de (...s) *9*
mandibulair *3,9*
mandiën *37,106*
mandiede, gemandied
mandoer de (...s) *11*
mandola de (...'s) *42*
mandoline de (...s) *9,43,91*
mandorla de (...'s) *42*
mandragora de (...'s) *3,42*
mane... zie **maan**
manege de (...s) *27,30,43*
manege...: manegepaard, enz. *76,91*
manen de (alleen mv.)
manen...: manenkam, enz. *88*
Manet, Eduard *6*

manga de (...'s) *3,42*
mangaan (Mn) het
mangaan...: mangaanstaal, enz. *64*
mango de (...'s) *3,42*
mango...: mangoboom, enz. *64,76*
mangoeste de (...n, ...s) *11,91*
mangrove de (...n, ...s) *19*
mangrove...: mangrovebos, enz. *76,91*
Manhattan *6,53*
maniak de (...niakken) *14*
maniakaal *14*
manicheeër de (...s) *8,38,57*
manicheïsme het *37,57*
manicure de (...n, ...s) *22,91*
manicuren *22,106*
manicuurde, gemanicuurd
manie de (...nieën, ...s) *40,43*
maniërisme het *37,90*
manifest het (...en) *19*
manifesteren *19,106*
manifesteerde, gemanifesteerd
Manila *ook* **Manilla** *6,53*
manilla de (...'s) *42,54*
manilla...: manillatouw, enz. *65,76*
manille de (...s) *21,43,91*
maniok de *14,22*
manipel de (...s) *9*
manipulatief *19*
manipulatieve
manipuleren *106*
manipuleerde, gemanipuleerd
manisch *9*
manisch-depressief *2,80*
mankepoot de (...poten) *ook* **mankpoot** *64,93,115*
manlief de *64*
Mann, Klaus/Thomas *6*
manna het *14*
mannequin de (...s) *3,22*
mannetje het (...s)
mannetjes...: mannetjesputter, enz. *98*
mannin de (...ninnen) *5*
mannose de *14,26,90*
manoeuvre de/het (...s) *3,43,91*
manoeuvreren *11,106*
manoeuvreerde, gemanoeuvreerd
manostaat de (...staten) *14*
manou het *11*
manpower de *67*
mans de (...en) *26*
mans...: mansbakje, enz. *64*
mansarde de (...n, ...s) *54*
mansarde...: mansardedak, enz. *76,91*
mantiek de *9,22*
mantilla de (...'s) *21,42*
mantisse de (...n) *89*
mantouxtest de (...s) *54,65*
mantra de (...'s) *42*
Mantsjoerije *6,53*
manueel *14*
manuele
manufacturenwinkel de (...s) *ook* **manufactuurwinkel** *22,88,115*
manuscript (ms.) het (...en) *1,22*
manusje-van-alles het (manusjes-van-alles) *62*
Manutius, Aldus *6*
man-vrouwverhouding de *81*
manxkat de (...katten) *23,54,65*
Manzoni, Alessandro *6*
Manzù, Giacomo *6*
maoïsme het *38,54,57*
Maori (...'s) *6,53*
Mao Tse-tung *ook* **Mao Zedong** *6*
Maputo *6,53*
maquette de (...s) *22,43,91*
maquillage de (...s) *21,22,91*
maquilleren *21,22,106*
maquilleerde, gemaquilleerd
maquis de/het *9,22*
maraboe de (...s) *ook* **maraboet** (...s) *11,14,115*
maracuja de (...'s) *11,21,22,42*
marasquin de *3,22*
marathon de (...s) *20,54*
marathon...: marathonloop, enz. *65*
marcando *ook* **marcato** *22,115*

marchanderen *27,106*
marchandeerde, gemarchandeerd
marcheren *27,106*
marcheerde, gemarcheerd
marcia de (...'s) *3,42*
Marconi, Guglielmo *6*
marconist de (...en) *22,54*
Marco Polo *6*
marcotteren *14,22,106*
marcotteerde, gemarcotteerd
Marcus Aurelius Antoninus *6*
Marcuse, Herbert *6*
mare de (...n) *89*
marechaussee de (...s) *10,27,43*
maretak de (...takken) *97*
margapatroon de (...tronen) *54,65*
margarine de (...s) *1,43*
margarine...: margarineboter, enz. *76,91*
marge de (...s) *27*
marge...: margeverlies, enz. *76,91*
marginaal *3*
marginalia de (alleen mv.) *ook* **marginaliën** *3,115*
marginaliseren *3,26,106*
marginaliseerde, gemarginaliseerd
marginaliteit de *3*
Maria *59*
Maria...: Maria-altaar, Mariakapel, enz. *65,76*
mariage de raison het *63*
Maria-Hemelvaart *56*
Marianen de *6,53*
Maria-Tenhemelopneming *56*
marien *9*
mariene
marifoon de (...fonen, ...s) *9*
marihuana de/het *9,11,20*
marihuana...: marihuanasigaret, enz. *64,76*
marimba de (...'s) *42*
marinade de (...s) *43,91*
marine de (...s) *9,43*
marine...: marineblauw, marineofficier, enz. *76,91*
marineren *9,106*
marineerde, gemarineerd
marinier de (...s)
mariniers...: marinierskapel, enz. *98*
marinisme het *54,90*
mariologie de *54*
marionet de (...netten) *16*
marionetten...: marionettenspel, enz. *88*
maritiem *9*
maritieme
marjolein de *13,21*
mark de (...en) *22*
mark...: markgraaf, enz. *64*
markant *22*
marketeer de (...s) *9*
marketentster de (...s) *4,97*
marketing de *14*
marketing...: marketingcommunicatie, marketingmanager, marketingmix, enz. *66,67*
markies de (...kiezen) *26*
markieslinnen *64*
markiezin de (...zinnen; ...zinnetje) *9,26,112*
markizaat het (...zaten) *9,26*
marlen *106*
marlde, gemarld
Marley, Bob *6*
marlijn de (...en) *13*
marmelade de (...n, ...s) *1*
marmelade...: marmeladepotje, enz. *91*
marmeren *114*
marmiet de (...en) *9,18*
marmoleum het *39*
marmot de (...motten)
marmotten...: marmottenhok, enz. *88*
marode de *14,90*
maroderen *14,106*
marodeerde, gemarodeerd
marodeur de (...s) *14*
marokijn het *13,14*
marokijn...: marokijnleder, enz. *64*

marokijnen *13,14,114*
Marokko *6,53*
Marokkaan, Marokkaans(e)
Marollenfrans *55*
maroniet de (...en) *9,18*
maronitisch *9*
maroquinerie de (...rieën) *22,40*
marot de (...rotten) *18*
Marowijne *6,53*
marqué de (...s) *22,29,43*
marqueterie de *14,22*
Márquez zie **García**
marquise de (...s) *9,22,26*
Marrakech *ook* **Marrakesj** *6,53*
marriage encounter de *67*
marron de (...s) *14*
mars de (...en) *26*
mars...: marscolonne, marsvaardig, enz. *64*
Mars *53*
marsmannetje *54,65*
Marseillaise, la *6,58*
Marseille *6,53*
marsepein de/het *13,25,97*
marsepeinen [van marsepein] *13,25,97,114*
Marshalleilanden de *6,53*
Marshalleilander, Marshalleilands(e)
marshmallow de (...s) *67*
marsiliaan de (...lianen) *25*
marteko de (...'s) *22,42*
Martelaere, Patricia de *6*
martellato *14*
martiaal *25*
martini de (...'s; ...nietje) *42,54,112*
Martinique *6,53*
Martinikaan, Martinikaans(e)
martyrologium het (...gia, ...s) *9*
Marugg, Tip *6*
Marva [Marine-Vrouwenafdeling] de *103*
marva [lid van de Marva] de (...'s) *42,54*
Marx, Karl *6*
marxisme het *54,57*
Marxveldt, Cissy van *6*
Maryland *6,53*
Mascagni, Pietro *6*
mascara de *22*
mascaron de (...s) *14,22*
mascarpone de *22,90*
Mascherini, Marcello *6*
mascotte de (...s; mascotje) *22,91,112*
masculien *9,22*
masculiene
masculinisatie de *22,26*
masculinisme het *22,90*
masculiniteit de *22*
masculinum het (masculina) *22*
maser de (...s) *8,26*
Maseru *6,53*
maskage de *22,27,90*
maske de (...n) *22,89*
maskerade de (...n, ...s) *1,22*
maskerade...: maskeradepak, enz. *76,91*
maskeren [met een masker bedekken] *22,106*
maskerde, gemaskerd
maskeren [verbergen] *22,106*
maskeerde, gemaskeerd
Maslow, Abraham *6*
masochisme het *3,14,90*
Masqat *6,53*
massa de (...'s) *42*
massa...: massa-actie, massamoord, enz. *64,76*
massaal *14*
Massachusetts *6,53*
massacre de (...s) *22,43,91*
massacreren *22,106*
massacreerde, gemassacreerd
massage de (...s) *27,43*
massage...: massage-instituut, massagesalon, enz. *76,91*
massaliteit de (...en) *14*
masse, en – *63*
masseren *14,106*
masseerde, gemasseerd

masseur de (...s) *14*
masseuse de (...s) *14,26,91*
massicot het *10,14,22*
massief het (...sieven) *19*
massificeren *25,106*
massificeerde, gemassificeerd
massiviteit de *19*
mast de (...en)
mast...: mastworp, enz. *64*
mastentop *88*
mastaba de (...'s) *42*
mastectomie de *22*
masteluin de/het (...en) *97*
masteluinbrood *64*
masteluinen *114*
masten *106*
mastte, gemast
master de (...s) *3*
master...: masterclass, enz. *67*
masticatie de *22*
mastiek de/het *22*
mastiek...: mastiekbedekking, enz. *64*
mastieken *22,106*
mastiekte, gemastiekt
mastitis de *1,9*
mastklimmen *69,107*
mastodont de (...en) *18*
mastoïditis de *1,37*
Mastroianni, Marcello *6*
masturbatie de (...s) *1,43*
masturbatie...: masturbatiescène, enz. *64,76*
masturberen *1,106*
masturbeerde, gemasturbeerd
mat de (matten)
matwerk *64*
matten...: mattenklopper, enz. *88*
matador de (...s) *14*
matador...: matadorspel, enz. *64*
mataglap *3*
Mata Hari *6*
Mata Utu *ook* **Matâ'utu** *6,53*
matbranden *69,106*
brandde mat, matgebrand
match de (...en, matches) *3,27*
match...: matchbal, matchpoint, enz. *66,67*
matching de (...s) *3,27*
matching...: matchingfonds, enz. *66*
maté de *29*
matelassé het *14,29*
matelot de (...s; ...lootje) *10,112*
mate(n)... zie **maat**
mater dolorosa de *63*
materiaal het (...alen)
materiaal...: materiaalgebruik, enz. *64*
materialenonderzoek *88*
materialiseren *26,106*
materialiseerde, gematerialiseerd
materialisme het *90*
materie de (...riën, ...s) *40,43*
materie...: materiegolf, enz. *64,76*
materieel *37,38*
materiële
materniteit de (...en) *14*
matgeel *64*
matglas het (...glazen) *64*
matglazen *114*
mathematica de (...cae) *20,22*
mathematicus de (...tici) *20,22,25*
mathematiek de *20,22*
mathematiseren *20,26,106*
mathematiseerde, gemathematiseerd
mathesis de *1,20*
matinee de (...s) *14,29,43*
matinee...: matineevoorstelling, enz. *64,76*
matineus *14,26*
matineuze
Matisse, Henri *6*
matje het (...s) *43*
matjes...: matjesvijg, enz. *98*
Mato Grosso *6*
matrak de (...trakken) *14,22*
matras de/het (...trassen) *14*
matras...: matrasbeschermer, enz. *64*
matrassen...: matrassenmaker, enz. *88*

matriarchaat het (...chaten) *3*
matrijs de (...trijzen) *13,26*
matrikel de (...s) *9*
matrilineair *3,9*
matrix de (...trices, ...trixen) *23,25*
matrix...: matrixprinter, enz. *64*
matrone de (...n, ...s) *43,91*
matroos de (...trozen) *26*
matrozen...: matrozenpak, enz. *88*
matse de (...s) *26,43,91*
matsen *26,106*
matste, gematst
matslijpen *69,107*
matten *106*
matte, gemat
matten *114*
matteren *14,106*
matteerde, gematteerd
Matthews, Stanley *6*
maturiteit de *14*
maturiteits...: maturiteitsexamen, enz. *98*
matvernis de/het (...nissen) *15,64*
Maupassant, Guy de *6*
Mauriac, François *6*
Maurier, Daphne du *6*
Maurik *6,53*
Mauritanië *6,53*
Mauritaan, Mauritaans(e), Mauritaniër
Mauritius *6,53*
Mauritiaan, Mauritiaans(e)
mauser de (...s) *12,26,54*
mausoleum het (...lea, ...s) *12,26,39*
mauve *10,19*
mauwen *12,106*
mauwde, gemauwd
mavo [middelbaar algemeen voortgezet onderwijs] de/het (...'s) *102*
mavo'er *46*
mavo-...: mavo-leerling, mavo-3-feest, enz. *83*
m.a.w. [met andere woorden] *100*
max. [maximaal, maximum] *100*
maxi de/het (...'s) *9,23*
maxi-jurk *64,76*
maxim de (...s) *54*
maximaal (max.) *23*
maximaliseren *23,26,106*
maximaliseerde, gemaximaliseerd
maxime het (...n, ...s) *23,43,91*
maximeren *23,106*
maximeerde, gemaximeerd
maximum (max.) het (maxima) *23*
maximum...: maximumsnelheid, enz. *64*
Maxwell, Robert *6*
maxwell de (...s) *54*
May, Karl *6*
Maya de (...'s) *21,42,53*
Maya...: Mayacultuur, Maya-indianen, enz. *64,76*
mayonaise de (...s) *16,21,26*
mayonaise...: mayonaisepot, enz. *76,91*
mayor [Engelse burgemeester] de (...s) *3*
mazelen de (alleen mv.)
mazelen...: mazelenprik, enz. *88*
mazen *26,106*
maasde, gemaasd
mazen... zie **maas**
mazurka de (...'s) *26,42*
mazzel de (...s) *26*
mazzel...: mazzelkont, enz. *64*
mazzelen *26,106*
mazzelde, gemazzeld
mb [millibar] *ook* **mbar** *100,115*
Mb [megabyte] *100*
MBA [Master of Business Administration] *100*
Mbabane *6,53*
mbar [millibar] *ook* **mb** *100,115*
mbo [middelbaar beroepsonderwijs] de/het (...'s) *101*
mbo'er *46*
mbo-...: mbo-leerling, enz. *83*
m.b.t. [met betrekking tot] *100*
m.b.v. [met behulp van] *100*

MC [megacycle] *100*
Mcal [megacalorie] *100*
McCartney, Paul *6*
McDonald's *6*
McLuhan, Marshall *6*
Md [mendelevium] *100*
m.d. [met dank, met deelneming] *100*
ME [mobiele eenheid] de
ME'er *46*
M.E. [Middeleeuwen] *100*
Mead, Margaret *6*
meander de (...s) *1,54*
meanderen *1,106*
meanderde, gemeanderd
meao [middelbaar economisch en administratief onderwijs] de/het (...'s) *101*
meao'er *46*
meao-...: meao-school, enz. *83*
mecanicien de (...s) *22,25,39*
Mecca *ook* **Mekka** *6,53*
meccano de (...'s) *14,22,42*
meccano...: meccanodoos, enz. *64,76*
mecenaat het (...naten) *18,25,54*
mecenas de (...nassen, ...naten) *25,54*
mechanica de *22*
mechanicus de (...nici) *22,25*
mechaniek de/het (...en) *9,22*
mechaniseren *26,106*
mechaniseerde, gemechaniseerd
mechanotherapie de *20,64*
Mechelen-aan-de-Maas *6,53*
Mechelen-Bovelingen *6,53*
meconium het *22*
medaille de (...s) *21,43*
medaille...: medaillewinnaar, enz. *76,91*
medailleur de (...s) *21*
medaillist de (...en) *21*
medaillon het (...s; ...lonnetje) *21,112*
mede [honingdrank] de *ook* **mee** *90,115*
mede... *78*
medeaansprakelijk, mede-eigenaar, enz.
mededelen *ook* **meedelen** *106,115*
deelde mede, medegedeeld
mededeling de (...en; ...inkje) *112*
mededelingen...: mededelingenblad, enz. *88*
medelijden het *ook* **meelij** *13,115*
medelijdenswaard *ook* **medelijdenswaardig** *98,115*
medeplichtige de (...n) *89*
medezeggenschap de/het
medezeggenschaps...: medezeggenschapsraad, enz. *98*
media de (alleen mv.)
media...: media-aandacht, mediabeleid, mediageniek, enz. *64,76*
mediamiek *22*
mediante de (...n) *89*
mediatheek de (...theken) *20*
mediatief *19*
mediatieve
mediatiseren *26,106*
mediatiseerde, gemediatiseerd
medica de (...cae, ...'s) *8,22,25,42*
medicaliseren *22,26,106*
medicaliseerde, gemedicaliseerd
medicament het (...en) *22*
medicamenteus *22,26*
medicamenteuze
medicatie de (...s) *22*
medicenter het (...s) *25*
Medici, de' *6*
medicijn de/het (...en) *13,25*
medicijnen [geneeskundestudie] *13,25*
medicinaal *25*
medicineren *25,106*
medicineerde, gemedicineerd
medicus de (...dici) *22,25*
mediene de *9,90*
mediëvist de (...en) *7,37*
mediëvistiek de *9,22,37*
mediocratie de (...tieën) *22,40*
mediocre *3,22*
mediocriteit de (...en) *22*
mediothecaris de (...rissen) *15,20,22*

mediotheek de (...theken) *20*
medisch *9*
medisch-ethisch *20,80*
meditatie de (...tiën, ...s) *40,43*
meditatie...: meditatiecentrum, enz. *64,76*
meditatief *19*
meditatieve
mediteren *106*
mediteerde, gemediteerd
mediterraan *14*
medium *1*
medley de (...s) *9,43*
medoc de (...s) *54*
medulla de *14*
medullair *3,14*
medusa de (...'s) *26,42,54*
medusahoofd *65*
mee [honingdrank] de *ook* **mede** *115*
mee... *64,76*
meedogend, mee-eter, meeloper, meewarig, enz.
mee... *69,106*
meedelen: deelde mee, meegedeeld; enz.
meedogenloos *26*
meedogenloze
Meegeren, Han van *6*
meekrap de *8,17*
meekrap...: meekrapwortel, enz. *64*
meelij het *ook* **medelijden** *13,115*
meelijwekkend *64*
meent de (...en) *18*
meer... *64*
meerarbeid, meerdaags, meerduidig, meergenoemd, meerkosten, enz.
meerdere de (...n) *89*
meerderjarige de (...n) *64,89*
meerderwaardigheidsgevoel het (...ens) *ook* **meerwaardigheidsgevoel** *98,115*
meergezinshuis het (...huizen) *26,68,98*
meerjaren... *68,88*
meerjarenplan, enz.
meerkeuze... *68,76,91*
meerkeuzeopgave, meerkeuzevraag, enz.
meerkleurendruk de *68,88*
meerkoet de (...en) *18*
meerkol de (...kollen) *22*
Meerlo-Wanssum *6,53*
meermaals *ook* **meermalen** *73,115*
meermans... *68,98,99*
meermanscel, meermanskaart, enz.
Meern, De *6,53*
meerpartijen... *68,88*
meerpartijenstelsel, enz.
meers de (...en) *26*
Meersch, Maxence van der *6*
meersporenbeleid het *68,88*
Meerssen *6,53*
meertrapsraket de (...ketten) *68,98*
Meer van Genève het *6,53*
meervoud (mv.) het (...en)
meervouds...: meervoudsuitgang, enz. *98*
meervouds-s de *83*
meerwaardigheidsgevoel het (...ens) *ook* **meerderwaardigheidsgevoel** *98,115*
mees de (mezen) *26*
meesmuilen *69,106,108*
meesmuilde, gemeesmuild
meestal *73*
meestbegunstigd *64*
meestbiedende de (...n) *64,89*
meestendeels *111*
meestentijds *ook* **meesttijds** *111,115*
meeting de (...s) *9*
meetkundige de (...n) *89*
meetschieten *69,107*
meeuw de (...en)
meeuwen...: meeuwenei, enz. *88*
Meeuwen-Gruitrode *6,53*
meewerkend voorwerp het *62*
meewerkendvoorwerpzin *68,99*
Mefisto, Mefistofeles [de duivel] *ook* **Mephisto, Mephistofeles** *6*
mefisto [duivels mens] de (...'s) *19,42,54*

mefistofelisch *19*
mefitisch *9*
mega... *78*
megadyne, megaproject, megaton, megawatt, enz.
megabyte (Mb) de (...s) *3,43*
megacalorie (Mcal) de (...rieën) *22,40*
megafoon de (...fonen, ...s) *19*
megaliet de (...en) *18*
megalithisch *9,20*
megalomaan de (...manen) *14*
megascoop de (...scopen) *22*
megohm de/het (...s) *54*
mehari de (...'s) *9,42*
mei [maand] de *13,56*
mei...: meiboom, enz. *64,76*
meid de (...en) *13,18*
meiden...: meidengroep, enz. *88*
meidoorn de (...s) *ook* **meidoren** (...s) *13,115*
meier de (...s) *13*
meieren *13,106*
meierde, gemeierd
meierij [gebied van een meier] de (...en) *13*
Meierij, de [van 's-Hertogenbosch] *6*
Meijel *6,53*
Meijer, Ischa *6*
Meijsing, Doeschka *6*
meiler de (...s) *13*
meinedige de (...n) *13,89*
meineed de (...eden) *13,18*
Meinhof, Ulrike *6*
meiose de *13,26,90*
Meir, Golda *6*
meisje het (...s) *43,112*
meisjes...: meisjesnaam, meisjesstem, enz. *98,99*
meisjelief de *64*
meistreel de (...strelen) *ook* **minstreel, menestreel** *13,115*
mej. [mejuffrouw] *100*
Mejía, Miguel Acéves *6*
mejonkvrouw de (...en) *1*
mejuffrouw (mej.) de (...en) *1*
Mekka *ook* **Mecca** *6,53*
Mekong *6,53*
melaats *1*
melancholica de (...cae, ...'s) *8,22,42*
melancholicus de (...lici) *22,25*
melancholiek *22*
Melanesië *6,53*
melange de/het (...s) *3,27,91*
melaniet het *9,18*
melanine de *9,90*
melasse de (...n) *89*
melati de (...'s) *42*
Melbourne *6,53*
melde de (...n) *89*
melden *106*
meldde, gemeld
meldenswaard *ook* **meldenswaardig** *98,115*
mêlee de *8,31*
mêleren *31,106*
mêleerde, gemêleerd
meliniet het *18*
melioratief *19*
melioratieve
meliorisme het *90*
melis de (...lissen) *1,15*
melismatisch *1*
melisse de (...n)
melissen...: melissenblad, enz. *76,89*
melkboerenhondenhaar het *68,88*
melken *106*
melkte/molk, gemolken
melkenstijd de (...en) *98*
melkgevend *64*
melkweg de (...en) *53*
melkweg...: melkwegstelsel, enz. *68*
melodie de (...dieën) *40*
melodiek de *22*
melodieus *26*
melodieuze
melodrama het (...'s) *42*
meloen de (...en) *11*
meloet de (...en) *18*
melomanie de *9*
melopee de (...peeën) *8,38*

Melpomene *6*
meltdown de (...s) *67*
meluw de (...en) *28*
Melville, Herman *6*
membraan de/het (...branen) *1*
membraan...: membraanfilter, enz. *64*
membrafoon
memel de (...s) *1*
memento het (...'s) *42*
memento mori (m.m.) *63*
memo de/het (...'s; memootje) *42,112*
memo...: memoblok, enz. *64,76*
memoires de (alleen mv.) *3*
memorabel *1,14*
memorabilia de (alleen mv.) *14*
memorandum het (...da, ...s) *3,14*
memoreren *14,106*
memoreerde, gememoreerd
memoriam, in – *63*
memorie de (...s) *9,43,58*
memorie...: memoriepost, enz. *64,76*
memoriseren *14,26,106*
memoriseerde, gememoriseerd
menage de (...s) *27,29,43*
menage...: menageklep, enz. *76,91*
menageren *27,29,106*
menageerde, gemenageerd
menagerie de (...rieën, ...s) *27,40,43*
Menaldumadeel *6,53*
menarche de *27,90*
Mendelejev, Dimitri *6*
mendelevium (Md) het *1*
mendelisme het *54,90*
Mendelssohn-Bartholdy, Felix *6*
mendicant de (...en) *22*
mendicantenorde *88*
meneer de (...neren) *1*
Menelaüs *6*
menens *1*
meneren *ook* **mijnheren** *1,106,115*
meneerde, gemeneerd
menestreel de (...strelen) *ook* **meistreel, minstreel** *115*
mengelmoes de/het *11,64*
menhir de (...s) *3*
menie de *9*
menie...: menievogel, enz. *64,76*
meniën *40,106*
meniede, gemenied
menigeen *73*
menigerhande *73,111*
menigerlei *13,73,111*
menigmaal *73*
menigte de (...n, ...s) *43,91*
meningeaal *3*
meningitis de (...tiden) *1,3*
meningokok de (...kokken) *3,22*
meniscus de (...cussen) *1,22*
menist de (...en) *14,54,57*
mennoniet de (...en) *14,54,57*
menopauze de *26,90*
menora de (...'s) *42*
Menorca *ook* **Minorca** *6,53*
menorragie de (...gieën) *14,40*
menostase de *26,90*
mens de/het (...en)
menselijk *87*
mens...: mensaap, mensvriendelijk, enz. *64*
mensen...: mensenetend, mensenschuw, mensenwerk, enz. *88*
mensa de (...sae, ...'s) *8,26,42*
menselijkerwijs *ook* **menselijkerwijze** *26,111,115*
mensendieck het *54*
mensenrechten de (alleen mv.) *88*
mensenrechten...: mensenrechtenactivist, enz. *88*
Mensenzoon de (GB: mensenzoon) *59,88*
mens-erger-je-niet het *62*
menses de (alleen mv.) *1*
mensjewiek de (...en) *27,57*
mensjewistisch *27,57*
menslief *64*
menslievend *64*
mensonterend *64*
menstrueren *37,38,106*
menstrueerde, gemenstrueerd

mensuraal *26*
mensuur [muziekterm] de (...suren) *26*
mens-zijn het (GB: menszijn) *85*
mentalisme het *90*
mentaliteit de (...en)
mentaliteits...: mentaliteitsverandering, enz. *98*
menthol de *20*
menticide de (...n) *9,25,89*
mentor de (...en, ...s)
mentorenvergadering *88*
mentoraat het (...raten) *14,18*
mentrix de (...trices) *23,25*
menu de/het (...'s; menuutje) *42,112*
menu...: menukaart, enz. *64,76*
menuet de/het (...etten) *37*
Menuhin, Yehudi *6*
meperidine de *9,90*
Mephisto, Mephistofeles [de duivel] *ook* **Mefisto, Mefistofeles** *6*
meranti het *9*
merbau het *12,28*
mercantiel *22*
mercantilisme het *22,90*
mercaptanen de (alleen mv.) *22*
mercator de (...tores, ...s) *54*
mercatorprojectie *65*
mercenair de (...s) *3,25*
merceriseren *25,26,106*
merceriseerde, gemerceriseerd
merchandiser de (...s) *3,26,27*
merchandising de *3,26,27*
merci *9,25*
Merckx, Eddy *6*
Mercouri, Melina *6*
mercurialiën de (alleen mv.) *22,40*
mercurialisme het *22,90*
mercurius [kwikzilver] de *22*
mercurochroom het *3,22*
Mercury, Freddie *6*
mère de (...s) *30,43*
merengue [dans] de (...s) *3,29,43*
meridiaan de (...dianen)
meridiaan...: meridiaancirkel, enz. *64*
meridiaanshoogte *98*
meridionaal *16*
meringue [schuimgebakje] de (...s) *3,29,43*
merinos het (...sen) *9*
merinos...: merinosschaap, merinoswol, enz. *64*
meristeem het (...stemen) *9*
merite de (...s) *9,43,91*
meritocratie de (...tieën) *9,22,40*
merk het (...en)
merkloos *87*
merk...: merkkleding, merkvast, enz. *64*
merken...: merkenrecht, enz. *88*
merkelijk *87*
merkwaardigerwijs *ook* **merkwaardigerwijze** *26,111,115*
merrie de (...s) *9,43*
merrie...: merrieveulen, enz. *64,76*
mersennegetal het (...tallen) *54,65*
Merwedekanaal het *6,53*
mes het (messen)
mes...: mespunt, messcherp, enz. *64*
messen...: messenlegger, enz. *88*
mesalliance de (...s) *14,25,43*
mesalliëren *14,37,38*
mesallieerde, gemesallieerd
mescal de *22*
mescaline de/het *22,90*
mesencefalon het *25,26*
mesenchym het *3,9,26*
mesigit de (...s) *3,9,26*
mesjoche *ook* **mesjogge, mesjokke** *27,115*
mesmerisme het *54,90*
mesocefaal *25,26*
mesoderm het (...en) *26*
mesofase de (...n, ...s) *26,91*
mesofyt de (...en) *9,26*
Mesolithicum het *20,22,56*
mesolithisch *20,56*

meson het (...en) *26*
mesopauze de *26,90*
Mesopotamië *6,53*
mesothorium het *20,26*
mess de (messes) *25*
mess...: messroom, enz. *67*
messaline de *14,90*
Messerschmitt, Willy *6*
messiaans *59*
Messiaen, Olivier *6*
messianisme het *57,59,90*
Messias de *59*
mesten *106*
mestte, gemest
mesties de (...tiezen) *9,26*
mesurabel *26*
M.E.T. [Midden-Europese tijd] *100*
meta... *78*
meta-affaire, metafysisch, metataal, enz.
metaalkunde de *90*
metaalkundige de (...n) *89*
metaalspuiten *69,107*
metaalverwerkend *64*
metabletica de *22*
metaboliet de (...en) *9*
metabolisme het *90*
metafoor de (...foren) *ook* **metafora** (...'s) *19,42,115*
metaforiek de *19,22*
metaldehyde het *9,90*
metalen *114*
metalepsis de *1,17*
metallic *3,14,22*
metalliek *14,22*
metalliseren *14,26,106*
metalliseerde, gemetalliseerd
metallochemie de *14*
metallografie de *14*
metalloïde het (...n) *14,37,89*
metallurgie de *2,14*
metamerie de (...rieën) *40*
metamorf *19*
metamorfe
metamorfose de (...n, ...s) *26,91*
metamorfoseren *26,106*
metamorfoseerde, gemetamorfoseerd
metanalyse de (...n, ...s) *9,91*
metania de (...'s) *42*
metaplasie de *26*
metastase de (...n, ...s) *26,91*
metastaseren *26,106*
metastaseerde, gemetastaseerd
Metastasio, Pietro *6*
metathesis de (...sissen) *ook* **metathese** (...n) *20*
met dien verstande *62,111*
meteen *4,73*
metempsychose de *9,26,90*
meten *106*
mat, gemeten
meteo de (...'s) *37,42*
meteo...: meteovlucht, enz. *64,76*
meteoor de (...oren) *38*
meteoriet de (...en) *37*
meteoroïde de (...n) *37,89*
meteoroliet de (...en) *37*
meteorologie de *37*
meter (m) de (...s)
meter...: meterkast, enz. *64*
metershoog *98*
metgezel de (...zellen) *64*
methaan het *20*
methaan...: methaanzuur, enz. *64*
methadon het *20*
methadon...: methadonbus, enz. *64*
methanol de/het *20*
methode de (...n, ...s) *20*
methode...: methodeleer, enz. *76,91*
methodiek de (...en) *20,22*
methodisme het *20,57,90*
methodologie de *20*
Methusalem *6*
methyl het *9,20*
methyl...: methylalcohol, enz. *64*
metier het (...s) *8,21,29*
metonymia de (...'s) *ook* **metonymie** (...mieën) *9,40,42,115*
metope de (...n) *89*

metrage de (...s) *27,43,91*
metralgie de *3*
metriek de (...en) 22
metro de (...'s) 42
metro...: metrohalte, enz. *64,76*
metrogeen
metronymicum het (...mica) *9,22*
metropoliet de (...en) *9*
metropolis de (...lissen) *ook* **metropool** (...polen) *1,15,115*
metropolitaans *9,10*
metroscoop de (...scopen) 22
metrum het (metra, ...s) *1*
metselaar de (...s)
metselaars...: metselaarsbaas, enz. *98*
metsen *106*
metste, gemetst
metterdaad *111*
metterhaast *111*
mettertijd *111*
metterwoon *111*
met voorbedachten rade *62,111*
metworst de (...en) *18,64*
meubilair het *3*
meublement het (...en)
meute de (...n, ...s) *91*
mevr. [mevrouw] *100*
mevrouw (mw., mevr.) de (...en) *1*
mexicaantje [plantje] het (...s) *54*
Mexico *6,53*
Mexicaan, Mexicaans(e)
Mexico-Stad *6,53*
Meyerbeer, Giacomo *6*
mezelf *73*
mezoeza de (...'s) *11,26,42*
mezza voce *63*
mezzo de (...'s) *3,42*
mezzo...: mezzosopraan, enz. *64,76*
m.f. [mezzo forte] *100*
mg [milligram] *100*
Mg [magnesium] *100*
m.g. [met gelukwens] *100*
mgr. [monseigneur] *100*
m.g.v. [met gebruik van] *100*
M.H. [Mijne Heren] *100*
m.h.d. [met hartelijke dank, met hartelijke deelneming] *100*
m.h.g. [met hartelijke gelukwens(en), met hartelijke groet(en)] *100*
MHz [megahertz] *100*
mi [muzieknoot] de (...'s) *9,42*
m.i. [mijns inziens] *100*
miasma het (...'s) *ook* **miasme** (...n) *42,89,115*
miauw *12,28*
miauwen *12,28,106*
miauwde, gemiauwd
mica de/het (...'s; micaatje) *22,42,112*
mica...: micaglas, enz. *64,76*
micel de (...cellen) *9,25*
Michelangelo Buonarroti *6*
michielszomer de (...s) *54,65,99*
Michigan *6,53*
micraat het (...craten) 22
micro de (...'s; microotje) *22,42,112*
micro... *22,78*
microarchief, micro-economie, microscopisch, enz.
microbe de (...n) *22,89*
microbieel *22,37,38*
microbiële
microcefalie de *22,25*
microfilmen *22,106,108*
microfilmde, gemicrofilmd
microfoon de (...fonen, ...s) 22
microfoon...: microfoonstandaard, enz. *64*
micrografie de 22
microkosmos de *7,22*
microliet de (...en) *9,22*
microlithisch *9,20,22*
micron de/het (...s) 22
Micronesia [staat] *6,53*
Micronesiër, Micronesisch(e)
Micronesië [gebied] *6,53*
micropsie de 22
microtomie de 22
midasoren de (alleen mv.) (GB: Midasoren) *54,65*

middagmalen *69,106,108*
middagmaalde, gemiddagmaald
middags, 's – *48*
middel [hulpmiddel] het (...en) *15*
middelen...: middelenwet, enz. *88*
middel... *64*
middelgebergte, middelgroot, middellands, enz.
middelbareschooltijd de
Middeleeuwen (M.E.) de (alleen mv.) *56*
middeleeuwer de (...s) *56*
middeleeuws *56*
middelerwijl *13,111*
middelevenredige de (...n) *64,89*
middelhandsbeentje het (...s) *ook* **middenhandsbeentje** *68,98,115*
Middellandse Zee de *6,53,65*
Middellandse Zeegebied (GB: Middellandse-Zeegebied)
middellangeafstands... *68,98*
middellangeafstandsraket, enz.
middellijk *4,87*
Middelnederlands [taal] *55*
middelpuntvliedend *64*
middelvinger de (...s) *ook* **middenvinger** *64,115*
midden... *64*
middenrif, middenveld, enz.
Midden-... *6,53*
Midden-Amerika, Midden-Amerikaans, Midden-Noord-Brabant, Midden-Oosten, enz.
middengolf de
middengolf...:
middengolfontvangst, enz. *68*
middenhandsbeentje het (...s) *ook* **middelhandsbeentje** *68,98,115*
middenin *72*
middenklasse de (...n) *64*
middenklassen...:
middenklassenauto, enz. (GB: middenklasse... enz.) *89*
middenmoot de (...moten) *ook* **middelmoot** *18,64,115*
Middenschouwen *6,53*
middenstand de *64*
middenstands...:
middenstandsdiploma, enz. *98*
middenvinger de (...s) *ook* **middelvinger** *64,115*
middenvoetsbeentje het (...s) *68,98*
middenvoor de (...s) *ook* **midvoor** *64,115*
middernacht de *111*
middernachtelijk *87*
middernacht...: middernachtzon, enz. *64*
middernachtsuur *98*
midgetgolf het *3,67*
midhalf de (...s) *64*
midi het (...'s) *9,42*
midinette de (...s) *9,43,91*
midiron de (...s) *3*
midlifecrisis de (...crises, ...sissen) *3,66*
midlotto de/het (...'s) *42,64*
midrasj de *9,27*
midscheeps *64*
midvoor de (...s) *ook* **middenvoor** *64,115*
midweek de (...weken) *64*
midweek...: midweekarrangement, enz. *64*
midwinter de (...s) *64*
midwinter...: midwinterhoorn, enz. *64*
midwinterblazen *69,107*
midzomer de (...s) *64*
midzomer...: midzomernacht, enz. *64*
mie [deegwaar] de *9*
mie [homo] de (mieën, ...s) *9,40,43*
miegelen *2,106*
miegelde, gemiegeld
mier de (...en)
mierzoet *64*
mieren...: mierennest, mierenzuur, enz. *88*
mierenneuken *69,107*

mierik de *1,9*
mierikswortel *98*
mies [kwalijk] *26*
miese
miesgasser de (...s) *64*
miezel de (...s) *26*
miezelen *26,106*
miezelde, gemiezeld
miezer de (...s) *26*
miezeren *26,106*
miezerde, gemiezerd
migraine de *3*
migraine...: migraineaanval, enz. *76,90*
migrant de (...en) *9,18*
migranten...: migrantenwijk, enz. *88*
migratie de (...s) *9,43*
migratie...: migratieoverschot, enz. *64,76*
migreren *9,106*
migreerde, gemigreerd
mihoen de *9,11*
mihrab de (...s) *9,17,20*
mij [persoonlijk voornaamwoord] *13*
Mij. [maatschappij] *100*
mijden *13*
meed, gemeden
mijl de (...en) *13*
mijl...: mijlpaal, enz. *64*
mijlenver *88*
mijmeren *13,106*
mijmerde, gemijmerd
mijn de (...en)
mijn...: mijnbouw, enz. *64*
mijnen...: mijnenjager, enz. *88*
mijnbouwkunde de *90*
mijnbouwkundige de (...n) *89*
mijnen *13,106*
mijnde, gemijnd
mijnent, te(n) – *13,62,111*
mijnentwege *13,73,111*
mijnentwil *13,73,111*
mijnentwil, om – *ook* **mijnentwille** *62,111,115*
mijnerzijds *13,73,111*
mijnheer de (...heren) *1*
mijnheren *ook* **meneren** *1,106,115*
mijnheerde, gemijnheerd
Mijnsheerenland *6,53*
mijns inziens (m.i.) *62,111*
mijnwerker de (...s) *64*
mijnwerkers...: mijnwerkerslamp, enz. *98*
mijt [diertje, hooiberg] de (...en) *13,18*
mijten *13,106*
mijtte, gemijt
mijter de (...s) *13*
mijteren *13,106*
mijterde, gemijterd
mijzelf *13,73*
mik de (mikken) *22*
mikado de/het (...'s) *22,42*
mike de (...s) *3,22,43*
mikimotoparel de (...en, ...s) *54,65*
mikmak de *73*
mil. [militair] *100*
milaan de (...lanen) *9*
mild [zacht(aardig)] *18*
milddadig *4*
Milhaud, Darius *6*
miliaria de (alleen mv.) *9,14*
milicien de (...s) *14,25,39*
milicien-korporaal de (miliciens-korporaals) *22,39,80*
milieu het (...s) *14,21,43*
milieu...: milieuactivist, milieubewust, milieueis, milieu-inspectie, enz. *64,76,85*
milieubeleid het *14,21,64*
milieubeleids...: milieubeleidsplan, enz. *98*
milieugezondheidskunde de *14,21,98*
milieukunde de *14,21,90*
milieukundige de (...n) *14,21,89*
militair (mil.) de (...en) *3,14*
militair-industrieel *3,14,80*
militant de (...en) *14,18*
militariseren *14,26,106*
militariseerde, gemilitariseerd
militarisme het *14,90*

military de (...'s) *9,14,42*
military...: militarysport, enz. *66,76*
militie de (...s) *9,14,43*
militie...: militieraad, enz. *64,76*
milium het (milia, miliën) *14,37*
miljard (mld.) het (...en) *18,21,74*
miljarden...: miljardencontract, miljardeninvestering, enz. *88*
miljardair de (...s) *3,21*
miljoen (mln.) het (...en) *21,74*
miljoenen...: miljoenenbedrijf, miljoenenomzet, enz. *88*
miljonair de (...s) *3,16,21*
milkbar de (...s) *67*
milkshake de (...s) *43,67*
mille het *3,9*
millefleurs het *3*
millenarisme het *14,57,90*
millennium het (...nia) *14*
millennium...: millenniumprobleem, enz. *64*
milli... *14,78*
milliampère (mA), millimeter (mm), milliseconde, enz.
milliade de (...n, ...s) *14,91*
millimeteren *14,106*
millimeterde, gemillimeterd
Millingen aan de Rijn *6,53*
milt [orgaan] de (...en) *18*
milt...: miltvuur, enz. *64*
Milva [Militaire Vrouwenafdeling] de *103*
mime de (...n, ...s) *9*
mime...: mimespel, enz. *64,76*
mimen *9,105,106*
mimede, gemimed
mimeren *9,106*
mimeerde, gemimeerd
mimesis de *1,9*
mimi de (...'s; mimietje) *9,42,112*
mimi...: mimiset, enz. *64,76*
mimicry de *9,22*
mimicus de (...mici) *9,22,25*
mimiek de *9,22*
mimisch *9*
mimograaf de (...grafen) *9,19*
mimosa de (...'s) *9,26,42*
min [zoogster] de (minnen) *ook* **minne** *115*
min [liefde] de *ook* **minne** *115*
Min. [ministerie] *100*
min. [minuut, minimum] *100*
min... *64*
minkukel, minpunt, minteken, minvermogend, enz.
minachten *69,106,108*
minachtte, geminacht
minaret de (...retten) *9,14*
...minded *3*
muziekminded, sportminded, enz.
minder... *64*
minderbegaafd, minderbroeder, minderjarig, minderwaardig, enz.
minderbedeelde de (...n) *64,89*
mindere de (...n) *89*
minderjarige de (...n) *64,89*
mine de (...s) *9,43,91*
mineraal het (...ralen)
mineraal...: mineraalwater, enz. *64*
mineralen...: mineralenbalans, enz. *88*
mineraliseren *26,106*
mineraliseerde, gemineraliseerd
mineralogie de *9*
mineren *9,106*
mineerde, gemineerd
minestra de *9*
minestrone de *9,90*
mineur de (...s) *9*
mineur...: mineurstemming, enz. *64*
mini de/het (...'s; minietje) *9,42,112*
mini... *64,76,78*
minicruise, mini-essay, mini-jurk, enz.
miniaturisatie de (...s) *26,43*
miniatuur de (...turen)
miniatuur...: miniatuurformaat, enz. *64*
miniem *9*
minimal art de *67*

minimaliseren *26,106*
minimaliseerde, geminimaliseerd
minimalisme het *57,90*
minimum (min.) het (...nima) *1*
minimum...: minimumloon, enz. *64*
miniseren *26,106*
miniseerde, geminiseerd
minister (Min.) de (...s) *60*
minister...: ministerraad, enz. *64*
ministers...: ministersfunctie, ministerszetel, enz. *98,99*
ministerie (Min.) het (...s) *43,52*
ministerie...: ministeriegebouw, enz. *64,76*
ministerieel *37,38*
ministeriële
Ministerie van Defensie, Economische Zaken, enz. *6,52*
minister-president de (ministers-presidenten) *60,80*
minne [liefde] de *ook* **min** *115*
minnelijk *87*
minne...: minnespel, enz. *76,90*
minne [zoogster] de (...n) *ook* **min** *89,115*
Minneapolis *6,53*
minnekozen *26,93,106*
minnekoosde, geminnekoosd
Minnesota *6,53*
minoraat het (...raten) *9*
Minorca *ook* **Menorca** *6,53*
minoriet de (...en) *9*
minorisering de (...en) *9,26*
minoriteit de (...en) *9*
minstbedeeld *64*
minste de (...n) *89*
minstreel de (...strelen) *ook* **meistreel, menestreel** *115*
mint de/het *18*
mint...: mintgroen, enz. *64*
minus het
minus...: minuspool, enz. *64*
minuscuul *1,22*
minuskel de (...s) *1,22*
minute, à la – *63*
minuten... zie **minuut**
minuterie de (...s) *43*
minutieus *1,25,26*
minutieuze
minuut (min.) de (...nuten)
minuut...: minuutwijzer, enz. *64*
minutenlang *88*
miosis de *1,9,26*
mirabel de (...bellen) *14,15*
miraculeus *22,26*
miraculeuze
mirakel het (...en, ...s) *1,22*
mirliton de (...s) *9*
Miró, Juan *6*
mirre de
mirre...: mirreboom, enz. *76,90*
mirt de (...en) *ook* **mirte** (...n) *18,89,115*
mirten...: mirtenkrans, enz. *88*
mis... *64*
misdeeld, misdruk, misdadig, enz.
mis... *69,106*
miskleunen: kleunde mis, misgekleund; enz.
misandrie de *26*
misantropie de *26*
misbruiken *69,106,108*
misbruikte, misbruikt
miscellanea de (alleen mv.) *14,25*
misdeelde de (...n) *64,89*
misdoen *69,108*
misdeed, misdaan
misdragen *69,108*
misdroeg, misdragen
misdrijven *19,69,108*
misdreef, misdreven
misduiden *69,106,108*
misduidde, misduid
mise de (...n, ...s) *26,91*
mise-en-place de *63*
mise-en-plis de *63*
mise-en-scène de (mises-en-scène) *43,63*
miserabel *26*
misère de (...s) *26,30,91*

miserere het (...s) *26,43,91*
misericorde de (...s) *22,26,91*
miserie de (...s) *9,26,43*
misgaan [verkeerd gaan] *69*
ging mis, misgegaan
misgaan [zich verkeerd gedragen] *69,108*
misging, misgaan
misgunnen *69,106,108*
misgunde, misgund
mishagen *69,106,108*
mishaagde, mishaagd
mishandelen *69,106,108*
mishandelde, mishandeld
mishoren *69,107*
miskennen *69,106,108*
miskende, miskend
miskomen *69,108*
miskwam, miskomen
miskopen *69,108*
miskocht, miskocht
misleiden *13,106,108*
misleidde, misleid
mislezen *69,107*
mislukken *69,106,108*
mislukte, mislukt
mismaken *69,106,108*
mismaakte, mismaakt
mismeesteren *69,106,108*
mismeesterde, mismeesterd
misnoegen *69,106,108*
misnoegde, misnoegd
misogamie de *3,9,26*
misogyn de (...en) *3,9,26*
misopedie de *9,26*
mispakken *69,106,108*
mispakte, mispakt
mispeuteren *69,106,108*
mispeuterde, mispeuterd
mispickel het *22*
misprijzen *26,69,108*
mispreees, misprezen
misraden [verkeerd raden] *69,106,107*
raadde mis/ried mis, misgeraden
misraden [verkeerde raad geven] *69,106,107,108*
misraadde/misried, misraden
misrekenen [zich vergissen] *69,106,108*
misrekende, misrekend
misrekenen [verkeerd rekenen] *69,106*
rekende mis, misgerekend
miss de (...en) *25*
miss...: missverkiezing, enz. *66*
missaal het (...salen) *14*
misschien *2,14*
misselijk *87*
misselijkmakend *64*
missen *106*
miste, gemist
missie de (...siën, ...s) *9,40,43*
missie...: missiepost, enz. *64,76*
missigit de (...s) *9,14*
missiologie de *14*
missionair *3,14,16*
missionaris de (...rissen) *14,15,16*
missioneren *14,16,106*
missioneerde, gemissioneerd
Mississippi de *6,53*
missive de (...n, ...s) *9,14,91*
Missouri de *6,53*
misstaan *69,108*
misstond, misstaan
mistella de *14*
misten *106*
mistte, gemist
mistletoe de *3,10*
mistral de (...s) *9*
mistress de (...tresses) *3,25*
mistrouwen *69,106,108*
mistrouwde, mistrouwd
misvallen *69,108*
misviel, misvallen
misvatten *69,106,108*
misvatte, misvat
misverstaan *69,108*
verstond mis, misverstaan
misvormen *69,106,108*
misvormde, misvormd
misvragen *69,107*
miszeggen *106,107,108*
miszegde/miszei, miszegd

miszien *69,106,108*
miszag, miszien
mitaine de (...s) *3,43,91*
Mitchell, Margaret *6*
mitella de (...'s) *14,42*
Mithra *ook* **Mithras** *6*
mitigantia de (alleen mv.) *3,9,25*
mitigeren *3,9,106*
mitigeerde, gemitigeerd
mitochondrium het (...dria, ...driën) *3,40*
mitose de *26,90*
mitosis de *1,26*
mitotisch *9*
mitrailleren *21,106*
mitrailleerde, gemitrailleerd
mitrailleur de (...s) *21*
mitrailleur...: mitrailleurvuur, enz. *64*
mitrailleursnest *98*
mitsdien *73*
mitsgaders *73*
Mitterrand, François *6*
m.i.v. [met ingang van, met inbegrip van] *100*
mix de (...en) *23*
mixage de (...s) *23,27,91*
mixed *3,23*
mixed double het (...s) *43,67*
mixed grill de (...s) *67*
mixed pickles de (alleen mv.) *67*
mixen *23,106*
mixte, gemixt
mixtum het (mixta) *1,23*
mixture de (...s) *3,23,43*
mixtuur de (...turen) *23*
ml [milliliter] *100*
m.l. [middelbare leeftijd] *100*
mld. [miljard] *100*
mln. [miljoen] *100*
mm [millimeter] *100*
m.m. [mutatis mutandis, memento mori] *100*
M.M.H.H. [Mijne Heren] *100*
m.m.k. [magnetomotorische kracht] *100*
m.m.v. [met medewerking van] *100*
Mn [mangaan] *100*
m'n *48*
m.n. [met name] *100*
mnemasthenie de *3,20*
mnemoniek de *3,22*
mnemotechniek de *3*
Mo [molybdeen] *100*
m.o. [middelbaar onderwijs] het *101*
m.o.-...: m.o.-akte, enz. *83*
moa de (...'s) *42*
m.o.b. [met onbekende bestemming] *100*
mobiel de/het (...en) *9*
mobilair *3,9*
mobile de/het (...s) *3,9,43*
mobilhome de (...s) *43,67*
mobilisabel *26*
mobiliseren *26,106*
mobiliseerde, gemobiliseerd
mobiliteit de (...en)
mobiliteits...: mobiliteitsbeleid, enz. *98*
mobilofoon de (...s)
Möbius, August Ferdinand *6*
mocassin de (...s) *3,14,22*
modaliteit de (...en)
modderworstelen *69,107*
mode de (...s) *43*
mode...: modeartikel, modebewust, mode-industrie, modeontwerper, enz. *76,91*
model het (modellen; modelletje) *112*
model...: modelwoning, enz. *64*
modellen...: modellenbureau, enz. *88*
modelbouwen *69,107*
modelleren *14,106*
modelleerde, gemodelleerd
modelleur de (...s) *14*
modeltekenen *69,106*
tekende model, modelgetekend
modem de/het (...s) *1,102*
modem...: modemsignaal, enz. *83*
moderamen het (...ramina) *3,14*
moderantisme het *14,90*

moderatie de *14*
moderator de (...en, ...s) *14*
modereren *14,106*
modereerde, gemodereerd
modernetalenonderwijs het *68*
moderniseren *26,106*
moderniseerde, gemoderniseerd
modernisme het (...n) *89*
modest *113*
modester, meest modest
modieus *26*
modieuze
modificatie de (...s) *22,43*
modificeren *25,106*
modificeerde, gemodificeerd
Modigliani, Amedeo *6*
modinette de (...s) *43,91*
modisch *9*
modiste de (...n, ...s) *91*
modulair *3*
modulatie de (...s) *43*
modulator de (...en, ...s)
module de (...n, ...s) *ook* **moduul** *115*
module...: moduleopzet, moduletoets, enz. *76,91*
moduleren *106*
moduleerde, gemoduleerd
modulus de (...duli, ...lussen) *1*
modus de (modi) *1*
modus vivendi de *63*
moduul de (...dulen; ...duultje) *ook* **module** *115*
moe *ook* **moede** *38,113,115*
moeë, moeër, moest
moed [durf] de *18*
moedeloos *87*
moede *ook* **moe** *115*
moede, in arren – *62,111*
moeder de (...s)
moederlijk, moederloos *87*
moeder...: moedermelk, moedernaakt, enz. *64*
moeders...: moederskind, moederszijde, enz. *98,99*
moederdag de *56,64*
moeder-dochterrelatie de (...s) *84*
moederlief de *64*
Moedermaagd de *59,80*
moeder-overste de (...n) *79*
moederziel alleen *62*
moedjahedien de (alleen mv.) *9,11,57*
moedwil de *18,64*
moeflon de (...s) *11,14*
moefti de (...'s) *9,11,42*
moegestreden *64*
moeial de (...allen) *21*
moeite de (...n) *89*
moeiteloos *87*
moeke het (...s) *91*
moeraal de (...alen) *11*
moeras het (...rassen) *14*
moerbei de (...en) *ook* **moerbes** *13,115*
moerbei...: moerbeivlinder, enz. *64,76*
moerstaal de *98*
moesjawara de *11,27*
moesson de (...s) *11,14*
Moessorgski, Modest *6*
moet [vlek, dwang] de (...en) *18*
Moezel *6,53*
moezel de (...s) *54*
moezel...: moezelwijn, enz. *65*
moezjiek de (...s) *9,11,27*
mof de (moffen)
moffen...: moffenpijp, enz. *88*
mofette de (...n) *14,89*
Mogadishu *6,53*
mogelijk *2*
mogelijkerwijs *ook* **mogelijkerwijze** *111,115*
mogifonie de *3,9*
mogigrafie de *3,9*
mogilalie de *3,9*
mogol de (...s) *3*
mohair het *3*
mohairen *3,114*
Mohammed *6*
mohammedaan de (...danen) *54,57*
Mohammed Ali *6*
mohammedanisme het *54,57,90*

mohikanen de (alleen mv.) *53*
moiré het *3,29*
moireren *3,106*
moireerde, gemoireerd
mokka de (mokkaatje) *14,22,112*
mokka...: mokkakoffie, enz. *64,76*
Mokum *1,53*
mol [muziekteken] de (mollen)
mol...: molteken, enz. *64*
mol [dier] de (mollen; molletje) *112*
mol...: molsla, enz. *64*
molleboon *96*
mollen...: mollenrit, enz. *88*
mols...: molshoop, enz. *98*
molaar de (...laren, ...lares) *14*
molair *3*
molasse de *14,90*
Moldau *6,53*
Moldavië *6,53*
Moldaviër, Moldavisch(e)
moleculair *3,22*
moleculair-biologisch *80*
moleculairgewicht het (...en) *3,22,64*
molecule de/het (...n; ...culetje, ...cuultje) *ook* **molecuul** (...culen) *22,112,115*
moleculen...: moleculengewicht, enz. *89*
Molenbeek-Wersbeek *6,53*
molest het *14*
molest...: molestverzekering, enz. *64*
molesteren *14,106*
molesteerde, gemolesteerd
Molière *6*
molière [schoen] de (...s) *30,54,91*
molla de (...'s) *20,42*
mollie de (...s) *9,43*
mollusk de (...en) *14,22*
moloch de (...s) *54*
molotovcocktail de (...s) *54,65*
moltoneren *14,106*
moltoneerde, gemoltoneerd
moltonnen *114*
Molukken de *6,53*
Molukse Zee de *ook* **Molukkenzee** *6,53*
molybdeen (Mo) het *9,17*
mombakkes het (...en) *1,15*
moment het (...en)
moment...: momentopname, enz. *64*
momentenstelling *88*
moment suprême het (moments suprêmes) *31,43,63*
monachaal *3,14*
Monaco *6,53*
Monegask, Monegaskisch(e)
monade de (...n) *14,89*
Mona Lisa [schilderij] de *6,52*
monarch de (...en) *3,14*
monarchie de (...chieën) *3,14,40*
monasterium het (...ria) *14*
monastiek *14,22*
mondain *3*
monddood *4*
monden *106*
mondde, gemond
mond- en klauwzeer het *12,86*
mondhygiëniste de (...n, ...s) *9,37,64*
mondialiseren *26,106*
mondialiseerde, gemondialiseerd
mondialisering de *26*
mondialisme het *90*
mondigverklaring de (...en) *64*
mondje het (...s) *43*
mondjevol *64*
mondjesmaat *98*
mond-op-mondbeademing de *81*
Mondriaan, Piet *6*
mond-tot-mondreclame de (...s) *22,81*
Monet, Claude *6*
monetair *3*
monetarisme het *90*
money de *3,9*
moneymaker *67*
mongolenplooi de (...en) *54,65,88*
mongolide *ook* **mongoloïde** *9,54,115*
Mongolië *6,53*
Mongoliër, Mongolisch(e), Mongool, Mongools
mongolisme het *54,90*
mongoloïde *ook* **mongolide** *9,37,54,115*

mongool [lijder aan mongolisme] de (...golen) *54*
moniale de (...n) *89*
monierbalk de (...en) *54,65*
monisme het *57,90*
monitor de (...en, ...s) *1*
monitoraat het (...raten) *18*
monitoring de *3*
monitrice de (...s) *25,43,91*
Monk, Thelonious *6*
Monnickendam *6,53*
monnik de (...en) *1,15*
monniken...: monniken-Latijn, monnikenwerk, enz. *55,88*
monniks...: monnikskap, monnikssteen, enz. *98,99*
mono... *3,9,78*
monocultuur, mononucleair, monoftalmie, monogamie, monosyllabisch, enz.
monochord het (...en) *3,18*
monochromie de (...mieën) *3,40*
monocle de (...s) *22,43,91*
monocratie de (...tieën) *22,40*
monocyt de (...en) *9,25*
monodie de (...dieën) *9,40*
monodiplopie de *9*
monofaag de (...fagen) *19*
monoftalmie de *19,20*
monoftong de (...en) *19*
monografie de (...fieën) *40*
monokini de (...'s; ...nietje) *9,42,112*
monoliet de (...en) *9*
monoliet...: monolietbouw, enz. *64*
monolithisch *20*
monologue intérieur de (monologues intérieurs) *63*
monopolie het (...liën, ...s) *40*
monopolie...: monopoliepositie, enz. *64,76*
monopoliën *37,106*
monopoliede, gemonopolied
monopoliseren *26,106*
monopoliseerde, gemonopoliseerd
monopoloïde *37*
monopoly [gezelschapsspel] het *3,9*
monopsonie de *17*
monorchisme het *3,90*
monospermie de *9*
monotheïsme het *20,37,90*
monoxide het (...n, ...s) *7,23,91*
Monroe, Marilyn *6*
Monrovia *6,53*
monseigneur (Mgr.) de (...s) *3*
monsieur (Mr.) de (messieurs) *3*
monstrans de (...en) *26*
monstrueus *26*
monstrueuze
monstrum het (...stra, ...s) *1*
monstruositeit de (...en) *26*
montaanwas de/het *64*
montaanzuur het *64*
montage de (...s) *27,43*
montage...: montagebouw, enz. *76,91*
Montaigne, Michel *6*
Mont Blanc de *6,53*
Montenegro *6,53*
Montenegrijn, Montenegrijns(e)
Montesquieu, Charles de *6*
Montessori, Maria *6*
montessori...: montessorionderwijs, montessorischool, enz. *54,65*
monteuse de (...s) *26,43,91*
Monteverdi, Claudio *6*
Montfoort *6,53*
Montgolfier, Etienne/Joseph Michel *6*
montgolfière de (...s) *30,43,54*
Montgomery, Bernard *6*
montignaccen *22,54,106*
montignacte, gemontignact
Montmartre *6,53*
Montparnasse *6,53*
Montpellier *6,53*
Montreux *6,53*
Montserrat *6,53*
Montserratаan, Montserrataans(e)
montycoat de (...s) *67*
monument het (...en)
monumenten...: monumentenzorg, enz. *88*

monumentalisme het *90*
mooiigheid de (...heden) *38*
mooiklinkend *64*
mooipraten *69,107*
mooizitten *69*
zat mooi, mooigezeten
moonboot de (...s) *67*
moonwalk de (...s) *67*
Moor de (Moren) *53*
moorddadig *4*
moorden *106*
moordde, gemoord
moot de (moten) *18*
mop de (moppen)
moppen...: moppentapper, enz. *88*
moquette de *22,90*
mora, in – *63*
moraliseren *26,106*
moraliseerde, gemoraliseerd
moralisme het *90*
moraliteit de (...en)
moraliter *9*
moratoir *3*
moratorium het (...ria, ...s) *1*
Moravië *6,53*
morbide *9*
morbiditeit de *9*
mordent de (...en) *18*
mordicus *1,22*
more de (...n) *89*
More, Thomas *6*
Moreau, Gustave/Jeanne *6*
morel de (morellen; morelletje) *112*
morellen...: morellenboom, enz. *88*
morene de (...n, ...s) *43,91*
mores de (alleen mv.) *1*
moreske de (...n) *22,89*
morfeem het (...femen) *19*
morfine de *9,19*
morfine...: morfinespuitje, enz. *76,90*
morfinisme het *19,90*
morfogenese de *19,26,90*
morfologie de *19*
morfonologie de *19*
morgens, 's – *48*
morgenstond de (...en) *18,64*
morgenvroeg *62*
morgue de (...s) *3*
Moriaan [Moor] de (...rianen) *53*
morielje de (...s) *ook* **morille** (...s) *21,91,115*
Mörike, Eduard *6*
Möring, Marcel *6*
morisk de (...en) *22*
mormoon de (...monen) *54,57*
morning-afterpil de (...pillen) *84*
Moroni *6,53*
morose *26*
Morpheus *6*
Morricone, Ennio *6*
Morriën, Adriaan *6*
morse het
morse...: morsealfabet, enz. *76,90*
morsebel de (...bellen) *93*
mortaliteit de
mortaliteits...:
mortaliteitscoëfficiënt, enz. *98*
mortificatie de (...s) *22,43*
mortificeren *25,106*
mortificeerde, gemortificeerd
mortuarium het (...ria, ...s) *1*
morzel de (...zelen, ...s) *26*
mosasaurus de (...russen) *12,26*
moskee de (...keeën) *8,22,38*
Moskou *6,53*
Moskoviet
moslim de (...s) *57*
moslim...: moslimcultuur, enz. *64*
mosso *14*
most de *18*
mostfruit *64*
mosterd de *18*
Moszkowicz (advocaten) *6*
mot [insect] de (motten) *18*
mot...: motvlinder, motvrij, enz. *64*
motten...: mottenbal, enz. *88*
mot [gruis] het *18*
mot...: motregen, enz. *64*
motet het (...tetten) *18*

motie de (...s) *43*
motief het (...tieven) *19*
motiveren *19,106*
motiveerde, gemotiveerd
moto de (...'s) *42*
motor de (...en, ...s) *1*
motor...: motorboot, motorcross, enz. *66,67*
motoriek de *22*
motoriseren *26,106*
motoriseerde, gemotoriseerd
motorrijtuig het (...en) *1,64*
motorrijtuigen...: motorrijtuigenbelasting, enz. *88*
motregenen *69,106,108*
motregende, gemotregend
motsen *106*
motste, gemotst
motten *106*
motte, gemot
motto het (...'s) *42*
motto...: mottobord, enz. *64,76*
mouche de (...s) *11,27,91*
mouilleren *11,21,106*
mouilleerde, gemouilleerd
mouillering de *11,21*
mouilleringstheorie *98*
moulage de (...s) *11,27,91*
mouleren *11,106*
mouleerde, gemouleerd
Moulijn, Coen *6*
mouliné de/het *11,29*
moulineren *11,106*
moulineerde, gemoulineerd
moulinetgaren het (...s) *11,66*
moulure de (...s) *11,43,91*
mountainbike de (...s; ...je) *43,67*
mountainbiken *105,106,108*
mountainbikete, gemountainbiket
Mount Everest de *6,53*
moussaka de *11,14,22*
mousse de (...s) *11,25,43*
mousseline de/het *11,14,90*
mousselinen *11,14,114*
mousseren *11,14,106*
mousseerde, gemousseerd
Moustaki, Georges *6*
mout de/het *12,18*
mout...: moutbrood, enz. *64*
mouten *12,106*
moutte, gemout
mouvement het (...en) *3,11*
mouw de (...en) *12,28*
mouwloos *87*
mouw...: mouwlengte, enz. *64*
move de (...s) *3,11,43*
moven *11,105,106*
movede, gemoved
moveren *106*
moveerde, gemoveerd
moviebox de (...en) *9,23,67*
moyenne het (...s) *3,21,91*
mozaïek het (...en) *22,26,38*
mozaïek...: mozaïektegel, enz. *64*
mozaïsme het *37,54,90*
Mozambique *6,53*
Mozambikaan, Mozambikaans(e)
Mozart, Wolfgang Amadeus *6*
Mozes *6*
mozetta de (...'s) *3,14,42*
mozzarella de (...'s) *3,14,42*
MP [minister-president, Militaire Politie] *104*
Mr. [mister, monsieur] *100*
mr. [meester (in de rechten)] *100*
Mrs. [mistress, messieurs] *100*
mrt. [maart] *100*
MS [metriek stelsel] *104*
ms. [manuscript, motorschip] *100*
m.s. [multiple sclerose] de *100*
mts [middelbare technische school] de (mts'en) *101*
mts'er *46*
mts...: mts-leerling, enz. *83*
Mubarak, Mohammed Hosni *6*
mucine de *25,90*
mucoïd *18,22,37*
mucolytisch *9,22*
mud de/het (mudden) *18*
mud...: mudvol, mudzak, enz. *64*
muesli de *ook* **müsli** *3,9,115*

muezzin de (...s) *3,11,14*
muffin de (...s) *14*
mug de (muggen)
muggen...: muggenbult, enz. *88*
muggenziften *88,106,108*
muggenziftte, gemuggenzift
MUHKA [Museum voor Hedendaagse Kunst te Antwerpen] het *104*
muilbanden *69,106,108*
muilbandde, gemuilband
muilkorven *19,69,106*
muilkorfde, gemuilkorfd
muis de (muizen) *26*
muis...: muisgrijs, muishond, enz. *64*
muizegerst, muizetarwe *96*
muizen...: muizenval, enz. *88*
muiten *106*
muitte, gemuit
muizen *26,106*
muisde, gemuisd
muize(n)... zie **muis**
muizenis de (...nissen) *15*
mulat de (...latten) *18*
mulattin de (...tinnen) *14*
mulchen *3,106*
mulchte, gemulcht
muleta de (...'s) *42*
Mulisch, Harry *6*
mullah de (...s) *20,43*
multatuliaans *54*
multi... *78*
multicultureel, multimedia, multi-instrumentalist, multinational, enz.
multipara de (...'s) *42*
multipel de (...s) *1*
multiple choice de *67*
multiple-choice...: multiple-choicetoets, enz. *84*
multiple sclerose (m.s.) de *22,26,63*
multiplex het (...en) *23*
multiplicator de (...s) *22*
multipliceren *25,106*
multipliceerde, gemultipliceerd
multipliciteit de *25*
multiplier de (...s) *3*
multipliëren *37,38,106*
multiplieerde, gemultiplieerd
multitasking de *3*
multomap de (...mappen) *64*
mummie de (...s) *9,43*
mummificatie de *14,22*
mummificeren *9,25,106*
mummificeerde, gemummificeerd
München *6,53*
municipaal *25*
municipaliteit de (...en) *25*
munitie de (...tiën) *40*
munitie...: munitiedepot, enz. *64,76*
munt de (...en)
munt...: muntgeld, enz. *64*
munten...: muntencollectie, enz. *88*
munten *106*
muntte, gemunt
munt- en penningkunde de *86*
muon het (...en) *37*
muppet de (...s) *3,54*
Murdoch, Iris *6*
murene de (...n) *89*
murmureren *14,106*
murmureerde, gemurmureerd
murw *2*
murwen *2,106*
murwde, gemurwd
mus de (mussen)
mussen...: mussennest, enz. *88*
musculair *3,22*
musculatuur de *22*
museaal *26*
Museeuw, Johan *6*
musette de (...n, ...s) *26,43,91*
museum het (...sea, ...s) *26,39*
musical de (...s) *3,22*
musical...: musicalproductie, enz. *66*
musicassette de (...n, ...s) *22,26,91*
musiceren *25,26,106*
musiceerde, gemusiceerd
music-hall de (...s) *3,22,67*
music-hallartiest *84*

musicienne de (...s) *25,26,39*
musicologie de *22,26*
musicus de (...sici) *22,25,26*
musiefgoud het *26,64*
musiefzilver het *26,64*
musivisch *26*
muskaat de (...katen) *22*
muskaat...: muskaatwijn, enz. *64*
muskadel de (...dellen) *22*
muskadel...: muskadelwijn, enz. *64*
musket de/het (...ketten) *22*
musketier de (...s) *14,22*
musketon het (...s) *22*
muskiet de (...en) *22*
muskieten...: muskietennet, enz. *88*
muskoviet het *9,22,54*
muskus de *1,22*
muskus...: muskusrat, enz. *64*
müsli de *ook* **muesli** *3,9,115*
Mussolini, Benito *6*
must de (...s) *3*
mutabel *1*
mutageen het (...genen) *3*
mutagenese de *2,26,90*
mutant de (...en) *18*
mutatie de (...s) *43*
mutatief het (...tieven) *19*
mutatis mutandis (m.m.) *63*
mutator de (...s) *1*
mu-thee de *20,85*
mutileren *14,106*
mutileerde, gemutileerd
muting de *3,11*
mutisme het *90*
mutsaard de (...s) *ook* **mutserd** (...s) *18,115*
Mutsaers, Charlotte *6*
mutualisme het *28,90*
mutualiteit de (...en) *28*
m.u.v. [met uitzondering van] *100*
muzak de *22,26*
muze de (...n) *26*
muzen...: muzentempel, enz. *89*
muzelman de (...mannen) *26*
muziek (muz.) de *26*
muziek...: muziekhistorisch, muziekinstrument, enz. *64*
muzikaal *9,26*
muzikaliteit de *9,26*
muzikant de (...en) *9,26*
muzikantesk *9,26*
muzisch (GB: ook musisch) *9,26*
mv. [meervoud] *100*
MvA [memorie van antwoord] *104*
m.v.g. [met vriendelijke groet(en)] *100*
MvT [memorie van toelichting] *104*
mw. [mevrouw] *100*
myalgie de *3,9*
Myanmar *6,53*
Myanmarees, Myanmarese
mycelium het *9,25*
mycetes de (alleen mv.) *1,9,25*
mycetologie de *9,25*
mycologie de *9,22*
myeline de *9,90*
myelitis de *1,9*
myocard het *9,18,22*
myocarditis de *1,9,22*
myocardose de *9,22,26*
myogeen *9*
myoglobine de *9,90*
myologie de *9*
myomeer het (...meren) *9*
myoom het (...omen) *9*
myoop *9*
myopie de *9*
myosine de *9,26,90*
myositis de *1,9,26*
myosotis de (...tissen) *1,9,26*
Myra *6,53*
myriade de (...n) *9,89*
myriagram het (...grammen) *9*
myriameter de (...s) *9*
myringitis de *1,3,9*
myringotomie de *3,9*
mysterie het (...riën, ...s) *9,40,43*
mysterie...: mysteriespel, enz. *64,76*
mysterieus *9,26*
mysterieuze

mystica de (...cae, ...'s) *9,22,42*
mysticisme het *9,25,90*
mysticus de (...tici) *9,22,25*
mystiek de *9,22*
mystieken de (alleen mv.) *9,22*
mystificatie de (...s) *9,22,43*
mystificeren *9,25,106*
mystificeerde, gemystificeerd
mythe de (...n, ...s) *9,20*
mythe...: mythevorming, enz. *76,91*
mythisch *9,20*
mythiseren *9,20,26*
mythiseerde, gemythiseerd
mythologie de (...gieën) *9,20,40*
mythologiseren *9,20,26*
mythologiseerde, gemythologiseerd
mythomanie de *9,20*
mytylschool de (...scholen) *54,65*
myxomatose de *9,23,26*
myxoom het (myxomen) *9,23*
myxopoëse de *9,23,37*

n

n de (n'en, n's; n'etje) *46*
N-bom *61,83*
N [nitrogenium] *100*
n.a. [non-actief] *100*
na... *70,106*
naleven: leefde na, nageleefd; enz.
Na [natrium] *100*
naad de (naden) *18*
naadloos *87*
naaf de (naven) *19*
naaigerei het *13*
naaiing de (...s) *38*
naaktzadigen de (alleen mv.) *64*
naald de (...en)
naald...: naaldboom, enz. *64*
naalden...: naaldenkussen, enz. *88*
naam de (namen)
namelijk, naamloos (zonder naam), nameloos (onuitsprekelijk) *87*
naam...: naamwoord, enz. *64*
namen...: namenlijst, enz. *88*
naams...: naamsverandering, enz. *98*
naamval de (...vallen)
naamvals...: naamvalsvorm, naamvalssuffix, enz. *98,99*
na-apen *70,76,106*
aapte na, nageaapt
na-aper de (...s) *64,76*
naar avenant *18,62*
naar bevind van zaken *62*
naardien *73,111*
naargelang [naarmate] *73*
naar gelang van *62*
naar verluidt *62,105*
naastbijgelegen *73*
naastbijzijnd *73*
naaste de (...n)
naastenliefde *89*
naasten *106*
naastte, genaast
naastgelegen *64*
naatje, dat is – *18,62*
nabauwen [napraten] *12,106*
bauwde na, nagebauwd
nabestaande de (...n)
nabestaandenpensioen *89*
Nabije Oosten het *6,53*
nabijgelegen *64*
nabijkomen *69*
kwam nabij, nabijgekomen
nabijzijnd *64*
nabob de (...s) *17*
Nabokov, Vladimir *6*
nabouw de *12*
Nachitsjevan *6,53*
nacht de (...en)
nachtelijk *87*
nacht...: nachtmerrie, enz. *64*
nachtenlang *88*
nachtbraken *69,106,108*
nachtbraakte, genachtbraakt
nachtegaal de (...galen) *97*
nachtegaals...: nachtegaalsnest, nachtegaalsslag, enz. *98,99*
nachtschade de (...n) *64*
nachtschadenfamilie *89*
nachtschone de (...n) *64*
nachtschonenfamilie *89*
nachtvliegen *69,107*
nadarhek het (...hekken) *54,65*
na dato [n.d.] *62*
naderbij *73*
naderhand *73*
na dezen *111*
nadien *73*
nadir het *3,9*
Naeff, Top *6*
na-eten *70,76*
at na, nagegeten
nafta de *19*

naftaleen het *19*
n.a.g. [niet afzonderlijk genoemd] *100*
Nagasaki *6,53*
nagelbijten *69,107*
nagellakken *69,107*
nagenoemd *64*
naggen *106*
nagde, genagd
Nagorno-Karabach *6,53*
naïef *19,38*
naïeve
naïeveling de (...en) *19,38*
naijlen *37,69,106*
ijlde na, nageijld
naijver de *13,37,64*
Naipaul, Vidiadhar Surajprasad *6*
Nairobi *6,53*
naïviteit de (...en) *ook* **naïveteit** *19,37,115*
naja de (...'s) *21,42*
najaar het (...jaren) *56,64*
najaars...: najaarsaanbieding, najaarsstorm, enz. *98,99*
najade de (...n, ...s, GB: ...n) *21,91*
najool de (...jolen) *64*
najouwen *12,28,70*
jouwde na, nagejouwd
naken *106*
naakte, genaakt
nakie het *9*
name(n)... zie **naam**
Namibië *6,53*
Namibiër, Namibisch(e)
nandoe de (...s) *3,11,43*
nanisme het *90*
Nanking *6,53*
nanking [soort katoen] het *54*
nano... *78*
nanometer, nanoseconde, enz.
nansenpas de (...passen) *54,65*
naoorlogs *38,76*
NAP [normaal Amsterdams peil] *104*
napalm de/het *3*
napoleontisch *54*
nappa het *14*
nappaleer, nappaleder *64*
napperon de (...s) *14*
nar de (narren; narretje) *112*
narren...: narrenkap, enz. *88*
narcis de (...cissen) *15,25*
narcissen...: narcissenbed, enz. *88*
narcisme het *54,90*
narco... *22*
narcoanalyse, narcolepsie, narcomanie, enz.
narcose de *22,26,90*
narcotica de (alleen mv.) *22*
narcotica...: narcotica-agent, narcoticabrigade, enz. *64,76*
narcoticum het (...tica) *22*
narcotine de/het *22,90*
narcotiseren *22,26,106*
narcotiseerde, genarcotiseerd
nardus de (...dussen) *3*
nargileh de (...s) *3,8,9,20*
narratief *14,19*
narratieve
narthex de (...en) *3,20,23*
NASA [National Aeronautics and Space Administration] de *103*
nasaal *26*
nasaleren *26,106*
nasaleerde, genasaleerd
Nashville *6,53*
nasi de *3,9,14*
nasibal, nasigoreng, nasirames *64,66*
nasofarynx de (...en) *3,9,23,26*
nasoscoop de (...scopen) *22,26*
Nassau *6,53*
nasynchroniseren *9,26,70,106*
synchroniseerde na, nagesynchroniseerd
nat. [natuurkundig] *100*
natie [volk] de (natiën, ...s) *40,43*
natie...: natievlag, enz. *64,76*
natief *19*
natieve
nationaal *16,25*
Nationaal Park Hoge Veluwe *6,53*
nationaal-socialisme het *25,57,79*

nationaliseren *25,26,106*
nationaliseerde, genationaliseerd
nationalisme het *27,90*
nationaliteit de (...en)
nationaliteiten...:
nationaliteitenkwestie, enz. *88*
nationaliteits...:
nationaliteitsgevoel, enz. *98*
native de (...s) *3,19,43*
nativisme het *9,90*
nativiteit de *9*
natmaken *69,106*
maakte nat, natgemaakt
NATO [North Atlantic Treaty Organization] de *103*
NATO-...NATO-land, enz. *83*
natriëmie de *37*
natripenie de *9*
natrium (Na) het *3*
natrium...: natriumbicarbonaat, enz. *68*
natspuiten *69,106*
spoot nat, natgespoten
natten *106*
natte, genat
nattevingerwerk het *68*
natura, in – *63*
naturalisatie de (...s) *26,43*
naturalisme het *57,90*
naturel [kleur, stofnaam] de/het
naturelpapier *64*
naturel [persoon] de (...llen)
naturellenkwestie *88*
naturist de (...en)
naturisten...: naturistencamping, enz. *88*
naturopaat de (...paten) *20*
naturopathie de *20*
natuurkundige de (...n) *89*
natuurlijkerwijs *ook* **natuurlijkerwijze** *26,111,115*
natuurwollen *64,114*
naumachie de (...chieën) *3,12,40*
nauplius de (...ussen) *3,12,15*
Nauru *6,53*
Nauruaan, Nauruaans(e)
nautafoon de (...fonen, ...s) *12*
nautiek de *12,22*
nautilus de (...ussen) *3,12,15*
nautisch *12*
nauw... *12,64*
nauwgezet, nauwkeurig, nauwsluitend, enz.
nauwelijks *12*
Nauw van Calais *6,53*
n.a.v. [naar aanleiding van] *100*
navajo de (...'s) *42,53*
navelstaren *69,107*
navenant *18*
navigator de (...s) *1*
navigeren *106*
navigeerde, genavigeerd
NAVO [Noord-Atlantische Verdragsorganisatie] de *103*
NAVO-...: NAVO-land, enz. *83*
navolgenswaard *ook* **navolgenswaardig** *98,115*
navorsen *106*
vorste na, nagevorst
navrant *113*
navranter, navrantst
nazaat de (...zaten) *18*
Nazareth *6,53*
nazi [Nationalsozialist] de (...'s) *46,57,102*
nazi...: nazi-ideologie, nazimisdadiger, enz. (GB: nazi-...) *76,83*
nazireeër de (...s) *38*
nazisme het *57,90*
Nb [niobium] *100*
N.B. [noorderbreedte, nota bene] *100*
N.-B. [Noord-Brabant] *104*
NBC-... [met nucleaire, biologische of chemische wapens] *83*
NBC-oorlog, NBC-wapens, enz.
NBW [Nieuw Burgerlijk Wetboek] het *104*
n.C. [na Christus] *100*
NCMV [Nationaal Christelijk Middenstandsverbond] het *104*

NCRV [Nederlandse Christelijke Radiovereniging] de *104*
Nd [neodymium] *100*
n.d. [na dato] *100*
n-de macht de *74*
Ndl. [Nederlands] *ook* **Ned.** *100,115*
Neanderthaler de (...s) *20,54*
neartrose de *20,26,90*
neb de (nebben; nebbetje) *ook* **nebbe** (...n) *17,89,112,115*
Nebukadnessar *ook* **Neboekadnessar** *6*
nebulium het *3*
necessaire de (...s; ...sairtje) *25,29,112*
necessiteit de *25,29*
necro... *22,78*
necrobiose, necrofilie, necromantie, necropolis, enz.
necrologium het (...gia) *3,22*
necropsie de (...sieën) *22,25,40*
necrose de *22,26,90*
nectar de *22*
nectariën de (alleen mv.) *22,40*
nectarine de (...s) *22,43,91*
Ned. [Nederlands] *ook* **Ndl.** *100,115*
Neder... *55*
Nederduits, Nederengels, enz.
nederdalen *ook* **neerdalen** *69,106,115*
daalde neder, nedergedaald
Nederhorst den Berg *6,53*
Nederlands *55,65*
Nederlands...: Nederlandsgezind, Nederlandssprekend, Nederlandstalig, enz.
Nederlandse Antillen de *6,53*
Nederlands Antilliaan, Nederlands Antilliaans(e) (GB: Nederlands-Antilliaan, enz.)
Nederlands-hervormd (Ned.-Herv. of N.H.) *57*
Nederlek de *6,53*
Neder-Maas de *6,53*
Neder-Oostenrijk *6,53*
Neder-Oostenrijks(e)
nederpop de *64*
Neder-Saksen *ook* **Nedersaksen** *6,53*
Neder-Saksisch(e)
nederwiet de *9,18,64*
nederyuppie de (...s) *9,21,64*
Nederzwalm-Hermelgem *6*
Ned.-Herv. [Nederlands-hervormd] *100*
Neede *6,53*
neef de (neven) *19*
neerdalen *ook* **nederdalen** *69,106,115*
daalde neer, neergedaald
Neerglabbeek *6,53*
Neerheylissem *6,53*
Neerijnen *6,53*
neerlandica de (...'s) *22,42,54*
neerlandicus de (...dici) *22,25,54*
neerlandisme het (...n) *54,89*
neerlandistiek de *54*
neervlijen *13,69,106*
vlijde neer, neergevlijd
neerzijgen *13,69*
zeeg neer, neergezegen
neet de (neten) *18*
neetoor *64*
netenkam *88*
nee-uitslag de *76*
Nefertete, ook Nefertiti *6*
nefoscoop de (...scopen) *19,22*
nefrectomie de (...mieën) *22,40*
nefriet de/het (...en) *18,19*
nefrose de (...n) *19,26,89*
neg de (neggen) *ook* **negge** *115*
negatie de (...s) *43*
negatief het (...tieven) *19*
negatiefdruk *64*
negatief *19*
negatieve
negativisme het *90*
negen de (...s; ...tje) *74*
negen...: negendaags, enz. *64*
negen...: negenduizend, negenduizend zestig, negenhonderd, negenhonderdtien, negenoog, enz. *64,74*
negen-tot-vijftype *81*
negen...: negenmaandscijfers, negenpuntscirkel, enz. *68,98*

negende *75*
negende...: negende-eeuwer, negende-eeuws, negendejaars, enz. *76,92*
negentien *74*
negentien...: negentienjarig, enz. *64*
negentiende *75*
negentiende...: negentiende-eeuwer, negentiende-eeuws, enz. *76,92*
negentig *74*
negentig...: negentigjarig, enz. *64*
negeren [vermijden] *34,106*
negeerde, genegeerd
negeren [plagen] *34,106*
negerde, genegerd
Negerengels *55*
negerij de (...en) *ook* **negorij** *1,13,115*
negge de (...n) *ook* **neg** *89,115*
negligé het (...s; ...geetje) *27,29,112*
negligeren *27,29,106*
negligeerde, genegligeerd
negorij de (...en) *ook* **negerij** *1,13,115*
negotie de (...s) *43*
negotiëren *37,38,106*
negotieerde, genegotieerd
nègre *30*
negride *ook* **negroïde** *9,115*
negrito de (...'s) *9,42*
negroïde *ook* **negride** *9,37,115*
negroïsering de *26,37*
negrospiritual de (...s) *67*
negus de (...gussen) *1*
Nehru, Jawaharlal Pandit *6*
nehrung de (...en) *11,20*
neigen [overhellen] *13,106*
neigde, geneigd
neiging [gezindheid] de (...en) *13*
nek-aan-nekrace de (...s) *43,81*
nekken *106*
nekte, genekt
nekton het *22*
nematode de (...n) *89*
nemoliet de (...en) *9*
nenia de (...'s) *42*

neo... *78*
neobarok, neoclassicisme, neo-expressionisme, neoklassiek, neonazi, enz.
neodymium (Nd) het *1,9*
neofiel de (...en) *9*
neofiet de (...en) *9*
neografie de (...fieën) *40*
Neolatijn *55*
Neolithicum het *20,56*
neolithisch *20,54*
neologisme het (...n) *89*
neonaat de (...naten) *18*
neonataal *14*
Nepal *6,53*
Nepalees, Nepalese
nepent de/het *ook* **nepenthes** *18,20,115*
nepotisme het *90*
neptunium (Np) het *1,54*
Neptunus [god van de zee] *6*
neptunisme *54*
neptunus...: neptunusfeest, neptunuspost, enz. *54,65*
nereïde de (...n) *37,89*
nerf de (nerven) *19*
neringdoende de (...n) *89*
nero [een tiran] de (...'s) *42,54*
Neruda, Pablo *6*
nervaal *19*
nervatuur de (...turen) *19*
nerveus *26*
nerveuze
nervositeit de *26*
nervus de (nervi) *3,19*
Nescio *6*
nessushemd het *54,65*
nestor de (...s) *54*
nestoriaan de (...anen) *54*
net het (netten)
net...: netabonnement, enz. *64*
netten...: nettenknoper, enz. *88*
neten... zie **neet**
netsurfen *69,107*
netten *106*
nette, genet

netto
netto...: nettogewicht, netto-inkomen, netto-omzet, enz. *64,78*
netto-nettokoppeling de (...en) *81*
nettoregisterton (N.R.T.) de *64*
netwerken *69,106,108*
netwerkte, genetwerkt
Neufchâteau *6,53*
neum de (...en) *3*
neuraal *3*
neuralgie de *14*
neurasthenie de *14,20*
neuriën *40,106*
neuriede, geneuried
neuriet de (...en) *18*
neuro... *3,78*
neurochirurgie, neurolepticum, neuropaat, neuropathie, enz.
neuron het (...en, ...s) *3,14*
neuroot de (...roten) *3,18*
neurose de (...n, ...s) *3,26,43*
neuroseleer *91*
neurotica de (...cae, ...'s) *3,22,42*
neuroticus de (...tici) *3,22,25*
neurotiseren *3,26,106*
neurotiseerde, geneurotiseerd
neus-keelholte de (...n, ...s) *43,81*
neuspeuteren *69,107*
neutralisatie de *26,43*
neutralisme het *90*
neutraliteit de
neutraliteitsverklaring *98*
neutrino het (...'s) *3,42*
neutron het (...en, ...s) *3*
neutronen...: neutronenbom, enz. *88*
neutrum het (neutra) *3*
neuzelen *26,106*
neuzelde, geneuzeld
neuzen *26,106*
neusde, geneusd
Nevada *6,53*
neven... *64*
nevenactiviteit, nevengeschikt, nevenwerkzaamheden, enz.
nevensgaand *64*
new age de *57,67*
New Delhi *6,53*
Newfoundland *6,53*
Newfoundlander, Newfoundlands
newfoundlander [hond] de (...s) *54*
New Hampshire *6,53*
New Jersey *6,53*
new look de *67*
New Mexico *6,53*
New Orleans *6,53*
Newton, Isaac *6*
newton (N.) de (...s) *54*
newtoniaans *54*
new wave de *67*
New York *6,53*
New Yorker, New Yorks(e)
NFWO [Nationaal Fonds voor Wetenschappelijk Onderzoek] het *104*
N.H. [Nederlands-hervormd, Nederduits-hervormd] *104*
N.-H. [Noord-Holland] *104*
Ni [nikkel] *100*
Niamey *6,53*
Nicaragua *6,53*
Nicaraguaan, Nicaraguaans(e)
niche de (...s) *9,27,91*
Nicholson, Jack *6*
nichroom het *3,9*
nicht de (...en)
nichtenbar *88*
Nicosia *6,53*
nicotianine de *22,90*
nicotine de *22*
nicotine...: nicotinearm, nicotinevergiftiging, enz. *76,90*
nicotinezuuramide het *9,22,90*
nidatie de *9,43*
Niel-bij-As *6,53*
Niel-bij-Sint-Truiden *6,53*
niëlleren *14,37,106*
niëlleerde, geniëlleerd
niëllo het *14,37*
niemand
niemandsland *98*

niemendal de/het (...dallen; ...dalletje) *1,112*
niesbui de (...en) *26*
niesen *ook* **niezen** *26,106,107*
nieste/niesde, geniest/geniesd
niet-... *77*
niet-Europees, niet-gebonden, niet-roker, enz.
nieten *106*
niette, geniet
nietes *1*
nietigverklaring de (...en) *64*
niets... *64*
nietsnut, nietsvermoedend, enz.
nietsdoen het *64*
niettegenstaande *4,73*
niettemin *4,73*
nietwaar *73*
Nietzsche, Friedrich *6*
nietzscheaans *54*
nieuw *1,38*
nieuwbakken *64*
Nieuw-Beijerland *6,53*
Nieuw-Bergen *6,53*
nieuwbouw de *64*
nieuwbouw...: nieuwbouwwijk, enz. *64*
Nieuw-Buinen *6,53*
Nieuw-Caledonië *6,53*
Nieuw-Caledoniër, Nieuw-Caledonisch(e)
nieuwemaan de *92*
Nieuwe Maas de *6,53*
Nieuwe Merwede de *6,53*
Nieuwe-Niedorp *6,53*
Nieuwe Pekela *6,53*
Nieuwerkerk aan den IJssel *6,53*
Nieuwe-Tonge *6,53*
nieuwgeboren *64*
Nieuw-Ginniken *6,53*
Nieuwgrieks *55*
Nieuw-Guinea *6,53*
Nieuw-Guineeër, Nieuw-Guinees, Nieuw-Guinese
Nieuwhoogduits *55*
nieuwjaar het (...s) *56,64*
nieuwjaars...: nieuwjaarsbijeenkomst, enz. *98*
Nieuwkerken-Waas *6,53*
Nieuwkoopse Plassen de *6,53*
Nieuw-Lekkerland *6,53*
Nieuwleusen *6,53*
nieuwlichter de (...s) *64*
nieuwmelks *64*
nieuwmodisch *64*
Nieuwolda *6,53*
nieuwrechts *64*
nieuws het *2*
nieuws...: nieuwsagentschap, enz. *64*
Nieuw-Schoonebeek *6,53*
nieuwsgierig *1,2*
Nieuwstadt *6,53*
nieuwtestamentisch *59,64*
Nieuwveen *6,53*
Nieuw-Vennep *6,53*
Nieuw-Vossemeer *6,53*
Nieuw-Zeeland *6,53*
Nieuw-Zeelander, Nieuw-Zeelands(e)
niezen *ook* **niesen** *26,106*
niesde, geniesd
Niger *6,53*
Nigerees, Nigerese
Nigeria *6,53*
Nigeriaan, Nigeriaans(e)
Nightingale, Florence *6*
nigromantie de *25*
nihil *9*
nihilbeding het (...en) *9,64*
nihilisme het *9,90*
nihil obstat *3*
...nij *13*
lekkernij, razernij, woestenij enz.
nijd de *13,18*
nijdas de (...dassen) *4,13*
nijdassen *4,13,106*
nijdaste, genijdast
nijdnagel de (...s) *ook* **nijnagel** *13,18,115*

Nijefurd *6,53*
Nijeveen *6,53*
nijgen [buigen] *13*
neeg, genegen
nijging [buiging] de (...en) *13*
Nijhoff, Martinus *6*
Nijkerk *6,53*
Nijl de *6,53*
Nijldal het *6,53*
nijlpaard het (...en) *54,65*
nijlreiger de (...s) *54,65*
Nijmegen *6,53*
nijnagel de (...s) *ook* **nijdnagel** *13,115*
nijpen *13*
neep, genepen
nijptang de (...en) *13,64*
nijver *13,113*
nijverder, nijverst
nikkel (Ni) het *22*
nikkel...: nikkelbad, enz. *64*
niksen *106*
nikste, genikst
nimbostratus de (...tussen) *1*
nimbus de (...bussen) *1*
nimf de (...en) *19*
nimmermeer *62*
nimrod [verwoed jager] de (...s) *54*
Nin, Anaïs *6*
Niño, El *6*
niobium (Nb) het *54*
nipa de (...'s) *9,42*
nipapalm *64*
Nipkowschijf de *19,54,65*
NIPO [Nederlands Instituut Publieke-Opiniepeiling] het *103*
nirvana het *ook* **nirwana** *3,115*
NIS [Nationaal Instituut voor de Statistiek] het *104*
nitraat het (...traten) *9*
nitraat...: nitraatfilm, enz. *64*
nitreren *9,106*
nitreerde, genitreerd
nitride het (...n) *9,89*
nitriet het (...en) *9,18*
nitrificatie de (...s) *9,43*
nitril het (...trillen) *9,15*
nitro... *9,78*
nitrobenzeen, nitrogeen, nitroglycerine, enz.
nitrogenium (N) het *3*
nitwit de (...s) *67*
Niue *6,53*
niveau het (...s) *10*
nivelleren *14,106*
nivelleerde, genivelleerd
nix de (...en) *ook* **nixe** (...n) *23,89,115*
Nixon, Richard *6*
nl. [namelijk] *100*
n.l. [non liquet, non licet] *100*
NLG [Nederlandse gulden] *100*
N.L.W. [normaal laag water] *104*
n.m. [namiddag] *100*
N.M. [nieuwemaan] *100*
NMBS [Nationale Maatschappij der Belgische Spoorwegen] de *104*
NMKN [Nationale Maatschappij voor Krediet aan de Nijverheid] de *104*
n.m.m. [naar mijn mening] *100*
NMVB [Nationale Maatschappij van Buurtspoorwegen] de *104*
N.N. [nomen nescio] *100*
NNI [Nederlands Normalisatie-instituut] het *104*
No [nobelium] *100*
no. [numero] *100*
N.O. [noordoost(en)] *100*
nobelium (No) het *1*
Nobelprijs *54,65*
Nobelprijswinnaar *68*
nobiles de (alleen mv.) *3*
noblesse de *3*
noblesse oblige *63*
NOC [Nederlands Olympisch Comité] het *104*
noch [ook niet] *2*
nochtans *2,20*
no-claimkorting de (...en) *8,84*
noctambule de (...s) *22,43,91*
noctambulisme het *22,90*

nocturne de (...s) *22,43,91*
node... zie **nood**
noden *106*
noodde, genood
nodulair *3*
Noerejev, Rudolf *ook* **Nureyev** *6,53*
noest *18,113*
noester, meest noest
nog [nu] *2*
nogal *73*
nog eens *73*
nogmaals *73*
no-iron *3,67*
nok de (nokken)
nok...: nokbalk, enz. *64*
nokkenas *88*
nol de (nollen) *ook* **nolle** (...n) *115*
nolens volens *63*
Nolst Trenité, Gerard *6*
Nolthenius, Hélène *6*
nom. [nominaal] *100*
n.o.m. [naar onze mening] *100*
nomade de (...n)
nomaden...: nomadenstam, enz. *89*
nomadisme het *90*
nomen het (nomina) *3*
nomenclator de (...en, ...s) *22*
nomenclatuur de (...turen) *22*
nomenklatoera de (...'s) *11,22,42*
nomen nescio [N.N.] *3*
nominaal *14*
nominalisatie de (...s) *26*
nominalisme het *90*
nominatie de (...s) *43*
nominatief de (...tieven) *ook*
nominativus *19,115*
nominatim *1*
nominativus de (...tivi) *ook*
nominatief *1,115*
nomothetisch *20*
non-... *77*
non-actief, non-ferro, non-foodafdeling, non-profit, non-profitsector, non-proliferatieverdrag, non-stop, non-stopvlucht, enz.
nonchalance de *3,25,27*
nonchalant *27*
none de (...n) *89*
nonet het (...netten) *18*
nonius de (...ussen) *1*
non licet (n.l.) *63*
non liquet (n.l.) *63*
no-nonsensebeleid het *84*
nonpareille de (...s) *3,21,43,63*
nonsensicaal *22,25*
nood [ellende] de (noden) *18*
nodeloos *87*
nood...: noodgedwongen, noodweer, enz. *64*
nooddruft de *4*
noodzakelijkerwijs *ook*
noodzakelijkerwijze *26,111,115*
noodzaken *18,106*
noodzaakte, genoodzaakt
noor [schaats] de (noren) *54*
noord *53*
noordelijk *87*
noord...: noordkust, noordoost (N.O.), noordoosten (N.O.), noordnoordoost, noordwest (N.W.), noordwesten (N.W.) enz. *64,68*
om de – varen *62*
Noord-... *6,53,55*
Noord-Amerikaan(s), Noord-Brabant (N.-B.), Noord-Holland (N.-H.), Noord-Nederland(s), Noord-Korea, enz.
Noordelijke IJszee de *6,53*
Noordelijke Marianen de *6,53*
Mariaan, Mariaans(e)
noordeling de (...en) *ook* **noorderling** *53,115*
noorden (N.) [windrichting] het *53*
noordenwind *64*
noorder... *53,64,111*
noorderbreedte (N.B.), noorderbuur, noorderlicht, enz.
Noordereiland *6,53*
Noorder-Koggenland *6,53*
noorderling de (...en) *ook* **noordeling** *53,115*

Noord-Friese Eilanden de *6,53*
Noordkaap [rotsformatie in Noorwegen] de *6,53*
Noordoost-... *6,53*
Noordoost-Noord-Brabant, enz.
Noordoostpolder de *6,53*
noordpool de *53*
noordpool...: noordpoolcirkel, noordpoolexpeditie, enz. *64,68*
Noord-Rijnland-Westfalen *ook* **Nordrhein-Westfalen** *6,53*
noords *53*
Noordwest-... *6,53*
Noordwest-Veluwe, enz.
Noordzeebekken het *6,53*
noord-zuidverbinding de (...en) *81*
noord-zuidverbinding de (...en) *80,81*
Noormannen de *6,53*
noot [vrucht] de (noten) *18*
noot...: nootmuskaat, enz. *64*
noten...: notenboom, enz. *88*
noot [muzieknoot] de (noten) *18*
nootteken *64*
noten...: notenbalk, enz. *88*
Nooteboom, Cees *6*
nop de (noppen) *17*
noppenfolie, enz. *88*
nopal de (...s) *14*
noppes de *1*
noradrenaline de *90*
norbertijn de (...en) *13,54,57*
norbertijnenklooster *88*
norbertijner *13,54,57*
norbertines de (...nessen) *9,54,57*
Nordrhein-Westfalen *ook* **Noord-Rijnland-Westfalen** *6,53*
Norfolk *6,53*
Norfolkeilander, Norfolkeilands(e)
noria de (...'s) *42*
noriet het *9,14*
norit de/het *14,54*
normaalelement het (...en) *64*
normalerwijs *ook* **normalerwijze** *26,111,115*
normalisatie de (...s) *26*
normaliter *9*
normatief *19*
normatieve
North Carolina *6,53*
North Dakota *6,53*
nortonbuis de (...buizen) *54,65*
NOS [Nederlandse Omroepstichting] de *104*
noso... *26,78*
nosofobie, nosografie, nosologie, enz.
nosocomium het (...mia) *3,22,26*
no-spel het (...en) *85*
nostalgie de *3*
nota de (...'s) *42*
nota...: notaboek, enz. *64,76*
notabel *1*
notabele de (...n) *89*
nota bene (N.B.) *63*
notariaat het (...aten) *21*
notarieel *37,38*
notariële
notaris de (...rissen) *1,15*
notaris...: notariskantoor, enz. *64*
notarius de (...rii) *3,37*
notatie de (...s) *43*
notatie...: notatieformulier, enz. *64,76*
notebook het (...s) *3,67*
noten... zie **noot**
Nothomb, Charles Ferdinand *6*
notie de (...s) *43*
notificatie de (...s) *22,43*
notificeren *9,25,106*
notificeerde, genotificeerd
notifiëren *37,38,106*
notifieerde, genotifieerd
notitie de (...s) *43*
notitie...: notitieblokje, enz. *64,76*
n.o.t.k. [nader overeen te komen] *100*
notoir *3,10*
notoriëteit de *ook* **notoriteit** *37,115*
notulen de (alleen mv.)
notulen...: notulenboek, enz. *88*
notuleren *106*
notuleerde, genotuleerd

nou [nu] *12*
Nouakchott *6,53*
Nouméa *6,53*
nouveau riche de (nouveaux riches) *43,63*
nouveau roman de (nouveaux romans) *43,63*
nouveauté de (...s) *3,10,11,43*
nouvelle cuisine de *63*
nouvelle vague de *63*
nov. [november] *100*
nova de (...vae, ...'s) *8,42*
novatie de (...s) *43*
Nova Zembla *6,53*
noveen de (...venen) *ook* **novene** *115*
novelle de (...n, ...s) *43*
novellebundel *91*
novellist de (...en) *14*
novelty de (...'s) *3,9,42*
november (nov.) de *56*
november...: novembermaand, enz. *64*
novene de (...n) *ook* **noveen** *89,115*
NOVIB [Nederlandse Organisatie voor Internationale Bijstand] de *103*
NOVIB-...: NOVIB-actie, enz. *83*
novice de (...n, ...s) *9,25,43*
novicemeester *91*
noviciaat [novicehuis] het (...ciaten) *9,25*
noviet de (...en) *9*
noviteit de (...en) *9*
novitia de (...tiae) *8,25*
novitiaat [groentijd van studenten] het (...tiaten) *9,25*
novitius de (...tii) *3,9,25,37*
novum het (nova) *3*
nozem de (...s) *1,26*
Np [neptunium] *100*
N.P. [niet parkeren] *100*
nr. [nummer] *100*
N.R.T. [nettoregisterton] *100*
NS [Nederlandse Spoorwegen] de *104*
NS'er *46*
NSB [Nationaal-socialistische Beweging] de *104*
NSB'er *46*
N.T. [Nieuwe Testament] *104*
nuance de (...n, ...s) *3,25,43*
nuanceverschil *91*
nuanceren *25,106*
nuanceerde, genuanceerd
Nubisch *55*
nubuck het *22*
nubuckleer, nubuckleder *64*
nuchter *113*
nuchterder, nuchterst
nucleair *3,22*
nuclearisering de *22,26*
nucleïne de *22,37,90*
nucleïnezuur *64*
nucleofiel het (...en) *9,22*
nucleolus de (...oli) *3,22*
nucleon het (...en) *22*
nucleonica de *3,9,22*
nucleoom het (...omen) *3,22*
nucleoplasma het (...'s) *3,22,42*
nucleus de (...clei) *3,22,39*
nuclide de (...n) *3,22,89*
nudisme het *90*
Nuenen *6,9,53*
nuka [nuchter kalf] de (...'s) *46,102*
Nuku'alofa *6,53*
nul de (nullen; nulletje) *74,112*
nul...: nulgroei, nulwaardig, enz. *64*
nulpuntsenergie *68,98*
nulde
nulde...: nuldejaars, enz. *76,92*
nulliteit de *14*
numerair *3,14*
numereren *14,106*
numereerde, genumereerd
numeriek *14,22*
numerologie de *14*
numerus clausus de *63*
numerus fixus de *63*
numineus *14,26*
numineuze
numismaat de (...maten) *14*

numismatiek de *14,22*
nummuliet de (...en) *9,14*
nuntiatuur de (...turen) *25*
nuntius de (...ussen, ...tii) *3,25,37*
nuptiaal *25*
Nürburgring de *6,53*
Nureyev, Rudolf Hametovitsj *ook* Noerejev *6*
Nurmi, Paavo *6*
nurse de (...s) *3,43*
Nut [Maatschappij tot Nut van het Algemeen] het *52*
Nutsschool *65,99*
nut het
nutteloos *87*
nutsbedrijf *98*
nutatie de (...s) *43*
Nuth *6,53*
nutria [dier] de (...'s) *42*
nutriënt de/het (...en) *37*
nutte, ten algemenen – *62,111*
nutten *106*
nutte, genut
nuttigheidscoëfficiënt de (...en) *25,37,98*
Nuuk *6,53*
N.V. [naamloze vennootschap] *100*
nvdr [noot van de redactie] *100*
NVV [Nederlands Verbond van Vakverenigingen] het *104*
N.W. [noordwest(en)] *100*
Nyerere, Julius *6*
nylon de/het (...s) *13,114*
nymfale de (...n) *9,19,89*
nymfomane de (...n, ...s, GB: ...n) *9,19,91*
nystagmus de (...tagmi) *3,9*

O

o de (o's; o'tje) *46*
O-benen *61,83*
O [oxygenium] *100*
o.a. [onder andere(n)] *100*
OAE [Organisatie van Afrikaanse Eenheid] de *104*
oase de (...n, ...s) *26,43*
oase...: oasestad, enz. *76,91*
oasis de *1,26*
ob. [obiit] *100*
Ob. [Obadja] *104*
Obdam *6,53*
obducent de (...en) *17,25*
obduceren *17,25,106*
obduceerde, geobduceerd
obductie de (...s) *17,22,43*
obediëntie de (...s) *37,43*
obelisk de (...en) *22*
obi de (...'s) *9,42*
obituarium het (...ria) *3*
object het (...en) *22*
objectie de (...s) *17,23,43*
objectief het (...tieven) *17,19,22*
objectief...: objectiefprisma, enz. *64*
objectiveren *17,22,106*
objectiveerde, geobjectiveerd
objectiviteit de *9,19,22*
obl. [obligatie] *100*
oblaat de (...laten) *17*
oblie de (oblieën, ...s) *ook* **oublie** *40,43,115*
oblie...: obliehoorn, oblie-ijzer, enz. *64,76*
obligaat het (...gaten) *9*
obligaat...: obligaatpartij, enz. *64*
obligatie de (...s) *9,43*
obligatie...: obligatiemarkt, enz. *64,76*
obligatoir *3,9,10*
obligo het (...'s) *9,42*
obliteratie de (...s) *9,43*
oblomovisme het *54,90*
oblong *17*
oblongformaat het (...maten) *64*
obool de (obolen) *14*
obsceen *17,25*
obscurantisme het *17,22,90*
obscurantistisch *22*
obscuur *17,22,113*
obscuurder, obscuurst
obsederen *17,106*
obsedeerde, geobsedeerd
obsequium het *3,17,24*
observant de (...en) *17*
observatie de (...s) *17,43*
observatie...: observatieafdeling, observatievermogen, enz. *64,76*
observator de (...en, ...s) *17*
observatorium het (...ria, ...s) *3,17*
obsessie de (...s) *17,25,43*
obsidiaan het *17*
obsignatie de (...s) *17,43*
obsoleet *17,18*
obstakel het (...s) *17*
obstetrie de *17*
obstinaat *9,17*
obstipatie de *9,17*
obstructie de (...s) *17,23*
obstruent de (...en) *17,18*
obstrueren *17,106*
obstrueerde, geobstrueerd
obus de (obussen) *1*
o.c. [opere citato] *100*
ocarina de (...'s) *22,42*
occasie de (...s) *22,26,43*
occasion de (...s) *8,22,27*
occasioneel *22,27*
occident de *23*
Occitaans *55*
occlusie de (...s) *22,26,43*

occult 22
occupatie de (...s) 22,43
occuperen 22,106
occupeerde, geoccupeerd
occurrentie de (...s) 14,22,43
oceaan de (...anen) 25
oceanisch 87
oceaan...: oceaanstomer, enz. 64
Oceanië 6,38,53
Oceaniër, Oceanisch
oceanograaf de (...grafen) 19,25
ocel de (ocellen) 25
ocelot de (...lotten) 14,25
OCenW [(Ministerie van) Onderwijs, Cultuur en Wetenschappen] 104
ocharm *ook* **ocharmen** 2,62,115
ochlocraat de (...craten) 3,22
ochtend de (...en) 2
ochtend...: ochtendappèl, ochtendeditie, enz. 64
ochtends, 's – 48
Ockeghem, Jan 6
Ockels, Wubbo 6
Ockers, Stan 6
OCMW [Openbaar Centrum voor Maatschappelijk Welzijn] 104
O'Connor, Sinéad 6
oct. [octaaf] 100
octaaf (oct.) de/het (...taven) 19,22
octaan het 22
octaan...: octaangehalte, enz. 64
octadecaanzuur het 22,64
octaëder de (...s) 22,37
Octant [sterrenbeeld] de 6,53
octant [meetinstrument] de (...en) 22
octavo het (...'s) 22,42
octet het (...tetten) 18,22
octodecimo het 22,25
octopus de (...pussen) 22
octrooi het (...en) 22
octrooi...: octrooiaanvraag, octrooiraad, enz. 64,76
octrooieren 22,38,106
octrooieerde, geoctrooieerd
oculair het (...s) 3,22
oculair...: oculairglas, enz. 64
oculus de (oculi, ...lussen) 1,22
odaliske de (...n) *ook* **odalisk** (...en) 22,89,115
ode de (...n, ...s) 91
odeon het (...s) 3
odieus 26
odieuze
odontitis de 1
odontose de *ook* **odontosis** 26,90,115
odoriseren 26,106
odoriseerde, geodoriseerd
odynolyse de 9,90
odyssee [lange, moeilijke tocht] de (...seeën, ...s) 38,54
Odysseus 6
oecumene de 3,22,90
oedeem het (...demen) 3
oedipaal 3,54
Oedipus 6
oedipuscomplex 54,65
oefenen 106
oefende, geoefend
Oeganda *ook* **Uganda** 6,53
Oegandees, Oegandese
Oegstgeest 6,53
oeh [uitroep] 11
oehoe 11
oei 21
oekaze de (...n, ...s) 26,43
oekelele de (...s) *ook* **ukelele** 11,43,115
Oekraïne 6,53
Oekraïner, Oekraïens(e)
oelama de (...'s) *ook* **oelema** 11,42,115
oelewapper de (...s) 97
oempa de (...'s) *ook* **hoempa, hoempapa**
oempa...: oempamuziek, enz. 64,76
oer... 77
oerbewoner, oerdom, oerlelijk, enz.
oer-... 77
oer-Engels, oer-Nederlands, enz.
Oeral de 6,53
oerwoud het (...en) 12,18
oesie de (...s) 11,26

OESO [Organisatie voor Economische Samenwerking en Ontwikkeling] de *103*
oestrogeen het (...genen) *3*
oeuvre het (...s) *3,43*
oeuvre...: oeuvrecatalogus, enz. *91*
Oezbekistan *6,53,55*
Oezbeek, Oezbeeks(e)
offday de (...s) *67*
offensief het (...sieven) *19*
offerande de (...n, ...s) *43,91*
offerte de (...n, ...s) *43*
offerte...: offertecalculator, enz. *76,91*
offertorium het (...ria, ...s) *3*
office het (...s) *3,43*
officemanager *67*
official de (...s) *3,27*
officialiseren *25,26,106*
officialiseerde, geofficialiseerd
officiant de (...en) *25*
officie het (...s) *25*
officieel *27,37,38*
officiële
officier de (...en, ...s) *25*
officier-commissaris, officier-geneesheer *80*
officierenkorps *88*
officiers...: officiersuniform, enz. *98*
officiëren *37,38,106*
officieerde, geofficieerd
officieus *25,26*
officieuze
officinaal *25*
officium het (...cia) *3,25*
off line *67*
offreren *14,106*
offreerde, geoffreerd
offset de *3,67*
offset...: offsetdruk, enz. *66*
offshore *3,67*
offshore...: offshorebedrijf, offshore-industrie, enz. *66,76*
offside *3,67*
off the record *67*
offwhite het *67*
ofiet het *14*
O.F.M. [Ordinis Fratrum Minorum] *100*
oftalmie de *19*
ofte [nooit ofte nimmer] *73*
oftewel *73*
ofwel *73*
o.g. [onroerend goed] *100*
ogen *106*
oogde, geoogd
ogen... zie **oog**
ogenblikkelijk *87,88*
ogenschijnlijk *87,88*
o.g.v. [op grond van] *100*
ohaën [ouwehoeren] *37,106*
ohade, geohaad
Ohé *6,53*
Ohio *6,53*
ohm de/het (...s) *54*
o.i. [onzes inziens] *100*
o.i.d. [of iets dergelijks] *100*
oio [onderzoeker in opleiding] de (...'s) *46,102*
oio-...: oio-stelsel, enz. *83*
oir [afstammeling] het *10*
Oirsbeek *6,53*
Oirschot *6,53*
Oisterwijk *6,53*
ojief het (ojieven) *19*
o.k. [operatiekamer] de (...'s) *101*
okapi de (...'s) *9,42*
Okayama *6,53*
oké *8,33*
okido *9*
okkernoot de (...noten) *64*
okkernotenboom *88*
oksaal het (...salen) *23*
oksel de (...s; ...tje) *23*
okshoofd het (...en) *23*
okt. [oktober] *100*
oktober (okt.) de *22,56*
Oktoberrevolutie *56,64*
O.L. [oosterlengte] *100*
Oldambt *6,53*

Oldenbarnevelt, Johan van *6*
old finish *67*
oldtimer de (...s) *67*
olé [uitroep] *8,33*
oleaat de/het (...aten) *21*
oleander de (...s) *21*
oleaster de (...s) *21*
olefine de (...n) *9,89*
oleïne de *37,90*
oleoduct het (...en) *22*
oleografie de (...fieën) *40*
olfactorisch *22*
oli... *77*
oligarchie, oligemie, oligofreen, oligopolie, oligospermie, enz.
olie de (oliën, ...s) *40*
olieachtig *37*
olie...: olieaandeel, oliebron, olie-exporterend, olie-industrie, enz. *64,76*
oliebol de (...bollen)
oliebollen...:oliebollenkraam, oliebollenverkoper, enz. *68,88*
olie-en-azijnstel het (...len) *81*
oliën *37,106*
oliede, geolied
oliesel het *4*
olifant de (...en) *9*
olifanten...: olifantenjacht, enz. *88*
olifants...: olifantstand, enz. *85,98*
Oligoceen het *25,56*
olijf de (olijven) *13,19*
olijf...: olijfgroen, olijfolie, enz. *64*
olijven...: olijvenhout, enz. *88*
olijk *1*
olijven... zie **olijf**
olim *1*
olivien het *ook* **olivijn** *9,13,115*
Olivier, Laurence *6*
ollekebolleke het (...s) *73*
olm de (...en)
olmen...: olmenhout, enz. *88*
O.L.V. [Onze-Lieve-Vrouw] *100*
o.l.v. [onder leiding van] *100*
olympiade de (...n, ...s) *9,43,91*
olympiajol de (...jollen) *9,21*
olympiër de (...s) *9,37*
olympisch *9*
Olympische Spelen (O.S) de *6,52,104*
Olympus de *6,53*
OM [Openbaar Ministerie] het *104*
om... *70,106*
omschakelen: schakelde om, omgeschakeld; enz.
oma de (...'s; omaatje) *42,45,112*
Oman *6,53*
Omaans, Omani, Omaniet, Omanitisch(e)
omarmen *106,108*
omarmde, omarmd
omber [kaartspel] het *1*
omber [speler] de (...s) *1*
omber [stofnaam] de (...s) *1*
ombrometer de (...s) *66*
ombudsman de (...mannen) *66,98*
omcirkelen *25,106,108*
omcirkelde, omcirkeld
om den brode *62,111*
omega de (...'s) *42*
omelet de (...letten) *14*
omen het (omina) *3*
omfloersen *26,106,108*
omfloerste, omfloerst
omgaande, per – *ook* **ommegaande** *62,115*
omgang de (...en)
omgangs...: omgangstaal, enz. *98*
omgorden [om het middel binden] *70,106*
gordde om, omgegord
omgorden [bekleden] *106,108,109*
omgordde, omgord
om harentwil *ook* **om harentwille** *62,111,115*
omheiing de (...en) *38*
omheinen *13,106,108*
omheinde, omheind
omheining de (...en; ...ninkje) *13,112*
omhelzen *26,106,108*
omhelsde, omhelsd

omhoog... *69,106*
omhoogduwen: duwde omhoog, omhooggeduwd; enz.
om hunnentwil *ook* **om hunnentwille** *62,111,115*
omineus *14,26*
omineuze
omissie de (...s) *14,43*
omitteren *14,106*
omitteerde, geomitteerd
omkleden [verkleden] *70,106*
kleedde om, omgekleed
omkleden [formuleren, bedekken] *106,108,109*
omkleedde, omkleed
omlaag ... *69,106*
omlaaghalen: haalde omlaag, omlaaggehaald; enz.
ommatidium het (...dia, ...diën) *14,40*
ommegaande, per – *ook* **omgaande** *62,115*
ommegang de (...en) *1,64*
ommekeer de *1,64*
ommeland het (...en) *1,64*
ommestaand *ook* **omstaand** *1,64,115*
ommezij de (...zijden) *ook* **ommezijde** *1,64,115*
ommezwaai de (...en) *1,64*
om mijnentwil *ook* **om mijnentwille** *62,111,115*
omnibus de (...bussen) *9*
omnipotent *9*
omnipracticus de (...tici) *9,22,25*
omnipresent *9*
omnium de/het (...s) *9*
omniumverzekering *64*
omnivalent *9*
omniversum het (...s) *9*
omnivoor de (...voren) *9*
omslachtig *2*
omstaand *ook* **ommestaand** *1,64,115*
omtrek de (...trekken)
omtrek...: omtreksnelheid, enz. *64*
omtrekshoek *98*
omtrent *18*
omver... *69,106*
omvergooien: gooide omver, omvergegooid; enz.
omwille van *62*
omzichtig *2*
om zijnentwil *ook* **om zijnentwille** *62,111,115*
omzwaaiing de (...en) *38*
on... *77*
oneerlijk, ontelbaar, enz.
on-... *77*
on-Engels, on-Europees, enz.
onacceptabel *23*
onager de (...s) *14*
onaneren *14,106*
onaneerde, geonaneerd
onanie de *14*
onappetijtelijk *13,14*
onbehouwen *12*
onbeschofterik de (...en) *15*
onbeschrijfelijk *ook* **onbeschrijflijk** *87,115*
onbesuisd *18*
onbetuigd *18*
Onbevlekte Ontvangenis de *59,62*
onbewoonbaarverklaring de (...en) *64*
once de (...n, ...s) *25,43,91*
oncogeen *22*
oncogen het (...en) *22*
oncologie de *22*
onder... *70,106*
onderduiken: dook onder, ondergedoken; enz.
onder... *64,72*
onderaan, onderhuids, onderofficier, onderstaand, ondervertegenwoordigd, enz.
onder andere(n) *62*
onderbelichten *70,106,108*
belichtte onder, onderbelicht
onderbroekenlol de *68,88*
onder curatele stellen *62,106*
ondercuratelestelling de *68*
onder handen nemen *62*

onderhoud het *12*
onderhouds...: onderhoudsbeurt, onderhoudsvrij, enz. *98*
onderkaaksbeen het *98*
onderlaatst [onlangs] *64*
onder meer *62,73*
ondermijnen *13,106,108*
ondermijnde, ondermijnd
ondernemer de (...s)
ondernemers...: ondernemersrisico, enz. *98*
onderrichten *106,108,109*
onderrichtte, onderricht
onderscheiden *13,106,108*
onderscheidde, onderscheiden
onderscheidenlijk *1,13*
ondershands *4,73*
ondersteboven *73*
ondertitelen *70,106,108*
ondertitelde, ondertiteld
ondertoezichtstelling de (...en) *68*
onderuit... *70,106*
onderuithalen: haalde onderuit, onderuitgehaald; enz.
ondervinden *70,108*
ondervond, ondervonden
ondervoed *18*
ondervoede
ondervragen *106,107,108*
ondervraagde/ondervroeg, ondervraagd
onderwatercamera de (...'s) *22,42,68*
onderwereldfiguur de (...guren) *68*
onderwerp het (...en)
onderwerps...: onderwerpskeuze, onderwerpszin, enz. *98,99*
onderwijl *13,73*
onderwijs het *13*
onderwijzen *26,70,108*
onderwees, onderwezen
onderwijzer de (...s)
onderwijzers...: onderwijzersakte, enz. *98*
onderzeeër de (...s) *38*
onderzees *26*
onderzeese
onderzoek het (...en)
onderzoeks...: onderzoeksbureau, onderzoekscentrum, enz. *98,99*
ondeugend *18*
ondoorgrondelijk *87*
ondulatie de (...s) *43*
onduleren *106*
onduleerde,geonduleerd
onduline de (...s) *43,91*
oneirodynie de (...nieën) *9,13,40*
oneliner de (...s) *67*
onemanshow de (...s) *67*
one-night stand de *67*
onereus *26*
onereuze
onewomanshow de (...s) *67*
onfeilbaar *13*
ong. [ongeveer] *100*
ongebreideld *13*
ongeëvenaard *37*
ongegeneerd *27*
ongeldigverklaring de (...en) *64*
ongelofelijk *ook* **ongelooflijk** *19,87,115*
ongeluk het (...lukken)
ongeluks...: ongeluksdag, enz. *98*
ongeneeslijk *ook* **ongeneselijk** *26,87,115*
ongerede, in het – raken
ongeriefelijk *ook* **ongerieflijk** *19,115*
ongeval het (...vallen)
ongevallen...: ongevallenverzekering, enz. *88*
ongeveinsd *13*
ongezeglijk *87*
ongezouten *1*
onhebbelijk *87*
onheil het (...en) *13*
onheil...: onheilspellend, enz. *64*
onheils...: onheilsbode, enz. *98*
onherroepelijk *87*
onheus *26*
onheuse
Onkerzele *6,53*
onkies *26*
onkiese

onkruid het (...en) *18*
onkruid...: onkruidbestrijding, enz. *64*
onkruidverdelgingsmiddel het (...en) *68,98*
onkuis *26*
onkuise
on line *67*
on-line...: on-lineverbinding, enz. *84*
onloochenbaar *2,10*
onmiddellijk *4*
onnoemelijk *ook* **onnoemlijk** *87,115*
onnozel *4,26*
onomasiologie de *14,26*
onomasticon het (...s) *14,22*
onomastiek de *14,22*
onomatopee de (...peeën) *8,14,38*
onomatopoësis de (...poëses) *14,26,37*
onontbeerlijk *2*
onoorbaar *10*
onroerendezaakbelasting de *68*
onroerendgoed... *68*
onroerendgoedbelasting, onroerendgoedmarkt, enz.
ons aller belang *62,111*
ons beider naam *62,111*
on speaking terms *67*
onstabiel *ook* **instabiel** *9,115*
onsterfelijk *87*
onszelf *73*
ontaarden *106,108,109*
ontaardde, ontaard
ontbijt het (...en) *13*
ontboezemen *26,106,108*
ontboezemde, ontboezemd
ontdaan *4*
ontdooiing de *38*
ontegenzeggelijk *ook* **ontegenzeglijk** *115*
ontfermen *106,108*
ontfermde, ontfermd
ontfutselen *106,108*
ontfutselde, ontfutseld
ontgoochelen *2,10,108*
ontgoochelde, ontgoocheld
onthalzen *26,106,108*
onthalsde, onthalsd
onthand *18*
ontharden *106,108,109*
onthardde, onthard
ontheemde de (...n)
ontheemden...: ontheemdenpas, enz. *89*
onthoofden *106,108,109*
onthoofdde, onthoofd
onthutsen *106,108*
onthutste, onthutst
ontiegelijk *87*
ontij *13*
ontkleden *106,108,109*
ontkleedde, ontkleed
ontleden *106,108,109*
ontleedde, ontleed
ontluizen *26,106,108*
ontluisde, ontluisd
ontmoeten *106,108,109*
ontmoette, ontmoet
ontogenese de *26,90*
ontplooiing de *38*
ontplooiings...: ontplooiingskans, enz. *98*
ontraadselen *106,108*
ontraadselde, ontraadseld
ontrieven *19,106,108*
ontriefde, ontriefd
ontstaan het
ontstaans...: ontstaansgeschiedenis, enz. *98*
ontsteld *18*
ontstemd *18*
onttrekken *4,108*
onttrok, onttrokken
onttronen *4,106,108*
onttroonde, onttroond
ontucht de *2*
ontvangst de (...en) *4*
ontvankelijk *87*
ontvoogden *106,108,109*
ontvoogdde, ontvoogd
ontvouwen *12,106,108*
ontvouwde, ontvouwd/ontvouwen

ontvreemden *106,108,109*
ontvreemdde, ontvreemd
ontweien [ontdoen van ingewanden] *13,108,109*
ontweide, ontweid
ontwerp-... [voorlopig] *79*
ontwerp-akkoord, enz. (GB: ontwerpakkoord, enz.)
ontwijden [ontheiligen; schenden] *13,108,109*
ontwijdde, ontwijd
ontwrichten *106,108,109*
ontwrichtte, ontwricht
ontzag het 2
ontzaglijk *87*
ontzagwekkend *64*
ontzeggen *106,107,108*
ontzegde/ontzei, ontzegd
ontzielen *106,108*
ontzielde, ontzield
ontzilten *106,108,109*
ontziltte, ontzilt
ontzind *18*
onus de (onera) *3*
onverbeterlijk 2
onverbiddelijk *87*
onverdraaglijk *87*
onvergeeflijk *ook* **onvergefelijk** *87,115*
onvergetelijk *87*
onverhoeds *18*
onverrichter zake *62,111*
onversaagd *18,26*
onvervaard *1,113*
onvervaarder, onvervaardst/meest onvervaard
onverwijld *13*
onweer het (...s, ...weren)
onweers...: onweersbui, enz. *98*
onweersprekelijk *87*
onwezenlijk 2
onwijs *13,26*
onwijze
onwrikbaar *1,2*
onychitis de *1,3,9*
onychofagie de *3,9*
onycholyse de *3,9,90*
onyx [stofnaam] het (...en) *9,23*
onyx...: onyxmarmer, enz. *64*
onyxis de *1,9,23*
onz. [onzijdig] *100*
onzeglijk *87*
onzekerheid de (...heden)
onzekerheids...: onzekerheidsfactor, enz. *98*
Onze-Lieve-Heer *59,62*
onzelieveheersbeestje het (...s) *68,98*
Onze-Lieve-Vrouw (O.L.V.) *59,62*
onzelievevrouwebedstro het *68,94*
Onze-Lieve-Vrouwebeeld het *59,68,94*
Onze-Lieve-Vrouwe-Tielt *6,53*
Onze-Lieve-Vrouw-Lombeek *6,53*
Onze-Lieve-Vrouw-Waver *6,53*
onzent, te(n) – *62,111*
onzenthalve *73,111*
onzentwege, van – *62,111*
onzentwil, om – *ook* **onzentwille** *62,111,115*
onzerzijds *13,73,111*
onzes inziens (o.i.) *62,111*
onzevader het (...s) *54,59,64*
onzijdig *13*
oöcyt de (...en) *9,25,37*
ooft het *18*
oog het (ogen)
ooglijk *87*
oog...: oogarts, enz. *64*
ogen...: ogenblik, ogendienaar, enz. *88*
oögamie de *3,37*
ooggetuige de (...n) *64*
ooggetuigen...: ooggetuigenverslag, enz. *89*
ooi de (...en) *21*
ooievaar de (...s) *21,97*
ooievaars...: ooievaarsnest, enz. *38,98*
oöliet [voorwerpsnaam] de (...en) *9,37*
oöliet [stofnaam] het *9,37*

oölithisch *9,20,37*
oor het (oren)
oor...: oorontsteking, enz. *64*
orenmaffia *88*
oorbaar *10*
oord het (...en) *18*
oordeel het (...delen)
oordeelkundig *64*
oordeels...: oordeelsvorming, enz. *98*
oorkonde de (...n, ...s) *43*
oorkonde...: oordkondeboek, enz. *76,91*
oorlog de (...en)
oorlogvoering, oorlogvoerend *64*
oorlogs...: oorlogswapen, oorlogsslachtoffer, enz. *98,99*
oormerken *69,106,108*
oormerkte, geoormerkt
oorsprong de (...en)
oorsprongs...: oorsprongsgebied, enz. *98*
oorspronkelijk *87*
oorvijg de (...en) *13*
oost *53*
oostelijk *87*
oost...: oostfront, oostnoordoost, enz. *64,68*
Oost-... *6,53*
Oost-Friesland, Oost-Groningen, Oost-Vlaanderen, enz.
Oost-Fries, Oost-Groningse, Oost-Vlaamse, enz.
Oostelijke Betuwe de *6,53*
Oostelijke Mijnstreek de *6,53*
oosten (O.) [windrichting] het *53*
oostenwind *64*
ooster... *53,64,111*
oosterburen, oosterlengte (O.L.), enz.
Oosterhesselen *6,53*
oosters-orthodox *57,79*
Oost-Indiëvaarder de (...s) *65*
Oost-Indisch *6,53*
Oost-Indische inkt
Oostkaap de *6,53*
Oost-Romeinse Rijk het *6,53*
Oostrozebeke *6,53*
Ooststellingwerf *6,53*
oost-westverbinding de (...en) *80,81*
Oostzee de *6,53*
ootje, in het – nemen *18*
ootmoed de *18*
o.o.v. [onvoorziene omstandigheden voorbehouden] *100*
op. [opus] *100*
op... *70,106*
opdrogen: droogde op, opgedroogd; enz.
opa de (...'s; opaatje) *42,45,112*
opaak *22*
opaal [voorwerpsnaam] de (opalen) *14*
opaal [stofnaam] het (opalen) *14*
op apegapen liggen *62,97*
op-art de *67,85*
opcenten de (alleen mv.) *25*
opcentiemen de (alleen mv.) *9,25*
op. cit. [opere citato] *100*
op de bonnefooi *62,97*
opdeciemen de (alleen mv.) *25*
op de(n) dompel zijn *62,111*
op de(n) duur *62,111*
op de(n) pof *62,111*
OPEC [Organization of Petroleum Exporting Countries] de *103*
OPEC-...: OPEC-land, enz. *83*
opeen... *70,106*
opeenhopen: hoopte opeen, opeengehoopt; enz.
open... *69,106*
openklappen: klapte open, opengeklapt; enz.
Openbaar Ministerie (OM) het *52*
openbaar vervoer *62*
openbaarvervoer...: openbaarvervoerkaart, enz. *68*
openbaren *106,108*
openbaarde, geopenbaard
opendeurpolitiek de *68*
openeindfinanciering de (...en) *25,68*

opengewerkt *64*
openhartoperatie de (...s) *43,68*
openlijk *2*
openluchttheater het (...s) *20,68*
op-en-neer [bouwk.] de (...-neren) *62*
op-en-top *62*
opera de (...'s; ...raatje) *42,112*
opera...: opera-uitvoering, operavoorstelling, enz. *64,76*
operatesk *22*
operatie de (...s) *43*
operatie...: operatieassistente, operatiekamer, enz. *64,76*
operationaliseren *16,26,106*
operationaliseerde, geoperationaliseerd
operator de (...s) *1*
opereren *106*
opereerde, geopereerd
operette de (...s; operetje, operettetje) *43,112*
operette...: operettezanger, enz. *76,91*
opgave de (...n, ...s, GB: ...n) *43*
opgave...: opgaveformulier, enz. *76,91*
Opglabbeek *6,53*
Opgrimbie *6,53*
ophanden zijn *62*
ophefmakend *64*
op heterdaad *62,111*
opheuen *70,106*
heude op, opgeheud
opiaat het (opiaten) *18*
opinie de (...s) *9*
opinie...: opinieonderzoek, opinievormend, enz. *64,76*
opiniëren *37,38,106*
opinieerde, geopinieerd
opium de/het *3*
opkalefateren *ook* **opkalfateren** *70,106,115*
kalefaterde op, opgekalefaterd
oplage de (...n, ...s) *43*
oplage...: oplagecijfers, enz. *76,91*
oplawaai de (...en) *64*
oplazer de (...s) *26*
opluchten *70,106*
luchtte op, opgelucht
opname de (...n, ...s) *43*
opname...: opnamecapaciteit, enz. *76,91*
opofferingsgezind *18,98*
opossum de (...s) *1,14*
opp. [oppervlakte] *100*
oppas de (...passen) *4*
oppas...: oppascentrale, enz. *64*
opper... *64*
opperhuid, opperrabbijn, enz.
Opper-Karabach *6,53*
oppervlakte de (...n, ...s) *43*
oppervlakte...: oppervlakte-integraal, oppervlaktemaat, enz. *76,91*
Opperwezen het *59*
opponens de *14*
opponent de (...en) *14*
opponeren *14,106*
opponeerde, geopponeerd
opportunisme het *14,90*
opportuun *14*
oppositie de (...s) *14,43*
oppositie...: oppositieleider, enz. *64,76*
oppositioneel *14,16*
oppressie de (...s) *14,43*
oprecht *2*
oprichter de (...s)
oprichters...: oprichtersaandeel, enz. *98*
oprijlaan de (...lanen) *1*
opruiing de (...en) *38*
opsodemieteren *70,106*
sodemieterde op, opgesodemieterd
opsolferen *70,106*
solferde op, opgesolferd
Opsomer, Isidoor *6*
op staande voet *62*
optant de (...en) *18*
optica [wetenschap] de *22*

optica [leerboek] de (...'s) *22*
opticien de (...s) *25,39*
opticus de (...tici) *22,25*
optie de (...s) *25,43*
optie...: optiebeurs, enz. *64,76*
optimaal *9*
optima forma *63*
optimaliseren *26,106*
optimaliseerde, geoptimaliseerd
optimisme het *9,90*
optimum het (optima) *1,9*
optioneel *25,27*
optotype het (...n, ...s) *9,43,91*
opulent *14*
opus (op.) het (opussen, opera) *3*
opvijzelen *13,70,106*
vijzelde op, opgevijzeld
opvliegend *64*
opzichzelfstaand *64*
opzienbarend *64*
opzij *13*
op z'n elfendertigst *62*
op z'n janboerenfluitjes
(GB: jan-boerenfluitjes) *54,62*
o.r. [ondernemingsraad] *100*
oraal *14*
ora et labora *63*
orakel het (...en, ...s) *14,22*
orangeade de (...s) *27,43,91*
orangist de (...en) *27*
orang-oetan de (...s) *ook* **orang-oetang** *115*
Oranje... *6,51*
Oranje...: Oranjegevoel,
Oranjegezind, enz. *65*
oranje... *64,80*
oranjeappel, oranjebitter,
oranjerood, enz.
Oranje-Nassau *6*
oranjerie de (...rieën, ...s) *27,40*
Oranjestad *6,53*
Oranjestatter, Oranjestads(e)
Oranje Vrijstaat *6,53*
orante de (...n) *14,89*
oratie de (...s) *14,43*
oratio pro domo *63*
orator de (...en, ...s) *14*
oratorio het (...'s) *14,42*
oratorium het (...ria, ...s) *14*
orbiculair *9,22*
orbitoscoop de (...scopen) *9,22*
orchidee de (...deeën) *3,38*
orchis de (...chissen) *3*
orchitis de *1,3*
orde de (...n, ...s) *43*
ordelijk, ordeloos *87*
orde...: ordedienst, enz. *76,91*
ordentelijk *87*
ordinaal *9*
ordinaat de (...naten) *9*
ordinair *3*
ordinalia de (alleen mv.) *9*
ordinantie de (...s) *9,43*
ordinariaat het (...riaten) *9*
ordineren *106*
ordineerde, geordineerd
ordines de (alleen mv.) *9*
ordner de (...s) *18*
ordonnans de (...en) *14,26*
ordonnantie de (...tiën, ...s) *14,40*
ordonneren *14,106*
ordonneerde, geordonneerd
öre [muntsoort] de (...s) *3*
oreade de (...n) *89*
oregano de *14*
Oregon *6,53*
oremus [laat ons bidden] het
(...mussen) *3*
oren... zie **oor**
oreren *14,106*
oreerde, georeerd
orexie de *23*
orexigeen *9,23*
oreximanie de *9,23*
Orff, Carl *6*
organisatie de (...s) *26,43*
organisatie...: organisatieadvies,
organisatiestructuur, enz. *64,76*
organiseren *26,106*
organiseerde, georganiseerd

organisme het (...n, ...s) *43,91*
organogram het (...grammen) *ook* **organigram** *14,115*
organoïd *37*
organoïde
organza de *26*
orgasme het (...n, ...s, GB: ...n) *43,91*
orgelist de (...en) *14*
orgiastisch *9*
orgie de (orgiën, orgieën, ...s) *9,40*
Oriënt de (GB: oriënt) *6,53*
oriëntalist de (...en) *37*
oriëntatie de (...s) *37,43*
oriëntatie...: oriëntatiepunt, enz. *64,76*
oriënteren *37,106*
oriënteerde, georiënteerd
Oriënt-Expres de *52*
origami het *9*
originaliteit de *27*
origine de *9,27,90*
origineel *9,27*
Orion *53*
orka de (...'s) *22,42*
orkestraal *22*
orkestratie de (...s) *22,43*
orkestreren *22,106*
orkestreerde, georkestreerd
Orley, Barend van *6*
ornament het (...en) *ook* **ornement** (...en) *1,115*
ornamenteren *1,106*
ornamenteerde, geornamenteerd
ornement het (...en) *ook* **ornament** *1,115*
ornithologie de *20*
Orpheus *6*
Ortega y Gasset, José *6*
orthese de (...n, ...s) *20,43,91*
ortho... *20,78*
orthopeed, orthopedagoge, orthodidactiek, orthodontist, enz.
orthodox *20,23*
orthodox-... *20,79*
orthodox-christelijk, orthodox-joods, enz.
ortolaan de (...lanen) *20*
Orwell, George *6*
orwelliaans (GB: Orwelliaans) *54*
oryx de (...en) *9,23*
os de (ossen)
ossen...: ossenhaas, enz. *88*
Os [osmium] *100*
O.S. [Olympische Spelen] *104*
O.S.A. [Ordinis Sancti Augustini] *51,100*
O.S.B. [Ordinis Sancti Benedicti] *51,100*
Osborne, John *6*
oscar de (...s) *54*
oscaruitreiking (GB: Oscaruitreiking) *65*
oscillatie de (...s) *14,43*
oscilleren *14,25,106*
oscilleerde, geoscilleerd
oscillograaf de (...grafen) *14,19,25*
oscilloscoop de (...scopen) *14,22,25*
Oshima, Nagisa *6*
Osiris *6*
Oslo *6,53*
Osloër, Osloos, Oslose
osmose de *26,90*
Oss *6,53*
Ossendrecht *6,53*
ossenstaartsoep de *68,88*
ossobuco de (...'s) *11,22,42*
ossuarium het (...ria, ...s) *1*
Ostaijen, Paul van *6*
ostentatief *19*
ostentatieve
osteoartritis de *1*
osteopathie de *20*
ostitis de *1*
O.T. [Oude Testament] *104*
Othello *6*
otitis de *1*
O'Toole, Peter *6*
otoscoop de (...scopen) *22*
Ottawa *6,53*
Ottawaan, Ottawaans(e), Ottawaër
Otterloo, Rogier van *6*

Ottomaanse Rijk *6,53*
Ouagadougou *6,53*
oublie de (...s) *ook* **oblie** *11,43,115*
oublie-ijzer *76*
oubliëtte de (...n) *11,37,89*
oubollig *12*
oud... *64,77*
oudbakken, oudchristelijk, oudgediende, enz.
Oud... *55*
Oudgermaans, Oudnederlands, enz.
oud-... *77*
oud-directeur, oud-eigenaar, oud-voetballer, enz.
Oud-Beijerland *6,53*
oudedagsvoorziening de (...en) *68,98*
Oude IJssel de *6,53*
oudejaarsavond de (...en) *ook* **oudjaarsavond** *56,98,115*
oudemannenhuis het (...huizen) *68,88*
Oudenbosch *6,53*
Oude-Niedorp *6,53*
Oud en Nieuw *56*
Oud en Nieuw Gastel *6,53*
Oude Pekela *6,53*
Ouder-Amstel *6,53*
ouderdom de
ouderdoms...: ouderdomskwalen, enz. *98*
oudere de (...n)
ouderen...: ouderenverbond, enz. *89*
ouderejaars de *92*
ouderejaarsstudent *68*
Oude Rijn de *6,53*
Ouderkerk aan de Amstel *6,53*
Ouderkerk aan den IJssel *6,53*
ouderlijk *2*
ouderwets *113*
ouderwetser, meest ouderwets
Oudeschans *6,53*
Oudeschild *6,53*
Oude-Tonge *6,53*
Oudewater *6,53*
Oude Wetering *6,53*
oudewijvenpraat de *68,88*
Oudheid [tijdperk] de *56*
oudheid de (...heden)
oudheid...: oudheidkamer, oudheidkunde, enz. *64*
Oud-Heverlee *6,53*
oudjaar *56*
oudjaarsavond de *ook* **oudejaarsavond** *56,98,115*
oudpapierhandel de (GB: oud-papierhandel) *68*
Oud-Turnhout *6,53*
Oud-Vossemeer *6,53*
ouistiti de (...'s) *9,11,42*
ounce de/het (...s) *3,12,43*
Ourthe de *6,53*
outcast de (...s) *22,67*
outdoorwedstrijd de (...en) *66*
outfit de (...s) *67*
Outgaarden *6,53*
outillage de *11,21,90*
outilleren *11,21,106*
outilleerde, geoutilleerd
outlaw de (...s) *3,67*
outlook de *67*
outplacement de/het (...s) *8,25*
outplacement...: outplacementbureau, enz. *66*
output de (...s) *11,67*
Outrijve *6,53*
outsider de (...s) *3,67*
ouverture de (...n, ...s) *11,43,91*
ouvreuse de (...s) *11,26,91*
ouwe de (...n) *1*
ouweheer de (...heren) *1,92*
ouwehoer de (...en) *1,92*
ouwehoeren *1,92,106*
ouwehoerde, geouwehoerd
ouwejongen de (...s) *1,92*
ouwejongenskrentenbrood *1,68,88*
ouwel de (...s) *12,28*
ouwelijk *1,87*
ouwelui de (alleen mv.) *1,64,92*
ouzo de (...'s; ouzootje) *11,42,112*
OVAM [Openbare Vlaamse Afvalstoffenmaatschappij] de *104*

ovatie de (...s) *43*
ovationeel *16,25*
over... *64*
overgewicht, overrijp, overwerkt, enz.
overacting de *67*
overall de (...s) *ook* **overal** *67,115*
overbruggen *70,106,108*
overbrugde, overbrugd
overdaad de *18*
overdone *3*
overdracht de (...en)
overdrachttaks *64*
overdrachts...: overdrachtsbelasting, enz. *98*
overeen... *64*
overeenkomst, enz.
overeen... *70,106*
overeenstemmen: stemde overeen, overeengestemd; enz.
overflow de (...s) *67*
overgang de (...en)
overgangs...: overgangsregeling, enz. *98*
overgave de *ook* **overgaaf** *90,115*
overhead de *3*
overhead...: overheadkosten, enz. *66*
overheidswege, van – *62,111*
overhoop... *69,106*
overhoopgooien: gooide overhoop, overhoopgegooid; enz.
overijld *13*
Overijse [Vlaams-Brabant] *6,53*
Overijssel *6,53*
Overijsselaar, Overijssels(e)
Overijsselse Vecht de *6,53*
overkill de *3*
overkluizen *26,106,108*
overkluisde, overkluisd
overleggen [laten zien] *70,106*
legde over, overgelegd
overleggen [overwegen] *70,106,108*
overlegde, overlegd
overlijden het
overlijdens...:
overlijdensadvertentie, enz. *98*
overname de (...s) *43*
overname...: overnamekosten, overnameonderhandelingen, enz. *76,91*
overoudgrootmoeder de (...s) *68*
overrulen *105,106,108*
overrulede, overruled
oversekst *23*
oversized *3*
overtijdbehandeling de (...en) *68*
overtijgen *13,70,108*
overtoog, overtogen
overzees *8,26*
overzeese
overzicht het (...en)
overzichts...:
overzichtstentoonstelling, enz. *98*
OV-jaarkaart [openbaar vervoer] de (...en) *83*
OVSE [Organisatie voor Veiligheid en Samenwerking in Europa] de *104*
ovulatie de (...s) *43*
ovulatieremmend *64*
ovuleren *106*
ovuleerde, geovuleerd
o.v.v. [onder vermelding van] *100*
OW [openbare werken] *104*
oweeër de (...s) *38*
oxaalzuur het *23,64*
oxer de (...s) *23*
oxidase de (...n) *7,23,26*
oxidatie de (...s) *7,23,43*
oxide het (...n, ...s) *7,23,91*
oxideren *7,23,106*
oxideerde, geoxideerd
oxygenium (O) het *7,9,23*
oxymoron het (...s) *7,9,23*
Oye, Eugeen van *6*
Oz, Amos *6*
ozalid de *9,18,26*
ozon de/het *26*
ozonisatie de *26*
ozoniseren *26,106*
ozoniseerde, geozoniseerd

p

p de (p's; p'tje) *46*
P-trein *83*
p. [pagina] *100*
P [fosfor] *100*
P. [pater, pontifex] *100*
pa de (...'s; paatje) *42,112*
p.a. [per adres, post annum] *100*
Pa [protactinium] *100*
paaien *106*
paaide, gepaaid
Paaltjens, Piet *6*
paalzitten *69,107*
paap de (papen)
papen...: papenhater, enz. *88*
paapsgezind *98*
paar het (paren)
paar...: paarvorming, enz. *64*
paren...: parendans, enz. *88*
paard het (...en) *4*
paardmens *64*
paardebloem, paardedistel, paardekastanje, paardevijg (GB: paardenvijg) *96*
paarden...: paardenstaart, paardenstal, enz. *88*
paardslengte *98*
paardenhoefklaver de (...s) *68,88*
paard-en-wagen *62*
paardjerijden *69,106*
reed paardje, paardjegereden
paardrijden *69,106*
reed paard, paardgereden
paardspringen *69,107*
paardvoltigeren *69,107*
paarlemoer het *ook* **parelmoer** *115*
paarlemoeren *ook* **parelmoeren** *114,115*
paarlen *114*
paars... *64,80*
paarsachtig, paarsblauw, enz.
paarsgewijs *ook* **paarsgewijze** *98,115*
paas... *56*
paasbest, paasdag, paashaas, paasfeest, paaszondag, enz.
PAAZ [Psychiatrische Afdeling Algemeen Ziekenhuis] de
pabo [pedagogische academie voor het basisonderwijs] de (...'s) *102*
pabo'er *46*
pabo-...: pabo-student, enz. *83*
pace de *3,8*
pacemaker de (...s) *3,8,67*
pacen *3,105,106*
pacete, gepacet
pachometer de (...s) *3*
pacht de *2*
pachten *2,106*
pachtte, gepacht
pachter de (...s) *2*
pachtershuis, enz. *98*
pachyderm de (...en) *3,9*
Pacific de *6,53*
pacificatie de (...tiën, ...s) *22,25,40*
pacificator de (...en, ...s) *22,25*
pacificeren *25,106*
pacificeerde, gepacificeerd
pacifiëren *25,37,106*
pacifieerde, gepacifieerd
pacifisme het *25,57,90*
pacifist de (...en) *25*
pacifistisch *25*
Pacino, Al *6*
pack het (...s) *3*
package deal de (...s) *67*
pact het (...en) *22*
pacteren *22,106*
pacteerde, gepacteerd
pad [weggetje] het (...en; paadje) *18,112*
pad...: padvinder, enz. *64*

pad [kikkersoort] de (padden) *18*
paddestoel *97*
padden...: paddennest, enz. *88*
paddel de (...s) *ook* **peddel** *3,115*
paddelen *ook* **peddelen** *3,106*
paddelde, gepaddeld
padding de (...s) *3*
paddock de (...s) *3,22*
paddy de (...'s) *3,9,42*
padie de *9*
padisjah de (...s) *20,27*
padvinder de (...s)
padvinders...: padvindersbeweging, enz. *98*
padvinderij de *13*
paean de (...s) *3,8*
paella de (...'s) *3,21,42*
Paemel, Monika van *6*
paffen *106*
pafte, gepaft
pag. [pagina] *100*
pagaai de (...en) *21*
pagaaien *21,106*
pagaaide, gepagaaid
pagadder de (...s) *2*
pagadet de (...detten) *2*
Paganini, Niccolò *6*
paganisme het *57,90*
page de (...s) *27,43*
page...: pagekapsel, enz. *76,91*
pagina (pag.) de (...'s; ...naatje) *42,112*
pagina...: paginagroot, pagina-indeling, paginanummering, enz. *64,76*
pagineren *106*
pagineerde, gepagineerd
pagode de (...n, ...s) *43,91*
Pago Pago *6,53*
paille *21*
paillette de (...n) *21,89*
pain à la grecque het *63*
paintball het *3,67*
pair de (...s) *3*
pais de *ook* **peis** *115*
Paisley, Ian *6*

PAK [Progressief Akkoord] het *103*
Pakistan *6,53,55*
Pakistaan, Pakistaans(e), Pakistani
pakkage de (...s) *22,27,91*
pakken *106*
pakte, gepakt
pakkerd de (...s) *18*
pakket het (...ketten) *14*
pakkie-an het *85*
paksoi de *3*
pakweg *73*
paladijn de (...en) *13,14*
palankijn de (...s) *13,14*
palatalisatie de (...s) *14,26,43*
palataliseren *14,26,106*
palataliseerde, gepalataliseerd
palatum het (...lata) *14*
Palau *ook* **Belau** *6,53*
Palau-eilanden de *6,53*
palaveren *106*
palaverde, gepalaverd
pale ale de *67*
palei de (...en) *13,14*
paleis het (...leizen) *13,26*
paleis...: paleismuur, enz. *64*
paleizenstad *88*
palen *106*
paalde, gepaald
Palenque *6,53*
paleo... *37,56,78*
Paleoceen, Paleolithicum, paleolithisch, paleontografie, paleontologie, paleozoën, Paleozoïcum, paleozoïsch, enz.
Palestina *6,53*
Palestijn, Palestijns(e)
palet [mengplankje] de/het (...letten) *14*
paletmes *64*
paletot de (...s; ...tootje) *10,14,112*
palfrenier de (...s) *14*
Pali *55*
Palikir *6,53*
palimpsest de (...en) *14*
palindroom het (...dromen) *14*

paling de (...en; ...inkje) *112*
palingtrekken *69,107*
palinodie de (...dieën) *14,40*
palissade de (...n, ...s) *14,91*
palissaderen *14,106*
palissadeerde, gepalissadeerd
palissander het (...s) *14*
palissanderhout, palissanderhouten *64,114*
palladium (Pd) het *14*
Pallas Athene *6*
pallet [laadbord] de (...s) *3,14*
pallieter [levenslustig persoon] de (...s) *54*
pallium het (...lia, ...s) *14*
palliumwolk *64*
palm de (...en; ...pje) *112*
palm...: palmboom, enz. *64*
palmen...: palmenstrand, enz. *88*
Palma de Mallorca *6,53*
palmares de (...ressen) *15*
palmen *106*
palmde, gepalmd
palmitine de *90*
palmpaas [stok] de (...pasen) *56*
Palmpasen de *ook* **Palmpaas** *56,115*
Palmzondag de (...en) *56*
palmzondagviering *56*
palperen *106*
palpeerde, gepalpeerd
palpiteren *106*
palpiteerde, gepalpiteerd
palts de (...en) *3,18*
Palts de *ook* **Pfalz** *6,53*
paltsgraaf de (...graven) *3,19,64*
paludarium het (...ria, ...s) *3*
palynologie de *9*
pamflet het (...fletten) *19*
pamflettist de (...en) *15*
pampa de (...'s) *42*
pampus, voor – liggen de *1,54*
pan de (pannen; pannetje) *112*
panharing, panklaar *64*
pannen...: pannenbier, pannenkoek, enz. *88*
pan... *77*
panhellenisme, panislamisme, enz.
pan-Arabisch, enz.
panacee de (...ceeën, ...s) *8,25,38,43*
panache de (...s) *27,43*
panacheren *27,106*
panacheerde, gepanacheerd
Panama *6,53*
Panamees, Panamese
panama [hoed] de (...'s; ...maatje) *42,54,112*
panamahoed, panamastro *65*
Panama-Stad *6,53*
panatella de (...'s) *14,42*
pancake de (...s) *67*
panchromatisch *9*
pancratium het (...s) *3,22*
pancreas de/het (...assen) *22*
pancreas...: pancreasfibrose, enz. *64*
pand de/het (...en) *18*
pand...: pandbelener, enz. *64*
panda de (...'s; pandaatje) *42,112*
pandecten (alleen mv.) *22*
pandemie de (...mieën) *40*
pandemonium het *3*
panden *106*
pandde, gepand
pandje het (...s) *18,43*
pandjes...: pandjesjas, enz. *98*
pandoer de/het (...en, ...s) *11*
pandoeren *11,106*
pandoerde, gepandoerd
pandverbeuren *69,107*
paneel het (panelen; ...tje) *14*
panegyriek de (...en) *9*
panel het (...s) *3*
panel...: paneldiscussie, enz. *66*
paneren *14,106*
paneerde, gepaneerd
panieken *ook* **panikeren** *9,106*
paniekte, gepaniekt
panikeerde, gepanikeerd
pannenkoek de (...en) *88*
pannenkoek...: pannenkoekmix, enz. *64*
pannenkoekenhuis *68,88*

pannenlikken *69,88,106*
pannenlikte, gepannenlikt
panoplie de (...plieën) *40*
panopticum het (...tica, ...s) *22*
panorama het (...'s) *42*
panorthodox *20,23*
panspermie de (...mieën) *9,40*
pantalon de (...s; ...lonnetje) *14,112*
pantheïsme het *20,37,90*
pantheon het (...s) *20*
pantograaf de (...grafen) *19,20*
pantomime de (...n, ...s) *9,43,91*
pantoscoop de (...scopen) *22*
pantry de (...'s) *3,9,42*
pantryboy *67*
pantser het (...s)
pantseren *106*
pantserde, gepantserd
panty de (...'s) *3,9,42*
pantykous *66*
pao [postacademisch onderwijs] het *102*
papa de (...'s; papaatje) *ook* **pappa** *14,42,112,115*
papaal *14*
papabile de (...'s) *14,42*
Papadopoulos, Georgios *6*
papaja de (...'s; ...jaatje) *42,112*
papalisme het *14,57,90*
Papandreou, Georgios *6*
paparazzo de (...razzi) *3,14*
papaver de (...s) *14*
papaver...: papaverolie, enz. *64*
Papeete *6,53*
papegaai de (...en) *1,14,97*
papegaaiduiker *64*
papegaaiekruid *96*
papegaaien...: papegaaienziekte, enz. *88*
papegaaien *14,21,107*
papen... zie **paap**
Papendrecht *6,53*
paper de (...s) *3*
paperback, paperclip *67*
paperassen de (alleen mv.) *1,14*
papeterie de (...rieën) *14,40*
Papiamento *ook* **Papiaments** *55*
papieren *114*
papier-maché het *27,29,63,79*
papil de (papillen; papilletje) *14,112*
papillair *3,14*
papillot de (...lotten) *14,21*
Papini, Giovanni *6*
papisme het *57,90*
papist de (...en) *57*
Papoea de (...'s) *42,53*
Papoea-Nieuw-Guinea *6,53*
pappa de (...'s; pappaatje) *ook* **papa** *14,42,112,115*
pappen *106*
papte, gepapt
pappen en nathouden *62,107*
pappenheimers de (alleen mv.) *13,54*
pappie de (...s) *14,43*
paprika de (...'s; ...kaatje) *14,42,112*
paprika...: paprikapoeder, enz. *64,76*
papyrologie de *9*
papyrus de (...pyri, ...russen) *9*
papyrusrol, papyrusplant *64*
Paquay, Valentinus *6*
par. [paragraaf] *100*
para de (...'s) *42*
para... *78*
parapsychologisch, paraverbinding, enz.
paraaf de (...rafen) *14,19*
paraat *14*
paraattas de (...tassen) *64*
parabel de (...en, ...s) *14*
parabellum de (...s) *14*
paraboloïde de (...n) *14,37,89*
paracentese de (...s) *14,25,91*
paracetamol de (paracetamolletje) *25,112*
parachute de (...s; ...chuutje) *27,43,112*
parachute...: parachutespringer, enz. *64,76*
parachuteren *27,106*
parachuteerde, geparachuteerd

parachutespringen *69,91,107*
parade de (...s) *14,43*
parade...: parademars, enz. *76,91*
paradentose de *26,90*
paraderen *106*
paradeerde, geparadeerd
paradigma het (...'s, ...mata; ...maatje) *42,112*
paradijs het (...dijzen) *13,26*
paradijselijk *87*
paradijs...: paradijskostuum, enz. *64*
paradontose de *26,90*
paradox de (...en) *23*
paradoxie de *23*
paraferen *14,106*
parafeerde, geparafeerd
parafernalia (alleen mv.) *14*
paraffine de *14,90*
paraffine...: paraffineolie, enz. *76,90*
paraffineren *14,106*
paraffineerde, geparaffineerd
parafrase de (...n, ...s) *26,43,91*
parafraseren *26,106*
parafraseerde, geparafraseerd
paragnosie de *26*
paragnost de (...en) *3*
paragoge de (...n) *89*
paragraaf de (...grafen) *19*
paragraferen *14,19,106*
paragrafeerde, geparagrafeerd
Paraguay *6,53*
Paraguayaan, Paraguayaans(e), Paraguayer, Paraguays(e), Paraguees, Paraguese
paraisseren *3,106*
paraisseerde, geparaisseerd
Parakleet de *18,59*
paraleipsis de *ook* **paralipsis** *3,115*
paralexie de *23*
parallactisch *14,22*
parallax de (...en) *14,23*
parallel de (...lellen) *14*
parallel...: parallelweg, enz. *64*
parallel *14*
parallelle
parallellepipedum het (...peda, ...s) *14*
parallellie de (...lieën) *14,40*
parallellisatie de (...s) *14,26*
parallellisme het *14,90*
parallelliteit de *14*
parallellogram het (...grammen) *14*
paralogie de (...gieën) *40*
paralogisme het (...n) *89*
paralympisch *9*
Paralympische Spelen de *52*
paralyse de (...s) *9,26,91*
paralyseren *9,26,106*
paralyseerde, geparalyseerd
paralysie de (...sieën) *9,26,40*
paralytisch *9*
Paramaribo *6,53*
Paramariboër, Paramariboos, Paramaribose *37*
parament het (...en) *ook* **parement** *1,115*
paramnesie de *26*
paranoia de *21*
paranoïcus de (...noïci) *22,25,37*
paranoïde *37*
parapente het *3,90*
paraplu de (...'s; ...pluutje) *42,45,112*
paraplu...: paraplubak, enz. *64,76*
parasailing de *3*
parasiet de (...en) *14*
parasietplant *64*
parasietendrager *88*
parasitair *3,9,14*
parasiteren *9,14,106*
parasiteerde, geparasiteerd
parasitisme het *9,14,90*
parasitologie de *9,14*
parasol de (...s; parasolletje) *14,112*
parastataal *14*
parataxis de *23*
parathion het *20*
paratyfus de *9*
paravaan de (...vanen) *ook* **paravane** (...s) *19,91,115*
parcours het (...en) *ook* **parkoers** *11,22,115*

pardessus de (enk. en mv.; ...tje) *3,14,112*
pardonnabel *14*
pardonneren *14,106*
pardonneerde, gepardonneerd
parelen *106*
parelde, gepareld
parelmoer het *ook* **paarlemoer** *115*
parelmoeren *ook* **paarlemoeren** *114,115*
parement het (...en) *ook* **parament** *1,115*
paren *106*
paarde, gepaard
paren... zie **paar**
parenchym het *3,9*
parentage de *27,90*
parenteel de (...telen) *ook* **parentele** (...n) *89,115*
parenthese de (...n, ...s) *ook* **parenthesis** (...theses) *20,91,115*
pareren *14,106*
pareerde, gepareerd
parergisch *14*
pares, primus inter – *63*
parese de (...n) *14,26,89*
paresthesie de (...sieën) *14,20,40*
par excellence *63*
parfait het *3*
parfait-amour de *63*
parforce *3*
parforcejacht, parforcehond *66,90*
parfum de/het (...s; ...pje, parfummetje) *3,112*
parfumeren *14,106*
parfumeerde, geparfumeerd
parfumerie de (...rieën, ...s) *14,40,43*
parfumeur de (...s) *14*
pari het (...'s) *9,42*
parikoers *66*
paria de (...'s; ...aatje) *42,112*
pariahond *64*
Parijs *6,53*
Parijzenaar, Parisienne *39*
paritair *3,14*
pariteit de (...en) *14*
pariteiten...: pariteitentabel, enz. *88*
parka de (...'s) *22,42*
parkeren *106*
parkeerde, geparkeerd
parket het (...ketten) *22*
parket...: parketvloer, enz. *64*
parketteren *14,22,106*
parketteerde, geparketteerd
parkiet de (...en)
parkietenzaad *88*
parking de (...s) *3*
parkinson *54*
parkoers het (...en) *ook* **parcours** *11,22,115*
parlement het (...en)
parlements...: parlementsgebouw, parlementszitting, enz. *98,99*
parlementair *3*
parlementariër de (...s) *37*
parlementeren *106*
parlementeerde, geparlementeerd
parlesanten *97,106*
parlesantte, geparlesant
parlevinken *97,106*
parlevinkte, geparlevinkt
parmaham de *54,65*
parmezaan de (...zanen; ...tje) *26,54*
parochiaal *3,14*
parochiaan de (...anen) *3,14*
parochialisme het *3,14,90*
parochie de (...chiën, ...s) *3,14,40*
parochie...: parochieblad, enz. *64,76*
parochieel *14,37,38*
parochiële
parodie de (...dieën, ...s) *40,43*
parodiëren *37,38,106*
parodieerde, geparodieerd
parodistisch *14*
parodontitis de *1,14*
parodontium het (...tia, ...s) *3*
parodontologie de *3*
parodontose de *14,26,90*
paroniem het (...en) *3*
parool het (...rolen) *3*

paroxisme het (...n) *23,89*
parsec de *22,102*
parsen *3,106*
parsete, geparset
pars pro toto de *63*
parterre de/het (...s) *3*
parterre...: parterrebouw, enz. *76,91*
parthenogenese de *ook*
parthenogenesis *20,90,115*
participant de (...en) *25*
participatie de (...s) *25,43*
participatie...: participatiebewijs, enz. *64,76*
participatief *19,25*
participatieve
participeren *25,106*
participeerde, geparticipeerd
participium het (...pia, ...s) *3,25*
particratie de (...tieën) *22,40*
particularisme het *22,90*
particulariteit de (...en) *22*
particulier de (...en) *22*
partieel *25,37,38*
partiële
partij de (...en) *13*
partij...: partijcongres, partij-ideologie, enz. *64,76*
partijenstelsel *88*
partijtrekken *69,107*
partikel het (...s) *9,22*
parti-pris de/het (enk. en mv.) *63*
partita de (...'s) *42*
partitocratie de (...tieën) *22,40*
partituur de (...turen) *9*
partizaan de (...zanen; ...tje) *9,26*
partizanenstrijd *88*
partnership het *3*
parttime *67*
parttimebaan de (...banen) *84*
parttimer de (...s) *67*
partus de *1,3*
party de (...'s) *9,42*
parure de (...n, ...s) *ook* **paruur** (...ruren, ...s,) *43,91,115*
parvenu de (...'s; ...nuutje) *42,112*
parvenuachtig *37*
pas... *64*
pasgeborene, pasgeleden, pasgetrouwd, enz.
pasar de (...s) *14,26*
pasar malam de *63*
pascal [drukeenheid] de (...s) *22,54*
Pascal [programmeertaal] *55*
Pascha het *27,56*
paschant de (...en) *2*
pas de deux de *63*
Pasen de *56*
pasja de (...'s) *27,42*
paso doble de (...s) *63*
Pasolini, Pier Paolo *6*
pass de (passes) *3*
passaat de (...saten) *14,18*
passaat...: passaatwind, enz. *64*
passabel *14*
passage de (...s) *14,27,43*
passage...: passagebiljet, enz. *76,91*
passagier de (...s) *14,27*
passagiers...: passagiersboot, passagiersschip, enz. *98,99*
passagieren *14,27,106*
passagierde, gepassagierd
passant de (...en) *14*
passantenhuis, passantenverblijf *88*
passant, en – *63*
passé *3,29*
passen [meten] *106*
paste, gepast
passen [de bal spelen] *105,106*
passte, gepasst
passe-partout de/het (...s) *63*
passerelle de (...s) *14*
passeren *14,106*
passeerde, gepasseerd
passie de (...s) *43*
passief *14,19*
passieve
Passiezondag de (...en) *56*
passim *3*
passing-shot het (...s) *67*
passioneel *16*
passionele

passioneren *16,106*
passioneerde, gepassioneerd
passionist de (...en) *16*
passiva de *3,19*
passivisme het *9,90*
passiviteit de *9*
passivum het (...siva) *3,9*
passus de (...sussen) *1*
password het (...s) *67*
pasta de/het (...'s) *42*
pastei de (...en) *13*
pastei...: pasteibakker, enz. *64,76*
pastel het (pastellen, ...s; pastelletje) *112*
pastel...: pastelkleur, enz. *64*
pastelschilderen *69,107*
pasteurisatie de *26*
pasteuriseren *26,106*
pasteuriseerde, gepasteuriseerd
pastiche de (...s) *27,91*
pasticheren *27,106*
pasticheerde, gepasticheerd
pastille de (...s) *21,43,91*
pastinaak de (...naken) *9,22*
pastinakenbed, pastinakenzaad *88*
pastis de (pastisje) *3,112*
pastoor de (...s)
pastoors...: pastoorshoed, enz. *98*
pastor de (...tores, ...s)
pastoresberaad *64*
pastorale de (...n, ...s) *43,91*
pastorie de (...rieën) *40*
pastrami de *9*
patat de (...ten) *14*
patat...: patatkraam, enz. *64*
patates frites de (alleen mv.) *63*
patchoeli de *9,11,27*
patchwork het *67*
paté de (...s; pateetje) *29,31,43,112*
pateel de/het (...telen) *14*
pateen de (...tenen) *14*
patent het (...en) *14*
patent...: patentbureau, enz. *64*
patenteren *14,106*
patenteerde, gepatenteerd

pater de (...s)
paters...: paterskerk, enz. *98*
pater familias de (patres familias) *63*
paternalisme het *57,90*
paternoster de/het (...s; ...tje) *3,63*
paternoster...: paternosterlift, enz. *64*
paternosteren *106*
paternosterde, gepaternosterd
pathefoon de (...s) *20*
pathetiek de *20*
pathetisch *20*
pathisch *20*
patho... *3,20,78*
pathofobie, pathogenese, pathologie, enz.
patholoog-anatoom de (pathologen-anatomen) *20,80*
pathos het *20*
patience het *3,25*
patiënt de (...en) *25,37*
patiënten...: patiëntenbestand, enz. *88*
patiëntie de (...s) *37*
patineren *14,106*
patineerde, gepatineerd
Patinir, Joachim *6*
patio de (...'s) *42*
patio...: patiobungalow, enz. *64,76*
patisserie de (...rieën) *14,40,43*
patissier de (...s) *3,8,14*
patjakker de (...s) *18*
patjepeeër de (...s) *18,38*
patjol de (...s) *18*
patjollen *18,106*
patjolde, gepatjold
patois het *3,14*
patriarch de (...en) *3*
patriarchaal *3*
patriarchaat het (...chaten) *3*
patriciaat het *25*
patriciër de (...s) *25,37*
patriciërs...: patriciërswoning, enz. *98*
patricisch *25*

patrijs de (...trijzen) *13,26*
patrijs...: patrijshond, enz. *64*
patrijzenei, patrijzenjacht *88*
patrilineaal *1,9*
patrilineair *1,9*
patrimonie de/het *9*
patrimonium het (...nia, ...s) *3,9*
patriot de (...otten) *14*
patriottentijd *88*
patriottisch *14*
patriottisme het *14,90*
patrologie de *14*
patronaat het (...naten) *14*
patronage de (...s) *14,27,91*
patroneren *14,106*
patroneerde, gepatroneerd
patrones de (...nessen) *14*
patroniem het (...en) *14,26*
patroniseren *14,106*
patroniseerde, gepatroniseerd
patronymicum het (...mica) *9,14,22*
patroon [model] het (..tronen; ...tje)
patroon...: patroonpapier, enz. *64*
patroon [beschermer] de (...tronen, ...s)
patroon...: patroonheilige, enz. *64*
patroonsfeest *98*
patrouille de (...s) *11,21*
patrouille...: patrouilleauto, patrouilledienst, enz. *76,91*
patrouilleren *11,21,106*
patrouilleerde, gepatrouilleerd
patsen *106*
patste, gepatst
pauk de (...en) *12*
paukenslag *88*
pauken *12,106*
paukte, gepaukt
paukenist de (...en) *12*
paulinisch *54*
paumelle de (...s) *10,91*
pauper de (...s) *12*
pauperiseren *12,26,106*
pauperiseerde, gepauperiseerd
paus de (...en) *60*
pauselijk *87*
paus...: pausgezind, pausmobiel, enz. *64*
pausin de *26*
pauw de (...en) *12*
pauw...: pauwfazant, pauwoog *64*
pauwen...: pauwenoog, pauwenveer, enz. *88*
pauze de (...n, ...s) *12,26,43*
pauze...: pauzefilmpje, enz. *76,91*
pauzeren *12,26,106*
pauzeerde, gepauzeerd
pavane de (...s) *43,91*
Pavarotti, Luciano *6*
paviljoen het (...en, ...s; ...tje) *21*
Pavlova, Anna *6*
pavlovreactie de (...s) *65*
pavoiseren *3,26,106*
pavoiseerde, gepavoiseerd
pax de *23*
paying guest de (...s) *67*
pay-offtime de *67,84*
payroll de (...s) *67*
pay-tv de *67,83*
Pb [plumbum] *100*
PBO [Publiekrechtelijke Bedrijfsorganisatie] de *104*
pc [personal computer] de (...'s; pc'tje) *46,101*
pc-...: pc-netwerk, enz. *83*
p.c. [par couvert, pour condoléance] *100*
pcb [polychloorbifenyl] het (...'s) *46,101*
pct. [percent] *100*
Pd [palladium] *100*
P.D. [pro Deo] *100*
PDG [president-directeur-generaal] de (...'s) *46,100*
p.e. [par exemple, per exemplaar, par expresse] *100*
peanuts (alleen mv.) *3,9*
Pearl Harbor *6,53*
peau de pêche de/het *31,63*

peccadille de (...s) *14,21,22,43*
peccavi het (...'s) *14,22,42*
pecco de *14,22*
pêche melba de (...'s) *31,42,63*
pectine de/het (...n, ...s) *22,43,91*
pectoraal *22*
pectorale het (...n) *22,89*
pecunia de *22*
pecuniair *3,22*
pedaal de/het (pedalen; ...tje) *1,14*
pedagogie de *2,9*
pedagoog de (...gogen) *1,3*
pedaleren *106*
pedaleerde, gepedaleerd
pedant *18*
pedanterie de (...rieën) *40*
peddel de (...s) *ook* **paddel** *115*
peddelen *ook* **paddelen** *106*
peddelde, gepeddeld
pedel de (...dellen, ...s) *14*
pedellenkamer *88*
pederast de (...n) *3,8*
pederastie de *3,8*
pediater de (...s) *21*
pedicure de (...s) *22,91*
pedicuren *22,106*
pedicuurde, gepedicuurd
pedigree de (...s) *3,8,9,43*
pedo [pedofiel] de (...'s) *42,102*
pedofilie de *9*
pedometer de (...s) *66*
pee [er de pee in hebben] *8*
pee [andere betekenissen] de (peeën) *8,38*
peekoffie de *8,64*
peeling de (...s) *3,9*
peepshow de (...s) *9,67*
peer [lid van het Engelse Hogerhuis] de (...s) *3,9*
peer [vrucht] de (peren)
peren...: perensap, enz. *88*
peergroup de (...s) *9,11,67*
Peer Gynt *6*
pees de (pezen) *26*
pees...: peesontsteking, enz. *64*
peesschede de (...n, ...s, GB: ...n) *91*
peesschede...: peesschedeontsteking, enz. *68*
peet... *64*
peetoom, peetvader, enz.
peg de (peggen) *2*
pegulanten (alleen mv.) *2*
peigeren *13,106*
peigerde, gepeigerd
peignoir de (...s) *3*
peil [niveau] het (...en) *13*
peil...: peilantenne, enz. *64*
peilen *13,106*
peilde, gepeild
peiler [iemand die peilt] de (...s) *13*
peinzen *13,26,106*
peinsde, gepeinsd
peis de *ook* **pais** *13,115*
Peize *6,53*
pejoratief de (...tieven) *19*
pekelen *106*
pekelde, gepekeld
pekinees de (...nezen) *26,54*
Peking *6,53*
Pekinger, Pekinees, Pekinese
pekken *ook* **pikken** *106,115*
pekte, gepekt
pelagiaan de (...anen) *57*
pelargonium het (...s) *3*
Pele [oud-voetballer] *6*
pêle-mêle het (...s) *31,63*
pelerine de (...s) *14,91*
pelgrim de (...s)
pelgrims...: pelgrimsoord, pelgrimsstaf, enz. *98,99*
pelgrimage de (...s) *27,91*
pelgrimeren *14,106*
pelgrimeerde, gepelgrimeerd
pelikaan de (...kanen) *22*
pellagra de *3,14*
pellagreus *14,26*
pellagreuze
pellen *106*
pelde, gepeld
pelleterie de (...rieën) *14,40*

pelletiseren *14,26,106*
pelletiseerde, gepelletiseerd
pellets (alleen mv.) *3*
pelliculair *3,14,22*
Peloponnesus de *6,53*
pelorie de (...rieën) *14,40*
peloton het (...s) *1,14*
pelotons...: pelotonscommandant, enz. *98*
pels de (pelzen) *26*
peluw de (...en, ...s) *14*
pelzen *26,114*
pemmikan het *14*
pen de (pennen; pennetje) *112*
pennen...: pennenstreek, pennenvrucht, enz. *88*
PEN [Provinciaal Elektriciteitsnet] het *103*
PEN [Poets, Essayists and Novelists] de *103*
PEN-club *83*
penaal *ook* **poenaal** *8,14,115*
penale
penaliteit de *8,14*
penalty de (...'s) *3,42*
penalty...: penaltystip, enz. *66*
penant het (...en) *14,18*
penant...: penanttafel, enz. *64*
penarie de *9,14*
penaten de (alleen mv.) *14,54*
pencee [amandelkoek] de (...s) *8,25,43*
pendant de/het (...en) *18*
pendelen *106*
pendelde, gependeld
pendeloque de (...n, ...s) *3,22,43*
pendule de (...s) *43,91*
peneplain de (...s) *3*
penetrant *14*
penetreren *106*
penetreerde, gepenetreerd
pengö de (...'s) *3,42*
penibel *9*
penicilline de (...s) *14,25*
penicilline...: penicilline-injectie, penicillinevoorschrift, enz. *76,91*
penis de (penissen) *15*
penis...: penisnijd, enz.
penitent de (...en) *8,9*
penitentiair *3,8,9*
penitentiarie de *8,9*
penitentiaris de (...rissen) *8,9*
penitentie de (...tiën, ...s) *8,9,40,43*
pennen *106*
pende, gepend
pennoen het (...en) *14*
Pennsylvania *6,53*
penny de (...'s) *9,42*
penoze de *26,90*
pens de (...en) *26*
pensee [bloem, plant] de (...s) *8,25,43*
penseel de (...selen; ...tje) *26*
penselen *26,106*
penseelde, gepenseeld
pensioen het (...en) *25,27*
pensioen...: pensioengeld, pensioengerechtigd, enz. *64*
pensioensparen *69,107*
pension het (...s; ...onnetje) *16,27,112*
pension...: pensiongast, enz. *64*
pensionaat het (...naten) *16,27*
pensionair de (...s) *3,16,27*
pensionaris de (...rissen) *15,16,27*
pensioneren *16,27,106*
pensioneerde, gepensioneerd
pensum het (...s) *1*
penta... *78*
pentagonaal, pentagram, pentameter, pentatoniek, enz.
pentaëder de (...s) *37*
pentafonium het (...s) *3*
pentafoon de (...fonen, ...s) *3*
Pentagon het *52*
pentatlon de/het (...s) *20*
penteren *106*
penterde, gepenterd
penthode de (...n, ...s) *20,91*
penthouse het (...s) *67*
penultima de (...'s) *42*
penurie de *9,14*
peon de (...ones) *3,8*

peperen *106*
peperde, gepeperd
peper-en-zoutstel het (...stellen; ...stelletje) *81,112*
peperine de *9,90*
peperoni de *9,14*
pepita het *9,14*
pepsase de *26,90*
pepsine de *9,90*
peptalk de *67*
peptide de/het (...n) *89*
pepton het (...en) *17*
peptoniseren *17,26,106*
peptoniseerde, gepeptoniseerd
per acquit *63*
perceel het (...celen) *25*
perceelsgewijs, perceelsgewijze *98*
percent het (...en) *25*
percentteken, percentvoet *64*
percententafel *88*
percentsgewijs, percentsgewijze *98*
percentage het (...s) *25,27,91*
percentiel het (...en) *25*
percentielscore *64*
percentueel *25*
percentuele
perceptibel *25*
perceptibiliteit de *25*
perceptie de (...tiën, ...s) *25,40,43*
perceptie...: perceptievermogen, enz. *64,76*
perceptief *19,25*
perceptieve
perceptueel *25*
perceptuele
percipiëren *25,37,38,106*
percipieerde, gepercipieerd
percolator de (...s) *22*
percoleren *22,106*
percoleerde, gepercoleerd
percussie de (...s) *22,43*
percussie...: percussiehamer, percussie-instrument, enz. *64,76*
percussionist de (...en) *16,22*
percutaan *22*
percuteren *22,106*
percuteerde, gepercuteerd
percuteur de (...s) *22*
peremptoir *3*
peren... zie **peer**
perequatie de (...s) *24,43*
perestrojka de (...'s) *3,42,57*
perfect *22*
perfectibiliteit de *22*
perfectie de (...s) *23,43*
perfectief *19,22*
perfectieve
perfectioneren *16,23,106*
perfectioneerde, geperfectioneerd
perfectionisme het *16,23,90*
perfectionist de (...en) *16,23*
perfectum het (...fecta, ...s) *22*
perfide *9*
perfidie de *9*
perfiditeit de *9*
perforateur de (...s) *14*
perforatie de (...s) *14,43*
perforator de (...en, ...s) *14*
perforeren *14,106*
perforeerde, geperforeerd
performance de (...s) *3,25,43*
performen *3,106*
performde, geperformd
performer de (...s) *3*
pergola de (...'s; ...laatje) *3,42,112*
peri de (...'s) *9,42*
pericard het *ook* **pericardium** *22,115*
Pericles *6*
periculeus *22*
periculeuze
peridot het (...en) *9,10*
perifeer *9*
periferie de (...rieën) *9,40*
periferisch *9*
perifrase de (...n, ...s) *9,91*
perifrastisch *9*
perigeum het *9,39*
perihelium het (...liën) *9*
perikel het (...en, ...s) *9*
perikoop de (...kopen) *9,22*

perimeter de (...s) *9*
perimetrie de *9*
perinataal *9*
perineum het (...nea) *9,39*
periode de (...n, ...s) *1,43*
periode...: periodetitel, enz. *76,91*
periodiciteit de *25*
periodiek de/het (...en) *1,22*
periodiseren *26,106*
periodiseerde, geperiodiseerd
periost het *9*
peripateticus de (...tici) *9,20,22,25*
peripatetisch *9,20*
peripetie de (...tiën) *9,40*
periplanatisch *9*
peripteros de (...teroi) *3,9,14*
periscoop de (...scopen) *9,22*
periscopisch *9,22*
peristaltiek de *9*
peristaltisch *9*
peristerium het (...ria) *3,9*
peristilium het (...lia) *3,9*
peristyle het (...n) *9,89*
peritoneum het (...nea) *9,39*
peritonitis de (...sen) *9,15*
perkaline de/het *22,90*
perkament het (...en) *22*
perkamentpapier *64*
perkamenten *22,114*
perkamenteren *106*
perkamenteerde, geperkamenteerd
perken *106*
perkte, geperkt
perlitisch *9*
permanent de/het (...s) *1*
permanenten *1,106*
permanentte, gepermanent
permanentie de *1*
permanent wave de (...s) *67*
permeabel *3*
permeabiliteit de *3*
permeatie de *3*
permis het *3*
permissie de (...s) *14,43*
permissief *14,19*
permissieve

permissiviteit de *14,19*
permit de (...s) *3*
permitteren *14,106*
permitteerde, gepermitteerd
permutatie de (...s) *14,43*
permutator de (...en, ...s) *14*
pernambukhout het *54,65*
pernicieus *25,26,38*
pernicieuze
pernod de (pernodtje) *10,54*
Perón, Eva/Juan/Isabel *6*
peronist de (...en) *14*
peroratie de (...s) *14,43*
peroreren *14,106*
peroreerde, geperoreerd
peroxide het (...n, ...s) *7,23,91*
perpendiculair de (...en) *3,22*
perpendiculariseren *22,26,106*
perpendiculariseerde,
geperpendiculariseerd
perpetueren *106*
perpetueerde, geperpetueerd
perpetuum mobile het (perpetua
mobilia) *19,63*
Perpignan *6,53*
perplex *23*
perplexiteit de *23*
perquisitie de (...s) *24,43*
Perrault, Charles *6*
pers [kleed] de (perzen) *26,54*
pers [drukpers] de (...en) *26*
pers...: persijzer, enz. *64*
pers [media] de
pers...: persbericht *64*
pers. [persoonlijk] *100*
per se *29,63*
persecuteren *22,106*
persecuteerde, gepersecuteerd
persecutie de (...s) *22,43*
persen *106*
perste, geperst
persevereren *106*
persevereerde, gepersevereerd
persiaan het *26,38,54*
persianer de/het (...s) *26,54*

persico de *22*
persienne de (...s) *39,43*
persiflage de (...s) *27,43,91*
persifleren *106*
persifleerde, gepersifleerd
persimoen de (...en) *3*
persistent *9*
persistentie de *9*
persisteren *9,106*
persisteerde, gepersisteerd
personage de/het (...s) *14,27,43,91*
personal computer (pc) de (...s) *67*
personalia (alleen mv.) *3*
personalisatie de *26*
personaliseren *26,106*
personaliseerde, gepersonaliseerd
personaliteit de (...en)
personaliteitsbeginsel *98*
personeel het
personeels...: personeelsadvertentie, personeelsstop, enz. *98,99*
personen... zie **persoon**
personificatie de (...s) *22,43*
personifiëren *37,38,106*
personifieerde, gepersonifieerd
persoon de (...sonen)
personen...: personenauto, enz. *88*
persoons...: persoonsbewijs, enz. *98*
perspectief [dieptewerking] de (...tieven) *19,22*
perspectief...: perspectieftekening, enz. *64*
perspectief [vooruitzicht] het (...tieven) *19,22*
perspectivisch *9,19,22*
perspex het *23*
perspiratie de *9*
perspireren *106*
perspireerde, geperspireerd
persuaderen *106*
persuadeerde, gepersuadeerd
persuasie de *9,26*
persuasief *9,19,26*
persuasieve
perte de (...s) *3,43*
pertinent *9*
pertinentie de *9*
perturbatie de (...tiën, ...s) *40,43*
Peru *6,53*
Peruaan, Peruaans(e), Peruviaan, Peruviaans(e)
perubalsem de *54,65*
peruzilver het *54,65*
pervers *26*
perverse
perversie de (...s) *26,43*
perversiteit de (...en) *9,26*
perverteren *106*
perverteerde, geperverteerd
Perzië *6,53*
perzik de (...en) *15*
perzik...: perzikboom, enz. *64*
perzikenboom, perzikenpit *88*
Perzisch *55*
Pesach het *3,56*
pesante *26*
Pescadores *6,53*
peseta de (...'s) *26,42*
peso de (...'s) *42*
pessarium het (...ria, ...s) *14*
pessimisme het *14,90*
pessimist de (...en) *14*
Pestalozzi, Johann Heinrich *6*
pesten *106*
pestte, gepest
pesticide het (...n) *25,89*
pestilent *9*
pestilentie de (...tiën, ...s) *9,40,43*
pesto de *3*
petanque het *3*
pete... *97*
petekind, petemoei, enz.
Petegem-aan-de-Leie *6,53*
Petegem-aan-de-Schelde *6,53*
peterselie de *ook* **pieterselie** *9,115*
petfles [polyetheen tereftalaat] de (...flessen) *83*
petieterig *9*
petit comité, en – *63*
petitfour de (...s) *3,11*

petitie de (...tiën, ...s) *40,43*
petitierecht *64,76*
petitionaris de (...rissen) *15,16,25*
petitioneren *16,25,106*
petitioneerde, gepetitioneerd
petitionnement het (...en) *16,25*
petitio principii de *63*
petit mal de (petits mals) *63*
petitoir het *3*
petit restaurant het (petits restaurants) *63*
petoet de *3,11*
petomaan de (...manen) *18*
Petrarca, Francesco *6*
petrarkisme het *54,57,90*
petrefact het (...en) *22*
petrificatie de (...s) *22,43*
petrificeren *ook* **petrifiëren** *25,106*
petrificeerde, gepetrificeerd
petrifieerde, gepetrifieerd
petrischaal de (...schalen) *54,65*
petrissage de *14,27,90*
petro... *78*
petrochemie, petrografie, petrodollar, enz.
petroleum de *39*
pets de (...en) *26*
petsen *26,106*
petste, gepetst
petticoat de (...s) *10,67*
petto, in – *63*
petunia de (...'s) *42*
peul de (...en)
peul...: peulerwt, enz. *64*
peulenschil *88*
peulen *106*
peulde, gepeuld
peuren *106*
peurde, gepeurd
peuteren *106*
peuterde, gepeuterd
peuzelen *106*
peuzelde, gepeuzeld
p. expr. [per expres] *100*
peyote de (...s) *21,43,91*
pezen *26,106*
peesde, gepeesd
pezewever de (...s) *97*
Pfaff, Jean-Marie *6*
Pfalz de *ook* **Palts** *6,53*
pfeiffer *54*
P.G. [procureur-generaal] *100*
pH [potentiaal Hydrogenium] *100*
Ph.D. [Philosophiae Doctor] de *100*
Phidias *6*
Philadelphia *6,53*
Philippus van Macedonië *6*
Phnom Penh *ook* **Phnom-Penh** *6,53*
Phoebe *6*
Phoenix *6*
Phoenixeilanden de *6,53*
pH-waarde de (...n, ...s) *83,91*
pi de (...'s) *9,42*
Piaf, Edith *6*
pianissimo *3,14*
piano de (...'s; ...nootje) *42,112*
piano...: pianoles, piano-orgel, enz. *64,76*
pianoforte de (...s) *3,43*
pianola de (...'s) *3,14,21,42*
pianospelen *69,106*
speelde piano, pianogespeeld
pias de (...assen) *21*
piasserij de (...en) *5*
piaster de (...s) *21*
piazza de (...'s) *3,14,42*
Piazzola, Astor *6*
PIC [Pastoraal Informatiecentrum] het *104*
pica de (...'s) *22,42*
picador de (...dores, ...s) *22*
Picardië *6,53*
Picardiër, Picardisch(e)
picaresk *22*
picaro de (...'s) *22,42*
Picasso, Pablo *6*
piccalilly de *3,9,22*
Piccard, August *6*
piccolo [fluit, bediende] de (...'s; ...lootje) *14,22,42,112*
piccolofluit *64*

piccolo [kaartspel] het (...'s) *22,42*
piccoloïst de (...en) *14,22,37*
pickles (alleen mv.) *3*
picknick de (...s) *3,22*
picknick...: picknickmand, enz. *66*
picknicken *3,22,106*
picknickte, gepicknickt
pick-up de (...s) *22,67*
pico bello *22,63*
picoseconde de (...n, ...s) *22,91*
picot de (...s) *10,22*
picrinezuur het *22*
pictografisch *22*
pictogram het (...grammen) *22*
picturaal *22*
picture de *3,22*
pidgin het (...s) *3,27,55*
Pidginengels, pidgintaal *55,66*
pièce de résistance het (pièces de résistance) *63*
piechem de (...s) *1,2,9*
pied-à-terre het (...s) *63*
piëdestal de/het (...stallen, ...s; ...stalletje) *37,112*
pieken *106*
piekte, gepiekt
piekeren *106*
piekerde, gepiekerd
piekscheren *69,107*
pielen *106*
pielde, gepield
pielepoot de (...poten) *97*
piemelen *106*
piemelde, gepiemeld
piepelen *106*
piepelde, gepiepeld
piepen *106*
piepte, gepiept
pier de (...en)
pierebad, pierement, pierewaaier, pierewiet *97*
pieren...: pierenland, enz. *88*
piercen *25,106*
piercete, gepiercet
piercing de (...s) *25*
pierement het (...en) *14*
pieren *106*
pierde, gepierd
pierewaaien *97,106*
pierewaaide, gepierewaaid
Pierlala [held uit volkslied] *52*
pierlala [dood, duivel] de (...'s) *54*
pierrette de (...s) *3,14,91*
pierrot de (...s) *10,54*
piesen *ook* **pissen** *106,115*
pieste, gepiest
Piet (Pietje) *6*
piet, een –, een hele –, een hoge –, piet snot, pietje precies *54,62*
zwartepiet (kaartspel), Zwarte Piet (knecht van Sinterklaas) *6,51*
Pietje de Dood *54,62*
piëta de (...'s) *37,42*
piëteit de *37*
pietepeuteraar de (...s) *97*
pietepeuterig *97*
pieterman de (...mannen) *54*
pieterselie de *ook* **peterselie** *9,115*
piëtisme het *37,90*
piëtist de (...en) *37*
piëtistisch *37*
pietsje het (...s) *27*
pieus *26,38*
pieuze
piëzo... *37,78*
piëzochemie, piëzo-elektriciteit, piëzometer, enz.
pigment het (...en) *2*
pigmentatie de *2*
pigskin het *3*
pij de (...en) *13*
pijl [projectiel] de (...en) *13*
pijl...: pijlstaart enz. *64*
pijlenbundel *88*
pijler [drager, pilaar] de (...s) *13*
pijler...: pijlerbasiliek enz. *64*
Pijnacker *6,53*
pijnen *13,106*
pijnde, gepijnd
pijnigen *13,106*
pijnigde, gepijnigd

pijp de (...en) *13*
pijp...: pijp-etui, pijptabak, enz. *64,85*
pijpen...: pijpenkrul, enz. *88*
pijpen *13,106*
pijpte, gepijpt
pikant *22*
pikanterie de (...rieën) *22,40*
pikdonker het *ook* **pikkedonker** *95,115*
pikeren *106*
pikeerde, gepikeerd
piket het (...ketten) *9,22*
piket...: piketpaal, enz. *64*
piketten *22,106*
pikette, gepiket
piketteren *22,106*
piketteerde, gepiketteerd
pikeur de (...s) *22*
pikhouweel de (...houwelen) *12,64*
pikkelen *106*
pikkelde, gepikkeld
pikken *ook* **pekken** *106,115*
pikte, gepikt
pikketanis de (...nissen) *1,97*
pikol de (...s) *22*
pil de (pillen; pilletje) *112*
pillen...: pillendraaier, enz. *88*
pilaar de (...laren) *9*
pilaarheilige *64*
pilaster de (...s) *9*
Pilatus *6*
pilatusvisje het (...s) *54,65*
pilav de *ook* **pilau** *19,115*
pileren *106*
pileerde, gepileerd
pili-pili de *63*
pillen *106*
pilde, gepild
pilo het *9,10*
pilot de (...s) *3*
pilot...: pilotaflevering, pilotstudie, pilotstudy, enz. *66,67*
pilsener de/het *54*
piment het *9,18*
piment...: pimentboom, enz. *64*
pi-meson het (...en) *63*
pimpampoentje het (...s) *68*
pimpelen *106*
pimpelde, gepimpeld
pin [persoonlijk identificatienummer] de *102*
pin...: pinpas, enz. *83*
pinacotheek de (...theken) *20,22*
pinakel de (...s) *22*
pinang de (...en, ...s) *3*
pinang...: pinangboom, enz. *64*
pinas de (...nassen) *9*
pince-nez de (...s; ...tje) *63,112*
pinceren *25,106*
pinceerde, gepinceerd
pincet de/het (...cetten) *3,25*
pincher de (...s) *3*
pinchhitter de (...s) *67*
pincode de (...s) *22,91*
pineaal *38*
pinetum het (...neta, ...s) *1*
pineut de (...en) *9*
pingelen *106*
pingelde, gepingeld
pingping de *80*
pingpong het *80*
pingpong...: pingpongtafel, enz. *64*
pingpongen *80,106*
pingpongde, gepingpongd
pinguïn de (...s) *3,37*
pinkelen *106*
pinkelde, gepinkeld
pinken *106*
pinkte, gepinkt
pinkogen *69,106*
pinkoogde, gepinkoogd
Pinksteren *56*
pinkster...: pinksterbloem, pinksterdag, pinksterfeest, pinkstervakantie, enz. *56*
pinnen *46,106*
pinde, gepind
Pinocchio *6*
pintelieren *106*
pintelierde, gepintelierd
pin-up de (...s) *67*
pin-upgirl *67*

pinyin het *3,21*
pioen de (...en) *38*
pion de (pionnen, ...s; pionnetje) *16,112*
pion...: pionoffer, enz. *64*
pionier de (...s) *16*
pioniers...: pioniersgeest, enz. *98*
pionieren *16,106*
pionierde, gepionierd
piot de (piotten) *21*
pipa de (...'s) *42*
piperade de *9,90*
piperine de *9,90*
pipet de/het (...petten) *9*
pipetteren *9,14,106*
pipetteerde, gepipetteerd
pipowagen de (...s) *54,65*
pippeling de (...en; ...linkje) *112*
piqué [stofnaam] het *22,29*
piqué [biljartstoot] het (...s) *22,29*
piraat de (...raten)
piraten...: piratenzender, enz. *88*
Piraeus *6,53*
piramidaal *9*
piramide de (...n, ...s) *9,43*
piramide...: piramidebouw, piramidevormig, enz. *76,91*
Pirandello, Luigi *6*
piranha de (...'s) *20,21,42*
piraten... zie **piraat**
piraterij de *13*
pirouette de (...n, ...s) *3,11,43,91*
pirouetteren *3,11,14,106*
pirouetteerde, gepirouetteerd
pis-aller de/het (...s) *63*
pisang de (...s) *26*
pisang...: pisangboom, enz. *66*
piscicultuur de *22,25*
piscine de (...n, ...s) *25,91*
Pissarro, Camille *6*
pissebed de (...bedden) *93*
pissen *ook* **piesen** *106,115*
piste, gepist
pissoir de/het (...s) *3,14*
pistache de (...s) *9,27,43*
pistacheboom
piste de (...n, ...s) *9,91*
pistier de (...s) *3*
pistool het (...stolen) *9*
pistoolschieten *69,107*
pit [post langs racebaan] de (...s) *ook* **pits** *115*
pitstop *66*
pita de (...'s) *42*
pitabroodje *64*
pitbull de (...s) *3,11*
pitbull...: pitbullterriër, enz. *67*
Pitcairneilanden de *6,53*
Pitcairneilander, Pitcairneilands(e)
pitch de (...ches) *27*
pitchpine *67*
pitchen *27,106*
pitchte, gepitcht
pitcher de (...s) *27*
pitotbuis de (...buizen) *26,54,65*
pits [post langs racebaan] de (...en) *ook* **pit** *115*
pits...: pitsstop, enz. *66*
Pitt, Brad *6*
pitten *106*
pitte, gepit
pittoresk *14,113*
pittoresker, meest pittoresk
Pittsburgh *6,53*
pivot de (...s) *3,10*
pivoteren *14,106*
pivoteerde, gepivoteerd
pixel de (...s) *23*
Pizarro, Francisco/Gonzalo *6*
pizza de (...'s) *3,42*
pizza...: pizzakoerier, enz. *66,76*
pizzeria de (...'s) *3,42*
pizzicato het (...'s) *3,22,42*
p.j. [per jaar] *100*
pk [paardenkracht] *100*
PKU [phenylketonurie] *104*
pl. [pluralis] *100*
plaat de (platen)
plaat... : plaatmateriaal, enz. *64*
platen...: platencontract, enz. *88*
plaatsen *106*
plaatste, geplaatst

plaatsgrijpen *69*
greep plaats, plaatsgegrepen
plaatshebben *69*
had plaats, plaatsgehad
plaatsnemen *69*
nam plaats, plaatsgenomen
plaatsnijden *69,107*
plaatsvinden *69*
vond plaats, plaatsgevonden
placebo de (...'s) *25,42*
placebo-effect *76*
placemat de (...s) *3,25,67*
placement het (...en) *3,25*
placenta de (...'s) *25,42*
placer de (...s) *3,25*
placet het (...s) *25*
placide *25*
pladijs de (...dijzen) *13,26*
plafond het (...s) *ook* **plafon** *3,115*
plafond...: plafondlamp, enz. *66*
plafonneren *14,106*
plafonneerde, geplafonneerd
plafonneur de (...s) *3,14*
plafonnière de (...s) *14,30,43,91*
plagen *106*
plaagde, geplaagd
plaggen *106*
plagde, geplagd
plagiaat het (...aten) *14*
plagiaris de (...rissen) *14*
plagiator de (...s) *14*
plagiëren *37,38,106*
plagieerde, geplagieerd
plaid de (...s) *3,8*
plaisanterie de (...rieën) *3,26,40*
plaket de (...ketten) *14,22*
plakkaat het (...katen) *14,22*
plakkaat...: plakkaatverf, enz. *64*
plakken *106*
plakte, geplakt
plamuren *14,106*
plamuurde, geplamuurd
plan het (plannen; plannetje) *112*
plan...: planbureau, enz. *64*
plannenmaker *88*

planaar de (...naren) *14*
planariën de (alleen mv.) *14,40*
planchet het (...chetten) *3,27*
planchette de (...s) *3,27,43,91*
planconcaaf *19,22*
planconcave
planconvex *22,23*
plan de campagne het (plan de campagnes, plans de campagne) *63*
planeet de (...neten)
planeet...: planeetstand, enz. *64*
planeten...: planetenstelsel, enz. *88*
planen *106*
plaande, geplaand
planeren *14,106*
planeerde, geplaneerd
planetair *3,14*
planetarium het (...ria, ...s) *3*
planeten... zie **planeet**
planetoïde de (...n) *37,89*
planiglobe de (...n, ...s) *9,91*
planigrafie de *9,19*
planimeter de (...s) *9*
planimetreren *9,106*
planimetreerde, geplanimetreerd
planimetrie de *9*
planisfeer de (...sferen) *9,19*
plank de (...en)
plank...: plankgas, enz. *64*
planken...: plankenkoorts, enz. *88*
plankschaatsen *69,107*
plankton het *1*
plankton...: planktonbuis, enz. *64*
plankzeilen *69,107*
plannen *106*
plande, gepland
planner de (...s) *3*
planning de (...en) *3*
plano de (...'s) *42*
planoculair het (...s) *3,14,22*
planologie de *14*
planologisch *14*
planoloog de (...logen) *14*
planometer de (...s) *14*
planparallel *14,64*
planparallelle

plant de (...en)
plant...: plantaarde, enz. *64*
planten...: plantenbak, enz. *88*
plantage de (...s) *27*
plantage...: plantage-eigenaar, plantagerubber, enz. *76,91*
planten *106*
plantte, geplant
planteren *106*
planteerde, geplanteerd
plantsoen het (...en) *1*
plantsoen...: plantsoendienst, enz. *64*
plaque [tandaanslag, wandversiering] de (...s) *3,22*
plaquette [voorwerp met reliëfafbeelding] de (...s) *3,22,91*
plasmide de (...n) *89*
plasmolyse de *9,90*
plasregenen *69,106*
plasregende, geplasregend
plassen *106*
plaste, geplast
plastic het (...s) *22*
plastic...: plasticfolie, plasticindustrie, enz. *66*
plasticeren *ook* **plastificeren** *25,106*
plasticeerde, geplasticeerd
plasticine de *25,90*
plasticiteit de *25*
plastiek [beeldwerk] de (...en) *9,22*
plastiek [lakmengsel] het (...en) *9,22*
plastieken [van plastic] *9,22,114*
plastieken [plastificeren] *9,22,106*
plastiekte, geplastiekt
plastificeren *ook* **plasticeren** *25,106*
plastificeerde, geplastificeerd
plastiline de *14,90*
plastisch *9*
plastron de/het (...s; ...tronnetje) *112*
plat-... *55*
plat-Amsterdams, plat-Antwerps, enz.
plataan de (...tanen) *14*
plataf *73,85*
Platduits *55*
plat du jour de (plats du jour) *63*
plateau het (...s; ...tje) *10,43*
plateau...: plateauzool, enz. *64,76*
plateel [aardewerk] het *14*
plateel...: plateelwerk, enz. *64*
plateel [schotel] het (...telen) *14*
platen... zie **plaat**
plateren *14,106*
plateerde, geplateerd
plateservice de *67*
platform het (...en, ...s) *19*
platgaan *69*
ging plat, platgegaan
platglas het *64*
platgooien *69,106*
gooide plat, platgegooid
platina (Pt) het *9*
platina...: platinablond, platinadraad, enz. *64,76*
platineren *106*
platineerde, geplatineerd
platiniet het *9*
platitude de (...s) *14,91*
platleggen *69,106*
legde plat, platgelegd
platliggen *69*
lag plat, platgelegen
platlopen *69*
liep plat, platgelopen
platluis de (...luizen) *26,64*
platmaken *69,106*
maakte plat, platgemaakt
platonisch *54*
platteland het *64,92*
plattelands...: plattelandsgemeente, plattelandsschool, enz. *98,99*
platten *106*
platte, geplat
platteren *106*
platteerde, geplatteerd
platwalsen *69,106*
walste plat, platgewalst
plausibel *12,26*
plausibiliteit de (...en) *12,26*

plavei het (...en) *13*
plaveisteen *64*
plaveien *13,106*
plaveide, geplaveid
plaveisel het (...s) *13*
plavuis de (...vuizen) *26*
playback de/het (...s) *67*
playbackshow *67*
playbacken *3,106*
playbackte, geplaybackt
playboy de (...s) *67*
play-off de (...s) *67*
plebaan de (...banen) *14*
plebejer de (...s) *21*
plebejisch *21*
plebisciet het (...en, ...s) *25*
plebisciteren *25,106*
plebisciteerde, geplebisciteerd
plebs het *17*
plecht de (...en) *2*
plecht...: plechtanker, enz. *64*
plectrum het (...tra, ...s) *22*
plee de (...s) *43*
plee...: pleeborstel, enz. *64,76*
pleet het *8,18*
pleet...: pleetzilver, enz. *64*
plegen [gewoon zijn] *107*
placht
plegen [verrichten] *106*
pleegde, gepleegd
pléiade [selecte groep] de *ook* **plejade** *21,90,115*
Pléiade [dichtergroep] *6*
pleidooi het (...en) *13*
plein het (...en) *13*
plein-air de *63*
plein-airkunst *84*
plein-pouvoir de/het *63*
plein public, en – *63*
pleiotropie de *13*
pleister [wondverband] de (...s) *13*
pleister [stofnaam] het *13*
pleister...: pleistergewelf, enz. *64*
pleisteren *13,106*
pleisterde, gepleisterd
pleisteren *13,114*
Pleistoceen het *ook* **Plistoceen** *56,115*
pleit [pleidooi] het (...en) *13*
pleit...: pleitnota, enz. *64*
pleit [vaartuig] de (...en) *13*
pleite *13*
pleiten *13,106*
pleitte, gepleit
plejade [selecte groep] de (...n) *ook* **pléiade** *21,89*
Plejaden [sterrenbeeld] de (alleen mv.) (GB: plejaden) *6,53*
plekken *106*
plekte, geplekt
plempen *106*
plempte, geplempt
plenair *3*
plengen *106*
plengde, geplengd
plensregenen *69,106*
plensregende, geplensregend
plenteren *106*
plenterde, geplenterd
plenty *3,9*
plenum het *1*
plenzen *26,106*
plensde, geplensd
pleo... *78*
pleochroïsme, pleomorfie, enz.
pleonasme het (...n) *89*
pleten *114*
pletsen *106*
pletste, gepletst
pletten *106*
plette, geplet
pleura de (...'s) *42*
pleurectomie de *22*
pleuren *106*
pleurde, gepleurd
pleuris de/het (...sen) *1*
pleuris...: pleurislijder, enz. *64*
pleuritis de/het (...sen) *1,9*
pleuropneumonie de (...nieën) *9,40*
pleuroscopie de (...scopieën) *9,22*
pleurotomie de (...mieën) *9,40*

plevier de (...en) *ook* **pluvier** *19,115*
plexiglas het *23*
plexus de *1,23*
plezant *26*
plezier het (...en) *26*
plezieren *106*
plezierde, geplezierd
plicht de (...en) 2
plicht...: plichtpleging, enz. *64*
plichtenleer *88*
plichts...: plichtsgevoel, enz. *98*
plint de (...en) *18*
Plioceen het *56*
plissé het (...s; plisseetje) *29,43,112*
plisseren *106*
plisseerde, geplisseerd
Plistoceen het *ook* **Pleistoceen** *56,115*
plm. [plusminus] *100*
PLO [Palestinian Liberation Organisation] de *104*
ploeg de (...en)
ploeg...: ploegleider, enz. *64*
ploegen...: ploegendienst, enz. *88*
ploegen *106*
ploegde, geploegd
ploert de (...en)
ploerten...: ploertendoder, enz. *88*
ploeteren *106*
ploeterde, geploeterd
ploffen *106*
plofte, geploft
plombe de (...s) *3,43*
plomberen *106*
plombeerde, geplombeerd
plombière de (...s) *30,43,91*
plomp de (...en)
plompen...: plompenblad, enz. *88*
plompen *106*
plompte, geplompt
plomperd de (...s) *18*
plompverloren *64*
plons de (...sen, ...zen) *26*
plonzen *26,106*
plonsde, geplonsd
plooi de (...en)
plooi...: plooi-ijzer, plooirok, enz. *64,76*
plooien *106*
plooide, geplooid
plooiing de (...en) *38*
ploot de (ploten) *18*
ploot...: plootwol, enz. *64*
ploten *106*
plootte, geploot
plotten *106*
plotte, geplot
plu de (...'s) *42*
pluche de/het *27*
pluchen *27,114*
pluggen *106*
plugde, geplugd
pluimage de (...s) *27,91*
pluimen *106*
pluimde, gepluimd
pluimstrijken *69,107*
pluis de (pluizen) *26*
pluisster de (...s) *4*
pluizen [pluisjes loslaten] *26,106*
pluisde, gepluisd
pluizen [andere betekenis] *26*
ploos, geplozen
plukharen *69,106*
plukhaarde, geplukhaard
plukken *106*
plukte, geplukt
plumbaan het *1*
plumbago het *3*
plumbum (Pb) het *1*
plumeau de (...s; ...tje) *10,43*
plumpudding de (...en) *67*
plunderen *106*
plunderde, geplunderd
plurale tantum het (pluralia tantum) *63*
pluralis de (...lia, ...lissen) *1*
pluralis majestatis de *63*
pluralisme het *90*
pluralis modestiae de *63*
pluriform *19*

pluritonaliteit de *14*
plus-en-minmethode de (...n, ...s) *84*
plusfour de (...s) *3*
plusminus (plm.) *73*
plusminusteken *68*
plusquamperfectum het (...fecta) *3,22,24*
plussen *106*
pluste, geplust
plutocraat de (...craten) *22*
plutocratie de (...tieën) *40*
plutonisch *54*
plutonium (Pu) het *1,54*
pluviaal *19*
pluvier de (...en) *ook* **plevier** *19,115*
pluviograaf de (...grafen) *19*
pluviometer de (...s) *64*
Pluvius *51*
plv. [plaatsvervangend] *100*
Plymouth *6,53*
Pm [promethium] *100*
p.m. [per maand, post meridiem, pro memoria] *100*
pms [premenstrueel syndroom] het *101*
PMS [Psycho-Medisch-Sociale Dienst] de *104*
pnd [postnatale depressie] *101*
pneu de (...s) *3,43*
pneumatiek de *3*
pneumatosis de *1,3*
pneumectomie de *3,22*
pneumocardiaal *3,22*
pneumocentese de (...n) *3,25,89*
pneumococcus de (...cocci) *3,22*
pneumoconiose de *3,22,90*
pneumokok de (...kokken) *3,22*
pneumonitis de *1,3*
pneumorragie de *3,14*
pneumothorax de (...en) *3,20,23*
po de (...'s; pootje) *42,112*
p.o. [per ommegaande, per order] *100*
pochen *2,106*
pochte, gepocht
pocheren *27,106*
pocheerde, gepocheerd
pochet de (...chetten) *27*
pocket de (...s) *3,22*
pocket...: pocketuitgave, enz. *66*
podagra het *3*
podagreus *26*
podagreuze
podagrist de (...en) *3*
podalgie de *9*
podium het (...s, ...dia; ...pje) *3*
podsol het *18*
poe *ook* **poeh** *11*
Poe, Edgar Allan *6*
poedelen *106*
poedelde, gepoedeld
poeder de/het (...s) *ook* **poeier** *1,115*
poederen *ook* **poeieren** *1,106,115*
poederde, gepoederd
poëem het (poëmen) *37,38*
poëet de (poëten) *37,38*
poef de (...en, ...s) *19*
poeh *ook* **poe** *11,20*
poeha de/het *11*
poeha...: poehamaker, enz. *64,76*
poeier de/het (...s) *ook* **poeder** *1,115*
poeieren *ook* **poederen** *1,106,115*
poeierde, gepoeierd
poekelen *106*
poekelde, gepoekeld
poel [water, modder] de (...en) *11*
poele [lokroep] *11*
poelen [baden] *11,106*
poelde, gepoeld
poelepetaat de (...taten) *97*
poelet de/het *11*
poelet...: poeletsoep, enz. *64*
poelie de (...s) *9,11,43*
poelier de (...s) *11*
poeliers...: poeliersbedrijf, enz. *98*
poema de (...'s; poemaatje) *11,42,112*
poëma het (...'s, ...mata) *37,42*
poepen *106*
poepte, gepoept
poeperd de (...s) *18*
poer de (...en) *ook* **peur** *11,115*
poerem [drukte] de *ook* **poerim** *1,11,115*

poeren *ook* **peuren** *11,106,115*
poerde, gepoerd
Poerim [feest] het *ook* **Purim** *56,115*
poerim...: poerimganger, enz. *56*
poerim [drukte] het *ook* **poerem** *1,11,115*
poes de (...en, poezen) *26*
poeslief *64*
poezen...: poezenmand, enz. *88*
poesiealbum het (...s) *26,64*
poësis de *1,26,37*
poesjenel de (...nellen) *27*
poesjenellen...: poesjenellenkelder, enz. *88*
Poesjkin, Alexander *6*
poespas de *11*
poesta de (...'s) *11,42*
poesta...: poestaburger, enz. *64,76*
poet de (...en) *11*
poëtaster de (...s) *37*
poëtica de (...'s) *22,37,42*
poëtiek de (...en) *37*
poëtiseren *26,37,106*
poëtiseerde, gepoëtiseerd
poetsen *106*
poetste, gepoetst
poetsster de (...s) *4*
poezel *26*
poezelig *26*
poezen... zie **poes**
poëzie de (...zieën) *26,37*
poëzie...: poëziealbum, poëzie-interesse, enz. *64,76*
poezig *26*
poffen *106*
pofte, gepoft
pogen *106*
poogde, gepoogd
pogoën *3,37,106*
pogode, gepogood
pogrom de (...s) *3*
poikilodermie de *9,22*
poikilotherm *3,20*
poinsettia de (...'s) *42,54*
point het (...en, ...s) *3*
pointe de (...s) *3,43*
pointer de (...s) *3*
pointeren *3,106*
pointeerde, gepointeerd
pointeur de (...s) *3*
pointillé het (...s) *21,29,43*
pointilleren *21,106*
pointilleerde, gepointilleerd
pointillisme het *21,90*
pointillist de (...en) *21*
point-lacé het *63*
Poitier, Sidney *6*
pok de (pokken)
pokken...: pokkenweer, enz. *88*
poken *106*
pookte, gepookt
pokeren *106*
pokerde, gepokerd
pokerface de/het (...s) *67*
polair *3*
Polak zie **Pool**
Polanski, Roman *6*
polarimeter de (...s) *9,64*
polarisatie de (...s) *26,43*
polarisatie...: polarisatiehoek, enz. *64,76*
polarisator de (...en, ...s) *26*
polariscoop de (...scopen) *22*
polariseren *26,106*
polariseerde, gepolariseerd
polarisraket de (...ketten) *1,64*
polariteit de (...en) *14*
polarografie de *14*
polaroid de/het (...s) *3*
polaroid...: polaroidcamera, enz. *66*
polder de (...s)
polder...: poldermodel, polder-Nederlands, enz. *55,64*
polei de (...en) *13*
polemicus de (...mici) *22,25*
polemiek de (...en) *9*
polemiseren *26,106*
polemiseerde, gepolemiseerd
polenta de *14*
poleren *14,106*
poleerde, gepoleerd

poli de (...'s) *42,102*
polichinel de (...nellen) *27*
polijst... *13,64*
polijstaarde, polijstglas, polijsttechniek, enz.
polijsten *13,106*
polijstte, gepolijst
polikliniek de (...en) *9*
poliklinisch *9*
polio de
polio...: polio-epidemie, poliopatiënt, poliomyelitis, enz. *64,76*
politbureau het (...s) *9,10*
politiair *3,9*
politica de (...'s) *22,42*
politicaster de (...s) *22*
politicologie de *22*
politicus de (...tici) *22,25*
politie de *25*
politie...: politieagent, politie-eenheid, politiekorps, enz. *64,76*
politieel *37,38*
politiële
politiek-cultureel *80*
politiseren *26,106*
politiseerde, gepolitiseerd
politoer de/het *9,11*
politoeren *9,11,106*
politoerde, gepolitoerd
polka de (...'s; polkaatje) *42,112*
polka...: polkahaar, enz. *64,76*
polka-mazurka de (...'s) *22,26,42,80*
poll de (...s) *3*
Pollack, Sidney *6*
pollak [vis] de (...lakken) *14*
pollen de (alleen mv.)
pollen...: pollenanalyse, enz. *64*
pollen *106*
polde, gepold
pollepel de (...s) *4,64*
Pollinkhove *6,53*
pollinose de *ook* **pollinosis** *14,115*
Pollock, Jackson *6*
pollutie de (...s) *14,43*
Pollux *6*
polo [kledingstuk] de (...'s)
polo...: poloshirt, enz. *64,76*
polo [spel] het
polo...: polospeler, enz. *64,76*
poloën *37,106*
polode, gepolood
poloër de (...s) *37*
polonaise de (...s) *3,43,91*
polsen *26,106*
polste, gepolst
polsstokhoogspringen *69,107*
polsstokverspringen *69,107*
poltergeist de *3,13*
poly... *9,78*
polyinterpretabel, polytechnisch, enz.
polyamide de/het (...n, ...s) *9,91*
polyandrie de *9*
polyanthisch *9,20*
polyarchie de *9*
polychromeren *9,106*
polychromeerde, gepolychromeerd
Polycletus *6*
polyeder de (...s) *9*
polyester het (...s) *9*
polyester...: polyestervezel, enz. *64*
polyetheen het (...thenen) *9,20*
polyethyleen het *9,20*
polygaam *9*
polygeen *9*
polyglass het *9,66*
polyglot [persoon] de (...glotten) *9*
polyglot [boek] de (...ten) *ook* **polyglotte** (...n) *9,115*
Polyhymnia *6*
polykopiëren *9,37,38*
polykopieerde, gepolykopieerd
polymeriseren *9,26,107*
polymorf *9*
polymorfe
Polynesië *6,53*
Polynesiër, Polynesisch(e)
Polyphemus *6*

polyptiek de (...en) *9*
polysemie de *9*
polystyreen het *9*
polysyndeton het (...tons, ...ta) *9*
polytheen het *9,20*
polytheïsme het *9,37*
polyvinylchloride (pvc) het *9*
pomerans de (...en) *14,26*
pomerans...: pomeransboom, enz. *64*
pommade de (...s) *14,91*
pompadoer het *11,54*
pompaf *73*
Pompeji *6,53*
pompelmoes de (...moezen) *11,26*
pompen *106*
pompte, gepompt
pompeus *26*
pompeuze
Pompidou, Georges *6*
pompoen de (...en)
pompoenzaad
pompoenen...: pompoenensoep, enz. *88*
pompon de (...s; pomponnetje) *112*
pompondahlia *64*
pomposo *26*
pompschroevendraaier de (...s) *68,88*
ponceau het *10,25*
poncho de (...'s) *27,42*
pond [gewicht, munt] het (...en) *18*
pondteken *64*
pond sterling het (ponden sterling) *67*
ponem het (...s) *1*
poneren *106*
poneerde, geponeerd
pongézijde de *27,29,64*
ponjaard de (...en, ...s) *18,21*
ponsen *26,106*
ponste, geponst
ponseuse de (...s) *26,43,91*
ponskaartensysteem het (...systemen) *68,88*
ponsoen de (...en) *11*
ponsster de (...s) *4*
pont [vaartuig] de (...en) *18*
pont...: pontbrug, enz. *64*
ponteneur het *14*
ponticello de (...'s) *3,42*
pontifex de (pontifices) *23*
pontifex maximus de *63*
pontificaal *22*
pontificaat het *22*
pontificeren *25,106*
pontificeerde, gepontificeerd
ponton de (...s; pontonnetje) *112*
ponton...: pontonbrug, enz. *64*
pontonnier de (...s) *8,14*
pony de (...'s; pony'tje) *9,42,45*
pony...: ponyhaar, enz. *64,76*
pooien *21,106*
pooide, gepooid
pooier de (...s) *38*
pool de (...s) *3,11*
pool...: poolbiljart, enz. *66*
pool de (polen)
pool...: poolcirkel, enz. *64*
poolshoogte *98*
poolen *11,106*
poolde, gepoold
pooler de (...s) *11*
pooling de *11*
Poolster de *53*
Poopomeer *6,53*
poot... *64*
pootaardappel, pootgoed, enz.
pootaan spelen *62*
pootjebaden *69,107*
pop [knuffel] de (poppen; ...je, poppetje) *112*
poppen...: poppenkast, enz. *88*
pop [muziek] de
pop...: popconcert, popidool, pop-opera, enz. *67,83,85*
pop-art de (GB: popart) *67,85*
pope de (...n, ...s) *91*
popelen *106*
popelde, gepopeld
popeline de/het *ook* **poplin** *90,115*
Poperinge *6,53*

popi *9*
popi-jopie *9,62*
poplin de/het *ook* **popeline** *115*
popliteus *26*
popliteuze
Popocatepetl *6*
poppedeintje het (...s) *13,97*
poppelepee *8,14*
poppen *106*
popte, gepopt
populair *3*
populair-wetenschappelijk *79*
popularisator de (...en, ...s) *26*
populariseren *106*
populariseerde, gepopulariseerd
populariteit de
populariteits...: populariteitspoll, enz. *98*
populatie de (...s) *14,43*
populier de (...en) *14*
populierboktor *64*
populieren...: populierenhout, enz. *88*
populieren *14,114*
populisme het *57,90*
porem het (...s) *1*
poreus *26*
poreuze
porfier het *19*
porfieren *19,114*
porfyrie de *9*
porie de (...riën) *40*
porno de
porno...: pornoacteur, porno-industrie, enz. *64,76*
pornografie de *19*
porositeit de *26*
porren *106*
porde, gepord
porselein het (...en) *13,25*
porselein...: porseleinkast, enz. *64*
porseleinen *114*
port [porto] de/het *18*
port [wijn] de *18,54*
port...: portwijn, enz. *64*
portable de (...s) *3*
Port-au-Prince *6,53*
porte-brisée de (...s) *63*
portee de *8*
portefeuille de (...s) *3,21,43*
portefeuille...: portefeuillehouder, enz. *76,91*
portelen *106*
portelde, geporteld
portemonnee de (...s; ...tje) *8,14,43*
portfolio de/het (...'s) *42*
portie de (...s) *25,43*
portier [deur] het (...en)
portier...: portierraam, enz. *64*
portier [persoon] de (...s) *64*
portiers...: portierspet, enz. *98*
portioneren *16,27,106*
portioneerde, geportioneerd
portlandcement de/het *54,65*
Port Louis *ook* **Port-Louis** *6,53*
Port Moresby *6,53*
porto de/het (...to's, ...ti) *42*
porto...: portokosten, enz. *64,76*
Port of Spain *6,53*
Porto-Novo *6,53*
Porto Rico *ook* **Puerto Rico**
Porto Ricaan, Porto Ricaans(e)
portret het (...tretten)
portret...: portretfoto, enz. *64*
portrettengalerij *88*
portretteren *14,106*
portretteerde, geportretteerd
portrettist de (...en) *14*
Port Said *6,53*
Portugal *6,53,55*
Portugees, Portugese
pose de (...n, ...s) *26,43,91*
poseren *26,106*
poseerde, geposeerd
poseur de (...s) *26*
positie de (...s) *26,43*
positie...: positiespel, enz. *64,76*
positief *19*
positieve
positief de/het (...tieven) *19*

positioneel *16*
positioneren *16,106*
positioneerde, gepositioneerd
positivisme het *90*
positivo de (...'s) *9,42*
positron het (...en) *9*
posologie de *26*
possessie de (...s) *14,43*
possessief *14,19*
possessieve
possessoir *3,14*
post... *77*
postacademisch, postmodernisme. enz.
postcheque-en-girodienst de *81*
postcode de (...s) *22,43*
postcode...: postcodeboek, enz. *76,91*
postdateren *106*
postdateerde, gepostdateerd
postdoc de (...s) *22,102*
postelein de *13*
posten *106*
postte, gepost
poster de (...s) *3,10*
poster...: posterformaat, enz. *66*
posteren *106*
posteerde, geposteerd
poste restante *63*
posterieur *3*
posterijen de (alleen mv.) *13*
posteriori, a – *63*
posterioriteit de *9*
posteriteit de *9*
post factum *63*
postgirorekening de (...en) *64*
postiche de (...s) *27,43,91*
posticheur de (...s) *27*
postiljon de (...s) *21*
postille de (...s) *21,43,91*
postincunabel de (...en) *22*
postjectie *23*
post meridiem (p.m.) *63*
postorder de (...s) *64*
postorder...: postorderbedrijf, enz. *64*
postscriptum (P.S.) het (...scripta, ...s) *22,63*
postulaat het (...laten) *14*
postulant de (...en) *14*
postuleren *14,106*
postuleerde, gepostuleerd
postuum *20*
pot de (potten)
pot...: potaarde, potdicht, enz. *64*
potten...: pottenbakker, pottenbakkersoven, pottenkijker, enz. *68,88*
pot... *73*
potdomme, potjandorie, potjandosie, potverblomme, potverdikkie, potverdriedubbeltjes, enz.
pot au feu de *63*
poten *106*
pootte, gepoot
potenrammen *69,107*
potentaat de (...taten) *14*
potentiaal de (...alen) *27*
potentiaal...: potentiaalbarrière, enz. *64*
potentialis de (...lissen/...tiales) *1,27*
potentie de (...s) *43*
potentie...: potentieprobleem, enz. *64,76*
potentieel *27,37,38*
potentiële
potentiometer de (...s) *27,64*
poterne de (...s) *91*
potestaat de (...taten) *14*
potjeslatijn het *55*
potloden *106*
potloodde, gepotlood
potlood het (...loden) *18*
potpourri de/het (...'s; potpourrietje) *11,42,112*
potsenmaker de (...s) *26,88*
potsierlijk *87*
potten *106*
potte, gepot
potteus *26*
potteuze

potverteren *106*
potverteerde, potverteerd
poujadisme het *11,54,90*
poularde de (...s) *11,91*
poule [groep] de (...s) *3,11*
poule...: poulewedstrijd, enz. *66,76*
Pound, Ezra *6*
pousse-café de (...s) *43,63*
pousseren *11,106*
pousseerde, gepousseerd
powerliften *67,107*
powerplay het (...s) *67*
pozen *26,106*
poosde, gepoosd
pp [pianissimo] *101*
p.p. [per persoon, per post] *100*
p.p.p.d. [per persoon per dag] *100*
PR [public relations] de *100*
pr-...: pr-afdeling, enz. *83*
Pr [praseodymium] *100*
pr. [priester] *100*
praaien *106*
praaide, gepraaid
praatje het (...s)
praatjes...: praatjesmaker, enz. *98*
pracht de *2*
prachtig *2*
practical joke de (...s) *67*
practicum het (...tica, ...s) *22*
practicus de (...tici, ...cussen) *22,25*
praeputium het (...tia) *8*
praeteritio de (...'s) *8,42*
pragmaticus de (...tici) *22,25*
pragmatiek de (alleen mv.) *3*
Praia *6,53*
prairie de (...riën, ...s) *8,40,43*
prairie...: prairiewolf, enz. *64,76*
prakken *106*
prakte, geprakt
prakkiseerder de (...s) *ook* **prakkeseerder** *26,115*
prakkiseren *ook* **prakkeseren** *7,106,115*
prakkiseerde, geprakkiseerd
Prakrit *55*
praktijk de (...en) *13,22*
praktikabel het (...s) *22*
praktikant de (...en) *22*
praktiseren *7,106*
praktiseerde, gepraktiseerd
pralen *106*
praalde, gepraald
pralerij de (...en) *13*
praline de (...s) *43,91*
pralltriller de (...s) *ook* **praltriller** *14,115*
pramen *106*
praamde, gepraamd
prangen *106*
prangde, geprangd
praseodymium het (Pr) *9*
praten *106*
praatte, gepraat
pratikeren *22,106*
pratikeerde, gepratikeerd
prauw de (...en) *12,28*
praxinoscoop de (...scopen) *22,23*
praxis de *23*
pre de/het (...'s) *7,29,42*
pre... *78*
preëmbryo, preëxistent, prehistorie, preïndustrieel, preolympisch, enz.
pre... *70,106*
preadviseren: preadviseerde, gepreadviseerd; enz.
prealabel *8*
preambule de (...s) *37,43,91*
precair *22,113*
precairder, precairst
Precambrium [geologisch tijdperk] het *56*
precario het (...'s) *22,42*
precario...: precariorecht, enz. *64,76*
precautie de (...s) *12,22,43*
precedent het (...en) *25*
precedent...: precedentwerking, enz. *64*
precedentie de *25*
precederen *25,106*
precedeerde, geprecedeerd

precessie de (...s) *25*
precies *25,26*
precieze
precieus *25,26*
precieuze
preciosa de (alleen mv.) *25*
precipitaat het (...taten) *25*
precipitatie de (...s) *25,43*
precipitato *25*
precipiteren *25,106*
precipiteerde, geprecipiteerd
preciseren *25,106*
preciseerde, gepreciseerd
precisie de *25*
precisie...: precisieapparaat, precisie-uurwerk, enz. *64,76*
precociteit de *22,25*
preconisatie de (...s) *22,26*
preconiseren *22,26,106*
preconiseerde, gepreconiseerd
predella de (...'s) *42*
predestinatie de *8*
predestinatie...: predestinatieleer, enz. *64,76*
predeterminatie de *8*
predicatief *7,19*
predicatieve
prediceren *25,106*
prediceerde, geprediceerd
predictortest de (...en, ...s) *22,64*
predikaat het (...katen) *22*
predikaats...: predikaatsbepaling, enz. *98*
predikant de (...en) *22*
predikants...: predikantswoning, enz. *98*
predikatie de (...tiën, ...s) *22,40,43*
prediken *15,106*
predikte, gepredikt
prediker de (...s) *15*
predilectie de (...s) *23,43*
prednison de/het *18*
preeklezen *69,107*
prefab *3*
prefatie de (...tiën, ...s) *40,43*
prefect de (...en) *22*
prefectuur de (...turen) *22*
preferentie de (...s) *43*
preferentieel *37,38*
preferentiële
prefereren *106*
prefereerde, geprefereerd
prefigeren *106*
prefigeerde, geprefigeerd
prefiguratie de (...s) *8*
prefix het (...en) *23*
prefs [preferente aandelen] de (alleen mv.) *102*
pregnant *2*
pregnantie de *2*
prei [groente] de (...en) *13*
prei...: preiring, enz. *64*
prejudiciëren *25,37,106*
prejudicieerde, geprejudicieerd
preken *106*
preekte, gepreekt
preliminair *3,9,29*
prelude de (...s) *29,43,91*
preluderen *106*
preludeerde, gepreludeerd
prematuur *29*
premediceren *25,106*
premediceerde, gepremediceerd
premie de (...s) *43*
premie...: premieartikel, premie-A-woning, premie-inkomsten, enz. *64,76,83*
premier de (...s) *3,8,60*
première de (...s) *30,43*
première...: premièredag *76,91*
premier-risqueverzekering de (...en) *84*
premisse de (...n) *29,89*
premium het (...s) *1*
premolaar de (...laren, ...lares) *14*
premonstratenzer de (...s) *26,54,57*
prenataal *29*
prent de (...en)
prent...: prentbriefkaart, enz. *64*
prenten...: prentenkabinet, enz. *88*

prenten *106*
prentte, geprent
prenumerando *3*
prenumeratie de (...tiën, ...s) *40,43*
prenumereren *106*
prenumereerde, geprenumereerd
preoccuperen *22,106*
preoccupeerde, gepreoccupeerd
preparaat het (...raten) *14*
preparatie de (...s) *43*
preparatief het (...tieven) *19*
preparatoir *3*
prepareren *106*
prepareerde, geprepareerd
preponderant *18*
preponderantie de *25*
prerogatief het (...tieven) *19*
pres. [presens, president] *100*
presbyopie de *9*
presbyter de (...s) *9*
presbyteriaan de (...rianen) *9*
prescriberen *22,106*
prescribeerde, geprescribeerd
prescriptie de (...s) *22,43*
prescriptief *19,22*
prescriptieve
préséance de (...s) *29,43,91*
presens het (...sentia) *3*
present het (...en) *1*
present...: presentexemplaar, enz. *64*
presentatie de (...s) *43*
presentatie...: presentatieruimte, enz. *64,76*
presentatrice de (...s) *25,43,91*
presenteren *106*
presenteerde, gepresenteerd
presentie de (...s) *43*
presentie...: presentielijst, enz. *64,76*
preservatief het (...tieven) *19*
preserveren *106*
preserveerde, gepreserveerd
preses de (...sessen, presides) *7*
president de (...en) *60*
president-...: president-directeur, enz. *79*
presidents...: presidentsverkiezing, presidentszetel, enz. *98,99*
presidentialisme het *27,90*
presidentieel *37,38*
presidentiële
presideren *106*
presideerde, gepresideerd
presidiaal *9*
presidium het (...dia,...s) *9*
Presley, Elvis *6*
pressant *14*
pressen *106*
preste, geprest
presse-papier de (...s) *63*
presseren *106*
presseerde, gepresseerd
pressie de (...s) *43*
pressie...: pressiemiddel, enz. *64,76*
pressurecooker de (...s) *67*
prestatie de (...s) *43*
prestatie...: prestatiecurve, enz. *64,76*
prestatief *19*
prestatieve
presteren *106*
presteerde, gepresteerd
prestige het *27*
prestige...: prestigeobject, enz. *76,90*
prestigieus *26,27*
prestigieuze
prestissimo *14*
presto het (...'s) *42*
presumeren *106*
presumeerde, gepresumeerd
presumptie de (...s) *43*
presumptief *19*
presumptieve
presuppositie de (...s) *30,31,43*
prêt-à-porter het *63*
pretenderen *106*
pretendeerde, gepretendeerd
pretentie de (...s) *43*
pretentieloos *87*

pretentieus *26*
pretentieuze
preteritum het (...rita, ...s) *1,8*
pretext het (...en) *23*
pretexteren *23,106*
pretexteerde, gepretexteerd
pretor de (...en, ...s) *8*
Pretoria *6,53*
Pretoriaan, Pretoriaans(e)
pretoriaan [Romeinse lijfwacht] de (...rianen) *54*
pretorium het (...ria, ...s) *8*
Preud'homme, Armand *6*
preutelen *106*
preutelde, gepreuteld
prevalent *19*
prevaleren *19,106*
prevaleerde, geprevaleerd
prevelement het (...en) *19*
prevelen *106*
prevelde, gepreveld
preveniëren *37,38,106*
prevenieerde, geprevenieerd
preventie de (...s) *43*
preventie...: preventiemaatregel, enz. *64,76*
preventief *19*
preventieve
preview de (...s) *3,9,11*
prieel het (priëlen) *37,38*
priegelen *9,106*
priegelde, gepriegeld
priegelig *9*
priem de (...en)
priem...: priemgetal, enz. *64*
priemen *106*
priemde, gepriemd
priester de (...s)
priesterlijk *87*
priester...: priesterroeping, enz. *64*
priester-dichter de (priesters-dichters) *80*
Priestley, John *6*
prietpraat de *64*
prij [kreng] de (...en) *13*
prijk de *13*
prijken *13,106*
prijkte, geprijkt
prijs de (prijzen) *13,26*
prijslijk *87*
prijs...: prijsafspraak, prijsbewust, prijsdrukkend, enz. *64*
prijzen...: prijzenslag, enz. *88*
prijzenswaard, prijzenswaardig *98*
prijsgeven *69*
gaf prijs, prijsgegeven
prijs-kwaliteitverhouding de (...en) *81*
prijsschieten *69*
schoot prijs, prijsgeschoten
prijzen [van een prijs voorzien] *26,106,107*
prijsde, geprijsd
prijzen [roemen] *26,107*
prees, geprezen
prijzen... zie **prijs**
prikkelen *106*
prikkelde, geprikkeld
prikken *106*
prikte, geprikt
prima de (...'s) *42*
primaat de/het (...maten) *9*
prima ballerina de (...'s) *42,63*
prima donna de (...'s) *42,63*
primage de (...s) *27,43,91*
primair *3*
primarius de (...rii) *1,37*
prime [grondtoon] de (...s) *9,43*
prime rate de (...s) *67*
primeren *9,106*
primeerde, geprimeerd
prime time de *67*
primeur de (...s) *9*
primipara de (...'s) *9,42*
primitief *9,19*
primitieve
primitivisme het *9,90*
primo *9*
primordiaal *9*
primula de (...'s; ...laatje) *42,112*
primus de (...mussen) *1,9*
primus...: primusbrander, enz. *64*

primus inter pares *63*
Princenhage *6,53*
Princess of Wales [Diana Spencer] *6*
principaal de (...palen) *9,25*
principe het (...s) *ook* **princiep** (...en) *25,43,115*
principe...: principeakkoord, principebesluit, enz. *76,91*
principieel *25,37,38*
principiële
prins de (...en) *26,60*
prinselijk *87*
prinsbisdom, prinsgezind, prinsheerlijk *64*
prinsemarij *97*
prinsen...: prinsenhof, enz. *88*
prins-bisschop, prins-gemaal *80*
Prins-Alexanderpolder de *6,53*
prinses de (...sessen)
prinsessen...: prinsessenboon, enz. *88*
Prinses-Margrietkanaal het *6,53*
Prinsjesdag de (GB: prinsjesdag) *56,98*
print de (...s)
print...: print-out, printpapier, enz. *64,67*
printen *106*
printte, geprint
prinzipienreiterei de *3*
prior de (...s) *9*
prioraat het (...raten) *9*
priores de (...ressen) *9*
priori, a – *9,63*
priorij de (...en) *9,13*
priorin de (...rinnen) *9*
prioritair *3,9*
prioriteit de (...en) *9,13*
prioriteiten...: prioriteitenprogramma, enz. *88*
prioriteits...: prioriteitsaandeel, prioriteitsschuld, enz. *98,99*
prise de (...s) *9,26,91*
prisma het (...'s, ...mata; ...maatje) *42,112*
prisma...: prismabeeld, enz. *64,76*
prismoïde de/het (...n) *37,89*
privaat het (...vaten) *9,19*
privaat...: *64*
privaatrecht, enz.
privacy de *3,9,25*
privacy...: privacyaspecten, privacybescherming, enz. *66,76*
privatief *19*
privatieve
privatim *19*
privatiseren *106*
privatiseerde, geprivatiseerd
privatissimum het (...sima, ...s) *14,19*
privé-... *29,77*
privé-auto, privé-chauffeur, privé-eigendom, privé-gesprek, enz.
privilege het (...s) *27,43,91*
privilegiëren *27,37,106*
privilegieerde, geprivilegieerd
PRL [Parti Réformateur Libéral] de *104*
pro... *77*
proactief, proconsul, enz.
pro-... [voorstander van] *77*
pro-Amerikaans, pro-democratisch, pro-Europees, enz.
probaat *18*
probabilisme het *14,90*
probabilistisch *14*
probabiliteit de (...en) *14*
probatie de (...s) *43*
proberen *106*
probeerde, geprobeerd
problematiseren *26,106*
problematiseerde, geproblematiseerd
procédé het (...s; ...deetje) *29,43,112*
procederen *25,106*
procedeerde, geprocedeerd
procedure de (...s) *25,43*
procedure...: procedurefout, enz. *76,91*
procent het (...en) *25*
procent...: procentpunt, enz. *64*
procentueel *25*

proces het (...cessen) *25*
proces...: proceskosten, enz. *64*
processie de (...s) *25,43*
processie...: processierups, enz. *64,76*
processing de *25*
processor de (...s, ...soren) *25*
processueel *14,25*
proces-verbaal (p.v.) het (processen-verbaal) *79*
proclamatie de (...s) *22,43*
proclameren *22,106*
proclameerde, geproclameerd
proclisis de (...clises, ...sissen) *1,22*
proclitisch *22*
procope de (...s) *22,43,91*
procrustesbed het *54,65*
procuratie de (...s) *22,43*
procuratie...: procuratiehouder, enz. *64,76*
procurator de (...en, ...s) *22*
procureur de (...s) *22*
procureur-generaal *79*
prodeaan de (...deanen) *21*
pro Deo *59,63*
pro-Deo...: pro-Deozaak, enz. *84*
prodigieus *26*
prodigieuze
producen *3,105,106*
producete, geproducet
producent de (...en) *25*
producenten...: producentenprijs, enz. *88*
producer de (...s) *3,11,25*
produceren *25,106*
produceerde, geproduceerd
product het (...en) *7,22*
product...: productgericht, productgroep, enz. *64*
producten...: productenpakket, enz. *88*
productie de (...s) *7,23,43*
productie...: productieomvang, enz. *64,76*
productief *7,19,22*
productieve
productiviteit de *7,19,22*
productiviteits...: productiviteitsontwikkeling, productiviteitsstijging, enz. *98,99*
proef de (proeven) *ook* **proeve** *19,115*
proef...: proefhoudend, proefstadium, enz. *64*
proefdraaien *69,106*
draaide proef, proefgedraaid
proeflezen *69,107*
proefgelezen
proefrijden *69,107*
proefgereden
proefvaren *106*
proefgevaren
proesten *106*
proestte, geproest
proeve de (...n) *ook* **proef** *19,89,115*
proeven *19,106*
proefde, geproefd
prof de (proffen, ...s)
prof...: profvoetbal, enz. *83*
prof. [professor] *100*
profaan *19*
profanatie de (...s) *19,43*
profaneren *19,106*
profaneerde, geprofaneerd
professen *106*
profeste, geprofest
professie de (...s) *43*
professional de (...s) *3*
professionaliseren *16,26,106*
professionaliseerde, geprofessionaliseerd
professioneel *14*
professo, ex – *63*
professor de (...en) *14*
professoraal *14*
professoraat het (...raten) *14*
profeteren *106*
profeteerde, geprofeteerd
profetes de (...tessen) *19*
profetie de (...tieën) *19,40*
proficiat het (...s) *25*
profiel het (...en) *9*
profiel...: profielzool, enz. *64*

profijt het (...en) *13*
profijtelijk *87*
profijt...: profijtbeginsel, enz. *64*
profil, en – *63*
profilax het (...en) *23*
profileren *9,106*
profileerde, geprofileerd
profiteren *9,106*
profiteerde, geprofiteerd
pro forma *63*
profylactisch *9,22*
profylaxis de *9,23*
progesteron het *3*
prognose de (...s) *26,91*
prognosticeren *25,106*
prognosticeerde, geprognosticeerd
prognosticon het (...s) *ook* **prognosticum** (...tica) *22,115*
prognostisch
program het (...s; programmetje) *112*
program...: programcollege, enz. *64*
programma het (...'s; ...maatje) *42,112*
programma...: programmaboek, enz. *64,76*
programmatisch *14*
programmeren *106*
programmeerde, geprogrammeerd
progressief *14,19*
progressieve
progressief-liberaal *79*
progressivisme het *90*
prohibitie de (...s) *9,43*
prohibitiestelsel *64*
project het (...en) *22*
project...: projectbureau, enz. *64*
projecteren *22,106*
projecteerde, geprojecteerd
projectie de (...s) *23,43*
projectie...: projectiescherm, enz. *64,76*
projectiel het (...en) *22*
projectietekenen *69,107*
projector de (...en, ...s) *22*
prokaryoot de (...oten) *18,21*
Prokovjev, Sergei *6*
prolegomena de (alleen mv.) *3*
proletariër de (...s) *37*
proletarisch *9,14*
proletariseren *26,106*
proletariseerde, geproletariseerd
proliferatie de *19*
prolongatie de (...s) *43*
prolongatieakte, prolongatiesysteem *64*
prolongeren *106*
prolongeerde, geprolongeerd
pro memorie [p.m.] *ook* **pro memoria** *63*
promenade de (...s) *43*
promenade...: promenadeconcert, enz. *76,91*
promeneren *106*
promeneerde, gepromeneerd
promesse de (...n, ...s) *43*
promesse...: promessekrediet, enz. *76,91*
Prometheus *6*
promillage het (...s) *14,27,91*
promille het (...n) *3,89*
prominent *9*
promiscue *3,22*
promiscuïteit de *22,37*
promoten *105,106*
promootte , gepromoot
promotie de (...s) *43*
promotie...: promotiefilm, enz. *64,76*
promotion de *3*
promovendus de (...vendi) *3*
promoveren *106*
promoveerde, gepromoveerd
prompt *1*
promulgeren *106*
promulgeerde, gepromulgeerd
prondel de (...s) *1*
prondel...: prondelmarkt, enz. *64*
pronken *106*
pronkte, gepronkt
prononceren *25,106*
prononceerde, geprononceerd

pronostikeren *22,106*
pronostikeerde, gepronostikeerd
pront *18*
pronuntius de (...tii, ...ussen) *1,37*
prooi de (...en)
prooidier *64*
proosdij de (...en) *13*
proosten *106*
proostte, geproost
prop. [propedeutisch] *100*
propaan het *14*
propaangas *64*
propaganda de *14*
propaganda...:
propagandamateriaal, enz. *64,76*
propaganderen *14,106*
propagandeerde, gepropagandeerd
propagandistisch *14*
propageren *14,106*
propageerde, gepropageerd
propedeuse de *7,90*
propedeutisch (prop.) *7*
propeller de (...s) *1,14*
proponent (prop.) de (...en) *18*
proponents...: proponentsexamen, enz. *98*
proponeren *106*
proponeerde, geproponeerd
proportie de (...s) *43*
proportie...: proportiesysteem, enz. *64,76*
proportioneren *16,106*
proportioneerde, geproportioneerd
proppen *106*
propte, gepropt
proprium het *1*
propyleeën de (alleen mv.) *9,38*
propyleen het *9*
proscenium het (...nia, ...s) *25*
proseliet de (...en) *14*
proselieten...: proselietenmaker, enz. *88*
prosit *9,26*
prosodie de (...dieën) *26*
prosodisch *26*
prospect het (...en) *22*
prospecteren *22,106*
prospecteerde, geprospecteerd
prospectus de/het (...tussen) *22*
prospereren *106*
prospereerde, geprospereerd
prostaat de (...taten) *14*
prosterneren *106*
prosterneerde, geprosterneerd
prostitué, prostituee de (...s; ...tje) *32,43*
prostitueren *106*
prostitueerde, geprostitueerd
prostitutie de
prostitutie...: prostitutiewereld, enz. *64,76*
prot. [protestants] *100*
protactinium (Pa) het *1,22*
protagonist de (...en) *14*
protectie de *23*
protectie...: protectiehandel, enz. *64,76*
protectionistisch *16,23*
protectoraat het (...raten) *22*
protégé, protégee de (...s) *29,32,43*
protegeren *106*
protegeerde, geprotegeerd
proteïne de (...n, ...s) *37*
proteïnerijk *91*
protestantisme het *57,90*
protestants (prot.) *57*
protesteren *106*
protesteerde, geprotesteerd
prothese de (...n, ...s) *20,91*
prothesis de (...theses, ...sissen) *1,20*
prothetisch *20*
proto... *78*
protohistorisch, protoplasma, protozoïsch, protozoön, enz.
protocol het (...collen) *22*
protocollair *3,14,22*
protocolleren *14,22,106*
protocolleerde, geprotocolleerd
protsen *106*
protste, geprotst

Proust, Marcel *6*
prouveren *11,106*
prouveerde, geprouveerd
Provençaals *55*
Provence de *6,53*
provenier de (...s)
proveniers...: proveniershuis, enz. *98*
proveniëren *37,38,106*
provenieerde, geprovenieerd
proviand de/het *18*
proviand...: proviandmandje, enz. *64*
provianderen *106*
proviandeerde, geproviandeerd
provider de (...s) *3*
provinciaal de (...alen) *25*
Provinciale Staten (PS, Prov. St.) de *52*
provincialistisch *25*
provincie de (...ciën, ...s) *25,40,43*
provincie...: provinciehuis, enz. *64,76*
provisie de (...s) *43*
provisie...: provisiekast, enz. *64,76*
provisoir *3*
provisoraat het *9*
provisorisch *9,19*
provo de (...'s) *42,102*
provo...: provobeweging, enz. *76,83*
provocatie de (...s) *22,43*
provoceren *25,106*
provoceerde, geprovoceerd
Prov. St. [Provinciale Staten] *100*
proximaal *23*
proza het *26*
proza...: prozaschrijver, enz. *64,76*
prozaïsch *26,37,113*
prozaïscher, meest prozaïsch
prudent *18*
pruik de (...en)
pruik...: pruikdrager, enz. *64*
pruiken...: pruikentijd, enz. *88*
pruilen *106*
pruilde, gepruild
pruim de (...en)
pruim...: pruimtabak, enz. *64*
pruimen...: pruimenboom, enz. *88*
pruimedant de (...en) *97*
pruimen *106*
pruimde, gepruimd
Pruisen *6,53*
Pruis, Pruisisch(e)
pruisisch-blauw het *54,79*
prul het (prullen; prulletje) *112*
prul...: pruldichter, enz. *64*
prullen...: prullenbak, enz. *88*
prutsen *106*
prutste, geprutst
pruttelen *106*
pruttelde, geprutteld
prutten *106*
prutte, geprut
prytaan de (...tanen) *9*
przewalskipaard het (...en) *54,65*
ps [picoseconde] *100*
PS [Parti Socialiste] de *104*
PS [Provinciale Staten] de *100*
Ps. [psalm] *100*
P.S. [postscriptum] het (P.S.'en) *46,100*
psalm (Ps.) de (...en)
psalm...: psalmgezang, enz. *64*
psalmeren *106*
psalmeerde, gepsalmeerd
psalmodiëren *37,38,106*
psalmodieerde, gepsalmodieerd
psalmzingen *69,107*
psalterium het (...ria, ...s) *ook*
psalterion (...ria, ...s) *115*
PSC [Parti Social Chrétien] de *104*
pseud. [pseudoniem] *100*
pseudo-... *77*
pseudo-intellectueel, pseudo-koper, pseudo-wetenschappelijk, enz.
pseudologie de (...gieën) *40*
pseudoniem (pseud.) het (...en) *2*
pseudozuur het (...zuren) *64*
psittacosis de *14,22*
psoriasis de *1*
PSP [Pacifistisch-Socialistische Partij] de *104*
p. st. [per stuk]

psu [persoonlijke standaarduitrusting] de *101*
psu-...: psu-mes, enz. *83*
psyche [ziel] de (...n) *3,9,89*
psyché [spiegel] de (...s) *9,29,43*
psychedelica de (alleen mv.) *3,9,22*
psychedelisch *3,9,113*
psychedelischer, meest psychedelisch
psychiater de (...s) *3,9*
psychiatrie de *3,9*
psychiatrisch *3,9*
psychisch *3,9*
psycho... *3,20,78*
psychoanalytisch, psychogenese, psychokinese, psycholinguïstiek, psychonomisch, psychopathologisch, psychosomatisch, psychotisch , enz.
psychologie de *3,9*
psychologie...: psychologiestudent, enz. *64,76*
psychologiseren *3,9,106*
psychologiseerde, gepsychologiseerd
psychoot de (...choten) *3,9*
psychopaat de (...paten) *9*
psychose de (...n, ...s) *3,9,91*
psychrometer de (...s) *3,9*
Pt [platina] *100*
PTE [Portugese escudo] *100*
Ptolemaeus, Claudius *6*
PTT [Posterijen Telegrafie Telefonie] de *104*
Pu [plutonium] *100*
pub de (...s) *3,17*
puber de (...s)
puber...: pubermeisje, enz. *64*
puberen *106*
puberde, gepuberd
puberteit de *13,18*
puberteits...: puberteitscrisis, enz. *98*
pubescent *25*
pubis de *1*
pubisbeharing *64*
publicatie de (...s) *7,43*
publicatie...: publicatieverbod, enz. *64,76*
publiceren *25,106*
publiceerde, gepubliceerd
publicistisch *25*
publiciteit de *25*
publiciteits...: publiciteitsfoto, publiciteitsstunt, enz. *98,99*
public relations (pr) de (alleen mv.) *67*
public-relations...: public-relationsbureau, enz. *84*
publiek het (...en)
publiekelijk *87*
publiekgericht, publiekrecht *64*
publieks...: publieksprijs, publieksservice, enz. *98,99*
Puccini, Giacomo *6*
puck de (...s) *22*
puddelen *106*
puddelde, gepuddeld
pudding de (...en; puddinkje) *112*
pueblo de (...'s) *3,42*
pueblo-indianen, pueblocultuur *66,76*
pueriel *9*
pueriele
Puerto Rico *ook* **Porto Rico** *6,53*
Puerto Ricaan, Puerto Ricaans(e)
puffen *106*
pufte, gepuft
pugilistisch *14*
pui de (...en)
pui...: puibalk, enz. *64,76*
puilen *106*
puilde, gepuild
puimen *106*
puimde, gepuimd
puissance de (...s) *3,25,91*
puist de (...en)
puist...: puistmijt, enz. *64*
puisten...: puistenkop, enz. *88*
pulken *106*
pulkte, gepulkt
pullman de (...s) *54*
pullman...: pullmantrein, enz. *65*

pull-over de (...s) *67*
pulque de *3,22*
puls de (...en) *26*
puls...: pulsbuis, enz. *64*
pulsen *106*
pulste, gepulst
pulseren *106*
pulseerde, gepulseerd
pulveren *106*
pulverde, gepulverd
pulveriseren *106*
pulveriseerde, gepulveriseerd
pump de (...s) *3*
punaise de (...s) *3,43*
punaise...: punaisepisser, enz. *76,91*
punch [drank] de *3,27*
punch...: punchglas, enz. *66*
punch [stoot] de (...es) *3,27*
punchen *27,106*
punchte, gepuncht
puncteren *22,106*
puncteerde, gepuncteerd
punctie de (...s) *23,43*
punctuatie de (...s) *22*
punctueel *22,38*
punctuele
punctum het *1,22*
punctuur de (...turen) *22*
punctuur...: punctuurgat, enz. *64*
punk de (...s)
punk...: punkkapsel, enz. *64*
punniken *15,106*
punnikte, gepunnikt
punt de/het (...en)
punt...: puntdak, enz. *64*
punten...: puntenstelsel, enz. *88*
puntsgewijs *98*
punten *106*
puntte, gepunt
punteren *106*
punterde, gepunterd
puntlassen *106*
puntlaste, gepuntlast
pupil de (pupillen; pupilletje) *112*
pupil...: pupilbeweging, enz. *64*
pupillen...: pupillenvoetbal, enz. *88*
puppy de/het (...'s) *9,42*
puree de *8*
puree...: pureestamper, enz. *64,76*
puren *106*
puurde, gepuurd
pureren *106*
pureerde, gepureerd
purgeren *106*
purgeerde, gepurgeerd
purificatie de (...s) *22*
purificeren *ook* **purifiëren** *25,38,106*
purificeerde, gepurificeerd
purifieerde, gepurifieerd
Purim het *ook* **Poerim** *56,115*
purine de/het *9*
purine...: purinegehalte, purinevrij, enz. *76,90*
puritein de (...en) *13*
purper het *1*
purper...: purperreiger, enz. *64*
purperen *106*
purperde, gepurperd
purperen *114*
push de (pushes) *11,27*
push...: pushball, push-up, push-upbeha, enz. *67,84*
pushen *11,27,106*
pushte, gepusht
pussen *106*
puste, gepust
put de (putten)
put...: putdeksel, enz. *64*
putten...: puttenfundering, enz. *88*
putjesschepper de (...s) *99*
putsch de (...en) *11,27*
putschist de (...en) *11,27*
putsen *106*
putste, geputst
putten *106*
putte, geput
putting de (...s)
putting...: puttingband, enz. *64*
Puy de Dôme de *6,53*
puzzel de (...s) *14*
puzzelen *14,106*
puzzelde, gepuzzeld

p.v. [proces-verbaal] *100*
PVBA [personenvennootschap met beperkte aansprakelijkheid] *104*
pvc [polyvinylchloride] *101*
PvdA [Partij van de Arbeid] de *104*
PvdA'er *46*
PvdA-...: PvdA-afdeling, enz. *83*
PVV [Partij voor Vrijheid en Vooruitgang (nu: VLD)] de *104*
PW [Publieke Werken] *104*
p.w. [per week] *100*
Pygmalion *6*
pygmee de (pygmeeën) *38*
pyjama de (...'s; ...maatje) *9,21,42,112*
pyjama...: pyjamabroek, enz. *64,76*
pylon [verkeerskegel] de (...en) *9*
pyloon [toren, mast] de (...lonen) *9,10*
Pyongyang *6,53*
Pyreneeën de *6,53*
Pyrenees, Pyreneese
pyrexglas het *9,23,64*
pyridine de *9,90*
pyridoxine het *9,23,90*
pyriet het *9*
pyrimidine de (...s) *9*
pyrimidinebase *91*
pyro... *9*
pyrologie, pyromanie, pyrotechniek, enz.
pyrograveren *69,107*
Pyrrho *6*
Pyrrhus *6*
pyrronisme het *9,14,54,90*
pyrrusoverwinning de (...en) (GB: Pyrrusoverwinning) *54,65*
Pythagoras *6*
Pythia *6*
pythisch *9,20,54*
python de (...s) *9,20,54*
pyxis de (pyxes, pyxissen) *9,23*

q

q de q's; q'tje) *46*
q.a. [quod attestor] *100*
qat de (...s) *22*
Qatar *6,53*
Qatarees, Qatarese, Qatari
q.e. [quod est] *100*
q.e.d. [quod erat demonstrandum] *100*
q.l. [quantum libet] *100*
q.p. [quantum placet] *100*
q.q. [qualitate qua] *100*
qua *24*
quadrafonie de *24*
quadrageen de (...genen) *ook* **quadragena** (...genen) *24,115*
Quadragesima de (...'s) *24,42,56*
quadrangulair *3,24*
quadriga de (...gae, ...'s) *24*
quadrille de/het (...s) *21,24,91*
quadrilleren *14,24,106*
quadrilleerde, gequadrilleerd
quadriplegie de *24*
quadrireem de (...remen) *24*
quadrivium het *24*
quadrupeed de (...peden) *18,24*
quadrupel *24*
quadrupleren *24,106*
quadrupleerde, gequadrupleerd
quaestor de (...en, ...es, ...s) *3,24*
quaestrix de (...trices) *3,23,24*
quaestuur de (...turen) *3,24*
quagga de (...'s) *ook* **kwagga** *24,42*
quaker de (...s) *3,7,24*
qualifier de (...s) *3,24*
qualitate qua (q.q.) *63*
quant [eenheid] het (...en) *24*
quantabestek het (...stekken) *24*
quantum libet (q.l.) *63*
quantum placet (q.p.) *63*
quarantaine de (...s) *3,22*
quarantaine...: quarantaine-inrichting, quarantainevlag, enz. *76,91*
quark [deeltje] de (...s) *24*
quartair *3,24*
Quartair het *56*
quarté de (...s) *22,29,43*
quarterone de (...n) *ook* **quarteroon** (...ronen) *24,89,115*
quartole de (...n) *ook* **quartool** (...tolen) *24,89*
quasar de (...s) *24*
quasi-... *24,77*
quasi-authentiek, quasi-contract, quasi-filosofisch, enz.
Quasimodo de (...'s) *24,42,56*
Quasimodo, Salvatore *6*
quaternair *3,24*
quatertemper de (...s) *24*
quatre-mains de (alleen mv.) *63*
quatre-mains...: quatre-mainsspel, enz. *84*
quatsch de *24,27*
quattrocento het *14,24*
Quebec *6,53*
Quechua [taal] *55*
queeste de (...n) *24,89*
Querido, Israël *6*
querulant de (...en) *24*
querulanten...: querulantenwaan, enz. *88*
queruleren *24,106*
queruleerde, gequeruleerd
questionaire de (...s) (GB: questionnaire) *16,22,91*
quetzal de (...s) *24,26*
Quetzalcoatl *6*
queue de (...n, ...s, GB: ...s, queuën) *3,22*
queuen *3,22,106*
queude, gequeud

quiche de (...s) *22,27,43*
quiche lorraine *63*
quickbreak de (...s) *67*
quickstep de (...s) *67*
quidam de (...s) *24*
quidproquo het (...'s) *18,24,42*
quiëscentie de *24,25,37*
quiëtisme het *24,37,90*
quieto *24*
quillaja de (...'s) *3,24,42*
quillaja...: quillajabast, enz. *64,76*
quilt de (...s) *24*
quilten *24,106*
quiltte, gequilt
quine de (...s) *22,91*
Quinn, Anthony *6*
Quinquagesima de (...'s) *24,42,56*
quinquet de (...s) *22,54*
Quintilianus, Marcus Fabius *6*
quinto *24*
quintool de (...tolen) *24*
quintupel *24*
quiproquo het (...'s) *24,42*
Quirinaal het *24,52*
Quisling, Vidkun *6*
quisling de (...s) *24,54*
Quito *6,53*
Quitoër, Quiteen, Quiteens(e)
quitte *3,22*
qui-vive het *63*
quiz de (quizzen; ...je) *24,26*
quiz...: quizleider, quizmaster, enz. *64,67*
quod erat demonstrandum (q.e.d.) *63*
quodlibet het (...s) *18,24*
quorum het (...s) *24*
quota de (...'s) *24,42*
quota...: quotaregeling, enz. *64,76*
quote [citaat] de (...s) *3,24*
quote [quota] de (...n) *3,24*
quoteren *24,106*
quoteerde, gequoteerd
quotiënt het (...en) *24,37*
quotiseren *24,26,106*
quotiseerde, gequotiseerd
quotum het (quota, ...s) *1,24*
q.v. [quantum vis, quod vide] *100*
qwerty-toetsenbord het (...en) *9,24,83*

r

r de (r'en, r's; r'etje) *46*
r. [radius] *100*
R [radix, Réaumur, Recipe] *100*
ra de (raas, ...'s; raatje) *42,112*
Ra [radium] *100*
R.A. [registeraccountant] *100*
raad [advies, groep mensen] de (raden) *18*
radeloos *87*
raad...: raadhuis, raadzaal, enz. *64*
raden...: radenrepubliek, enz. *88*
raads...: raadsbesluit, raadspensionaris, raadsstuk, raadszetel, enz. *98,99*
raadplegen *106*
raadpleegde, geraadpleegd
raadsel het (...s) *18*
Raad van State (RvS) *52*
raaf de (raven) *19*
raven...: ravennest, ravenzwart, enz. *88*
raagbol de (...bollen) *ook* **ragebol** *2,115*
raaskallen *106*
raaskalde, geraaskald
raat [van bijen] de (raten) *18*
raathoning *64*
rabarber de *14*
rabat het (...batten) *14*
Rabat *6,53*
rabatten *14,106*
rabatte, gerabat
rabatteren *14,106*
rabatteerde, gerabatteerd
rabauw de (...en) *12,28*
rabbi de (...'s) *14,42*
rabbijn de (...en) *13,14*
rabbinaat [kerkgebied van een rabbijn] het (...naten) *14*
rabbinisme het *14,90*
rabdologie de *17*
rabdomant de (...en) *17*
Rabelais, François *6*
rabelaisiaans *54*
rabiaat *14*
rabiës de *14,37*
Rabin, Jitsjak *6*
racaille het *21,22*
raccorderen *14,22,106*
raccordeerde, geraccordeerd
raccroc de (...s) *14,22*
raccrochement het (...en) *14,22,27*
race de (...s; ...je) *3,43*
race...: raceauto, enz. *66,76*
racemiseren *25,26,106*
racemiseerde, geracemiseerd
racen *3,105,106*
racete, geracet
racerij de *3,13*
rachel de (...s) *2*
rachelen *2,106*
rachelde, geracheld
rachitis de *3*
rachitisch *3*
Rachmaninov, Sergei *6*
rachter de (...s) *2*
raciaal *25*
Racine, Jean *6*
racisme het *25,90*
racistisch *25*
racket de/het (...s) *3,22*
racketeer de (...s) *3,22*
raclette de (...s) *22,91*
racletten *22,106*
raclette, geraclet
rad [wiel] het (raderen; raadje, radertje) *18,112*
rad...: raddraaier, enz. *64*
radar de (...s) *102*
radar...: radarcontrole, enz. *83*

radbraken *106*
radbraakte, geradbraakt
rade, te – gaan *62,111*
rade, met voorbedachten – *62,111*
radeergom de/het (...gommen) *ook* **radeergum** (...gummen) *115*
raden *106*
raadde/ried, geraden
rade(n)... zie **raad**
raderen *106*
radeerde, geradeerd
radiaal *14*
radiaalband de (...en) *64*
radiair *3,14*
radiant de (...en) *14,18*
radiateur de (...s) *14*
radiatie de (...s) *14,43*
radiator de (...en, ...s) *14*
radicaal *22*
radicaal-links *22,79*
radicaliseren *22,26,106*
radicaliseerde, geradicaliseerd
radicalisme het *22,90*
radicaliteit de *22*
radicchio de *14,22*
radiësthesie de *20,26,37*
radijs de (...dijzen) *13,26*
radikalinski de (...'s) *22,42*
radio de (...'s; ...ootje) *42,112*
radio...: radioamateur, radio-uitzending, enz. *64,76*
radio... *78*
radioactief, radioscopie, radio-isotoop, radiolyse, radioneuritis, radiopathologie, enz.
radiograferen *106*
radiografeerde, geradiografeerd
radiolariën de (alleen mv.) *37*
radium het *1*
radium...: radiumtherapie, enz. *64*
radius (r.) de (...dii, ...ussen) *37*
radix de (...dices) *23,25*
radja de (...'s) *42*
radon (Rn) het *14*
radslag de (...en) *18,64*
Raes, Hugo *6*
Raet, Lodewijk de *6*
RAF [Royal Air Force, Rote Armee Fraktion] de *104*
rafactie de (...s) *ook* **refactie** *23,115*
rafelen *106*
rafelde, gerafeld
raffelen *106*
raffelde, geraffeld
raffia de/het (...'s) *14,42*
raffinaderij de (...en) *13,14*
raffinage de (...s) *14,27*
raffinage...: raffinage-industrie, raffinageproces, enz. *76,91*
raffineren *14,106*
raffineerde, geraffineerd
rag het (...en) *2*
rage de (...s) *27,43,91*
ragebol de (...bollen) *ook* **raagbol** *92,93,115*
ragen *106*
raagde, geraagd
raggen *106*
ragde, geragd
raglan de (...s) *54*
raglanmouw *65*
ragout de (...s) *11,31*
ragtime de (...s) *3,43*
RAI [Rijwiel- en Automobiel-industrie] de *103*
rai [muziekstroming] de *3*
rai...: raimuziek, enz. *66,76*
raid de (...s) *3*
raider de (...s) *3*
rail de (...s) *3*
railleren *21,106*
railleerde, gerailleerd
raillerie de (...s) *21,43*
raio [rechterlijke ambtenaar in opleiding] *102*
raisen *8,106*
raisde, geraisd
raison de *3*
raisonnabel *3,14*
raisonneren *14,106*
raisonneerde, geraisonneerd

rakelen *106*
rakelde, gerakeld
raken *106*
raakte, geraakt
raket de (...ketten) *14*
raket...: raketbom, enz. *64*
raketten...: rakettenproductie, enz. *88*
raki de *9*
rallentando *14*
rally de (...'s) *9,42*
RAM [random access memory] *102*
ram de (rammen; rammetje) *112*
ramshoren, ramshoorn *98*
Ram [sterrenbeeld] de *53*
ramadan de *14*
ramaneffect het *54,65*
ramark de (...s) *102*
Ramayana *58*
Ramazzotti, Eros *6*
rambam de/het *73*
ramblers de (alleen mv.) *3*
ramee de (...s) *8,14,43*
ramen *106*
raamde, geraamd
ramificatie de (...s) *22,43*
ramin het *3*
Ramirez, Ariel *6*
rammeien *13,14,106*
rammeide, gerammeid
rammelen *106*
rammelde, gerammeld
rammen *106*
ramde, geramd
rammenas de (...nassen) *14*
ramoneur de (...s) *14*
ramp de (...en)
ramp...: rampgebied, enz. *64*
rampen...: rampenfilm, enz. *88*
rampetampen *97,106*
rampetampte, gerampetampt
rampokken *106*
rampokte, gerampokt
ramsj de *27*
ramsjen *27,106*
ramsjte, geramsjt
ranch de (...ches) *ook* **rancho** (...'s) *3,42,115*
ranchero de (...'s) *3,42*
rancune de (...s) *22,91*
rancuneus *22,26*
rancuneuze
randen *106*
randde, gerand
randjesziekte de *99*
random *3*
randomiseren *106*
randomiseerde, gerandomiseerd
Randstad de *53*
Randstedelijk *87*
range de (...s) *3,43*
rangeren *27,106*
rangeerde, gerangeerd
Rangoon *6,53*
rangschikken *106*
rangschikte, gerangschikt
ranja de (...'s; ranjaatje) *112*
ranken *106*
rankte, gerankt
rankgebouwd *64*
ranking de (...s) *3*
ranonkel de (...s) *14*
rans *26*
ranse/ranze, ranser/ranzer, ranst
ranselen *106*
ranselde, geranseld
rantsoen het (...en) *11,18*
rantsoeneren *106*
rantsoeneerde, gerantsoeneerd
ranzig *26*
rap de *3*
rap...: rapartiest, rapmuziek, enz. *66*
rapaille het *14,21*
rapé de *29*
rapen *106*
raapte, geraapt
rapiarium het (...ria) *14*
rapier het (...en) *14*
rappel het (...s) *14*
rappelleren *14,106*
rappelleerde, gerappelleerd

rappen *3,106*
rapte, gerapt
rapport het (...en) *14*
rapportage de (...s) *14,27,91*
rapporteren *14,106*
rapporteerde, gerapporteerd
rapporteur de (...s) *14*
rapsode de (...n) *89*
rapsodie de (...dieën, ...s) *40,43*
rapunzel de/het (...s) *26*
rara avis de (rarae aves) *63*
rarefactie de *23*
rarekiek de (...en) *92*
rariteit de (...en) *13*
rariteitenkabinet *88*
ras het (rassen)
ras...: rasegoïst, rashond, raszuiver, enz. *64*
rassen...: rassenkwestie, enz. *88*
raschip het (...schepen) *64*
raseren *26,106*
raseerde, geraseerd
raskolnik de (...en) *3*
raspen *106*
raspte, geraspt
rasta de (...'s) *42*
rastakapsel *64*
rastafari de (...'s) *9,42*
rasteren *106*
rasterde, gerasterd
rasure de (...n) *ook* **rasuur** (...uren) *89,115*
rat de (ratten)
rattekruid *96*
ratten...: rattengif, rattenkruit, enz. *88*
rata (naar/pro – van) *ook* **rato** *62,115*
ratafia de *14*
rataplan de *14*
ratatouille de *11,14,21*
ratelen *106*
ratelde, gerateld
ratificatie de (...s) *22,43*
ratificeren *14,25,106*
ratificeerde, geratificeerd
ratiné het *29*
ratineren *14,106*
ratineerde, geratineerd
rating de (...s) *3*
ratio de *25*
rationaal *27*
rationalisatie de (...s) *27,43*
rationaliseren *27,106*
rationaliseerde, gerationaliseerd
rationalisme het *27,90*
rationaliteit de *27*
rationeel *27*
ratjetoe de/het (...s) *43*
rato (pro –, naar – van) *ook* **rata** *62,115*
ratrace de (...s) *43,67*
ratsen *106*
ratste, geratst
ratsmodee, naar de – gaan *62*
ratuur de (...turen) *14*
rauhfaser het *3*
rausjen *12,27,106*
rausjte, gerausjt
rauw [ongekookt] *12,28*
rauwdouwer de (...s) *ook* **rouwdouwer** *12,115*
rauwelijks *12*
rauwig [hees, ruw] *12*
rauzen *12,26,106*
rausde, gerausd
ravage de (...s) *27,43,91*
rave de (...s) *38,43*
Ravel, Maurice *6*
ravelijn het (...en) *13,97*
raven *106*
raafde, geraafd
raven... zie **raaf**
Ravenstein *6,53*
ravigotesaus de (...sausen, ...sauzen) *66*
ravijn het (...en) *13*
ravioli de *9*
ravissant *14*
ravitailleren *21,106*
ravitailleerde, geravitailleerd

ravotten *106*
ravotte, geravot
rawlplug de (...pluggen, ...s) *3*
rayon [gebied, afdeling] het (...s) *21*
rayon...: rayonhoofd, enz. *64*
rayon [kunstvezel] de/het *21*
rayon...: rayonstof, enz. *64*
razen *26,106*
raasde, geraasd
razendsnel *64*
razernij de (...en) *13*
razzia de (...'s) *3,14,42*
Rb [rubidium] *100*
R.D. [reverende domine, reverendus dominus] *100*
Re [renium] *100*
re [muzieknoot] de (...'s) *42*
re... *78*
reanimatie, reëducatie, reïntegratie, resocialisatie, enz.
reaal de (...alen) *21,38*
reactant de (...en) *22*
reactie de (...s) *23,43*
reactie...: reactiesnelheid, enz. *64,76*
reactionair *16,23*
reactiveren *22,106*
reactiveerde, gereactiveerd
reactor de (...en, ...s) *22*
reader de (...s) *3*
readymade de (...s) *67*
Reagan, Ronald *6*
reageerbuisbaby de (...'s) *42,68*
reagens het (...gentia) *3*
reageren *106*
reageerde, gereageerd
realia de (alleen mv.) *3*
realisatie de (...s) *26,43*
realisator de (...en, ...s) *26*
realiseren *26,106*
realiseerde, gerealiseerd
realisme het *90*
realiteit de (...en)
realiteits...: realiteitsbesef, realiteitszin, enz. *98,99*
realiter *9*
realo de (...'s) *42*
realpolitik de *3*
real time de *67*
reanimeren *106*
reanimeerde, gereanimeerd
rebbe de (...n) *89*
rebbelen *106*
rebbelde, gerebbeld
rebel de (...bellen) *14*
rebellen...: rebellenleger, enz. *88*
rebelleren *14,106*
rebelleerde, gerebelleerd
rebellie de (...lieën) *14,40*
rebels *14*
rebirthing de *3*
rebound de (...s) *3*
rebus de (...bussen) *1*
recalcitrant *22,25*
recapituleren *22,106*
recapituleerde, gerecapituleerd
receiver de (...s) *3*
recensent de (...en) *25*
recenseren *25,106*
recenseerde, gerecenseerd
recensie de (...s) *25,43*
recensie...: recensiedienst, recensie-exemplaar, enz. *64,76*
recent *25*
recentelijk *25,87*
recepis de/het (...pissen) *25*
recept het (...en) *25*
recepten...: receptenboek, enz. *88*
recepteren *25,106*
recepteerde, gerecepteerd
receptie de (...s) *25,43*
receptie...: receptieboek, receptie-esthetica, enz. *64,76*
receptief *19,25*
receptieve
receptionist de (...en) *16,27*
receptionist-telefonist de (receptionisten-telefonisten, receptionistes-telefonistes) *25,80*
receptiviteit de *25*
receptor de (...en) *25*

receptuur de *25*
reces het (...cessen) *25*
recessie de (...s) *25,43*
recette de (...s) *25,43,91*
rechaud de/het (...s) *10,27,29*
recherche de (...s) *27,43*
recherchebijstandsteam *68*
rechercheren *27,106*
rechercheerde, gerechercheerd
rechercheur de (...s) *27*
recht het (...en) *2*
rechtelijk, rechteloos *87*
recht...: rechtbank, rechtscheppend, rechtspraak, enz. *64*
rechts...: rechtsgeleerde, rechtspositioneel, rechtssoevereiniteit, rechtszaak, enz. *98,99*
rechtbreien *69,106*
breide recht, rechtgebreid
rechtbuigen *69*
boog recht, rechtgebogen
rechtdoorzee *62*
rechte de (...n) *89*
rechten *106*
rechtte, gerecht
rechtens *111*
rechter... *64*
rechterarm, rechterhoek, rechtervleugel, enz.
rechter-commissaris de (rechters-commissarissen) *80*
rechterlijk *1*
rechthoek de (...en)
rechthoekszijde *99*
rechtkanten *69,106*
rechtkantte, gerechtkant
rechtmaken *69,106*
maakte recht, rechtgemaakt
rechtsaf *73*
rechtsback de (...s) *66*
rechtse de (...n) *89*
rechts-extremist de (...en) *79*
rechtsomkeer maken *ook* **rechtsomkeert maken** *62*
rechtspreken *69*
sprak recht, rechtgesproken
rechts-radicaal de (...calen) *79*
rechtstreeks *73*
rechttoe rechtaan *62*
rechttrekken *106*
trok recht, rechtgetrokken
rechtuit *73*
rechtvaardigen *106*
rechtvaardigde, gerechtvaardigd
rechtzetten *69,106*
zette recht, rechtgezet
recidief het (...dieven) *19,25*
recidive de (...s) *25,43,91*
recidiveren *25,106*
recidiveerde, gerecidiveerd
recidivist de (...en) *25*
recief het (...cieven) *19,25*
recipe (R) *25*
recipiënt de (...en) *25,37*
recipiëren *25,37,106*
recipieerde, gerecipieerd
reciproceren *25,106*
reciproceerde, gereciproceerd
reciproque *22,25*
recital het (...s) *3*
recitando *25*
recitatief het (...tieven) *19,25*
reciteren *25,106*
reciteerde, gereciteerd
reclamant de (...en) *22*
reclamatie de (...s) *22,43*
reclame de (...s) *22,43*
reclame...: reclameafdeling, reclame-uitgave, enz. *76,91*
reclameren *22,106*
reclameerde, gereclameerd
reclassabel *22*
reclassent de (...en) *22*
reclasseren *22,106*
reclasseerde, gereclasseerd
recluse de (...n) *22,89*
reclusie de *22*
recognitie de (...tiën, ...s) *22,40,43*
recollect de (...en) *14,22*

recollectie de (...s) *14,23,43*
recombinant de (...en) *22*
recombineren *22,106*
recombineerde, gerecombineerd
recommandabel *22*
recommanderen *22,106*
recommandeerde, gerecommandeerd
reconciliatie de (...s) *22,25,43*
reconciliëren *22,25,37*
reconcilieerde, gereconcilieerd
reconstructie de (...s) *22,43*
reconstrueren *22,106*
reconstrueerde, gereconstrueerd
reconvalescentie de (...s) *22,25*
reconventie de (...s) *22,43*
record het (...s) *22*
record...: recordopbrengst, enz. *64*
recorder de (...s) *9,22*
recorderdeck *67*
recoverkamer de (...s) *66*
recovery de (...'s) *9,22,42*
recreant de (...en) *22*
recreatie de (...s) *22,43*
recreatie...: recreatieoord, enz. *64,76*
recreëren *22,37,38*
recreëerde, gerecreëerd
recta... *22,78*
rectacheque, recta-accept, enz.
rectaal *22*
rectificatie de (...s) *22,43*
rectificeren *22,25,106*
rectificeerde, gerectificeerd
recto *22*
rector de (...en, ...s) *22*
rectorenconvent *88*
rectorskamer *98*
rector magnificus de (rectores magnifici) *63*
rectoscopie (...scopieën) de *22*
rectrice de (...s) *ook* **rectrix** (...trices, ...en) *22,25,115*
rectum het (recta, rectums) *22*
reçu het (...'s; reçuutje) *25,42,76,112*
recueil het (...s) *3*
recul de/het (...s) *22*
reculeren *22,106*
reculeerde, gereculeerd
recuperatie de (...s) *22,43*
recupereren *22,106*
recupereerde, gerecupereerd
recursief *19,22*
recursieve
recursiviteit de *22*
recusatie de (...s) *22,43*
recyclen *105*
recyclede, gerecycled
recycleren *9,22,25*
recycleerde, gerecycleerd
recycling de *3*
recycling...: recyclingpapier, enz. *66*
red. [redacteur, redactie] *100*
redacteur (red.) de (...en, ...s) *22*
redactie (red.) de (...s) *23,43*
redactie...: redactievergadering, enz. *64,76*
redactioneel *16,23*
redactrice de (...s) *22,25,43*
redden *106*
redde, gered
redderen *106*
redderde, geredderd
rede [verstand, toespraak] de (...s) *43*
redelijk, redeloos *87*
rede...: redevoering, enz. *76,91*
rede [ankerplaats] de (...n) *ook* **ree** *89,115*
redekavelen *69,106*
redekavelde, geredekaveld
redelijkerwijs *ook* **redelijkerwijze** *115*
redemptorist de (...en) *57*
reden [beweeggrond] de (...en)
redengeving, redengevend *64*
reden *106*
reedde, gereed
redenatie de (...s) *43*
redeneren *106*
redeneerde, geredeneerd
rederij de (...en) *13*
rederijker de (...s) *13,97*
rederijkerskamer *98*

redetwisten *69,106*
redetwistte, geredetwist
redhibitie de (...s) *20,43*
redhibitoir *ook* **redhibitoor** *3,10,115*
redigeren *106*
redigeerde, geredigeerd
redingote de (...s) *3,43*
redivivus *19*
redoublement het (...en) *11*
redoubleren *11,106*
redoubleerde, geredoubleerd
redoublet het (...bletten) *11*
redoute de (...s) *11,43*
redoxreactie de (...s) *23,64*
redres het *3*
redresseren *106*
redresseerde, geredresseerd
reducent de (...en) *25*
reduceren *25,106*
reduceerde, gereduceerd
reductie de (...s) *23,43*
reductie...: reductiekaart, enz. *64,76*
reductionisme het *16,23,90*
redundant *1*
redundantie de (...s) *43*
redupliceren *25,106*
redupliceerde, geredupliceerd
redzaam *4*
ree [ankerplaats] de (reeën) *ook* **rede** *38,115*
ree [dier] de/het (reeën) *38*
reebout *64*
reëel *37,38*
reële
reef het (reven) *19*
reefer de (...s) *3*
reëngageren *27,106*
reëngageerde, gereëngageerd
reeschaaf de (...schaven) *ook* **rijschaaf, reischaaf** *19,115*
reet de (reten) *18*
Reeuwijk *6,53*
Reeves, Keanu *6*
ref. [referent, referentie] *100*
refactie de (...s) *ook* **rafactie** *23,115*
refectorium het (...ria, ...s) *22*
referaat het (...raten) *1*
référé het (...s) *29,43*
referee de (...s) *3,9,43*
referendaris de (...rissen) *15*
referendum het (...renda, ...s) *1*
referent (ref.) de (...en) *1*
referentie de (...tiën, ...s) *40,43*
referentie...: referentiekader, enz. *64,76*
refereren *106*
refereerde, gerefereerd
referte de (...s) *43,91*
reflectant de (...en) *22*
reflecteren *22,106*
reflecteerde, gereflecteerd
reflectie de (...s) *23,43*
reflectie...: reflectiescherm, enz. *64,76*
reflectief *19,22*
reflectieve
reflector de (...en, ...s) *22*
reflectorisch *22*
reflex de (...en) *23*
reflexibiliteit de *23*
reflexief *19,23*
reflexieve
reflexiviteit de *23*
refluxen *23,107*
reform de (...en) *19*
reformatie [hervorming] de (...s) *43*
Reformatie [historische periode] de *56*
reformator de (...en, ...s) *19*
reformen *106*
reformde, gereformd
reformeren *106*
reformeerde, gereformeerd
reformisme het *57,90*
refractair *3,22*
refractie de (...s) *23*
refractoir *3,22*
refractureren *22,106*
refractureerde, gerefractureerd
refrein het (...en) *13*

refuge de (...s) *27,43*
refuge...: refugehuis, enz. *91*
refugié, refugiee de (...s; refugieetje) *29,32,42*
refuseren *26,106*
refuseerde, gerefuseerd
refutatie de (...s) *43*
refuteren *106*
refuteerde, gerefuteerd
refuus het (...fuzen) *26*
reg. [regel, regiment] *100*
regaal het (...galen, ...galia, ...galiën) *40*
regaleren *106*
regaleerde, geregaleerd
regarderen *106*
regardeerde, geregardeerd
regatta de (...'s) *3,42*
regelen *106*
regelde, geregeld
régence de *3,29*
regenen *106*
regende, geregend
regeneraat het (...raten) *18*
regeneratie de (...s) *43*
regeneratief *19*
regeneratieve
regenereren *106*
regenereerde, geregenereerd
regent de (...en) *18*
regenten...: regententijd, enz. *88*
regentaat het (...taten) *18*
regentesk *22*
regeren *106*
regeerde, geregeerd
regering-Kok de (regeringen-Kok) *82*
regest het (...en)
regestenboek *88*
reggae de *3,8*
reggae...: reggaemuziek, enz. *66,76*
regie de (regieën, regies) *40,43*
regie...: regieassistent, enz. *64,76*
regime het (...s) *ook* **regiem** (...s) *27,115*
regiment (reg.) het (...en) *27*
regiments...: regimentscommandant, regimentsstaf, enz. *98,99*
regio de (...gionen, ...'s) *42*
regio...: regiokorps, enz. *64,76*
regiolect het (...en) *22*
regionalisering de *16,26*
regionalisme het *16,90*
regisseren *14,106*
regisseerde, geregisseerd
regisseur de (...s) *14*
regisseurs...: regisseursstoel, regisseurstoneel, enz. *98,99*
regisseuse de (...s) *14,43*
registeren *106*
registerde, geregisterd
registratie de (...s)
registratie...: registratieplicht, enz. *64,76*
registreren *106*
registreerde, geregistreerd
reglement het (...en) *1*
reglements...: reglementswijziging, enz. *98*
reglementair *1,3*
reglementeren *106*
reglementeerde, gereglementeerd
regres het *3*
regressie de (...s) *43*
regressie...: regressielijn, enz. *64,76*
regressief *19*
regressieve
regressiviteit de *19*
regulair *3*
regularisatie de (...s) *43*
regulariseren *26,106*
regulariseerde, geregulariseerd
reguleren *106*
reguleerde, gereguleerd
regurgitatie de *3*
rehabilitatie de (...s) *43*
rehabiliteren *106*
rehabiliteerde, gerehabiliteerd
rehydratie de *9*

rei [koor(zang)] de (...en) *13*
reidansen *69,106*
reidanste, gereidanst
Reiderland *6,53*
reien *13,106*
reide, gereid
reiger de (...s) *13*
reiger...: reigerkolonie, enz. *64*
reiken *13,106*
reikte, gereikt
reikhalzen *13,26,106*
reikhalsde, gereikhalsd
reikwijdte de *13,18*
reilen *13,106*
reilde, gereild
reilen en zeilen *13,62*
Reimerswaal *6,53*
rein [zuiver] *13*
Reinaert (de Vos) *6*
reïncarnatie de (...s) *22,37,43*
reïncarneren *22,37,106*
reïncarneerde, gereïncarneerd
reincultuur de (...turen) *13,64*
reine-claude de (...s) *63*
Reinhardt, Django *6*
reinigen *13,106*
reinigde, gereinigd
reïntegreren *37,106*
reïntegreerde, gereïntegreerd
reïnterpreteren *37,106*
reïnterpreteerde, gereïnterpreteerd
reis [tocht] de (reizen) *13,26*
reis...: reischeque, reisverslag, enz. *64,66*
reischaaf de (...schaven) *ook* **reeschaaf, rijschaaf** *13,19,115*
reïteratie de (...s) *37,43*
reizen [een reis maken] *13,26,106*
reisde, gereisd
reiziger de (...s) *13,26*
reizigers...: reizigersaanbod, enz. *98*
rejectie de (...s) *23,43*
rekenen *106*
rekende, gerekend
Rekenhof het *52*
rekening-courant de (rekeningen-courant) *11,22,79*
rekening-courantkrediet *81*
rekeningrijden het *69*
Rekenkamer de *52*
rekenkunde de *90*
rekenkundige de (...n) *89*
rekenplichtige de (...n) *89*
rekest het (...en) *ook* **rekwest** *22,115*
rekestrant de (...n) *ook* **rekwestrant** *22,115*
rekestreren *ook* **rekwestreren** *22,106,115*
rekestreerde, gerekestreerd
rekke de (...n)
rekkenkalf *89*
rekken *106*
rekte, gerekt
rekortan het *22*
rekristalliseren *26,106*
rekristalliseerde, gerekristalliseerd
rekruteren *22,106*
rekruteerde, gerekruteerd
rekruut de (...kruten) *22*
rekwest het (...en) *ook* **rekest** *24,115*
rekwestrant de (...en) *ook* **rekestrant** *24,115*
rekwestreren *ook* **rekestreren** *24,106,115*
rekwestreerde, gerekwestreerd
rekwirant de (...en) *24*
rekwirent de (...en) *24*
rekwireren *24,106*
rekwireerde, gerekwireerd
rekwisiet het (...en) *24*
rekwisiteur de (...s) *24*
rekwisitie de (...s) *24,43*
rekwisitoor het (...toren) *ook* **requisitoir** *10,24,115*
rel de (rellen; relletje) *112*
rel...: relschopper, enz. *64*
rellenbrigade *88*
relaas het (...lazen) *26*
relais het (enk. en mv.) *3*
relaiszender *66*

relaps de (...en) *ook* **relapsus** *115*
relateren *106*
relateerde, gerelateerd
relatie de (...s) *43*
relatie...: relatietherapie, enz. *64,76*
relativeren *106*
relativeerde, gerelativeerd
relativisme het *57,90*
relativiteit de (...en) *19*
relativiteits...: relativiteitstheorie, enz. *98*
relativum het (...tiva) *3*
relax de *9,23*
relaxfauteuil *66*
relaxatie de (...s) *23,43*
relaxed *3,113*
relaxte
relaxen *9,23,106*
relaxte, gerelaxt
relayeren *21,106*
relayeerde, gerelayeerd
release de (...s) *3,43*
releasen *9,26,106*
releasde/releaste, gereleasd/gereleast
relegatie de (...s) *43*
relevant *1*
relevantie de *25*
relevatie de *1*
releveren *106*
releveerde, gereleveerd
relict het (...en) *22*
reliëf het (...s) *37*
reliek de/het (...en) *22*
reliek...: reliekhouder, enz. *64*
religie de (...giën, ...s) *40,43*
religieus *26*
religieuze
religiositeit de *26*
relikwie de/het (...kwieën) *24,40*
relikwiehuis *64*
relikwieënschrijn *88*
relimoord de (...en) *9,83*
relirock de *9,22,83*
rellen *106*
relde, gereld
relmie de (relmieën, relmies) *40,43*
REM [rapid eye movement] *102*
remake de (...s) *3,43*
remanent *1*
remanentie de *25*
remarquabel *22*
rembours het (...en) *3,11*
remboursement het (...en) *3,11*
rembourseren *11,106*
rembourseerde, gerembourseerd
Rembrandt van Rijn *6*
rembrandtesk (GB: Rembrandtesk) *54*
remedial teacher de (...s) *67*
remedie de/het (...s) *43*
remediëren *37,38,106*
remedieerde, geremedieerd
remigrant de (...en) *1*
remigreren *106*
remigreerde, geremigreerd
remilitariseren *26,106*
remilitariseerde, geremilitariseerd
reminder de (...s) *3*
reminiscentie de (...s) *25*
remis het (...missen) *1*
remise de (...s) *26,43*
remise...: remiserit, enz. *76,91*
remiseren *26,106*
remiseerde, geremiseerd
remissie de (...s) *43*
remittent de (...en) *14*
remitteren *14,106*
remitteerde, geremitteerd
remixen *9,23,106*
remixte, geremixt
remmen *106*
remde, geremd
remodelleren *14,106*
remodelleerde, geremodelleerd
remonstrant de (...en) *18*
remonstrantie de (...s) *43*
remonte de (...s) *43,91*
remontoir het (...s) *3*
remote sensing de *67*
remouladesaus de (...en, ...sauzen) *11,26*

remouldband de (...en) *66*
remous de (enk. en mv.) *3,11*
remover de (...s) *3,11*
removeren *106*
removeerde, geremoveerd
remplaçant de (...en) *3,25*
remplaceren *25,106*
remplaceerde, geremplaceerd
remslaap de *83*
remuneratie de (...s) *43*
remunereren *106*
remunereerde, geremunereerd
Renaissance [historische periode] de *56*
renaissance...: renaissancekunst, renaissancetijd, enz. *56*
renaissance [vernieuwing, wedergeboorte] de *3*
renaissanceachtig *56*
renaissancist de (...en) *56*
renaissancistisch *56*
rencontre de (...s) *3,22,43*
rendabel *1*
rendabiliteit de *ook* **rentabiliteit** *115*
rendement het (...en)
rendements...: rendementscijfer, rendementspositie, enz. *98,99*
renderen *106*
rendeerde, gerendeerd
rendez-vous het (enk. en mv.; ...tje) *63,112*
rendez-voushuis *84*
renegaat de (...gaten) *18*
renet de (...netten) *1*
reneweren *106*
reneweerde, gereneweerd
renforceren *25,106*
renforceerde, gerenforceerd
renium (Re) het *1*
renminbi de (...'s) *42*
rennen *106*
rende, gerend
Renoir, Auguste *6*
renommee de *8,14*
renonce de *3,25*
renonceren *25,106*
renonceerde, gerenonceerd
renovatie de (...s) *43*
renovatie...: renovatieplan, enz. *64,76*
renoveren *106*
renoveerde, gerenoveerd
rentabiliteit de *ook* **rendabiliteit** *115*
rentambt het (...en) *17*
rente de (...n, ...s)
renteloos *87*
rente...: rentearbitrage, rentestijging, enz. *76,91*
renten *106*
rentte, gerent
rentenieren *106*
rentenierde, gerentenierd
rentmeester de (...s) *18*
rentree de (...s) *3,43*
renumeratie de (...s) *43*
renumereren *106*
renumereerde, gerenumereerd
renunciatie de (...s) *25,43*
renunciëren *25,37,106*
renuncieerde, gerenuncieerd
renversaal het (...salen) *26*
renversé de (...s) *3,29,43*
renvooi het (...en) *3*
renvooieren *21,106*
renvooieerde, gerenvooieerd
reologie de *20*
reorganisatie de (...s) *26,43*
reorganisatie...: reorganisatieplan, enz. *64,76*
reorganiseren *26,106*
reorganiseerde, gereorganiseerd
reoriënteren *37,106*
reoriënteerde, gereoriënteerd
rep, in – en roer *62*
reparabel *14*
reparateur de (...s) *14*
reparatie de (...s) *14,43*
reparatie...: reparatiekosten, enz. *64,76*
repareren *14,106*
repareerde, gerepareerd

repartie de (...s) *43*
repartitie de (...s) *43*
repasseren *14,106*
repasseerde, gerepasseerd
repatriant de (...en) *1*
repatriatie de (...s) *43*
repatriëren *37,38,106*
repatrieerde, gerepatrieerd
repelen *106*
repelde, gerepeld
repercussie de (...s) *22,43*
repertoire het (...s) *3*
repertoire...: repertoirestuk, enz. *66,76*
repertorium het (...ria, ...s) *1*
repetent de (...en) *1*
repetentie de *25*
repeteren *106*
repeteerde, gerepeteerd
repetitie de (...s) *43*
repetitie...: repetitieruimte, enz. *64,76*
repetitief *19*
repetitieve
repetitor de (...en, ...s) *1*
replantatie de (...s) *43*
replay de (...s) *3,43*
repletie de *1*
replica de (...'s; ...caatje) *22,42,112*
replicatie de (...s) *22,43*
repliceren *25,106*
repliceerde, gerepliceerd
repliek de (...en) *9*
reponeren *106*
reponeerde, gereponeerd
report het (...en, ...s) *3*
reportage de (...s) *27,43*
reportage...: reportageploeg, enz. *76,91*
reporter de (...s) *3*
repousseren *11,106*
repousseerde, gerepousseerd
repoussoir het (...s) *3,11*
reppen *106*
repte, gerept
represaille de (...s) *21,43*
representant de (...en) *1*
representatie de (...s) *26,43*
representatie...: representatiekosten, enz. *64,76*
representativiteit de *26*
representeren *26,106*
representeerde, gerepresenteerd
repressie de (...s) *45*
reprimande de (...s) *43,91*
reprimeren *106*
reprimeerde, gereprimeerd
reprint de (...s) *3*
reprinten *106*
reprintte, gereprint
reprise de (...s) *43,91*
repristinatie de *9*
repro de (...'s) *42*
reprorecht *64*
reprobatie de (...s) *14*
reproduceren *25,106*
reproduceerde, gereproduceerd
reproductie de (...s) *23,43*
reproductie...: reproductieonderzoek, reproductietechniek, enz. *64,76*
reproductief *19,22*
reproductieve
reproductiviteit de *19,22*
reprograaf de (...grafen) *19*
reprograferen *106*
reprografeerde, gereprografeerd
reptiel het (...en) *9*
reptiel...: reptielleer, enz. *64*
reptielen...: reptielenhuis, enz. *88*
republicanisme het *22,57,90*
republiek de (...en) *9*
Republiek der Verenigde Nederlanden de *6*
republikein de (...en) *9,13*
repudiatie de (...s) *43*
repudiëren *37,38,106*
repudieerde, gerepudieerd
repugnant *2*
repuls de (...en) *25*

repulsie de (...s) *43*
repulsief *19*
repulsieve
reputatie de (...s) *43*
requiem het (...s) *2,24*
requiemmis *64*
requisitoir het (...s) *ook* **rekwisitoor** *3,24,115*
rescissie de (...s) *25,43*
rescontre de (...s) *22,91*
rescontreren *22,106*
rescontreerde, gerescontreerd
rescript het (...en) *22*
rescriptie de (...s) *22,43*
research de *3,9*
research...: researchafdeling, researchteam, enz. *66,67*
reseceren *25,106*
reseceerde, gereseceerd
resectie de (...s) *23,43*
reseda de (...'s) *42*
reseen het (...senen) *26*
resem de (...s) *26*
reservaat het (...vaten) *18,26*
reservatie de (...s) *26,43*
reserve de (...s) *26,43*
reserve...: reserve-eenheid, reserveonderdeel, enz. *76,91*
reserveren *26,106*
reserveerde, gereserveerd
reservist de (...en) *26*
reservoir het (...s) *3,26*
resident de (...en) *26*
residentie de (...s) *26,43*
residentie...: residentiestad, enz. *64,76*
residentieel *26,37,38*
residentiële
resideren *26,106*
resideerde, geresideerd
residu het (...en, ...'s; ...duutje) *26,42,112*
residuwaarde *64*
residuaal *26,38*
residuair *26,38*
residueel *26,38*
resignatie de (...s) *21*
resigneren *21,106*
resigneerde, geresigneerd
resiliabel *14,37*
resiliatie de (...s) *14,37,43*
resine de/het (...n) *89*
resineren *106*
resineerde, geresineerd
resineus *26*
resineuze
resistent *26*
resistentie de (...s) *26*
resisteren *26,106*
resisteerde, geresisteerd
resocialiseren *25,106*
resocialiseerde, geresocialiseerd
resolutie de (...s) *26,43*
resoluut *26*
resolveren *106*
resolveerde, geresolveerd
resonans de *26*
resonantie de (...s) *26,43*
resonantie...: resonantiefrequentie, enz. *64,76*
resonator de (...en, ...s) *26*
resoneren *26,106*
resoneerde, geresoneerd
resorberen *26,106*
resorbeerde, geresorbeerd
resorcinol de *22,26*
resorptie de (...s) *25,43*
resp. [respectievelijk] *100*
respect het *22*
respectabel *22*
respectabiliteit de *22*
respecteren *22,106*
respecteerde, gerespecteerd
respectief *19,22*
respectieve
respectievelijk (resp.) *22,87*
respectueus *22,26*
respectueuze
Respighi, Ottorino *6*
respijt het *13*

respiratie de (...s) *43*
respiratie...: respiratietoestel, enz. *64,76*
respiratoir *ook* **respiratorisch** *3,115*
respirator de (...en, ...s) *3*
respiratorisch *ook* **respiratoir** *115*
respireren *106*
respireerde, gerespireerd
respondent de (...en) *18*
responderen *106*
respondeerde, gerespondeerd
respons de/het *ook* **response** *115*
responsabel *26*
responsabilisering de (...en) *26*
responsabiliteit de *26*
responsie de (...s) *26,43*
responsie...: responsiecollege, enz. *64,76*
responsief *19,26*
responsieve
responsorie de (...riën, ...s) *ook* **responsorium** (...ria, ...s) *40,43,115*
responsum het (...ponsa, ...s) *3*
ressentiment het (...en) *14*
ressort [ambtsgebied] het (...en) *14*
ressort [veer] het (...s) *14*
ressorteren *14,106*
ressorteerde, geressorteerd
ressource de (...s) *11,14,43*
restant het (...en) *18*
restaurant het (...s) *3,10*
restaurant...: restaurantketen, enz. *66*
restaurateur de (...s) *10*
restauratie de (...s) *10,43*
restauratie...: restauratieatelier, enz. *64,76*
restauratief *10,19*
restauratieve
restaurator de (...en, ...s) *10*
restauratrice de (...s) *10,25,43*
restaureren *10,106*
restaureerde, gerestaureerd
resten *106*
restte, gerest
resteren *106*
resteerde, geresteerd
restitueren *37,38,106*
restitueerde, gerestitueerd
restitutie de (...s) *43*
restitutiecoëfficiënt *64*
restorneren *ook* **ristorneren** *106,115*
restorneerde, gerestorneerd
restorno de (...'s) *ook* **ristorno** *42,115*
restrictie de (...s) *23,43*
restrictief *19,22*
restrictieve
restringeren *106*
restringeerde, gerestringeerd
restylen *3,105,106*
restylede, gerestyled
resultaat het (...taten)
resultaat...: resultaatgericht, resultaatvoetbal, enz. *64*
resultaten...: resultatenrekening, enz. *88*
resultaats...: resultaatsverbetering, enz. *98*
resultante de (...n) *89*
resultatief *19*
resultatieve
resulteren *106*
resulteerde, geresulteerd
resumé het (...s; ...meetje) *29,42,112*
resumeren *106*
resumeerde, geresumeerd
resumptie de (...s) *43*
resurrectie de (...s) *14,23,43*
resusaap de (...apen) *20,64*
resuscitatie de *25*
resusfactor de (...toren) *20,64*
resusnegatief *19,20*
resusnegatieve
resuspositief *19,20*
resuspositieve
retabel de/het (...s) *14*
retardando *ook* **ritardando** *14,115*
retardatie de (...s) *14,43*
retarderen *14,106*
retardeerde, geretardeerd

retardo de (...'s; ...dootje) *14,42,112*
retaxatie de (...s) *23,43*
retegoed *95*
retentie de (...s) *43*
retenuto *3*
reticentie de (...s) *25,43*
reticulair *3,22*
reticule de (...s; ...tje) *22,43,91*
Retie *6,53*
retina de (...'s) *42*
retiniet het *9*
retinoscopie de *22*
retirade de (...s) *43,91*
retireren *106*
retireerde, geretireerd
retor de (...en, ...s) *20*
retorica de (...'s) *20,22,42*
retoricus de (...rici) *20,22,25*
retoriek de (...en) *20*
retorisch *20*
Reto-Romaans *55*
retorsie de (...s) *43*
retort de/het (...en) *18*
retortenkool *88*
retouche de (...s) *11,27*
retoucheren *11,27,106*
retoucheerde, geretoucheerd
retour de/het (...s) *11*
retourneren *11,106*
retourneerde, geretourneerd
retract het *22*
retractie de (...s) *23*
retractor de (...en, ...tores) *22*
retraitant de (...en) *3*
retraite de (...s) *3,43*
retraitehuis *91*
retrakteren *22,106*
retrakteerde, geretrakteerd
retranchement het (...en) *27*
retribueren *106*
retribueerde, geretribueerd
retributie de (...s) *43*
retriever de (...s) *3*
retro... *78*
retroactief, retromode, enz.
retroacta de (alleen mv.) *22*
retroflectie [lichtweerkaatsing] de *23*
retroflexie [achteroverbuiging] de (...s) *23*
retrograde de (...n, ...s)
retrogrademethode *91*
retrospectieve de (...n) *22,89*
retsina de *3*
rettich de (...s) *3*
return de (...s) *3*
returnmatch, returntoets *66,67*
reu de (...en) *38*
reuk de (...en)
reukloos *87*
reuk...: reukorgaan, enz. *64*
reuma de (...'s) *20*
reuma...: reumapatiënt, enz. *64,76*
reumaticus de (...tici) *20,22,25*
reumatiek de *20*
reumatisch *20*
reumatologie de *20*
reünie de (...s) *37,43*
Réunion *6,53*
reup de *17*
reürbanisatie de *37*
reus de (reuzen) *26*
reuzen...: reuzengestalte, reuzenhaai, reuzensprong, enz. *88*
Reusel [Noord-Brabant] *6,53*
reüsseren *37,106*
reüsseerde, gereüsseerd
reüssite de (...s) *ook* **réussite** (...s) *37,43,91,115*
reut de *18*
reutelen *106*
reutelde, gereuteld
reutemeteut de *18,97*
reuze... *92,95*
reuzegroot, reuzehonger, reuze-idee, reuzeleuk, reuzemop, enz.
reuzel de (...s) *26*
reuzen... zie **reus**
reuzig *26*
reuzin de (...zinnen) *26*
revaccineren *23,106*
revaccineerde, gerevaccineerd

revalidatie de
revalidatie...: revalidatiecentrum, enz. *64,76*
revalideren *106*
revalideerde, gerevalideerd
revalorisatie de (...s) *26*
revaloriseren *26,106*
revaloriseerde, gerevaloriseerd
revalueren *106*
revalueerde, gerevalueerd
revanche de (...s) *27,43*
revanche...: revanchewedstrijd, enz. *76,91*
revancheren *27,106*
revancheerde, gerevancheerd
revanchisme het *27,90*
reveil het *3*
reveille de *3,21,90*
reveillon het (...s) *3,21*
revelatie de (...s) *43*
reveleren *106*
reveleerde, gereveleerd
reven *19,106*
reefde, gereefd
revenu het (...en, ...'s) *42*
revérence de (...s) *3,29,43*
reverentie de (...s) *43*
rêverie de (...rieën) *31,40*
revers de (enk. en mv.) *3*
reversibel *26*
reversibiliteit de *26*
revideren *106*
revideerde, gerevideerd
revier het (...en) *19*
revieren *19,106*
revierde, gerevierd
revindiceren *25,106*
revindiceerde, gerevindiceerd
reviseren *26,106*
reviseerde, gereviseerd
revisie de (...s) *26,43*
revisie...: revisiebedrijf, enz. *64,76*
revisionisme het *16,57,90*
revisor de (...en, ...s) *26*
revitaliseren *26,106*
revitaliseerde, gerevitaliseerd
revival de (...s) *3*
revivescentie de (...s) *25,43*
revocabel *22*
revocatie de (...s) *22,43*
revoceren *25,106*
revoceerde, gerevoceerd
revolte de (...s) *43,91*
revolteren *106*
revolteerde, gerevolteerd
revolutie de (...s) *43*
revolutie...: revolutiejaar, enz. *64,76*
revolutionair de (...en) *16,27*
revolutioneren *16,106*
revolutioneerde, gerevolutioneerd
revolver de (...s) *3*
revolver...: revolverheld, enz. *66*
revue de (...s; ...tje) *3,43*
revue...: revueartiest, revuester, enz. *66,76*
rex [koning] de (reges) *23*
rex [konijn] de (...en) *23*
Reykjavik *6,53*
Reynolds, Joshua *6*
rez-de-chaussee de (...s) *63*
R.G. [Rijksgrens, Rijksgrond] *100*
RGD [Rijksgebouwendienst] de *104*
Rh [rodium] *100*
Rheden *6,53*
Rheinland-Pfalz *ook* **Rijnland-Palts** *6,53*
Rhenen *6,53*
Rhode Island *6,53*
Rhodes, Cecil *6*
Rhodos *6,53*
Rhône de *6,53*
Rhône-Rijnkanaal de *6,53*
rhythm and blues de *67*
ria [rivierdal] de (...'s) *42*
RIAGG [Regionale Instelling voor Ambulante Geestelijke Gezondheidszorg] de/het (...'s) *46,103*
riant *18*

rib de (ribben; ...je, ribbetje) *ook* **ribbe** (...n) *17,112,115*
rib...: ribstuk, enz. *64*
ribbenkast *88*
ribben *106*
ribde, geribd
ribcord het *67*
ribes de (...bessen) *14*
riboflavine de/het *19,90*
ribonucleïnezuur (RNA) het (...zuren) *22,37,64*
ribose de/het *26,90*
ribosoom het (...somen) *26*
ricambio de (...'s) *22,42*
ricasso de (...'s) *22,42*
richel de (...s) *2,5*
Richelieu *6*
Richt. [Richteren] *100*
richt... *64*
richtbaak, richtlijn, richttijd, enz.
richten *106*
richtte, gericht
ricinus de (...nussen) *25*
ricinusolie *64*
ricocheren *ook* **ricochetteren** *22,27,115*
ricocheerde, gericocheerd
ricochet het (...chetten) *22,27*
ricochetteren *ook* **ricocheren** *22,27,115*
ricochetteerde, gericochetteerd
ridderen *106*
ridderde, geridderd
ridderlijk *2*
ridderzate de (...n) *89*
rideau het (...s) *10,43*
ridiculiseren *22,26,106*
ridiculiseerde, geridiculiseerd
ridiculiteit de (...en) *22*
ridicuul *22*
Riebeeck, Jan van *6*
riedel de (...s) *9*
riedelen *9,106*
riedelde, geriedeld
Riefenstahl, Leni *6*
rieken *106*
rook, geroken
riemen *106*
riemde, geriemd
riesling de *3*
rietzodde de (...n) *26,89*
rif [ondiepte] het (riffen) *19*
riff [loopje, motief] de (...s) *3*
Riga *6,53*
rigide *9,113*
rigider, meest rigide
rigiditeit de *2*
rigorisme het *57*
rigor mortis de *63*
rigorositeit de *26*
rigoroso *26*
rigoureus *11,26*
rigoureuze
rigueur de *3*
rij [reeks] de (...en) *13*
rijenbouw *88*
rijden *13*
reed, gereden
rijen *13,106*
rijde, gerijd
rijer de (...s) *13*
rijexamen het (...s) *76*
rijf de (rijven) *13,19*
rijgen *13*
reeg, geregen
rij-instructeur de (...s) *76*
Rijk het *52*
rijks...: rijksarchief, rijksschool, enz. *98,99*
rijk... *64*
rijkbedeeld, rijkbegaafd, rijkgeschakeerd, enz.
rijkaard [persoon] de (...s) *18*
rijkaart [kaart] de (...en) *18*
rijke de (...n) *89*
rijkelui de (alleen mv.) *64,92*
rijkeluiskind *98*
Rijkevorsel *6,53*
rijm [rijp] de *13*
rijm [vers] het (...en) *13*

rijmelarij de (...en) *13*
rijmelen *13,106*
rijmelde, gerijmeld
rijmen *13,106*
rijmde, gerijmd
rijmerij de (...en) *13*
rijn [molenijzer] de (...en) *13*
Rijn *6,53*
rijnaak de (...aken) *54,65*
Rijnland-Palts *ook* **Rheinland-Pfalz**
Rijnoever de (...s) *65*
rijns *ook* **rins** *13,26,115*
rijnse
Rijnwaarden *6,53*
rij-op-rij-afboot de (...boten) *81*
rijp [rijm] de *13*
rijp *13*
rijpen *13,106*
rijpte, gerijpt
rijs [twijg] het (rijzen) *13,26*
rijshout *64*
rijschaaf de (...schaven) *ook* **reeschaaf, reischaaf** *13,19,115*
Rijssele, Colijn van *6*
Rijssen *6,53*
rijst de *13*
rijst...: rijstakker, enz. *64*
rijste...: rijstebrij, enz. *90*
rijsttafelen *69,106*
rijsttafelde, gerijsttafeld
Rijswijk *6,53*
rijten *13*
reet, gereten
rijven *13,19*
reef, gereven
rijzen [omhooggaan] *13,26,106*
rees, gerezen
rijzig *13*
rikkekikken *ook* **rikkikken** *97,106,115*
rikkekikte, gerikkekikt
rikken *106*
rikte, gerikt
rikketik de (...tikken) *97*
rikketikken *97,106*
rikketikte, gerikketikt
rikkikken *ook* **rikkekikken** *106,115*
rikkikte, gerikkikt
riks de (...en) *23*
riksja de (...'s) *27,42*
rillen *106*
rilde, gerild
Rimbaud, Arthur *6*
rimboe de (...s) *43*
rime riche het *63*
rimpelen *106*
rimpelde, gerimpeld
rinforzando *3*
ring de (...en; ringetje) *112*
ring...: ringagenda, enz. *64*
ringenstelsel *88*
ringelen *106*
ringelde, geringeld
ringeloren *106*
ringeloorde, geringeloord
ringen *106*
ringde, geringd
ringrijden *69,107*
ringsteken *69,107*
rinitis de *1,20*
rinkelen *106*
rinkelde, gerinkeld
rinkelrooien *69,106*
rinkelrooide, gerinkelrooid
rinket het (...ketten) *18*
rinkinken *106*
rinkinkte, gerinkinkt
rinoceros de (...rossen) *20,25*
rinolalie de *20*
rinologie de *20*
rinoplastiek de *20*
rinoscoop de (...scopen) *20,22*
rins *26*
rinse
RIOD [Rijksinstituut voor Oorlogsdocumentatie] het
RIOD-publicatie *83*
Rio de Janeiro *6,53*
rioja de *3*
rioleren *106*
rioleerde, gerioleerd

riool de/het (...olen)
riool...: riooljournalistiek, rioolstelsel, enz. *64*
riolenstelsel *88*
riotgun de (...s) *67*
R.I.P. [requiesca(n)t in pace, rust in vrede] *100*
riposte de (...n) *89*
riposteren *106*
riposteerde, geriposteerd
rips het *17*
ripspapier *64*
ris de (rissen) *ook* **rist** *115*
risee de *8,26*
risico de/het (...'s) *22,42*
risico...: risicofactor, enz. *64,76*
risk het *3*
riskant *22*
risken *106*
riskte, gerískt
riskeren *22,106*
riskeerde, geriskeerd
risotto de *26*
rissen *ook* **risten** *106,115*
riste, gerist
rissole de (...s) *3,43*
rist de (...en) *ook* **ris** *115*
risten *ook* **rissen** *106,115*
ristte, gerist
ristorneren *ook* **restorneren** *106,115*
ristorneerde, geristorneerd
ristorno de (...'s) *ook* **restorno** *42,115*
rit [kikkereitjes] het *18*
ritardando *ook* **retardando** *14,115*
rite de (...n, ...s) *9,91*
ritenuto *3*
ritme het (...n, ...s) *20,91*
ritmebox, ritmesectie *66,91*
ritmeren *20,106*
ritmeerde, geritmeerd
ritmiek de *20*
ritmisch *20*
ritmometer de (...s) *20*
ritornel het (...nellen) *3*
rits de (...en) *26*
rits...: ritssluiting, enz. *64*
ritselen *106*
ritselde, geritseld
ritsen *106*
ritste, geritst
ritueel het (...alen) *9*
ritualiseren *26,106*
ritualiseerde, geritualiseerd
ritualisme het *57,90*
ritueel *9,37,38*
rituele
ritus de (...tussen) *9,14*
rivaal de (...valen) *9*
rivaliseren *26,106*
rivaliseerde, gerivaliseerd
rivaliteit de (...en) *9*
riverse *ook* **riverso** *115*
rivet de (...vetten) *19*
rivier de (...en)
rivier...: rivierarm, enz. *64*
rivieren...: rivierenlandschap, enz. *88*
RIVM [Rijksinstituut voor Volksgezondheid en Milieuhygiëne] het *104*
riyal de (...s) *21*
rizofoor de (...foren) *26*
rizoom het (...zomen) *26*
r.-k. [rooms-katholiek] *100*
RMS [Republiek Maluku Salatan] *104*
Rn [radon] *100*
RNA [ribo nucleic acid] *104*
roadie de (...s) *3,10,43*
roadmovie de (...s) *43,67*
Road Town *6,53*
roaring twenties de *67*
ROA-woning [regeling opvang asielzoekers] de *83,104*
rob de (robben) *17*
robbedoes *97*
robbenvangst *88*
robbedoezen *26,97,106*
robbedoesde, gerobbedoesd
Robbia, Lucca della *6*
robe de (...s) *43,91*

Robespierre, Maximilien de *6*
robijn [edelgesteente] het *13*
robijn...: robijnglas, robijnrood, enz. *64*
robijnen *13,114*
robineren *106*
robineerde, gerobineerd
Robin Hood *6*
robinsonade de (...n, ...s) *54,91*
Robinson Crusoe *6*
roborantia de (alleen mv.) *3*
robot de (...s, ...botten) *3,54*
robotica de *22,54*
robotiseren *14,26,54,106*
robotiseerde, gerobotiseerd
roburiet het *9,18*
robuust *113*
robuuster, meest robuust
rocaille de/het (...s) *21,22,91*
Rochefoucauld, François de La *6*
rochel de (...s) *2*
rochelen *2,106*
rochelde, gerocheld
rochet de (...chetten) *27*
rock de *3,22*
rock...: rockband, rockopera, enz. *66,67*
rockabilly de *9,22*
Rockefeller, Nelson *6*
rocken *22,106*
rockte, gerockt
rock-'n-roll de *67*
rock-'n-roll...: rock-'n-rollmuziek, enz. *84*
rocks, on the – *67*
Rocky Mountains de *6,53*
Rococo het *14,22,57*
rococo...: rococostijl, rococo-interieur, enz. *64,76*
roddelen *106*
roddelde, geroddeld
rode de (...n) *89*
rodehond de *92*
Rode Khmer de *52*
rodekool de (...kolen) *92*
Rode Kruis het *52*
Rode-Kruis...: Rode-Kruispost, Rode-Kruisauto, enz. *65*
rodelen *106*
rodelde, gerodeld
rodeloop de *92*
Roden *6,53*
rodeo de (...'s; rodeootje) *42,112*
Rodin, Auguste *6*
rodineren *106*
rodineerde, gerodineerd
rodium (Rh) het *1*
rododendron de (...s) *14,20*
rodopsine de/het *20,90*
roebel de (...s) *11*
roede de (...n, ...s; roetje) *ook* **roe** (...s) *115*
roede...: roedeloper, enz. *76,91*
roef de (roeven) *19*
roefdek *64*
roefel de (...s) *19*
roeien *106*
roeide, geroeid
roek de (...en) *11*
roekeloos *26,87*
roekeloze
roekoeën *ook* **roekoeken** *38,106,115*
roekoede, geroekoed
Roelants, Maurice *6*
roemen *106*
roemde, geroemd
Roemenië *6,53,55*
Roemeen, Roemeens(e)
roemenswaard *111*
roemer de (...s) *ook* **romer** *115*
roepia de (...'s) *11,42*
roepie de (...s) *11,43*
roerbakken *69,106*
roerbakte, geroerbakt
roeren *106*
roerde, geroerd
roerom de (...ommen, ...s) *64*
roes de (roezen) *26*
Roesbrugge-Haringe *6,53*

roest de/het
roest...: roestbruin, roeststok, roestwerend, enz. *64*
roesten *106*
roestte, geroest
roeten *106*
roette, geroet
roethanen *107*
roetsjbaan de (...banen) *27,64*
roetsjen *27,106*
roetsjte, geroetsjt
roeving de (...en) *19*
roezemoes de *26*
roezemoezen *26,106*
roezemoesde, geroezemoesd
roezemoezerig *ook* **roezemoezig** *26,115*
roezen *26,106*
roesde, geroesd
roezig *26*
roffelen *106*
roffelde, geroffeld
rog de (roggen; ...je, roggetje) *112*
rogvis *64*
roggenstaart *88*
rogatoir *3*
roger *3*
rogge de
rogge...: roggebrood, enz. *76,90*
Rohe, Ludwig Mies van der *6*
rohypnol de *9,54*
rok de (rokken)
rok...: rokkostuum, enz. *64*
rokkenjager *88*
rokade de (...s) *22,43,91*
roken *106*
rookte, gerookt
roker de (...s)
rokershoest *98*
rokeren *22,106*
rokeerde, gerokeerd
rokken *106*
rokte, gerokt
rol de (rollen; rolletje) *112*
rol...: rolbezetting, enz. *64*
rollen...: rollenspel, enz. *88*
Roland Holst, Adriaan/Henriëtte *6*
rollade de (...n, ...s) *14,43,91*
Rolland, Romain *6*
rollebollen *93,106*
rollebolde, gerollebold
Rollegem-Kapelle *6,53*
rollen *106*
rolde, gerold
rolleng de *1*
rolleren *106*
rolleerde, gerolleerd
rollerskate de (...s) *67*
roll-on-roll-offboot de (...boten) *81,84*
rolschaatsen *106*
rolschaatste, gerolschaatst
rolschaatsster de (...s) *4*
rolski de (...'s; rolskietje) *9,42,112*
rolskiën *37,106*
rolskiede, gerolskied
rolstoelen *69,106*
rolstoelde, gerolstoeld
rolykit de (...s) *9*
ROM [read only memory] *102*
Rom. [Romeinen, Romaans] *100*
roman de (...s; romannetje) *112*
romance de (...n, ...s) *25,91*
romancero de (...'s) *25,42*
romancier de (...s) *8,25*
romancière de (...s) *25,30,43*
romanesk *22*
romaniseren *26,54,106*
romaniseerde, geromaniseerd
romanistiek de *54*
romantica de (...cae, ...'s) *22,42*
romanticus de (...tici) *22,25*
romantiek de *9*
Romantiek [periode] de *56*
romantisch *113*
romantischer, meest romantisch
romantiseren *26,106*
romantiseerde, geromantiseerd
romantisme het *90*
rombendodecaëder de (...s) *22,37*
rombisch *9*

romboëder de (...s) 37
romboïdaal 37
romboïde de (...n) 37,89
rombombom 73
rombus de (...bussen) 20
Rome 6,53
Romein, Romeins(e)
romein [lettertype] de 13,54
romeinletter 64
Romeinen de 6,53
romen 106
roomde, geroomd
romer de (...s) *ook* **roemer** 115
römertopf de (...en) 3
rommelen 106
rommelde, gerommeld
rompslomp de 17
rond... 69,106
rondbanjeren: banjerde rond, rondgebanjerd, enz.
rondas de (...assen) 64
ronde de (...n, ...s)
rondedans 91
rondeau het (...s) 10,43
rondeel het (...delen) 8
ronden 106
rondde, gerond
rondetafelconferentie de (...s) 43,68
rondino het (...'s) 42
rondkop de (...koppen) 64
rondo het (...'s) 42
rondom 73
rondsel het (...s) 18
rondte de (...n, ...s) 4,91
ronduit 73
rondvis de (...vissen) 64
ronken 106
ronkte, geronkt
ronselen 26,106
ronselde, geronseld
röntgen de 3,54
röntgen...: röntgenstralen, enz. 65
röntgenen 3,54,106
röntgende, geröntgend
röntgenogram het (...grammen) 3,54
röntgenologie de 3,54
ronzebons de (...bonzen) 26
rood... 64,80
roodaarde, roodborstje, roodbruin, roodgloeiend, roodvonk, enz.
roodwitblauw het 68
roof de (roven) 19
roofing de (...s) 11
rooien 106
rooide, gerooid
rooiing de 38
rooming-in de 67
rooms [katholiek] 57
roomse de (...n) 57,89
roomservice de 67
roomsgezind 57
rooms-katholiek (r.-k.) 20,57,79
Rooms-Koning de (...en) 59,79
rooms-rood 79
roos de (rozen) 26
roos...: rooskleurig, roosvenster, enz. 64
rozen...: rozengeur, rozenkleurig, rozenrood, enz. 88
Roosendaal [Noord-Brabant] 6,53
Roosevelt, Eleanor/ Franklin Delano/Theodore 6
roosten 106
roostte, geroost
roosteren 106
roosterde, geroosterd
root de (roten) 18
roots de (alleen mv.) 3
roquefort de 54
roro [roll-on-roll-off] de 102
roroschip, roroboot 83
rorschachtest de (...en, ...s) 54,65
rosaline de 26,90
rosarium het (...s) 26
rosbief de 9
rosé de (...s; roseetje) 29,43,112
Roseau 6,53
Rosenmöller, Paul 6
roseola de 26
roskammen 106
roskamde, geroskamd

rosmarijn de (...en) *ook* **rozemarijn** *13,115*
rosolio de *26*
rosse buurt *62*
Rossellini, Isabella *6*
rossen *106*
roste, gerost
Rossetti, Dante Gabriel *6*
rossinant de (...en) *54*
Rossini, Gioacchino *6*
rösti de *3*
rostra de (...'s) *42*
Rostropovitsj, Mstislav *6*
rostrum het (...tra, ...s) *1*
Rota [rechtscollege] de *52*
rotacisme het *20,25,90*
rotan de/het (...s) *14*
rotan...: rotanstoel, enz. *64*
rotarian de (...s) *3*
Rotary de *52*
Rotaryclub *65*
rotaryboorpijp de (...en) *66*
rotarykraan de (...kranen) *66*
rotarytafel de (...s) *66*
rotatie de (...s) *43*
rotatie...: rotatiepers, enz. *64,76*
rotator de (...s) *1*
Rote Armee Fraktion (RAF) de *52*
roten *106*
rootte, geroot
roteren *106*
roteerde, geroteerd
rotgans de (...ganzen) *26,64*
Rothschild *6*
roti de (...'s) *9,42*
rotisserie de (...rieën) *31,40*
rotje het (...s) *18*
rotogravure de (...n, ...s) *91*
rotonde de (...n, ...s) *14,91*
rotor de (...en, ...s) *1*
rotorboot *64*
rotten *106*
rotte, gerot
rotting [rotanstok] de (...en; rottinkje) *112*
rotting...: rottingslag, enz. *64*
rottweiler de (...s) *52*
rotulatie de (...s) *43*
rotuleren *106*
rotuleerde, gerotuleerd
rotzooi de *64*
rotzooien *106*
rotzooide, gerotzooid
Rouault, Georges *6*
Roubaix *6,53*
roué de (...s) *29,42*
Rouffaer, Senne *6*
rouge de/het *11,27,90*
Rouget de l'Isle, Claude Joseph *6*
rough de *3*
roulade de (...s) *11,43,91*
roulatie de *11*
roulatiesysteem *64*
rouleren *11,106*
rouleerde, gerouleerd
roulette de (...s) *11,43*
roulette...: roulettetafel, enz. *76,91*
Rousseau, Jean-Jacques *6*
route de (...n, ...s) *11,43*
route...: routebeschrijving, enz. *76,91*
routeren *11,106*
routeerde, gerouteerd
routering de *11*
routier de (...s) *8,11*
routine de (...s) *11,43*
routine...: routineonderzoek, routinewerk, enz. *76,91*
routineus *11,26*
routineuze
routing de (...en) *11*
routinier de (...s) *8,11*
rouw [uiting van droefheid] de *12*
rouw...: rouwstoet, enz. *64*
rouwdouwen *12,106*
rouwdouwde, gerouwdouwd
rouwdouwer de (...s) *ook* **rauwdouwer** *12,115*
rouwen *12,106*
rouwde, gerouwd
rouwig *12*

rouwklagen *12,69,106*
rouwklaagde, gerouwklaagd
roux de *3,11*
roven *19,106*
roofde, geroofd
rover de (...s)
roverhoofdman *64*
rovers...: roversnest, enz. *98*
royaal *21*
royalisme het *21,90*
royalist de (...en) *21*
royaliteit de (...en) *21*
royalty de (...'s) *9,21,42*
royement het (...en) *21*
royementskosten *98*
royeren *21,106*
royeerde, geroyeerd
roze *26*
rozemarijn de (...en) *ook* **rosmarijn** *13,97,115*
rozen... zie **roos**
Rozendaal [Gelderland] *6,53*
Rozenkruisers de *57*
Rozenoorlog de (...en) *56*
rozerood *26,80*
rozet de (...zetten) *26*
rozig *26*
rozijn de (...en) *13*
rozijnerwt *64*
rozijnen...: rozijnenbrood, enz. *88*
r.p. [réponse payée] *100*
R.P. [reverende pater] *100*
RPF [Reformatorische Politieke Formatie] de *104*
RPI [Rijks-Psychiatrische Inrichting] de (...'s) *46,104*
r.r. [reservatis reservandis] *100*
r.s.v.p. [réponse/répondez s'il vous plaît] *100*
RSVZ [Rijksdienst voor Sociale Verzekering der Zelfstandigen] de *104*
RSZ [Rijksdienst voor Sociale Zekerheid] de *104*
Rt. [Ruth] *100*
RTBF [Radiodiffusion et Télévision Belges en langue Française] de *104*
RTL [Radio et Télévision du Luxembourg] *104*
RTT [Regie van Telegraaf en Telefoon (nu: Belgacom)] de *104*
RU [Rijksuniversiteit] *104*
Ru [ruthenium] *100*
rubato het (...'s) *42*
rubber de/het *14*
rubberen *114*
rubbing de (...s) *3*
rubensiaans *54*
rubeola de (alleen mv.) *3*
rubidium (Rb) het *1,14*
rubricator de (...en, ...s) *22*
rubriceren *25,106*
rubriceerde, gerubriceerd
rubriek de (...en)
rubriek...: rubriekschrijver, enz. *64*
rubrieksadvertentie, rubrieksnaam *98*
ruche de (...s) *27,91*
ruchtbaarmaking de *64*
rücksichtslos *3*
rücksichtslose
Rucphen *6,53*
ruderaal *14*
rudiment het (...en) *18*
rudimentair *3*
Ruebsamen, Helga *6*
rufenen de (alleen mv.) *14,19*
ruft de (...en) *18*
ruften *106*
ruftte, geruft
rug de (ruggen; ...je, ruggetje) *112*
rug...: rugnummer, enz. *64*
ruggespraak *97*
ruggen...: ruggengraat, ruggenwervel, enz. *88*
rugby het *3,9*
rugby...: rugbybal, enz. *66,76*
rugbyen *9,106*
rugbyde, gerugbyd
rugbyer de (...s) *9*

ruggen *106*
rugde, gerugd
ruggengraatsverkromming de (...en) *68,88,98*
ruggenmergpunctie de (...s) *68,88*
ruggensteunen *88,106*
ruggensteunde, geruggensteund
rugzwemmen *69,107*
Ruhrgebied *6,53*
ruien *106*
ruide, geruid
ruif de (ruiven) *19*
ruigte de (...n, ...s) *43,91*
ruilebuiten *93,106*
ruilebuitte, geruilebuit
ruilen *106*
ruilde, geruild
ruimdenkend *64*
ruimen *106*
ruimde, geruimd
ruimschoots *64*
ruimte de (...n, ...s)
ruimtelijk *87*
ruimte...: ruimte-eenheid, ruimteonderzoek, ruimteschip, enz. *76,91*
ruin de (...en) *1*
ruïne de (...n, ...s) *37,43,91*
ruïneren *37,106*
ruïneerde, geruïneerd
ruïneus *26,37*
ruïneuze
ruisen *26,106*
ruiste, geruist
ruit de (...en)
ruit...: ruitverwarmer, ruitvormig, enz. *64*
ruiten...: ruitensproeier, enz. *88*
ruiten [kaartterm] de (alleen mv.)
ruiten...: ruitenaas, enz. *64*
ruiten *106*
ruitte, geruit
ruitentikken *69,107*
ruitje het (...s)
ruitjes...: ruitjespatroon, enz. *98*
ruizelen *26,106*
ruizelde, geruizeld
Rukkelingen-Loon *6,53*
rukken *106*
rukte, gerukt
rulijs het *64*
ruling de (...s) *3,11*
rum de
rum...: rumpunch, rumtaart, enz. *64,66*
rumba de (...'s) *11,42*
rumble de *3*
rumineren *106*
rumineerde, gerumineerd
rummikub het *14,17,22*
rummikuppen *14,17,22*
rummikupte, gerummikupt
rumoer het (...en) *11*
rumoeren *11,106*
rumoerde, gerumoerd
rumpie de (...s) *9,43*
rund het (runderen; ...je, rundertjes) *112*
rund...: rundvlees, enz. *64*
runder...: rundergehakt, enz. *64*
rundslapje *98*
rune de (...n)
runen...: runenalfabet, enz. *89*
runnen *106*
runde, gerund
runner de (...s) *3*
runner-up de (...s) *67*
running de *3*
running mate de (...s) *67*
runologie de *14*
rups de (...en)
rups...: rupsband, enz. *64*
rupsen...: rupsennest, enz. *88*
ruptuur de (...turen) *17*
ruraal *14*
rush de (rushes) *3,27*
Rushdie, Salman *6*
Rusland *6,53,55*
Rus, Russin, Russisch(e)
Russell, Bertrand *6*

russificatie de *22,54*
russificeren *25,54,106*
russificeerde, gerussificeerd
Russisch-orthodox *20,53,79*
russo... *78*
russofiel, russofobie, russomanie, enz.
Russo-Amerikaans *53,80*
rust de (...en)
rusteloos *87*
rust...: rustgevend, ruststand, enz. *64*
rusten *106*
rustte, gerust
rusticiteit de *25*
rustiek *9*
rut *18*
Rutgers van der Loeff, An *6*
ruthenium (Ru) het *20*
rutiel het *ook* **rutilium** *14,115*
Ruusbroec, Jan van *6*
ruw... *64*
ruwbladig, ruwbouw, ruwglas, ruwweg, enz.
ruwaard de (...s) *18*
ruwen *106*
ruwde, geruwd
Ruysdael, Jakob van *6*
Ruyslinck, Ward *6*
Ruyter, Michiel Adriaansz de *6*
ruzie de (...s) *43*
ruzieachtig *37*
ruzie...: ruzietoon, enz. *64,76*
ruziemaken *69,106*
maakte ruzie, ruziegemaakt
ruziën *40,106*
ruziede, geruzied
RVA [Rijksdienst voor Arbeidsvoorziening] de *104*
RvB [Raad van Beheer] de *104*
RVD [Rijksvoorlichtingsdienst] de *104*
RVI [Rijksverkeersinspectie] de *104*
RVP [Rijksdienst voor Pensioen] de *104*
RvS [Raad van State] de *104*
RVU [Radio Volksuniversiteit] de *104*
RW [Rijkswaterstaat] *104*
Rwanda *6,53*
Rwandees, Rwandese
RWW [Rijksgroepsregeling Werkloze Werknemers]
RWW'er *46*
RWW-...: RWW-uitkering, enz. *83*
rypofobie de *9*
ryton de (...s) *9*

S

s de (s'en; s'je) *46*
S-bocht, S-vorm *61,83*
's ... *48,111*
's avonds, 's maandags, 's winters, enz.
S. [sanctus, signetur, signum] *100*
S.A. [Sturmabteilung] de *100*
saam *ook* **samen** *115*
saamhorig *26*
saamhorigheidsgevoel het (...voelens) *26,98*
sabadilkruid het *14,64*
Sabam [Société anonyme belge des auteurs et musiciens] de *103*
sabayon de *14,21*
sabbat de (...batten) *14*
sabbat...: sabbatdag, sabbatrust, enz. *64*
sabbats...: sabbatsjaar, sabbatsrust, enz. *98*
sabbatical het (...s) *3,14,22*
sabbattariër de (...s) *14,37*
sabbelen *106*
sabbelde, gesabbeld
sabberen *ook* **zabberen** *106,115*
sabberde, gesabberd
sabel [zwaard] de (...s) *26*
sabel [bont] het (...s) *26*
sabelen *106*
sabelde, gesabeld
Sabena [Société Anonyme Belge d'Exploitation de la Navigation Aérienne] *103*
sabotage de (...s) *14,27,43*
sabotage...: sabotageactie, enz. *76,91*
saboteren *14,106*
saboteerde, gesaboteerd
saboteur de (...s) *14*
sabra de (...'s) *42*
sabreur de (...s) *14*
sacerdotaal *25*
sacharide de (...n) *3,89*
sacharificatie de *3,22*
sacharimeter de (...s) *3,64*
sacharine de *3,90*
sacharose de (...n) *3,26,89*
sachem de (...s) *3*
sacherijn de/het (...en) *ook* **chagrijn** *2,13,115*
sachertaart de (...en) *54,65*
sachet het (...s) *3,27*
Sachsen *ook* **Saksen** *6,53*
sacraliseren *22,26,106*
sacraliseerde, gesacraliseerd
sacrament het (...en) *14,22*
sacraments...: sacramentsaltaar, sacramentsschender, enz. *98,99*
Sacramentsdag de (...en) *56*
sacrarium het (...ria) *22*
sacreren *22,106*
sacreerde, gesacreerd
sacrificeren *22,25,106*
sacrificeerde,gesacrificeerd
sacrificie het (...ciën, ...s) *22,25,40*
sacrifiëren *22,37,38*
sacrifieerde, gesacrifieerd
sacristein de (...en) *13,22*
sacristie de (...tieën) *22,40*
sacrosanct *22*
sacrum het (...s) *22*
Sadduceeën de *57*
Sadduceeër, Sadducees, Sadducese
sadisme het *14,54,90*
sado de (...'s; sadootje) *42,112*
sadomasochisme het *3,14,54,90*
safari de (...'s; ...rietje) *42,112*
safari...: safarilook, safaripak, enz. *64,66,76*
safe [kluis] de (...s; ...je) *3,8,43*
safe...: safeloket, enz. *66*

safe *3,8*
safer, safest
safe sex de *67*
safety first *67*
saffiaan het *14*
saffie het (...s) *9,43*
saffier [stofnaam, kleur] de/het *14*
saffier...: saffierblauw, saffiernaald, enz. *64*
saffier [steen] de (...en) *14*
saffieren *14,114*
saffisch *ook* **sapfisch** *54,115*
saffloer de/het (...s) *14*
saffraan de/het *14*
saffraan...: saffraangeel, saffraanpoeder, enz. *64*
saffranen *14,114*
saga de (...'s) *42*
sagaai de (...en) *1*
sage de (...n)
sagen...: sagenbundel, enz. *89*
sago de
sago ...: sagomelk, sagoweer (ook: saguweer), enz. *64,76*
saillant *21*
saillie de (...s) *21,43*
Saint-Exupéry, Antoine de *6*
Saint George's *6,53*
Saint John's *6,53*
Saint Kitts en Nevis *6,53*
Saint Lucia *6,53*
Saint Luciaan, Saint Luciaans(e)
Saint-Pierre *6,53*
Saint-Pierre en Miquelon *6,53*
Saint-Saëns, Camille *6*
Saint Vincent and the Grenadines *6,53*
saisine de *3,90*
sajet de (...jetten) *21*
sajetten *21,114*
sak de (sakken) *26*
sake de *ook* **saki** *8,115*
sakkeren *106*
sakkerde, gesakkerd
sakkerju *26*
sakkerloot *26*
sakkers *26*
Saksen *ook* **Sachsen** *6,53*
salade de (...s) *14,43,91*
salamander de (...s) *14*
salamander...: salamanderhaar, enz. *64*
salamandrijn de (...en) *13,14*
salami de (...'s) *9,42*
salamipolitiek, salamitactiek *64*
salangaan de (...ganen) *14*
salariaat het *14*
salariëren *14,37,38*
salarieerde, gesalarieerd
salaris het (...rissen) *14*
salaris...: salarisadministratie, enz. *64*
salderen *106*
saldeerde, gesaldeerd
saldibalans de (...en) *26,64*
saldo het (...'s, ...di) *42*
saldo-overzicht *76*
salep de *14*
salepdrank *64*
salesiaan de (...anen) *57*
salesmanager de (...s) *67*
salespromotion de *67*
salespromotor de (...s) *67*
salet het (...letten) *14*
saletjonker *64*
salicyl het *9,14,25*
salicylzuur, salicylwatten *64*
salie de *9*
salie...: salieolie, enz. *64,76*
Salieri, Antonio *6*
salificatie de *14,22*
saline de (...n, ...s) *14,91*
salinisch *14*
saliniteit de *14*
salkvaccin het (GB: Salkvaccin) *54,65*
salmagundi het (...'s) *3,42*
salmi het *9*
salmiak de *9*
salmiak...: salmiakdrop, enz. *64*

salmonella het (...'s) *14,42*
salmonella...: salmonellabesmetting, salmonella-infectie, enz. *64,76*
salomonsoordeel het (...delen) (GB: Salomonsoordeel) *54,65*
salomonszegel de (...s) *54,65*
salon de/het (...s; salonnetje) *14,112*
salon...: salontafel, salonfähig, enz. *8,64,66*
saloon de (...s) *11,14*
saloondeur *66*
salopette de (...s) *14,43,91*
salsa de (...'s) *42*
salsa...: salsazanger, enz. *64,76*
saltimbanque de (...s) *3,22,43*
salto de (...'s) *42*
salto-mortale de (...s, GB: ...'s) *43,79*
salueren *14,106*
salueerde, gesalueerd
salutatie de (...tiën, ...s) *14,40,43*
saluut het (...luten) *ook* **salut** (...en) *14,115*
salvarsan het *26*
salvia de (...'s) *42*
salvo het (...'s; salvootje) *42,112*
samaar de (...maren) *14*
Samaritaan de (...tanen) *53*
samarium (Sm) het *14*
samba de (...'s) *42*
sambabal *64*
sambal de (...s) *3*
samen *ook* **saam** *115*
samen... *69,106*
samenwerken: werkte samen, samengewerkt; enz.
samengesteldbloemig *64*
samenzijn het *64*
samenzweren *64,106*
zwoer samen, samengezworen
samizdat de (...s) *3,18,26*
samoem de (...s) *11,14*
samoerai de (alleen mv.) *11,14*
samoeraifilm, samoeraikrijger *64*
samoreus de (...reuzen) *26*
samowaar de (...s) *ook* **samowar** (...s) *115*
sample de/het (...s; sampletje) *3*
samplen *3,106*
samplede, gesampled
sampler de (...s) *3*
sampling de *3*
Sanaa *6,53*
sanatorium het (...ria, ...s) *14*
sanbenito het (...'s) *42*
sanctie de (...s) *23,43*
sanctie...: sanctiebeleid, enz. *64,76*
sanctificatie de *22*
sanctificeren *ook* **sanctifiëren** *22,25,38,115*
sanctificeerde, gesanctificeerd
sanctifieerde, gesanctifieerd
sanctioneren *16,23,106*
sanctioneerde, gesanctioneerd
sanctuarium het (...ria, ...s) *22*
sanctum sanctorum het *63*
sanctus (S.) de/het *22*
Sand, George *6*
sandaal de (sandalen) *26*
sandhi de *9,20*
sandinisme het *54,57,90*
sandrak het *22*
sandwich de (...ches) *3*
sandwich...: sandwichformule, enz. *66*
saneren *106*
saneerde, gesaneerd
sanforiseren *26,106*
sanforiseerde, gesanforiseerd
San Francisco *6,53*
sangfroid het *3*
Sangho *55*
sangria de (...'s) *3,42*
sanguine de (...s) *3,43,91*
sanguinisch *3,37*
sanhedrin het *20,54*
sanitair het *3*
San José *6,53*
San Juan *6,53*
Sankt Vith *6,53*
San Marino *6,53*
San Marinees, San Marinese

sannie de (...s) *9,43*
sannyasin de (...s) *14,21*
San Salvador *6,53*
sans atout *63*
sansculotte de (...n, ...s) *22,43,57,91*
San Sebastian *6,53*
sanseveria de (...'s) *ook* **sansevieria** (...'s) *19,42,115*
sans gêne *63*
Sanskriet *55*
sanskritist de (...en) *54*
sans rancune *63*
santé *29*
santenkraam de *97*
Santiago *6,53*
Santiagoër, Santiagoos, Santiagose
Santiago de Compostella *6,53*
Santo Domingo *6,53*
saoediseren *11,54,106*
saoediseerde, gesaoediseerd
Sao Tomé *ook* **São Tomé** *6,53*
Sao Tomé en Principe *ook* **São Tomé en Principe** *6,53*
Santomees, Santomese
sapfisch *ook* **saffisch** *54,115*
sappelen *106*
sappelde, gesappeld
sapperdekriek *62*
sapperen *106*
sappeerde, gesappeerd
sappeur de (...s) *14,43*
sapristi *14*
saprobiesysteem het (...temen) *14,64*
saprofyt de (...en) *9*
saprozoën de (alleen mv.) *26,37*
sarabande de (...s) *91*
Sarajevo *6,53*
Saramakaans *55*
sarangi de (...'s) *3,42*
sarcasme het (...n) *22,89*
sarcastisch *22,113*
sarcastischer, meest sarcastisch
sarcofaag de (...fagen) *19,22*
sarcoom het (...comen) *22*
sardien de (...en; sardientje) *ook* **sardine** *112,115*
sardienenblikje *88*
Sardinië *6,53*
Sard, Sardijn, Sardiniër, Sardisch(e), Sardinisch(e)
sardonisch *113*
sardonischer, meest sardonisch
sardonyx [stofnaam] het *9,23*
sari de (...'s) *9,42*
sarong de (...s) *3*
sarren *106*
sarde, gesard
sassafras de (...frassen) *14*
sassafrasolie *64*
sassen *106*
saste, gesast
Sas van Gent *6,53*
satan de (...s) *54*
satanisch *54,113*
saté de (...s; sateetje) *29,43,112*
saté...: satéstokje, enz. *64,76*
satelliet de (...en) *14*
satemtaal de (...talen) *25,64*
sater de (...s) *ook* **satyr** *1,115*
saterspel *64*
satijn het *13*
satijn...: satijnverf, satijnzacht, enz. *64*
satijnen *13,114*
satineren *106*
satineerde, gesatineerd
satinet de/het (...netten) *9,14*
satire de (...n, ...s) *9,43*
satire...: satiredichter, enz. *76,91*
satiricus de (...rici) *9,22,25*
satiriek *9*
satisfactie de (...s) *23,43*
satraap de (...trapen) *14*
satrapie de (...pieën) *40*
satureren *106*
satureerde, gesatureerd
saturnaliën de (alleen mv.) *40,54*
saturniet het *9*
satyr de (...s) *ook* **sater** *9,115*

satyriasis de *9,26*
saucijs de (...cijzen) *13,25,26*
saucijzenbroodje *88*
saucisse de (...n) *3,25,89*
Saudi-Arabië *6,53*
Saudi-Arabisch(e), Saudiër, Saudi, Saudisch(e) *37*
sauf-conduit het (...s) *10,43,63*
saumon *3,10*
sauna de (...'s) 42
sauna...: saunahuis, sauna-inrichting, enz. *64,76*
sauriër de (...s) *12,37*
saurus de (...russen) *12*
saus de (...en, sauzen) *26*
sausen *ook* **sauzen** *26,106,115*
sauste, gesaust
Saussure, Ferdinand de *6*
sauteren *10,106*
sauteerde, gesauteerd
sautoir het (...s) *3,10*
sauvegarde de (...s) *3,10,43*
sauveren *10,19,106*
sauveerde, gesauveerd
sauzen *ook* **sausen** *26,106,115*
sausde, gesausd
savanne de (...n, ...s) *43*
savanne...: savannebos, enz. *76,91*
savante de (...s) *43,91*
save [redding] de (...s) *8,19,43*
saven *8,19,106*
savede, gesaved
savoir-faire het *63*
savoir-vivre het *63*
Savonarola, Girolamo *6*
's avonds *48*
savonet de (...netten) *19*
savonethorloge *64*
savooi de (...en) *10,21*
savooikool *64*
savooienkool *88*
savoureren *11,106*
savoureerde, gesavoureerd
sawa de (...'s) 42
sawabouw *64*

sax de (...en) *23*
saxhoorn *64*
saxofonist de (...en) *23*
saxofoon de (...fonen, ...s) *23*
Sb [stibium] *100*
Sc [scandium] *100*
sc. [scilicet, sculpsit] *100*
scabiës de *22,37*
scabieus *22,26*
scabieuze
scabreus *22,26*
scabreuze
scafander de (...s) *19,22*
scala de/het (...'s) *22,42*
scalp de (...en) *22*
scalpeermes het (...messen) *22,64*
scalpel het (...s) *22*
scalperen *22,106*
scalpeerde, gescalpeerd
scampi *ook* **scampi's** *9,22*
scan de (...s) *3,22*
scandaleus *ook* **schandaleus** *22,26,115*
scandaleuze
scanderen *22,106*
scandeerde, gescandeerd
Scandinavië *6,53*
Scandinaviër, Scandinavisch(e)
scandium (Sc) het *22*
scannen *3,22,106*
scande, gescand
scanner de (...s) *3,22*
scanning de *3,22*
scapulier de/het (...en, ...s) *ook* **schapulier** *22,115*
scarabee de (...beeën) *22,38*
scaramouche de (...s) *11,22,27*
scarlatina de *22*
Scarlatti, Alessandro *6*
scatologie de *22*
scenario het (...'s) *25,42*
scenario...: scenarioschrijver, enz. *64,76*
scenarist de (...en) *25*
scene [uitspr.: sien] de (...s) *3,9,25*
scène [uitspr.: sène] de (...s) *25,30,43*
scène...: scènefoto, enz. *76,91*

scenisch *25*
scenograaf de (...grafen) *19,25*
scenografie de *19,25*
scepsis de *22,25*
scepter de (...s) *22,25*
scepticisme het *22,25*
scepticus de (...tici) *22,25*
sceptisch *22,25*
scha de *ook* **schade** *115*
schaakspelen *69,106*
speelde schaak, schaakgespeeld
schaap het (schapen)
schaapherder, schaapkameel, schaapscheerder *64*
schapegras, schapezuring *96*
schapen...: schapenvacht, enz. *88*
schaaps...: schaapskleren, schaapsstal, enz. *98,99*
schaar [knipwerktuig] de (scharen)
scharen...: scharensliep, scharenslijper, enz. *88*
schaar [menigte] de (scharen) *ook* **schare** *115*
schaard de (...en) *ook* **schaarde** (...n) *18,115*
schaarden *106*
schaardde, geschaard
schaatsen *106*
schaatste, geschaatst
schaatsenrijden *ook* **schaatsrijden** *69,107,115*
schaatsster de (...s) *4*
schab de (schabben) *17*
schabel de (schabellen; schabelletje) *2,112*
schade de (...n, ...s) *ook* **scha** *115*
schade...: schade-expert, schadefonds, schadeplichtig, schade-uitkering, enz. *76,91*
schadeloosstellen *69,106*
stelde schadeloos, schadeloosgesteld
schaden *106*
schaadde, geschaad
schaduw de (...en) *2*
schaduwboksen *69,107*
schaduwen *106*
schaduwde, geschaduwd
Schaepman, Herman *6*
Schaesberg *6,53*
schaffen *106*
schafte, geschaft
schaften *106*
schaftte, geschaft
Schaijk *6,53*
schakelen *106*
schakelde, geschakeld
schaken *106*
schaakte, geschaakt
schakeren *106*
schakeerde, geschakeerd
schalen *106*
schaalde, geschaald
schalie de (...liën, ...s) *40,43*
schallebijter de (...s) *ook* **scharrebijter** *97,115*
schallen *106*
schalde, geschald
schalmei de (...en) *13*
schalmen *106*
schalmde, geschalmd
schamen *106*
schaamde, geschaamd
schampen *106*
schampte, geschampt
schamperen *106*
schamperde, geschamperd
schandaal het (...dalen)
schandaal...: schandaalblad, enz. *64*
schandaleus *ook* **scandaleus** *26,115*
schandaleuze
schandaliseren *26,106*
schandaliseerde, geschandaliseerd
schanddaad de (...daden) *4,64*
schandmerken *69,106*
schandmerkte, geschandmerkt
schandvlekken *69,106*
schandvlekte, geschandvlekt
schans de (...en) *26*
schansspringen *69,107*
schape(n)... zie **schaap**

schapershond de (...en) *ook* **schepershond** *98,115*
schappelijk *87*
schapraai de (...en) *14*
schapulier de/het (...en) *ook* **scapulier** *14,115*
schare de (...n) *ook* **schaar** *89,115*
scharen *106*
schaarde, geschaard
scharen... zie **schaar**
scharlaken het 2
scharlaken...: scharlakenrood, scharlakenkoorts, enz. *64*
scharlei de *ook* **scherlei** *13,115*
scharminkel de/het (...s) 2
scharnieren *106*
scharnierde, gescharnierd
scharrebier het *97*
scharrebijter de (...s) *ook* **schallebijter** *97,115*
scharrelbenen *69,106*
scharrelbeende, gescharrelbeend
scharrelen *106*
scharrelde, gescharreld
scharretong de (...en) *97*
schateren *106*
schaterde, geschaterd
schaterlachen *69,106*
schaterlachte, geschaterlacht
schatgraven *69,107*
schattebout de (...en) *18,97*
schatten *106*
schatte, geschat
schavelen *ook* **schavielen** *106,115*
schaveelde, geschaveeld
schaven *19,106*
schaafde, geschaafd
schavielen *ook* **schavelen** *106,115*
schavielde, geschavield
schavot het (...votten) *19*
schavuit de (...en) *19*
schavuitenstreek *88*
schede de (...n, ...s) *43*
schede...: schedeontsteking, enz. *76,91*
schedel de (...s; ...tje) 2
schedelbasisfractuur de (...turen) *68*
schedellichten *69,107*
scheef... *69,106*
scheefgroeien: groeide scheef, scheefgegroeid; enz.
scheefte de *1,90*
scheelogen *69,106*
scheeloogde, gescheeloogd
scheelzien *69*
zag scheel, scheelgezien
Scheemda *6,53*
scheep... *64*
scheepmaker, scheepvaart, scheepvorming, enz.
scheeps... *98,99*
scheepsbouw, scheepsjournaal, scheepszender, enz.
scheet de (scheten) 2
scheg de (scheggen) *ook* **schegge** (...n)
schegbeeld *64*
scheggenbeeld *88*
schei de (...en) *13*
schei...: scheikaas, enz. *64,76*
scheidbaar *4,13,18*
scheiden *13,106*
scheidde, gescheiden
scheids... *13,18*
scheidslijn, scheidswand, enz.
scheidsrechter de (...s) *13,18*
scheidsrechters...: scheidsrechtersbal, scheidsrechtersstoel, enz. *98,99*
scheidsrechteren *106*
scheidsrechterde, gescheidsrechterd
scheikunde de *4,13*
scheikunde...: scheikundeleraar, enz. *76,90*
scheil het (...en) *13*
scheilijn de (...en) *13,64*
scheisloot de (...sloten) *13,64*
scheiwater het *13,64*
schel de (schellen; schelletje) *112*
schellenboom *88*

scheld... *18,64*
scheldkanonnade, scheldnaam, scheldwoord, enz.
Schelde-Rijnverbinding de *6,53*
schelen *106*
scheelde, gescheeld
schellak de/het *4,64*
schellen *106*
schelde, gescheld
schelm de (...en)
schelmenroman, schelmenstreek *88*
schelp de (...en)
schelp...: schelpdier, enz. *64*
schelpen...: schelpenverzameling, enz. *88*
scheluw 2
schelvis de (...vissen)
schelvis...: schelvispekel, enz. *64*
schema het (...'s, schemata; schemaatje) *42,112*
schematiseren *26,106*
schematiseerde, geschematiseerd
schemeren *106*
schemerde, geschemerd
schenkel de (...s) *ook* **schinkel** *115*
schennis de (...nissen) *1,15*
schepel de/het (...s) 2
schepen *106*
scheepte, gescheept
schepen... zie **schip**
schepershond de (...en) *ook* **schapershond** *98,115*
scheppen [in het leven roepen]
schiep, geschapen
scheppen [andere betekenissen] *106*
schepte, geschept
scheren [rakelings langs iets bewegen] *106*
scheerde, gescheerd
scheren [van haar ontdoen] *106*
schoor, geschoren
scheren [spannen, ordenen] *106*
scheerde/schoor, gescheerd/geschoren
scherf de (scherven) *19*
scherf...: scherfbom, scherfvrij, enz. *64*
scherven...: schervenlaag, enz. *88*
scherlei de *ook* **scharlei** *13,115*
schermen *106*
schermde, geschermd
schermutselen *106*
schermutselde, geschermutseld
scherpen *106*
scherpte, gescherpt
Scherpenheuvel-Zichem *6,53*
scherpte de (...n, ...s)
scherpte...: scherptediepte, scherpteregelaar, enz. *76,91*
schertsen *106*
schertste, geschertst
scherven *19,106*
scherfde, gescherfd
scherven... zie **scherf**
scherzando *3*
scherzo het (...'s) *3,42*
schetsen *106*
schetste, geschetst
schetteren *106*
schetterde, geschetterd
scheuken *106*
scheukte, gescheukt
scheurbuik de/het *64*
scheuren *106*
scheurde, gescheurd
schibbolet het (...s) *ook* **sjibbolet** *14,115*
schicht de (...en) 2
schichtig 2
schiedammertje [borreltje] het (...s) *54*
schiefer de *2,9,19*
schielijk 2
schiemanswerk het *98*
Schiermonnikoog *6,53*
schiften *106*
schiftte, geschift
schijf de (schijven) *13,19*
schijf...: schijfvormig, schijffrees, enz. 64
schijven...: schijventarief, enz. *88*

schijfschieten *69,107*
schijn de *13*
schijn...: schijngevecht, schijnheilig, enz. *64*
schijnen *13*
scheen, geschenen
schijnsel het (...s) *13*
schijt de/het *13*
schijtebang *93*
schijtebroek de (...en) *93*
schijten *13*
scheet, gescheten
schijterd de (...s) *13,18*
schijveling de (...en) *13,19*
schijven... zie **schijf**
schikkelijk *87*
schikken *106*
schikte, geschikt
schil de (schillen)
schillen...: schillenboer, enz. *88*
schild het (...en) *18*
schild...: schilddak, schildklier, enz. *64*
schilder de (...s)
schilder...: schildergerei, enz. *64*
schilders...: schildersatelier, enz. *98*
schilderen *106*
schilderde, geschilderd
schilderij de/het (...en) *13*
schilderijlijst *64*
schilderijen...: schilderijencollectie, enz. *88*
schildpadsoep de *64*
schilfer de (...s) *19*
schilferen *19,106*
schilferde, geschilferd
schillen *106*
schilde, geschild
schilling (S, ATS) [muntsoort] de (...en) *9,27*
schim de (schimmen)
schimmen...: schimmenrijk, enz. *88*
schimmelen *106*
schimmelde, geschimmeld
Schimmelpenninck, Rutger Jan *6*
schimpen *106*
schimpte, geschimpt
schinkel de (...s) *ook* **schenkel** *115*
Schin-op-Geul *6,53*
schip de (schepen; scheepje)
schip...: schipbreukeling, schipbrug, enz. *64*
schepen...: schepenrecht, enz. *88*
Schipluiden *6,53*
schipper de (...s)
schippers...: schippersschool, schipperstrui, enz. *98,99*
schipperen *106*
schipperde, geschipperd
schisma het (...'s, ...mata) *42*
schismaticus de (...tici) *22,25*
schismatiek *9*
schistosomiasis de *1,26*
schitteren *106*
schitterde, geschitterd
schizo de (...'s) *3,42*
schizofrenie de *3*
schizogenesis de (...geneses) *1,3*
schizoïde *3,37*
schizothym *3,9,20*
schlager de (...s) *3,27*
schlamm de *27*
schlemiel de (...en) *27*
schluss *3,25,27*
Schmidt, Annie M. G. *6*
schmieren *3,27,106*
schmierde, geschmierd
schmink de *3,9,27*
schminken *3,9,27,106*
schminkte, geschminkt
schnabbel de (...s) *27*
schnabbelen *27,106*
schnabbelde, geschnabbeld
schnaps de *3,27*
schnitte de (...n) *3,9,27,89*
schnitzel de (...s) *3,9,26,27*
schobbejak de (...jakken) *93*
schobben *106*
schobde, geschobd
schobberdebonk *14,73*

schoeien *106*
schoeide, geschoeid
schoeiing de (...en) *4,38*
schoen de (...en)
schoen...: schoengesp, enz. *64*
schoenen...: schoenenwinkel, enz. *88*
Schoenaerts, Julien *6*
schoenlappen *69,107*
schoenmaken *69,107*
schoenpoetsen *69,107*
schoep de (...en)
schoepenrad, schoepenwiel *88*
schoepen *106*
schoepte, geschoept
schoffelen *106*
schoffelde, geschoffeld
schofferen *106*
schoffeerde, geschoffeerd
schoffie het (...s) *9,43*
schoft de (...en)
schoft...: schofthoogte, enz. *64*
schoften...: schoftenstreek, enz. *88*
schoften *106*
schoftte, geschoft
schokken *106*
schokte, geschokt
schokschouderen *69,106*
schokschouderde, geschokschouderd
schoksgewijs *98*
schola cantorum *63*
scholarisatie de *26*
scholasticus de (...tici) *22,25*
scholastiek *9*
scholastisch *14*
scholen *106*
schoolde, geschoold
scholen... zie **school**
scholiën de (alleen mv.) *37*
scholier de (...en)
scholieren...: scholierenopstand, enz. *88*
schollevaar de (...s) *97*
schommelen *106*
schommelde, geschommeld
schompes het *1*
Schönberg, Arnold *6*
schonegrondverklaring de (...en) *68*
schonen *106*
schoonde, geschoond
Schönfeld, Moritz *6*
schoof de (schoven) *19*
schoven...: schovenbinder, enz. *88*
schooien *106*
schooide, geschooid
schooieren *106*
schooierde, geschooierd
school de (scholen)
school...: schoolboek, enz. *64*
scholen...: scholengemeenschap, enz. *88*
school-... *55*
school-Engels, enz.
schoolbegeleidingsdienst de (...en) *68,98*
schoolblijven *19,69*
bleef school, schoolgebleven
schoolgaan *69*
ging school, schoolgegaan
schoolhouden *69*
hield school, schoolgehouden
schoolmeesteren *69,106*
schoolmeesterde, geschoolmeesterd
schoolrijden *69,107*
schoolzwemmen *69,107*
schoonbijten *69*
beet schoon, schoongebeten
schoonbranden *69,106*
brandde schoon, schoongebrand
Schoonebeek *6,53*
schoonhouden *69*
hield schoon, schoongehouden
schoonmaken *69,106*
maakte schoon, schoongemaakt
schoonpoetsen *69,106*
poetste schoon, schoongepoetst
schoonrijden *69,107*
schoonschrijven *69,107*
schoonspoelen *69,106*
spoelde schoon, schoongespoeld

schoonspringen *69,107*
schoonvegen *69,106*
veegde schoon, schoongeveegd
schoonwassen *69,106*
waste schoon, schoongewassen
schoonzwemmen *69,107*
Schoorl *6,53*
schoorsteenvegen *69,107*
schoot de (schoten)
schoot...: schoothondje, enz. *64*
schootgaan *69*
ging schoot, schootgegaan
schoots... zie **schot**
Schopenhauer, Arthur *6*
schoppen (alleen mv.)
schoppen...: schoppenaas, enz. *64*
schoppen *106*
schopte, geschopt
schor de (schorren) *ook* **schorre** *115*
schorem het (alleen mv.) *1*
schoremer de (...s) *ook* **schoremerd** (...s) *1,115*
schoren *106*
schoorde, geschoord
schorpioen de (...en) *11,21*
Schorpioen de (...en) *53*
schorre de (...n) *ook* **schor** (schorren) *89,115*
schorremorrie het *ook* **schorriemorrie** *9,14,115*
schorsen *106*
schorste, geschorst
schorseneer de (...neren) *ook* **schorseneel** (...nelen) *115*
schort de/het (...en)
schortenband *88*
schorten *106*
schortte, geschort
schot het (...en)
schot...: schotwond(e), enz. *64*
schotenwisseling *88*
schoots...: schootsafstand, enz. *98*
schotjesgeest de *98*
schotsbont *54,65*
Schots-Gaelisch *55*
schouder de (...s) *12*
schouderen *12,106*
schouderde, geschouderd
schouderophalen *69,107*
schout de (...en) *12*
schout-bij-nacht de (...s, schouten-bij-nacht) *81*
schouw de (...en) *12,28*
schouwburg de (...en) *12*
schouwen *12,28,106*
schouwde, geschouwd
Schouwen-Duiveland *6,53*
schoven *19,106*
schoofde, geschoofd
schr. [schrijver, schrijfster] *100*
schrab de (schrabben) *17*
schrabben *17,106*
schrabde, geschrabd
schrabsel het (...s) *17*
schrafferen *14,106*
schraffeerde, geschraffeerd
schragen *106*
schraagde, geschraagd
schram de (schrammen; schrammetje) *112*
schrammen *106*
schramde, geschramd
schranken *106*
schrankte, geschrankt
schransen *ook* **schranzen** *26,106,115*
schranste, geschranst
schranser de (...s) *ook* **schranzer** *26,115*
schrapen *106*
schraapte, geschraapt
schrapnel de (...s) *ook* **shrapnel** *54,115*
schrappen *106*
schrapte, geschrapt
schrede de (...n; schreetje) *112*
schredenteller *89*
schreeuw de (...en) *2*
schreeuw...: schreeuwlelijk, schreeuwpartij, enz. *64*
schreeuwen *2,106*
schreeuwde, geschreeuwd

schreien *13,106*
schreide, geschreid
schrift het (...en)
schriftelijk *87*
schrift...: schriftvervalser, enz. *64*
Schrift [bijbel] de *59*
schrijden *13,106*
schreed, geschreden
schrijfgerei het *13,64*
schrijfmachine de (...s) *13,64*
schrijfmachine...:
schrijfmachinelint, enz. *76,91*
schrijlings *13*
schrijn de/het (...en) *13*
schrijnwerk *64*
schrijnen *13,106*
schrijnde, geschrijnd
schrijvelaar de (...s) *13,19*
schrijven *13,19*
schreef, geschreven
schrijver de (...s)
schrijvers...: schrijverscollectief, enz. *98*
schrikkelijk 2
schrobben *17,106*
schrobde, geschrobd
schrobnet het (...netten) *17*
schrobvisserij de *17*
schrobzaag de (...zagen) *17*
schroef de (schroeven) *19*
schroef...: schroefsleutel, schroefvormig, enz. *64*
schroeven...: schroevendraaier, enz. *88*
schroeien *106*
schroeide, geschroeid
schroei-ijzer het (...s) (GB: schroeiijzer) *76*
schroeven *19,106*
schroefde, geschroefd
schroeven... zie **schroef**
schrokken *106*
schrokte, geschrokt
schrokop de (...oppen) *85*
schromen *106*
schroomde, geschroomd
schrompelen *106*
schrompelde, geschrompeld
schrootjeswand de (...en) *98*
schroten *106*
schrootte, geschroot
schub de (schubben) *ook* **schubbe** (...n) *17,115*
schub...: schubhuid, schubvormig, enz. *64*
schubsgewijs, schubsgewijze *98*
schubben *17,106*
schubde. geschubd
Schubert, Franz 6
schuchter 2
schuddebollen *93,106*
schuddebolde, geschuddebold
schuddebuiken *93,106*
schuddebuikte, geschuddebuikt
schudden *106*
schudde, geschud
schuieren *106*
schuierde, geschuierd
schuifelen *106*
schuifelde, geschuifeld
schuilen *107*
schuilde/school, geschuild/gescholen
schuilevinkje spelen *62,93*
schuilgaan *69*
ging schuil, schuilgegaan
schuilhouden *69*
hield schuil, schuilgehouden
schuimbekken *69,106*
schuimbekte, geschuimbekt
schuimen *106*
schuimde, geschuimd
schuin... *64*
schuingedrukt, schuinschrift, schuinstaand, enz.
schuinen *106*
schuinde, geschuind
schuinogen *69,106*
schuinoogde, geschuinoogd
schuinsmarcheerder de (...s) *98*
schuitjevaren *69,107*

schuiven *19*
schoof, geschoven
schuld de (...en)
schuldeloos *87*
schuld...: schuldbewust, schuldgevoel, enz. *64*
schulden...: schuldenlast, enz. *88*
schulpen *106*
schulpte, geschulpt
Schumann, Robert *6*
schuren *106*
schuurde, geschuurd
schurft de/het *18*
schurk de (...en)
schurkenstreek *88*
schurken *106*
schurkte, geschurkt
schut het (schutten)
schut...: schutdeur, enz. *64*
schuts...: schutspatroon, enz. *98*
schutjassen *106*
schutjaste, geschutjast
schutten *106*
schutte, geschut
schutter de (...s)
schutters...: schuttersgilde, schuttersstuk, enz. *98,99*
schutteren *106*
schutterde, geschutterd
schutting de (...en; schuttinkje) *112*
schuw *2*
schuwen *106*
schuwde, geschuwd
Schwarzkopf, Elisabeth *6*
Schweitzer, Albert *6*
schwung de *3,11,27*
Schwyzerdütsch *55*
Schygulla, Hanna *6*
sciencefiction (SF) de *67*
sciencefiction...: sciencefictionfilm, enz. *84*
sciencepark het (...en, ...s) *67*
sciëntisme het *25,37,90*
scientology de *3,9,57*
scientologychurch *67*
scilicet (sc.) *9,25*
scintillatie de (...s) *9,14*
scintillatieteller *64,76*
scintilleren *25,106*
scintilleerde, gescintilleerd
sciopticon de (...s) *22,25*
Scipio Africanus *6*
sclerose de *22,26,90*
scoliose de *22,26,90*
sconto het (...'s) *ook* **disconto** *22,42,115*
scontreren *22,106*
scontreerde, gescontreerd
scontro het (...'s) *22,42*
scontrovorm *64*
scoop [uitspr.: skoep] de (...s) *11,22*
scooter de (...s) *11,22*
scope [uitspr.: skoop] de (...s) *22,43*
scopolamine de *22,90*
scorbuut de/het *22*
score de (...s) *22*
score...: scorebord, enz. *76,91*
scoren *22,105,106*
scoorde, gescoord
scorings... *22,98*
scoringskans, scoringsmogelijkheid, enz.
scotch de *22,27,54*
Scott, Walter *6*
scout de (...s) *22*
scouting de *22*
SCP [Sociaal Cultureel Planbureau] het *104*
scr. [scripsit] *100*
scrabbelen *3,22,106*
scrabbelde, gescrabbeld
scrabble het *3,22,54*
scrabble...: scrabblecompetitie, scrabblespel, enz. *66*
scrambler de (...s) *3,22*
scratchen *3,22,106*
scratchte, gescratcht
screenen *9,22,106*
screende, gescreend
screentest de (...en) *22,67*

screwdriver de (...s) *22,67*
scriba de (...'s) *22,42*
scribent de (...en) *22*
scrimmage de (...s) *22,27*
scrip de (...s) *22*
script de/het (...s) *22*
scriptgirl *67*
scriptie de (...s) *22,43*
scriptie...: scriptiebegeleider, enz. *64,76*
scriptorium het (...ria, ...s) *22*
scrofuleus *22,26*
scrofuleuze
scrofulose de *22,26*
scrollen *22,106*
scrolde, gescrold
scrotum het (...s) *1,22*
scrum de (...s) *22*
scrum-half de (...s) *22,67*
scrupel het (...s) *22*
scrupule de (...s) *22,91*
scrupuleus *22,26*
scrupuleuze
scrupulositeit de *22,26*
scrutinium het (...nia, ...s) *22*
scud de (...s) *3,18*
scudraket *66*
scull de (...s) *22*
sculler de (...s) *22*
sculpsit (sc.) *22*
sculpteur de (...s) *22*
sculpturaal *22*
sculptuur de (...turen) *22*
Scylla en Charybdis *6*
Scythen de (alleen mv.) *53*
Se [selenium] *100*
sealen *9,106*
sealde, geseald
sealskin het *67*
seance de (...s) *25,29,91*
Sebastopol *6,53*
sec [wijn] de *22*
sec. [seconde, secans] *100*
secans (sec.) de (...en, ...canten) *22*
secco *14,22*
secessie de (...s) *25,43*
seclusie de (...s) *22,43*
secondair *ook* **secundair** *3,22,115*
secondant de (...en) *22*
seconde (sec.) de (...n, ...s) *22,43*
seconde...: secondelang, secondewijzer, enz. *76,91*
seconderen *22,106*
secondeerde, gesecondeerd
secreet [afgescheiden stof] het (...creten) *22*
secreta de (...'s) *22,42*
secretaire de (...s; secretair(e)tje) *3,22,91*
secretaresse de (...n, ...s; ...resje) *22,43,112*
secretaresse...: secretaressecongres, enz. *76,91*
secretariaat het (...aten) *22*
secretariaats...: secretariaatsmedewerker, enz. *98*
secretarie de (...rieën) *22,40*
secretarieel *22,37,38*
secretariële
secretaris de (...rissen) *22*
secretarisvogel *64*
secretaris-generaal de (secretarissen-generaal) *22,79*
secretaris-penningmeester de (secretarissen-penningmeesters) *22,80*
secretie de (...s) *22,43*
sectair *3,22*
sectie de (...tiën, ...s) *23,40,43*
sectie...: sectiebestuur, enz. *64,76*
sectio de (...'s) *22,42*
sector de (...en, ...s) *22*
sectoraal *22*
seculair *3,22*
secularisatie de (...tiën, ...s) *22,40,43*
seculariseren *22,26,106*
seculariseerde, geseculariseerd
seculier de (...en) *22*
secunda de (...'s) *22,42*
secundair *ook* **secondair** *3,22,115*

secundo *22*
secundus de (...cundi) *22*
securiteit de *22*
secuur *22,113*
secuurder, secuurst
sedan de (...s) *3*
sedatief *19*
sedatieve
sedatief het (...tieven) *19*
sedativum het (...tiva) *1,19*
sedecimo het (...'s) *25,42*
sedentair *3*
sederen *25,106*
sedeerde, gesedeerd
sedert *18*
sedertdien *4,18*
sedes de *1*
sediment het (...en) *9*
sedimentgesteente *64*
sedimentair *3,9*
sedimentologie de *9*
seductie de (...s) *23*
seduisant *3*
Seeland [Denemarken] *6,53*
seersucker de/het *3*
sefarden de (alleen mv.) *ook* **sefardim** *19,53,115*
sefardisch *53*
seffens *1*
segment het (...en) *2*
segmenteren *2,106*
segmenteerde, gesegmenteerd
segno het *3*
segregeren *106*
segregeerde, gesegregeerd
segrijn het *13*
segrijnen *13,114*
seicento het *3*
seider de (...s) *13*
seider...: seideravond, enz. *64*
seigneur de (...s) *3*
sein het (...en) *13*
Seine *6,53*
seinen *13,106*
seinde, geseind
seismisch *13*
seismograaf de (...grafen) *13,19*
seismogram het (...grammen) *13*
seismologie de *13*
seismometer de (...s) *13,64*
seismonastie de *13*
seitan de *13*
seizen *13,26,106*
seisde, geseisd
seizoen het (...en) *13,25*
seizoen...: seizoenarbeid, seizoengebonden, enz. *64*
seizoens...: seizoensinvloed, seizoenskaart, enz. *98*
séjour het (...s) *11,27,29*
sekreet [mispunt] het (...kreten) *22*
seks de *23*
seks...: seksmaniak, enz. *64*
sekse de (...n, ...s) *23*
sekse...: seksegenoot, sekseneutraal, enz. *76,91*
seksen *23,106*
sekste, gesekst
seksisme het (...n, ...s) *23,91*
seksualiseren *23,26,106*
seksualiseerde, geseksualiseerd
seksualisme het *23,90*
seksualiteit de *23*
seksueel *23,37,38*
seksuele
seksuologie de *23*
sekt de (...en) *22*
sektariër de (...s) *22,37*
sekte de (...n, ...s) *22*
sekte...: sekteleider, enz. *76,91*
sekwester de (...s) *24*
sekwestreren *24,106*
sekwestreerde, gesekwestreerd
sela de/het (...'s) *42*
selderie de *ook* **selderij** *115*
selderie...: selderiesalade, enz. *64,76*
select *22*
selecteren *22,106*
selecteerde, geselecteerd

selectie de (...s) *23,43*
selectie...: selectieprocedure, enz. *64,76*
selectief *19,22*
selectieve
selectiviteit de *19,22*
selenaat het (...naten) *14*
selenaut de (...en) *12,14*
seleniet het (...en) *9,14*
selenium (Se) het *14*
self-fulfilling prophecy *67*
selfgovernment het *67*
selfmade *67*
selfservice de *67*
selfsupporting *67*
selterswater het *54,65*
selva de (...'s) *42*
semafoon de (...s) *14,19*
semafoor de (...foren) *14,19*
semanticus de (...tici) *22,25*
semasiologie de *27*
semestrieel *37,38*
semestriële
semi-... *9,77*
semi-arts, semi-automatisch, semi-bungalow, semi-officieel, enz.
Semiet de (...en) *53*
semilor het *ook* **similor** *115*
seminar het (...s) *ook* **seminaar** (...s) *115*
semioticus de (...tici) *22,25*
Semitisch [taal] *55*
semitistiek de *9*
semper idem *63*
Semprún, Jorge *6*
semtex het *23,54*
senaat de (...naten)
senaats...: senaatsvergadering, senaatszetel, enz. *98,99*
Senaat [in Vlaanderen] de *52*
senang *3*
senator de (...en, ...s) *1,14,60*
seneblad het (...en; ...blaadje) *97,112*
Seneffe *6,53*
Senegal *6,53*
Senegalees, Senegalese
Senghor, Léopold Sédar *6*
seniel *9*
seniele
seniliteit de *9*
senior (Sr.) de (...en, ...ores)
senior...: seniorlid *64,77*
senioren...: seniorenregeling, enz. *88*
seniorie de (...rieën, ...s) *40,43*
sennhut de (...hutten) *3,14*
señor de (...ñores) *3,21*
señora de (...'s) *3,21,42*
señorita de (...'s) *3,21,42*
sensatie de (...s) *43*
sensatie...: sensatiebelust, sensatiekrant, enz. *64,76*
sensibel *26*
sensibilisatie de *26*
sensibiliseren *26,106*
sensibiliseerde, gesensibiliseerd
sensitief *19*
sensitieve
sensitivisme het *19,90*
sensitiviteit de *19*
sensitiviteitstraining *98*
sensitivitytraining de (...en) (GB: sensitivity-training) *67*
sensitometrie de *9,26*
sensomotorisch *26*
sensor de (...en, ...s) *26*
sensorieel *26,37,38*
sensoriële
sensualisme het *26,90*
sensualiteit de (...en) *26*
sensueel *26,37,38*
sensuele
sent [lijst, snijvlak] de (...en) *25*
sententie de (...tiën, ...s) *40,43*
sententieus *26*
sententieuze
sentiment het (...en) *9*
sentimentalisme het *9,90*
sentimentaliteit de (...en) *9*
sentimenteel *9*
Seoel *ook* **Seoul** *6,53*
separaat *14*

separatie de (...s) *14,43*
separatisme het *14,90*
separator de (...en, ...s) *14*
separeren *14,106*
separeerde, gesepareerd
sepia de
sepia...: sepiazwart, enz. *64*
seponeren *106*
seponeerde, geseponeerd
sepositie de (...s) *43*
sepot het (...s; sepootje) *10,112*
sepsis de *25*
sept. [september] *100*
september [sept.] de (...s) *56*
september...: septembernummer, enz. *64*
septennaal *14*
septet het (...tetten) *18*
septic tank de (...s) *67*
septime de (...s) *ook* **septiem** (...en) *9,43,115*
septimeakkoord *91*
septimo *9*
Septuagesima de (...'s) *42,56*
Septuagint de *ook* **Septuaginta** *59,115*
sepulcraal *22*
sepulcrum het (...cra, ...s) *22*
sequeel het (...quelen) *24*
sequens de (...en) *24*
sequentie de (...s) *24,43*
sequentieel *24,37,38*
sequentiële
sequoia de (...'s) *24,42*
SER [Sociaal-Economische Raad] de *103*
serafijn de (...en) *ook* **seraf** (...s) *13,14,115*
serafine de (...s; ...fientje) *14,112*
serafineorgel *76,91*
serail het (...s) *21*
sereen *14*
sereh de *20*
serenade de (...s) *14,91*
serendipisme het *9,90*
serendipiteit de *9*
serendipiteus *9,26*
serendipiteuze
sereniteit de *9*
serge de (...s) *27,43,91*
sergeant de (...en, ...s) *27*
sergeants...: sergeantsrang, sergeantsstrepen, enz. *98,99*
sergeant-majoor de (...s) *27,79*
sergen *27,114*
serie de (...riën, ...s) *40,43*
serie...: seriemoordenaar, enz. *64,76*
serieel *37,38*
seriële
serieus *26,38*
serieuze
sérieux, au – *29,63*
serigrafie de *9*
sering de (...en) *14*
sermoen het (...en) *11*
seroen de (...en) *11,14*
seroendeng de *11,14*
seropositief *19*
seropositieve
seropositiviteit de *19*
serotonine het *9,90*
serpentijn de/het *13*
serpentine de (...s) *9,43,91*
serre de (...s) *3,43,91*
serreren *14,106*
serreerde, geserreerd
serum het (sera, ...s) *1*
SERV [Sociaal-Economische Raad voor Vlaanderen] de *104*
Servaes, Albert *6*
serval de (...s) *19*
serve de (...s) *3,43*
serven *3,105,106*
servede, geserved
server de (...s) *3*
serveren *106*
serveerde, geserveerd
servet het (...vetten) *19*
serveuse de (...s) *43,91*

service de (...s) *3,43*
service...: serviceafdeling, servicebreak, serviceflat, enz. *66,67,76*
service-volleyspel het (GB: servicevolleyspel) *84*
Servië *6,53,55*
Serviër, Servisch(e)
serviel *9*
servies het (...viezen) *26*
serviliteit de (...en) *9*
servituut het (...tuten) *9*
servobesturing de (...en) *19,64*
Servo-Kroatisch *55*
servomechanisme het (...n) *19,64*
servomotor de (...en, ...s) *19,64*
Servranckx, Victor *6*
sesam de *26*
sesam...: sesamzaad, enz. *64*
sessie de (...s) *43*
sessie...: sessiemuzikant, enz. *64,76*
sessiel *9,14*
sessiele
sestertie de (...tiën, ...s) *40,43*
setpoint het (...s) *67*
settecento de *3*
settelen *106*
settelde, gesetteld
setter de (...s) *3*
setting de *3*
set-up de (...s) *67*
set-uppen *67,107*
Sevenum *6,53*
sèvres het *3,30,54*
Sexagesima de (...'s) *42,56*
sex-appeal de/het *23,67*
Sexbierum *6,53*
sexshop de (...s) (GB: seksshop) *23,67*
sext de (...en) *23*
sextakkoord *64*
sextant de (...en) *23*
sextet het (...tetten) *23*
sextiljoen *23*
sexto *23*
sextool de (...tolen) *23*
sexy *9,23,113*
sexier, sexiest
Seychellen *6,53*
Seycheller, Seychels(e)
Seymour, Jane *6*
Seyss-Inquart, Arthur *6*
SF [sciencefiction] *100*
sfagnum het *19*
sfeer de (sferen) *19*
sferisch *19*
sferoïdaal *19,37*
sferoïde de (...n) *19,37,89*
sferometer de (...s) *19,64*
sfincter de (...s) *19,22*
sfinx de (...en) *19,23*
sforzando *3*
sforzato *3*
sfumato *3*
sfygmomanometer de (...s) *3,64*
SG [scholengemeenschap, secretaris-generaal] *100*
s.g. [soortelijk gewicht] *100*
SGP [Staatkundig Gereformeerde Partij] de *104*
sgraffito het (...iti) *ook* **graffito** *14*
's-Graveland *6,53*
's-Gravendeel *6,53*
's-Gravenhage *6,53*
's-Gravenmoer *6,53*
's-Gravenpolder *6,53*
's-Gravenvoeren *6,53*
's-Gravenwezel *6,53*
's-Gravenzande *6,53*
sh. [shilling] *100*
s.h. [salvo honore] *100*
S.H. [slechthorend] *100*
shabby *3,9,27*
Shaffy, Ramses *6*
shag de (shagje, sjekkie) *3,22,27*
shake hands *67*
shaken *27,105,106*
shakete, geshaket
shaker de (...s) *8,27*
Shakespeare, William *6*
Shamir, Jitsjak *6*

shamponeren 27,106
shamponeerde, geshamponeerd
shampoo de (...s; ...tje) 10,27,43
shampooën 27,38,106
shampoode, geshampood
Shanghai 6,53
shantoeng de/het 11,27
share de (...s) 3,43
shareware de (...s) 67
Sharif, Omar 6
sharpie de (...s) 9,27,43
shaver de (...s) 8,27
shawl de (...s; ...tje) *ook* **sjaal** 3,115
sheddak het (...en) 27
's-Heerenberg 6,53
's-Heerenhoek 6,53
sheet de (...s) 9,27
shelter de (...s) 27
's-Herenelderen 6,53
sheriff de (...s) 14,27
Sherlock Holmes 6
sherpa de (...'s) 27,42
sherry de (...'s; sherry'tje) 27,42,45
's-Hertogenbosch 6,53
's-Hertogenrade 6,53
Shetlandeilanden 6,53
Shetlander [pony] de (...s) 53
shift de (...en, ...s) 27
shii-take de (...s) 42,63
shilling (sh.) de (...s) 14,27
shimmy de (...'s) 9,27,42
shimmyen 9,27,106
shimmyde, geshimmyd
shintoïsme het 27,37,57
ship chandler de (...s) 67
shirt het (...s) 27
shirtreclame, shirtsponsoring 66,67
shit de
shit...: shitboek, enz. 66
Shiva *ook* **Sjiva** 6
shoah de 20,27
shoarma de 27
shoarma...: shoarmazaak, enz. 64,76
shock de (...s) 22,27
shock...: shocktoestand, enz. 66

shocken 22,27,106
shockte, geshockt
shockeren *ook* **choqueren** 22,27,115
shockeerde, geshockeerd
shocking 22,27
shop de (...s) 27
shoppen 27,106
shopte, geshopt
shopper de (...s) 27
short de (...s) 27
shorts de (alleen mv.) 27
short story de (...'s) 42,67
shorttrack de (...s) 67
shot de (...s) 27
shotten 27,106
shotte, geshot
shovel de (...s) 19,27
show de (...s) 10,27
show...: showballet, showbizz, showroom, enz. 66,67
showen 27,106
showde, geshowd
shrapnel de (...s) *ook* **schrapnel** 54,115
shredder de (...s) 27
shuffle de (...s) 27,43
shunt de (...s) 27
shunten 27,106
shuntte, geshunt
shuttle de (...s; ...tje) 27,43
shuttlebus, shuttletrein 66
Shylock 6
si de (...'s) 9,42
Si [silicium] 100
sial het 9
siamees [kat] de (...mezen) 26,54
Siamese tweeling 53,62
sibbe de (...n)
sibbenkunde 89
Siberië 6,53
sibille de (...n) 89
sibillijns 13,14
sic 22
siccatief het (...tieven) 19,22
Sicilië 6,53
sick-buildingsyndroom het 84

sick joke de (...s) 67
sidderen 106
sidderde, gesidderd
Siddhartha Gautama 6
sidecar de (...s) 67
sideratie de (...s) 14,43
sideriet de/het 9
sidewinder de (...s) 67
sief de/het 9
Siegenbeek, Matthijs 6
siemens [eenheid van vermogen] de 54
Sienkiewicz, Henryk 6
siepelen 9,106
siepelde, gesiepeld
sieraad het (...raden) 14,18
sieren 106
sierde, gesierd
siërra de (...'s) 37,42
Sierra Leone 6,53
Sierra Leoner, Sierra Leoons(e)
siësta de (...'s) 37,42
sievert (Sv) de (...s) 54
sifon de (...s) 9,19
sigaar de (...garen)
sigaren...: sigarenbandje, enz. 88
sigaret de (...retten)
sigaretten...: sigarettenautomaat, enz. 88
sightseeën 3,38,107
sightseeing de/het (...s) 67
sigillografie de 9,14
sigillum het (...gilla) 1,9,14
sigma de (...'s) 42
signaal het (...nalen) 21
signalement het (...en) 21
signaleren 21,106
signaleerde, gesignaleerd
signalisatie de (...s) 21,43
signatuur de (...turen) 21
signeren 21,106
signeerde, gesigneerd
signet het (...netten) 21
signetur (S.) 3,10
significa de 22
significant 22
significantie de (...s) 22,43
significatie de (...s) 22,43
signifisch 113
signifischer, meest signifisch
signora de (...'s) 3,42
signore de (...ori) 3
signorina de (...'s) 3,42
signum (S.) het (signa) 1,3
Sijbrands, Ton 6
sijfelen 13,106
sijfelde, gesijfeld
sijpelen *ook* **zijpelen** 13,26,115
sijpelde, gesijpeld
sijs de (sijzen) 13,26
sijsjeslijmer de (...s) 13,98
Sikh de (...s) 20,53
sikkelcelanemie de 25,64
sikkeneurig 97
sikkepit de 97
silene de (...n, ...s) 9,91
silentium het 25
silex [werktuig] de (...en) 23
silex [vuursteen] het 23
Silezië 6,53
silhouet de/het (...etten) 3,11,20
silhouetteren 3,106
silhouetteerde, gesilhouetteerd
silicaat het (...caten) 22
silicagel het 22,64
silicium (Si) het 25
silicone het (...n) 22
siliconenkit, siliconenborsten 89
silicose de 22,26
silicoselijder 90
silo de (...'s; silootje) 42,112
siloziekte 64
silurisch (GB: Silurisch) 54
Siluur het 56
silvaner [wijn] de (...s) 19,54
Silvesteravond de (...s) 56
simiësk 37
simileder het *ook* **simileer** 9,115
similibriljant de (...en) 9,64
similidiamant de (...en) 9,64
similigoud het 9,64

similor het *ook* **semilor** *9,115*
simmen *106*
simde, gesimd
simofoon de (...fonen, ...s) *19*
simonie de *19*
simpen *106*
simpte, gesimpt
simplex het (...en, ...plicia) *23,25*
simpliciteit de *25*
simpliciter *25*
simplificatie de (...s) *22,43*
simplificeren *25,106*
simplificeerde, gesimplificeerd
simplistisch *113*
simplistischer, meest simplistisch
simsalabim *3*
simsonsverzuchting de (...en) *54,65*
simulatie de (...s) *43*
simulatie...: simulatiemodel, enz. *64,76*
simuleren *106*
simuleerde, gesimuleerd
simultaan... *64*
simultaanpartij, simultaanvertaling, enz.
simultaneïteit de *37*
sin [sinus] *100*
sin. [sinistra] *100*
Sinaai [België] *6,53*
sinaasappel de (...en, ...s) *1*
Sinaï *6,53*
sinds *1*
sindsdien *73*
sinecure de (...n, ...s; sinecuurtje) *ook* **sinecuur** *22,91,112,115*
Singalees *55*
Singapore *6,53*
Singaporees, Singaporese
single de (...s) *3,43*
singlet de (...s) *3*
singleton de (...s) *3*
singulare tantum het (singularia tantum) *63*
singularis de (...ria, ...rissen) *1*
singulariteit de (...en) *9*
singulier *9*
sinister *9*
sinjeur de (...s) *21*
sinjo de (...'s) *42*
sinjoor de (...joren) *21*
sinjorenstad *88*
Sinn Féin *ook* **Sinn Fein** *6*
sinoloog de (...logen) *3*
sinopel het *1*
sint-... *54,65,77*
sint-antoniusbrood, sint-bernardshond, sint-jakobsschelp, sint-janskruid, sint-juttemis, enz.
Sint-... *6,53,77*
Sint-Bernard, Sint-Gotthard (bergpassen), Sint-Eustatius, Sint-Maarten, Sint-Helena, Sint-Denijs, Sint-Denijs-Westrem, Sint-Job-in-'t-Goor, Sint-Joost-ten-Node, Sint-Joris-ten-Distel, Sint-Michielsgestel, Sint-Oedenrode, Sint-Pieters-Woluwe, enz.
sintelpad het (...paden) *64*
sinteren *106*
sinterde, gesinterd
Sinterklaas *ook* **Sint-Nicolaas**
sinterklaas...: sinterklaasavond, enz. *56,65*
Sint-Nicolaas *ook* **Sinterklaas** *59,77,115*
sint-nicolaas...: sint-nicolaasavond, enz. *56,65*
sinus de (...nussen) *14*
sinusitis de *9,14*
Sippenaken *6,53*
sir de (...s) *3*
Sire *60*
SIRE [Stichting Ideële Reclame] *103*
sirene [voorwerp] de (...n, ...s) *43*
sirenegeloei *91*
sirene [vrouwelijk wezen] de (...n)
sirenenzang *89*
sirih de *9,20*
sirihpruim *64*
sirocco de (...'s) *22,42*

sirtaki de (...'s) *3,42*
sisal de *26*
Sisley, Alfred *6*
SISO [schema voor de indeling van de systematische catalogus in openbare bibliotheken] *103*
sissen *106*
siste, gesist
sistrum het (...tra, ...s) *1*
Sisyphus *6*
sisyfusarbeid de (GB: Sisyfusarbeid) *54,65*
sitar de (...s) *3*
sit-downstaking de (...en) (GB: sitdownstaking) *84*
site de (...s) *3*
sit-in de (...s) *67*
sitomanie de *9*
sitsen *26,114*
Sittard *6,53*
situatie de (...tiën, ...s) *40,43*
situatie...: situatieschets, enz. *64,76*
situatief *19*
situatieve
situationeel *16*
situationisme het *16,90*
situeren *106*
situeerde, gesitueerd
Sixtijnse Kapel de *52*
S.J. [Societas Jesu] de *51,100*
sjaal de (...s) *ook* **shawl** *115*
sjabbes de (...en) *1,27*
sjablone de (...n) *ook* **sjabloon** *27,89,115*
sjabloneren *27,106*
sjabloneerde, gesjabloneerd
sjabloon de (...blonen) *ook* **sjablone** *27,115*
sjabloonpen *64*
sjablonenpen *88*
sjabrak de/het (...brakken) *14,27*
sjacheraar de (...s) *2,27*
sjacheren *2,27,106*
sjacherde, gesjacherd
sjah de (...s) *20,27,60*
sjakes *1,27*
sjako de (...'s; sjakootje) *27,42,112*
sjalom *ook* **sjaloom** *10,27,115*
sjalot de (...lotten) *27*
sjamaan de (...manen) *14,27*
sjamanisme het *14,27,90*
sjamberloek de (...s) *11,27*
Sjanghai *6,53*
sjanker de *27*
sjansen *27,106*
sjanste, gesjanst
sjappie de (...s) *27,43*
sjasliek de (...s) *9,27*
sjees de (sjezen) *26,27*
sjeik de (...s) *13,27,60*
sjekkie het (...s) *27,43*
sjerp de (...en) *27*
sjezen *26,27,106*
sjeesde, gesjeesd
sjibbolet het (...s) *ook* **schibbolet** *14,27,115*
sjiiet de (...en) *27,38,53*
sjiitisch *37*
sjilpen *ook* **tsjilpen** *27,106,115*
sjilpte, gesjilpt
sjirpen *27,106*
sjirpte, gesjirpt
Sjiva *ook* **Shiva** *6*
sjoechem het *1,2,27*
sjoege de *2,11,27*
sjoelbakken *69,106*
sjoelbakte, gesjoelbakt
sjoelen *27,106*
sjoelde, gesjoeld
sjoemelen *106*
sjoemelde, gesjoemeld
sjofar de (...s) *19,27*
sjofel *27*
sjokken *106*
sjokte, gesjokt
sjonge *27*
sjorren *106*
sjorde, gesjord
Sjostakovitsj, Dimitri *6*
sjouter de (...s) *12,27*

sjouw de (...en) *12,27,28*

sjouwen *12,27,28*
sjouwde, gesjouwd

Sjöwall, Maj *6*

sjwa de (...'s) *27,42*

Skagerrak *6,53*

skai het *54*

skai *114*

skald de (...en) *18*

skateboard het (...s) *67*

skateboarden *3,106*
skateboardde, geskateboard

skaten *8,105,106*
skatete, geskatet

skeeler de (...s) *9*

skeeleren *9,106*
skeelerde, geskeelerd

skeet de/het *9*

skelet het (...letten) *14*

skeleton de (...s) *14*

skeletteren *14,106*
skeletteerde, geskeletteerd

skelter de (...s) *3*

skelteren *106*
skelterde, geskelterd

sketch de (sketches) *27*

ski de (...'s; skietje) *9,42,45,112*
ski...: ski-instructeur, ski-jack, skiongeluk, skistok, skiuitrusting, enz. *64,76*

skiën *9,37,106*
skiede, geskied

skiër de (...s) *9,37*

skiester de (...s) (GB: skister) *9*

skiff de (...s) *3*

skiffeur de (...s) *14*

skiffeuse de (...s) *14,91*

skiffhead de (...s) *67*

skiffle de (...s) *3*

skilopen *69*
liep ski, skigelopen

skinhead de (...s) *67*

skippen *106*
skipte, geskipt

skippybal de (...ballen) *9,64*

skispringen *69,107*

skivliegen *69,107*

Skopje *6,53*

skunk de/het (...s) *3*

skûtsje het (...s) *3,31,91*

skûtsjesilen *3,31,107*

skybox de (...en) *67*

skylab het (...s) *67*

skyline de (...s) *67*

skyscraper de (...s) *67*

sla de (slaatje) *112*
sla...: slaolie, enz. *64,76*

slaaf de (slaven) *19*
slaven...: slavenarbeid, enz. *88*

slaapverwekkend *64*

slaapwandelen *69,106*
slaapwandelde, geslaapwandeld

slab de (slabben; slabbetje) *17,112*

slabakken *106*
slabakte, geslabakt

slabberen *106*
slabberde, geslabberd

slachten *2,106*
slachtte, geslacht

slachterij de (...en) *2,13*

slachtoffer het (...s) *2*
slachtoffer...: slachtofferhulp, enz. *64*

slachtofferen *2,106*
slachtofferde, geslachtofferd

slacks de (alleen mv.) *3*

slafelijk *19,87*

slagen *106*
slaagde, geslaagd

slager de (...s)
slagers...: slagerswinkel, enz. *98*

slagregenen *69,106*
slagregende, geslagregend

slak de (slakken)
slakken...: slakkengang, slakkenhuis, enz. *88*

slaken *106*
slaakte, geslaakt

slalommen *14,106*
slalomde, geslalomd

slampampen *106*
slampampte, geslampampt
slang de (...en; slangetje) *112*
slangvormig *64*
slangekruid, slangewortel *96*
slangen...: slangenkuil, enz. *88*
slapeloos *26,87*
slapeloze
slapie het (...s) *9,43*
slapjanus de (...nussen) *1*
slapstick de (...s) *67*
slash de (slashes) *3*
Slauerhoff, Jan Jacob *6*
slaven *106*
slaafde, geslaafd
slaven... zie **slaaf**
slavernij de (...en) *19*
Slavonië *6,53*
s.l.e.a. [sine loco et anno] *100*
slecht... *64*
slechtgehumeurd, slechthorend, enz.
slechten *106*
slechtte, geslecht
slede de (...n, ...s) *ook* **slee** (sleeën) *115*
slee...sleehak, enz. *64,76*
slede...: sledetocht, enz. *76,91*
sleeën *38,106*
sleede, gesleed
sleef de (sleven) *19*
sleephopperzuiger de (...s) *68*
sleep-in de (...s) *67*
sleepvliegen *69,107*
sleepvoeten *69,106*
sleepvoette, gesleepvoet
Sleeswijk-Holstein *6,53*
sleetjerijden *69,107*
sleg de (sleggen) *ook* **slegge** (...n), **slei** (...en) *13,89,115*
slempen *106*
slempte, geslempt
slemppartij de (...en) *4*
slenteren *106*
slenterde, geslenterd
slepen *106*
sleepte, gesleept
sleuf de (sleuven) *19*
sleuren *106*
sleurde, gesleurd
sleutelen *106*
sleutelde, gesleuteld
slib [stof] het *17*
slibzuiger *64*
slibben *106*
slibde, geslibd
slibberen *106*
slibberde, geslibberd
slice de (...s) *3,43*
slicen *3,106*
slicete, geslicet
slichten *2,106*
slichtte, geslicht
slick de (...s) *22*
sliding de (...s) *3*
Sliedrecht *6,53*
sliepen *106*
sliepte, gesliept
slieren *106*
slierde, geslierd
sliert de (...en) *18*
slijk het *13*
slijm de/het (...en) *13*
slijmen *13,106*
slijmde, geslijmd
slijmvliesontsteking de (...en) *68*
slijp het *13*
slijpen *13*
sleep, geslepen
slijtage de (...s) *13,27,43*
slijtage...: slijtageslag, enz. *76,91*
slijten *13*
sleet, gesleten
slikken *106*
slikte, geslikt
slimmerik de (...en) *15*
slingeren *106*
slingerde, geslingerd
slip of the pen *67*
slip of the tongue *67*
slip-over de (...s) *67*
slippen *106*
slipte, geslipt

slippendrager de (...s) *88*
slipstream de (...s) *67*
sliptong de (...en; ...tongetje) *17,112*
slissen *106*
sliste, geslist
slivovitsj de *3*
slob... *17*
slobbroek, slobkous, enz.
slobberen *106*
slobberde, geslobberd
Slochteren *6,53*
slodderen *106*
slodderde, geslodderd
sloep de (...en)
sloependek, sloepenrol *88*
sloerie de (...s) *9,43*
sloffen *106*
slofte, gesloft
slogan de (...s) *3*
slöjd de *3*
slokken *106*
slokte, geslokt
slokop de (...oppen) *85*
slome de (...n) *89*
slons de (slonzen) *26*
slonzen *26,106*
slonsde, geslonsd
slonzig *26*
sloof de (sloven) *19*
slooien *106*
slooide, geslooid
sloompie het (...s) *9,43*
slootjespringen *69,107*
slop het (sloppen) *17*
sloppen...: sloppenwijk, enz. *88*
slopen *106*
sloopte, gesloopt
sloper de (...s)
slopers...: slopersbedrijf, enz. *98*
slorpen *106*
slorpte, geslorpt
slot het (...en)
slot...: slotbewaarder, slotwoord, enz. *64*
slotenmaker *88*
sloten *106*
slootte, gesloot
sloven *19,106*
sloofde, gesloofd
Slovenië *6,53,55*
Sloveen, Sloveens(e)
Slowakije *6,53,55*
Slowaak, Slowaaks(e)
slowen *3,106*
slowde, geslowd
slowfox de (...en) *67*
slowmotion de *67*
sluier de (...s)
sluier...: sluierbewolking, enz. *64*
sluieren *106*
sluierde, gesluierd
sluif de (sluiven) *19*
sluikstorten *69,107*
sluimeren *106*
sluimerde, gesluimerd
sluipen
sloop, geslopen
sluis de (sluizen) *26*
Sluis-Aardenburg *6,53*
sluizen *26,106*
sluisde, gesluisd
slungelen *106*
slungelde, geslungeld
slurf de (slurven) *19*
slurpen *106*
slurpte, geslurpt
slurry de *9*
sluw *28*
Sm [samarium] *100*
SM [sadomasochisme] *101*
smaad de *18*
smaad...: smaadschrift, enz. *64*
smaak de (smaken)
smakelijk, smakeloos (zonder goede smaak) *87*
smaak...: smaakmaker, smaakloos (zonder smaak), enz. *64*
's maandags *ook* **maandags** *48,115*
smacht de (...en) *2*
smachten *2,106*
smachtte, gesmacht

smack de (...s) *3*
smadelijk *87*
smaden *106*
smaadde, gesmaad
smak [heester] de (...s) *ook* **sumak** *115*
smake... zie **smaak**
smaken *106*
smaakte, gesmaakt
smakken *106*
smakte, gesmakt
smalen *106*
smaalde, gesmaald
Smalingerland *6,53*
smalltalk de *67*
smaragd de/het (...en) *18*
smaragd...: smaragdgroen, enz. *64*
smaragden *114*
smart de (...en)
smartelijk *87*
smartlap *64*
smartengeld *88*
smartcard de (...s) *67*
smarten *106*
smartte, gesmart
smash de (smashes) *3,27*
smashen *3,27,106*
smashte, gesmasht
smeden *106*
smeedde, gesmeed
smeedijzeren *114*
smeekbede de (...n) *89*
Smeerebbe-Vloerzegem *6,53*
smegma het *3*
smeken *106*
smeekte, gesmeekt
smelleken het (...s) *14*
smeren *106*
smeerde, gesmeerd
smeris de (...rissen) *1*
Smet, Gustaaf de *6*
Smetana, Bedrick *6*
smetteloos *26,87*
smetteloze
smetten *106*
smette, gesmet
smeuïg *38*
smeulen *106*
smeulde, gesmeuld
smid de (smeden) *18*
smids...: smidshamer, smidsstal, enz. *98,99*
's middags *48*
smidse de (...n) *ook* **smisse** *89,115*
smiecht de (...en) *2,9*
smiespelen *106*
smiespelde, gesmiespeld
smijdig *13*
smijten *13*
smeet, gesmeten
smikkelen *106*
smikkelde, gesmikkeld
smisse de (...n) *ook* **smidse** *89,115*
smoel de/het (...en)
smoel...: smoelwerk, enz. *64*
smoelensmid *88*
smoes de (smoezen) *26*
smoezelen *26,106*
smoezelde, gesmoezeld
smoezelig *26*
smoezen *26,106*
smoesde, gesmoesd
smog de *3*
smogalarm *66*
smoken *106*
smookte, gesmookt
smoking de (...s) *3*
smokkelen *106*
smokkelde, gesmokkeld
smokken *106*
smokte, gesmokt
smoren *106*
smoorde, gesmoord
smörgåsbord het (...s) *3*
's morgens *48*
smörrebröd het (...s) *3*
smous de (...en, smouzen) *12,26*
smoushond *64*
smousen *ook* **smouzen** *26,106,115*
smouste, gesmoust

smout het *12,18*
smoutbol, smoutzetter *64*
smoutebol *90*
smouten *106*
smoutte, gesmout
smouzen *ook* **smousen** *26,106,115*
smousde, gesmousd
smullen *106*
smulde, gesmuld
smulpapen *69,106*
smulpaapte, gesmulpaapt
smurf de (...en) *19,54*
smurrie de *9*
smyrnatapijt het (...en) *54,65*
Sn [stannum] *100*
snaaien *106*
snaaide, gesnaaid
snaar de (snaren)
snaar...: snaarinstrument, enz. *64*
snarenspel *88*
's nachts *48*
snack de (...s) *3,22*
snackbar de (...barren, ...s; ...barretje) *66,112*
snakerij de (...en) *13*
snakken *106*
snakte, gesnakt
snappen *106*
snapte, gesnapt
snateren *106*
snaterde, gesnaterd
snauw de (...en) *12,28*
snauwen *12,106*
snauwde, gesnauwd
snauwerig *12*
snavel de (...s) *19*
snavelbranden *69,107*
sneaker de (...s) *3,9*
sneak preview de *67*
sneb de (snebben) *ook* **snebbe** (...n) *17,89,115*
snebschip *64*
snebberen *106*
snebberde, gesnebberd
snede de (...n; sneetje) *ook* **snee** (sneeën) *89,115*
Sneekermeer *6,53*
sneep de (snepen) *17*
sneer de (sneren) *ook* **snier** *115*
sneeren *ook* **sneren, snieren** *115*
sneerde, gesneerd
sneeuw de *2*
sneeuw...: sneeuwpret, sneeuwwit, enz. *64*
sneeuwbaleffect het (...en) *22,68*
sneeuwballen *106*
sneeuwbalde, gesneeuwbald
sneeuwen *106*
sneeuwde, gesneeuwd
sneeuwruimen *69,107*
sneeuwsurfen *69,106*
sneeuwsurfte, gesneeuwsurft
sneevergulden *69,107*
snekrad het (...raderen) *18*
snel... *64*
sneldrogend, snelverkeer, enz.
snelkookpan de (...pannen; ...pannetje) *68,112*
snellekweekreactor de (...en) *68*
snellen *106*
snelde, gesneld
snellius de (...liussen) *2,54*
snelschaken *69,107*
snelvriezen *69,107*
snelwandelen *69,107*
snep de (sneppen) *17*
sneren *ook* **sneeren, snieren** *106,115*
sneerde, gesneerd
snerken *106*
snerkte, gesnerkt
snerpen *106*
snerpte, gesnerpt
snerpend *18*
sneuvelen *106*
sneuvelde, gesneuveld
sneven *19,106*
sneefde, gesneefd
snezen *26,106*
sneesde, gesneesd
snib [kattige vrouw] de (snibben) *17*
snibben *106*
snibde, gesnibd

snier de (...en) *ook* **sneer** *115*
snieren *ook* **sneeren, sneren** *115*
snierde, gesnierd
sniffen *106*
snifte, gesnift
snij... *64,76*
snijapparaat, snijmachine, snij-ijzer, enz.
snijbranden *69,107*
snijdbaarheid de *4*
snijden *ook* **snijen** *13*
sneed, gesneden
snijdsel het (...s) *ook* **snijsel** (...s) *4,115*
snikken *106*
snikte, gesnikt
snip [vogel, bankbiljet] de (snippen) *17*
snipperen *15,106*
snipperde, gesnipperd
snipverkouden *64*
snob de (...s) *17*
snobistisch *113*
snobistischer, meest snobistisch
snoeien *106*
snoeide, gesnoeid
snoeihard *64*
snoeiing de (...en) *38*
snoek de (...en)
snoekbaars, snoekduik *64*
snoeken...: snoekenstaart, enz. *88*
snoeken *106*
snoekte, gesnoekt
snoepen *106*
snoepte, gesnoept
snoepje het (...s)
snoepjes...: snoepjesfabrikant, enz. *98*
snoeren *106*
snoerde, gesnoerd
snoeven *19,106*
snoefde, gesnoefd
snoeverij de (...en) *13,19*
snoezelen *26,106*
snoezelde, gesnoezeld
snoezepoes de (...poezen) *26,97*
snokken *106*
snokte, gesnokt
snood *18*
snoodaard de (...daarden, ...daards) *2,18*
snooker de (...s) *11*
snooker...: snookercentrum, enz. *66*
snorkelen *106*
snorkelde, gesnorkeld
snorken *106*
snorkte, gesnorkt
snorren *106*
snorde, gesnord
snorrepijperij de (...en) *13,97*
snot de/het
snottebel *90*
snotteren *106*
snotterde, gesnotterd
snotverdomme *62*
snotverdorie *62*
snotverkouden *64*
snowboard het (...s) *67*
snowboarden *3,106*
snowboardde, gesnowboard
snuffelen *106*
snuffelde, gesnuffeld
snuffen *106*
snufte, gesnuft
snuisterij de (...en) *13*
snuittor de (...torren; ...torretje) *4,112*
snuiven *19*
snoof, gesnoven
snurken *106*
snurkte, gesnurkt
soa [seksueel overdraagbare aandoeningen] *102*
soap de (...s) *3,10*
soap...: soapserie, enz. *66*
sober *113*
soberder, soberst
soc. [socialistisch] *100*
soca de (...'s) *22,42*
's ochtends *48*
sociaal *27*
sociaal-cultureel *80*

sociaal-democraat de (...craten) *22,27,79*
sociabel *27*
socialezekerheidsregeling de (...en) *68,98*
socialisatie de (...s) *26,27,43*
socialiseren *26,27,106*
socialiseerde, gesocialiseerd
socialisme het *27,57,90*
socialist de (...en) *27,57*
socialisten...: socialistenleider, enz. *88*
sociatrie de *25*
sociëteit de (...en) *27,37*
sociëteits...: sociëteitsleven, enz. *98*
society de *3,9*
sociniaan de (...nianen) *25*
socio de (...'s) *27,42*
socio... *27,78*
socio-economisch, sociolinguïstiek, enz.
sociologie de (...gieën) *27,40*
Socrates *6*
sodemieteren *106*
sodemieterde, gesodemieterd
Sodom en Gomorra *6,53*
sodomie de *9*
soebatten *11,106*
soebatte, gesoebat
Soedan *ook* **Sudan** *6,53*
Soedanees, Soedanese
soefi de (...'s) *9,11,42,57*
soefibeweging *64*
Soeharto *ook* **Suharto** *6*
soek de (...s) *11*
Soekarno *ook* **Sukarno** *6*
soelaas het *11*
soenna de (...'s) *11,14,42*
soenniet de (...en) *11,14*
soennitisch *14*
soera de (...'s) *11,42*
Soerabaja *ook* **Surabaya** *6,53*
Soerjadi, Wibi *6*
soesa de *3*
soeverein de (...en) *11,13*
soevereiniteit de (...en) *11,13*
soevereiniteits...: soevereiniteitsoverdracht, enz. *98*
soezen *26,106*
soesde, gesoesd
sofa de (...'s; sofaatje) *19,112*
sofi [sociaal-fiscaal]
sofinummer (GB: sofi-nummer) *83*
sofiekruid het (...en) *19,64*
sofisme het (...n) *19,89*
softbal het *66*
softballen *69,106*
softbalde, gesoftbald
softdrink de (...s) *67*
softdrug de (...s) *67*
softenon het *19,54*
softenonbaby *65*
softie de (...s) *9,43*
softijs het *66*
softshop de (...s) *67*
soft sponsoring de (...en) *67*
software de *67*
software...: softwarebedrijf, softwareconcern, software-installatie, enz. *66,67,76*
soi-disant *63*
soigneren *3,106*
soigneerde, gesoigneerd
soigneur de (...s) *3*
soigneus *3,26*
soigneuze
soiree de (...s; ...tje) *3,43*
soireekleed *66*
soirée dansante de (...s) *63*
soirée musicale de (...s) *63*
soit *3*
soja de *21*
soja...: sojamelk, enz. *64,76*
solair *3*
solarium het (...s) *14*
soldaterij de (...en) *13*
soldateska de *3*
solde de (...n) *89*
soldeerbout de (...en) *12,18,64*
solderen *106*
soldeerde, gesoldeerd

soldij de (...en) *13*

solecisme het (...n) *ook* **soloecisme** *25,89,115*

solemneel *14*

solemniseren *14,26,106*
solemniseerde, gesolemniseerd

solenoïde de (...s) *37,91*

soleren *106*
soleerde, gesoleerd

solex de (...en) *23*

solfatare de (...n, ...s) *19,91*

solfège de *19,27,30*
solfègeklas(se) *90*

solfegiëren *27,37,106*
solfegieerde, gesolfegieerd

solfer (S) de/het *ook* **sulfer** *19,115*

solidair *3,113*
solidairder, solidairst

solidariseren *26,106*
solidariseerde, gesolidariseerd

solidariteit de (...en)
solidariteits...: solidariteitsbeginsel, enz. *98*

solide *113*
solider/meer solide, meest solide

solidee de (...deeën, ...s; ...tje) *38*

soliditeit de (...en) *9*

solipsistisch *14*

solistisch *113*
solistischer, meest solistisch

solitair de (...en) *3*
solitairring, solitairspel *66*

sollen *106*
solde, gesold

sollicitant de (...en) *14,25*

sollicitatie de (...s) *14,43*
sollicitatie...: sollicitatiebrief, enz. *64,76*

solliciteren *14,25,106*
solliciteerde, gesolliciteerd

solmiëren *37,38,106*
solmieerde, gesolmieerd

solo de/het (...'s) *42*
solo...: soloartiest, solo-elpee, enz. *64,76*

soloecisme het (...n) *ook* **solecisme** *25,89,115*

solstitium het (...tia) *1*

solutie de (...s) *14,43*

solvabel *19*

solvabiliteit de *19*
solvabiliteits...: solvabiliteitseis, enz. *98*

solvateren *19,106*
solvateerde, gesolvateerd

solvent het (...s) *19*

solveren *19,106*
solveerde, gesolveerd

Solzjenitsyn, Alexander *6*

Somali [taal] *55*

Somalië *6,53*
Somaliër, Somalisch(e)

somatisch *14*

somber *113*
somberder, somberst

somberen *106*
somberde, gesomberd

sombrero de (...'s; ...rootje) *42,112*

Someren *6,53*

sommelier de (...s) *3*

sommeren *14,106*
sommeerde, gesommeerd

sommiteit de (...en) *14*

somnambule de (...s) *43,91*

somnolentie de *9*

somptueus *17,26*
somptueuze

somtijds *13,73*

sonant de (...en) *18*

sonar de (...s) *14*
sonar...: sonarpeiling, enz. *83*

sonate de (...n, ...s) *14,43,91*

sonatine de (...s) *43,91*

sonde de (...s) *26,43*
sondevoeding *91*

sondeerballon de (...lonnen, ...s; ...lonnetje) *26,112*

sonderen *26,106*
sondeerde, gesondeerd

Son en Breugel *6,53*

song de (...s) *3*
song...: songtekst, songwriter, enz. *66*
soniek de (...en) *9*
sonisch *9*
sonnet het (...netten) *14*
sonnetvorm *64*
sonnettenkrans *88*
sonoor *10,113*
sonoorder, sonoorst
sonoriseren *26,106*
sonoriseerde, gesonoriseerd
soort de/het (...en)
soortelijk *87*
soort...: soortnaam, enz. *64*
sophisticated *3*
Sophocles *6*
soppen *106*
sopte, gesopt
sopraan de (...pranen) *14*
sorbet de (...s) *18*
sorbiet het (...en) *9*
Sorbisch *55*
sorbitol het *9*
sordino de (...'s; ...nootje) *42,112*
sores de (alleen mv.) *1*
sorghum de (...s) *20*
sororaat het (...raten) *14*
sorteren *106*
sorteerde, gesorteerd
sortie de (...s) *9,43*
sortiment het (...en) *9*
sortimentshandel *98*
S.O.S. [save our souls] *100*
S.O.S.-bericht *83*
sostenuto het (...'s) *3,42*
soterisch *26*
Sotho *55*
sotternie de (...nieën; ...tje) *14,40*
sottise de (...s; ...tje) *14,43,91*
sotto voce *63*
sou de (...s; ...tje) *11,43*
Soubirous, Bernadette *6*
soubrette de (...s) *11,91*
souche de (...s) *11,27,91*
soufflé de (...s; souffleetje) *29,43,112*
souffleren *11,14,106*
souffleerde, gesouffleerd
souffleuse de (...s) *11,14,91*
soul de *3*
soul...: soulmuziek, enz. *66*
sound de (...s) *3*
soundmachine, soundtrack *66,67*
soundmixen *3,23,106*
soundmixte, gesoundmixt
soundmixshow de (...s) *67*
souper het (...s; soupeetje) *8,11,112*
souperen *11,106*
soupeerde, gesoupeerd
souplesse de *11,90*
source de (...s) *3,25,43*
sourdine de (...s) *11,43,91*
sousafoon de (...fonen, ...s) *11,19,26*
sousbras de *3,11*
souschef de (...s) *3,11,27*
souspied de (...s) *3,8,11*
soutache de *3,11,27*
soutane de (...s) *11,43,91*
souteneren *11,106*
souteneerde, gesouteneerd
souteneur de (...s) *11,14*
souter de (...s) *12*
souterliedeken *64*
souterrain het (...s) *3,11,14*
South Carolina *6,53*
South Dakota *6,53*
Southey, Robert *6*
souvenir het (...s; ...niertje) *9,11,112*
souvenir...: souvenirwinkel, enz. *66*
sovchoz de (...en) *ook* **sovchoze** (...n) *3,19,115*
sovereign de (...s) *3*
sovjet de (...s) *3*
sovjet...: sovjetperiode, enz. *66*
Sovjetrussisch *53*
Sovjet-Unie *6,53*
sowieso *9,26*
SP [Socialistische Partij] de *104*
SP'er *46*
spa de (spaden) *ook* **spade** *115*
spadensteek *88*

Spaans *55,65*
Spaans...: Spaansgezind, Spaanssprekend, Spaanstalig, enz.
spaanvlechten *69,107*
spaarder de (...s)
spaardersmarkt *98*
spaat het *18*
spaatijzersteen *68*
space... *67*
spacecake, spacelab, spaceshuttle, enz.
spade de (...n) *ook* **spa** *115*
spadensteek *89*
spadille de (...s) *21,91*
spadrille de (...s) *21,91*
spagaat de (...gaten) *2*
spaghetti de *3,9,22*
spaghetti...: spaghettivreter, enz. *64,76*
spahi de (...'s) *9,42*
spaken *106*
spaakte, gespaakt
spalken *106*
spalkte, gespalkt
spaniël de (...s) *3,37*
Spanje *6,53,55*
Spaans(e), Spanjaard
Spanjool de (...jolen) *53*
spankeren *106*
spankerde, gespankerd
spannen *106*
spande, gespannen
spant het (...en) *18*
spar de (sparren) *5*
sparappel *64*
sparren...: sparrenbos, enz. *88*
spare de (...s) *3,43*
sparen *106*
spaarde, gespaard
spareribs de (alleen mv.) *67*
sparren *106*
sparde, gespard
sparringpartner de (...s) *67*
spartelen *106*
spartelde, gesparteld
spasmodermie de *9*
spasmodisch *9*
spasmogeen *3*
spasticiteit de (...en) *25*
spastisch *9*
spatiaal *9*
spatie de (...s) *9,43*
spatie...: spatietoets, enz. *64,76*
spatiëren *37,38,106*
spatieerde, gespatieerd
spatieus *26*
spatieuze
spatten *106*
spatte, gespat
spe, in – *29,63*
speaker de (...s) *3,9*
specerij de (...en) *13,25*
specerij...: specerijeilanden, enz. *64,76*
specerijen...: specerijenhandel, enz. *88*
specht de (...en) *2*
speciaal *27*
special de (...s) *3,27*
specialisatie de (...s) *25,43*
specialiseren *25,106*
specialiseerde, gespecialiseerd
specialist de (...en) *25*
specialisten...: specialistentarief, enz. *88*
specialistisch *25,113*
specialistischer, meest specialistisch
specialité de (...s) *25,29,43*
specialiteit de (...en) *25*
specialiteitenrestaurant *88*
specie de (...ciën, ...s) *25,40,43*
specie...: speciemolen, enz. *64,76*
specificatie de (...tiën, ...s) *22,25,40*
specificeren *25,106*
specificeerde, gespecificeerd
specificum het (...fica) *22,25*
specifiek *25*
specimen het (...s, ...cimina) *25*
spectacle coupé het (spectacles coupés) *63*

spectaculair *3,22*
spectator de (...s) 22
spectraal 22
spectrograaf de (...grafen) *19,22*
spectrogram het (...grammen) 22
spectroscopisch 22
spectrum het (...tra, ...s) 22
speculaas de/het (...lazen) 22
speculant de (...en) 22
speculatie de (...s) *22,43*
speculatie...: speculatiegolf, enz. *64,76*
speculeren *22,106*
speculeerde, gespeculeerd
speculum het (...s, ...cula) 22
speech de (...en, ...ches; ...je) *3,9*
speechen *3,9,106*
speechte, gespeecht
speed de *3,9*
speedball, speedboat, speedboot, speedway *9,66,67*
speedy *3,9*
speerwerpen *69,107*
speet de (speten) *18*
spekken *106*
spekte, gespekt
spektakel het (...s) 22
speld [metalen pennetje] de (...en) *18*
spelden...: speldenkussen, enz. *88*
spelden *106*
speldde, gespeld
spelemeien *13,106*
spelemeide, gespelemeid
spelen *106*
speelde, gespeeld
spelenderwijs *ook* **spelenderwijze** *26,111,115*
speleologie de *9*
speler de (...s)
speler-trainer *80*
spelers...: spelersgroep, enz. *98*
spelerijden *93,106*
spelevaren *93,106*
spelevaarde, gespelevaard
spellen *106*
spelde, gespeld
spelling de (...en)
spelling...: spellinghervorming, spellingquiz, enz. *64*
spellings...: spellingshervorming, spellingsquiz, enz. *98,99*
spelonk de (...en) *14*
spelotheek de (...theken) *14,20*
spelt [graansoort] de *18*
spencer de (...s; ...tje) *25,54*
spenderen *106*
spendeerde, gespendeerd
spenen *106*
speende, gespeend
spermaceet de *ook* **spermaceti** *25*
spermacide het (...n) *25,89*
spermatocyt de (...en) *9,25*
spermatogenese de *26,90*
spermatozoïde de (...n) *37,89*
spermatozoön het (...zoa) *37*
sperren *106*
sperde, gesperd
sperwer de (...s)
sperwers...: sperwersnest, enz. *98*
sperzieboon de (...bonen) *9,26,64*
spes patriae *63*
spetten *106*
spette, gespet
spetteren *106*
spetterde, gespetterd
speurder de (...s)
speurders...: speurdersoog, enz. *98*
speuren *106*
speurde, gespeurd
spiccato 22
spicht de (...en) 2
spie de (spieën) *9,40*
spie...: spieband, enz. *64,76*
spieden *106*
spiedde, gespied
spieën *38,106*
spiede, gespied
spiegelen *106*
spiegelde, gespiegeld
spiegelreflexcamera de (...'s) *22,23,68*
spiegelzonnewijzer de (...s) *68,94*

spieken *106*
spiekte, gespiekt
spielerei de (...en; ...tje) *3*
spielmacher de (...s) *3*
spierdystrofie de *9,64*
spies de (...en) *26*
spietsen *106*
spietste, gespietst
spijbelen *13,106*
spijbelde, gespijbeld
spijer de (...s) *13*
spijgat het (...en) *13*
spijk de *13*
Spijk [Groningen] *6,53*
Spijkenisse *6,53*
spijker de (...s) *13*
spijker...: spijkerhard, spijkerschrift, enz. *64*
spijkerbalsem de (...s) *65*
spijkeren *13,106*
spijkerde, gespijkerd
spijkerjack de/het (...s) *66*
spijl de (...en) *13*
spijs de (spijzen) *13,26*
spijten *13*
speet, gespeten
spijts *13*
spijzen *13,26,106*
spijsde, gespijsd
spijzigen *13,26,106*
spijzigde, gespijzigd
spike de (...s) *3*
spikkelen *106*
spikkelde, gespikkeld
spiksplinternieuw *64*
spillage de *14,27,90*
spillebeen [dun persoon] de (...benen) *97*
spilleleen het (...lenen) *97*
spillepoot de (...poten) *97*
Spilliaert, Leon *6*
spin de (spinnen; spinnetje) *112*
spinnen...: spinnenweb, enz. *88*
spinazie de *9,26*
spinde de (...n) *89*
spinet het (...netten) *9*
spinnaker de (...s) *ook* **spinaker** (...s) *14,115*
spinnen [snorren, draaien] *106,107*
spinde/spon, gespind/gesponnen
spinnen [wentelen] *106*
spinde, gespind
spinnerij de (...en) *13*
spinnewiel het (...en) *93*
spin-off de (...s) *67*
Spinoza, Baruch de *6*
spinozisme het *26,57*
spinozist de (...en) *26,57*
spint het (...en) *18*
spinzen *26,106*
spinsde, gespinsd
spion de (spionnen; spionnetje) *16*
spionage de *16,27*
spionage...: spionageroman, enz. *76,90*
spioneren *16,106*
spioneerde, gespioneerd
spiraal de (...ralen)
spiraal...: spiraallijn, enz. *64*
spiralen *106*
spiraalde, gespiraald
spirant de (...en) *18*
spirantiseren *26,106*
spirantiseerde, gespirantiseerd
spirea de (...'s) *42*
spiril de (...rillen) *9*
spiritistisch *9*
spiritual de (...s)*3*
spiritualia de (alleen mv.) *ook* **spiritualiën** *3,40,115*
spiritualistisch *9*
spiritualiteit de *9*
spiritueel *9,37,38*
spirituele
spirituosa de (alleen mv.) *3*
spirituoso *3*
spiritus de *1*
spiritus...: spiritusbrander, enz. *64*
spirocheet de (...cheten) *3,18*
spitant *18*

spitsen *106*
spitste, gespitst
spitten *106*
spitte, gespit
spitzen de (alleen mv.) *3,26*
spleen het *3,9*
splenectomie de 22
splijten *13*
spleet, gespleten
splinteren *106*
splinterde, gesplinterd
split-level *67*
splitsen *106*
splitste, gesplitst
splitten *106*
splitte, gesplit
spoed de
spoed...: spoedberaad, enz. *64*
spoeden *106*
spoedde, gespoed
spoelen *106*
spoelde, gespoeld
spoetnik de (...s) *11,22*
spog het 2
spoiler de (...s) *3*
spoken *106*
spookte, gespookt
spoliatie de (...s) *43*
spoliëren *37,38,106*
spolieerde, gespolieerd
sponde de (...n) *89*
spondee de (...deeën) *38*
spondeïsch *37*
spondylartritis de *1,9*
spondylitis de *1,9*
spondylomyelitis de *1,9*
spongiet de (...en) *9*
spongieus *26*
spongieuze
spongine de *9,90*
sponning de (...en; sponninkje) *112*
spons de (sponzen) *26*
sponzen...: sponzenvisserij, enz. *88*
sponsen *ook* **sponzen** *26,106,115*
sponste, gesponst

sponsor de (...s) *26*
sponsor...: sponsorcontract, enz. *64*
sponsoren *26,106*
sponsorde, gesponsord
sponsoring de (...en) *3,26*
spontaneïteit de (...en) *ook*
spontaniteit *37,115*
sponzen *ook* **sponsen** *26,106,115*
sponsde, gesponsd
sponzen... zie **spons**
sponzig *26*
spookrijden *69,107*
spoom de (...s) *11*
spoonerisme het (...n) *43,54,89*
spoorslags *64*
spoorzoeken *69,107*
sporadisch *9*
sporangium het (...giën) *3,40*
spore de (...n)
sporen...: sporendiertje, enz. *89*
sporen *106*
spoorde, gespoord
sporkeboom de (...bomen) *97*
sporkehout het *97*
sporozoön het (...zoa) *37*
sport... *64,66*
sportaccommodatie, sportbeha,
sportmanagement, enz.
sporten *106*
sportte, gesport
sportfondsenbad het (...en) *68,88*
sportieveling de (...en) *9,19*
sportiviteit de (...en) *9*
sportvissen *69,107*
spotgoedkoop *64*
spotlight het (...s) *67*
spotten *106*
spotte, gespot
spottenderwijs *111*
spotternij de (...en) *1,13*
spouw de (...en) *12,28*
spouwen *12,106*
spouwde, gespouwd
spr. [spreker] *100*
sprakeloos *87*

Sprang-Capelle *6,53*
sprankelen *106*
sprankelde, gesprankeld
spray de (...s; ...tje) *3,8,43*
sprayen *3,106*
sprayde, gesprayd
spread de (...s) *3*
spreadsheet de (...s) *9,67*
spreekwoord het (...en) *64*
spreekwoordelijk *87*
spreekwoordenboek *88*
spreeuw de (...en) *2*
spreeuw...: spreeuwschimmel, enz. *64*
spreeuwen...: spreeuwenei, enz. *88*
sprei de (...en) *13*
spreiden *13,106*
spreidde, gespreid
spreker (spr.) de (...s)
sprekers...: sprekerslijst, enz. *98*
sprenkelen *106*
sprenkelde, gesprenkeld
sprieten *106*
spriette, gespriet
sprietmager *64*
sprietsen *106*
sprietste, gesprietst
spring-in-'t-veld de (...en, ...s) *62*
springlevend *64*
sprinkhaan de (...hanen)
sprinkhanen...: sprinkhanenplaag, enz. *88*
sprinkler de (...s) *22*
sprinklerinstallatie *64*
sprinten *106*
sprintte, gesprint
spritsen *106*
spritste, gespritst
sproei de (...en)
sproei...: sproeistof, sproei-installatie, enz. *64,76*
sproeien *106*
sproeide, gesproeid
sproke de (...n) *89*
sprokkelen *106*
sprokkelde, gesprokkeld
sprongsgewijs *98*
sprouw de *12,28*
spruiten *106*
spruitte, gespruit
spruw de *28*
spugen *107*
spoog/spuugde, gespogen/gespuugd
spuidok het (...dokken) *22,64*
spuien *106*
spuide, gespuid
spuitgieten *69,106*
spuitgiette, gespuitgiet
spuitvliegen *69,107*
spurrie de *14*
spurrieboter *64*
spurten *106*
spurtte, gespurt
sputteren *106*
sputterde, gesputterd
sputum het (sputa, ...s) *1*
spuuglelijk *64*
spuwen *106*
spuwde, gespuwd
squadron het (...s) *24*
square de (...s) *3,24,43*
squash het *3,24,27*
squash...: squashbaan, enz. *66*
squashen *3,24,27*
squashte, gesquasht
squasher de (...s) *3,24,27*
squatter de (...s) *3,24*
squaw de (...s) *3,24*
Sr [strontium] *100*
sr. [senior] *100*
Sranantongo *55*
Sri Lanka *6,53*
Sri Lankaan, Sri Lankaans(e)
SS [Schutzstaffel] de
SS'er *46*
s.s.t.t. [salvis titulis] *100*
St. [Sint(e)] *100*
s.t. [salvo titulo] *100*
staag *2*
staaksgewijs *98*
staakt-het-vuren het *62*

staand *18*
staansvoets *ook* **staandevoets** *111,115*
staart de (...en)
staartloos *87*
staart...: staartdeling, enz. *64*
staartbijten *69,107*
staartschudden *69,107*
staat de (staten)
staatloos, stateloos *87*
staatkunde, staatkundig *64*
staten...: statenbond, enz. *88*
staats...: staatsambt, staatsschuld, enz. *98,99*
staatsie [plechtigheid] de (...s) *9,25,43*
staatsie...: staatsiefoto, enz. *64,76*
staatssecretaris de (...rissen) *60*
stabiel *9,14*
stabiele
stabij de (...s) *13*
stabilisatie de (...s) *26,43*
stabilisatie...: stabilisatievlak, enz. *64,76*
stabiliseren *26,106*
stabiliseerde, gestabiliseerd
stabiliteit de (...en) *9*
stabilo de (...'s) *42*
stabilometrie de *9*
stacaravan de (...s) *22,64*
staccato *22*
stad de (steden)
stadhuis, stadhouder *64*
steden...: stedenbouw, enz. *88*
stads...: stadsleven, stadsschouwburg, enz. *98,99*
Stad Delden *6,53*
stade, te – komen *62,111*
stadhouder de (...s)
stadhouderlijk, stadhouderloos *87*
stadhoudersgezind *98*
stadhouder-koning de (stadhouders-koningen) *80*
stadie de (...diën) *9,40*
stadion het (...s) *21*
stadium het (...s, ...dia) *1*
staffelen *106*
staffelde, gestaffeld
stafylokok de (...kokken) *9,22*
stag het (...en) *2*
stagfok *64*
stage de (...s) *27,43*
stage...: stagebegeleider, enz. *76,91*
stagediven *3,105,106*
stagedivede, gestagedived
stagen [scheepsterm] *2,106*
staagde, gestaagd
stagen [andere betekenis] *3,105,106*
stagede, gestaged
stageren *27,106*
stageerde, gestageerd
stagflatie de (...s) *3,19*
stagiair [man] de (...s) *3,27*
stagiaire [vrouw] de (...s) *3,27*
stagnatie de (...s) *43*
stagneren *106*
stagneerde, gestagneerd
sta-in-de-weg de (...s) *62*
stakelen *106*
stakelde, gestakeld
staken *106*
staakte, gestaakt
stakkerd de (...s) *18*
stalactiet de (...en) *9,22*
stalagmiet de (...en) *9*
stalen *106*
staalde, gestaald
stalinisme het *57,90*
stalinorgel *54,65*
stalken *3,106*
stalkte, gestalkt
stalker de (...s) *3*
stallen *106*
stalde, gestald
stalles de (alleen mv.) *1*
Stalpart van der Wiele, Jan-Baptist *6*
stam de (stammen; stammetje) *112*
stam...: stamindeling, enz. *64*
stammen...: stammenstrijd, enz. *88*
stamelen *106*
stamelde, gestameld
stamietsteen de (...stenen) *9,64*
stamijn [stof] het *13*

stamijn [zeef] het (...en) *13*
staminee de (...s; ...tje) *43*
stammen *106*
stamde, gestamd
stampei de *ook* **stampij** *13,115*
stampen *106*
stampte, gestampt
stampij de *ook* **stampei** *13,115*
stampvoeten *69,106*
stampvoette, gestampvoet
stance de (...s) *3,25*
stand [kraam] de (...s) *3,18*
stand [andere betekenis] de (...en) *18*
stand...: standpunt, enz. *64*
standen...: standenmaatschappij, enz. *88*
standsverschil *98*
standaard de (...en, ...s) *ook* **standerd** *18*
standaard...: standaardoplossing, enz. *64*
standaardisatie de (...s) *26,43*
standaardiseren *26,106*
standaardiseerde, gestandaardiseerd
Standaardnederlands *55*
stand-alone de (...s) *67*
stand-by *67*
Standdaarbuiten *6,53*
standerd de (...s) *ook* **standaard** *18*
standhouden *69*
hield stand, standgehouden
stand-in de (...s) *67*
standrechtelijk *87*
standstillbeginsel het (...en) *84*
standweiden *13,69,107*
stangen *106*
stangde, gestangd
stanleymes het (...messen) *54,65*
Stanleywatervallen de *65*
stanniool het *ook* **staniol** *14*
stansen *26,106*
stanste, gestanst
stante pede *63*
stanza de (...'s; stanzaatje) *26,42,112*
stapelen *106*
stapelde, gestapeld
stappen *106*
stapte, gestapt
stapsgewijs *98*
staren *106*
staarde, gestaard
starlet de (...s) *3*
starnakel de *22*
starogen *69,106*
staroogde, gestaroogd
Starr, Ringo *6*
stars and stripes de *67*
starten *106*
startte, gestart
stasi [Staatssicherheitsdienst] de *103*
stasi's (leden van de Staatssicherheitsdienst) *42,46*
statelijk *87*
statement het (...s) *3*
state(n)... zie **staat**
Stateneiland het (...en) *52*
Staten-Generaal de (alleen mv.) *52*
Statenlid het (...leden) *52*
Statenvertaling de *58*
statica de *22*
statie [standplaats, afbeelding] de (...s, ...tiën) *25,40*
statiekerk *64*
statiegeld het *64*
station het (...s; ...onnetje) *27,112*
stations...: stationsstraat, stationstunnel, enz. *98,99*
stationair *3,16*
stationcar de (...s) *67*
stationeren *16,106*
stationeerde, gestationeerd
stationnement het (...en) *16,27*
statisch *9,113*
statischer, meest statisch
statistica de *22*
statisticus de (...tici) *22,25*
statistisch *9*
statoscoop de (...scopen) *22*
statten [in de stad winkelen] *18,106*
statte, gestat
statueren *106*
statueerde, gestatueerd

statuesk *22*
status de/het *1*
status...: statussymbool, enz. *64*
status-quo de/het *24,63*
statussen *106*
statuste, gestatust
statutair *3*
statuur de (...turen) *14*
statuut het (...tuten) *14*
statutenwijziging *88*
stavast *64*
staven *19,106*
staafde, gestaafd
stayer de (...s) *3,8,21*
stayeren *3,106*
stayerde, gestayerd
S.T.D. [sacrae theologiae doctor] *100*
steak de (...s) *8*
steakhouse *67*
stearine de *9*
stearine...: stearinekaars, enz. *90*
steatiet het *9*
steatopygie de *9*
stechelen *ook* **steggelen** *2,106,115*
stechelde, gestecheld
stede de (...n) *89*
Stede Broec *6,53*
Stede Broeker, Stede Broecse
stedehouder de (...s) *97*
steden... zie **stad**
stedewaarts *111*
stee de (steeën) *38*
steekhouden *69*
hield steek, steekgehouden
steelband de (...s) *67*
Steele, Richard *6*
steelguitar de (...s) *67*
steenbok de (...bokken)
steenbokskeerkring *98*
Steenbok de *53*
steendrukken *69,106*
steendrukte, gesteendrukt
steengrillen *69,105,106*
steengrilde, gesteengrild
steenhouwen *12,69,107*
Steenhuize-Wijnhuize *6,53*
Steenkerke [West-Vlaanderen] *6,53*
Steenkerque [Henegouwen] *6,53*
steenkolen-... *55*
steenkolen-Engels, enz.
steenkool de (...kolen)
steenkool...: steenkoolgruis, steenkoolverbruik, steenkoolzwart, enz. *64*
steenkolen...: steenkolengruis, steenkolenmijn, enz. *88*
steensnijden *69,107*
steentijd de *56*
steeplechase de (...s) (GB: steeple-chase) *67*
steepler de (...s) *3,9*
steevast *8*
steg de (steggen) *2*
steganografie de *9,19*
steggelen *ook* **stechelen** *2,106,115*
steggelde, gesteggeld
stehgeiger de (...s) (GB: Stehgeiger) *3*
steiger de (...s) *13*
steigeren *13,106*
steigerde, gesteigerd
steil [loodrecht] *13*
steilte de (...n, ...s) *13,91*
Stein *6,53*
stekeblind *95,97*
stekken *106*
stekte, gestekt
stekkie het (...s) *9,43*
stele de (...s) *ook* **stèle** (...s) *30,43,91,115*
stellage de (...s) *27,43,91*
stellair *3*
stellen *106*
stelde, gesteld
stellingname de (...n, ...s) *64,91*
stellionaat het *16,18*
stelpen *106*
stelpte, gestelpt
steltlopen *69,107*
stemgerechtigd *64*
stemhebbend *64*

stemma het (...'s, ...mata) *42*
stemmen *106*
stemde, gestemd
stemming de (...en)
stemmingmaker, stemmingmakerij *64*
stemmings...: stemmingsronde, enz. *98*
stempelen *106*
stempelde, gestempeld
stencil de/het (...s) *1,25*
stencilen *25,106*
stencilde, gestencild
Stendhal *6*
stenen *114*
stenen *106*
steende, gesteend
stengun de (...s) *3,54*
stenigen *106*
stenigde, gestenigd
stennis de *ook* **stennes** *1,115*
steno... *78*
stenografisch, stenotypist, enz.
stenocardie de *22*
stenograaf de (...grafen) *19*
stenograferen *106*
stenografeerde, gestenografeerd
stenose de (...n) *26,89*
stenotypen *9,69,106*
stenotypte, gestenotypt
stentorstem de (...en) *54,65*
Stephenson, George *6*
step-in de (...s) *67*
steppe de (...n, ...s)
steppe...: stepperivier, enz. *76,91*
steppen *106*
stepte, gestept
ster de (sterren; sterretje) *112*
ster...: sterallures, enz. *64*
sterrestil *95*
sterren...: sterrenkijker, enz. *88*
STER [Stichting Etherreclame] de
STER-...: STER-reclame, enz. *83*
steradiaal de (...dialen) *14*
stère de (...n, ...s) *30,91*
stereo... *78*
stereoapparatuur, stereo-installatie, stereo-uitzending, enz.
stereotiep *9*
stereotiepe
stereotyperen *9,106*
stereotypeerde, gestereotypeerd
sterfelijk *ook* **sterflijk** *19,87,115*
sterfte de (...n, ...s, GB: geen meervoud) *43*
sterfte...: sterftecijfer, sterfteoverschot, enz. *76,91*
steriel *9*
sterilisatie de (...s) *9,26,43*
sterilisator de (...en, ...s) *9,26*
steriliseren *9,26,106*
steriliseerde, gesteriliseerd
sterisch *9*
sterkedrank de (...en) *64*
sterken *106*
sterkte, gesterkt
sterkgebouwd *64*
sterksmakend *64*
sterkte de (...n, ...s) *43*
sterkte...: sterkteleer, enz. *76,91*
sterkte-zwakteanalyse de (...n, ...s) *81*
sterkwater het *64*
steroïde de/het (...n) *37,89*
sterol de (...en) *14*
sterrenzingen *69,107*
sterven *19*
stierf, gestorven
stervende de (...n) *19,89*
stervensbegeleiding de *98*
sterzingen *69,107*
stethoscoop de (...scopen) *20,22*
steunen *106*
steunde, gesteund
steuntrekkende de (...n) *89*
stevenen *19,106*
stevende, gestevend
Stevenson, Robert Louis *6*
steward de (...s) *3*
stewardess de (...en) *3*
stibium (Sb) het *9*

stichisch *9*
stichomythie de *3,9,20*
sticht [klooster] het (...en) *ook* **stift** *2,115*
stichten *106*
stichtte, gesticht
stichting de (...en) *52*
stick de (...s) 22
sticker de (...s) 22
stickie het (...s) *9,22,43*
stief... *64*
stiefbroer, stiefzoon, enz.
stiefelen *19,106*
stiefelde, gestiefeld
stiekem *1*
stiekemerd de (...s) *1,18*
stiekempjes *1*
stier de (...en)
stierkalf *64*
stieren...: stierengevecht, enz. *88*
Stier de *53*
stieren *106*
stierde, gestierd
stierenvechten *69,107*
stift [klooster] het (...en) *ook* **sticht** *115*
stiftsdame *98*
stift [staafje] de (...en)
stifttand *64*
stiften *106*
stiftte, gestift
stigma het (...'s, ...mata) 42
stigmatisatie de (...s) *26,43*
stigmatiseren *26,106*
stigmatiseerde, gestigmatiseerd
stijf *13,19*
stijve
stijfsel de/het *13*
stijfte de *13,90*
stijfvloeken *69,106*
vloekte stijf, stijfgevloekt
stijgen *13*
steeg, gestegen
stijl [manier, pilaar] de (...en) *13*
stijlloos *87*
stijl...: stijldans, enz. *64*
stijldansen *69,107*
gestijldanst
stijve de (...n) *19,89*
stijven [met stijfsel stijf maken] *19,107*
steef, gesteven
stijven [krachtiger maken] *19,106,107*
stijfde, gestijfd
stik [verwensing] 22
stikken *106*
stikte, gestikt
stilaan *73*
stileren *106*
stileerde, gestileerd
stilet het (...letten) *14*
stiletto de (...'s) *14,42*
stilhouden *69*
hield stil, stilgehouden
stilist de (...en) *9*
stille de (...n) *89*
stilleggen *69,106*
legde stil, stilgelegd
stillen *106*
stilde, gestild
Stille Oceaan *6,53*
stilletjesaan *62*
stillezen *69,107*
stilliggen *69*
lag stil, stilgelegen
stilstaan *69*
stond stil, stilgestaan
stilte de (...n, ...s)
stilte...: stiltegebied, enz. *76,91*
stilton [kaas] de *1,54*
stilus de (...lussen) *1*
stilvallen *69*
viel stil, stilgevallen
stilzetten *69,106*
zette stil, stilgezet
stilzitten *69*
zat stil, stilgezeten
stilzwijgen *69*
zweeg stil, stilgezwegen
stimulans de (...en, ...lantia) *26*
stimulator de (...en, ...s) *1*

stimuleren *106*
stimuleerde, gestimuleerd

stimulus de (...muli) *1*

stipendium het (...dia, ...s) *1*

stippelen *106*
stippelde, gestippeld

stippen *106*
stipte, gestipt

stipulatie de (...s) *43*

stipuleren *106*
stipuleerde, gestipuleerd

stirlingmotor de (...en, ...s) *54,65*

Stoa [filosofische stroming] de *57*

stoa [zuilengang] de (...'s) *42,54*

stobbe de (...n; ...tje) *89*

stochast de (...en) *3,18*

stock de (...s) *22*
stock...: stockcar, stockdividend, stockexchange, enz. *66,67*

stockcarrace de (...s) *67*

stockeren *22,106*
stockeerde, gestockeerd

Stockholm *6,53*

stoel de (...en)
stoel...: stoelmat, enz. *64*
stoelen...: stoelendans, enz. *88*

stoelenmatten *69,107*

stoepa de (...'s) *42*

stoepier de (...s) *3,11*

stoepparkeren *69,107*

stoepranden *69,107*

stof de/het (stoffen)
stof...: stofnaam, enz. *64*
stoffenwinkel *88*

stoffage de (...s) *27,43,91*

stofferen *106*
stoffeerde, gestoffeerd

stofhagelen *69,106*
stofhagelde, gestofhageld

stofregenen *69,106*
stofregende, gestofregend

stofwerend *64*

stofzuigen *69,106,108*
stofzuigde, gestofzuigd

stofzuigeren *69,106,108*
stofzuigerde, gestofzuigerd

stoichiometrie de *3*

stoïcijn de (...en) *25,37,57*

stoïcisme het *25,37,57*

stoïsch *37,57*

stok de (stokken)
stok...: stokkaart, stokpaardje, enz. *64*
stokkenklavier *88*

stokebrand de (...en) *93*

stokebranden *69,93,107*

stokschermen *69,107*

stola de (...'s) *42*

stoloon de (...lonen) *14*

stom... *64*
stomdronken, stomtoevallig, enz.

stomatoschisis de *3*

stommeknecht de (...en) *64,92*

stommiteit de (...en) *9*

stond de (...en) *ook* **stonde** (...n) *18,89*

stoned *3*

Stonehenge *6*

stonewashed *67*

stoomhouden *69,107*

stootduiken *69,107*

stop-loss-order de (...s) *67*

stoppage de (...s) *14,27,91*

stopwatch de/het (...ches) *67*

stopzetten *69,106*
zette stop, stopgezet

storax de *23*

Stordiau, Germaine *6*

store de (...s) *3*

storing de (...en; storinkje) *112*
storingvrij *64*
storings...: storingsdienst, storingsvrij, enz. *98*

stormenderhand *62,111*

stormlopen *69*
liep storm, stormgelopen

storno de (...'s) *42*

stortebed de (...bedden) *93*

storten *106*
stortte, gestort

stortregenen *69,106*
stortregende, gestortregend

story de (...'s) *9,42*
Stoss, Veit *6*
stoten *107*
stootte/stiet, gestoten
stotinka de (...tinki) *22*
stout de/het *12*
stouwage de *ook* **stuwage** *27,90,115*
stouwen *12,106*
stouwde, gestouwd
stoven *19,106*
stoofde, gestoofd
straal de (stralen)
straal...: straalbezopen, straaljager, enz. *64*
stralen...: stralenkrans, enz. *88*
straalsgewijs *98*
straat de (straten)
straat...: straatnaam, enz. *64*
straten...: stratenmaker, enz. *88*
Straatsburg *6,53*
straatslijpen *69,107*
Straat van Gibraltar *6,53*
Straat van Hormuz *6,53*
straddle de (...s) *3*
Stradivari, Antonio *6*
stradivarius de (...ussen) *54*
straf de (straffen)
straffeloos *87*
straf...: strafbal, enz. *64*
strafexerceren *69,107*
straffe, op – van *62,111*
strafrechtelijk *87*
strafschop de (...schoppen) *64*
strafschop...: strafschopgebied, enz. *68*
strafschoppen...: strafschoppenreeks, enz. *68,88*
straight *3*
strakblauw *64*
strakgespannen *64*
stralen... zie **straal**
stramien het (...en) *14*
Stramproy *6,53*
stranden *106*
strandde, gestrand
strandjutten *69,107*
strandzeilen *69,107*
strangulatie de *3*
strapatsen de (alleen mv.) *26*
strapless *3*
strapontijn de (...s) *13*
strateeg de (...tegen) *14*
strategie de (...gieën) *40*
straten... zie **straat**
stratificatie de *22*
stratigrafie de *9*
stratocumulus de (...muli) *22*
stratosfeer de *19*
stratus de (stratie, stratussen) *1*
Strauss, Johann/Richard *6*
Strawinsky, Igor *6*
streaken *9,106*
streakte, gestreakt
streber de (...s) *3*
streekgebonden *64*
Streep, Meryl *6*
streepje het (...s)
streepjes...: streepjesoverhemd, enz. *98*
Streisand, Barbra *6*
streptococcus de (...cocci) *22*
streptokinase de/het (...n) *22,89*
streptokok de (...kokken) *22*
streptomycine de/het *9,25,90*
stress de *3*
stress...: stressbestendig, stress-situatie, enz. *66,85*
stressen *105,106*
streste, gestrest
stressor de (...en) *1*
stretch *27*
stretchen *27,106*
stretchte, gestretcht
stretta de (...'s) *42*
stretto *14*
streven *19,106*
streefde, gestreefd
striae de (alleen mv.) *8*
strictuur de (...turen) *22*
striduleren *106*
striduleerde, gestriduleerd

strijd de (...en) *13*
Strijen *6,53*
strijkage de (...s) *27,43,91*
strijkbout de (...en) *12,13,18*
strijkel de (...s) *13*
strijk-en-zet *62*
strike de (...s) *3*
strikt *22*
stringendo *3*
strip de (strippen, ...s)
strip...: stripverhaal, enz. *64*
strippenkaart *88*
stripologie de *14*
striptease de (...s) *43,67*
stripteasedanseres *66*
stripteaseuse de (...s) *9,26,91*
stro het (strootje) *112*
stroborama het (...'s) *42*
stroboscoop de (...scopen) *22*
stroboscooplamp *64*
strodekken *69,107*
strofe de (...n, ...s) *91*
Strombeek-Bever *6,53*
stront... *64*
stronteigenwijs, strontvervelend, enz.
strontium (Sr) het *1,25*
strooiing de *4,38*
strooi-jonker de (...s) (GB: strooijonker) *76*
stroomlijnen *69,106*
stroomlijnde, gestroomlijnd
strooplikken *69,107*
stroopsmeren *69,106*
smeerde stroop, stroopgesmeerd
strop de (stroppen)
stroppenpot *88*
strot de (strotten)
strotklepje *64*
strottenhoofd *88*
strovlechten *69,107*
strubbelen *106*
strubbelde, gestrubbeld
structuralisme het *22,57,90*
structureren *22,106*
structureerde, gestructureerd
structuur de (...turen) *22*
struggle for life *67*
struis de (...en) *26*
struis...: struisvogel, struisvogelpolitiek *64,68*
struis *26*
struise
struma de/het *3*
struweel het (...welen) *28*
strychnine de/het *3,9*
stuc [pleisterkalk] het *22*
stuc...: stucwerk, enz. *64*
student de (...en)
student-assistent *80*
studenten...: studentencorps, studentenvereniging, enz. *88*
studentikoos *26*
studentikoze
studie de (...diën, ...s) *40,43*
studie...: studieadres, studiebol, studie-uur, enz. *64,76*
studio de (...'s; ...ootje) *42,112*
studio...: studiogast, studio-opname, enz. *64,76*
studiosus de (...osi) *1,26*
studium generale het *63*
stuf [vlakgom] het (...s) *14*
stuff [verdovende middelen] de *3,14*
stufi [studiefinanciering] de *102*
stuiptrekken *69,106*
stuiptrekte, gestuiptrekt
stuit de (...en)
stuit...: stuitligging, enz. *64*
stuiten *106*
stuitte, gestuit
stuiven *19*
stoof, gestoven
stuivertjewisselen *69,107*
stuk [exemplaar] het (...s)
stukprijs *64*
stuk [andere betekenis] de (stukken)
stuka [Sturzkampfflugzeug] de (...'s) *42*
stukadoor de (...s) *22*
stukadoorswerk *98*

stukadoren *22,106*
stukadoorde, gestukadoord
stukbijten *69*
beet stuk, stukgebeten
stukbreken *69*
brak stuk, stukgebroken
stuken *22,106*
stuukte, gestuukt
stukgooien *69,106*
gooide stuk, stukgegooid
stuksgewijs *ook* **stuksgewijze** *98,115*
stunten *106*
stuntte, gestunt
stuntvliegen *69,107*
stupéfait *3,29*
stupide *9*
stupiditeit de (...en) *9*
stuurman de (...mannen, stuurlieden, stuurlui)
stuurmanskunst *98*
stuw de (...en) *28*
stuwadoor de (...s) *28*
stuwage de (...s) *ook* **stouwage** *27,91,115*
Stuyvesant, Peter *6*
styliet de (...en) *9*
styling de *3*
stylist de (...en) *3,9*
styp de (...en) *9*
styreen het *9*
SU [Sovjet-Unie] de *104*
suatie de *9*
suatiesluis *64*
suave *3*
sub... *17,77*
subcultuur, subdivisie, enz.
subcategoriseren *22,26,106*
subcategoriseerde, gesubcategoriseerd
subiet *9,18*
subject het (...en) *22*
subjectief *19,22*
subjectieve
subjectiviteit de *19,22*
subjonctief de (...tieven) *ook* **subjunctief** *19,22,115*
sublimaat het (...maten) *14*
sublimeren *106*
sublimeerde, gesublimeerd
subordineren *106*
subordineerde, gesubordineerd
sub rosa *63*
subs. [subsidiair] *100*
subscribent de (...en) *22*
subscriberen *22,106*
subscribeerde, gesubscribeerd
subscriptie de (...s) *22,43*
subsidiabel *9*
subsidiair (subs.) *3,9*
subsidiariteit de *9*
subsidiariteits...:
subsidiariteitsbeginsel *98*
subsidie de/het (...s) *43*
subsidie...: subsidieaanvraag, subsidiebeleid, enz. *64,76*
subsidiënt de (...en) *37*
subsidiëren *37,38,106*
subsidieerde, gesubsidieerd
subsistentie de *9*
subst. [substantief] *100*
substantie de (...s) *43*
substantieel *27,37,38*
substantiële
substantief *19*
substantieve
substantief (subst.) het (...tieven) *19*
substantiëren *37,38,106*
substantieerde, gesubstantieerd
substantiveren *106*
substantiveerde, gesubstantiveerd
substantivisch *9,25*
substituant de (...en) *9,18*
substitueren *106*
substitueerde, gesubstitueerd
substitutie de (...s) *43*
substituut de/het (...tuten)
substituut-...: substituut-griffier, enz. *79*
substractie de (...s) *23,43*
subtiel *9*
subtiele

subtiliteit de (...en) *9*
subtractief *19,22*
subtractieve
subventie de (...s) *43*
subversief *19,26*
subversieve
sub voce *63*
succederen *23,106*
succedeerde, gesuccedeerd
succes het (...cessen) *23*
succes...: succesverhaal, successtory, enz. *64,66*
successie de (...s) *23,43*
successie...: successierecht, enz. *64,76*
successievelijk *23,87*
succulent de (...en) *22*
succumberen *22,106*
succumbeerde, gesuccumbeerd
succursale de (...n, ...s, GB: ...n) *22,26,91*
Sucre *6,53*
sucrose de *22,26,90*
Sudan *ook* **Soedan** *6,53*
sudden death de (...s) *67*
suède de/het *30,54*
Suetonius, Gaius *6*
Suezkanaal *6,53*
sufferd de (...s) *18*
sufficiënt *14,27,37*
sufficiëntie de *14,25,27,37*
suffisant *14,26*
suffix het (...en) *23*
suffragaan de (...ganen) *14*
suffragaanbisschop *64*
suffragette de (...s) *14,27,91*
suggereren *106*
suggereerde, gesuggereerd
suggestibel *9*
suggestibiliteit de *9*
suggestie de (...s) *43*
Suharto *ook* **Soeharto**
suïcidaal *25,37*
suïcide de (...n, ...s) *25,37,91*
suikerhoudend *64*
suisse [ordebewaarder] de (...s) *3,43,54*
suite de (...s) *3,91*
suite, en – *63*
suizebollen *26,93,106*
suizebolde, gesuizebold
suizelen *26,106*
suizelde, gesuizeld
suizen *26,106*
suisde, gesuisd
sujet het (...jetten) *27*
sukade de *22*
sukade...: sukadekoek, enz. *76,90*
Sukarno *ook* **Soekarno**
Sulawesi *6,53*
sulfamide de/het (...n) *89*
sulfanilamide de/het (...n) *89*
sulfer (S) de/het *ook* **solfer** *115*
sulfide het (...n) *89*
sulfonamide het (...n) *89*
sulfureus *26*
sulfureuze
sulky de (...'s) *9,42*
sultanaat het (...naten) *14*
sultanarozijn de (...en) *64*
sultane de (...s) *43,91*
sumak de (...s) *ook* **smak** *14,115*
summa cum laude *63*
summair *3*
summa summarum *63*
summier *14,113*
summierder, summierst
summum het *1,14*
sumo het *10*
sumoworstelaar *66*
sumoworstelen *69,107*
sup. [supra, superior] *100*
super... *64*
superego, supermarkt, supersonisch, supervisie, enz.
superbe *3*
super-de-luxe *63*
superette de (...n, ...s) *91*
superflu het *3*
superieur de (...en) *3*

superior (sup.) de (...ores, ...s) *3*
superioriteit de
superioriteitsgevoel *98*
supernova de (...'s, ...vae) *42*
superplie het (...s) *9,43*
superstitie de (...tiën, ...s) *40,43*
superviseren *26,106*
superviseerde, gesuperviseerd
supervisor de (...en) *26*
supineren *106*
supineerde, gesupineerd
supinum het (...pina, ...s) *1*
supplement het (...en) *14*
suppleren *14,106*
suppleerde, gesuppleerd
suppletie de (...s) *14,43*
suppletoir *ook* **suppletoor** *3,10,14,115*
suppliant de (...en) *14*
suppliek de (...en) *14*
suppliëren *14,37,106*
supplieerde, gesupplieerd
supponeren *106*
supponeerde, gesupponeerd
suppoost de (...en) *14*
supporter de (...s) *14*
supporters...: supporterstrein, enz. *98*
suppositie de (...s) *14,43*
suppositorium het (...ria) *14*
suppressie de (...s) *14,43*
supprimeren *14,106*
supprimeerde, gesupprimeerd
supra... *78*
suprageleiding, supranationaal, enz.
supra (sup.) *10*
suprematie de *14*
Surabaya *ook* **Soerabaja** *6,53*
surf... *66,67*
surfboard, surfplank, surfriding, enz.
surfen *106*
surfde/surfte, gesurfd/gesurft
surinamiseren *26,54,106*
surinamiseerde, gesurinamiseerd
surnumerair de (...s) *3*
sur place de (...s) *43,63*
surplus het *1*
surprise de (...s) *3*
surpriseparty de (...'s) *42,67*
surrealisme het *57*
surreëel *37,38*
surreële
surrogaat het (...gaten) *14*
surrogaat...: surrogaatmoeder, enz. *64*
surseance de (...s) *25,29,91*
surveillance de (...s) *21,25*
surveillance...: surveillanceauto, surveillancedienst, enz. *76,91*
surveilleren *21,106*
surveilleerde, gesurveilleerd
survey de (...s) *3,8,43*
survival de (...s) *3*
survival...: survivaltocht, enz. *66*
susceptibel *25*
sushi de *11,27*
suspect *22*
suspense de *25*
suspensie de (...s) *43*
suspensoir het (...s) *3*
suspicie de (...ciën, ...s) *25,40,43*
Sussex *6,53*
sutuur de (...turen) *14*
suzerein de (...en) *13,26*
Sv [sievert] *100*
svarabhaktivocaal de (...calen) *19,20,22*
SVB [Sociale Verzekeringsbank, Studentenvakbeweging] de *104*
s.v.p. [s'il vous plaît] *100*
SVS [Stichting Vlaamse Schoolsport] de *104*
Swaen, Michiel de *6*
swagger de (...s) *3*
Swahili *55*
swami de (...'s) *42*
swap de (...s) *3*
swapaffaire *66*
swastika de (...'s) *22,42*
Swaziland *6,53*
Swaziër, Swazisch(e)

sweater de (...s) *3*
sweatshirt het (...s) *67*
Sweelinck, Jan Pieterszoon *6*
sweepstake de (...s) *67*
swing de *3*
swingband *67*
swingen *106*
swingde, geswingd
switch de (...ches) *27*
switchen *27,106*
switchte, geswitcht
sybaritisch *9*
sycofant de (...en) *9,22*
sydniër [paard] de (...s) *37,54*
syfilis de *1,9*
syfilitisch *9*
sylfe de (...n) *9,89*
sylfide de (...n, ...s) *9,91*
syllabe de (...n, ...s) *9,14*
syllabeschrift *91*
syllabificatie de *9,14,22*
syllabus de (...labi, ...bussen) *9,14*
syllepsis de *9,14*
syllogisme het (...n) *9,14,89*
symbiose de *9,90*
symbolisatie de (...s) *9,43*
symboliseren *9,26,106*
symboliseerde, gesymboliseerd
symbolum het (...s) *1,9*
symbool het (...bolen) *9*
symbool...: symboolwerking, enz. *64*
symbolentaal *88*
symfonie de (...nieën) *9,19,40*
symfonie...: symfonieorkest, enz. *64,76*
symmetrie de *9,14*
symmetrie...: symmetrieas, symmetrievlak, enz. *64,76*
sympathetisch *9,20*
sympathicus de (...thici) *9,20,22*
sympathie de (...thieën) *9,20,40*
sympathie...: sympathiebetuiging, enz. *64,76*
sympathisant de (...en) *9,20,26*
sympathiseren *9,20,26*
sympathiseerde, gesympathiseerd
symposium het (...sia, ...s) *ook* **symposion** (...sia, ...s) *9,26*
symptoom het (...tomen) *9*
symptoombestrijding *64*
syn. [synoniem] *100*
synagoge de (...n) *ook* **synagoog** (...gogen) *9,89,115*
synaps de (...en) *9*
synchroniciteit de *9,25*
synchronie de *9*
synchronisatie de (...s) *9,26,43*
synchroniseren *9,26,106*
synchroniseerde, gesynchroniseerd
synchroon *9*
synchrotron het (...s) *9*
syncope [muziekterm] de (...n, ...s) *9,22,91*
syncope [weglating] de (...s) *8,9,22,42*
syncoperen *9,22,106*
syncopeerde, gesyncopeerd
syncretiseren *9,22,106*
syncretiseerde, gesyncretiseerd
syncretisme het *9,22,90*
synd. [syndicaat] *100*
syndicaal *9,22*
syndicaat (synd.) het (...caten) *9,22*
syndicaatsleider *98*
syndicalisme het *9,22,90*
syndicus de (...dici) *9,22,25*
syndroom het (...dromen) *9*
synecdoche de (...'s) *9,22,42*
synergetisch *9*
synergie de *9*
synergisme het *9,90*
synesthesie de (...sieën) *9,20*
synodaal *9*
synode de (...n, ...s) *9*
synode...: synodevergadering, enz. *76,91*
synoniem het (...en) *9*
synoniemenwoordenboek *88*
synonymie de *9*
synonymiek de *9*
synopsis de (...sissen) *1,9*
synoptici de (alleen mv.) *9,25*

synovia de *9*
syntactisch *9,22*
syntagma het (...'s, ...mata) *9,42*
syntaxis de *1,9,23*
synthese de (...n, ...s) *9,20,43*
synthese...: synthesecommissie, enz. *76,91*
synthesizer de (...s) *3,20,26*
synthesizer...: synthesizermuziek, enz. *66*
synthetisch *9,20*
synthetiseren *9,20,26*
synthetiseerde, gesynthetiseerd
Syrië *6,53,55*
Syriër, Syrisch
systeem het (...temen) *9*
systematicus de (...tici) *9,22,25*
systematisch *113*
systematischer, meest systematisch
systematiseren *9,26,106*
systematiseerde, gesystematiseerd
systole de (...n) *9,89*
SZW [Sociale Zaken en Werkgelegenheid] *104*

t

t de (t's; t'tje) *46*
T-biljet, T-shirt, T-splitsing *61,83*
t [ton] *100*
t. [tarra] *100*
T [tritium] *100*
Ta [tantaal] *100*
taaislijmziekte de (...n, ...s) *43,68*
taaitaai de/het (...en) *80*
taaitaaipop *64*
taak de (taken)
taak...: taakomschrijving, enz. *64*
taken...: takenpakket, enz. *88*
taal de (talen)
taal...: taalfout, taalgevoelig, enz. *64*
talen...: talenknobbel, enz. *88*
taart de (...en)
taart...: taartbodem, enz. *64*
taarten...: taartenbakker, enz. *88*
tab de (...s) *17*
tab...: tabkaart, enz. *64*
tab. [tabel, tabula, tabulator] *100*
tabak de (...bakken) *14*
tabaks...: tabaksreclame, tabaksschuur, enz. *98,99*
tabasco de *22*
tabberd de (...en, ...s) *ook* **tabbaard** *18,115*
tabee *8,14*
tabel (tab.) de (tabellen; tabelletje) *15,112*
tabellarisch *14*
tabellariseren *14,26,106*
tabellariseerde, getabellariseerd
tabelleermachine de (...s) *14,27,91*
tabelleren *14,106*
tabelleerde, getabelleerd
tabernakel de/het (...en, ...s) *14,22*
tabernakelen *14,22,106*
tabernakelde, getabernakeld
tabijn het (...en) *13,14*
tabijnen *13,14,114*
tabla de (...'s) *42*
tableau het (...s) *10,43*
tableau de la troupe *63*
tableau vivant *63*
tablet de/het (...bletten) *14*
tabloid het (...s) *3,37*
tabloid...: tabloidpers, enz. *66*
taboe de/het (...s) *43*
taboe...: taboedoorbrekend, taboeonderwerp, taboesfeer, enz. *64,76*
taboeïseren *26,38,106*
taboeïseerde, getaboeïseerd
taboeret de (...retten) *14*
tabula rasa *63*
tabulator (tab.) de (...en, ...s) *1,14*
tabulator...: tabulatortoets, enz. *64*
tabuleren *14,106*
tabuleerde, getabuleerd
tacet het *25*
tache de beauté *63*
tachisme het *3,90*
tachograaf de (...grafen) *3,19*
tachotypie de *3,9*
tachtig *74*
tachtig...: tachtigjarig, enz. *64*
tachy... *3,9*
tachygrafisch, tachymeter, enz.
tachyon het (...en) *3,9*
tackelen *3,22,106*
tackelde, getackeld
tackle de (...s) *3,22*
taco de (...'s; tacootje) *22,42,112*
tact de *22*
tacticus de (...tici) *22,25*
tactiek de (...en) *22*
tactiel *9,22*
tactiele
taddik de (...en) *15*

Tadzjikistan *6,53*
Tadzjiek, Tadzjieks(e)
taekwondo het *3*
taël de (...s) *37*
tafeltennissen *69,107*
tafeltje-dek-je *62*
tafereel het (...relen) *1,14*
taffen *114*
taffia de *ook* **tafia** *14,115*
tafzijde de *ook* **tafzij** *64,90,115*
tafzijden *114*
tagliatelle de *ook* **tagliatelli** *3,115*
Tagore, Rabindranath *6*
tagrijn de (...en, ...s) *13*
tahin de *9*
Tahiti *6,53*
Tahitiaan, Tahitiaans(e)
tahoe de *11*
taifoen de (...s) *ook* **tyfoon** *11,115*
taiga de (...'s) *3,42*
tai-ji de *3,9,21*
taille de (...s) *21,43,91*
taille douce de *63*
tailleren *21,106*
tailleerde, getailleerd
tailleur de (...s) *21*
tailleuse de (...s) *21,26,91*
tailor de (...s) *1,8*
Taipei *6,53*
Taiwan *6,53*
Taiwanees,Taiwanese
tajine de (...s) *43,91*
Taj Mahal de *6,52*
tak de (takken)
takkemens, takkeweer, takkewijf *97*
takken...: takkenbos, enz. *88*
take de (...s) *8,43*
takelage de *27,90*
taken... zie **taak**
take off de (...s) *67*
taks de (...en) *23*
tal het (tallen)
talloos *87*
tal...: talrijk, talstelsel, enz. *64*
talaan de (...lanen) *14*
talaar de (...laren) *14*
talen... zie **taal**
talent het (...en)
talentloos *87*
talent...: talentscout, talentvol, enz. *64,67*
talenten...: talentenjacht, enz. *88*
talie de (...s) *9,43*
taliën *40,106*
taliede, getalied
taling de (...en; talinkje) *112*
talisman de (...mannen, ...s) *1*
talking blues *67*
talkshow de (...s) *67*
Talleyrand-Périgord, Charles Maurice *6*
Tallinn *6,53*
talmoed de (...s) *ook* **talmud** *11,59,115*
talmoedist de (...en) *ook* **talmudist** *11,115*
talon de (...s; talonnetje) *112*
talud het (...s) *ook* **taluud** *14,18,115*
tamagotchi de (...'s) *9,18,27,54*
tamari de *9,14*
tamarinde de (...n, ...s) *14,43*
tamarinde...: tamarindeboom, enz. *76,91*
tamarisk de (...en) *14,22*
tamarisk...: tamariskfamilie, enz. *64*
tamba de (...'s) *42*
tamboerijn de (...en) *11,13*
tamboer-majoor de (...s) *11,79*
tambour-maître de (...s) (GB: tamboer-maître) *63*
tamelijk *87*
Tamil *55*
tampeloeres de (...en) *1*
tampon de (...s; tamponnetje) *112*
tamponneren *14,106*
tamponneerde, getamponneerd
tamtam de (...s) *80*
t.a.n. [ten algemenen nutte] *100*
tand de (...en)
tandeloos *87*
tand...: tandarts, tandplaque, enz. *64*
tanden...: tandenstoker, enz. *88*

tandem de (...s) *3*
tanden *106*
tandde, getand
tandenknarsen *88,106*
tandenknarste, getandenknarst
tanga de (...'s; tangaatje) *3,42,112*
Tanganjika *ook* **Tanganyika** *6,53*
Tanganjikaan, Tanganjikaans(e)
tangarine de (...s) *43,91*
tangens de (...en, ...genten) *1*
tangentieel *37,38*
tangentiële
tango de (...'s) *3,42*
tango...: tangodanseres,
tango-orkest, enz. *64,76*
tank de (...s) *3*
tank...: tankaanval, enz. *66*
tanka de (...'s) *42*
tanken *3,106*
tankte, getankt
tanker de (...s) *3*
tanker...: tankercapaciteit, enz. *66*
tannine de/het *14,90*
tantalisch *54*
tantaliseren *26,54,106*
tantaliseerde, getantaliseerd
tantalium (Ta) het *1,54*
tantaluskwelling de (...en) (GB:
Tantaluskwelling) *54,65*
tante de (...s) *43,91*
tante-Betjestijl de *65*
tantième het (...s) *3,30,91*
tant pis *63*
tantra de (...'s) *42*
tantrisme het *90*
tantum het (...s) *1*
Tanzania *6,53*
Tanzaniaan, Tanzaniaans(e)
taoïsme het *38,90*
taoïst de (...en) *38*
t.a.p. [ter aangehaalder plaatse] *100*
tapdansen *3,69,106*
tapdanste, getapdanst
tape de (...s; ...je) *3,8,43*
tape...: tapedeck, enz. *67*
tapen *8,105,106*
tapete, getapet
tapenade de (...s) *14,43,91*
Tapies, Antonio *6*
tapijt het (...en) *13*
tapioca de *14,22*
tapir de (...s) *9*
tapisserie de (...rieën) *14,40*
tapissière de (...s) *14,30,43*
tappen [dansen] *3,106*
tapte, getapt
taptemelk de *97*
taptoe de (...s) *43*
tapuit de (...en) *4*
tarantel de (...tellen) *ook* **tarantula**
(...'s) *14,15,42,115*
tarantella de (...'s) *14,42*
tarantula de (...'s) *ook* **tarantel**
14,42,115
tarbot de (...botten) *18*
tardief *19*
tardieve
target de (...s) *3*
targoem de (...s) *11*
tarief het (...rieven) *19*
tarief...: tariefafspraak, enz. *64*
tarieven...: tarievenbeleid, enz. *88*
tariefs...: tariefsverlaging, enz. *98*
tarifair *3,19*
tariferen *19,106*
tarifeerde, getarifeerd
tarlatan het *14*
tarot de/het (...s) *ook* **tarok** (...s)
18,115
tarot...: tarotkaart, enz. *64*
Tarquinius *6*
tarra de (...'s) *14*
tarra...: tarrarekening, enz. *64,76*
tarreren *14,106*
tarreerde, getarreerd
tartaar de (...taren)
tartaarsaus *64*
tartarensaus *88*
tarten *106*
tartte, getart

Tartuffe *6*
tartufferie de *14,54*
tarwe de
tarwe...: tarweaar, tarwemeel, enz. *76,90*
tasje het (...s)
tasjes...: tasjesdief, enz. *98*
Tasjkent *6,53*
Tasmanië *6,53*
TASS [Telegrafnoje Agentstvo Sovjetskogo Sojuza] *103*
tasten *106*
tastte, getast
taste-vin de (...s) *63*
tatami de (...'s) *14,42*
tater de (...s) *1*
tateren *106*
taterde, getaterd
Tati, Jacques *6*
tatoeage de (...s) *27,91*
tatoeëerder de (...s) *38*
tatoeëren *38,106*
tatoeëerde, getatoeëerd
taugé de *3,12,33*
taupe *3,10*
tautogram het (...grammen) *12*
tautologie de (...gieën) *12,40*
tautosyllabisch *9,12,14*
t.a.v. [ten aanzien van, ter attentie van] *100*
taveerne de (...n, ...s) *ook* **taverne** *43,91,115*
taxameter de (...s) *23,64*
taxateur de (...s) *23*
taxatie de (...tiën, ...s) *23,40,43*
taxatie...: taxatiefout, enz. *64,76*
taxeren *23,106*
taxeerde, getaxeerd
taxfree *9,23,67*
taxfreeshop de (...s) *9,23,67*
taxi de (...'s; taxietje) *23,42,112*
taxi...: taxibedrijf, enz. *64,76*
taxidermie de *9,23*
taxidermist de (...en) *9,23*
taxiën *23,40,106*
taxiede, getaxied
taxon het (taxa) *23*
taxonomie de (...mieën) *23,40*
taxus de (taxussen) *1,23*
Taylor, Elizabeth *6*
Taylorstelsel het *65*
tazza de (...'s) *3,42*
tb [tuberculose] *ook* **tbc** *101,115*
Tb [terbium] *100*
Tbilisi *6,53*
tbr [terbeschikkingstelling van de regering] *101*
tbs [terbeschikkingstelling] *101*
t.b.v. [ten bate van, ten behoeve van, ten bedrage van, ter beschikking van, ter bevordering van] *100*
Tc [technetium] *100*
t.d.e. [te dien einde] *100*
Te [tellurium] *100*
teaën *9,38,106*
teade, getead
teak [hout] het *9*
teak...: teakhout, enz. *66*
teakhouten *9,114*
te allen tijde *62,111*
team het (...s) *9*
team...: teamwerk, teamwork, enz. *66,67*
tearjerker de (...s) *9,67*
tearoom de (...s) *9,11,67*
Tebaldi, Renata *6*
te berde brengen *69,111*
te berge rijzen *62,111*
te binnen schieten *62*
teboekstelling de (...en) *68*
technetium (Tc) het *25*
techneut de (...en) *18*
technicolor de *22,67*
technicus de (...nici) *22,25*
technisch *9,113*
technischer, meest technisch
technisch-wetenschappelijk *79*
technocratie de (...tieën) *22,40*
technofoob de (...foben) *17*
technohouse de *67*
technologie de (...gieën) *40*

teckel de (...s) *ook* **tekkel** *22,115*
tectyl de/het *9,22*
tectyleren *9,22,106*
tectyleerde, getectyleerd
teddybeer de (...beren) *54,65*
teder *113*
tederder, tederst
Te-Deum het *11,39,59*
te dezen *62,111*
te dien einde (t.d.e.) *62,111*
te dier zake *62,111*
teef de (teven) *19*
teelt de (...en) *18*
teemsen *26,106*
teemste, geteemst
teen de (tenen)
teen...: teennagel, enz. *64*
tenen...: tenenkaas,
tenenkrommend, enz. *64,88*
teenager de (...s) *3,8,9*
teer... *64*
teerbemind, teergevoelig, enz.
teers de (...en) *26*
teevee de (...s) *102*
teflon het *19*
tefra het *19*
tegaar *ook* **tegader** *115*
te gelde maken *62,111*
tegeldemaking de (...en) *68,111*
tegelijk *73*
tegelijkertijd *73,111*
tegelzetten *69,107*
tegemoet *18*
tegemoet...: tegemoetkoming, enz.
64
tegemoetkomen *18,69*
kwam tegemoet, tegemoetgekomen
tegemoetzien *69*
zag tegemoet, tegemoetgezien
tegen... *64,72*
tegendraads, tegenover, tegenslag,
enz.
tegenstemmen *70,106*
stemde tegen, tegengestemd
tegoed het (...en)
tegoed...: tegoedbon *64*
te goed doen, zich – aan *62,111*
te goeder naam en faam *62,111*
te goeder trouw *62,111*
te goed hebben *62*
te gronde richten *62,111*
Tegucigalpa *6,53*
tehuis het (...huizen) *26*
te hulp komen *62*
teil de (...en) *13*
Teilhard de Chardin, Pierre *6*
teint de/het *3*
Teirlinck, Herman *6*
Teisterbant, het *6*
teisteren *13,106*
teisterde, geteisterd
tekeergaan *69*
ging tekeer, tekeergegaan
tekkel de (...s) *ook* **teckel** *22,115*
te koop aangeboden (t.k.a.) *62*
tekort het (...en)
tekort...: tekortkoming, enz. *68*
tekortdoen *69*
deed tekort, tekortgedaan
tekortkomen *69*
kwam tekort, tekortgekomen
tekortschieten *69*
schoot tekort, tekortgeschoten
tekst de (...en) *23*
tekstueel *23*
tektiet de (...en) *9,18*
tektoniek de *22*
te kust en te keur *62*
te kwader trouw *62,111*
tel. [telefoon, telegraaf, telegram] *100*
telaatkomer de (...s) *68*
tel.adr. [telegramadres] *100*
telastlegging de (...en) *ook*
tenlastelegging *68,111,115*
tele... *78*
telecommunicatie, telefonisch,
tele-informatie, enz.
Teleac *104*
Teleac-...: Teleac-cursus, enz. *83*
telebankieren *69,106*
telebankierde, getelebankierd

telefonade de (...s) *14,19,91*
telefoneren *19,106*
telefoneerde, getelefoneerd
telefoon (tel.) de (...fonen, ...s) *19*
telegraaf (tel.) de (...grafen) *19*
telegraferen *106*
telegrafeerde, getelegrafeerd
telegram (tel.) het (...grammen) *1*
telegram...: telegramadres (tel. adr.), enz. *64*
telekinese de *ook* **telekinesie** *9,90,115*
teleleren *69,107*
telematica de *22*
telen *106*
teelde, geteeld
telepaat de (...paten) *14,20*
telepathie de *20*
telepathisch *9,20*
telescoop de (...scopen) *22*
teleshoppen *27,69,106*
teleshopte, geteleshopt
teleurstellen *69,106*
stelde teleur, teleurgesteld
televergaderen *69,107*
televisie (tv) de (...s) *43*
televisie...: televisiegids, televisie-uitzending, enz. *64,76*
telewerken *69,106*
telewerkte, getelewerkt
telewinkelen *69,107*
telex de (...en) *23*
telexen *23,106*
telexte, getelext
telkenjare *73,111*
telkenmale *ook* **telkenmaal** *73,111,115*
Tell, Wilhelm *6*
tellurisch *14*
tellurium (Te) het (...ria, ...s) *ook* **telluur** *1,14,115*
teloorgaan *69*
ging teloor, teloorgegaan
temeer *73*
temeie de (...s) *ook* **temeier** (...s) *13,91,115*
temen *106*
teemde, geteemd
temet *73*
te midden van *62*
te mijnen huize *26,62,111*
te mijner beschikking *62,111*
te moede *62,111*
temp. [temperatuur] *100*
tempé de *30*
tempeesten *106*
tempeestte, getempeest
tempelen *106*
tempelde, getempeld
tempen *106*
tempte, getempt
tempera de *1*
temperament het (...en) *1*
temperans het (...rantia) *1*
temperaturen *1,106*
temperatuurde, getemperatuurd
temperatuur de (...turen) *1*
temperen *106*
temperde, getemperd
tempex het *23*
Temple, Shirley *6*
tempo het (tempi, ...'s; tempootje) *42,112*
tempoera de *11*
temporair *3*
temporalia de (alleen mv.) *ook* **temporaliën** *40,115*
temporisatie de (...s) *26,43*
temptatie de (...tiën, ...s) *ook* **tentatie** *40,43,115*
tempteren *106*
tempteerde, getempteerd
tempus de/het (tempora) *1*
tenaamstelling de (...en) *68*
ten aanhoren van *62,111*
ten aanschouwen van *12,62,111*
ten aanzien van (t.a.v.) *62,111*
tenaciteit de *25*
ten algemenen nutte (t.a.n.) *62,111*
ten anderen male *62,111*
tenant de (...en) *18*
ten bate van (t.b.v.) *62,111*
ten bedrage van (t.b.v.) *62,111*

ten behoeve van (t.b.v.) *62,111*
ten besluite *62,111*
ten bewijze *62,111*
ten dele *62,111*
tendens de (...en) *26*
tendentie de (...s) *43*
tendentieus *26,27*
tendentieuze
tenderen [de genoemde strekking hebben] *106*
tendeerde, getendeerd
tenderen [naar hoogste rente streven] *106*
tenderde, getenderd
ten dienste van *62,111*
tendinitis de *1,9*
ten eeuwigen dage *62,111*
teneinde [om] *73*
tenen *114*
tenen... zie **teen**
ten enenmale *62,111*
Tenerife *6,53*
teneur de *14*
ten faveure van *62,111*
ten gehore brengen *69,111*
tenger *113*
tengerder, tengerst
ten gerieve van *62,111*
ten geschenke geven *62,111*
ten gevolge van (t.g.v.) *62,111*
ten goede komen *62,111*
ten gunste van (t.g.v.) *62,111*
ten honderd (t.h.) *62,111*
ten hoogste *62,111*
ten huize van *26,62,111*
tenietdoen *69*
deed teniet, tenietgedaan
tenietgaan *69*
ging teniet, tenietgegaan
ten koste van *62,111*
ten langen leste *62,111*
ten laste leggen *62,111*
tenlastelegging de (...en) *ook* **telastlegging** *68,111,115*
ten laste van (t.l.v.) *62,111*
te(n) mijnent *62,111*
tenminste (in ieder geval) *73*
ten minste [minstens] *73*
ten naaste bij *62,111*
ten name van (t.n.v.) *62,111*
Tennessee *6,53*
tennis het *1*
tennissen *15,106*
tenniste, getennist
tenno de *10*
ten nutte van *62,111*
Tennyson, Alfred *6*
ten onder gaan *62,111*
ten onrechte *62,111*
te(n) onzent *62,111*
ten opzichte van [t.o.v.] *62,111*
tenor de (...en, ...s) *10*
ten overstaan van [t.o.v.] *62,111*
ten overvloede *62,111*
ten prooi *62,111*
tensie de *9,25*
tensimeter de (...s) *9,25*
tenslotte [welbeschouwd] *73*
ten slotte [tot slot] *73,111*
ten spoedigste *62,111*
ten strijde trekken *62,111*
tent de (...en)
tent...: tentdoek, enz. *64*
tenten...: tentenkamp, enz. *88*
tentakel de (...s) *22*
tentamineren *106*
tentamineerde, getentamineerd
tentatie de (...s) *ook* **temptatie** *43,115*
tentatief *19*
tentatieve
tenteren *106*
tenteerde, getenteerd
tentet het (...tetten) *18*
ten tijde van *62,111*
ten tonele *62,111*
tentoonspreiden *13,69,106*
spreidde tentoon, tentoongespreid
tentoonstellen *69,106*
stelde tentoon, tentoongesteld
ten tweede(n) male *62,111*

tenue de/het (...n, ...s) *3,43*
tenue de ville *63*
tenuis de (...nues) *39*
ten uitvoer brengen *69,111*
tenuitvoerbrenging de (...en) *68,111*
ten uitvoer leggen *69,111*
tenuitvoerlegging de (...en) *68,111*
tenuto (ten.) *11*
te(n) uwent (t.u.) *62,111*
ten voeten uit *62,111*
ten volle *62,111*
ten voordele van *62,111*
tenware *73,111*
ten zeerste *62,111*
tenzij *73,111*
tequila de *54*
ter aangehaalder plaatse (t.a.p.) *62,111*
Ter Aar *6,53*
ter aarde bestellen *62,111*
teraardebestelling de (...en) *68,111*
te rade gaan *62,111*
tera-elektronvolt de (...s) *14,22,76*
ter andere zijde *62,111*
Ter Apel *6,53*
teratogeen *14*
teratologie de *14*
ter attentie van (t.a.v.) *62,111*
ter beschikking stellen *69,111*
terbeschikkingstelling (tbs) *68,111*
ter beschikking van (t.b.v.) *62,111*
te(r) bestemde(r) plaatse *62,111*
te(r) bestemder tijd *62,111*
ter beurze *26,62,111*
ter bevordering van (t.b.v.) *62,111*
terbium (Tb) het *1*
tercerone de (...n) *ook* **terceroon** (...ronen) *25,89,115*
terdege *73,111*
terdoodbrenging de (...en) *68,111*
ter dood veroordelen *62,111*
terdoodveroordeling de (...en) *68,111*
terebint de (...en) *18*
terechtbrengen *69*
bracht terecht, terechtgebracht
te rechter tijd *62,111*
terechthelpen *69*
hielp terecht, terechtgeholpen
terechtkomen *69*
kwam terecht, terechtgekomen
terechtkunnen *69*
kon terecht, terechtgekund
terechtstaan *69*
stond terecht, terechtgestaan
terechtstellen *69,106*
stelde terecht, terechtgesteld
terechtwijzen *26,69*
wees terecht, terechtgewezen
terechtzetten *69,106*
zette terecht, terechtgezet
terechtzitting de (...en) *68*
ter eenre zijde *62,111*
te(r) elfder ure *62,111*
ter ere van *62,111*
Teresa, Moeder *6*
te(r) gelegener tijd (t.g.t.) *62,111*
ter gelegenheid van (t.g.v.) *62,111*
tergen *106*
tergde, getergd
ter grootte van *62,111*
ter hand stellen *69,111*
terhandstelling de (...en) *68,111*
Terheijden *6,53*
teriakel de (...s) *ook* **triakel** *22,115*
ter inzage *62,111*
ter kerke *62,111*
ter keuze *26,62,111*
ter linkerzijde *62,111*
termiet [insect] de (...en)
termieten...: termietenheuvel, enz. *88*
termijn de (...en) *13*
terminaal *9*
terminal de (...s) *3*
termineren *9,106*
termineerde, getermineerd
terminisme het *9,90*
terminografie de (...fieën) *9,40*
terminologie de (...gieën) *9,40*
terminus de (...mini, ...nussen) *1,9*

terminus ad quem de *63*
terminus a quo *63*
ternair *3*
ternauwernood *12,62,111*
terneder *ook* **terneer** *111,115*
terneerdrukken *69,106,111*
drukte terneer, terneergedrukt
terneerliggen *69,111*
lag terneer, terneergelegen
terneerslaan *69,111*
sloeg terneer, terneergeslagen
terneervallen *69,111*
viel terneer, terneergevallen
terneerzitten *69,111*
zat terneer, terneergezeten
Terneuzen *6,53*
ter ore *62,111*
terpeen het (...penen) *8*
terpeenalcohol *64*
terpentijn de *13*
terpentine de *90*
ter perse *62,111*
ter plaatse *62,111*
terpostbezorging de *68,111*
Terpsichore *6*
terra de *14*
terra-aquarium *76*
terracotta de/het (...'s) *14,22,42*
terracotta...: terracottakleur, enz. *64,76*
terra incognita de/het *63*
terrarium het (...ria, ...s) *14*
terras het (...rassen) *14*
terrasseren *14,106*
terrasseerde, geterrasseerd
terrazzo het *3,14*
ter rechterzijde *62,111*
terrein het (...en) *13,14*
terrestraal *14*
terrestrisch *14*
terreur de *14*
terriër de (...s) *14,37*
terrine de (...s; terrientje) *14,91,112*
territoir het (...s) *ook* **territoor** (...toren) *10,115*
territorialiteit de *14*
territorialiteits...: territorialiteitsbeginsel, enz. *98*
territorium het (...ria, ...s) *14*
terrorisatie de (...s) *14,26,43*
terrorisme het *14*
terrorisme...: terrorismebestrijding, enz. *76,90*
terrorist de (...en) *14*
terroristenbende *88*
ter ruste begeven, zich – *62,111*
Terschelling *6,53*
tersel de (...s) *1,25*
tersluiks *ook* **tersluik** *73,115*
ter sprake *62,111*
terstond *18,73*
tertiair *3*
tertiaris de (...rissen) *1,15*
tertio *3*
terug... *64*
terugkeer, teruglopend, enz.
terug... *69,106*
terugbellen: belde terug, teruggebeld; enz.
terugname de
terugnameverplichting *90*
Tervuren *6,53*
ter waarde van (t.w.v.) *62,111*
terwijl *13,73*
ter wille van *62,111*
ter zake (t.z.) [ter zake doen, ter zake komen] *111*
ter zee (t.z.) *62,111*
ter zelfder plaatse (t.z.p.) *62,111*
terzelfder tijd *62,111*
terzet het (...s, ...zetten) *26*
terzijde het (...s) *43,111*
terzijdelating de *68*
ter zijde staan *69,111*
ter zijde stellen *69,111*
terzijdestelling de *68*
terzine de (...n) *3,26,89*
tesla de (...'s) *42*
Tesselschade, Maria *6*
tessituur de (...turen) *14*

Test. [Testament] *104*
te stade komen *69,111*
testamentair *3,14*
testateur de (...s) *14*
testatrice de (...s) *14,25,91*
testen *106*
testte, getest
testeren *106*
testeerde, getesteerd
testeron het (...en) *14*
testikel de (...s) *1*
testimonium het (...nia, ...s) *1*
testis de (testes) *1*
testosteron het *14*
testosteron...: testosteronniveau, enz. *64*
tetanie de *9*
tetanus de *1*
tetanus...: tetanusserum, enz. *64*
tête-à-tête het (...s) *63*
tetra... *78*
tetrachloormethaan, tetracycline, tetraëder, tetragonaal, enz.
tetraëder de (...s) *37*
tetragonaal *3*
tetrarch de (...en) *3*
teugel de (...s)
teugelloos *87*
teugel...: teugelriem, enz. *64*
teunisbloem de (...en) *1,64*
teunisbloemfamilie *64*
teut de (...en)
teutkous *64*
teutebel *97*
Teutoburger Woud *6,53*
te uwen dienste *62,111*
te uwer informatie *62,111*
teveel het *73*
tevergeefs *73*
te voorschijn *62*
te voorschijn komen (GB: tevoorschijn komen) *69*
kwam te voorschijn, te voorschijn gekomen
tevoren, van – *62*
tevredenstellen *69,106*
stelde tevreden, tevredengesteld
te water laten *69*
tewaterlating de (...en) *68*
teweegbrengen *69*
bracht teweeg, teweeggebracht
teweerstellen *69,106*
stelde teweer, teweergesteld
tewerkstellen *69,106*
stelde tewerk, tewerkgesteld
tewerkstelling de (...en) *68*
tewerkstellings...: tewerkstellingsdienst, enz. *98*
te weten (t.w.) *62*
Texas *6,53*
Texel *6,53*
textiel de/het *9,23*
textiel *23*
textiele
textuur de (...turen) *23*
tezamen *26,73*
tezen *26,106*
teesde, geteesd
te zijnen aanzien *62,111*
te zijnen laste *62,111*
te zijnent *62,111*
te zijner tijd [t.z.t.] *62,111*
TG [transformationele grammatica] *104*
tg [tangens] *101*
tgov. [tegenover, tegenovergestelde van] *100*
t.g.t. [te gelegener tijd] *100*
TGV [train à grande vitesse] de (...'s) *46,104*
t.g.v. [ter gelegenheid van, ten gunste van, ten gevolge van] *100*
Th [thorium] *100*
TH [technische hogeschool] de (...'s) *46,104*
t.h. [ten honderd] *100*
Thackeray, William *6*
Thailand *6,53,55*
Thai, Thailander, Thailands(e), Thais(e)

thalassocratie de (...tieën) *20,22,40*
thalassotherapie de (...pieën) *20,40*
thalidomide het *ook* **thallidomide** *14,20,115*
thallium (TI) het *1,14,20*
thanatologie de *14,20*
Thanksgiving Day de *56,67*
thans *2*
Thatcher, Margaret *6*
thaumatologie de *12,20*
thaumaturg de (...en) *12,20*
Th.C. [theologiae candidatus] *100*
Th.Dr. [theologiae doctor] *100*
theater het (...s) *20*
thé dansant *63*
thee de (theeën, ...s) *20,38,43*
thee...: theedoek, thee-ei, enz. *64,76*
theedrinken *20,69*
dronk thee, theegedronken
theeën *20,38,106*
theede, getheed
Theems de *6,53*
theïne de *20,37,90*
theïsme het *20,37,90*
theïstisch *20,37*
thema de/het (...'s; themaatje) *20,42,112*
thema...: thema-avond, themaboek, enz. *64,76*
thematiek de (...en) *20,22*
thematiseren *20,26,106*
thematiseerde, gethematiseerd
theo... *20,78*
theocentrisch, theomanie, enz.
theocratie de (...tieën) *20,22*
theodicee de *8,20,25*
theodoliet de (...en) *18,20*
Theodorakis, Mikis *6*
Theodorik de Grote *6*
Theodosius de Grote *6*
theogonie de *20*
theologiseren *20,26,106*
theologiseerde, getheologiseerd
theorema het (...'s) *20,42*
theoreticus de (...tici) *20,22,25*
theoretiseren *20,26,106*
theoretiseerde, getheoretiseerd
theorie de (...rieën) *20,40*
theorie...: theorie-examen, theorieles, enz. *64,76*
therapeut de (...en) *3,20*
therapie de (...pieën) *20,40*
therapie...: therapiegroep, enz. *64,76*
Theresienstadt *6,53*
thermaal *20*
thermen de (alleen mv.) *20*
thermidor de *10,20*
thermiek de *20,22*
thermiekbel *64*
thermiet [stof] het *20*
thermisch *20*
thermistor de (...en, ...s) *20*
thermo... *20,78*
thermo-elektrisch, thermokracht, thermometer, enz.
thermocauter de (...s) *12,20,22*
thermopane de *20*
thermos de (...mossen) *20*
thermos...: thermoskan, enz. *64*
Theroux, Paul *6*
thesaurie de (...rieën) *20,40*
thesaurier de (...s) *20,26*
thesaurier-generaal *79*
thesaurus de (...sauri) *20*
these de (...n, ...s) *20,43,91*
Theseus *6*
thesis de (theses, ...sissen) *1,15,20*
thesisjaar *64*
The Valley *6,53*
thiamine de *9,20,90*
Thielemans, Jean 'Toots' *6*
Thijsse, Jacobus Pieter *6*
Thijssen, Theo *6*
thinner de (...s) *3,20*
thio... *20,78*
thioalcohol, thio-ether, enz.
Tholen *6,53*
Thomas van Aquino *6*
thomas, een ongelovige – *54,62*
thomasslakken de (alleen mv.) *54,65*
thomasslakkenmeel *88*

thomasstaal het *54,65*
thomisme het *54,90*
thora de *20,59*
thora...: thoramantel, enz. *64,76*
thorax de (...en) *20,23*
thorax...: thoraxchirurgie, enz. *64*
Thorbecke, Johan Rudolf *6*
thorium het *20*
Thorn *6,53*
Thorshavn *6,53*
thriller de (...s) *3*
thriller...: thrillerschrijver, enz. *66*
t.h.t. [ten minste houdbaar tot] *100*
Thucydides *6*
thuis het *2*
thuis...: thuisbasis, thuistaal, enz. *64*
thuis... *69,106*
thuishoren: hoorde thuis, thuisgehoord; enz.
thuisbankieren *69,107*
thuisgebankierd
thuisloze de (...n) *89*
thuja de (...'s) *ook* **thuya** (...'s) *20,21,115*
thulium (Tm) het *1,20*
thymus de *1,9,20*
thymusklier *64*
thyrsus de (...sussen) *1,9,20*
thyrsus...: thyrsusstaf, enz. *64*
Ti [titanium] *100*
tiara de (...'s) *ook* **tiaar** (...aren) *42,115*
Tibet *6,53*
Tibetaan, Tibetaans(e)
tibet het (...s) *54*
tic [spierbeweging, gewoonte, scheutje drank] de (...s) *22*
tichel de (...s) *2*
tichel...: tichelwerk, enz. *64*
tichelen *2,106*
tichelde, geticheld
ticker-tape de (...s) *43,67*
ticker-tapeparade *66*
ticket de/het (...s) *22*
tidalflowbaan de (...banen) *66*
tie de (...s) *3,43*
tiebreak *67*
Tielt-Winge *6,53*
tien de (...en; ...tje) *74*
tien...: tiendaags, tienduizend, tienduizend vijfhonderd, tienkamp, enz. *64,74*
tien...: tienguldenstuk, tienvingersysteem, enz. *68*
tien...: tienjarenplan, tienrittenkaart, enz. *68,88*
tiend de/het (...en) *18*
tiend...: tiendheer, enz. *64*
tiende *75*
tiende...: tiende-eeuwer, tiende-eeuws, tiendejaars, enz. *76,92*
tienderlei *13,73,111*
tientje het (...s) *43*
tientjes...: tientjeslid, enz. *98*
Tiepolo, Giovanni *6*
tiercé de (...s) *3,25,29*
tiërceren *25,37,106*
tiërceerde, getiërceerd
tierelantijn de (...en) *ook* **tierlantijn** (...en) *13,115*
tiers-état de *63*
Tietjerksteradeel *6,53*
tifosi de (alleen mv.) *26*
tig *2*
Tigrinya *55*
Tigris de *6,53*
tij het (...en) *13*
tij...: tijstroom, enz. *64,76*
tijd de (...en)
tijdelijk (td.), tijdeloos, tijdloos *87*
tijd...: tijdnood, enz. *64*
tijdenlang *88*
tijds...: tijdslimiet, tijdsspanne, enz. *98,99*
tijding de (...en; tijdinkje) *13,112*
tijdrekken *69,106*
rekte tijd, tijdgerekt
tijdrijden *69,107*
tijdscharen *69,107*
tijdschrift het (...en)
tijdschrift...: tijdschriftartikel, enz. *64*

tijdschriften...: tijdschriftenuitgever, enz. 88
tijgen 13
toog, getogen
tijger de (...s) 13
tijger...: tijgerbalsem, enz. 64
tijgeren 13,106
tijgerde, getijgerd
tijk de/het (...en) 13
tijm de 13,20
tik [klop] de (tikken) 22
tiktak de/het (...takken) 80
tilbury de (...'s; ...'tje) 42,45,54
tilde de (...s) 43,91
tilt de 18
timbre het (...s) 3,43,91
time de (...s) 3
timesharing, time-out 67
timen 3,105,106
timede, getimed
timide 9,113
timider/meer timide, meest timide
timmerman de (...lieden, ...lui, ...mannen)
timmermans...: timmermansoog, enz. 98
timocratie de (...tieën) 22,40
timotheegras het 54,65
Timotheus 6
tin het
tin...: tinsteen, enz. 64
tinnegieter 90
tinctuur de (...turen) 22
tingeltangel de (...s) 80
tinne de (...n) 89
tinnef het 1,14
tinnen 114
tinneroy de/het 3,21
tintelogen 69,106
tinteloogde, getinteloogd
tinten 106
tintte, getint
tinto de 3
tipi de (...'s; tipietje) 9,42,112
tipsy 3,9
tiptop 80
TIR [Transport International Routier] 103
tirade de (...s) 43,91
tirailleren 21,106
tirailleerde, getirailleerd
tirailleur de (...s) 21
tirailleurs...: tirailleursvuur, enz. 98
tiramisu de (...'s) 3,9,11
tiran de (tirannen; tirannetje) 112
Tirana 6,53
tirannie de (...nieën) 14,40
tiranniseren 14,26,106
tiranniseerde, getiranniseerd
tirasseren 14,106
tirasseerde, getirasseerd
tiro 9,10
tissu [weefsel] het (...'s; tissuutje) 42,112
tissue [papieren zakdoek] de/het (...s; ...tje) 3,43
tit. [titulair, titel, titulus] 100
titaan het *ook* **titanium** (Ti) 115
titaan...: titaanijzer, enz. 64
titan de (...en, ...s; titaantje) 112
titanen...: titanenstrijd, enz. 88
Titanic de 52
titaniet het 14
titanium (Ti) het *ook* **titaan** 1,115
titel (tit.) de (...s)
titelloos 87
titel...: titelhouder, titelvoerend, enz. 64
titer de 9
titoïsme het 37,54,90
titreren 9,106
titreerde, getitreerd
titulair (tit.) 3,14
titularis de (...rissen) 1,14
titulus (tit.) de 1,14
tjalk de (...en) 21
tjangelen 21,106
tjangelde, getjangeld
tjaptjoi de 21
tjasker de (...s) 21

tjee *8*
tjeempie *8*
tjeminee *8*
Tjeukemeer *6,53*
tjiftjaf de (...tjaffen, ...s) *80*
tjilpen *ook* **sjilpen, tsjilpen** *106,115*
tjilpte, getjilpt
tjingelen *106*
tjingelde, getjingeld
tjirpen *ook* **sjirpen, tsjirpen** *106,115*
tjirpte, getjirpt
tjitjak de (...s) *3*
tjoepen *106*
tjoepte, getjoept
tjokvol *73*
tjonge *ook* **jonge, sjonge** *115*
tjotter de (...s) *21*
t.k.a. [te koop aangeboden] *100*
Tl [thallium] *100*
tl [tube luminescent] *101*
tl-...: tl-buis, enz. *83*
t.l.v. [ten laste van] *100*
Tm [thulium] *100*
TM [transcendente meditatie] *104*
tmesis de *1,3*
TNO [Toegepast Natuurwetenschappelijk Onderzoek] *104*
TNT [trinitrotolueen] *101*
t.n.v. [ten name van] *100*
t.o. [tegenover] *100*
toast de (...en, ...s) *ook* **toost** *10,115*
toasten *ook* **toosten** *10,106,115*
toastte, getoast
toaster de (...s) *ook* **tooster** *10,115*
tobbe de (...n, ...s) *43,91*
tobben *106*
tobde, getobd
tobogan de (...s) *3*
toccata de (...'s) *22,42*
toch *2*
tocht de (...en) *2*
tochten *2,106*
tochtte, getocht
tod de (todden; ...je) *ook* **todde** (...n) *18,89,115*
toddik de (...en) *15*
toddy de (...'s) *9,42*
toe... *64,76*
toenadering, toenemend, enz.
toe... *69,76,106*
toedienen: diende toe, toegediend; enz.
toean de (...s) *11*
toean besar *63*
Toeareg de (...s) *53*
toebedelen *70,106,108*
bedeelde toe, toebedeeld
toe-eigenen *38,76,106*
eigende toe, toegeëigend
toe-eigening de *76*
toe-eigeningsrecht *98*
toef de (...en) *19*
toegang de (...en; toegangetje) *112*
toegankelijk *87*
toegangs...: toegangskaartje, enz. *98*
toegeeflijk *ook* **toegefelijk** *19,87,115*
toehoorster de (...s) *4*
toekan de (...s) *11*
toelage de (...n, ...s) *43,91*
toename de *90*
toendra de (...'s) *11,42*
toendra...: toendragebied, enz. *64,76*
toenmaals *73*
toenmalig *73*
toentertijd *73,111*
toer [rit, omwenteling] de (...en) *11*
toer...: toerauto, enz. 64
toeren...: toerenteller, enz. *88*
toerekeningsvatbaar *64,98*
toerisme het *11*
toerisme...: toerismebranche, enz. *76,90*
toerist de (...en) *11*
toeristen...: toeristenbelasting, enz. *88*
toermalijn [gesteente] het *11,13*
toernooi het (...en) *ook* **tornooi** *11,115*
toernooi...: toernooiveld, enz. *64,76*
toernooien *ook* **tornooien** *11,106,115*
toernooide, getoernooid

toerskiën *37,69,107*
Toetanchamon *6*
toeten *106*
toette, getoet
toets de (...en)
toets...: toetssteen, enz. *64*
toetsen...: toetsenbord, enz. *88*
toeval [onverwacht gebeuren] het (...vallen)
toevals...: toevalstreffer, enz. *98*
toeval [vallende ziekte] de/het (...vallen)
toeval...: toevallijder *64*
toevalligerwijs *ook* **toevalligerwijze** *26,111,115*
toeven *19,106*
toefde, getoefd
toevlucht de
toevluchts...: toevluchtsoord, enz. *98*
toezichthoudend *64*
tofelemoon de (...monen) *ook* **toffelemoon** (...monen) *14,115*
toffee de (...s) *8,14*
toffee...: toffeepapiertje, enz. *64,76*
tofoe de *11*
toga de (...'s; togaatje) *42,112*
Togo *6,53*
Togolees, Togolese
togus de *1*
toilet het (...letten) *3*
toiletmaken *3,69,107*
toiletteren *3,14,106*
toiletteerde, getoiletteerd
toi toi toi *63*
tokayer de *21,54*
Tokelau-eilanden de *6,53*
Tokelau-eilander, Tokelau-eilands(e)
Tokio *ook* **Tokyo** *6,53*
toko de (...'s; tokootje) *42,112*
toko...: tokohouder, enz. *64,76*
toktok *80*
tolerabel *1,14*
tolerant *14*
tolerantie de *14*
tolerantie...: tolerantiegrens, enz. *64,76*
tolereren *14,106*
tolereerde, getolereerd
tolk de (...en)
tolken...: tolkenschool, enz. *88*
tolk-vertaler de (tolken-vertalers) *80*
Tolstoj, Aleksej Nikolajevitsj *6*
tolueen het *14*
tom. [tomus] *100*
tomaat de (...maten)
tomaat...: tomaatkleur, tomaatrood, enz. *64*
tomaten...: tomatensoep, enz. *88*
tomahawk de (...s) *3*
tombe de (...n, ...s) *43,91*
tombola de (...'s; ...laatje) *42,112*
tomeloos *26,87*
tomeloze
tommy de (...'s) *9,42*
tommygun *67*
tomografie de (...fieën) *40*
tompoes [gebakje] de (...poezen) *11,26*
tompouce [damesparaplu] de (...s) *11,25,43*
tomus (tom.) de (tomi) *1*
ton de (tonnen; tonnetje) *112*
ton...: tonmolen, enz. *64*
tonnen...: tonnengeld, enz. *88*
tonaliteit de *14*
tondel het *ook* **tonder** *115*
tondel...: tondeldoos, enz. *64*
tondeuse de (...s) *26,43,91*
toneelspelen *69,106*
speelde toneel, toneelgespeeld
toner de (...s) *10*
tong de (...en; tongetje) *112*
tong...: tongzoen, enz. *64*
tongen...: tongenworst, enz. *88*
Tonga *6,53,55*
Tongaans(e), Tongaan, Tongees, Tongese
tongzoenen *69,107*

tonic de (...s) *22*
tonic...: tonicstamper, enz. *66*
tonica de *22*
tonicum het (...nica, ...s) *1,22*
tonijn de (...en) *13*
tonijn...: tonijnvangst, enz. *64*
tonnage de (...s) *14,27,91*
tonneau de (...s; ...tje) *10,14,43*
tonnetjerond *64*
tonsil de (...sillen) *15*
tonsillectomie de *14,22*
tonsillitis de *1,14*
tonsillotomie de *14*
tonsureren *26,106*
tonsureerde, getonsureerd
tonsuur de (...suren) *26*
tontine de (...s) *43,91*
tonus de (toni, ...nussen) *1*
toongevend *64*
toonzetten *69,106*
toonzette, getoonzet
toop de (topen) *ook* **topos** *115*
Toorop, Jan *6*
toorts de (...en) *10*
toost de (...en, ...s) *ook* **toast** *10,115*
toosten *ook* **toasten** *10,106,115*
toostte, getoost
tooster de (...s) *ook* **toaster** *115*
top... *64*
topatleet, topgeheim, topklinisch, enz.
topaas [gesteente] het *14*
topazen *26,114*
topdown *67*
topdownbenadering *84*
topic de/het (...s) *3,22*
topica [middelen] (alleen mv.) *22*
topica [methode] de *22*
topinamboer de (...s) *11*
topless *25*
topografie de (...fieën) *40*
toponymie de *9*
topos de (topoi) *ook* **toop** *115*
topscorer de (...s) *22,67*
topscorers...: topscorerslijst, enz. *98*
top secret *67*
top-tien de (...en, ...s) (GB: toptien) *79*
top-tienspeler *81*
topzeil het (...en) *64*
topzeilskoelte *98*
toque de (...s) *22,43*
toreador de (...dores, ...s) *10,14*
torero de (...'s) *14,42*
tormenteren *106*
tormenteerde, getormenteerd
tornado de (...'s) *42*
tornooi het (...en) *ook* **toernooi** *115*
tornooi...: tornooispel, enz. *64*
tornooien *ook* **toernooien** *106,115*
tornooide, getornooid
toros de (...rossen) *10*
torpedo de (...'s) *42*
torpedo...: torpedoboot, enz. *64,76*
Torquay *6,53*
Torricelli, Evangelista *6*
tors de (...en) *ook* **torso** (...'s) *26,115*
torsen *26,106*
torste, getorst
tortilla de (...'s) *9,21,42*
tortillachips *64*
tortueus *26*
tortueuze
torus de (tori, ...russen) *1*
toss de (tosses) *25*
tossen *106*
toste, getost
tosti de (...'s) *9,42*
tosti...: tostiapparaat, tosti-ijzer, enz. *64,76,85*
totaal het (...talen)
totaal...: totaalbeeld, totaalpakket, enz. *64*
totalisator de (...en, ...s) *26*
totaliseren *26,106*
totaliseerde, getotaliseerd
totalitair *3*
totalitarisme het *90*
totaliteit de
totaliteits...: totaliteitspsychologie, enz. *98*

totaliter *9*
total loss *67*
totdat *73*
tot dusver *ook* **tot dusverre** *62,115*
totebel de (...bellen) *97*
totem de (...s) *1*
totem...: totempaal, enz. *64*
totemisme het *90*
tot en met (t.e.m., t/m) *62*
to the point *67*
totnogtoe *62,73*
tot nu toe *62*
toto de (...'s) *42*
toto...: totoformulier, enz. *64,76*
totok de (...s) *14*
tot stand brengen *69*
bracht tot stand, tot stand gebracht
totstandbrenging de *68*
tot stand komen (GB: totstandkomen) *69*
kwam tot stand, tot stand gekomen
totstandkoming de *68*
totus tuus (t.t.) *63*
touchant *11,27*
touch-down de (...s) *67*
touche de (...s) *11,27,43*
touché *11,27,29*
toucher het (...s; toucheetje) *8,27,112*
toucheren *11,27,106*
toucheerde, getoucheerd
Toulouse-Lautrec-Monfa, Henri de *6*
touperen *11,106*
toupeerde, getoupeerd
toupet de (...s, ...petten) *11*
tour [uitstapje, haarvlecht] de (...s) *11*
touroperator *67*
Tourcoing *6,53*
tour de force de
touringcar de (...s) *67*
touringcarbedrijf *66*
touristclass de *67*
tournedos de *10,11*
tournee de (...s) *8,11,43*
tournesol de/het (...s) *11*
tourniquet de (...s, ...quetten) *3,11,22*
tourniquetdeur *66*
tournure de (...s) *11,43,91*
touw het (...en) *12*
touwdraaien *69,107*
touwen *12,114*
touwklimmen *69,107*
touwslaan *69,107*
touwtjespringen *69,107*
touwtrekken *69,107*
t.o.v. [ten opzichte van, ten overstaan van] *100*
tovenarij de (...en) *ook* **toverij** *115*
Townsend, Sue *6*
toxiciteit de *9,23,25*
toxicose de (...n, ...s) *22,23,91*
toxicum het (toxica, ...s) *22,23*
toxine de/het (...n, ...s) *23,43,91*
toxoplasmose de *23,90*
Toynbee, Arnold *6*
t.q. [tutti quanti] *100*
tra de (traas, ...'s; traatje) *42,112*
traan de (tranen)
traan...: traanoog, enz. *64*
tranen...: tranendal, enz. *88*
traanogen *69,106*
traanoogde, getraanoogd
tracé het (...s; traceetje) *25,29,112*
tracékeuze *64*
tracer de (...s) *8,25*
traceren *25,106*
traceerde, getraceerd
trachea de (...'s) *3,42*
tracheaal *3*
trachee de (...cheeën) *3,8,38*
tracheotomie de *3*
trachiet het *3,9,18*
trachoom het (...chomen) *3*
trachten *106*
trachtte, getracht
track de (...s) *3,22*
trackball *67*
tractie de *23*
tractiemotor *64*
tractor de (...en, ...s) *22*
tractus de (...tussen) *1,22*
trademark het (...s) *67*

traditie de (...s) *43*
traditie...: traditiegetrouw, traditievorming, enz. *64,76*
traditional de (...s) *3,16,27*
traditionalisme het *16,90*
traditioneel *16*
trafiek de (...en) *14,22*
tragedie de (...diën, ...s) *40*
tragédienne de (...s) *29,39,91*
tragicus de (...gici) *22,25*
tragiek de *22*
tragikomedie de (...s) *9,22,64*
trailer de (...s) *8*
trainee de (...s) *8,9,43*
trainen *8,106*
trainde, getraind
trainer de (...s) *8*
trainer-speler, trainer-coach *80*
trainers...: trainersdiploma, enz. *98*
traineren *8,106*
traineerde, getraineerd
trait-d'union de/het (...s) *63*
traite de (...s) *3,43*
traiteur de (...s) *3*
traject het (...en) *22*
traktaat het (...taten) *22*
traktatie de (...s) *22,43*
traktement het (...en) *22*
traktements...: traktementsdag, traktementsstaat, enz. *98,99*
trakteren *22,106*
trakteerde, getrakteerd
tralala *73*
tralie de (...liën, ...s) *40*
tralie...: traliehek, enz. *64,76*
traliën *40,106*
traliede, getralied
tram de (trammen, ...s; trammetje) *3,112*
tram...: trambaan, enz. *66*
traminer de (...s) *54*
trammelant de/het *14,18*
trammen *3,106*
tramde, getramd
tramontane de *14,90*
tramp de (...s) *3*
tramp...: trampvaart, enz. *66*
trampoline de (...s) *43*
trampoline...: trampolinespringer, enz. *76,91*
trampolinespringen *69,107*
trance de (...s) *25,43,91*
tranche de (...s) *27,43,91*
trancheren *27,106*
trancheerde, getrancheerd
tranen... zie **traan**
tranquillamente *21,24*
tranquillizer de (...s) *3,14,24*
trans de (...en) *26*
trans... *64,77*
transactie, transatlantisch, trans-Europees, transseksisme, enz.
transcendentalisme het *25,90*
transcenderen *25,106*
transcendeerde, getranscendeerd
transcriberen *22,106*
transcribeerde, getranscribeerd
transcript het (...en) *22*
transcriptie de (...s) *22,43*
transept het (...en) *25*
trans-Europees *77*
transfer de/het (...s) *3*
transfer...: transferbedrag, transfer-RNA, transfervrij, enz. *66,83*
transfereren *106*
transfereerde, getransfereerd
transferium het (...ria) *1*
transfixeren *23,106*
transfixeerde, getransfixeerd
transformeren *106*
transformeerde, getransformeerd
transgenese de *90*
transigeren *106*
transigeerde, getransigeerd
transistor de (...en, ...s) *1*
transit de *3*
transit...: transitvisum, enz. *66*
transitie de (...s) *43*
transitief *19*
transitieve

transitief het (...tieven) *19*
transito de/het *9*
transito...: transitohandel, enz. *64,76*
transitoir *ook* **transitoor** *3,10,115*
transitorium het (...ria, ...s) *1*
Transkei *6,53*
translatie de (...s) *43*
transliteratie de (...s) *ook* **translitteratie** *14,115*
transparant het (...en) *1*
transpiratie de (...s) *43*
transpiratie...: transpiratievocht, enz. *64,76*
transpireren *106*
transpireerde, getranspireerd
transplantatie de (...s) *43*
transponeren *106*
transponeerde, getransponeerd
transsubstantiëren *37,38,106*
transsubstantieerde, getranssubstantieerd
Transsylvanië *6,53*
transuraan de (...ranen) *26*
transversaal de (...salen) *26*
transvestie de *ook* **travestie** *115*
transvestitisme het *90*
trant de (...en) *18*
trap de (trappen; ...je, trappetje) *112*
traploos *87*
trap...: trapgat, enz. *64*
trappen...: trappenhuis, enz. *88*
trapsgewijs, trapsgewijze *98*
trapeze de (...s) *14,26,43*
trapeze...: trapezeartiest, trapezewerker, enz. *76,91*
trapezium het (...zia, ...s) *14,26*
trapezium...: trapeziumvormig, enz. *64*
trapezoïde de (...n, ...s) *37,43,91*
trappelen *106*
trappelde, getrappeld
trappenlopen *69*
liep trappen, trappengelopen
trappist de (...en) *14,54*
trappisten...: trappistenbier, enz. *88*
traproe de (...s) *ook* **traproede** (...n) *43,89,115*
trassaat de (...saten) *14,18*
trasseren *14,106*
trasseerde, getrasseerd
trassi de *9,14*
trauma de/het (...'s, ...mata) *12,42*
trauma...: traumacentrum, traumateam, enz. *64,66,76*
traumatiseren *12,26,106*
traumatiseerde, getraumatiseerd
travaillisme het *21,57,90*
travee de (...veeën, ...s) *8,38,43,99*
travellerscheque de (...s) *ook* **travellercheque** *3,67,115*
traven *19,106*
traafde, getraafd
traverse de (...n) *ook* **travers** (...en) *26,89,115*
traverseren *26,106*
traverseerde, getraverseerd
traverso de (...'s) *42*
travertijn de/het *ook* **travertin** *13,115*
travestie de (...tieën, ...s) *40,43*
travestie...: travestierol, enz. *64,76*
trawant de (...en) *1*
trawl de (...s) *3*
trawlnet *66*
trawlen *3,106*
trawlde, getrawld
tray de (...s) *8,43*
trecento het *3*
tred de (...en) *18*
tred...: tredvoet, enz. *64*
trede de (...n) *ook* **tree** *89,115*
tree de (treeën, ...s) *ook* **trede** *38,43,115*
tree...: treeplank, enz. *64,76*
treedsel het (...s) *18*
treffelijk *87*
trefwoord het (...en) *64*
trefwoorden...: trefwoordenregister, enz. *88*
treife *13*
treil de (...en) *13*
treil...: treillijn, enz. *64*

treilen *13,106*
treilde, getreild
trein de (...en)
trein...: treinbotsing, enz. *64*
treinen...: treinenloop, enz. *88*
treiter de (...s) *13*
treiter...: treiterlach, enz. *64*
treiteren *13,106*
treiterde, getreiterd
trekkebekken *93,106*
trekkebekte, getrekkebekt
trekkebenen *93,106*
trekkebeende, getrekkebeend
trekker de (...s)
trekkers...: trekkerstent, enz. *98*
trema het (...'s; tremaatje) *42,112*
tremoliet het *9,18*
tremolo de/het (...'s; ...lootje) *42,112*
tremor de (...en, ...s) *1*
tremplin de (...s) *3*
tremulant de (...en) *14*
tremuleren *14*
tremuleerde, getremuleerd
trenchcoat de (...s) *22,27,67*
trend de (...s) *18*
trend...: trendsetter, enz. *66*
trendsetten *69,107*
trendy *9,113*
meer trendy, meest trendy
trens de (...sen, ...zen) *26*
trenzen *26,106*
trensde, getrensd
trepaan de (...panen) *14*
trepanatie de (...s) *14,43*
treurigstemmend *64*
treurmare de (...n) *64,89*
treurnis de *1*
treuzel de (...s) *26*
treuzel...: treuzelkous, enz. *64*
treuzelen *26,106*
treuzelde, getreuzeld
trezoor het (...zoren) *26*
trezorie de (...rieën) *26,40*
tri [trieerkast] de (...'s) *9,42*
tri [trichloorethyleen] het *102*
tri... *78*
triatlon, tridimensioneel, tritonaliteit, enz.
triade de (...n, ...s) *ook* **trias** *43,91,115*
triage de *27*
triageteam *90*
triakel de (...s) *ook* **teriakel** *22,115*
trial de (...s) *3*
trial...: trialrijder, enz. *66*
trial and error *67*
trianguleren *106*
trianguleerde, getrianguleerd
triarchie de (...chieën) *40*
trias [gesteente] de/het *21*
trias [groep van drie] de *ook* **triade** *21,115*
trias politica de
tribade de (...n) *89*
tribalisme het *90*
tribulatie de (...tiën, ...s) *14,40,43*
tribunaat het (...naten) *14,18*
tribune de (...s) *43*
tribune...: tribuneplaats, enz. *76,91*
tribus de *1*
triceps de (...en) *25*
tricheren *27,106*
tricheerde, getricheerd
trichine de (...n) *3*
trichinenziekte *89*
trichineus *3,26*
trichineuze
trichinose de *3,90*
trichloorethyleen (tri) het *3,9,20*
trichloormethaan het *3,20*
trichotomie de *3*
trick de (...s) *22*
tricky *9,22*
tricolor de (...s) *22*
tricolore de (...s) *22,43,91*
tricot [materiaal] het *10,22*
tricotsteek *64*
tricotage de (...s) *22,27,91*
triduüm het (...s) *37*
trielje de (...s) *9,21,91*
trieljen *9,21,114*

triënnale de (...s) *14,37,91*
triënnium het (...nia) *14,37*
triëren *37,38,106*
trieerde, getrieerd
Triëst [Italië] *6,53*
trifolium het (...s) *1*
triforium het (...ria, ...s) *1*
triggerzone de (...s) *3,43,67*
triglief de (...en) *19*
trigonaal *3*
trigonometrie de *3*
trijn [vrouw] de (...en) *54*
tri-joodmethaan het *18,20,76*
trijp de/het (...en) *13*
trijpen *13,114*
trijsen *13,26,106*
trijste, getrijst
trijzelen *13,26,106*
trijzelde, getrijzeld
triktrak het *22,80*
triktrakbord, triktrakspel *64*
triktrakken *80,106*
triktrakte, getriktrakt
triljard het (...en) *18,21,74*
triljoen het (...en) *21,74*
trilogie de (...gieën) *14,40*
trim. [trimester] *100*
trimaran de (...s) *14*
trimester (trim.) het (...s) *1*
trimestrieel *37,38*
trimestriële
Trinidad en Tobago *6,53*
trinitariër de (...s) *37*
triniteit de
triniteits...: triniteitsfeest, enz. *98*
trinitrotolueen (TNT) het *9*
trio het (...'s; triootje) *42,112*
trio...: triobezetting, trioseks, enz. *64,76*
triode de (...n) *89*
triomf de (...en) *19*
triomfalisme het *19,90*
triomfantelijk *19,87*
triomfator de (...en, ...s) *19*
triomferen *19,106*
triomfeerde, getriomfeerd
tripartiet *9*
tripartiete
tripel [fijne polijstaarde] het (...s) *9*
tripel...: tripelsteen, enz. *64*
tripel [trappistenbier] de (...s) *9*
triple *3*
tripleren *106*
tripleerde, getripleerd
triple-sec de *63*
triplex de/het *23*
tripliceren *25,106*
tripliceerde, getripliceerd
tripliek de (...en) *22*
triplo, in – *9,63*
Tripoli *6,53*
Tripolitaan, Tripolitaans(e)
triptiek de (...en) *22*
triptrappen *80,106*
triptrapte, getriptrapt
tristichon het (cha, ...s) *3*
tritium het *9*
Triton [zeegod] *6*
tritonshoorn, tritonshoren *98*
triton [atoomkern] het (...en) *9,54*
triumvir de (...viri, ...s) *1,19*
triumviraat het (...raten) *1,18,19*
trivia de (alleen mv.) *19*
triviaalliteratuur de *19,64*
trivialiseren *19,26,106*
trivialiseerde, getrivialiseerd
trivium het *19*
trochee de (...cheeën) *ook* **trocheus** *8,38,39,115*
trocheïsch *2,37*
trocheus de (...cheeën) *ook* **trochee** *38,39,115*
troebleren *11,106*
troebleerde, getroebleerd
troela de (...'s; troelaatje) *42,112*
troep de (...en)
troepleider *64*
troepen...: troepenmacht, enz. *88*
troepsgewijs, troepsgewijze *98*
troeven *19,106*
troefde, getroefd

trofee de (...feeën) *ook* **tropee** *14,38,115*
trog de (troggen) 2
trog...: trogdal, trogvormig, enz. *64*
troglodiet de (...en) *18*
Troïlus *6*
trois-pièces de/het *63*
trojka de (...'s) *21,42*
trolley de (...s) *9,43*
trolley...: trolleybus, enz. *66,76*
trombocyt de (...en) *9,25*
trombone de (...s) *14,43,91*
trombose de *26*
trombose...: trombosedienst, enz. *76,90*
trombus de (tromben, trombi) *1*
trompe-l'oeil de (...s) *63*
trompet de (...petten) *15*
trompetteren *14,106*
trompetterde, getrompetterd
trompettist de (...en) *14*
troon de (tronen)
troon...: troonopvolger, enz. *64*
troons...: troonsafstand, enz. *98*
troop de (tropen) *ook* **trope** *115*
troost de
troosteloos *87*
troost...: troostprijs, enz. *64*
troosten *106*
troostte, getroost
trope de (...n) *ook* **troop** *89,115*
tropee de (...peeën) *ook* **trofee** *14,38,115*
tropen de (alleen mv.)
tropen...: tropenziekte, enz. *88*
tropie de (...pieën) *40*
tropopauze de *26,90*
troposfeer de *19*
troppo *14*
TROS [Televisie- en Radio-Omroepstichting] de *103*
Trotski, Lew *6*
trotskisme het *54,57,90*
trottoir het (...s) *3,14*
trottoir...: trottoirtegel, enz. *66*
trotyl het *9*
trotyl...: trotylband, enz. *64*
troubadour de (...s) *11*
troubleshooter de (...s) *11,27,67*
trouvaille de (...s) *11,21,91*
trouvère de (...s) *11,30,91*
trouw de *12*
trouweloos *87*
trouw...: trouwakte, enz. *64*
trouwens *12*
Troyes, Chrétien de *6*
truc de (...s; ...je) *22*
truc...: trucfoto, enz. *64*
truken...: trukendoos, enz. *88*
trucage de (...s) *22,27,91*
truck de (...s) *22*
truck...: truckchauffeur, enz. *66*
Truffaut, François *6*
truïsme het (...n) *37,89*
truken... zie **truc**
trukeren *22,106*
trukeerde, getrukeerd
trustee de (...s) *9,43*
trut de (trutten)
truttebol *97*
truweel het (...welen) *28*
try de (...'s) *3,42*
try-out de (...s) *67*
trypsine de *9,90*
tsaar de (tsaren)
tsaren...: tsarenfamilie, enz. *88*
tsarevitsj de (...en) *27*
tsarina de (...'s) *42*
tsarisme het *90*
tsaritsa de (...'s) *26,42*
tseetseevlieg de (...en) *8,64*
Tsjaad *6,53*
Tsjadiër, Tsjadisch(e)
Tsjaikovski, Pjotr Iljitsj *6*
Tsjang K'ai-sjek *6*
Tsjechië *6,53,55*
Tsjech, Tsjechisch(e)
Tsjecho-Slowakije *6,53*
Tsjechov, Anton *6*
Tsjernobyl *6,53*

Tsjetsjenië *6,53*
tsjilpen *ook* **tjilpen, sjilpen** *106,115*
tsjilpte, getsjilpt
tsjirpen *ook* **tjirpen, sjirpen** *106,115*
tsjirpte, getsjirpt
tsjonge *ook* **tjonge, sjonge** *115*
tso [technisch secundair onderwijs] het *101*
TT [Touring Trophy] de *104*
TT-...: TT-race, enz. *83*
t.t. [totus tuus] *100*
TTB [trein, tram, bus] *104*
TU [technische universiteit] de (...'s) *104*
t.u. [te(n) uwent] *100*
tuba de (...'s; tubaatje) *42,112*
tuba...: tubaspeler, enz. *64,76*
Tubbergen *6,53*
tube de (...n, ...s) *43,91*
tubeless de *3,11,25*
tuberculeus *22,26*
tuberculeuze
tuberculine de/het *22,90*
tuberculose (tb, tbc) de *22,26*
tuberculose...: tuberculoselijder, enz. *76,90*
tubereus *26*
tubereuze
tuberkel de (...s) *22*
tuberkel...: tuberkelbacil, enz. *64*
tubifex de (...en) *23*
Tucholsky, Kurt *6*
tucht de *2*
tuchteloos *87*
tucht...: tuchtschool, enz. *64*
tudorstijl de *54,65*
tui de (...en)
tui...: tuiaarde, enz. *64,76*
tuier de (...s)
tuier...: tuierpaal, enz. *64*
tuig het (...en)
tuig...: tuigleer, enz. *64*
tuigage de *27,90*
tuinder de (...s)
tuinders...: tuindersglas, enz. *98*
tuinier de (...s)
tuiniers...: tuiniersvak, enz. *98*
tuinman de (...mannen, tuinlieden, tuinlui)
tuinmans...: tuinmansknecht, enz. *98*
tuiten *106*
tuitte, getuit
tulband de (...en) *18*
tulband...: tulbandvorm, enz. *64*
tule de (...s) *43,91*
tulen [van tule] *114*
tulp de (...en)
tulp...: tulpglas, tulpvormig, enz. *64*
tulpen...: tulpenveld, enz. *88*
tumba de (...'s) *11,42*
tumbler de (...s) *1*
tumescentie de *25*
tumor de (...en, ...s) *14*
tumtum de/het *80*
tumult het (...en) *18*
tumultueus *26*
tumultueuze
tumulus de (...muli) *1*
tune de (...s) *3,11*
tunen *3,105,106*
tunede, getuned
tuner de (...s) *3,11*
tuner-versterker *80*
Tunesië *6,53*
Tunesiër, Tunesisch(e)
tunica de (...'s) *22,42*
turbine de (...s) *43*
turbine...: turbinestraalmotor, enz. *76,91*
turbo de (...'s) *42*
turbo... *78*
turbodiesel, turbo-elektrisch, turbotaal, enz.
turbulent *18*
tureluur de (...luren, ...s) *14*
turfsteken *69,107*
Turkestan *6,53*
Turkije *6,53,55*
Turk, Turks(e)

Turkmenistan *6,53*
Turkmeen, Turkmeens(e)
turkoois [gesteente] het *26*
turkooizen *26,114*
Turks- en Caicoseilanden *6,53*
turnen *106*
turnde, geturnd
turquoise het *3*
turven *19,106*
turfde, geturfd
Tuschinsky, Abraham Icek *6*
Tussaud, Marie *6*
tussen... *70,106*
tussenvoegen: voegde tussen, tussengevoegd; enz.
tussen... *64*
tussenbalans, tussenliggend, tussenwerpsel, enz.
tussenbeide *73*
tussendek het (...dekken) *64*
tussendeks...: tussendekspassagier, enz. *98*
Tussen-Maas-en-Vesder *6,53*
tussen-n de *83*
Tussen-Samber-en-Maas *6,53*
tussor het *14*
tut de (tutten)
tuthola *64*
tuttebel *97*
tutelair *3*
tutoyeren *3,21,106*
tutoyeerde, getutoyeerd
Tutsi de (...'s) *11,42,53*
tutti *11,14*
tuttifrutti de (alleen mv.) *11,14,80*
tutti quanti (t.q.) *63*
tutu de (...'s) *42*
Tutu, Desmond *6*
Tuvalu *6,53*
Tuvaluaan, Tuvaluaans(e)
tv [televisie] de (...'s; tv'tje) *46,101*
tv-...: tv-show, enz. *83*
t.v. [tevoren] *100*
TW [Touring-Wegenhulp] de *104*
tw. [tussenwerpsel, telwoord] *100*
t.w. [te weten] *100*
twaalf de (twaalven; ...je) *19,74*
twaalf...: twaalfdelig, twaalfuurtje, enz. *64*
twaalf...: twaalfboutshelm, twaalftoonsmuziek, enz. *68,98*
twaalfde *75*
twaalfde...: twaalfde-eeuwer, twaalfde-eeuws, enz. *76,92*
Twain, Mark *6*
twee de (tweeën; ...tje) *38,74*
twee...: twee-eiig, twee-eenheid, tweeënhalf, tweecilinder, tweedimensionaal, tweeduizend, tweeduizend vier, tweeëntwintig, tweehonderd, tweehonderdtien, tweetiende, enz. *41,64,74,75,76*
twee...: tweekamerappartement, enz. *68*
tweeërlei *38,111*
twee...: tweecomponentenlijm, enz. *68,88*
twee...: tweefasestructuur, enz. *68,91*
tweed het *9,18*
tweedjas *66*
tweede *75*
tweede...: tweedegraads, tweedehandsje, enz. *76,92*
tweede...: tweededivisieclub, tweedekansonderwijs, enz. *68*
tweede...: tweedefaseonderwijs, enz. *68,91*
tweede...: tweedelijnszorg, tweederangsburger, enz. *68,98,99*
Tweede Kamer de *52*
Tweede-Kamer...: Tweede-Kamerdebat, enz. *65*
Tweede Wereldoorlog de *56,68*
Tweelingen (alleen mv.) de *53*
twee-onder-een-kapwoning de (...en) *81*
tweernen *106*
tweernde, getweernd
tweetaktmotor de (...en, ...s) *22,68*

tweeter de (...s) *9*
twennie de (...s) *ook* **twen** (...s),
twenny (...'s) *9,43,115*
twenny de (...'s) *ook* **twen, twennie**
9,42,115
Twente *6,53*
twijfel de (...s) *13*
twijfelen *13,106*
twijfelde, getwijfeld
twijg de (...en) *13*
twijg...: twijgwaard, enz. *64*
twijn de (...en) *13*
twijn...: twijngaren, enz. *64*
twijnen *13,106*
twijnde, getwijnd
twinset de (...s) *67*
twintig *74*
twintig...: twintigdaags,
twintigduizend, twintigvlak, enz.
64,74
twintigste *75*
twintigste...: twintigste-eeuwer,
twintigste-eeuws, enz. *76,92*
twirlen *3,106*
twirlde, getwirld
twisten *106*
twistte, getwist
two-seater de (...s) *9,11,67*
two-step de (...s) *11,67*
t.w.v. [ter waarde van] *100*
tycoon de (...s) *3,11,22*
tyfeus *9,26*
tyfeuze
tyfoïde *9,37*
tyfoon de (...s) *ook* **taifoen** *3,11,115*
tyfus de *1,9*
tyfus...: tyfuslijder, enz. *64*
tympanie de *9*
Tyndall, John *6*
type het (...n, ...s; ...tje) *9,43,91*
type... *64,76*
type-examen, typefout,
typemachine, enz.
typecasting de (...s) *67*
typen *9,105,106*
typte, getypt
typeren *9,106*
typeerde, getypeerd
typisch *9*
typiste de (...n, ...s; ...tje) *9,43,88*
typo... *9,78*
typoscript, typografisch, enz.
typograaf de (...grafen) *9,19*
typologie de *9*
tyrannosaurus de (...russen) *9,14*
Tyrus *6,53*
Tyson, Mike *6*
Tytgat, Edgard *6*
t.z. [ter zake, ter zee] *100*
Tzara, Tristan *6*
t.z.p. [ter zelfder plaatse] *100*
t.z.t. [te zijner tijd] *100*
Tzummarum *6,53*
t.z.v. [ter zake van] *100*

u

u de (u's; u'tje) *46*
U-bahn, U-balk, U-bocht, U-boot, U-buis, U-vormig *61,83*
u *60*
u aller aanwezigheid *62,111*
UB [universiteitsbibliotheek] de (...'s) *46,104*
Ubach over Worms *6,53*
Ubbergen *6,53*
u beider belang, in – *62,111*
überhaupt *3*
übermensch de (...en) *3*
uche
UDC [universele decimale classificatie] *104*
U Ed. [U Edele] *100*
UEFA [Union of European Football Associations] de *103*
ufo de (...'s) (GB: UFO) *46,102*
Uganda *ook* **Oeganda** *6,53*
ugli de (...'s) *9,42*
uh *20*
uhf [ultrahoge frequentie] *101*
ui de (...en)
uien...: uiensoep, enz. *88*
u.i. [ut infra, usus internus] *100*
uiig *38*
uil de (...en)
uil...: uilaap, enz. *64*
uilen...: uilenbril, enz. *88*
uils...: uilskuiken, enz. *98*
uit... *64*
uitbarsting,uitroep, uittocht, enz.
uit... *70,106*
uitademen: ademde uit, uitgeademd; enz.
uit aller naam *62,111*
uit anderen hoofde *62*
uitbaatster de (...s) *4*
uitbreiden *13,106*
breidde uit, uitgebreid
uit den boze *62,111*
uitdijing de *4*
uitdrukking de (...en; ...inkje) *112*
uitdrukkelijk *87*
uitdrukkings...: uitdrukkingskracht, enz. *98*
uiteen... *64*
uiteenlopend, uiteenzetting, enz.
uiteen... *70,106*
uiteenleggen: legde uiteen, uiteengelegd; enz.
uiten *106*
uitte, geuit
uit-en-te-na *ook* **uit-en-ter-na** *62,111,115*
uitentreuren *111*
uiteraard *111*
uitermate *111*
uiterwaard de (...en) *18*
uitfaden *70,105,106*
fadede uit, uitgefaded
uitgaaf de (...gaven) *ook* **uitgave** *19,115*
uitgaans... *98*
uitgaanskleding, enz.
uitgang de (...en; uitgangetje) *112*
uitgangs...: uitgangspositie, uitgangssituatie, enz. *98,99*
uitgave de (...n)
uitgaven...: uitgavenpatroon, enz. *89*
uitgever de (...s)
uitgevers...: uitgeversfonds, enz. *98*
uitgewekene de (...n) *89*
uitgifte de (...n, ...s)
uitgiftekoers *91*
uithuisplaatsing de (...en) *68*
uithuizig *26*
uitjouwen *28,106,108*
jouwde uit, uitgejouwd
uitloggen *106*
logde uit, uitgelogd

uitnemend *64*
uitroeiing de (...en) *38*
uitspansel het (...s) *4*
uitstekend *64*
uittreksel het (...s) *4,64*
uitvaardigen *70,106*
vaardigde uit, uitgevaardigd
uitweiden *13,106*
weidde uit, uitgeweid
uitweiding de (...en; ...inkje) *13,112*
uitwijkeling de (...en) *13*
uitwringen *1,70*
wrong uit, uitgewrongen
uitzaaiing de (...en; uitzaaiinkje) *38,112*
uitzichtloos *99*
uitzonderen *70,106*
zonderde uit, uitgezonderd
uk de (ukken) 22
UK [United Kingdom] *104*
ukelele de (...s) *ook* **oekelele** *11,43,115*
ukkepuk de (...pukken) *97*
ulcereren *25,37,106*
ulcereerde, geülcereerd
ulcus de/het (ulcera) *22*
ulevel de (...vellen; ...velletje) *1,112*
Uliga *6,53*
Ullmann, Liv *6*
Ullrich, Jan *6*
ulo [uitgebreid lager onderwijs] de (...'s) *46,102*
ulo-...: ulo-opleiding, enz. *83*
ult. [ultimo] *100*
Ultima Thule *6,53*
ultimatief *19*
ultimatieve
ultimatum het (...s) *1,3*
ultimo (ult.) *3*
ultra... *78*
ultra-actief, ultrageluid, ultramarijn, ultrarechts, ultrasonisch, ultraviolet, enz.
Ulysses *6,58*
umlaut de (...en) *11,12,18*
umlaut...: umlautteken, enz. *64*
umpire de (...s) *3,43*
UN [United Nations] *104*
Unamuno, Miguel de *6*
unanimiteit de
unanimiteits...: unanimiteitsbeginsel, enz. *98*
unciaal de (...alen) *25*
unciaal...: unciaalgewicht, enz. *64*
Unctad [United Nations Conference on Trade and Development] de *103*
undercover de (...s) *67*
undercover...: undercoveragent, enz. *66*
underdog de (...s) *67*
underdogpositie *66*
underground de (...s) *67*
understatement het (...s) *67*
undine de (...n) *89*
Undset, Sigrid *6*
Unesco [United Nations Educational, Scientific and Cultural Organization] de *103*
unfair *3*
unheimisch *3*
uni [effen] *9*
uni... *78*
unilateraal, uniseks, unisono, enz.
Unicef [United Nations International Children's Emergency Fund] *103*
uniciteit de *9,25*
unicum het (...s, unica) *9,22*
unie [verbond] de (...s) *9,43*
uniëren *37,38,106*
unieerde, geünieerd
unificatie de (...s) *22,43*
unificeren *25,37,106*
unificeerde, geünificeerd
Unifil [United Nations Interim Force in Lebanon] *103*
uniform *19*
uniform de/het (...en; ...pje) *19*
uniformeren *37,106*
uniformeerde, geüniformeerd
unionist de (...en) *16*
unionistisch *16*

Union Jack *52*
unit de (...s) *3*
unitair *3,9*
unitariër de (...s) *9,37*
universalia de (alleen mv.) *26*
universalistisch *26*
universeel *26*
universitair *3,26*
universiteit de (...en) *26*
universiteits...:
universiteitsbibliotheek,
universiteitsstad, enz. *98,99*
universum het *26*
UNO [United Nations Organization] de *103*
unplugged *3*
UNPROFOR [United Nations Protection Force] *103*
unverfroren *3*
update de (...s) *3,43*
updaten *37,105,106*
updatete, geüpdatet
upgraden *37,105,106*
upgradede, geüpgraded
Uphoff, Manon *6*
UPI [United Press International] *104*
uppercut de (...s) *22,67*
upper ten de *67*
Uppsala *6,53*
ups and downs *67*
up-tempo het *67*
up-to-date *67*
u.r. [ut retro] *100*
uraan het *ook* **uranium** *115*
uraan...: uraanerts, enz. *64*
uraniumoxide het *7,64*
urbanisatie de *26*
urbanisatie...: urbanisatiegraad, enz. *64,76*
urbaniseren *26,37,106*
urbaniseerde, geürbaniseerd
Urdu *55*
uren... zie **uur**
ureter de (...s) *1,20*
urethra de (...'s, ...thrae) *8,20,42*
ureum het *39*
urgent *18*
urgentie de (...s) *43*
urgentie...: urgentie-eis,
urgentielijst, enz. *64,76*
urineren *37,106*
urineerde, geürineerd
urinoir het (...s) *3*
urmen *37,106*
urmde, geürmd
urn de (...en; ...tje) *ook* **urne** (...n) *115*
urnenveld *88*
urologisch *9*
Uruguay *6,53*
Uruguayaan, Uruguayaans(e),
Uruguees, Uruguese
US [United States] de *104*
u.s. [ut supra] *100*
USA [United States of America] de *104*
usance de (...s) *25,43*
usantieel *37,38*
usantiële
USD [United States dollar] *104*
uso het *26*
USSR [Unie der Socialistische Sovjet-Republieken] de *104*
usueel *26,37,38*
usuele
usurpator de (...en, ...s) *26*
usurperen *26,37,106*
usurpeerde, geüsurpeerd
usus de *26*
Utah *6,53*
utensiliën de (alleen mv.) *40*
uterus de (...russen) *1*
utiliseren *26,37,106*
utiliseerde, geütiliseerd
utilisme het *90*
utilistisch *9*
utilitair *3*
utilitarisme het *90*
utilitaristisch *14*
utiliteit de (...en)
utiliteits...: utiliteitsbeginsel, enz. *98*

utopia het (...'s) *42,54*
utopie de (...pieën) *40*
utopistisch *9*
Utrechtse Vecht de *6,53*
uur het (uren)
uur...: uurloon, enz. *64*
urenlang *88*
UV [ultraviolet] *101*
uvulaar *ook* **uvulair** *3,115*
uwent, te(n) – *62,111*
uwentwege *62,111*
uwerzijds *111*
Uyl, Joop den *6*
uzelf *73*
uzi de (...'s) *11,42*

V

v de (v's; v'tje) *46*
V-dienst, V-formatie, V-hals, V-raad, V-riem, V-snaar, V-teken, V-vormig, V-wapen *61,83*
v [velocitas] *100*
v. [van, vers, versregel, versus, voor, vrouw, vrouwelijk] *100*
V [Romeins cijfer, volt] *100*
va [vader] de (...'s; vaatje) *42,112*
v.a. [vanaf, volgens anderen] *100*
vaaglijk *ook* **vagelijk** *87,115*
vaagweg *73*
vaalt de (...en) *18*
vaam de (vamen) *ook* **vadem** *115*
vaandelzwaaien *69,107*
vaandrig de (...s) *1*
vaars de (vaarzen) *26*
vaart de (...en) *18*
vaarwelzeggen *69,106,107*
zegde/zei vaarwel, vaarwelgezegd
vaas de (vazen) *26*
vaat [afwas] de (vaten) *18*
vaat... zie **vat**
VAB [Vlaamse Automobilistenbond] de *104*
va-banque het *63*
vac. [vacature, vacant] *100*
vacant *22*
vacatie de (...tiën, ...s) *22,40,43*
vacature de (...s) *ook* **vacatuur** (...turen) *22,115*
vacature...: vacaturebank, enz. *76,91*
vaccin het (...s) *3,23*
vaccinaal *23*
vaccinatie de (...s) *23,43*
vaccinatie...: vaccinatiebewijs, enz. *64,76*
vaccine de (...s) *23,43*
vaccine...: vaccinestof, enz. *76,91*
vaccineren *23,106*
vaccineerde, gevaccineerd
vaceren *25,106*
vaceerde, gevaceerd
vacuole de (...n) *22,89*
vacuüm het (...cua, ...s) *22,37*
vacuüm...: vacuümbuis, vacuümverpakt, enz. *64*
VAD [vermogensaanwasdeling] de *104*
vadem de (...en, ...s) *ook* **vaam** *1,115*
vademecum het (...s) *11,22*
vademen *106*
vademde, gevademd
vader de (...s)
vader...: vaderdag, vaderland, enz. *56,64*
vader-zoonrelatie *81*
vaders...: vaderskind, enz. *98*
vaderlandlievend *ook* **vaderlandslievend** *64,98,115*
vadsig *18,26*
Vaduz *6,53*
va-et-vient het *63*
vagant de (...en) *18*
vagantenpoëzie *88*
vagebond de (...en) *97*
vagebonderen *97,106*
vagebondeerde, gevagebondeerd
vagelijk *ook* **vaaglijk** *87,115*
vagevuur het *97*
vagina de (...'s) *42*
vaginitis de *1*
Vaiaku *6,53*
vair het *3*
vak het (vakken; ...je)
vak...: vakbeweging, enz. *64*
vakken...: vakkenpakket, enz. *88*
vaksgewijs, vaksgewijze *98*

vakantie de (...s) *22,43*
vakantie...: vakantieliefde, vakantieoord, vakantie-uittocht, enz. *64,76*
vaktekenen *69,107*
val. [valuta] *100*
valabel *1*
Val d'Oise *6,53*
Valenciennes *6,53*
valentie de (...s) *43*
Valentijnsdag de (...en) *56,65*
valeriaan [plant] de (...rianen) *14*
valeriaan [geneesmiddel] de/het *14*
Valéry, Paul *6*
valide *9,113*
valider/meer valide, meest valide
valideren *9,106*
valideerde, gevalideerd
valies het (valiezen) *26*
valk de (...en)
valkjacht, valkhof, valkklasse *64*
valken...: valkenei, enz. *88*
Valkenburg aan de Geul *6,53*
valkenier de (...s)
valkeniershandschoen *98*
Valkenisse *6,53*
vallei de (...en) *13,14*
Valletta *6,53*
valorem, ad – *63*
valorisatie de (...s) *26,43*
vals *26*
valse
valselijk *87*
valsemunter de (...s) *ook* **valsmunter** (...s) *92,115*
valsemunterij de (...en) *ook* **valsmunterij** (...en) *92,115*
valserik de (...en) *15*
valuatie de (...s) *43*
valuta de (...'s) *42*
valuta...: valuta-aankoop, valutakoers, enz. *64,76*
valutair *3*
valvas, ad – *63*
valzweven *69,107*
vamp de (...s) *3*
vampier de (...s)
vampierverhaal *64*
vampiersmentaliteit *98*
vampirisme het *90*
van... *72*
vanaf, vanbinnen, vanuit, enz.
vanavond *1*
Vancouver *6,53*
vandalisme het *90*
Vandamme, Jean-Claude *6*
van dattum *1,62*
vandehands *ook* **vanderhands** *62,111,115*
Vandeloo, Jos *6*
van den domme houden, zich – *62,111*
Vandersteen, Willy *6*
van dien aard *62,111*
vandiktebank de (...en) *68*
vaneen *73*
van ganser harte *62,111*
van Godswege *59,62,111*
van goeden huize *62,111*
van goeden wille *62,111*
van harentwege *62,111*
van heinde en verre *62*
vanhier *73*
van hunnentwege *62,111*
vanille de *21*
vanille...: vanilleijs (GB: vanille-ijs), vanillepudding, enz. *76,90*
vanilline de *14,90*
vanitas de *9*
vanitas vanitatum *63*
vanjewelste *62*
van jongs af *62*
van kindsbeen af *62*
van koninklijken bloede *62,111*
van lieverlee *ook* **van lieverlede** *62,115*
Vanlommel, Emile *6*
vanmiddag *1*
van mijnentwege *62,111*
vanmorgen *1*
vannacht *1*
van node *62,111*

vanochtend *1*
van onzentwege *62,111*
vanouds *73*
van oudsher *62,111*
Vanriet, Jan *6*
van rijkswege *62,111*
van tevoren *62*
Vantongerloo, Georges *6*
Vanuatu *6,53*
Vanuatuaan, Vanuatuaans(e)
van uwentwege *62,111*
Vanvught, Ewald *6*
vanwaar *73*
vanwege *73*
vanzelf *73*
vanzelfsprekend *62*
van zijnentwege *62,111*
van zinnens *62,111*
van zins *62,111*
vaporisator de (...en, ...s) *26*
vaporiseren *26,106*
vaporiseerde, gevaporiseerd
VARA [Vereniging van Arbeiders-Radio-amateurs] de *103*
varaan de (...ranen) *14*
varekoe de (...koeien) *97*
Varèse, Edgard *6*
Vargas Llosa, Mario *6*
variabele de (...n) *89*
variantie de (...s) *43*
variatie de (...s) *43*
variatie...: variatiemogelijkheid, enz. *64,76*
varicellen de (alleen mv.) *25*
varices de (alleen mv.) *27*
variëren *37,38,106*
varieerde, gevarieerd
variété het (...s; ...teetje) *29,43,112*
variété...: variétéartiest, enz. *64,76*
variëteit de (...en) *37*
varinas de *9*
variola de (alleen mv.) *9*
variolen de (alleen mv.) *9*
variometer de (...s) *9*
varken het (...s)
varkens...: varkensoogjes, enz. *98*
varsity de (...'s) *3,9,42*
Varsseveld *6,53*
Vasarely, Victor *6*
Vasco da Gama *6*
vasculair *3,22*
vasectomie de *22*
vaseline de *26,90*
vasomotie de (...s) *26,43*
vasopressine de *26,90*
vast... *64*
vastberaden, vastomlijnd, enz.
vast... *69,106*
vastdraaien: draaide vast, vastgedraaid; enz.
vasteland het (...en) *92*
vastelands...: vastelandsklimaat, enz. *98*
vasten de
vasten...: vastentijd, enz. *64*
Vastenavond de (...en) *56,64*
vat [greep, ton] de/het (...en; vaatje) *18,112*
vat [bloedvat] het (...en; vaatje) *18,112*
vaat...: vaatchirurg, enz. *64*
Vaticaanstad *6,53*
Vaticaans
Vaucluse *6,53*
vaudeville de (...s) *3,10,43*
vazal de (vazallen) *26*
vazalstaat *64*
vazalliteit de *14*
VB [Vlaams Blok] het *104*
vb. [voorbeeld] *100*
v.b. [van boven] *100*
vbb. [voorbeelden] *100*
VBC [Vlaamse Bibliotheekcentrale] de *104*
vbo [voorbereidend beroepsonderwijs] het *101*
vbo'er *46*
vbo-...: vbo-leerling, enz. *83*
VBO [Verbond van Belgische Ondernemingen] het *104*
v.C. [voor Christus] *ook* **v.Chr.** *100,115*

V.D. [volente Deo] *100*
v.d. [van de, van den, van der] *100*
VDAB [Vlaamse Dienst voor Arbeidsbemiddeling en Beroepsopleiding] de *104*
vechtenderhand *111*
vector de (...en) 22
vector...: vectoranalyse, enz. *64*
veda de (...'s) 42
vedel de (...en, ...s) *1*
veder de (...en, ...s) *ook* **veer** *115*
veder...: vedergewicht, vederlicht, enz. *64*
vedette de (...n, ...s) *91*
vee [dieren] het *19*
vee...: veearts, veeboer, enz. *64,76*
veejay de (...s) *3,9,43*
veel... *64*
veelbelovend, veelgeprezen, veelverdiener, veelwijverij, enz.
veelszins *4*
Veenendaal *6,53*
Veenkoloniën de *6,53*
veer de/het (veren) *ook* **veder** *115*
veer...: veersysteem, enz. *64*
veren...: verenbed, enz. *88*
Veere *6,53*
veertien *74*
veertien...: veertiendaags, enz. *64*
veertien...: veertienmeterworp, enz. *68*
veertiende *75*
veertiende...: veertiende-eeuwer, veertiende-eeuws, enz. *76,92*
veertig *74*
veertig...: veertigdaags, veertigplusser, enz. *64*
veertig...: veertigdagentijd, enz. *68,88*
veest [scheet] de (...en) *19*
veesten *19,106*
veestte, geveest
veganisme het *90*
vegetariër de (...s) *37*
vegetariërs...: vegetariërsbond, enz. *98*
vegetarisch *9*
vegetarisme het *90*
vegetatie de (...s) *43*
vegetatie...: vegetatiekunde, enz. *64,76*
vegetatief *19*
vegetatieve
vegeteren *106*
vegeteerde, gevegeteerd
Veghel *6,53*
vehikel het (...s) *9,22*
vei *13*
veil [te koop] *13*
veilen *13,106*
veilde, geveild
Veiligheidsraad de (GB: veiligheidsraad) *52*
veiling de (...en) *13*
veine de (...s) *3,43,91*
veinzaard de (...s) *13,26*
veinzen *13,26,106*
veinsde, geveinsd
Velásquez, Diego Rodriguez de Silva y *6*
veldrijden *69,107*
Veldwezelt *6,53*
velerhande *111*
velerlei *13,111*
velg de (...en) *ook* **velling** *115*
velijn het *13*
velijnpapier *64*
velling de (...en) *ook* **velg** *115*
velo de (...'s) *46,102*
vélocipède de (...s) *25,29,30*
velours de/het *3,11*
velouté de/het *11,29*
veloutésoep *64*
velouteren *11,106*
velouteerde, gevelouteerd
Velsen *6,53*
Veltem-Beisem *6,53*
Velthuijs, Max *6*
velum het (vela, ...s) *1*
velvet het *19*
velveteen het *9,19*

Velzeke-Ruddershove *6,53*
ven het (vennen; vennetje) *112*
vena de (...nae, venen) *ook* **vene** *8,115*
vendel het (...en, ...s) *1*
vendelzwaaien *69,107*
vendetta de (...'s) *42*
Vendôme *6,53*
vendu de/het (...'s) *3,42*
vendu...: venduhouder, enz. *66,76*
vendutie de (...s) *43*
vene de (...s) *ook* **vena** *43,91,115*
veneratie de (...s) *43*
venerisch *9*
venerologisch *14*
Venetië *6,53*
veneus *26*
veneuze
Venezuela *6,53*
Venezolaan, Venezolaans(e)
venijn het *13*
venijnig *13*
vennoot de (...noten) *14,18*
Venray *6,53*
venten *106*
ventte, gevent
ventiel het (...en) *19*
ventilatie de
ventilatie...: ventilatiesysteem, enz. *64,76*
ventilator de (...en, ...s) *1*
ventriculair *3,22*
ventrikel de/het (...s) *22*
ventriloquist de (...en) *22,24*
ventster de (...s) *4*
venturimeter de (...s) *54,65*
Venus [godin] de *51*
venus...: venusheuvel, venusschelp, enz. *54,65*
venus [mooie vrouw] de (venussen) *54*
ver *113*
verre, verder, verst
ver... *64*
verafgelegen, vergevorderd, vergezicht, verziend, enz.
veraanschouwelijken *12,106,108*
veraanschouwelijkte, veraanschouwelijkt
veraccijnzen *26,106,108*
veraccijnsde, veraccijnsd
verachtelijk *87*
verachten *106,108*
verachtte, veracht
veraf *73*
veralgemeniseren *26,106,108*
veralgemeniseerde, veralgemeniseerd
veramerikaniseren *26,106,108*
veramerikaniseerde, veramerikaniseerd
veranda de (...'s; ...daatje) *ook* **waranda** *42,112,115*
veranderen *106,108*
veranderde, veranderd
verassen [tot as worden] *4,106,108*
veraste, verast
verb. [verbinding, verbum] *100*
verbaasd *113*
verbaasder, meest verbaasd
verbalisant de (...en) *18,26*
verbaliseren *26,106*
verbaliseerde, geverbaliseerd
verband het (...en) *18*
verbatim et literatim *63*
Verbeeck, Louis *6*
verbeiden *13,108,109*
verbeidde, verbeid
verbena de (...'s) *42*
Verbesselt, August *6*
verbeulemansen *54,106,108*
verbeulemanste, verbeulemanst
verbeurdverklaren *18,69,108*
verklaarde verbeurd, verbeurdverklaard
verbeurte de *90*
verbijsteren *13,106,108*
verbijsterde, verbijsterd
verbindendverklaring de (...en) *64*
verbintenis de (...nissen)
verbintenissenrecht *88*

verblijden *13,108,109*
verblijdde, verblijd
verblijf het (...blijven) *19*
verblijf...: verblijfplaats, enz. *64*
verblijfs...: verblijfsvergunning, verblijfsstatus, enz. *98,99*
verbod het (...en)
verbods...: verbodsbord, enz. *98*
verbond het (...en)
verbonds...: verbondsark, enz. *98*
verbositeit de *26*
verbouwereerd *12*
verbreden *106,108,109*
verbreedde, verbreed
verbreiden *13,108,109*
verbreidde, verbreid
verbrijzelen *13,106,108*
verbrijzelde, verbrijzeld
verbruien *106,108*
verbruide, verbruid
verbruik het (...en)
verbruikleen, verbruiklening *64*
verbruiks...: verbruiksgoederen, enz. *98*
verbruiker de (...s)
verbruikers...: verbruikersclub, enz. *98*
verbum het (verba) *1*
vercateren *22,108*
vercaterde, vercaterd
vercommercialiseren *22,106,108*
vercommercialiseerde, vercommercialiseerd
Vercoullie, Jozef *6*
Vercruysse, Jan *6*
verdachte de (...n)
verdachten...: verdachtenbank, enz. *89*
verdachtmaken *69,106*
maakte verdacht, verdachtgemaakt
verdedigen *106,108*
verdedigde, verdedigd
verdek het (...dekken) *22*
verderaf *73*
verderfenis de *19*
verderop *73*
verderver de (...s) *19*
verderzetten *69,106*
zette verder, verdergezet
Verdi, Giuseppe *6*
verdict het (...en) *3,22*
verdienste de (...n) *89*
verdikke *73*
verdikkeme *73*
verdikkie *73*
verdisconteren *22,106,108*
verdisconteerde, verdisconteerd
verdoemelijk *ook* **verdommelijk** *87,115*
verdoemen *106,108*
verdoemde, verdoemd
verdomme *73*
verdommelijk *ook* **verdoemelijk** *87,115*
verdommen *106,108*
verdomde, verdomd
verdonkeremanen *106,108*
verdonkeremaande, verdonkeremaand
verdorie *73*
verdorven *19*
verdoven *19,106,108*
verdoofde, verdoofd
verdraaglijk *87*
verdraaiing de (...en) *38*
verdrag het (...en)
verdrags...: verdragsbepaling, enz. *98*
verdrietelijk *87*
verdrukte de (...n) *89*
verduiveld *ook* **verduveld** *115*
verdulleme *73*
verduveld *ook* **verduiveld** *115*
verdwazen *26,106,108*
verdwaasde, verdwaasd
vereenzelvigen *106,108*
vereenzelvigde, vereenzelvigd
vereffenen *ook* **verevenen** *106,108,115*
vereffende, vereffend
vereis het *13*

vereiste de/het (...n) *13,89*
veren... zie **veer**
Verenigde Arabische Emiraten de *6,53*
Verenigde Naties de *52*
Verenigde Staten de *6,53*
vereniging de (...en) *52*
vererven *19,106,108*
vererfde, vererfd
verevenen *ook* **vereffenen** *106,108,115*
verevende, verevend
verf de (verven) *19*
verveloos *87*
verf...: verfbad, enz. *64*
verflauwen *12,106,108*
verflauwde, verflauwd
verflensen *26,106,108*
verflenste, verflenst
verfoeien *106,108*
verfoeide, verfoeid
verfoeilijk *87*
verfoeliën *37,106,108*
verfoeliede, verfoelied
verfoeliesel het (...s) *9*
verfomfaaien *106,108*
verfomfaaide, verfomfaaid
verfommelen *106,108*
verfommelde, verfommeld
verfraaiing de (...en) *38*
verg. [vergelijk, vergoeding] *100*
vergaloppperen *14,106,108*
vergaloppeerde, vergaloppeerd
vergankelijk *87*
vergeeflijk *ook* **vergefelijk** *87,115*
vergeefs *1*
vergeet-mij-niet de (...en) *62*
vergelijkenderwijs *ook*
vergelijkenderwijze *26,111,115*
vergen *106,108*
vergde, gevergd
vergépapier het *27,29,64*
vergevensgezind *18,98*
vergezellen *106,108*
vergezelde, vergezeld
vergiet de/het (...en) *18*
vergif het (...giffen) *ook* **vergift** *115*
vergiffenis de *1*
vergift het (...en) *ook* **vergif** *18,115*
vergiftkast *64*
vergiftenleer *88*
Vergilius *6*
verglaassel het *4*
vergoelijken *106,108*
vergoelijkte, vergoelijkt
vergrijzen *26,106,108*
vergrijsde, vergrijsd
vergroeidbladig *64*
vergroeiing de (...en) *37,38*
vergroten *106,108,109*
vergrootte, vergroot
vergroven *19,106,108*
vergroofde, vergroofd
vergruizelen *26,106,108*
vergruizelde, vergruizeld
verguizen *26,106,108*
verguisde, verguisd
verguldsel het (...s) *18*
vergunning de (...en)
vergunning...: vergunninghouder, enz. *64*
vergunningen...:
vergunningenstelsel, enz. *88*
vergunnings...: vergunningsrecht, enz. *98*
verhaal het (...halen)
verhaal...: verhaalfiguur, enz. *64*
verhaals...: verhaalsrecht, enz. *98*
verhabbezakken *106,108*
verhabbezakte, verhabbezakt
Verhaeren, Emile *6*
verhalenderwijs *111*
verhanselen *26,106,108*
verhanselde, verhanseld
verhemelte het (...n, ...s)
verhemelte...: verhemelteklank, enz. *76,91*
Verhey, Emmy *6*
verhouten *106,108,109*
verhoutte, verhout
verhuizen *26,106,108*
verhuisde, verhuisd

verhypothekeren *9,20,108*
verhypothekeerde, verhypothekeerd
verificateur de (...s) *22*
verificatie de (...s) *22,43*
verificatie...: verificatiecommissie, enz. *64,76*
verifiëren *37,38,106*
verifieerde, geverifieerd
verisme het *90*
verjaardag de (...en)
verjaardags...: verjaardagsfeestje, enz. *98*
verjaars... *98*
verjaarscadeau, verjaarspartijtje, enz.
verkankelemienen *9,106,108*
verkankelemiende, verkankelemiend
verkeer het
verkeers...: verkeersdiploma, verkeersslachtoffer, enz. *98,99*
verkeerd *18*
verkeerdelijk *87*
verkieslijk *ook* **verkieselijk** *26,87,115*
verkoeverkamer de (...s) *11,22,64*
verkoop de (...kopen)
verkoop...: verkoopprijs, enz. *64*
verkouden *12*
verkrachten *106,108,109*
verkrachtte, verkracht
verkwanselen *26,106,108*
verkwanselde, verkwanseld
verkwikkelijk *87*
verlaat het (...laten) *18*
verlader de (...s)
verladers...: verladersbedrijf, enz. *98*
Verlaine, Paul *6*
verleiden *13,108,109*
verleidde, verleid
verleien *13,106,108*
verleide, verleid
verlengde het (...n, ...s) *91*
verlet het *18*
verlet...: verletdag, enz. *64*
Verlichting [periode] de *56*
verliefde de (...n) *89*
verlies het (...liezen) *26*
verlies...: verliesgevend, verliesjaar, enz. *64*
verlieven *19,106,108*
verliefde, verliefd
verlijeren *13,106,108*
verlijerde, verlijerd
verlof het (...loven) *19*
verlokkelijk *87*
verloochenen *2,106,108*
verloochende, verloochend
verloofde de (...n, ...s) *91*
verloven *19,106,108*
verloofde, verloofd
vermaak het (...maken)
vermaaks...: vermaaksindustrie, enz. *98*
vermaard *18*
vermakelijk *87*
vermaledijen *13,106,108*
vermaledijde, vermaledijd
vermeend *18*
vermeien (zich) *13,106,108*
vermeide, vermeid
vermeldenswaard *ook* **vermeldenswaardig** *98,115*
vermenigvuldigen *106,108*
vermenigvuldigde, vermenigvuldigd
vermetel *1*
Vermeylen, August *6*
vermicelli de *1,9,25*
vermicelli...: vermicellipap, enz. *64,76*
vermiculiet het *9,18,22*
vermijden *13,108*
vermeed, vermeden
vermiljoen het *21*
vermiljoenen *21,106*
vermiljoende, gevermiljoend
vermiste de (...n) *89*
vermoedelijk *87*
vermoeien *106,108*
vermoeide, vermoeid
vermogen het (...s)
vermogens...: vermogensbelasting, enz. *98*

vermorsen *26,106,108*
vermorste, vermorst
vermorzelen *26,106,108*
vermorzelde, vermorzeld
vermout de *11,18*
vermurwen *106,108*
vermurwde, vermurwd
vernachelen [belazeren] *2,106,108*
vernachelde, vernacheld
vernagelen [dichtspijkeren] *2,106,108*
vernagelde, vernageld
vernalisatie de *26*
vernauwen *12,106,108*
vernauwde, vernauwd
Verne, Jules *6*
verneukeratief *19*
verneukeratieve
vernichelen *2,106,108*
vernichelde, vernicheld
vernis het (...nissen) *1*
vernissage de (...s) *14,27,91*
vernuft het (...en) *18*
veronachtzamen *26,106,108*
veronachtzaamde, veronachtzaamd
veronal de/het *54*
veronaltablet *65*
Veronese, Paolo Cagliari *6*
veronica [ereprijs] de (...'s) *22,42*
verontreinigen *106,108*
verontreinigde, verontreinigd
verontschuldigen *106,108*
verontschuldigde, verontschuldigd
verontwaardigen *106,108*
verontwaardigde, verontwaardigd
veroordeelde de (...n) *89*
veroorloven *19,106,108*
veroorloofde, veroorloofd
verorberen *106,108*
verorberde, verorberd
verordineren *106,108*
verordineerde, verordineerd
verordonneren *106,108*
verordonneerde, verordonneerd
veroveren *106,108*
veroverde, veroverd
verpauperen *12,106,108*
verpauperde, verpauperd
verpierewaaid *18*
verpleegde de (...n) *89*
verpleegkunde de *90*
verpleegkundige de (...n) *89*
verpleegster de (...s)
verpleegsters...:
verpleegstersuniform, enz. *98*
verpozen *26,106,108*
verpoosde, verpoosd
verpulveren *106,108*
verpulverde, verpulverd
verraad het *18*
verraden *107,108*
verraadde/verried, verraden
verrader de (...s)
verraderlijk *87*
verradersloon *98*
verramsjen *27,106,108*
verramsjte, verramsjt
verrassen *14,106,108*
verraste, verrast
verrassing de (...en; ...sinkje) *14,112*
verregaand *64*
verreizen [geld/tijd aan reizen besteden] *13,26,108*
verreisde, verreisd
verrek *4*
verrekijker de (...s) *92*
verrekkeling de (...en) *4*
verrel het (...s) *1*
Verre Oosten het *6,53*
verreweg *73*
verrijzen [zich verheffen, opstaan] *13,26,108*
verrees, verrezen
Verrocchio, Andrea del *6*
verrukkelijk *1,87*
vers het (verzen) *26*
vers...: versmaat, enz. *64*
verzen...: verzenbundel, enz. *88*
Versace, Gianni *6*
versagen *26,106,108*
versaagde, versaagd

Versailles *6,53*
versatiel *9,26*
versatiele
verschansen *26,106,108*
verschanste, verschanst
verscheiden *13,106,108*
verscheidde, verscheiden
verschrikkelijk *87*
verschuldigde het (...n) *89*
versgebakken *64*
versgekalfd *64*
versie de (...s) *26,43*
versificatie de *22*
versificeren *ook* **versifiëren** *25,115*
versificeerde, geversificeerd
versjachelen *27,106,108*
versjachelde, versjacheld
versjofeld *27*
versjteren *27,106,108*
versjteerde, versjteerd
verslaafde de (...n)
verslaafden...: verslaafdenzorg, enz. *89*
verslensen *26,106,108*
verslenste, verslenst
verslonzen *26,106,108*
verslonsde, verslonsd
verso *26*
verspreiden *106,108,109*
verspreidde, verspreid
verspringen [om het verst springen] *69*
sprong ver, vergesprongen
verspringen [van plaats veranderen] *108*
versprong, versprongen
verstajem het *1,21*
verstand het
verstandelijk, verstandeloos *87*
verstand...: verstandhouding, enz. *64*
verstands...: verstandskies, enz. *98*
verstande, met dien – *62,111*
versteedsen *18,106,108*
versteedste, versteedst
verstekeling de (...en; ...lingetje) *112*
verstijven *19,106,108*
verstijfde, verstijfd
verstorvene de (...n) *89*
verstotene de (...n) *89*
verstouten *12,106,108*
verstoutte, verstout
verstouwen *12,106,108*
verstouwde, verstouwd
verstrekken *106,108*
verstrekte, verstrekt
verstrooiing de (...en) *38*
verstrooiings...: verstrooiingseffect, enz. *98*
verstuiven *19,108*
verstoof, verstoven
versuft *18*
versus (vs.) *1,26*
vert. [vertegenwoordiger, vertaler, verticaal] *100*
verte de (...n, ...s) *91*
vertebraal *1*
vertebraat de (...braten) *1,18*
vertechniseren *26,106,108*
vertechniseerde, vertechniseerd
vertex de (...en, vertices) *23,25*
verticaal *22*
verticale
verticalisme het *22,90*
verticuteren *22,106*
verticuteerde, geverticuteerd
vertoeven *19,106,108*
vertoefde, vertoefd
vertoog het (...togen) *2*
vertoogschrift *64*
vertrouwen het
vertrouwelijk *87*
vertrouwen...: vertrouwenwekkend, enz. *64*
vertrouwens...: vertrouwenspersoon, enz. *98*
vertwijfeld *13,18*
veruit *73*
vervaard *18*
vervallenverklaring de (...en) *64*
verve de *19,90*

verve... zie **verf**
vervelend *18*
verven *19,106*
verfde, geverfd
vervoer het
vervoer...: vervoeradres, enz. *64*
vervoers...: vervoersacademie, vervoersstaking, enz. *98,99*
verwaand *18*
verwaarlozen *26,106,108*
verwaarloosde, verwaarloosd
verwant de (...en) *18*
verwante de (...n) *89*
verwasemen *26,106,108*
verwasemde, verwasemd
verwaten *1*
Verweggistan *6,53*
verwekelijken *106,108*
verwekelijkte, verwekelijkt
verwelken *106,108*
verwelkte, verwelkt
verwerpelijk *87*
verwezen *26,106,108*
verweesde, verweesd
verwezenlijken *106,108*
verwezenlijkte, verwezenlijkt
verwijderen *13,106,108*
verwijderde, verwijderd
verwijl het *13*
verwijlen *13,106,108*
verwijlde, verwijld
verwijt het (...en) *13*
verwijten *13,108*
verweet, verweten
verwijven *13,106,108*
verwijfde, verwijfd
verwittigen *106,108*
verwittigde, verwittigd
verwoed *18*
verworpene de (...n) *89*
verzameling de (...en; ...lingetje) *112*
verzamelingen...: verzamelingenleer, enz. *88*
verzekerde de/het (...n) *89*
verzekering de (...en)
verzekering...: verzekeringnemer, enz. *64*
verzekerings...: verzekeringsadviseur, verzekeringsstelsel, enz. *98,99*
verzen... zie **vers**
verzenderkensdag de (...en) *ook* **verzenderkesdag** (...en) *56,115*
verzenen de (alleen mv.) *26*
verzet het
verzet...: verzetzaak, enz. *64*
verzets...: verzetsheld, verzetsstrijder, enz. *98,99*
verzinnebeelden *106,108*
verzinnebeeldde, verzinnebeeld
verzinnelijken *106,108*
verzinnelijkte, verzinnelijkt
verzoendag de (...en) *56,64*
Vesalius, Andreas *6*
Vespasianus, Titus Flavius *6*
vesper de (...s) *56*
vesper...: versperklok, enz. *64*
Vespucci, Amerigo *6*
vest het (...en)
vest...: vestzak, enz. *64*
vesten...: vestenmaker, enz. *88*
veste de (...n) *89*
vesten *106*
vestte, gevest
vestiaire de (...s) *3,43*
vestiairejuffrouw *91*
vestibulair *3*
vestibule de (...s) *43,91*
vestimentair *3*
vesting de (...en; vestinkje) *112*
vesting...: vestingmuur, vestingstad, enz. *64*
vestjeszak de (...zakken) *99*
Vesuvius de *6,53*
vete de (...n, ...s) *91*
veteraan de (...ranen) *14*
veteranen...: veteranenorganisatie, enz. *88*
veteren *106*
veteerde, geveteerd

veterinair *3*
vetgedrukt *64*
Veth, Cornelis/Jan Pieter *6*
vetmesten *69,106*
mestte vet, vetgemest
veto het (...'s) *42*
vetorecht *64*
ve-tsin het *63*
vetweiden *13,106*
vetweidde, gevetweid
veulenen *106*
veulende, geveulend
VEV [Vlaams Economisch Verbond] het *104*
vexatie de (...s) *23,43*
vexatoir *3*
vexeren *23,106*
vexeerde, gevexeerd
vezel de (...s) *26*
vezelen *106*
vezelde, gevezeld
v.g. [verbi gratia] *100*
v.g.g.v. [van goede getuigschriften voorzien] *100*
vgl. [vergelijk] *100*
v.h. [van het, van huis, voorheen, voor het] *100*
VHF [very high frequency] *104*
VHS [Video Home System] *104*
v.h.t.h. [van huis tot huis] *100*
v.i. [voorwaardelijke invrijheidstelling] *100*
viaduct de/het (...en) *22*
viaticum het (...s) *22*
via via *63*
vibrafoon de (...fonen, ...s) *9*
vibratie de (...s) *9,43*
vibrato het (...'s) *9,42*
vibreren *9,106*
vibreerde, gevibreerd
vicariaat het (...aten) *9,18,22*
vicaris-generaal de (vicarissen-generaal) *9,22,79*
vice-... *25,77*
vice-premier, vice-voorzitter, enz.
vice versa *63*
vicieus *9,25,26*
vicieuze
vicomte de (...s) *9,22,43*
Victoria *6,53*
victoria de (...'s) *42,54*
Victoriaans *56*
victorie de (...s) *22,43*
victorieus *22,26*
victorieuze
victualie de (...liën) *22,40*
victualiemeester *64*
vide de/het (...s) *43,91*
videast de (...en) *18*
video de (...'s) *42*
video...: video-opname, videorecorder, enz. *64,76*
videotheek de (...theken) *20*
viditel het *9*
vidiwall de (...s) *67*
vief *19*
vieve
Vientiane *6,53*
vier de (...en; ...tje) *74*
vier...: vierdaags, vierduizend, vierduizend tien, vierhonderd, vierhonderdtwaalf, viermaster, viertiende, enz. *64,74,75*
vier...: viercilindermotor, vierkamerappartement, enz. *68*
vier...: vierjarenplan, vierkleurendruk, enz. *68,88*
vier...: vierbaansweg, vierkwartsmaat, enz. *68,98*
Vier Ambachten de *6,53*
vierde *75*
vierde...: vierde-eeuwer, vierde-eeuws, vierdeklasser, vierderangs, enz. *76,92*
vierderlei *13,73,111*
vierel het (...s) *9*
vierendelen *69,106*
vierendeelde, gevierendeeld
vierentwintiguurs... *68,98*
vierentwintiguursdienst, vierentwintiguurseconomie, enz.

vierkantemeterprijs de *68*
vies *26*
vieze
Vietcong, de *103*
Vietminh, de *103*
Vietnam *6,53,55*
Vietnamees, Vietnamese
vietnamiseren *26,54,106*
vietnamiseerde, gevietnamiseerd
vieux de (...s) *3*
view de (...s) *3*
view...: viewdata, enz. *66*
viewer de (...s) *3*
viezerd de (...s) *26*
viezerik de (...en) *15,26*
viezevazen de (alleen mv.) *26,97*
viezig *26*
vigeren *9,106*
vigeerde, gevigeerd
vigeur de *9*
vigilant de (...en) *9,18*
vigilante de (...s) *9,91*
vigileren *9,106*
vigileerde, gevigileerd
vigilie de (...liën, ...s) *9,40,43*
vigiliedag *64*
vignet het (...netten) *3,21*
vignetteren *3,21,106*
vignetteerde, gevignetteerd
vigoroso *9,26*
vigoureus *9,11,26*
vigoureuze
vijand de (...en) *13*
vijandelijk *87*
vijand...: vijandbeeld, enz. *64*
vijf de (vijven; ...je) *74*
vijf...: vijfachtste, vijfdaags, vijfduizend, vijfduizend twaalf, vijfhoek, vijfhonderd, vijfhonderddertig, enz. *64,74,75*
vijf...: vijffrankstuk, vijfkamerwoning, enz. *68*
vijf...: vijflandentoernooi, vijfsterrenhotel, enz. *68,88*
vijf...: vijfmansgroep, enz. *68,98*
vijfde *75*
vijfde...: vijfde-eeuwer, vijfde-eeuws, vijfdejaars, enz. *76,92*
vijfenzestigplusser de (...s) *64,74*
vijftien *74*
vijftien...: vijftiendaags, vijftienhoek, enz. *64*
vijftiende *75*
vijftiende...: vijftiende-eeuwer, vijftiende-eeuws, enz. *76,92*
vijftig *74*
vijftig...: vijftigjarig, vijftigplusser, enz. *64*
vijftig...: vijftigfrankstuk, enz. *68*
vijftig...: vijftigdagentijd, enz. *68,88*
vijg de (...en) *13*
vijgen...: vijgenblad, enz. *88*
vijl [gereedschap] de (...en) *13*
vijlen *13,106*
vijlde, gevijld
vijs de (vijzen) *13,26*
vijver de (...s) *13*
vijzel de (...s) *13,26*
vijzelen *13,26*
vijzelde gevijzeld
vijzen *13,26*
vees, gevezen
Viking *6,53*
viking...: vikingboot, enz. *54,65*
vilbeluik het (...en) *64*
vilder de (...s)
vilders...: vildersbedrijf, enz. *98*
vilein *9,13*
villa de (...'s; villaatje) *9,14,112*
villa...: villapark, enz. *64,76*
Villa-Lobos, Heitor *6*
villanelle de (...s) *9,14,43*
villegiatuur de (...turen) *9,14*
Villon, François *6*
Vilnius *6,53*
vilt het (...en) *18*
vilt...: viltstift, enz. *64*
vilten *106*
viltte, gevilt
viltje het (...s) *18*

vim de (vimmen; vimmetje) *112*
vinaigre de *3,90*
vinaigrette de (...s) *3,43,91*
Vinci, Leonardo da *6*
vinder de (...s)
vinders...: vindersrecht, enz. *98*
vindicatie de (...s) *22,43*
vindicatief *19,22*
vindicatieve
vindiceren *25,106*
vindiceerde, gevindiceerd
vinding de (...en)
vindingrijk *64*
vindingskracht *98*
vingeren *106*
vingerde, gevingerd
vinificatie de *9,22*
vink de (...en)
vinken...: vinkenei, enz. *88*
vinologie de *9*
vinotheek de (...theken) *9,20*
vintage de (...s) *3,43*
vinyl het *9*
vinyl...: vinylplaat, enz. *64*
v.i.o. [vereniging in oprichting] *100*
viola da braccio *63*
viola da gamba *63*
viola d'amore *63*
violatie de (...s) *9,43*
violen... zie **viool**
violent *9,18*
violentie de (...s) *9,43*
violeren *9,106*
violeerde, gevioleerd
violet het *9*
violet...: violetbruin, violetkleur, enz. *64*
violier de (...en) *9*
violist de (...en) *9*
violistisch *9*
violoncello de (...'s) *ook* **violoncel** (...cellen, ...s) *25,64,115*
viool de (violen) *9*
viool...: vioolbouwer, enz. *64*
violenbed, violenstroop *88*
vioolspelen *9,69,106*
speelde viool, vioolgespeeld
viooltje het (...s) *9*
viooltjes...: viooltjesfamilie, enz. *98*
vip [very important person] de (...s) *46,102*
vip...: viptribune, viproom, enz. (GB: vip-..., enz.) *83*
viraal *9*
virago de (...'s) *9,42*
virga de (...'s) *42*
virginaal het (...nalen) *9*
virginalist de (...en) *9*
Virginia *6,53*
viriel *9*
viriele
viriliteit de *9*
virtuoos de (...ozen) *26*
virtuositeit de *26*
virtuoze de (...n) *26,89*
virulent *9,18*
virulentie de *9*
virus het (...russen) *1,9*
vis de (vissen)
vis...: vismeel, enz. *64*
vissen...: vissenkom, enz. *88*
visafoon de (...s) *9,26*
visagist de (...en) *9,26,27*
vis-à-vis *63*
visceraal *25*
viscose de *22,26*
viscoserayon *90*
viscosimetrie de *22,26*
viscositeit de *22,26*
Visé *6,53*
viseren *26,106*
viseerde, geviseerd
visgraatparkeren *69,107*
visibel *1,9,26*
visie de (...s) *9,26,43*
visioen het (...en) *26*
visionair *3,16*
visioneren *16,26*
visioneerde, gevisioneerd

visitatie de (...s) *26,43*
visitatie...: visitatiecommissie, enz. *64,76*
visitator de (...en, ...s) *26*
visite de (...s) *26,43*
visite...: visitekaartje, enz. *76,91*
visiteren *26,106*
visiteerde, gevisiteerd
visiteur de (...s) *26*
visiteuse de (...s) *26,43,91*
viskeus *26*
viskeuze
visofoon de (...fonen, ...s) *26*
Visscher, Roemer *6*
Vissen de (alleen mv.) *53*
visser de (...s)
visserlieden, visserlui, visserman *64*
vissers...: vissersboot, enz. *98*
visserij de (...en) *13*
visserij...: visserijwereld, enz. *64*
vista, a prima – *63*
visualisatie de (...s) *26,43*
visualiseren *26,106*
visualiseerde, gevisualiseerd
visueel *26,37,38*
visuele
visum het (visa, ...s) *1,26*
visum...: visumplicht, enz. *64*
visus de *1,26*
vitaal *9*
vitalisme het *9,90*
vitamine de (...n, ...s; ...mientje) *43,112*
vitamine...: vitaminegebrek, enz. *76,91*
vitamineren *106*
vitamineerde, gevitamineerd
vitaminiseren *26,106*
vitaminiseerde, gevitaminiseerd
vitiligo de *9*
VITO [Vlaamse Instelling voor Technologisch Onderzoek] de *104*
vitrage de/het (...s) *27,43*
vitrage...: vitragegordijn, enz. *76,91*
vitrine de (...s) *43*
vitrine...: vitrinekast, enz. *76,91*
vitriool de/het *9*
vitrocultuur de *9,64*
vitten *106*
vitte, gevit
vitusdans de *54,65*
vivace *3*
Vivaldi, Antonio *6*
vivarium het (...ria, ...s) *9*
vivipaar *9*
vivisectie de (...s) *9,23,43*
vivo, in – *63*
vizier [opening, richtmiddel] het (...en) *9,26*
vizier [minister, hoogwaardigheidsbekleder] de (...en, ...s) *9,26*
v.j. [vorig jaar] *100*
VKSJ [Vrouwelijke Katholieke Studerende Jeugd] de *104*
VKW [Verbond van Christelijke Werkgevers en Kaderleden] het *104*
Vl. [Vlaams] *100*
vla de (vlaas, ...'s; vlaatje) *ook* **vlade** *42,112,115*
vlaflip *64*
vlaai de (...en) *21*
Vlaams Blok (VB) het *52*
Vlaams-Brabant *6,53*
Vlaams-Brabander, Vlaams-Brabants(e)
vladder de (...s) *19*
vlade de (...n) *ook* **vla** *89,115*
vlag de (vlaggen; vlaggetje) *112*
vlag...: vlagvoerder, enz. *64*
vlaggen...: vlaggenmast, enz. *88*
vlagbreken *69,107*
vlaggetjesdag de (...en) *56,98*
Vlagtwedde *6,53*
vlakaf *73*
vlakbij *73*
vlakkebaanren de (...rennen) *68*
vlakte de (...n, ...s)
vlakte...: vlaktemaat, enz. *76,91*
vlakuit *73*

vlam de (vlammen; vlammetje) *112*
vlam...: vlampijp, enz. *64*
vlammen...: vlammenzee, enz. *88*
vlamisme het (...n) *54,89*
vlamvatten *69,106*
vatte vlam, vlamgevat
vlassen *114*
vlassen *106*
vlaste, gevlast
VLD [Vlaamse Liberalen en Democraten] de *104*
vleermuis de (...muizen) *26*
vlees het (vlezen) *26*
vleselijk *87*
vlees...: vleesgerecht, enz. *64*
vleet de (vleten) *18*
vlegel de (...s) *19*
vleien [naar de mond praten] *13,106*
vleide, gevleid
vlek de (vlekken)
vlekkeloos *87*
vlek...: vlekvrij, enz. *64*
vlekken...: vlekkenmiddel, enz. *88*
vlerk de (...en) *19*
vlerkprauw *64*
vlet de (vletten) *18*
vletschuit *64*
Vleuten-De Meern *6,53*
vlezen *26,106*
vleesde, gevleesd
vlezen *26,114*
vlg. [volgende, volgens] *100*
vlgg. [volgenden] *100*
Vliebergh, Emiel *6*
vlieboot de (...boten) *54,65*
vlieden *18*
vlood, gevloden
vlieg de (...en)
vliegezwam *96*
vliegen...: vliegengaas, enz. *88*
vliegensvlug *98*
vliegvissen *69,107*
vliem de (...en) *ook* **vlijm** *115*
vliering de (...en; vlierinkje) *112*
Vliermaalroot *6,53*
vlies het (vliezen) *26*
vlieseline de *9,26,90*
vliet de (...en) *18*
vliezig *26*
vlij de (...en) *13*
vlijen [schikken, neerleggen] *13,106*
vlijde, gevlijd
vlijm de (...en) *ook* **vliem** *13,115*
Vlijmen *6,53*
vlijmen *13,106*
vlijmde, gevlijmd
vlijmscherp *13,64*
vlijt de *13,18*
vlinderen *106*
vlinderde, gevlinderd
vlizotrap de (...trappen) *26,64,83*
v.l.n.r. [van links naar rechts] *100*
vlo de (vlooien; vlooitje, vlootje) *10,112*
vlokreeft *64*
vlooien...: vlooienmarkt, enz. *88*
vloed de (...en) *18*
vloei het (...en) *21*
vloei...: vloeipapier, enz. *64,76*
vloeien *21,106*
vloeide, gevloeid
vlok de (vlokken)
vlokwol, vlokzij *64*
vlokken...: vlokkentest, enz. *88*
vlonder de (...s) *19*
vlooien *21,106*
vlooide, gevlooid
vlooien... zie **vlo**
vloot de (vloten) *18*
vlos het *ook* **floss** *19,115*
vloszij, vloszijde *64*
vlossen *ook* **flossen** *19,106,115*
vloste, gevlost
vlossen *114*
vlotten *106*
vlotte, gevlot
vlotteren *14,106*
vlotterde, gevlotterd
vlouw de (...en) *ook* **flouw** *12,19,115*

vluchteling de (...en; ...lingetje) *112*
vluchtelingen...:
vluchtelingenbeleid, enz. *88*
vluchten *106*
vluchtte, gevlucht
vluggeren *106*
vluggerde, gevluggerd
vluggertje het (...s) *18*
V.M. [vollemaan] *100*
v.m. [voormiddag] *100*
VN [Verenigde Naties] de *104*
VN-...: VN-agent, enz. *83*
vnl. [voornamelijk] *100*
vnw. [voornaamwoord] *100*
v.o. [van onderen, voortgezet onderwijs] *100*
V.O.C. [Verenigde Oost-Indische Compagnie] de *104*
vocaal de (...calen) *22*
vocabulaire het (...s) *3,22,91*
vocabularium het (...ria, ...s) *22*
vocalise de (...s) *22,26,91*
vocaliseren *22,26,106*
vocaliseerde, gevocaliseerd
vocaliter *9,22*
vocatie de (...s) *22,43*
vocatief de (...tieven) *19,22*
vocht de/het *18*
vochten *106*
vochtte, gevocht
vod de/het (vodden) *18*
vodden...: voddenboer, enz. *88*
voeden *106*
voedde, gevoed
voedsel het *18*
voege, in (dezer/dier) – *62,111*
voet de (...en)
voet...: voetafdruk, enz. *64*
voeten...: voetenbank, enz. *88*
voetballen *106*
voetbalde, gevoetbald
voetganger de (...s)
voetgangers...: voetgangersgebied, enz. *98*
voetjevrijen *69,107*
voetstoots *18*
Vof [vennootschap onder firma] *100*
vogelen *106*
vogelde, gevogeld
vogelpikken *69,106*
vogelpikte, gevogelpikt
vogelschieten *69,107*
vogelvrijverklaarde de (...n) *68,89*
vogelvrijverklaring de (...en) *68*
Vogezen de *6,53*
vogue, en – *63*
voicemail de *67*
Voight, Jon *6*
voilà *3,30*
voile de (...s) *3,43,91*
vol. [volume, volumen] *100*
vol... *64*
volijverig, volkomen, volmatroos, volrijm, enz.
vol... *69,106*
volpakken: pakte vol, volgepakt; enz.
volant de (...s) *18*
volatiel *9*
volatiele
vol-au-vent de (...s) *63*
volder de (...s) *ook* **voller** *19,115*
voldoende de/het (...n, ...s) *91*
voleinden *69,106,108*
voleindde, voleind
voleindigen *69,106,108*
voleindigde, voleindigd
volg. [volgende] *100*
volgen *106*
volgde, gevolgd
volgorde de (...n, ...s) *91*
volharden *69,106,108*
volhardde, volhard
volière de (...s) *21,30*
volière...: volièrevogel, enz. *76,91*
volk het (...en, volkeren)
volkrijk *64*
volken...: volkenrecht, enz. *88*
volks...: volkshuisvesting, volksstam, enz. *98,99*
volkeren...: volkerengemeenschap, enz. *88*

Volkenbond de *ook* **Volkerenbond** *52,88,115*
Volkerenslag de *56,88*
volkoren... *64*
volkorenei, volkorenbrood, enz.
volksbevrijdingsfront het (...en) *68,98*
volksdansen *98,106*
volksdanste, gevolksdanst
volledig *1*
volledigheidshalve *98,111*
volleerd *4*
vollegronds... *68,98*
vollegrondsbedrijf, vollegrondsgewas, enz.
vollemaan de (...manen) *92*
vollemaansgezicht *68,98*
vollen *106*
volde, gevold
voller de (...s) *ook* **volder** *19,115*
vollers...: vollerskaarde, enz. *98*
volleren *14,106*
volleerde, gevolleerd
volley de (...s) *9,43*
volleybal de/het *9,66*
volleybal...: volleybalwedstrijd, enz. *66*
volleyballen *9,105,106*
volleybalde, gevolleybald
volleyen *9,106*
volleyde, gevolleyd
volmacht de (...en) *2*
volmacht...: volmachtgever, enz. *64*
volmaken [perfectioneren] *69,106,108*
volmaakte, volmaakt
volontair de (...s) *3*
volontairen *3,106*
volontairde, gevolontaird
volop *73*
vol plané de (vols planés) *63*
volprijzen *26,69,108*
volprees, volprezen
volstaan *69,108*
volstond, volstaan
volt (V) de (...s) *54*
voltmeter, voltampère *65*
volta de (...'s) *42*
voltameter, voltazuil *64*
voltage de/het (...s) *27,43,91*
Voltaire *6*
voltaire de (...s) *43,54,91*
voltairiaan de (...anen) *54*
volte de (...s) *43,91*
volte-face de *63*
voltige de (...s) *27,43*
voltigepaard *91*
voltigeren *27,106*
voltigeerde, gevoltigeerd
voltijd... *68*
voltijdbaan, voltijdwerker, enz.
voltooien *106,108*
voltooide, voltooid
voltooiing de (...en) *38*
voltrekken *108*
voltrok, voltrokken
voluit *73*
volume het (...n, ...s) *43*
volume...: volumestijging, enz. *76,91*
volumen [boekdeel] het (...lumina) *3*
volumetrie de *14*
volumineus *14,26*
volumineuze
voluntair *3,14*
voluntarisme het *14,90*
voluptueus *14,26*
voluptueuze
volute de (...n, ...s) *ook* **voluut** (...luten) *91,115*
volvoeren *69,106,108*
volvoerde, volvoerd
volwassene de (...n)
volwassenen...: volwasseneneducatie, enz. *89*
vomeren *106*
vomeerde, gevomeerd
vomitief het (...tieven) *19*
v.o.n. [vrij op naam] *100*
vondel de (...s) *ook* **vonder** *115*
vondeliaans *54*
vondeling de (...en; ...lingetje) *112*
vondelingen...: vondelingenhuis, enz. *88*

vonder de (...s) *ook* **vondel** *115*
vondst de (...en) *18*
vonk de (...en)
vonkvrij *64*
vonken...: vonkenregen, enz. *88*
vonkelen *19,106*
vonkelde, gevonkeld
vonken *106*
vonkte, gevonkt
Vonnegut jr., Kurt *6*
vonnis het (...nissen) *1,15*
vonnissen *15,106*
vonniste, gevonnist
vont [doopvont] de (...en) *18,19*
VOO [Veronica Omroeporganisatie] de *104*
voodoo de *11*
voogd de (...en) *18*
voogdij de (...en) *13*
voogdij...: voogdijhypotheek, voogdij-instelling, enz. *64,76*
voois de (vooizen) *26*
voor de (voren) *ook* **vore** *115*
voor... *64,72*
vooraanstaande, voorbeschikking, voorchristelijk, voorin, vooringenomen, voornoemd, enz.
voor... *70,106*
voorleggen: legde voor, voorgelegd; enz.
voorafgaan *70,106*
ging vooraf, voorafgegaan
vooraleer *73*
vooralsnog *73*
voorbeeld het (...en) *18*
voorbeeld...: voorbeeldproject, enz. *64*
voorbehoedsmiddel het (...en) *98*
voorbereiden *13,106,108*
bereidde voor, voorbereid
voorbijpraten *70,106*
praatte voorbij, voorbijgepraat
voord de (...en) *ook* **voorde** (...n) *18,89,115*
voor de(n) dag komen *62,111*
voordracht de (...en) *2*
voordrachts...: voordrachtskunst, enz. *98*
voorhoede de (...n, ...s)
voorhoede...: voorhoedepositie, enz. *76,91*
voorhoofdsholte de (...n, ...s) *98*
voorhoofdsholteontsteking *68,91*
Voor-Indië *6,53*
voorkeur de (...en)
voorkeurspelling, voorkeurstem, voorkeurtarief, voorkeurtoets *64*
voorkeurs...: voorkeursbehandeling, enz. *98*
voorkomen [beletten] *34,70,108*
voorkwam, voorkomen
voorkomen [gebeuren] *34,70*
kwam voor, voorgekomen
voorl. [voorlopig, voorlichter, voorlichting] *100*
voorm. [voormalig, voormiddag] *100*
voorn de (...en) *ook* **voren** *115*
voornamelijk *87*
Voorne en Putten *6,53*
vooronderstellen *70,106,108*
vooronderstelde, voorondersteld
vooropstellen *70,106*
stelde voorop, vooropgesteld
vooroverbuigen *70*
boog voorover, voorovergebogen
voorraad de (...raden) *4*
voorraad...: voorraadhoudend, voorraadzolder, enz. *64*
voorrang de *4*
voorrangs...: voorrangsregel, enz. *98*
voorrijkosten de (alleen mv.) *1,4,64*
voorschoot de/het (...schoten) *2*
voorschot het (...schotten) *2*
voorshands *111*
voorspellen [bekendmaken wat zal gebeuren] *70,106,108*
voorspelde, voorspeld
voorspellen [tot voorbeeld spellen] *70,106*
spelde voor, voorgespeld

voorspoed de *18*
voort... *64*
voortbeweging, voortdurend, voortplanting, voortstuwing, enz.
voort... *70,106*
voortstappen: stapte voort, voortgestapt; enz.
voortgang de (...en)
voortgangs...: voortgangsrapport, enz. *98*
voortreffelijk *87*
voortrekker de (...s)
voortrekkers...: voortrekkersfunctie, enz. *98*
voortvarend *18*
vooruit... *64*
vooruitgang, vooruitbestelling, vooruitstrevend, vooruitzicht, enz.
vooruit... *70*
vooruitkomen: kwam vooruit, vooruitgekomen; enz.
voorvaderlijk 2
voorvoelen *106,108*
voorvoelde, voorvoeld
voorw. [voorwaardelijk, voorwerp] *100*
voorwaarde de (...n)
voorwaardelijk *87*
voorwaardenscheppend *89*
voorwendsel het (...en, ...s) *1,4*
voorwerp het (...en)
voorwerpglas, voorwerptafel *64*
voorwerps...: voorwerpsnaam, voorwerpszin, enz. *98,99*
voorz. [voorzitter, voorzetsel] *100*
voorzeggen [voorspellen] *106,107,108*
voorzei/voorzegde, voorzegd
voorzeggen [tot voorbeeld zeggen] *106,107*
zei voor, voorgezegd
voorzichtig 2
voorzichtigheidshalve *98*
voorzien *108*
voorzag, voorzien
voorziening de (...en)
voorzieningen...: voorzieningenaanbod, enz. *88*
voorzieningszekerheid *99*
voorzitter de (...s)
voorzitters...: voorzittersfunctie, enz. *98*
voorzorg de (...en)
voorzorgs...: voorzorgsmaatregel, enz. *98*
voorzover *73*
voos *26*
voze
vopo [agent] de (...'s) *42*
vopo [Volkspolizei] *102*
voraciteit de *25*
vorderen *106*
vorderde, gevorderd
vore de (...n) *ook* **voor** *89,115*
voren de (...s) *ook* **voorn** *115*
voren... [verlengde vorm van voor] *64*
vorenbedoeld, vorengenoemd, enz.
vorkheftruck de (...s) *22,68*
vorm de (...en)
vormelijk, vormeloos, vormloos *87*
vorm...: vormcrisis, enz. *64*
vormen...: vormenrijkdom, enz. *88*
vormgeven *19,69*
gaf vorm, vormgegeven
vorsen *26,106*
vorste, gevorst
vorst [hoofd van een rijk] de (...en)
vorstelijk *87*
vorsten...: vorstenhuis, enz. *88*
vos de (vossen)
vossebes *96*
vossen...: vossenstaart, enz. *88*
Vosmaer, Carel/Jacob *6*
vossen *106*
voste, gevost
voteren *106*
voteerde, gevoteerd
votief *19*
votieve
votief... *64*
votiefsteen, votiefkasteel, enz.

votum het (vota, ...s) *1,3*
voucher de (...s) *3,12*
vouchersysteem *66*
vousvoyeren *3,11,106*
vousvoyeerde, gevousvoyeerd
vouw de (...en) *12,28*
vouw...: vouwfiets, enz. *64*
vouwen *12,28,106*
vouwde, gevouwen
vox de (voces) *19,23*
voyant *21*
voyeur de (...s) *21*
vozen *26,106*
voosde, gevoosd
VPRO de *104*
vr. [vrouwelijk] *100*
vraag de (vragen)
vraag...: vraagprijs, enz. *64*
vragen...: vragenlijst, enz. *88*
vraagsgewijs *ook* **vraagsgewijze** *26,98,115*
vraagstaarten *69,107*
vraatzucht de *18*
vracht de (...en) 2
vragen... zie **vraag**
vragenderwijs *ook* **vragenderwijze** *26,115*
vrank *19*
vrede de (...s) *ook* **vree** *115*
vrede...: vredelievend, vrederechter, enz. *76,91*
vredes...: vredesduif, enz. *98*
vredestraktaat het (...taten) *7,22,98*
vreedzaam *18*
vreemde, in den – *62,111*
vreemdeling de (...en)
vreemdelingen...: vreemdelingenbeleid, enz. *88*
vreemdetalenonderwijs het *68,88*
vreemdgaan *69*
ging vreemd, vreemdgegaan
vrees de (vrezen) *ook* **vreze** *26,115*
vreeslijk, vreselijk *87*
vrees...: vreesaanjagend, enz. *64*
vrek de (vrekken) *19*
vreten *19*
vrat, gevreten
vreugde de (...n, ...s) *ook* **vreugd** (...en) *115*
vreugdeloos *87*
vreugde...: vreugdekreet, enz. *76,91*
vreze de (...n) *ook* **vrees** *26,89,115*
vrezen *26,106*
vreesde, gevreesd
vriend de (...en)
vriendelijk, vriendeloos *87*
vrienden...: vriendendienst, enz. *88*
vriendjespolitiek de *98*
vriendlief de *64*
vriendschap de (...schappen)
vriendschappelijk *87*
vriendschaps...: vriendschapsring, enz. *98*
vriesdrogen *69,106*
vriesdroogde, gevriesdroogd
vriezeman de (...mannen) *26,97*
vriezen *26*
vroor, gevroren
vrij
vrijelijk *87*
vrij...: vrijbuiter, vrijgestelde, vrijspraak, enz. *64*
vrij... *69,106*
vrijmaken: maakte vrij, vrijgemaakt; enz.
vrijaf *73*
vrijbuiten *69,106,108*
vrijbuitte, gevrijbuit
vrijbuiterklasse de (...n) *68,89*
vrijdag de (...en) *56*
vrijdag...: vrijdagmiddag, enz. *64*
vrijdags...: vrijdagsavonds, enz. *98*
vrijemarkteconomie de *68*
vrijen *106,107*
vree/vrijde, gevreeën/gevrijd
vrijersvoeten, op – *62*
vrijesectorwoning de (...en) *68*
vrijetijds... *68,98*
vrijetijdsbesteding, vrijetijdswetenschap, enz.

vrijgezel de (...zellen)
vrijgezellen...: vrijgezellenavond, enz. *88*
vrijhandel de *64*
vrijhandelstelsel *64*
vrijhandels...: vrijhandelsakkoord, enz. *98*
vrijthof het (...hoven) *18,19*
vrijverklaren *69,106,108*
verklaarde vrij, vrijverklaard
vrijwaren *69,106*
vrijwaarde, gevrijwaard
vrijwilliger de (...s)
vrijwilligers...: vrijwilligersorganisatie, enz. *98*
vrille de (...s) *21,43,91*
vrind de (...en) *19*
vr-ketel [verhoogd rendement] de (...s) *83*
v.r.n.l. [van rechts naar links] *100*
vroed *18*
vroeg... *64*
vroegdienst, vroegchristelijk, vroeggeboorte, enz.
VROM [(Ministerie van) Volkshuisvesting, Ruimtelijke Ordening en Milieubeheer] *103*
vrome de (...n) *89*
vrouw de (...en) *12*
vrouwelijk *87*
vrouwmens, vrouwvriendelijk, enz. *64*
vrouwen...: vrouwengek, enz. *88*
vrouwspersoon *98*
vrouwlief de *64*
VRT [Vlaamse Radio en Televisie] de
vrucht de (...en)
vruchteloos *87*
vrucht...: vruchtgebruik, enz. *64*
vruchten...: vruchtendrank, enz. *88*
VS [Verenigde Staten] de *104*
vs. [versus] *100*
vso [vernieuwd secundair onderwijs] het *101*
VTB [Vlaamse Toeristenbond] de *104*
VTM [Vlaamse Televisiemaatschappij] *104*
vue de (...s) *3*
Vught *6,53*
vuig *2*
vuilak de (...lakken) *ook* **vuilik** (...en) *15,115*
vuilbekken *69,106,108*
vuilbekte, gevuilbekt
vuilik de (...en) *ook* **vuilak** *15,115*
vuilmaken *69,106*
maakte vuil, vuilgemaakt
vuilnis de/het *1*
vuilnisbakkenras het (...rassen) *68,88*
Vulcanus *6*
vulgair *3,113*
vulgairder, vulgairst
vulgariseren *26,106*
vulgariseerde, gevulgariseerd
vulgus het *1,3*
vulkaan de (...kanen) *22*
vulkanisatie de (...s) *7,26*
vulkaniseren *7,26*
vulkaniseerde, gevulkaniseerd
vulkanologie de *22*
vullen *106*
vulde, gevuld
vullis de/het *1*
vulva de (...'s) *19,42*
vulvitis de *1,19*
vulvovaginitis de *1,19*
vuns *26*
vunze
vuren *106*
vuurde, gevuurd
vurenhout het *64*
vurenhouten *64,114*
vuriglijk *87*
VUT [vervroegde uittreding] de *103*
vutter *46*
vut...: vutregeling, enz. (GB: VUT-..., enz.) *83*
vutten *106*
vutte, gevut
vuurlassen *69,107*

Vuylsteke, Julius *6*
v.v. [vice versa] *100*
VVB [Vlaamse Volksbeweging] de *104*
VVD [Volkspartij voor Vrijheid en Democratie] de *104*
VVD'er *46*
VVD-...: VVD-leider, enz. *83*
VVKS [Vlaams Verbond van Katholieke Scouts] het *104*
VVKSM [Vlaams Verbond van Katholieke Scouts en Meisjesgidsen] het *104*
VVL [Vereniging van Vlaamse Letterkundigen] de *104*
VVO [Verbond van Vlaams Overheidspersoneel] het *104*
VVV [Vereniging voor Vreemdelingenverkeer] de/het *104*
v.w.b. [voor wat betreft] *100*
vwo [voorbereidend wetenschappelijk onderwijs] het (...'s) *46,101*
vwo'er *46*
vwo-...: vwo-leerling, vwo-6-leerling, enz. *83*
vz. [voorzitter, voorzetsel] *100*
v.z.m. [voor zover mogelijk] *100*
vzw [vereniging zonder winstoogmerk] *100*

W

w de (w's; w'tje) *46*
W [wolfraam, watt] *100*
W. [west, westen, wetboek, wissel] *100*
W.A. [wettelijke aansprakelijkheid] *100*
W.A.-verzekering *83*
waaghals de (...halzen) *26,64*
waaghalzerij de (...en) *13,26*
waaghalzig *26*
waaiboom de (...bomen) *64*
waaibomenhout *88*
waaien *107*
waaide/woei, gewaaid
waaierrijden *69,107*
waak de (waken) *ook* **wake** *115*
waalklinker de (...s) *54,65*
waalmop de (...moppen) *54,65*
Waals-Brabant *6,53*
Waals-Brabander, Waals-Brabants(e)
waalsteen de (...stenen) *54,65*
waar... *71*
waaraan, waarachter, waaromtrent, waarvandaan, enz.
waard [mannetjeseend] de (...en) *ook* **woerd, woord** *18,115*
waard [kastelein] de (...en) *18*
waarde de (...n, ...s) *43*
waardeloos *87*
waarde...: waardebon, waardeoordeel, waarde-indicatie, enz. *76,91*
waardgelder de (...s) *18*
waardij de *13*
waarheid de (...heden)
waarheidlievend, waarheidspreker, waarheidzoeker *64*
waarheids...: waarheidsgehalte, waarheidsgetrouw, waardheidsserum, enz. *98,99*
waarmaken *69,106*
maakte waar, waargemaakt
waarmerken *69,106,108*
waarmerkte, gewaarmerkt
waarnemen *69*
nam waar, waargenomen
waarschijnlijk *2*
Waart, Edo de *6*
...waarts *18*
voorwaarts, enz.
waarzeggen *69,106*
waarzegde, gewaarzegd/waargezegd
wablief *ook* **watblief** *115*
wacht de (...en) *2*
wachtel de (...s) *2*
wachten *2,106*
wachtte, gewacht
wachtlopen *2,69*
liep wacht, wachtgelopen
wad [doorwaadbare plaats] het (wadden) *18*
wadden...: waddeneiland, Waddenzee, enz. *53,88*
Waddinxveen *6,53*
wade de (...n) *89*
waden *106*
waadde, gewaad
wadi de (...'s) *9,42*
wadjan de (...s) *ook* **wadjang** (...s) *3,115*
wadlopen *69,107*
Waegemans, Yvonne *6*
wafel de (...en, ...s) *19*
wagenwijd *13,64*
waggelbenen *69,106,108*
waggelbeende, gewaggelbeend
waggelen *106*
waggelde, gewaggeld
wagneriaans *54*
wagon de (...s; wagonnetje) *112*

wagon-lit de (wagons-lits) *63*
Wahlöö, Per *6*
wajang de (...s) *3*
wajangpop *66*
wakaman de (...s) *3*
wake de (...n) *ook* **waak** *89,115*
wal de (wallen; walletje) *112*
wal...: walkant, walpersoneel, enz. *64*
wallebak *97*
wallen...: wallenkant, enz. *88*
Walcheren *6,53*
waldenzen de (alleen mv.) *26,57*
waldhoorn de (...s) *ook* **waldhoren** (...s) *115*
Walesa, Lech *6*
walgelijk *ook* **walglijk** *87,115*
walhalla het (...'s) *42*
walken *106*
walkte, gewalkt
walkietalkie de (...s) *67*
walkman de (...s) *67*
walk-over de (...s) *67*
walkure de (...n) *89*
wallaby de (...'s) *9,14,42*
wallebakken *97,106*
wallebakte, gewallebakt
wallingant de (...en) *14,54*
Wallis en Futuna *6,53*
Wallonië *6,53*
Wallraff, Günter *6*
Wall Street *6,53*
walnoot de (...noten) *18*
walnoten...: walnotenolie, enz. *88*
walrus de (...russen)
walrus...: walrussnor, walrustand, enz. *64*
walrussen...: walrussenjacht, walrussensnor, enz. *88*
wals de (...en) *26*
walsen *26,106*
walste, gewalst
Walther, Johann *6*
wambuis het (...buizen) *26*
wammes het (...en) *1,15*
wan... *64*
wanbetaler, wangedrocht, wanprestatie, enz.
wanboffen *69,106,108*
wanbofte, gewanboft
wand [muur] de (...en) *18*
wand...: wanddecoratie, enz. *64*
wanhoop de
wanhoops...: wanhoopskreet, enz. *98*
wankelmotor de (...en, ...s) (GB: Wankelmotor) *54,65*
wanneer *14*
Wanroij *6,53*
want [handschoen] de (...en) *18*
wanten *106*
wantte, gewant
wantij het (...en) *13*
wants de (...en) *18*
Wanze *6,53*
WAO [Wet op de Arbeidsongeschiktheidsverzekering] de *104*
WAO'er *46*
WAO-...: WAO-gat, enz. *83*
wapitihert het (...en) *9,64*
waranda de (...'s; ...daatje) *ook* **veranda** *42,112,115*
warande de (...n, ...s) *43,91*
waratje *18*
warempel *1*
warmdraaien *69,106*
draaide warm, warmgedraaid
warming-up de (...s) *67*
warmlopen *69*
liep warm, warmgelopen
warmte de
warmte...: warmtebestendig, warmte-eenheid, warmte-isolatie, warmteontwikkeling, enz. *76,90*
warrant de (...s) *3*
warrantsysteem *66*
Warschau *6,53*
Warschaupact het *65*
was [stofnaam] de/het
wasbeits *64*

wasem de (...s) *1,26*
wasemen *1,26,106*
wasemde, gewasemd
Washington *6,53*
Wasmuel *6,53*
wassen [met was bestrijken] *106,107*
waste, gewast
wassen [schoonmaken] *106,107*
waste, gewassen
wassen [groter worden] *107*
wies, gewassen
wassenbeeldenmuseum het (...s, ...musea) *68,88*
wasserette de (...s) *14,43,91*
watblief *ook* **wablief** *115*
watchman de (...s) *67*
water het (...en, ...s)
water...: watergekoeld, waterleiding, waterproof, enz. *64,67*
watersnood, watersnoodramp *98*
wateren *106*
waterde, gewaterd
waterfietsen *69,106,108*
waterfietste, gewaterfietst
watergolven *19,69,106*
watergolfde, gewatergolfd
Waterloo *6,53*
Watermaal-Bosvoorde *6,53*
Waterman de (...mannen) *53*
waterpoloën *37,69,106*
waterpolode, gewaterpolood
waterskiën *37,69,107*
watertanden *69,106,108*
watertandde, gewatertand
watjekouw de (...en) *12,28*
Watt, James *6*
watt (W) de (...s) *54*
wattmeter, wattseconde, wattuur *65*
wattage de (...s) *54,90*
Watteau, Antoine *6*
watten de (alleen mv.)
wattenstaafje *88*
watteren *106*
watteerde, gewatteerd
wattine de/het *9,90*
Watts, Charlie *6*
Waugh, Evelyn *6*
wauw *12,28*
wauwel de (...s) *12*
wauwelaar de (...s) *12*
wauwelen *12,106*
wauwelde, gewauweld
wave de (...s) *3,43*
waven *3,105,106*
wavede, gewaved
waxine de/het *23*
waxinelichtje *90*
Wayenberg, Daniël *6*
Wayne, John *6*
wc de (...'s) *46,101*
wc-...: wc-papier, enz. *83*
wd. [waarnemend] *ook* **wnd.** *100,115*
web het (webben; ...je, webbetje) *17,112*
webmaster de (...s) *67*
website de (...s) *67*
weck de *22*
wecken *22,106*
weckte, geweckt
wed [drinkplaats voor dieren] het (wedden) *18*
wed. [weduwe] *100*
wedde de (...n)
weddenschaal *89*
Weddellzee de *6,53*
wede de (...n)
weden...: wedenblauw, enz. *89*
weder... *64,73*
wederzijds, wederoptreden, wederom, enz.
wederik de (...en) *15*
wederkeren *ook* **weerkeren** *69,106,115*
keerde weder, wedergekeerd
wederkomen *69*
kwam weder, wedergekomen
wederrechtelijk *87*
wedervaren *69*
wedervoer, wedervaren
wedgwood het *54*

wedijver de *18*
wedijveren *69,106,108*
wedijverde, gewedijverd
wedlopen *18,107*
wedstrijdzeilen *69,107*
weduwe de (...n, ...s; weduwtje) *43,112*
weduwe...: weduwepensioen, enz. *76,91*
wee [flauw, naar] *38*
weeë
wee de/het (weeën) *38*
weed [marihuana] de *ook* **wiet** *3,9,115*
weedas de *18,64*
weegbree de (...breeën) *38*
Weegschaal de (...schalen) *53*
weeïg *38*
week de (weken)
wekelijks *87*
week...: weekloon, enz. *64*
wekenlang *88*
weekeind het (...en) *ook* **weekeinde** (...n), **weekend** (...en, ...s) *115*
weekeind...: weekeindhuisje, enz. *64*
weekend...: weekendverlof, enz. *66*
weekeinden *ook* **weekenden** *106,115*
weekeindde/weekendde, geweekeind/geweekend
weeklagen *69,106,108*
weeklaagde, geweeklaagd
weelde de
weelde...: weeldeartikel, enz. *76,90*
weer het
weer...: weerman, enz. *64*
weers...: weersverwachting, enz. *98*
weer... *64,73*
weergalm, weerkaatsing, weerom, enz.
weergalmen *69,106,108*
weergalmde, weergalmd
weergaloos *26*
weergaloze
weergeven *19,69*
gaf weer, weergegeven
weerhouden *69,108*
weerhield, weerhouden
weerkaatsen *69,106,108*
weerkaatste, weerkaatst
weerkeren *ook* **wederkeren** *69,106,115*
keerde weer, weergekeerd
weerklinken *69,108*
weerklonk, weerklonken
weerkrijgen *69*
kreeg weer, weergekregen
weerleggen *69,106,108*
weerlegde, weerlegd
weerlicht de/het (...en) *64*
weerlichten *69,106,108*
weerlichtte, geweerlicht
weeromkomen *69*
kwam weerom, weeromgekomen
weerschijnen *69,108*
weerscheen, weerschenen
weerspiegelen *69,106,108*
weerspiegelde, weerspiegeld
weerspreken *69,108*
weersprak, weersproken
weerstaan *69,108*
weerstond, weerstaan
weerstand de (...en)
weerstands...: weerstandsvermogen, enz. *98*
weerstreven *69,106,108*
weerstreefde, weerstreefd
weerszijden *4,99*
weervinden *69*
vond weer, weergevonden
weerzien *69*
zag weer, weergezien
wees de (wezen) *26*
wees...: weeskind, enz. *64*
wezen...: wezenpensioen, enz. *88*
weesgegroet het (...en) *59*
weetal de (...allen) *64*
weetgraag *64*
weetniet de (...en) *64*
weg [brood] de (weggen) *ook* **wegge** (...n) *89,115*

weg [straat] de (...en; ...je, weggetje) *112*
weg...: wegdek, enz. *64*
wegen...: wegenbelasting, enz. *88*
weg... *69,106*
weggooien: gooide weg, weggegooid; enz.
wegbonjouren *11,27,106*
bonjourde weg, weggebonjourd
wegebben *37,69,106*
ebde weg, weggeëbd
wegedoorn de (...s) *ook* **wegedoren** (...s) *97,115*
wegeren *106*
wegerde, gewegerd
wegge de (...n) *ook* **weg** *2,89,115*
wegwerp... *64*
wegwerpaansteker, wegwerpartikel, wegwerpgebaar, enz.
wegwezen *26,69*
was weg, weggeweest
Wehl *6,53*
wei de (...en) *ook* **weide** (...n, ...s) *13,43,115*
wei...: weibloem, enz. *64,76*
weide...:weidevogel, enz. *76,91*
weidelijk *13*
weiden *13,106*
weidde, geweid
weider de (...s) *13*
weidman de (weidlieden) *ook* **weiman** *13,18,115*
weidmes het (...messen) *ook* **weimes** *13,18,115*
weids *13,18,113*
weidser, meest weids
weifelaar de (...s) *13*
weifelen *13,106*
weifelde, geweifeld
weigelia de (...'s) *42,54*
weigeraar de (...s) *13*
weigeren *13,106*
weigerde, geweigerd
weihnachtsstol de (...stollen) *66,99*
Weil, Grete/Simone *6*
Weill, Kurt *6*
weiman de (weilieden) *ook* **weidman** *13,115*
Weimarrepubliek de *6*
weimes het (...messen) *ook* **weidmes** *13,115*
weinig *13*
weinigzeggend *64*
weirdo de (...'s) *3,42*
Weissmuller, Johnny *6*
weit de *13,18*
weitebrood *90*
weitas de (...tassen) *13,64*
Weizsäcker, Richard von *6*
wekamine de (...n) *89*
weke(n)... zie **week**
wel... *64,73*
welbewust, welbeschouwd, welnee, welgevormd, weleer, weldra, enz.
weldoen *69*
deed wel, welgedaan
weled. [weledele] *100*
weledel... *64*
weledelachtbaar, weledelgeboren, weledelzeergeleerd, enz.
weledelgeb. [weledelgeboren] *100*
weledelgel. [weledelgeleerde] *100*
weledelgestr. [weledelgestrenge] *100*
weled. zgl. [weledelzeergeleerde] *100*
weleens *73*
weleerw. [weleerwaarde] *100*
welfare de *3*
welfarewerk *66*
welgaan *69*
ging wel, welgegaan
welgevallen *69,107*
weliswaar *73*
Welkenraat *ook* **Welkenraedt** *6,53*
welkomst de
welkomst...: welkomstwoord, enz. *64*
Well [Gelderland en Limburg] *6,53*
welles *1*
Welles, Orson *6*
wellicht *4*

Wellington *6,53*
wellington [koekje, kaplaars] de (...s) *54*
Welsh *55*
welstand de
welstands...: welstandsklasse, enz. *98*
weltergewicht de/het (...en) *64*
welterusten *62*
welteverstaan *62*
weltschmerz de *3*
welvaart de
welvaarts...: welvaartsmaatschappij, welvaartsstaat, welvaartsvast, enz. *98,99*
welvaren *69*
voer wel, welgevaren
welven *19,106*
welfde, gewelfd
welvoeglijk *2*
welzijn het
welzijns...: welzijnssector, welzijnswerk, enz. *98,99*
wen de (wennen; wennetje) *112*
Wenceslaus *6*
wendakker de (...s) *18,64*
wendbaar *18*
wenden *106*
wendde, gewend
wengé het *3,29*
wenkbrauw de (...en) *12,28*
wenkbrauw...: wenkbrauwpotlood, enz. *64*
Werchter *6,53*
wereld de (...en)
wereldlijk *87*
wereld...: wereldhit, enz. *64*
werelddierendag de *68,88*
Wereldnatuurfonds het *52*
werf de (werven) *19*
werkelijk *2*
werkeloos [niets doend] *26,87*
werkeloze
werkgever de (...s)
werkgevers...: werkgeversoverleg, werkgeversstandpunt, enz. *98,99*
werkloos [geen werk hebbend] *26,87*
werkloze
werkloze de (...n)
werklozen...: werklozenproject, enz. *89*
werknemer de (...s)
werknemers...: werknemersbond, werknemerszijde, enz. *98,99*
werktuig het (...en)
werktuiglijk, werktuigelijk *87*
werktuig...: werktuigbouw, enz. *64*
werkwoord het (...en)
werkwoordelijk *87*
werkwoordstam *64*
werkwoords...: werkwoordsvorm, enz. *98*
wervel de (...s) *19*
wervelen *19,106*
wervelde, gewerveld
werven *19*
wierf, geworven
weshalve *73*
wesp de (...en)
wespeorchis *96*
wespen...: wespennest, enz. *88*
wessie de (...s) *9,43*
west *53*
westelijk *87*
west...: westkust, westnoordwest, enz. *64,68*
West-... *6,53*
West-Europa, West-Noord-Brabant, West-Samoa, West-Vlaanderen, enz.
West-Europees, West-Europese, West-Noord-Brabants, enz.
Westelijke Betuwe de *6,53*
Westelijke Jordaanoever de *6,53*
Westelijke Mijnstreek de *6,53*
Westelijke Sahara de *6,53*
Westelijk Haspengouw het *6,53*
Westelijk Houtland het *6,53*
westen (W.) [windrichting] het *53*
westenwind *64*
Westen, het wilde – *53,62*

wester... *53,64,111*
westerlengte (W.L.), westerstorm, enz.
Wester-Koggenland *6,53*
western de (...s) *3*
western...: westernfilm, westernshow, enz. *66,67*
Westfalen *6,53*
West Maas en Waal *6,53*
Weststellingwerf *6,53*
West Sussex *6,53*
West Virginia *6,53*
Westvoorne *6,53*
West Yorkshire *6,53*
Westzaan *6,53*
weswege *111*
wet de (wetten) *18*
wettelijk, wetteloos *87*
wet...: wetboek, wetgeleerde, wetgever, wettekst, enz. *64*
wettendossier, wettenrecht, wettenverzameling *88*
wets...: wetsschennis, wetstekst, wetsvoorschrift, wetsvoorstel, enz. *98,99*
Wetb. [wetboek] *100*
wetenschap de (...schappen)
wetenschappelijk *87*
wetenschaps...: wetenschapswereld, enz. *98*
wethouder de (...s)
wethouders...: wethoudersportefeuille, wethouderszetel, enz. *98,99*
Wetstraat *6*
wetsuit de (...s) *67*
wetten *106*
wette, gewet
wettisch *9*
WEU [West-Europese Unie] de *104*
weven *19,106*
weefde, geweven
wever de (...s)
wevervogel *64*
wevers...: weverskam, weversspoel, enz. *98,99*
Weyns, Jozef *6*
Wezembeek-Oppem *6,53*
wezen het (...s) *26*
wezenlijk, wezenloos *87*
wezens...: wezensvraag, enz. *98*
wezen... zie **wees**
w.g. [was getekend] *100*
WGO [Wereldgezondheidsorganisatie] de *104*
Wh [wattuur] *100*
wherry de (...'s) *9,20,42*
whiffen *20,106*
whifte, gewhift
whiplash de (...lashes) *67*
whippet de (...s) *3*
whirlpool de (...s) *67*
whisky de (...'s; whisky'tje) *3,42,45*
whisky...: whiskyfles, enz. *66,76*
whist de/het (...en) *20*
whisten *20,106*
whistte, gewhist
Whistler, James McNeill *6*
white spirit *67*
whizzkid de (...s) *67*
WHO [World Health Organization] de *104*
whodunit de (...s) *67*
w.i. [werktuigkundig ingenieur] *100*
wichelaar de (...s) *2*
wichelarij de (...en) *2,13*
wichelen *2,106*
wichelde, gewicheld
Wichelen *6,53*
wichelroede de (...n, ...s) *2,43*
wichelroedeloper *91*
wicht de/het (...en) *2*
wicket het (...s) *22*
wicketkeeper *67*
Widooie *6,53*
wied... *18*
wiedijzer, wiedvorkje, enz.
wieden *106*
wiedde, gewied
wiedes *1*
wiedeweerga, als de – *62*

wieg de (...en)
wiegen...: wiegendood, wiegentouw, enz. *88*
wiegelen *106*
wiegelde, gewiegeld
wiegelied het (...liederen) *93*
wiegen *106*
wiegde, gewiegd
wielewaal de (...walen) *97*
wielrennen *69,107*
wielrijden *69,107*
wielschaatsen *69,107*
wieme de (...n) *89*
wienerschnitzel de (...s) *54,65*
wieroken *106*
wierookte, gewierookt
wierook de *14*
Wiesel, Elie *6*
Wiesenthal, Simon *6*
wiet [marihuana] de *ook* **weed** *18,115*
wieuwen *106*
wieuwde, gewieuwd
wiewauwen *12,106*
wiewauwde, gewiewauwd
wig de (wiggen; ...je, wiggetje) *ook* **wigge** (...n) *89,115*
wiggebeen het (...beenderen, ...benen) *97*
wigwam de (...s) *64,80*
wij... *13,76*
wijbrood, wijbisschop, wijgeschenk, wijolie, enz.
Wijchen *6,53*
Wijchmaal *6,53*
wijd... *13*
wijdbeens, wijdbefaamd, wijdgeopend, wijdvallend, enz.
wijden *13,106*
wijdde, gewijd
wijdte de (...n, ...s) *4,13,18,43*
wijduit *73*
wijfie het (...s) *43*
wijfje het (...s)
wijfjes...: wijfjesolifant, enz. *98*
Wijhe *6,53*
wijk de (...en) *13*
Wijk, de *6,53*
Wijk aan Zee *6,53*
Wijk bij Duurstede *6,53*
wijken *13*
week, geweken
Wijk en Aalburg *6,53*
wijl [terwijl] *13*
wijl de (...en) *ook* **wijle** (...n) *13,115*
wijlen [overleden] *13*
wijlen *13,106*
wijlde, gewijld
wijn de (...en) *13*
wijnpersen *69,107*
wijnroeien *69,107*
wijntje en trijntje *13,62*
wijs [manier] de (wijzen) *ook* **wijze** *13,26,115*
wijs [melodie] de (wijzen) *13,26*
wijs *13,26*
wijze
wijsbegeerte de (...n, ...s) *13,91*
wijselijk *13,87*
wijsgeer de (...geren) *13*
wijsmaken *13,69,106*
maakte wijs, wijsgemaakt
wijsneus de (...neuzen) *13,26,64*
wijsvinger de (...s) *13,64*
wijten *13*
weet, geweten
wijting de (...en) *13*
wijze [wijs mens] de (...n) *13,89*
wijze [manier] de (...n) *ook* **wijs** *13,26,115*
wijzelf *13,73*
wijzen *13,26*
wees, gewezen
wijzer de (...s) *13*
wijzigen *13,106*
wijzigde, gewijzigd
wika de (...'s) *42*
wikke de (...n, ...s) *43,91*
wil de
willoos *87*
willekeur *90*
wils...: wilsbekwaam, wilskracht, enz. *98*

wildcard de (...s) *67*
wilde de (...n) *89*
Wilde, Oscar *6*
wildebras de (...brassen) *92*
wildeman de (...mannen) *92*
wildemans...: wildemanskruid *98*
wilde Westen, het – *53,62*
wildwaterkanoën *37,69,107*
wildwatervaren *69,107*
wildwestfilm de (...s) *68*
wilg de (...en)
wilgen...: wilgentak, enz. *88*
Wilhelminakanaal *6,53*
Wilhelmus het *52*
Wilkes, Faas *6*
Willemstad *6,53*
Willemstatter
willen *107*
wilde/wou, gewild
willens en wetens *62,111*
willigen *106*
willigde, gewilligd
Willink, Carel *6*
wimber de (...s) *17*
win... *64*
wingebied, wingewest, winplaats, enz.
winch de (...en, ...ches) *27*
Winckelmann, Johann Joachim *6*
wind de (...en)
wind...: winddicht, windjack, enz. *64,66*
winde de (...n, ...s) *43,91*
Windhoek *6,53*
windsel het (...en, ...s) *1,18*
windsurfen *69,106*
windsurfte, gewindsurft
Winfrey, Oprah *6*
wingerd de (...en, ...s) *18*
wingerd...: wingerdrank, enz. *64*
winkelen *106*
winkelde, gewinkeld
winkelier de (...s)
winkeliers...: winkeliersvereniging, enz. *98*
winket het (...ketten) *18*
Winkler Prins, Antony/Jacob *6*
winning mood de *67*
Winnipeg *6,53*
winst-en-verliesrekening de (...en) *81*
winstgevend *64*
winter de (...s) *56*
winteren *106*
winterde, gewinterd
winti de (...'s) *9,42*
wipwap de (...wappen) *80*
wirwar de *80*
Wisch *6,53*
Wisconsin *6,53*
wisecrack de (...s) *67*
wise guy de (...s) *67*
Wiseman, Nicholas *6*
wisent de (...en) *26*
wishful thinking *67*
wiskunde de
wiskunde...: wiskundeboek, wiskundeonderwijs, enz. *76,90*
Wispelaere, Paul de *6*
wisseltruc de (...s) *22,64*
wissen *106*
wiste, gewist
wissewasje het (...s) *97*
wit... *64,80*
witgeel, witgeverfd, witgloeiend, witstaart, enz.
With, Witte de *6*
withouten *114*
Wit-Rusland *6,53*
Wit-Rus, Wit-Russisch(e)
Witt, Katarina *6*
Witt, Cornelis/Jan (de) *6*
witteboordencriminaliteit de *68,88*
wittebroodsweken de (alleen mv.) *68,98*
Witte Huis *52*
Wittem *6,53*
witten *106,109*
witte, gewit
Wittgenstein, Ludwig *6*
witwassen *69,106*
waste wit, witgewassen

witz de (...en) *3*
Witz, Konrad *6*
WK [wereldkampioenschap] het *104*
W.L. [westerlengte] *100*
wnd. [waarnemend] *ook* **wd.** *100,115*
WNT [Woordenboek der Nederlandsche Taal] het *104*
WO [wereldoorlog] *104*
w.o. [wetenschappelijk onderwijs] het *100*
wodka de (...'s) *1,42*
woede de (...s) *43*
woede...: woedeaanval, woede-uitbarsting, enz. *76,91*
woeden *106*
woedde, gewoed
woekeren *106*
woekerde, gewoekerd
woelen *106*
woelde, gewoeld
woensdag de (...en) *56*
woensdag...: woensdagochtend, enz. *64*
's woensdags...:
's woesdagsmiddags, enz. *48,98*
woerd [mannetjeseend] de (...en) *ook* **woord, waard** *115*
woest *113*
woester, meest woest
woestenij de (...en) *13*
woestijn de (...en) *13*
Wognum *6,53*
Wojtyla, Karol *6*
wol de
wol...: wolindustrie, enz. *64*
wollegras *90*
wolf de (wolven) *19*
wolfijzer *64*
wolven...: wolvenjacht, enz. *88*
wolfs...: wolfshuid, wolfskop, enz. *98*
Wolff, Betje *6*
wolfraam het *ook* **wolfram** *115*
wolfsmelkpijlstaart de (...en) *68,98*
wolfsmelkvlinder de (...s) *68,98*
wolk de (...en)
wolkeloos *87*
wolk...: wolkbreuk, enz. *64*
wolken...: wolkenkrabber, enz. *88*
wollen *114*
wolmaniseren *26,106*
wolmaniseerde, gewolmaniseerd
Wolof *55*
Wolphaartsdijk *6,53*
wolven... zie **wolf**
wolvin de (...vinnen) *19*
womanizer de (...s) *3*
wombat de (...s) *3*
wond de (...en) *ook* **wonde** (...n) *89,115*
wonden *106*
wondde, gewond
wonder het (...en)
wonderlijk *87*
wonderboy *67*
wonen *106*
woonde, gewoond
woning de (...en; woninkje) *112*
woning...: woningbouw, woningzoekend, enz. *64*
woningwetwoning *68*
woodsmetaal het *54,65*
Woolf, Virginia *6*
woonsparen *69,107*
woon-werkverkeer het *81*
woon-zorgcentrum het (...tra) *25,81*
woon-zorgcomplex het (...en) *23,81*
woord [mannetjeseend] de (...en) *ook* **waard, woerd** *115*
woord [taaleenheid] het (...en)
woordelijk, woordeloos, woordloos *87*
woord...: woordblind, woordontleding, enz. *64*
woorden...: woordenboek, enz. *88*
woordenziften *69,107*
woordvoerder de (...s) *64*
woordvoerster de (...s) *4,64*
worcestersaus de (...en, ...sauzen) *ook* **worcestershiresaus** *54,65,115*

wordprocessing de *67*
wordprocessor de (...s) *67*
Wordsworth, William 6
worg... *ook* **wurg...** *64,115*
worggreep, worgkoord, worgpaal, enz.
worgen *ook* **wurgen** *106,115*
worgde, geworgd
worging de *ook* **wurging** *115*
workaholic de (...s) *3*
workshop de (...s) *67*
worldwide *67*
Worldwide Web (WWW) het *52*
worm de (...en) *ook* **wurm** *115*
wormt de (...en) *18*
worst de (...en; ...je) *4*
worst...: worstmachine, enz. *64*
worstenbroodje *88*
worstelen *106*
worstelde, geworsteld
wort het *18*
Wortegem-Petegem *6,53*
wortelen *106*
wortelde, geworteld
worteltrekken *69,107*
Woubrechtegem *6,53*
Woubrugge *6,53*
woud [bos] het (...en) *12,18*
Woudrichem *6,53*
would-be *67*
woulfefles de (...flessen) *54,65*
wout [agent] de (...en) *12,18*
wouterman de (...s) *12*
Wouw *6,53*
wouw [roofvogel] de (...en) *12,28*
wow *3*
W.P. [winterpeil, WordPerfect, Winkler Prins] *104*
wraak de *ook* **wrake** *1,115*
wraak...: wraaklust, wraakzuchtig, enz. *64*
wrak het (wrakken) *1*
wrak...: wrakhout, enz. *64*
wraken *1,106*
wraakte, gewraakt
wrang *1*
wrat de (wratten) *1*
wratziekte *64*
wratten...: wrattenkruid, enz. *88*
wreed *1,18*
wreedaard de (...s) *1,18*
wreef de (wreven) *1,19*
wreken *1,106*
wreekte, gewroken
wrensen *1,106*
wrenste, gewrenst
wrevel de (...s) *1,19*
wriemelen *1,106*
wriemelde, gewriemeld
wriggelen *1,106*
wriggelde, gewriggeld
Wright, Frank Lloyd 6
Wright, Wilbur/Orville 6
wrijven *1,19*
wreef, gewreven
wrikken *1,106*
wrikte, gewrikt
wringen *1*
wrong, gewrongen
wrochten *1,106*
wrochtte, gewrocht
wroeging de (...en) *1*
wroeten *1,106*
wroette, gewroet
wrok de *1*
wrokken *1,106*
wrokte, gewrokt
wrong de (...en) *1*
wrong...: wrongstuk, enz. *64*
wrongel de *1*
wrongelen *1,106*
wrongelde, gewrongeld
Wttewaall van Stoetwegen, Christine 6
wuft *18*
wui de (...en) *ook* **wuit** (...en) *115*
wuiven *19,106*
wuifde, gewuifd
wulf het (wulven) *19*
wulp de (...en)
wulpennest *88*

wurg... *ook* **worg...** *64,115*
wurggreep, wurgslang, wurgseks, enz.
wurgen *ook* **worgen** *106,115*
wurgde, gewurgd
wurging de *ook* **worging** *115*
wurm de (...en) *ook* **worm** *115*
wurmen *106*
wurmde, gewurmd
WVC [(Ministerie van) Welzijn, Volksgezondheid en Cultuur] *104*
W.-Vl. [West-Vlaanderen] *100*
W.v.S. [Wetboek van Strafrecht] *100*
WW [Wegenwacht, Werkloosheidswet] de *104*
WW-...: WW-uitkering, enz. *83*
WWW [Worldwide Web] het *104*
wyandotte de (...s) *9,43,91*
wybertje het (...s) *9,54*
Wyclif, John *6*
Wyk Louw, Nicolaas Pieter van *6*
Wyoming *6,53*

X

x de (x'en; x'je) *46*
x-as, X-benen, X-chromosoom, X-eenheid, x-foto, x-stralen *61,83*
X [Romeins cijfer] *100*
xanthine de *20,23,90*
Xanthippe *6*
xanthoom het (...thomen) *20,23*
xantippe [boosaardige vrouw] de (...s) *23,43,54*
Xe [xenon] *100*
Xenakis, Yannis *6*
xeno... *23,78*
xenofilie, xenofobie, xenograaf, enz.
xenon (Xe) het *23*
xenonlamp *64*
Xenophanes *6*
Xenophon *6*
xeranthemum de (...s) *20,23*
xereswijn de (...en) *54*
xero... *23,78*
xerografie, xeroftalmie, xerofyt, enz.
xerox de (...en) *23*
xerox...: xeroxapparaat, enz. *64*
xeroxen *23,106*
xeroxte, gexeroxt
Xerxes *6*
Xhendelesse *6,53*
Xhendremael *6,53*
Xhoris *6,53*
Xinjiang *6,53*
XL [extra large] *100*
XP [exprès payé] *100*
xtc [ecstasy] *101*
XXL [extra extra large] *100*
xyleem het *9,23*
xyleen het (...lenen) *9,23*
xylo... *9,23,78*
xylofoon, xylolatrie, xyloliet, enz.
xylol de *9,23*
xylose de *9,23,90*

y

y de (y's; y'tje) *46*
y-as, Y-chromosoom *61,83*
Y [Romeins cijfer, yttrium] *100*
yahtzee het *20,21*
yahtzeeën *20,21,38*
yahtzeede, geyahtzeed
yakuza de *11,21,26*
yaleslot het (...en) *54,65*
yam de (yammen) *21*
yamswortel *98*
Yamoussoukro *6,53*
yang het *21*
Yang Xiong *6*
yank de (...s) *3,21*
yankee de (...s) *3,21,43*
Yaoundé *6,53*
yard de (...s) *3,21*
Yaren *6,53*
Yates, Peter *6*
yawl de (...s) *3,21*
Yb [ytterbium] *100*
Yeats, William Butler *6*
yell de (...s) *3,21*
yellen *21,105,106*
yelde, geyeld
Yellowstone *6,53*
yen de (...s) *21*
yen...: yenkoers, enz. *64*
Yerseke *6,53*
yes *21*
yeti de (...'s) *21,42*
yin het *21*
yips de (alleen mv.) *21*
yoerte de (...n) *21,89*
yoga de *21*
yoga...: yogaoefening, enz. *64,76*
yoghurt de *20,21*
yoghurt...: yoghurtijs, enz. *64*
yogi de (...'s) *21,42*
Yokohama *6,53*
York *6,53*
Yorkshire *6,53*
yorkshireterriër de (...s) *54,66*
Yosemite National Park *6,53*
Yoshihito *6*
Yourcenar, Marguerite *6*
ypriet het *ook* **yperiet** *9,54,115*
ypsilon de (...s) *9*
yquem de *54*
Yrrah *6*
ytterbium (Yb) het *1,9,14*
yttrium (Y) het *1,9,14*
yuan de (...s) *21*
yuca de (...'s) *ook* **yucca** (...'s) *21,42,115*
Yucatán *6,53*
Yucatánstraat de *6,53*
yuko de (...'s) *21,42*
yup de (yuppen, ...s) *21*
Yupanqui *6*
yuppie de (...s) *21,43*
yuppie...: yuppieachtig, yuppieziekte, enz. *64,76*
Yvoir *6,53*

Z

z de (z'en, z's; z'je) *46*
Z-kaart, Z-opleiding *61,83*
z.a. [zie aldaar] *100*
zaad [kiem] het (zaden) *18*
zaad...: zaaddodend, zaaddonor, enz. *64*
zaaiing de *38*
zaak de (zaken)
zakelijk *87*
zaak...: zaakgelastigde, enz. *64*
zaken...: zakenman, enz. *88*
zaaksgevolg *98*
zaat [zandplaat] de (zaten) *ook* **zate** *18,115*
zaathout *64*
zabaglione de (...'s) *3,42*
zabberen *ook* **sabberen** *26,106,115*
zabberde, gezabberd
Zacharia *ook* **Zacharias** *6*
zacht *2*
zachtgekookt *64*
zachtjesaan *73*
zachtwerkend *64*
zadel de/het (...s) *26*
Zadkine, Ossip *6*
zageman de (...mannen) *93*
zagemeel het *93*
Zagreb *6,53*
Zaïre *6,53*
Zaïrees, Zaïrese
zak de (zakken)
zak...: zakdoek, zakgeld, enz. *1,64*
zakken...: zakkenroller, enz. *88*
zake(n)... zie **zaak**
zakendoen *69*
deed zaken, zakengedaan
zakjeszwam de (...zwammen; ...zwammetje) *99*
zakkenrollen *69,107*
zaklopen *69,107*
zalf de (zalven) *19*
zaligmakend *26,64*
zalm de (...en; ...pje)
zalm...: zalmmousse, zalmroze, enz. *64*
zalven *19,106*
zalfde, gezalfd
Zambezi *ook* **Zambesi** *6,53*
Zambia *6,53*
Zambiaan, Zambiaans(e)
zambo de (...'s) *42*
zanden *106*
zandde, gezand
zandschilderen *69,107*
zandstenen *114*
zandstralen *69,106,108*
zandstraalde, gezandstraald
Zandvoort *6,53*
zanik de (...en) *15*
zaniken *15,106*
zanikte, gezanikt
zanikkous de (...en) *4,64*
zanten *26,106*
zantte, gezant
Zapata, Emiliano *6*
zappen *3,106*
zapte, gezapt
Zarathoestra *ook* **Zarathustra** *6*
zarzuela de (...'s) *3,11,26*
zate de (...n) *ook* **zaat** *26,89,115*
zaterdag de (...en) *56*
zaterdag...: zaterdagmiddag, enz. *64*
zaterdags...: zaterdagsnachts, enz. *98*
Zatopek, Emil *6*
zavel de/het *19,26*
Zaventem *6,53*
Z.B. [zuiderbreedte] *100*
z.b.b.h.h. [zijn bezigheden buitenshuis hebbende] *100*

Z.D. [Zijne Doorluchtigheid] *100*
Z.D.H. [Zijne Doorluchtige Hoogheid] *100*
Z.E. [Zijne Edelheid, Zijn Eerwaarde] *100*
Zebedeus *6*
zeboe de (...s) *43*
zebra de (...'s; zebraatje) *42,112*
zebra-achtig *37*
zebra...: zebrapaard, zebrapad, enz. *64,76*
Zeddam *6,53*
zede de (...n)
zedelijk, zedeloos *87*
zeden...: zedenbedervend, zedenpolitie, enz. *89*
Zederik *6,53*
zee de (zeeën) *38*
zee...: zeeadelaar, zee-eend, zeegaand, zeeoorlog, enz. *64,76*
zeef de (zeven) *19*
zeehond de (...en) *64*
zeehonden...: zeehondencrèche, enz. *88*
zeel het (zelen) *26*
Zeeland *53*
Zeeuw, Zeeuwse
zeelt de (...en) *18*
zeeman de (...mannen, ...lieden, ...lui)
zeemans...: zeemansgraf, enz. *98*
zeemleren *114*
zeepzieden *69,107*
zeereerwaard *64*
zeergeleerd *64*
zeeschuimen *69,107*
Zeeuwsch-Vlaanderen *6,53*
zeezeilen *69,107*
zefier de/het (...en, ...s) *9,19*
zege [overwinning] de (...s) *43*
zege...: zegerijk, zegetocht, enz. *76,91*
zegen [goedkeuring, heilwens] de
zegen...: zegenbede, zegenrijk, enz. *64*
zegepralen *69,106,108*
zegepraalde, gezegepraald
zegevieren *69,106,108*
zegevierde, gezegevierd
zegge de (...n) *89*
zeggenschap de/het *1*
zeik de *13*
zeik...: zeiknat, zeikstraal, enz. *64*
zeiken *13,107*
zeikte/zeek, gezeikt/gezeken
zeikerd de (...s) *ook* **zeiker** (...s) *13,18,115*
zeil [doek] het (...en) *13*
zeilen *13,106*
zeilde, gezeild
zeilvliegen *69,107*
zeilvoerend *64*
zeis de (...en) *13*
zeisboom, zeisman, zeiswagen *64*
zeisen...: zeisensmederij, zeisenman, enz. *88*
zeispreuk de (...en) *13,64*
zekerheid de (...heden)
zekerheidstelling *64*
zekerheids...: zekerheidshalve, zekerheidsmaatregel, enz. *98*
zelateur de (...s) *26*
zelf *ook* **zelve** *19,115*
zelf... *64*
zelfbedacht, zelfgebakken, zelfklevend, zelfrijzend, zelfverzekerd, enz.
zelfkanten *114*
zelfstandige de (...n)
zelfstandigenaftrek *89*
zelfzuchtige de (...n) *89*
Zell am See *6,53*
zelling de (...en) *26*
zeloot de (...loten) *57*
zelotisme het *57,90*
zelve *ook* **zelf** *19,115*
Zelzate *6,53*
Z.Em. [Zijne Eminentie] *100*
zemel de (...en, ...s) *26*
zemelknopen *26,69,106*
zemelknoopte, gezemelknoopt
Zemst *6,53*

zenboeddhisme het *57*
zendeling de (...en)
zendelingen...:
zendelingengenootschap, enz. *88*
zendelings...: zendelingswerk, enz. *98*
zendeling-arts de (...en) *80*
zenderhoppen *69,107*
zenegroen het *26,97*
zeng de (...en) *26*
zenig *1,26*
zenit het *20,25,26*
zenuw de (...en)
zenuw...: zenuwarts, zenuwoorlog, zenuwslopend, enz. *64*
zenuwenoorlog *88*
zenuwlijden het *13,64*
zeoliet de/het (...en) *9,26*
Zephyrus *6*
zeppelin de (...s) *54*
zero de (...'s; zerootje) *42,112*
zero-informatie *76*
zerp *26*
zes de (zessen; ...je) *74*
zes...: zescilinder, zesdaags, zesduizend, zesduizend tien, zeshonderd, zeshonderdtwaalf, enz. *64,74*
zes...: zesjarenplan, zeslandentoernooi, enz. *68,88*
zesde *75*
zesde...: zesde-eeuwer, zesde-eeuws, zesdejaars, zesdeklasser, enz. *76,92*
zestien *74*
zestien...: zestiendaags, zestienhoek, zestienkwadraats, enz. *64*
zestien...: zestienmetergebied, enz. *68*
zestiende *75*
zestiende...: zestiende-eeuwer, zestiende-eeuws, enz. *76,92*
zestig *74*
zestig...: zestigjarig, zestigplusser, enz. *64*
zetting de (...en; zettinkje) *26,112*
zeug de (...en) *2*
zeugenhouderij *88*
zeugma het (...'s, ...mata) *42*
zeuntje het (...s) *26*
Zeus *6*
zeven *19,106*
zeefde, gezeefd
zeven de (...s; ...tje) *74*
zeven...: zevenbladig, zevenduizend, zevenduizend tien, zevengesternte, zevenhonderd, zevenhonderddertig, enz. *64*
zeven...: zevenmijlslaarzen, enz. *68,98*
zevende *75*
zevende...: zevende-eeuwer, zevende-eeuws, zevendejaars, enz. *76,92*
zevende...: zevendedagsadventisten, enz. *68,98*
Zevenhuizen-Moerkapelle *6,53*
Zeven Provinciën de *52*
zeventien *74*
zeventien...: zeventiendaags, enz. *64*
zeventiende *75*
zeventiende...: zeventiende-eeuwer, zeventiende-eeuws, enz. *76,92*
Zeventien Provinciën de *52*
zeventig *74*
zeventig...: zeventigjarig, zeventigplusser, enz. *64*
Z.Exc. [Zijne Excellentie] *100*
z.g. [zaliger gedachtenis] *100*
z.g.a.n. [zo goed als nieuw] *100*
zgn. [zogenaamd] *100*
Z.H. [Zijne Hoogheid, Zijne Heiligheid] *100*
Zhang Jie *6*
Zhanjiang *6,53*
Zhengzhou *6,53*
z.h.s. [zonder hoofdelijke stemming] *100*
Zhujiang *6,53*
z.i. [zijns inziens] *100*
zich *2*
Zichem *6,53*

zicht de/het (...en) 2
zichten *2,106*
zichtte, gezicht
zichzelf *73*
ziedaar *73*
zieden *106*
ziedde, gezoden
ziegezagen *97,106*
ziegezaagde, geziegezaagd
Ziegler, Karl *6*
ziehier *73*
zieke de (...n)
ziekelijk *87*
zieken...: ziekenhuis, enz. *89*
ziekmakend *64*
ziekte de (...n, ...s) *43*
ziekte...: ziektebeeld, ziekteverwekkend, enz. *76,91*
ziel de (...en)
zielloos *87*
ziel...: zielzorg, zielstrelend, enz. *64*
zielen...: zielenknijper, zielenpiet, zielenpijn, zielenpoot, enz. *88*
ziels...: zielsblij, zielsveel, zielsverwantschap, zielszorg, enz. *98,99*
zieltogen *69,106,108*
zieltoogde, gezieltoogd
ziende de (...n) *89*
zie ommezijde (z.o.z.) *62*
zier de (...en) *26*
ziezo *73*
ziften *106*
ziftte, gezift
zigeuner de (...s) *26,53*
zigeuner...: zigeunerkind, enz. *64*
zigeunerin de (...rinnen; ...rinnetje) *112*
ziggoerat de (...s) *11,14,26*
zigzag de (...s) *80*
zigzag...: zigzaglijn, enz. *64*
zigzaggen *80,106*
zigzagde, gezigzagd
zij [persoon] *13*
zij [kant] de (zijden, zijdes) *ook* **zijde** *13,115*
zij...: zij-ingang, zijpaneel, zijuitgang, enz. *64,76*
zijd, wijd en – *13,18,62*
zijde de (...n, ...s) *ook* **zij** *13,115*
zijde...: zijdeachtig, zijdeglans, zijde-industrie, enz. *76,91*
zijdelings *ook* **zijlings** *13,115*
zijden *114*
...zijds *13*
anderzijds, beiderzijds, enerzijds, enz.
zijgen *13*
zeeg, gezegen
zijig *4*
zijl [waterlozing, uitstromingssluis] de (...en) *13*
zijlings *ook* **zijdelings** *13,115*
zijnent, te – *62,111*
zijnentwege *111*
zijnentwil, om – *ook* **zijnentwille** *62,111,115*
zijns inziens (z.i.) *62,111*
zijns weegs gaan *62,111*
zijp de (...en) *13,26*
Zijpe *6,53*
zijpelen *ook* **sijpelen** *13,26,106*
zijpelde, gezijpeld
zijspan de/het (...spannen) *13,64*
Zikken, Aya *6*
ziltig *26*
zilver het *26*
zilver...: zilverdraad, zilverhoudend, zilversmid, enz. *64*
zilveren *114*
zilverplevier de (...en) *ook* **zilverpluvier** (...en) *64,115*
Zimbabwe *6,53*
Zimbabwaan, Zimbabwaans(e)
zin de (zinnen; zinnetje) *112*
zinloos (zonder nut), zinneloos (dwaas) *87*
zin...: zingeving, zinrijk, zinspeling, zinspreuk, enz. *64*
zinnebeeld *97*
zinnenprikkelend, zinnenspel *88*

zins...: zinsbegoocheling, zinsverband, enz. *98*
zingzeggen *69,106,108*
zingzegde, gezingzegd
zink het *26*
zink...: zinkerts, zinkhoudend, enz. *64*
zinko de (...'s) *26,42*
Zinnemann, Fred *6*
zinnen [zich richten op] *107*
zon, gezonnen
zinnen [naar de zin zijn] *106,107*
zinde, gezind
zinnia de (...'s) *26,42*
zins, van – *26,62*
zinspelen *106*
zinspeelde, gezinspeeld
zintuiglijk *87*
zionisme het *57,90*
zippen *106*
zipte, gezipt
zirkonium (Zr) het *1,22,26*
zirkoon de/het (...konen) *22,26*
ZIV [Ziekte- en Invaliditeitsverzekering] de *104*
z.j. [zonder jaartal] *100*
Z.K.H. [Zijne Koninklijke Hoogheid, Zijne Keizerlijke Hoogheid] *100*
zloty de (...'s) *9,26,42*
Z.M. [Zijne Majesteit] *100*
Zn [zink] *100*
z'n *48*
Z.O. [zuidoost(en)] *100*
zoab [zeer open asfaltbeton] *102*
zoal *73*
zoals *73*
zodanig *73*
zodat *73*
zode de (...n)
zoden...: zodenlichter, enz. *89*
zodiak de (...akken) *22*
zodiakaal *22*
zodoende *73*
zoeaaf de (...aven) *11,19,26*
zoekbrengen *69*
bracht zoek, zoekgebracht
zoekmaken *69,106*
maakte zoek, zoekgemaakt
zoek raken *62,106*
raakte zoek, zoek geraakt
Zoeloe de (...s) *11,43*
Zoerle-Parwijs *6,53*
zoet... *64,80*
zoetgevooisd, zoetklinkend, zoetzuur, enz.
zoetekauw de (...en) *12,92*
zoetelief het (...lieven) *19,92*
zoetemelk [melkproduct] de *92*
zoeten *106*
zoette, gezoet
zoetjesaan *62*
zoetschaven *19,69,106*
zoetschaafde, gezoetschaafd
zoetvijlen *13,69,106*
zoetvijlde, gezoetvijld
zoeven *19,106*
zoefde, gezoefd
zo-even *76*
zog het *2*
zogeheten *64*
zogenaamd (zgn.) *64*
zogenoemd *64*
zogezegd *64*
zogezien *64*
zogoed als *62*
zohaast *73*
zoiets *73*
Zoïlus *6*
zojuist *73*
Zola, Emile *6*
zolang *73*
zomaar *73*
zombie de (...s) *9,43*
zomede *73*
zomer de (...s) *26,56*
zomer...: zomerkoninkje, enz. *64,112*
zomers *26*
zomerzonnewende de *68,94*
zo meteen *62*
zomin *73*

zo min mogelijk *62*
zompig *26*
zon de (zonnen; zonnetje) *53,112*
zon...: zonaanbidder, zongedroogd, zonovergoten, enz. *64*
zonne...: zonnebank, zonne-energie, zonnesteek, enz. *76,94*
zons...: zonsondergang, enz. *98*
zo'n *48*
zona de *26*
zonaal *26*
zondag de (...en) *56*
zondag...: zondagochtend, enz. *64*
zondags...: zondagsavonds, zondagsdienst, zondagssluiting, enz. *98,99*
zonde de (...n, ...s) *43*
zondeloos *87*
zonde...: zondebok, enz. *76,91*
zonder meer *62,73*
zondvloed de (...en) *18,64*
zone de (...n, ...s) *31,43*
zone...: zonegrens, enz. *76,91*
zon- en feestdagen de *86*
zonet *73*
zo niet *73*
zonnebaden *69,106,108*
zonnebaadde, gezonnebaad
zo nodig *62*
zoö... *37*
zoöfaag, zoögeografie, zoöfiel, zoölogisch, zoöplankton, enz.
zoomen *11,106*
zoomde, gezoomd
zoomlens de (...lenzen) *11,26,66*
zoor *26,113*
zoorder, zoorst
zootje het (...s) *112*
zopas *73*
zopie het *9,26*
zorg de (...en)
zorgelijk, zorglijk, zorgeloos *87*
zorg...: zorgaanbieder, zorgwekkend, enz. *64*
zorgenkind *88*
Zorrilla, José *6*
zot de (zotten)
zotteklap, zottepraat *92*
zotskap, zotskolf, zotspak *98*
zotsstok *99*
zottebollen *92,106,108*
zottebolde, gezottebold
zottin de (zottinnen; zottinnetje) *112*
zout het (...en)
zouteloos (flauw), zoutloos (zonder zout) *87*
zout...: zoutarm, zoutberg, enz. *64*
zoutevis *92*
zouten *106*
zoutte, gezouten
Zoutenaaie *6,53*
zoutte de *90*
zoutzieden *69,107*
zoveel *73*
zo veel mogelijk *62*
zover *ook* **zoverre** *73,115*
zoverre, in – *62*
zowaar *73*
zowat *73*
zowel *73*
z.o.z. [zie ommezijde] *100*
zozeer *73*
zozo *73*
Z.P. [zomerpeil] *100*
Zr [zirkonium] *100*
Zr. [zuster] *100*
z.s.m. [zo spoedig mogelijk] *100*
zucchetti de (...'s) *3,22,42*
zucchino de (...'s) *3,22,42*
zucht de (...en) *2*
Zuckmayer, Carl *6*
zuid *53*
zuidelijk *87*
zuid...: zuidoost (Z.O.), zuidoosten (Z.O.), zuidpunt, zuidwest (Z.W.), zuidwesten (Z.W.), zuidzuidwest, enz. *64,68*

Zuid-... *6,53*
Zuid-Afrika, Zuid-Amerikaan, Zuid-Beveland, Zuid-Holland (Z.-H.), Zuid-Molukken, enz.
Zuid-Afrikaan, Zuid-Afrikaans(e), enz.
Zuidelijk Afrika *6,53*
Zuidelijke Nederlanden de *6,53*
Zuidelijke Oceaan de *6,53*
Zuidelijk Flevoland *6,53*
zuiden (Z.) [windrichting] het *53*
zuidenwind *64*
zuider... *53,64,111*
zuiderbreedte (Z.B.), zuiderbuur, enz.
Zuidereiland *6,53*
Zuiderkruis het *53*
Zuiderzeewerken de *52*
Zuidoost-... *6,53*
Zuidoost-Azië, Zuidoost-Frankrijk, Zuidoost-Noord-Brabant, enz.
zuidpool de *53,64*
zuidpool...: zuidpoolcirkel, zuidpoolgebied, enz. *64,68*
Zuidwest-... *6,53*
Zuidwest-Friesland, Zuidwest-Gelderland, enz.
zuigeling de (...en)
zuigelingen...: zuigelingenkliniek, enz. *88*
zuil de (...en)
zuilheilige, zuilvormig *64*
zuilen...: zuilengang, enz. *88*
zuivel de/het
zuivel...: zuivelindustrie, enz. *64*
zuiver *113*
zuiverder, zuiverst
zulk *26*
zulkdanig *73*
zullen *26*
zou, zouden
zult de *18,26*
zulte de (...n) *26,89*
Zundert *6,53*
zundgat het (...en) *18,26,64*
Zürich *6,53*
zuster (Zr.) de (...s)
zuster...: zustergemeente, enz. *64*
zusterskind, zustersschool *98,99*
zuster-overste de (...n) *79*
Zutphen *6,53*
zuurdesem de *26,64*
zuurverdiend *64*
Zuylen, Belle van *6*
ZW [Ziektewet] de *104*
Z.W. [zuidwest(en)] *100*
zwaai de (...en) *21*
zwaai...: zwaaideur, enz. *64,76*
zwaaien *106*
zwaaide, gezwaaid
zwaaiing de (...en; zwaaiinkje) *38,112*
zwaan de (zwanen)
zwaangans, zwaanridder *64*
zwanebloem *96*
zwanen...: zwanenhals, zwanendons, enz. *88*
zwaanshals *98*
zwaar... *64*
zwaarbeladen, zwaargebouwd, zwaargewonde, zwaarlijvig, zwaarwegend, enz.
zwaard het (...en) *18*
zwaard...: zwaardwalvis, enz. *64*
zwaarspaat het *18,64*
zwaarstwegend *64*
zwaarte de (...n, ...s)
zwaarte...: zwaartepunt, enz. *76,91*
zwabber de (...s) *26*
zwachtel de (...s) *2*
zwad het (...en) *ook* **zwade** (...n) *115*
zwak... *64*
zwakbegaafd, zwakstroom, enz.
zwakte de (...n, ...s) *43*
zwakte...: zwakteanalyse, zwaktebod, enz. *76,91*
zwakzinnige de (...n)
zwakzinnigen...: zwakzinnigenzorg, enz. *89*
zwalp de (...en) *26*

zwaluw de (...en)
zwaluw...: zwaluwei, zwaluwnest, zwaluwstaart, enz. *64*
zwaluwenei, zwaluwennest *88*
zwaluwstaarten *69,106,108*
zwaluwstaartte, gezwaluwstaart
zwamp de (...en) *26*
zwane(n)... zie **zwaan**
zwanendonzen *88,114*
zwans de (...en) *26*
zwanzen *26,106*
zwansde, gezwansd
zwart... *64,80*
zwartbruin, zwartgevlekt, zwarthemd, zwartkijker, zwartogig, enz.
zwartekousenkerk de (...en) *68,88*
zwartemarktprijs de (...prijzen) *68*
zwartepiet [kaartterm] de (...en) *92*
Zwarte Piet [knecht van Sinterklaas] *51*
zwartepieten *92,106*
zwartepiette, gezwartepiet
Zwarte Woud het *6,53*
zwartgallig *1*
zwartkijken *69*
keek zwart, zwartgekeken
zwartleren *114*
zwartmaken *69,106*
maakte zwart, zwartgemaakt
zwartrijden *69*
reed zwart, zwartgereden
zwartselen *26,106*
zwartselde, gezwartseld
zwartvissen *69,106*
viste zwart, zwartgevist
zwartwerken *69,106*
werkte zwart, zwartgewerkt
zwart-wit *80*
zwart-witfoto de (...'s; ...tootje) (GB: zwartwitfoto) *42,81,112*
zwartzijden *114*
zwatelen *26,106*
zwatelde, gezwateld

zwavel de (...s) *26*
zwavel...: zwavelarm, zwavelbad, zwavelhoudend, enz. *64*
zwaveligzuur het (...zuren) *64*
zweden *106*
zweedde, gezweed
Zweden *6,53,55*
Zweed, Zweeds(e)
Zweden, Jaap van *6*
zweefvliegen *69,106,108*
zweefvliegde, gezweefvliegd
zweel de (zwelen) *26*
Zweeloo *6,53*
zweem de (zwemen) *26*
zweep de (zwepen) *26*
zweetkakkies de (alleen mv.) *9*
zwei de (...en) *13*
zweien *13,106*
zweide, gezweid
zwelen *26,106*
zweelde, gezweeld
zwemmer de (...s)
zwemmerseczeem *98*
zweren [een zweer krijgen, hebben] *107*
zwoor/zweerde, gezworen
zweren [eed afleggen] *107*
zwoer, gezworen
zwerven *19*
zwierf, gezworven
zwerver de (...s) *19*
zwervers...: zwerversbestaan, enz. *98*
zweten *106*
zweette, gezweet/gezweten
zwetsen *106*
zwetste, gezwetst
zweven *19,106*
zweefde, gezweefd
zwezerik de (...en) *15,26*
ZWF [Zwitserse frank] *100*
zwichten *2,106*
zwichtte, gezwicht
zwiep de (...en) *26*
zwierbollen *69,106,108*
zwierbolde, gezwierbold

zwijgen *13*
zweeg, gezwegen
zwijm de *13*
zwijmeldronken *64*
zwijmelen *13,106*
zwijmelde, gezwijmeld
zwijmen *13,106*
zwijmde, gezwijmd
zwijn het (...en) *13*
zwijnen...: zwijnenstal, enz. *88*
zwijnshoofd, zwijnskop *98*
Zwijndrecht *6,53*
zwijnen *13,106*
zwijnde, gezwijnd
Zwijsen, Johannes *6*
zwikkie het *9,26*
zwilk het *26*
zwin het (zwinnen) *26*
Zwin, het *6,53*
zwing de (...en) *26*
Zwingli, Huldrych (of Ulrich) *6*
zwingliaan de (...lianen) *57*
Zwitserland *6,53*
Zwitser, Zwitsers(e)
ZWO [Organisatie voor Zuiver Wetenschappelijk Onderzoek] *104*
zwoelte de *90*
zwoerd het (...en) *ook* **zwoord** (...en) *18,115*
zygoot de (...goten) *ook* **zygote** (...n) *9,89,115*
zymase de *9,26,90*
zymose de *9,26,90*
zymurgie de *9*
z.z.g.g. [zag zich gaarne geplaatst] *100*